A-Z GREATER MANCH

C000060938

CONTENTS

REFERENCE

Motorway	**M60**
Under Construction	
Proposed	
A Road	**A57**
Under Construction	
Proposed	
B Road	**B5228**
Dual Carriageway	
One Way Street	→
Traffic flow on A Roads is indicated by a heavy line on the driver's left.	
Pedestrianized Road	
Restricted Access	
Track / Footpath	
Railway	Level Crossing / Station
East Lancashire Railway	Tunnel / Station
Metrolink (LRT)	Station
The boarding of Metrolink trains at stations may be limited to a single direction, indicated by the arrow.	
Local Authority Boundary	
Built Up Area	MILL ST.
Posttown Boundary	
Postcode Boundary	
Within Posttowns	

Map Continuation	86 / Large Scale City Centre 4
Ambulance Station	✚
Car Park	Ⓟ
Church or Chapel	†
Fire Station	◼
Hospital	Ⓗ
House Numbers	13 / 8
A and B Roads only	
Information Centre	𝒊
National Grid Reference	$^{3}85$
Police Station (Open 24 Hours)	▲
Post Office	★
Toilet	▽

Large Scale City Centre only

Educational Establishments	
Hospitals & Health Centres	
Leisure & Recreational Facilities	
Places of Interest	
Public Buildings	
Shopping Centres & Markets	
Other Selected Buildings	

SCALE

Map Pages 6-199
1:14908 (4¼ inches to 1 mile)

Miles 0 ¼ ½
Metres 0 250 500 750

Map Pages 4-5
1:10560 (6 inches to 1 mile)

Miles 0 ⅛ ¼
Metres 0 100 200 300 400 500

Copyright of Geographers' A-Z Map Company Ltd.

Head Office:
Fairfield Road, Borough Green, Sevenoaks, Kent, TN15 8PP
Telephone 01732 781000

Showrooms:
44 Gray's Inn Road, London, WC1X 8HX
Telephone 0171 242 9246

© 1997 Edition 2   1998 Edition 2A (Part Revision)

Darwen
Wheelton
Mere Brow
Croston
Euxton
Hartwood
Eccleston
CHORLEY
Weld Bank
Belmont Resr.
Reservoirs
Belmont
Wayoh Resr.
Chapeltown
Edgworth
Turton Bottoms
Hawkshaw
Rufford
Mawdesley
CHARNOCK RICHARD
Charnock Richard
L A N C A S H I R E
Rivington
Dunscar
Egerton
Greenmount
Burscough Bridge
Mossy Lea
Coppull
Adlington
HORWICH
Rivington Moor
Horrocks Fold
Eagley
Astley Bridge
Bradshaw
Tottington
Walshaw
Burscough
Dangerous Corner
STANDISH
Blackrod
RIVINGTON
Barrow Bridge
Ainsworth
Ring o' Bells
Newburgh
Appley Bridge
Shevington
Red Rock
Haigh
Scot Lane End
Lostock
BOLTON
ORMSKIRK
Crooke
Marylebone
Aspull
Chew Moor
Hunger Hill
Daubhill
RADCLIFFE
Westhead
SKELMERSDALE
Pennyland
ORRELL
WIGAN
WESTHOUGHTON
Over Hulton
FARNWORTH
Little Lever
Kearsley
Digmoor
Far Moor
Lamberhead Green
Ince in Makerfield
HINDLEY
Daisy Hill
ATHERTON
Walkden
Longshaw
Land Gate
Platt Bridge
Hindley Green
Westleigh
Tyldesley
WORSLEY
SWINTON
Rainford
Bickershaw
Billinge
Downall Green
Bryn Gates
Abram
LEIGH
Astley
Bedford
Boothstown
KIRKBY
Knowsley Industrial Estate
Chadwick Green
Garswood
ASHTON-IN-MAKERFIELD
Pennington
ECCLES
Moss Bank
GOLBORNE
Lowton Common
Glazebury
Trafford Park
ST. HELENS
HAYDOCK
Blackbrook
Knowsley
Eccleston
Gillar's Green
Earlestown
Culcheth
Fowley Common
Davyhulme
URMSTON
MERSEYSIDE
PRESCOT
NEWTON-LE-WILLOWS
Peasley Cross
Croft
Irlam
Flixton
Burtonwood
Winwick
Glazebrook
Cadishead
Carrington
Risley
HUYTON-WITH-ROBY
Rainhill
Whiston
BURTONWOOD
Hollinfare
Partington
Fearnhead
Orford
Woodhouses
Bold Heath
WARRINGTON
Warburton
Mossbrow
Broadheath
LIVERPOOL
Cronton
Great Sankey
Martinscroft
Oughtrington
Dunham Woodhouses
ALTRINCHAM
Howley
Thelwall
Lymm
Little Bollington
Bowdon
Wootton
Simm's Cross
Ditton
Canal
Halewood
WIDNES
Grappenhall
Broomedge
Hunt's Cross
Bridgewater
Appleton Thorn
High Legh
Ashley
Speke
Sworton Heath
Bucklow Hill
Hale
RUNCORN
Daresbury
Mere
LARGE SCALE
4 5
CITY CENTRE
Halton
Weston
RIVER MERSEY
Preston on the Hill
Mobberley
Sutton Weaver
ELLESMERE PORT
Manchester Ship Canal
FRODSHAM
Pick Mere
KNUTSFORD
KNUTSFORD
Pickmere
River Weaver
Budworth Mere
Tabley Mere
Ollerton
Stanlow
Elton
Helsby
Barnton
Crowton
NORTHWICH
Lostock Gralam
Hapsford
Alvanley
Commonside
Weaverham
Rudheath
Lower Peover
C H E S H I R E
Leftwich
Hatchmere
DELAMERE FOREST
Cuddington
Lach Dennis
Mouldsworth
Davenham
Mickle Trafford
Puddinglake
Goostrey
M6
M61
M58
M57
M62
M56
M53
A6
A49
A59
A581
A5209
A577
A570
A506
A580
A58
A572
A57
A562
A5080
A568
A5300
A561
A558
A533
A56
A574
A556
A559
A530
A50
A5117
A675
A666
B5248
B5247
B5253
B5246
B5250
B5240
B5205
B5203
B5201
B5202
B5204
B5418
B5178
B5356
B5391
B5081
B5082
B5152
B5153
B5393
B5132
6 7 8
18 19 20 21 22 23 24 25 26
36 37 38 39 40 41 42 43 44 45 46
58 59 60 61 62 63 64 65 66 67 68
80 81 82 83 84 85 86 87 88 89 90
102 103 104 105 106 107 108 109 110 111 112
124 125 126 127 128 129 130 131 132
144 145 146 147 148
160 161 162 163 164
174 175 176
192 193

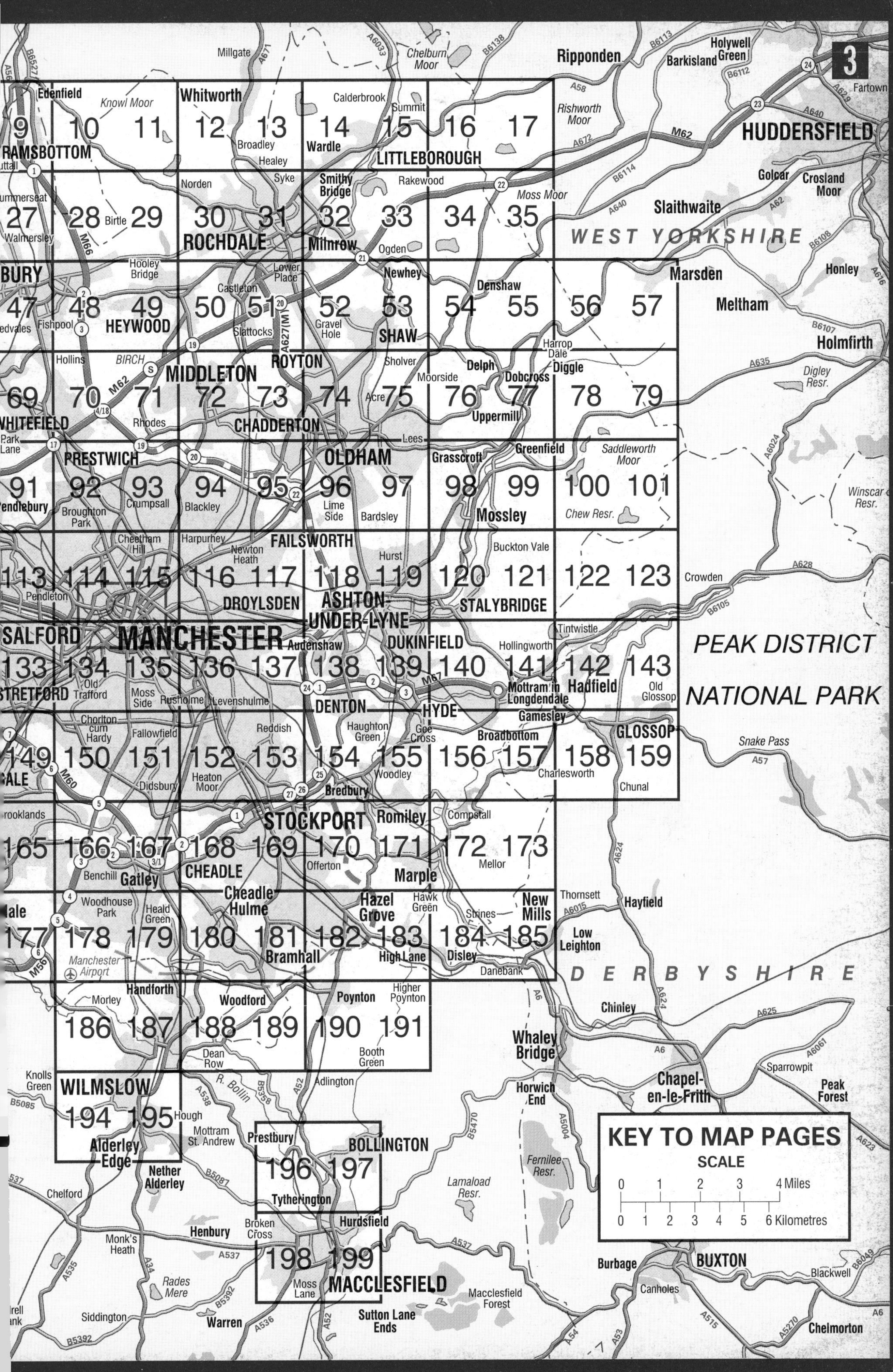
KEY TO MAP PAGES
SCALE
0 1 2 3 4 Miles
0 1 2 3 4 5 6 Kilometres
PEAK DISTRICT
NATIONAL PARK
WEST YORKSHIRE
DERBYSHIRE
Millgate
Chelburn Moor
Ripponden
Barkisland
Holywell Green
Fartown
HUDDERSFIELD
Edenfield
Knowl Moor
Whitworth
Calderbrook
Summit
Rishworth Moor
RAMSBOTTOM
Broadley
Healey
Wardle
LITTLEBOROUGH
Norden
Syke
Smithy Bridge
Rakewood
Moss Moor
Golcar
Crosland Moor
Slaithwaite
Summerseat
Birtle
Walmersley
ROCHDALE
Milnrow
Ogden
BURY
Hooley Bridge
Lower Place
Castleton
Newhey
Denshaw
Marsden
Honley
Meltham
Fishpool
HEYWOOD
Slattocks
Gravel Hole
SHAW
Harrop Dale
Holmfirth
Hollins
BIRCH
MIDDLETON
ROYTON
Sholver
Moorside
Delph
Dobcross
Diggle
Digley Resr.
WHITEFIELD
Rhodes
CHADDERTON
Acre
Uppermill
Park Lane
Lees
PRESTWICH
OLDHAM
Grasscroft
Greenfield
Saddleworth Moor
Pendlebury
Broughton Park
Crumpsall
Blackley
Lime Side
Bardsley
Mossley
Chew Resr.
Winscar Resr.
Cheetham Hill
Harpurhey
Newton Heath
FAILSWORTH
Hurst
Buckton Vale
Crowden
Pendleton
DROYLSDEN
ASHTON-UNDER-LYNE
STALYBRIDGE
SALFORD
MANCHESTER
Audenshaw
DUKINFIELD
Hollingworth
Tintwistle
STRETFORD
Old Trafford
Moss Side
Rusholme
Levenshulme
DENTON
HYDE
Mottram in Longdendale
Hadfield
Old Glossop
Chorlton cum Hardy
Fallowfield
Reddish
Haughton Green
Gee Cross
Gamesley
Broadbottom
GLOSSOP
Snake Pass
SALE
Heaton Moor
Didsbury
Woodley
Bredbury
Charlesworth
Chunal
Brooklands
STOCKPORT
Romiley
Compstall
Benchill
Gatley
CHEADLE
Offerton
Marple
Mellor
Cheadle Hulme
Hazel Grove
Hawk Green
Strines
New Mills
Thornsett
Hayfield
Woodhouse Park
Heald Green
Low Leighton
Manchester Airport
Bramhall
High Lane
Disley
Danebank
Morley
Handforth
Woodford
Poynton
Higher Poynton
Chinley
Whaley Bridge
Dean Row
Booth Green
Knolls Green
WILMSLOW
R. Bollin
Adlington
Sparrowpit
Chapel-en-le-Frith
Peak Forest
Horwich End
Hough
Mottram St. Andrew
Alderley Edge
Prestbury
BOLLINGTON
Fernilee Resr.
Nether Alderley
Chelford
Lamaload Resr.
Tytherington
Hurdsfield
Broken Cross
Henbury
Monk's Heath
Rades Mere
Moss Lane
MACCLESFIELD
Macclesfield Forest
Burbage
BUXTON
Blackwell
Canholes
Siddington
Warren
Sutton Lane Ends
Chelmorton
M62
M66
M60
M67
M56
A627(M)
A6
A57
A624
A628
A635
A62
A640
A672
A58
A671
A6033
A616
A6024
A5004
A537
A538
A534
A535
A536
A52
A54
A53
A515
A5270
A6061
A623
A625
A6015
B6138
B6113
B6112
B6114
B6107
B6108
B6105
B5470
B5087
B5358
B5392
B5085
B6049
B6527
9 10 11 12 13 14 15 16 17
27 28 29 30 31 32 33 34 35
47 48 49 50 51 52 53 54 55 56 57
69 70 71 72 73 74 75 76 77 78 79
91 92 93 94 95 96 97 98 99 100 101
113 114 115 116 117 118 119 120 121 122 123
133 134 135 136 137 138 139 140 141 142 143
149 150 151 152 153 154 155 156 157 158 159
165 166 167 168 169 170 171 172 173
177 178 179 180 181 182 183 184 185
186 187 188 189 190 191
194 195
196 197
198 199

4
A
B
C
D
E
F
G
1
2
3
4
5
6
7
8
9
10
LOWER BROUGHTON
114
134
M6
M7
M3
M5
M15
David Lewis Recreation Ground
Hough Lane Bridge
WALLNESS
University of Salford
Bowling Greens
PEEL PARK
Library
Lowry Heritage Centre
Statues
Police Sta.
Gall.
Sports Ground
Adelphi House
Adelphi Foot Bri.
Broughton Bridge
RIVER IRWELL
The Friars Primary School
St. Peter & St. John R.C. Prim. Sch.
University of Salford (Adelphi Campus)
Court
Cath.
T.H.
NEW WINDSOR
SALFORD
Hulme St. Nursy. Sch.
Saw Mills
Fire Station
Industrial Area
Gas Works
MANCENTRAL TRADING ESTATE
HAMPSON STREET TRADING ESTATE
Works
Retail Park
Supermarket
Regent Bridge
SLOUGH INDUSTRIAL ESTATE
DERWENT INDUSTRIAL AREA
REGENT ROAD IND. AREA
ORDSALL CENTRE
Warehouses
Warehouse
CORNBROOK
Cornbrook Est. Comp. 99
Trading Estate
Bridgewater Canal
R. Medlock
SALFORD CENTRAL
RALLI QUAYS
Manchester College of Arts & Tech.
Courts of Justice
Mus.
Offices
Albert Bridge Ho.
Rylands Liby.
Granada T.V. Centre
Granada Studios
Museum of Science & Industry
Air & Space Mus.
Opera Ho.
Synagogue
Free Trade Hall
G.Mex Centre
G. Mex
CASTLEFIELD
Youth Hostel
Castle Field Heritage Area
Roman Fort
Castle Field Wharves
DEANSGATE
WHITWORTH
KNOTT MILL
OLYMPIA TRADING ESTATE
Chevassut Prim. Sch.
Youth Cen.
St. Wilfrid's C. of E. Prim. School
Play. Fld.
St. George's Park
ST. GEORGES
Pomona Docks
NO.1 Dock
University
H.M. Prison
Emperor Ho.
Egmont Ho.
THE DEVA CENTRE
Depot
CHAPEL STREET
CRESCENT
REGENT ROAD
TRINITY WAY
CHESTER ROAD
MANCUNIAN WAY
CHORLTON ROAD
DEANSGATE
QUAY STREET
LIVERPOOL ROAD
BLACKFRIARS ROAD
GREAT ANCOATS
SILK STREET
ADELPHI STREET
ORDSALL LANE
OLDFIELD ROAD
WATER STREET

STRANGEWAYS
MANCHESTER
ANCOATS
ARDWICK
PICCADILLY
VICTORIA
GAYTHORN
M1
M2
M3
M4
M12
M13
M40
Nynex Arena
Chetham's Sch. of Music
Cath.
Corn Exchange
Arndale Shopping Centre
High St.
Market St.
Mosley St.
Piccadilly Gardens
Piccadilly Gds.
Town Hall
Liby. & Theatre
Art Gall.
St. Peter's Sq.
Bishopsgate Cen.
Palace Theatre
Cnty. Hall
Crown Ct.
Bus Sta.
University
Sheena Simon 6th Form College
University of Manchester Institute of Science & Technology
A57(M)
B.B.C.
Oxford Rd.
Manchester Metropolitan University
Sports Cen.
Met. Univ. & Galleries
Royal Northern Coll. of Music
University of Manchester
Fire Station
Police Sta.
Police Mus.
Abbott Prim. Sch.
St. Patrick's R.C. Prim. School
Aged Persons Day Centre
St. Jude's C.of E. Prim. Sch.
Central Retail Park
Victoria Industrial Estate
Clinic
Paradise Wharf
Piccadilly Village
Thomas Telford Basin
Piccadilly Trading Estate
Warehouse
Depot
Works
Medlock Prim. Sch.
Apollo Theatre
War Mem.
Ardwick Green Park
Rec. Grd.
Playground
Playing Fld.
Rochdale Canal (dis.)
Viaduct
Tunnel
Subway
CHEETHAM HILL ROAD
CORPORATION STREET
VICTORIA ST.
CROSS STREET
MILLER ST.
SHUDE HILL
ROCHDALE ROAD
OLDHAM ROAD
OLDHAM STREET
GREAT ANCOATS STREET
CANNON STREET
CHURCH STREET
DALE STREET
PICCADILLY
LEVER STREET
NEWTON STREET
AYTOUN STREET
LONDON ROAD
PORTLAND STREET
PRINCESS STREET
OXFORD ROAD
OXFORD STREET
WHITWORTH STREET
UPPER BROOK ST.
DOWNING ST.
ARDWICK GREEN SOUTH
HYDE ROAD
STOCKPORT RD.
MANCUNIAN WAY
POLLARD STREET
SWAN STREET
A62
A6
A34
A57
A635
A664
A665
A6042
B6469
115
135

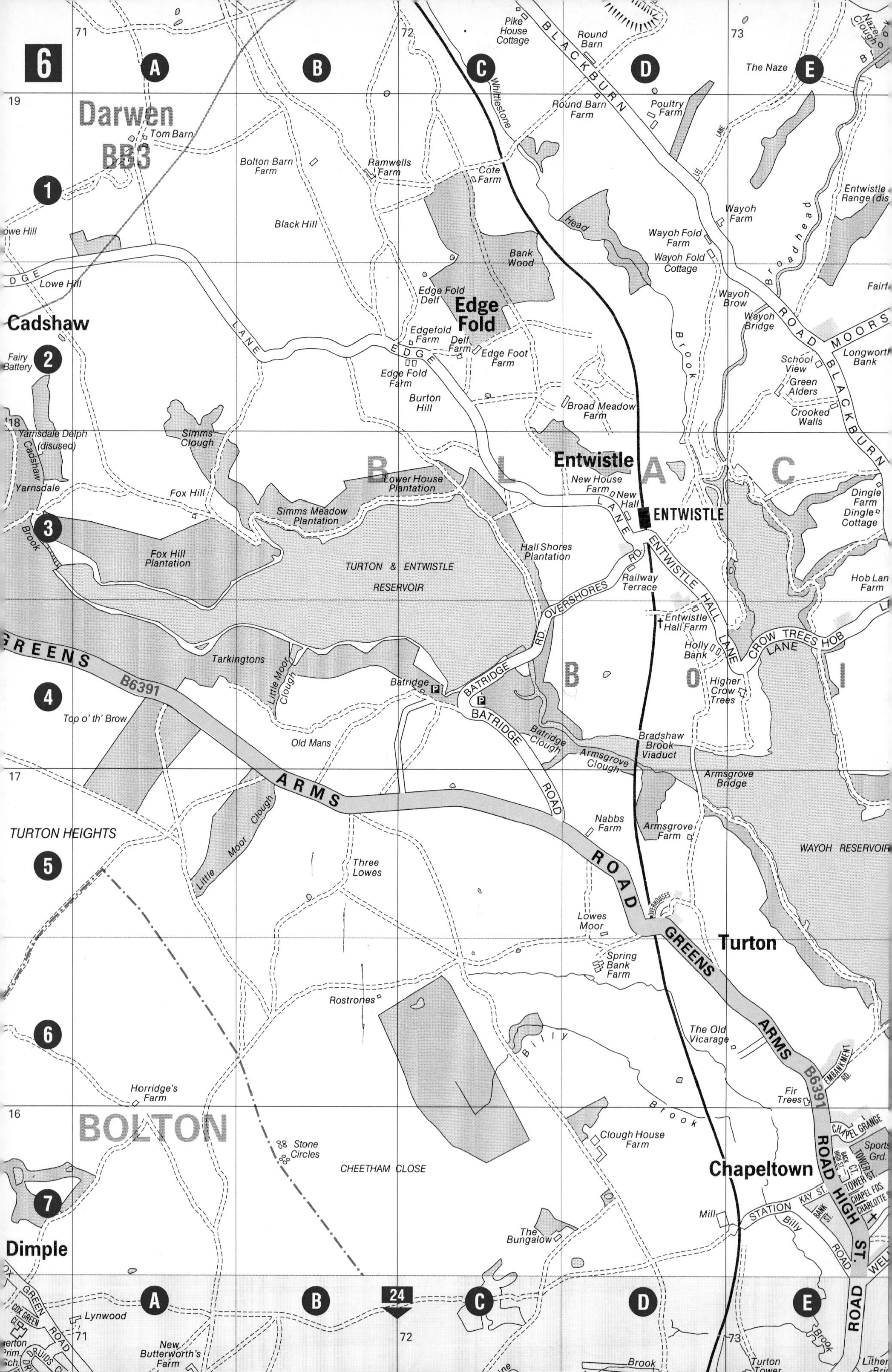
Darwen
BB3
Tom Barn
Bolton Barn Farm
Ramwells Farm
Cote Farm
Pike House Cottage
Round Barn
Round Barn Farm
Poultry Farm
The Naze
Naze Clough
Whittlestone
BLACKBURN
Black Hill
Lowe Hill
Bank Wood
Head
Wayoh Farm
Wayoh Fold Farm
Wayoh Fold Cottage
Broadhead
Entwistle Range (dis
Edge Fold Delf
Edge Fold
Edgefold Farm
Delf Farm
Edge Foot Farm
Edge Fold Farm
Burton Hill
EDGE
LANE
Cadshaw
Fairy Battery
Wayoh Brow
Wayoh Bridge
ROAD
MOORS
Longworth Bank
School View
Green Alders
Crooked Walls
Brook
Broad Meadow Farm
Yarnsdale Delph (disused)
Cadshaw
Yarnsdale
Simms Clough
Lower House Plantation
Entwistle
New House Farm
New Hall
ENTWISTLE
Dingle Farm
Dingle Cottage
Fox Hill
Simms Meadow Plantation
Fox Hill Plantation
Brook
TURTON & ENTWISTLE RESERVOIR
Hall Shores Plantation
Railway Terrace
OVERSHORES RD.
ENTWISTLE HALL LANE
Entwistle Hall Farm
Holly Bank
CROW TREES LANE
HOB
Hob Lane Farm
GREENS
B6391
Tarkingtons
Little Moor Clough
Batridge
BATRIDGE
Higher Crow Trees
Top o' th' Brow
Old Mans
Batridge Clough
Armsgrove Clough
Bradshaw Brook Viaduct
Armsgrove Bridge
ARMS
ROAD
TURTON HEIGHTS
Little Moor Clough
Nabbs Farm
Armsgrove Farm
WAYOH RESERVOIR
Three Lowes
OVERHOUSES
Lowes Moor
GREENS
Turton
Spring Bank Farm
Rostrones
Billy
The Old Vicarage
ARMS
B6391
EMBANKMENT RD.
Fir Trees
Horridge's Farm
BOLTON
Brook
Stone Circles
Clough House Farm
CHEETHAM CLOSE
Chapeltown
CHAPEL GRANGE
Sports Grd.
TOWER ST.
CHAPEL FDS.
CHARLOTTE ST.
KAY ST.
BANK ST.
HIGH ST.
ROAD
Mill
STATION
Billy
ROAD
The Bungalow
Dimple
Lynwood
COX GREEN RD.
New Butterworth's Farm
Turton Tower
Brook
Lither
WEL
BLACKBURN
LEE LANE
24
71
72
73
19
18
17
16
A
B
C
D
E
1
2
3
4
5
6
7

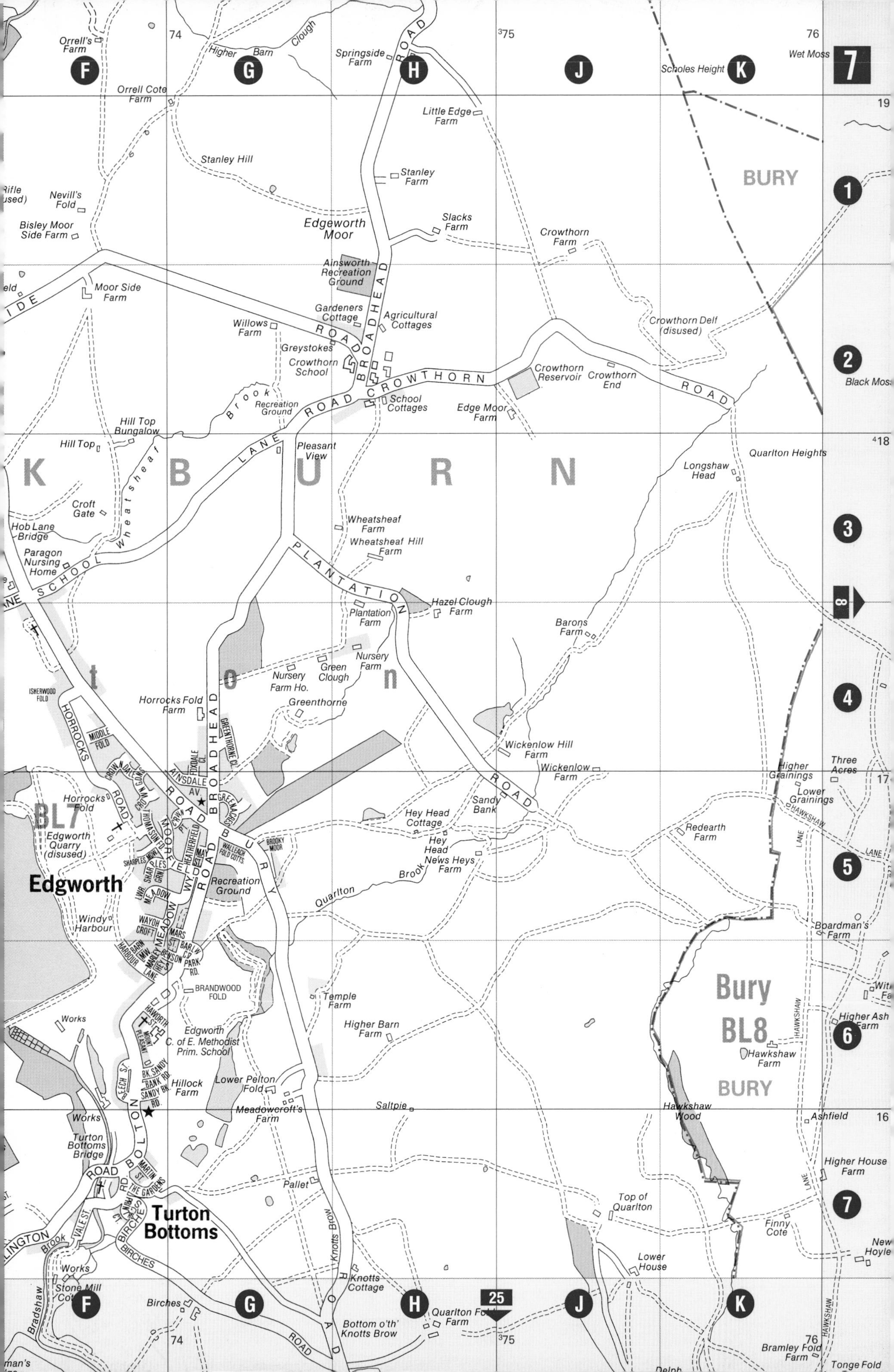

7
74
375
76
F
G
H
J
K
Orrell's Farm
Higher Barn Clough
Springside Farm
ROAD
Wet Moss
Scholes Height
Orrell Cote Farm
Little Edge Farm
19
Stanley Hill
Stanley Farm
BURY
1
Rifle (disused)
Nevill's Fold
Bisley Moor Side Farm
Edgeworth Moor
Slacks Farm
Crowthorn Farm
Ainsworth Recreation Ground
Moor Side Farm
Gardeners Cottage
Agricultural Cottages
Willows Farm
ROAD
BROADHEAD
Crowthorn Delf (disused)
2
Greystokes
Crowthorn School
CROWTHORN
Crowthorn Reservoir
Crowthorn End
ROAD
Black Moss
Brook
Recreation Ground
School Cottages
Edge Moor Farm
ROAD
Hill Top Bungalow
Hill Top
LANE
Pleasant View
Quarlton Heights
418
Longshaw Head
K
B
U
R
N
Croft Gate
Wheatsheaf
Hob Lane Bridge
Wheatsheaf Farm
Wheatsheaf Hill Farm
3
Paragon Nursing Home
SCHOOL
PLANTATION
LANE
Hazel Clough Farm
Plantation Farm
8
Barons Farm
Nursery Farm
Nursery Farm Ho.
Green Clough
t
o
n
ISHERWOOD FOLD
HORROCKS
Horrocks Fold Farm
Greenthorne
4
BROADHEAD
MIDDLE FOLD
GREENTHORNE CL.
FOXDALE CL.
Wickenlow Hill Farm
Wickenlow Farm
Higher Grainings
Three Acres
17
AINSDALE AV.
ROAD
Sandy Bank
Lower Grainings
Horrocks Fold
BL7
Edgworth Quarry (disused)
HAWKSHAW LANE
Hey Head Cottage
Redearth Farm
Hey Head
BURY
WALLEACH FOLD COTTS.
BROOKY MOOR
News Heys Farm
5
Edgworth
Recreation Ground
Brook
Quarlton
Windy Harbour
Boardman's Farm
ROAD
Bury
Temple Farm
BRANDWOOD FOLD
Works
BL8
Higher Ash Farm
6
Edgworth C. of E. Methodist Prim. School
Higher Barn Farm
Hawkshaw Farm
BURY
HAWKSHAW
Hillock Farm
Lower Pelton Fold
Meadowcroft's Farm
Saltpie
Hawkshaw Wood
Ashfield
16
Works
Turton Bottoms Bridge
BOLTON
ROAD
Higher House Farm
Pallet
LANE
Top of Quarlton
7
Turton Bottoms
Knotts Brow
Finny Cote
New Hoyle
Brook
BIRCHES
Works
Lower House
Stone Mill Cott.
Knotts Cottage
25
Birches
Quarlton Fold Farm
Bradshaw
Bottom o'th' Knotts Brow
ROAD
74
375
Bramley Fold Farm
76
HAWKSHAW
Tonge Fold

8
76
77
78
Wet Moss
Beetle Hill
Broadwood Edge Farm
Bull Hill
Buckden Wood
Higher Buckden
HELMSHORE ROAD
ROSSENDALE
Gibbon Green
Chatterton Close
Eaves Farm
HOLCOMBE MOOR
Black Moss
Black Moss Spring
Red Brook
White Hill
Middle Red Lees
Lower Red Lees
Higher Red Lees
The Bungalow
Quarlton Heights
B6214
Higher Dixon Field
Hillcrest
Top Farm
Higher Tops
Dick
Lark Hill
Harcles Hill
Harcles Hill Farm
Old Bar House
Holcombe Head Farm
The Nook
Deep Clough
Quarry (dis)
Higher Grainings
Three Acres
Lower Grainings
Pond Bay
BL8
Higher Barn
HAWKSHAW LANE
Hamletts Cottages
West Mont
Higher House
Holcombe Hey Fold Farm
Holcombe Brook
Holcombe
Whimberry Close Plantation
Plant House
Boardman's Farm
Taylor's Farm
Holcombe Rifle Ranges
Parks Farm
Peel Monument
Manor House
Withins Farm
Higher Ridge
Higher Ash Farm
Middle Ridge
Saplin Wood
Clarke's Tenement Farm
Top o'th' Moor Farm
Tag Wood
Hawkshaw Farm
Tower View
Half Acres
Hill End
Hazelhurst
Bank Top
Simons Farm
Ashfield
Range House
MOORBOTTOM ROAD
Meadow Heys
Hey House Farm
The Croft
Hey House
Higher House Farm
SPENLEACH
Lower Ridge
Udarul Uleem Islamic College
Finny Cote
CARR ROAD
HOLCOMBE OLD ROAD
New Hoyles
Hollingrove Farm
Redisher Wood
Dawes Bank Farm
REDISHER LANE
Dandy Hall
26
Higher Redisher
Emerald Cottages
Greystones
Works
LUMB CARR ROAD
BOLTON ROAD
A676
Woodhey High Sch.
Bramley Fold Farm
Tonge Fold Farm
Loe Farm
WOODHEY
Pot Green
7

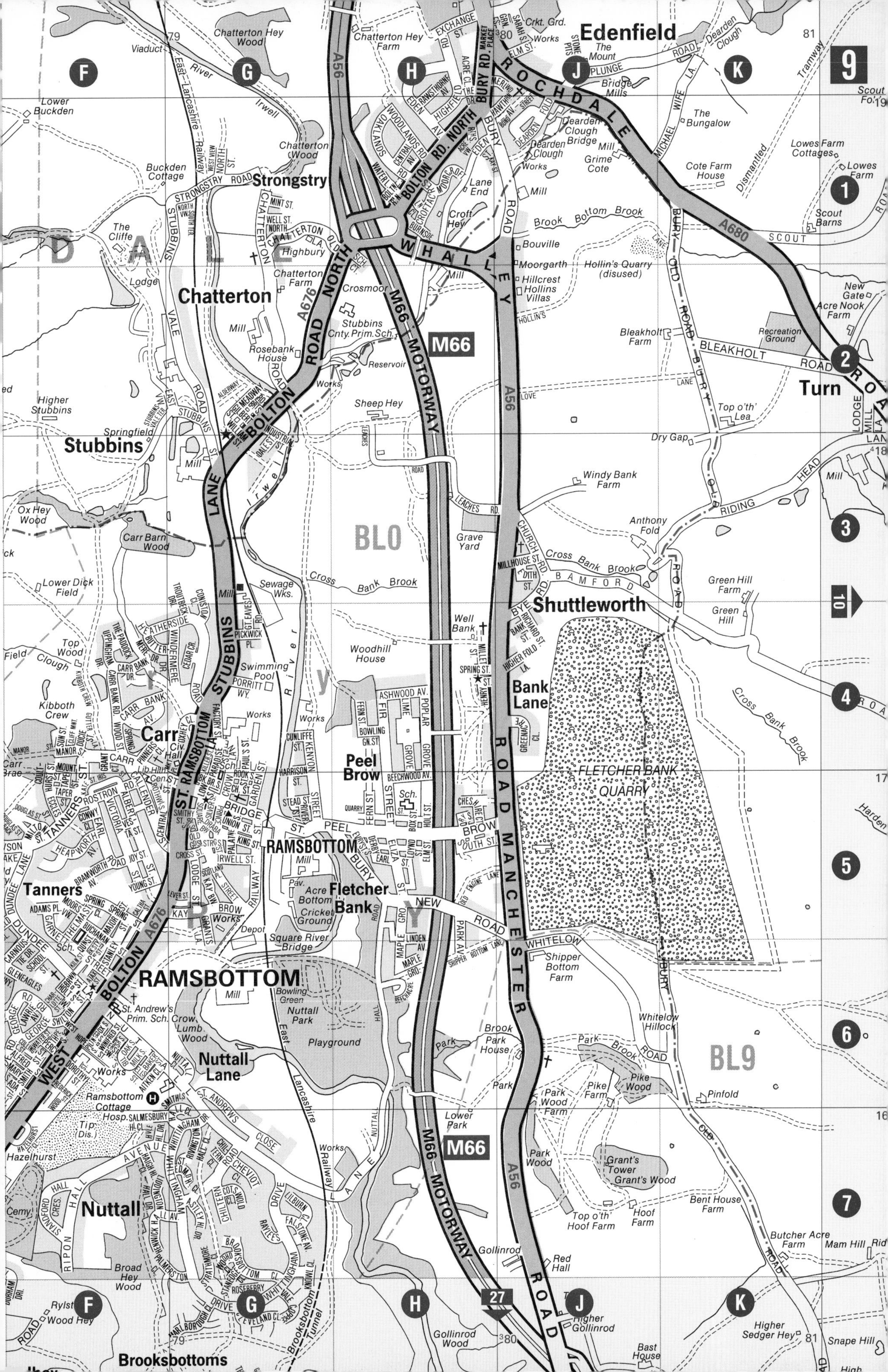
9
Edenfield
Strongstry
Chatterton
Stubbins
Shuttleworth
Turn
Bank Lane
Carr
Peel Brow
RAMSBOTTOM
Fletcher Bank
Tanners
Nuttall Lane
Nuttall
Brooksbottoms
Hazelhurst
BL0
BL9
M66 MOTORWAY
M66
A56
A676
A680
ROCHDALE ROAD
BOLTON ROAD NORTH
WHALLEY ROAD
MANCHESTER ROAD
STUBBINS LANE
BOLTON ROAD WEST
BURY OLD ROAD
BLEAKHOLT ROAD
BAMFORD ROAD
RIDING HEAD LANE
SCOUT ROAD
NEW ROAD
WHITELOW ROAD
PEEL BROW
BRIDGE ST.
CARR ST.
FLETCHER BANK QUARRY
Chatterton Hey Wood
Chatterton Hey Farm
Chatterton Wood
Chatterton Farm
Lower Buckden
Buckden Cottage
The Cliffe
Lodge
Higher Stubbins
Springfield
Ox Hey Wood
Carr Barn Wood
Lower Dick Field
Top Wood
Field Clough
Kibboth Crew
Crosmoor
Stubbins Cnty. Prim. Sch.
Rosebank House
Reservoir
Sheep Hey
Sewage Wks.
Cross Bank Brook
Woodhill House
Well Bank
Grave Yard
Swimming Pool
The Mount
Bridge Mills
Dearden Clough Bridge
Dearden Clough
Grime Cote
Lane End
Croft Hey
Brook Bottom Brook
Bouville
Moorgarth
Hillcrest
Hollins Villas
Hollin's Quarry (disused)
Bleakholt Farm
Recreation Ground
The Bungalow
Cote Farm House
Lowes Farm Cottages
Lowes Farm
Scout Barns
New Gate
Acre Nook Farm
Top o'th' Lea
Dry Gap
Windy Bank Farm
Anthony Fold
Green Hill Farm
Green Hill
Dismantled Tramway
Acre Bottom
Cricket Ground
Square River Bridge
Depot
Bowling Green
Nuttall Park
Playground
St. Andrew's Prim. Sch.
Crow Lumb. Wood
Ramsbottom Cottage Hosp.
Tip (Dis.)
Cemy.
Broad Hey Wood
Rylst Wood Hey
Shipper Bottom Farm
Brook Park House
Park Brook
Pike Farm
Pike Wood
Park Wood Farm
Park Wood
Lower Park
Whitelow Hillock
Pinfold
Grant's Tower
Grant's Wood
Bent House Farm
Top o'th' Hoof Farm
Hoof Farm
Butcher Acre Farm
Mam Hill
Gollinrod
Red Hall
Higher Gollinrod
Gollinrod Wood
Bast House
Higher Sedger Hey
Snape Hill
Brooksbottom Tunnel
East Lancashire Railway
River Irwell
27
10
F G H J K
1 2 3 4 5 6 7
79 80 81

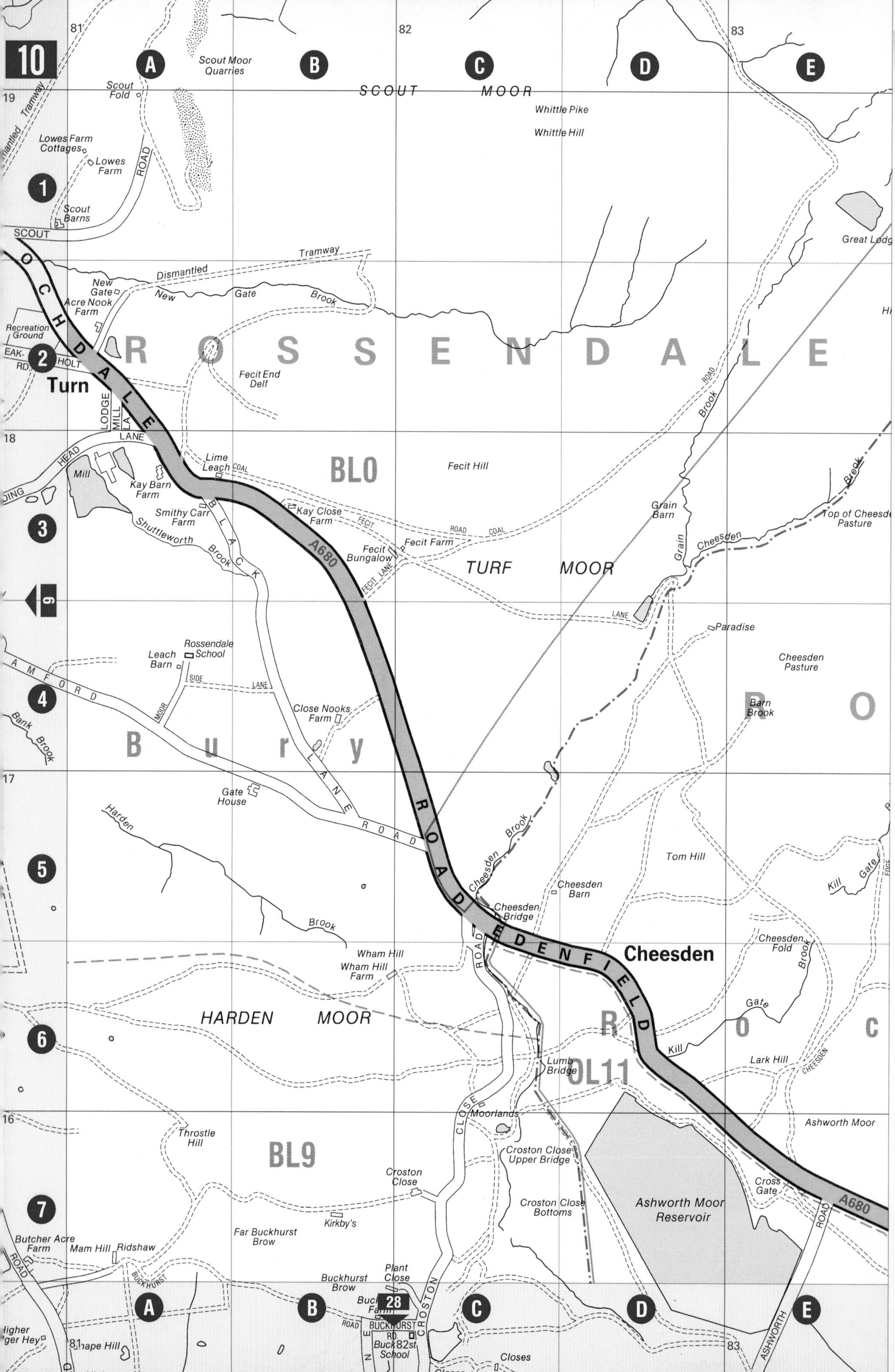
Scout Moor Quarries
SCOUT MOOR
Scout Fold
Whittle Pike
Whittle Hill
Lowes Farm Cottages
Lowes Farm
Scout Barns
SCOUT
ROAD
Great Lodge
Dismantled Tramway
New Gate
Acre Nook Farm
New Gate Brook
Recreation Ground
ROSSENDALE
EAK-HOLT RD.
Turn
ROCHDALE ROAD
Fecit End Delf
LODGE MILL LA
HEAD LANE
Mill
Lime Leach
COAL
BL0
Fecit Hill
Kay Barn Farm
Smithy Carr Farm
Kay Close Farm
FECIT ROAD COAL
Grain Barn
Top of Cheesden Pasture
Shuttleworth Brook
BLACK
A680
Fecit Bungalow
Fecit Farm
FECIT LANE
TURF MOOR
Grain
Cheesden
Brook
LANE
Paradise
Cheesden Pasture
Rossendale School
Leach Barn
SIDE LANE
AMFORD ROAD
MOOR
Bank Brook
Close Nooks Farm
Barn Brook
Bury
Gate House
LANE
Harden
Brook
Tom Hill
Cheesden Barn
Cheesden Bridge
Kill Gate
Wham Hill
Wham Hill Farm
EDENFIELD
Cheesden
Cheesden Fold
HARDEN MOOR
Gate
Kill
Lark Hill
CHEESDEN
Lumb Bridge
OL11
Moorlands
CLOSE
Ashworth Moor
Throstle Hill
BL9
Croston Close Upper Bridge
Croston Close
Cross Gate
Croston Close Bottoms
Ashworth Moor Reservoir
Kirkby's
Far Buckhurst Brow
Butcher Acre Farm
Mam Hill
Ridshaw
BUCKHURST
Plant Close
Buckhurst Brow
Buck Farm
28
BUCKHURST RD.
CROSTON
Buck 82st School
ASHWORTH
Closes
Higher
ger Hey
Shape Hill
High

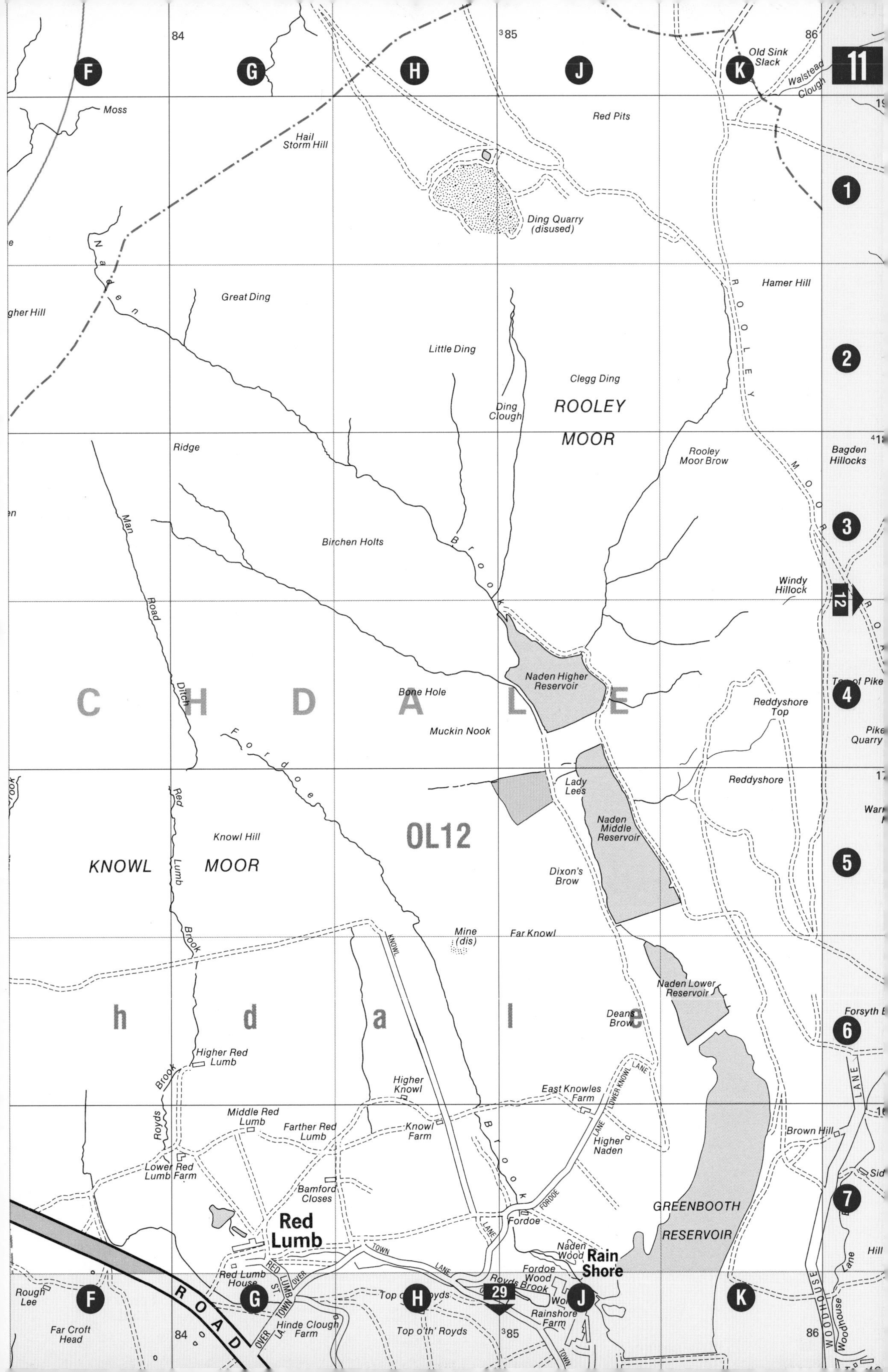
Moss
Hail Storm Hill
Red Pits
Old Sink Slack
Walstead Clough
Ding Quarry (disused)
Great Ding
Little Ding
Clegg Ding
Ding Clough
ROOLEY MOOR
Hamer Hill
Rooley Moor Brow
Bagden Hillocks
Ridge
Birchen Holts
Windy Hillock
Naden Higher Reservoir
Bone Hole
Muckin Nook
Reddyshore Top
Pike Quarry
Reddyshore
Lady Lees
Naden Middle Reservoir
Knowl Hill
KNOWL MOOR
OL12
Dixon's Brow
Mine (dis)
Far Knowl
Naden Lower Reservoir
Deans Brow
Forsyth
Higher Red Lumb
Higher Knowl
East Knowles Farm
Middle Red Lumb
Farther Red Lumb
Knowl Farm
Higher Naden
Brown Hill
Lower Red Lumb Farm
Bamford Closes
GREENBOOTH RESERVOIR
Red Lumb
Fordoe
Naden Wood
Rain Shore
Red Lumb House
Fordoe Wood
Rough Lee
Top o'th' Royds
Hinde Clough Farm
Rainshore Farm
Far Croft Head
Naden Brook
Fordoe Brook
Man Road Ditch
Red Lumb Brook
Royds Brook
ROOLEY MOOR ROAD
KNOWL LANE
LOWER KNOWL LANE
FORDOE LANE
TOWN LANE
OVER TOWN LANE
RED LUMB ST.
WOODHOUSE LANE
ROAD
C H D A L E
h d a l e
29
12

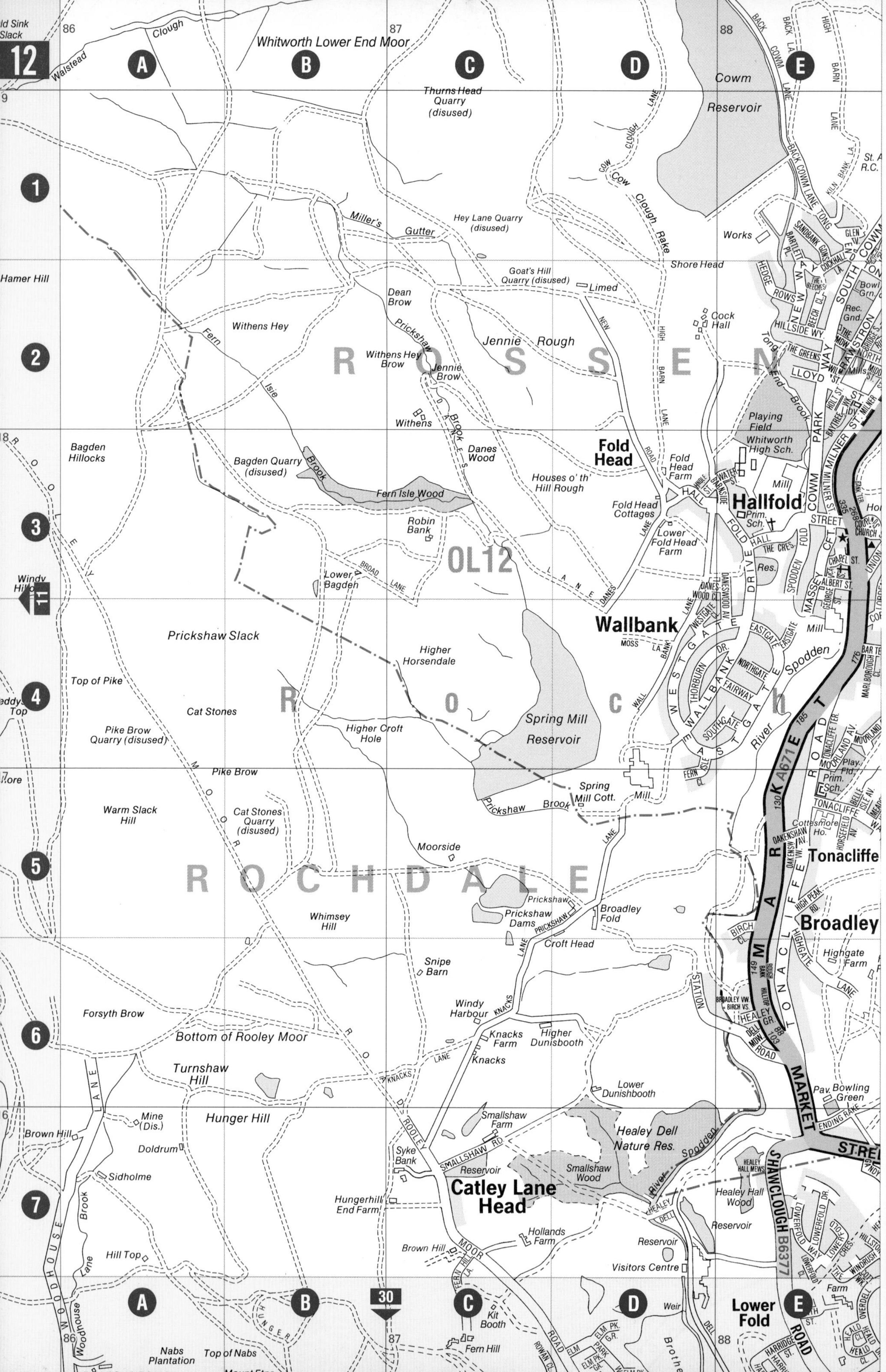
Whitworth Lower End Moor
Thurns Head Quarry (disused)
Cowm Reservoir
Hey Lane Quarry (disused)
Miller's Gutter
Goat's Hill Quarry (disused)
Limed
Shore Head
Cock Hall
Works
Dean Brow
Withens Hey
Jennie Rough
Withens Hey Brow
Jennie Brow
Withens
Fern Isle Brook
Prickshaw Brook
ROSSENDALE
Bagden Hillocks
Bagden Quarry (disused)
Fern Isle Wood
Danes Wood
Houses o' th' Hill Rough
Fold Head
Fold Head Farm
Fold Head Cottages
Lower Fold Head Farm
Hallfold
Whitworth High Sch.
Playing Field
Robin Bank
OL12
Lower Bagden
Broad Lane
Danes Lane
Wallbank
Prickshaw Slack
Higher Horsendale
Top of Pike
Cat Stones
Pike Brow Quarry (disused)
Higher Croft Hole
Spring Mill Reservoir
Pike Brow
Spring Mill Cott.
Mill
Warm Slack Hill
Cat Stones Quarry (disused)
Moorside
Tonacliffe
ROCHDALE
Prickshaw Dams
Broadley Fold
Broadley
Whimsey Hill
Croft Head
Snipe Barn
Highgate Farm
Forsyth Brow
Windy Harbour
Bottom of Rooley Moor
Knacks Farm
Higher Dunisbooth
Turnshaw Hill
Knacks
Lower Dunishbooth
Hunger Hill
Mine (Dis.)
Brown Hill
Doldrum
Smallshaw Farm
Healey Dell Nature Res.
Syke Bank
Sidholme
Reservoir
Smallshaw Wood
Catley Lane Head
Healey Hall Wood
Hungerhill End Farm
Hollands Farm
Brown Hill
Hill Top
Visitors Centre
Kit Booth
Lower Fold
Fern Hill
Nabs Plantation
Top of Nabs
Market Street
A671
Shawclough Road B6377
Rooley Moor Road
Woodhouse Lane
Hamer Hill
Windy Hill
Bowling Green

11
30

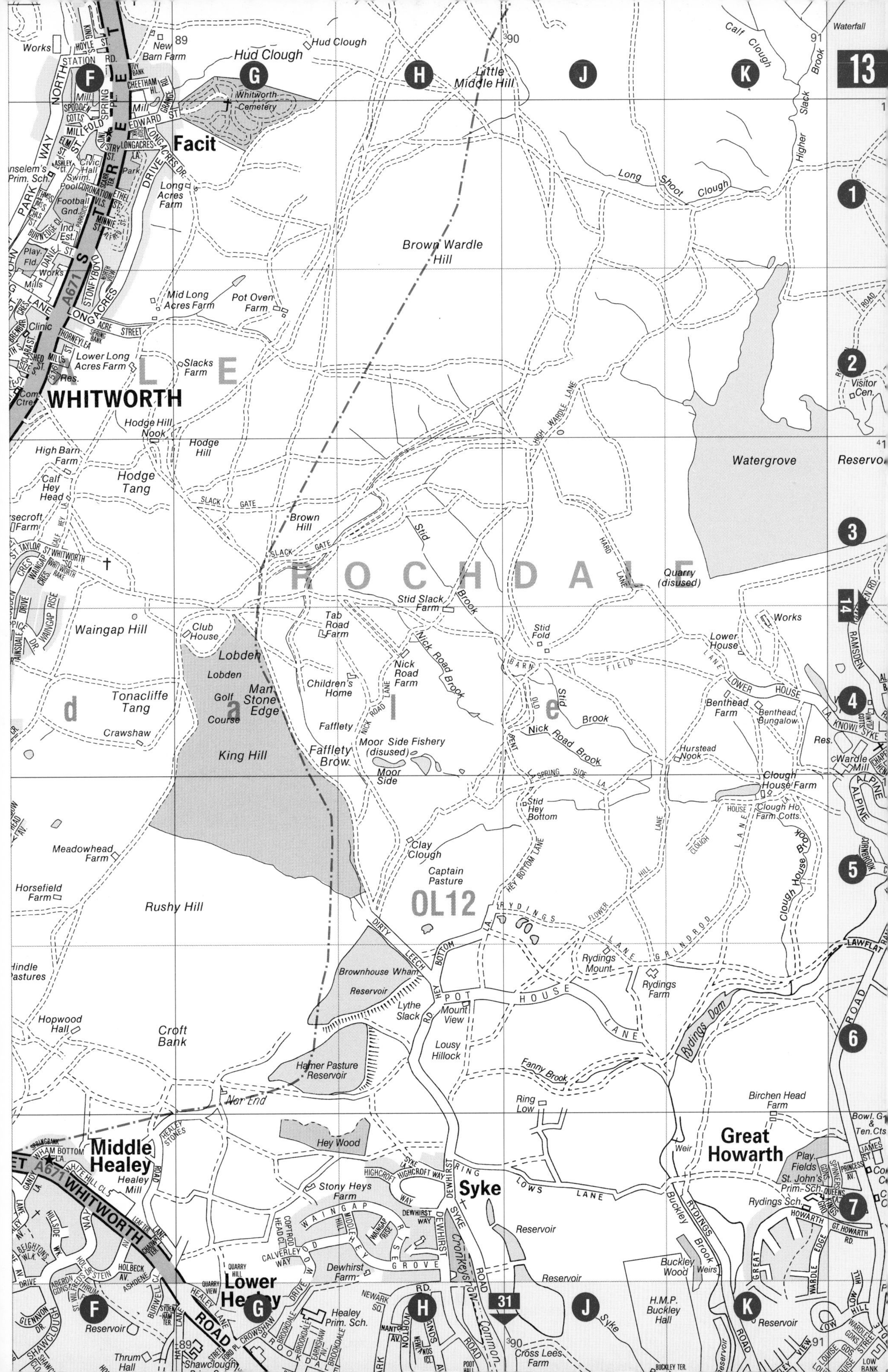
F
G
H
J
K
1
2
3
4
5
6
7
14
31
89
90
91
Works
Hud Clough
New Barn Farm
Little Middle Hill
Calf Clough
Waterfall
Higher Slack Brook
Whitworth Cemetery
Facit
Long Shoot Clough
Long Acres Farm
Brown Wardle Hill
Mid Long Acres Farm
Pot Oven Farm
Lower Long Acres Farm
Slacks Farm
WHITWORTH
Hodge Hill Nook
Hodge Hill
High Barn Farm
Calf Hey Head
Hodge Tang
Visitor Cen.
Watergrove
Reservo
SLACK GATE
Brown Hill
HIGH WARDLE LANE
Stid
ROCHDALE
HARD LANE
Quarry (disused)
Stid Slack Farm
Brook
Waingap Hill
Club House
Lobden
Lobden Golf Course
Man Stone Edge
Tab Road Farm
Nick Road Farm
Nick Road Brook
Children's Home
Stid Fold
Lower House
Works
RAMSDEN
Tonacliffe Tang
Crawshaw
King Hill
Fafflety
Fafflety Brow
Moor Side Fishery (disused)
Moor Side
Nick Road Brook
Benthead Farm
Benthead Bungalow
Hurstead Nook
Res.
Wardle Mill
Clough House Farm
Clough Ho. Farm Cotts.
ALPINE
Stid Hey Bottom
Meadowhead Farm
Horsefield Farm
Rushy Hill
Clay Clough
Captain Pasture
OL12
HEY BOTTOM LANE
Clough House Brook
Hindle Pastures
DIRTY LEECH
RYDINGS
FLOWER LANE
GRINDROD
Rydings Mount
Rydings Farm
LAWFLAT
Brownhouse Wham Reservoir
Lythe Slack
Mount View
POT HOUSE LANE
Rydings Dam
Hopwood Hall
Croft Bank
Lousy Hillock
Hamer Pasture Reservoir
Fanny Brook
Nar End
Ring Low
Birchen Head Farm
Bowl. G. & Ten. Cts
Middle Healey
Hey Wood
Weir
Great Howarth
Play. Fields
St. John's Prim. Sch.
A671 WHITWORTH ROAD
Healey Mill
Stony Heys Farm
Syke
RING LOWS LANE
Rydings Sch.
HOWARTH
GT. HOWARTH RD.
WAINGAP RISE
DEWHIRST
Cronkeyshaw Common
Reservoir
Buckley Brook
RYDINGS ROAD
Buckley Wood
Weirs
Lower Healey
Dewhirst Farm
H.M.P. Buckley Hall
Healey Prim. Sch.
Syke
Reservoir
Thrum Hall
Shawclough
Cross Lees Farm
LOW BANK

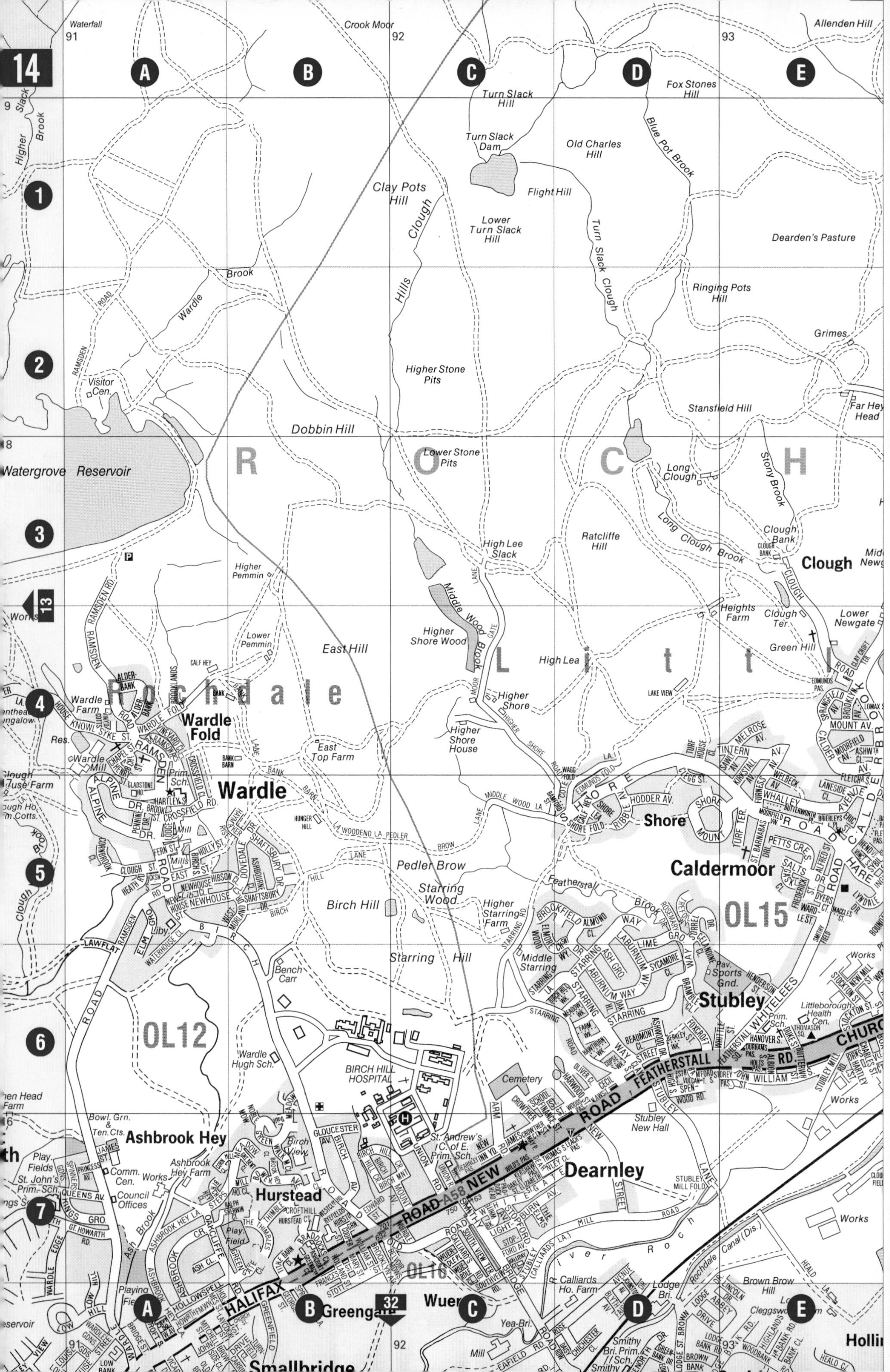
Waterfall
Crook Moor
Allenden Hill
Turn Slack Hill
Fox Stones Hill
Turn Slack Dam
Old Charles Hill
Blue Pot Brook
Clay Pots Hill
Flight Hill
Lower Turn Slack Hill
Dearden's Pasture
Turn Slack Clough
Ringing Pots Hill
Wardle Brook
Grimes
Higher Stone Pits
Visitor Cen.
Stansfield Hill
Far Hey Head
Dobbin Hill
Watergrove Reservoir
ROCHDALE
Lower Stone Pits
Long Clough
Stony Brook
Long Clough Brook
Clough Bank
Ratcliffe Hill
High Lee Slack
Higher Pemmin
Clough
Middle Wood Brook
Heights Farm
Clough Ter.
Lower Newgate
Higher Shore Wood
Lower Pemmin
East Hill
Green Hill
High Lea
LITTLEBOROUGH
Wardle Farm
Higher Shore
Wardle Fold
Higher Shore House
East Top Farm
Wardle Mill
Wardle
Shore
Pedler Brow
Caldermoor
Starring Wood
Higher Starring Farm
Birch Hill
OL15
OL12
Starring Hill
Middle Starring
Bench Carr
Stubley
Pav. Sports Gnd.
Littleborough Health Cen.
Wardle High Sch.
BIRCH HILL HOSPITAL
Cemetery
FEATHERSTALL RD
Ashbrook Hey
Ashbrook Hey Farm
Stubley New Hall
St. Andrew's C. of E. Prim. Sch.
Dearnley
Hurstead
Comm. Cen.
Council Offices
Works
River Roch
Rochdale Canal (Dis.)
Play Field
NEW ROAD A58
HALIFAX
OL16
Calliards Ho. Farm
Brown Brow Hill
Greengate
Wuerdle
Yea Bri.
Smithy Bri. Prim. Sch.
Smallbridge
Mill
Lodge Bri.
Cleggswood
Hollin
A B C D E
1 2 3 4 5 6 7
91 92 93

13
32

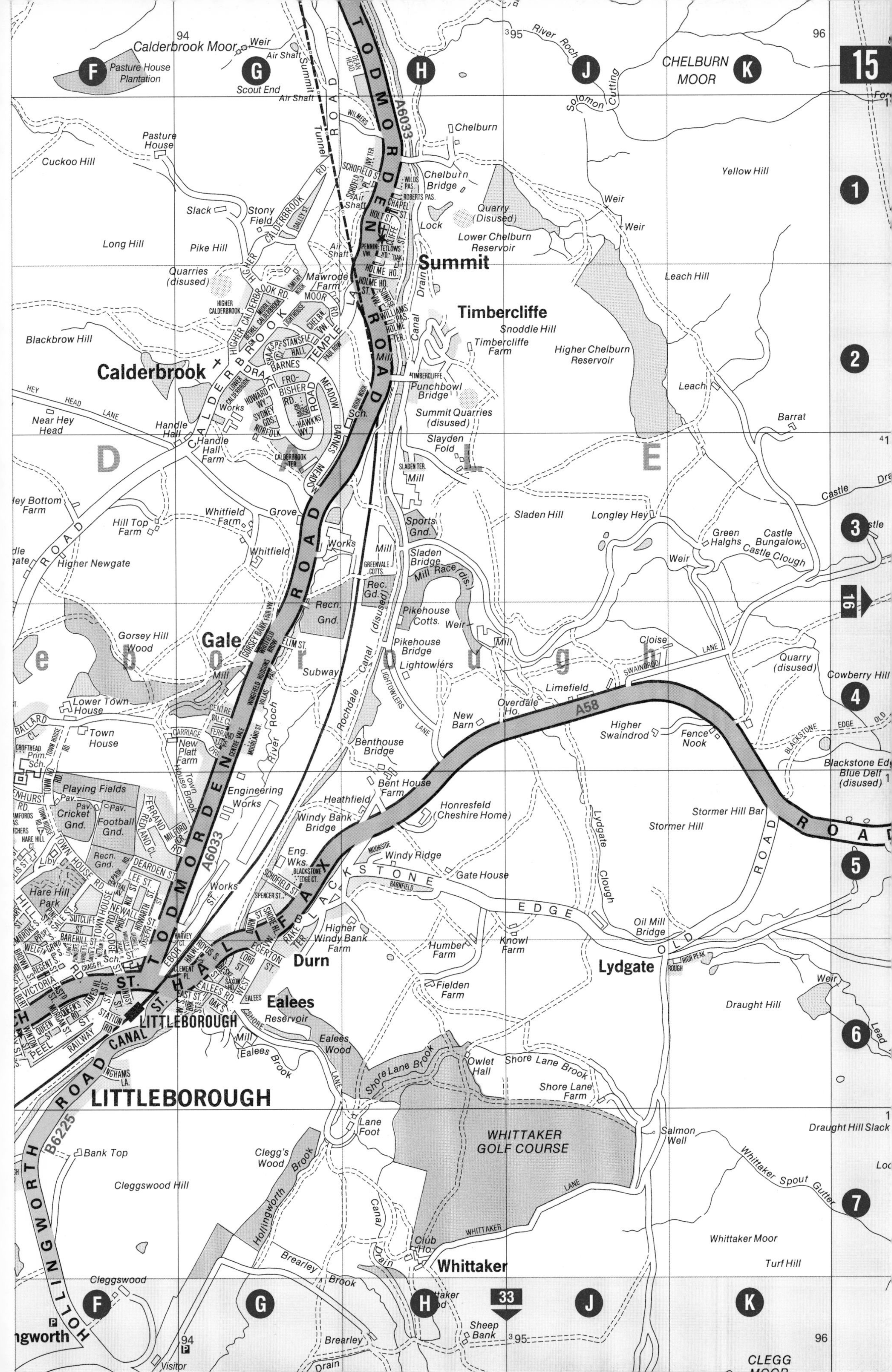
Calderbrook Moor
Pasture House Plantation
Scout End
Air Shaft
Weir
River Roch
CHELBURN MOOR
Solomon Cutting
TODMORDEN ROAD
A6033
Chelburn
Cuckoo Hill
Pasture House
Yellow Hill
Chelburn Bridge
Slack
Stony Field
Quarry (Disused)
Long Hill
Pike Hill
Lock
Lower Chelburn Reservoir
Summit
Quarries (disused)
Mawrode Farm
Leach Hill
Timbercliffe
Snoddle Hill
Timbercliffe Farm
Blackbrow Hill
Higher Chelburn Reservoir
Calderbrook
Punchbowl Bridge
Leach
Summit Quarries (disused)
Barrat
Near Hey Head
Handle Hall
Handle Hall Farm
Slayden Fold
Hey Bottom Farm
Whitfield Farm
Grove
Sladen Hill
Longley Hey
Castle
Hill Top Farm
Sports Gnd.
Green Halghs
Castle Bungalow
Castle Clough
Whitfield
Sladen Bridge
Weir
Higher Newgate
Mill Race (dis.)
Rec. Gd.
Recn. Gnd.
Pikehouse Cotts.
Gorsey Hill Wood
Gale
Pikehouse Bridge
Lightowlers
Cloise
Quarry (disused)
Cowberry Hill
Subway
Rochdale Canal
Limefield
Lower Town House
Overdale Ho.
A58
Town House
New Platt Farm
New Barn
Higher Swaindrod
Fence Nook
Benthouse Bridge
Blackstone Edge
Blue Delf (disused)
Playing Fields
Bent House Farm
Heathfield
Engineering Works
Honresfeld (Cheshire Home)
Stormer Hill Bar
Cricket Gnd.
Football Gnd.
Windy Bank Bridge
Stormer Hill
Windy Ridge
Eng. Wks.
Recn. Gnd.
Gate House
BLACKSTONE EDGE
Hare Hill Park
Works
Higher Windy Bank Farm
Humber Farm
Knowl Farm
Oil Mill Bridge
Durn
Lydgate
HALIFAX ROAD
Fielden Farm
Draught Hill
Ealees
Reservoir
LITTLEBOROUGH
Ealees Wood
Ealees Brook
Owlet Hall
Shore Lane Brook
Shore Lane Farm
LITTLEBOROUGH
Lane Foot
WHITTAKER GOLF COURSE
Salmon Well
Draught Hill Slack
B6225
Bank Top
Clegg's Wood
Cleggswood Hill
Hollingworth Brook
Whittaker Spout Gutter
Whittaker Moor
Club Ho.
Whittaker
Turf Hill
Brearley Brook
Cleggswood
HOLLINGWORTH ROAD
Sheep Bank
Brearley
Drain
Visitor
CLEGG MOOR
16
33

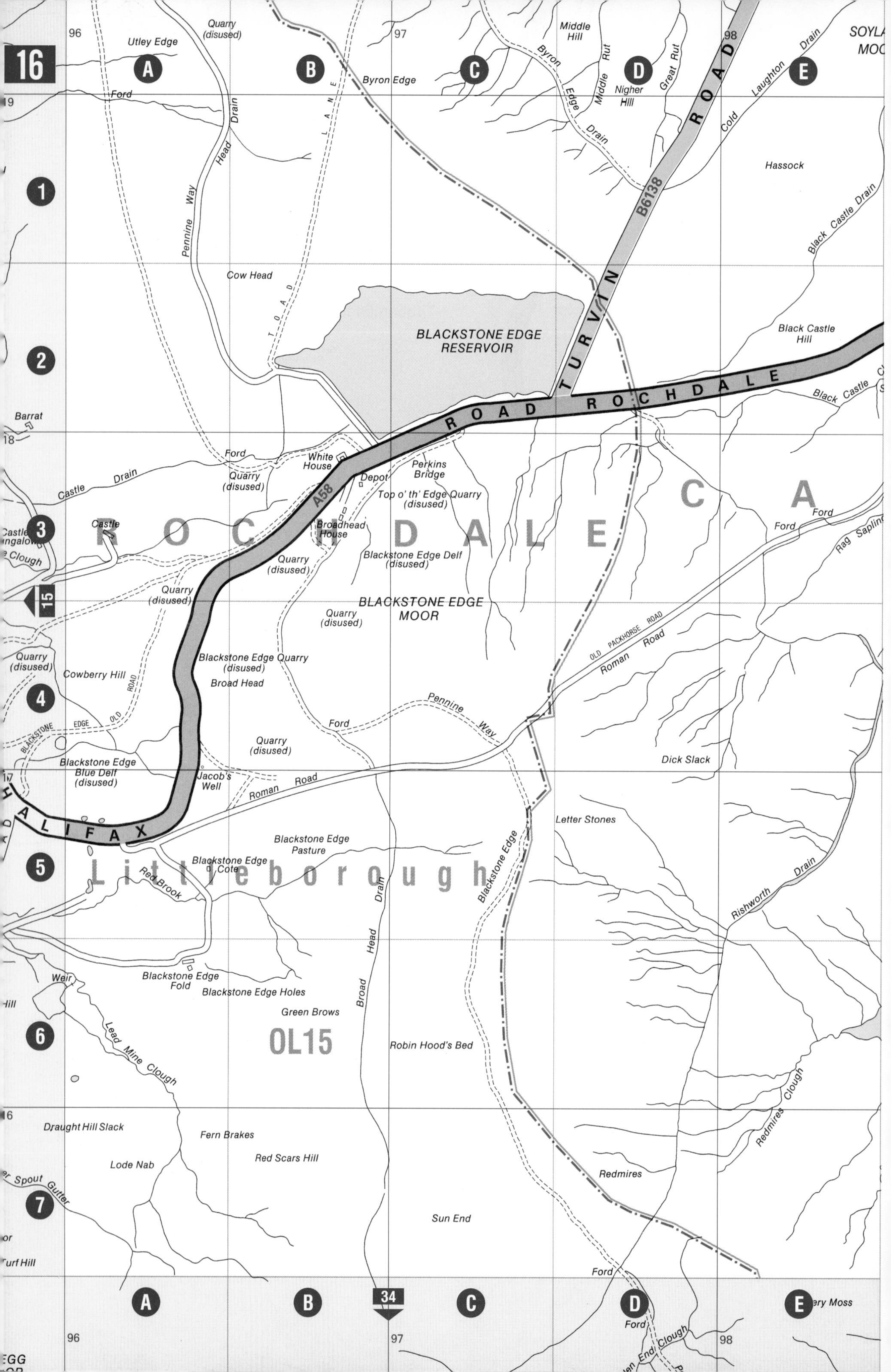
Utley Edge
Quarry (disused)
Byron Edge
Middle Hill
Middle Rut
Great Rut
Nigher Hill
Byron Edge Drain
SOYLAND MOOR
Cold Laughton Drain
Hassock
Black Castle Drain
TURVIN ROAD
B6138
Ford
Head Drain
Pennine Way
TOAD LANE
Cow Head
BLACKSTONE EDGE RESERVOIR
Black Castle Hill
ROCHDALE ROAD
Black Castle Clough
Barrat
Castle Drain
Ford
Quarry (disused)
White House
Perkins Bridge
Depot
Top o' th' Edge Quarry (disused)
A58
Castle
Castle Bungalow
Clough
ROCHDALE
Broadhead House
Blackstone Edge Delf (disused)
Quarry (disused)
Ford
Rag Sapling
BLACKSTONE EDGE MOOR
OLD PACKHORSE ROAD
Roman Road
Blackstone Edge Quarry (disused)
Cowberry Hill
OLD ROAD
Broad Head
BLACKSTONE EDGE OLD ROAD
Pennine Way
Ford
Quarry (disused)
Dick Slack
Blackstone Edge Blue Delf (disused)
Jacob's Well
Roman Road
HALIFAX
Letter Stones
Blackstone Edge Pasture
Blackstone Edge Cote
Littleborough
Red Brook
Broad Head Drain
Blackstone Edge
Rishworth Drain
Weir
Blackstone Edge Fold
Blackstone Edge Holes
Green Brows
Hill
Lead Mine Clough
OL15
Robin Hood's Bed
Redmires Clough
Draught Hill Slack
Fern Brakes
Lode Nab
Red Scars Hill
Redmires
Spout Gutter
Sun End
Turf Hill
Ford
Ford
Clough
Moss
96
97
98
A
B
C
D
E
1
2
3
4
5
6
7
15
34

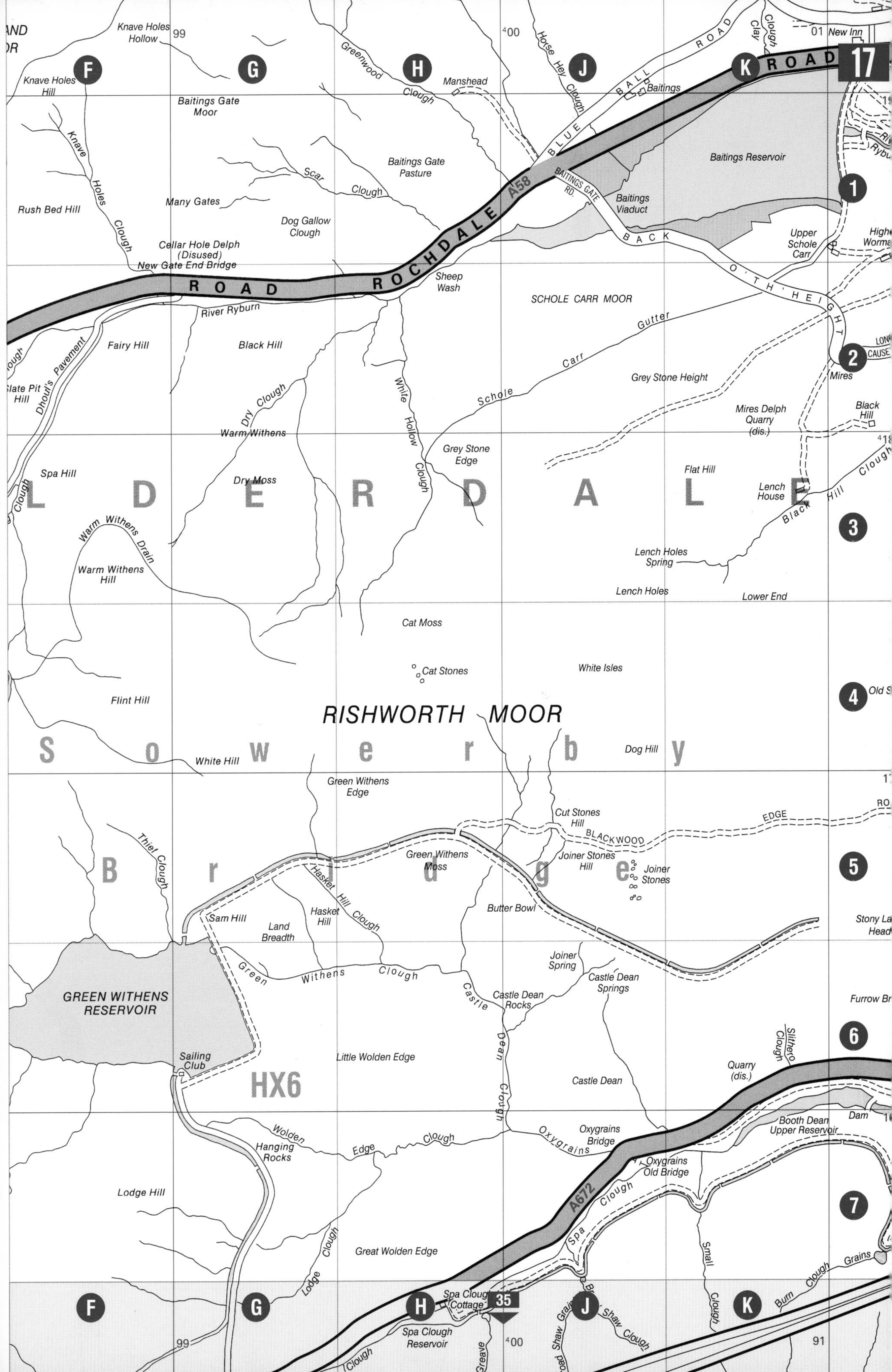
Knave Holes Hollow
99
400
01
New Inn
F
G
H
J
K
Knave Holes Hill
Baitings Gate Moor
Greenwood Clough
Manshead
Horse Hey Clough
Blue Ball Road
Clay Clough
Baitings
ROAD
Knave Holes Clough
Baitings Gate Pasture
Scar Clough
Baitings Reservoir
Rush Bed Hill
Many Gates
Dog Gallow Clough
A58
Baitings Gate Rd.
Baitings Viaduct
1
Cellar Hole Delph (Disused)
New Gate End Bridge
Rochdale Road
Back o' th' Height
Upper Schole Carr
Sheep Wash
SCHOLE CARR MOOR
River Ryburn
Fairy Hill
Black Hill
Dhoul's Pavement
Slate Pit Hill
Schole Carr Gutter
Grey Stone Height
2
Mires
Dry Clough
Warm Withens
White Hollow Clough
Mires Delph Quarry (dis.)
Black Hill
Spa Hill
Dry Moss
Grey Stone Edge
Flat Hill
Lench House
Black Hill Clough
CALDERDALE
Warm Withens Drain
Warm Withens Hill
3
Lench Holes Spring
Lench Holes
Lower End
Cat Moss
Cat Stones
White Isles
Flint Hill
4
RISHWORTH MOOR
Sowerby Bridge
White Hill
Dog Hill
Green Withens Edge
Cut Stones Hill
Blackwood Edge
Thief Clough
Green Withens Moss
Joiner Stones Hill
Joiner Stones
5
Hasket Hill Clough
Sam Hill
Land Breadth
Hasket Hill
Butter Bowl
Stony Lane Head
Joiner Spring
Green Withens Clough
Castle Dean Springs
Castle Dean Rocks
GREEN WITHENS RESERVOIR
Furrow Br
Castle Dean Clough
Slithero Clough
6
Sailing Club
Little Wolden Edge
Quarry (dis.)
HX6
Castle Dean
Dam
Booth Dean Upper Reservoir
Wolden Edge Clough
Hanging Rocks
Oxygrains
Oxygrains Bridge
Oxygrains Old Bridge
A672
Spa Clough
7
Lodge Hill
Great Wolden Edge
Lodge Clough
Small Clough
Burn Clough
Grains
Spa Clough Cottage
35
Spa Clough Reservoir
Shaw Clough
91
Greave

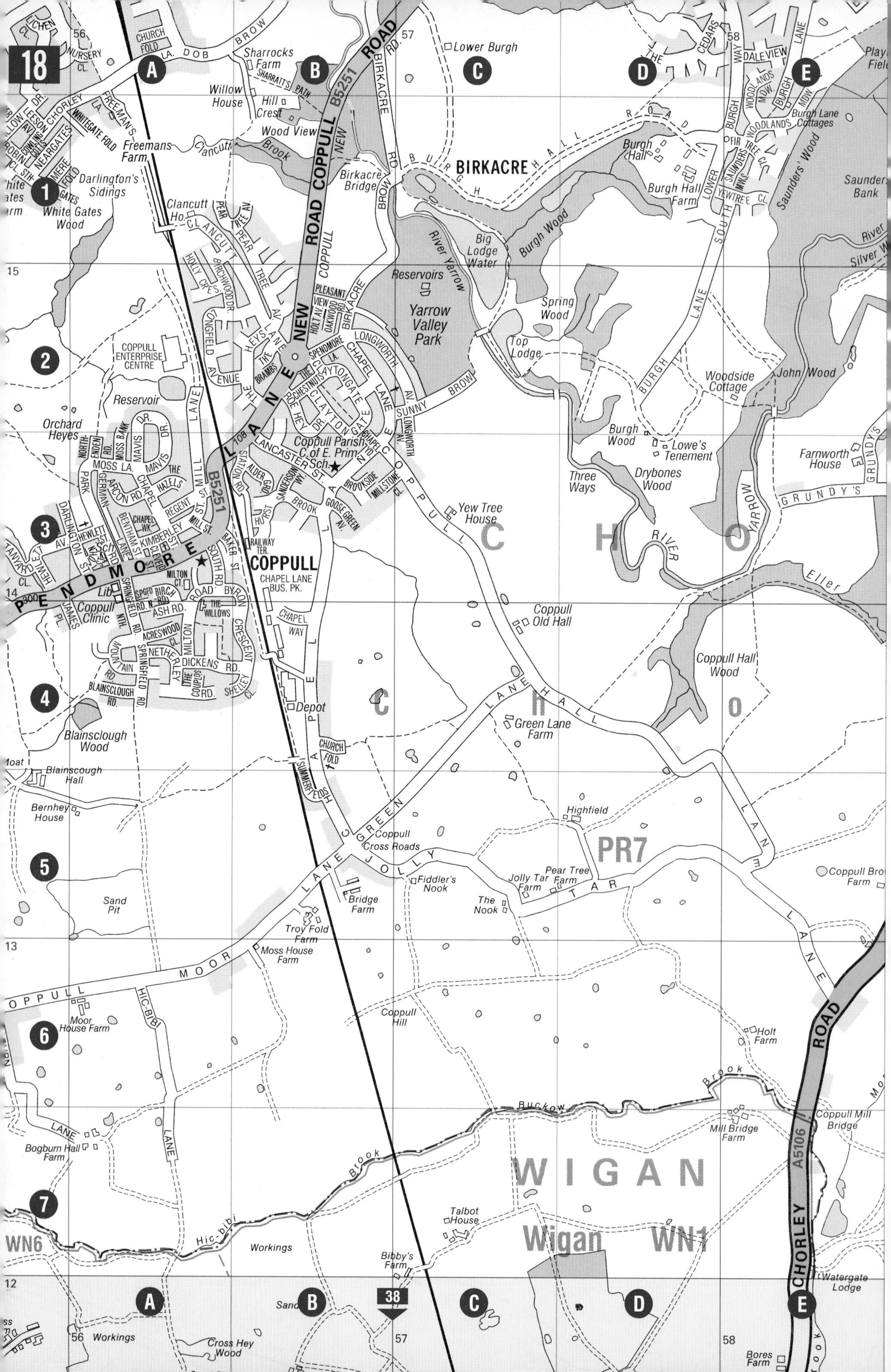

COPPULL
BIRKACRE
Yarrow Valley Park
Reservoirs
River Yarrow
Big Lodge Water
Burgh Wood
Burgh Hall
Burgh Hall Farm
Lower Burgh
Sharrocks Farm
Willow House
Hill Crest
Wood View
Freemans Farm
Clancutt Brook
Darlington's Sidings
White Gates Wood
Clancutt Ho.
Birkacre Bridge
Spring Wood
Top Lodge
Woodside Cottage
John Wood
Saunders' Wood
Saunders Bank
Burgh Lane Cottages
Farnworth House
Lowe's Tenement
Drybones Wood
Three Ways
Yew Tree House
Coppull Old Hall
Coppull Hall Wood
Green Lane Farm
Highfield
Coppull Cross Roads
Fiddler's Nook
Jolly Tar Farm
Pear Tree Farm
The Nook
Bridge Farm
Troy Fold Farm
Moss House Farm
Coppull Hill
Holt Farm
Coppull Brook Farm
Coppull Mill Bridge
Mill Bridge Farm
Buckow Brook
WIGAN
Wigan
WN1
WN6
PR7
Talbot House
Bibby's Farm
Workings
Watergate Lodge
Bores Farm
Cross Hey Wood
Sand Pit
Moor House Farm
Bogburn Hall Farm
Blainscough Hall
Bernhey House
Blainsclough Wood
Orchard Heyes
Reservoir
COPPULL ENTERPRISE CENTRE
Coppull Parish C. of E. Prim. Sch.
CHAPEL LANE BUS. PK.
Depot
Coppull Clinic
Lib
COPPULL ROAD
NEW ROAD
B5251
A5106
CHORLEY ROAD
PENDMORE
SPENDMORE LANE
CHAPEL LANE
BIRKACRE ROAD
BURGH HALL ROAD
BURGH LANE
GREEN LANE
HALL LANE
JOLLY TAR LANE
COPPULL MOOR LANE
HIC-BIBI LANE
SOUTH ROAD
MILL LANE
LONGWORTH AVENUE
SUNNY BROW
GRUNDY'S LANE
LOWER BURGH WAY
38
56
57
58
12
13
14
15

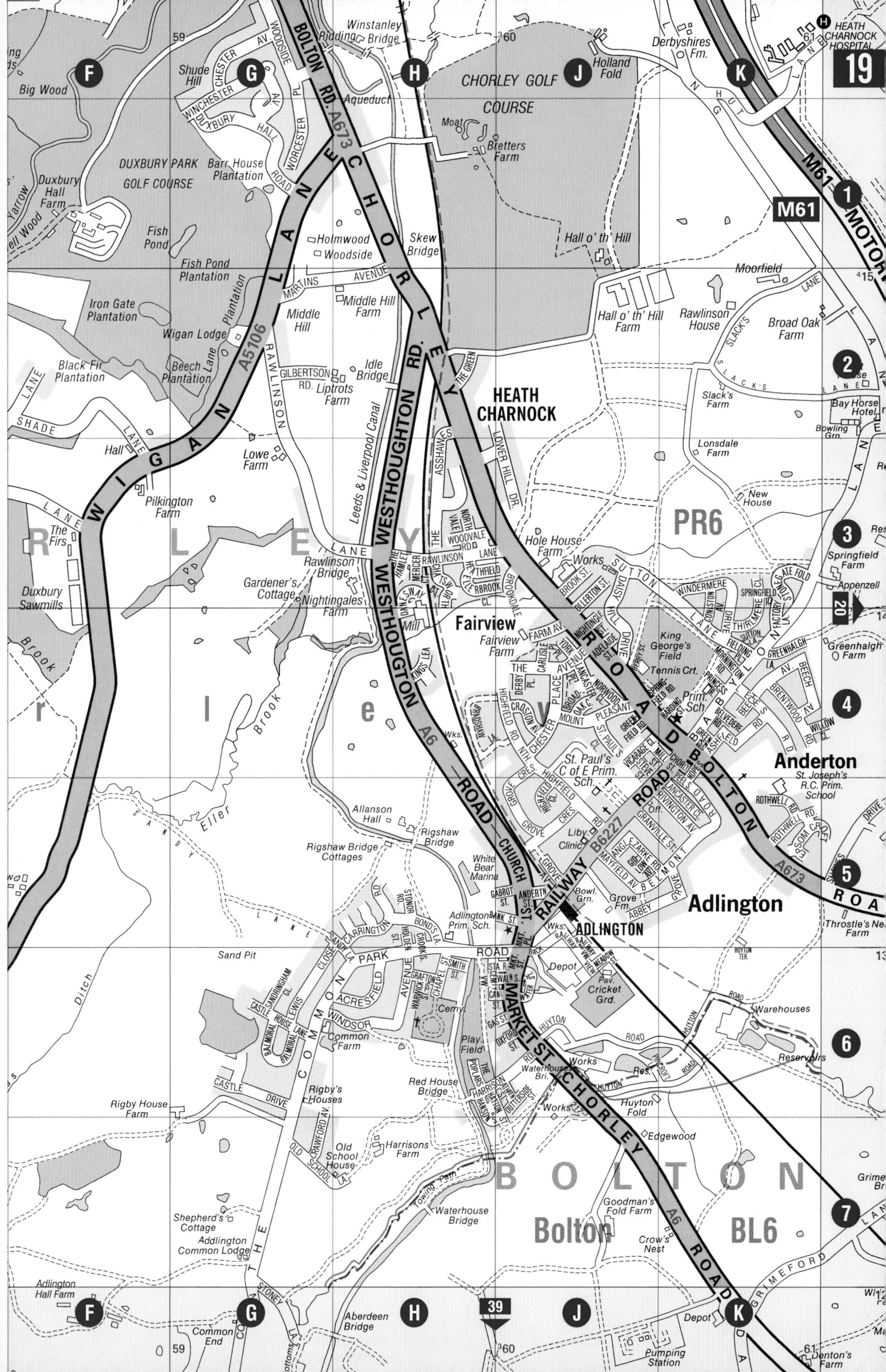

CHORLEY GOLF COURSE
DUXBURY PARK GOLF COURSE
HEATH CHARNOCK
Fairview
Anderton
Adlington
ADLINGTON
Bolton
BOLTON
PR6
BL6
WIGAN LANE A5106
BOLTON RD. A673
CHORLEY RD.
WESTHOUGHTON RD. A6
WESTHOUGHTON ROAD
CHURCH ROAD
RAILWAY ROAD B6227
BOLTON ROAD A673
MARKET ST.
CHORLEY ROAD A6
M61 MOTORWAY
Leeds & Liverpool Canal
HEATH CHARNOCK HOSPITAL
Winstanley Bridge
Ridding
Aqueduct
Holland Fold
Derbyshires Fm.
Moat
Bretters Farm
Skew Bridge
Hall o' th' Hill
Hall o' th' Hill Farm
Moorfield
Rawlinson House
Broad Oak Farm
Slack's Farm
Bay Horse Hotel
Lonsdale Farm
New House
Springfield Farm
Appenzell
Greenhalgh Farm
St. Joseph's R.C. Prim. School
Throstle's Nest Farm
Big Wood
Shude Hill
Duxbury Hall Farm
Barr House Plantation
Fish Pond
Fish Pond Plantation
Holmwood
Woodside
Middle Hill Farm
Middle Hill
Iron Gate Plantation
Wigan Lodge
Black Fir Plantation
Beech Plantation
Idle Bridge
Liptrots Farm
Lowe Farm
Pilkington Farm
The Firs
Duxbury Sawmills
Rawlinson Bridge
Gardener's Cottage
Nightingales Farm
Mill
Fairview Farm
Hole House Farm
Works
King George's Field
Tennis Crt.
Prim. Sch.
St. Paul's C of E Prim. Sch.
Allanson Hall
Rigshaw Bridge
Rigshaw Bridge Cottages
White Bear Marina
Adlington Prim. Sch.
Liby.
Clinic
Bowl. Grn.
Grove Fm.
Sand Pit
Depot
Pav.
Cricket Grd.
Cemy.
Common Farm
Play Field
Warehouses
Reservoirs
Waterhouse Bri.
Res.
Huyton Fold
Edgewood
Red House Bridge
Rigby's Houses
Rigby House Farm
Harrisons Farm
Old School House
Towing Path
Waterhouse Bridge
Goodman's Fold Farm
Crow's Nest
Shepherd's Cottage
Addlington Common Lodge
Adlington Hall Farm
Common End
Aberdeen Bridge
Depot
Pumping Station
Denton's Farm
Ditch
Sandy Eller Brook
Brook
F G H J K
1 2 3 4 5 6 7
20
39
59 60 61

HEATH CHARNOCK HOSPITAL
Nab's Farm
ANGLEZARKE RESERVOIR
Bradley Wood
YARROW RESERVOIR
Wilcock's Farm
Knowsley Embankment
Knowsley Cottage
Lee House
Broad Oak Cottages
Street Wood
Turner's Embankment
Dean Wood
Spark's Bridge
M61
Dill Hall
Dean Wood House
Bradleys
Nick Hilton Bridge
Tennis Court
Blindhurst
Broad Oak Farm
Bent House
Bay Horse Hotel
Bowling Grn.
Pilkington Wd.
UPPER RIVINGTON RESERVOIR
Pilkington Embankment
Dean Brook
Rivington
Chapel House
Rivington Hall Barn
Hall Wood
Shaw Place
Cunliffe Farm
Fisher House
Spring Cott.
Reservoir
Pav.
Vic.
Rivington Prim. Sch.
Croff Bri.
Dawber Quarry (Dis.)
Horrobin Quarry (Dis.)
Lodge
Rivington Embankment
Waterhey Cott.
Clump
Major Bottoms
Springfield Farm
Newlands
Appenzell
HORROBIN
Windy Rannets
The Nursery
Home Farm
ANDERTON PARK
LOWER RIVINGTON RESERVOIR
LEVER PARK
Greenhalgh Farm
Rothwells Farm
Great House Barn
Rivington Conference Centre
Chorley
Top o'th' Hill Farm
Anderton
St. Joseph's R.C. Prim. School
Tan Pits Farm
Ward's Cott.
Gilsbrook
Roscoe Lowe Hill
Crosses
The Shawes
Roscoe Lowe
Brown Cot
PR6
Throstle's Nest Farm
The Castle
Headless Cross
Woodward House
Riverslea
Millstone Hotel
Works
Crosse's Wood
Crosse's Creek
Warehouses
Mill Farm
Grimeford Village
Quarry (Dis.)
Reservoirs
Woodward Wood
Brown House Fm.
A673
Rivington Lodge
Douglas Diversion
Mill Stone Embankment
Hamer's Creek
Hamer's Cott.
Jepson Bri.
Anderton Manor Farm
Lower Rivington Embankment
Weir
Grimeford Bri.
Grimeford Farm
GREENLAND
Berne House
Dryfield
BOLTON
White Hill
Lakeland Farm
Pendennis
M61-MOTORWAY
Water Treatment Works
Great Ryeley
Bolton BL1
Greenland's Farm
Squirrel Hotel
Anderton Ford Bri.
SCHOLES BANK
White Hill Farm
Markland Farm
Demon's Farm
40
Rivington Service Area
RIVER DOUGLAS
GRIMEFORD LANE
BOLTON ROAD
HORROBIN LANE
NICKLETON BROW
DILL HALL DRIVE
KNOWSLEY LANE
RIVINGTON LANE
SHEEP HOUSE LANE
HALL LANE
DEAN HEAD LANE
ROSCOE LOWE BROW
NEW ROAD
DRYFIELD LANE
SQUIRREL LANE

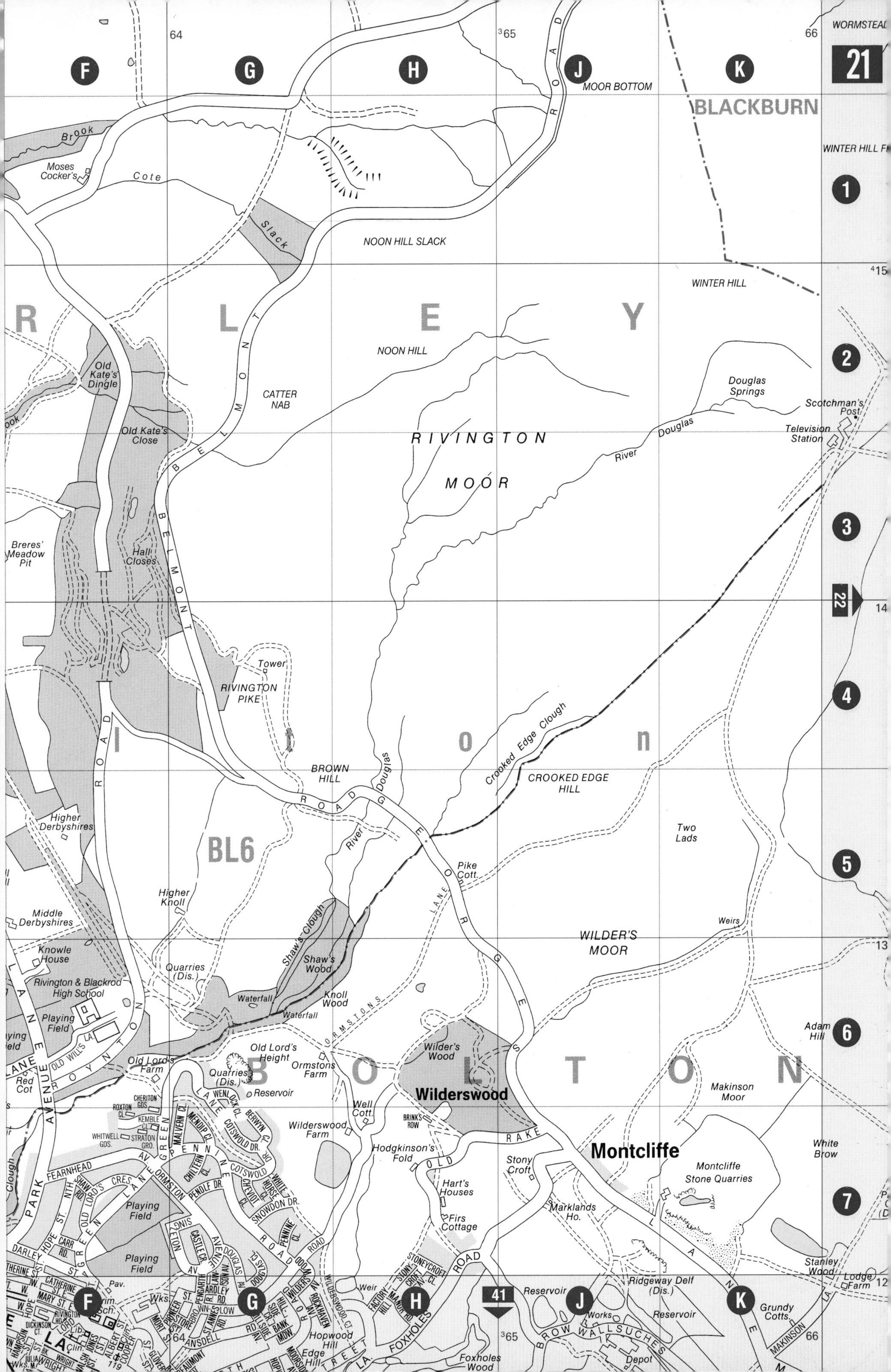

F   **G**   **H**   **J**   **K**

64   ³65   66   WORMSTEAD

MOOR BOTTOM

BLACKBURN

WINTER HILL F

1

Brook

Moses
Cocker's

Cote

Slack

NOON HILL SLACK

WINTER HILL

⁴15

R   L   E   Y

NOON HILL

2

Old Kate's
Dingle

CATTER
NAB

Douglas
Springs

Scotchman's
Post

RIVINGTON

Television
Station

Old Kate's
Close

MOOR

River   Douglas

Breres'
Meadow
Pit

Hall
Closes

3

BELMONT

22   14

Tower

RIVINGTON
PIKE

4

Crooked Edge Clough

n

ROAD

BROWN
HILL

CROOKED EDGE
HILL

Higher
Derbyshires

River Douglas

BL6

Two
Lads

5

Pike
Cott.

Middle
Derbyshires

Higher
Knoll

Weirs

WILDER'S
MOOR

Knowle
House

Quarries
(Dis.)

Shaw's Clough

13

Rivington & Blackrod
High School

Shaw's
Wood

Adam
Hill

6

Playing
Field

Waterfall

Knoll
Wood

ORMSTONS

Waterfall

Old Lord's
Height

Wilder's
Wood

Makinson
Moor

White
Brow

Red
Cot

B   O   L   T   O   N

Old Lord's
Farm

Quarries
(Dis.)

Reservoir

Ormstons
Farm

Wilderswood

Cheriton
GDS.

Roxton
CL.

Kemble
CL.

Well.
Cott.

BRINKS
ROW

Montcliffe

Montcliffe
Stone Quarries

7

WHITWELL
GDS.

STRATON
GRO.

Wilderswood
Farm

Hodgkinson's
Fold

Stony
Croft

Firs
Cottage

Hart's
Houses

Marklands
Ho.

Stanley
Wood

Lodge
Farm

Playing
Field

Playing
Field

Pav.

F   **G**   **H**   **J**   **K**

³64   ³65   66

41

Weir

Stoneycroft
Ct.

Reservoir

Foxholes
Wood

Ridgeway Delf
(Dis.)

Reservoir

Grundy
Cotts.

Works

Depot

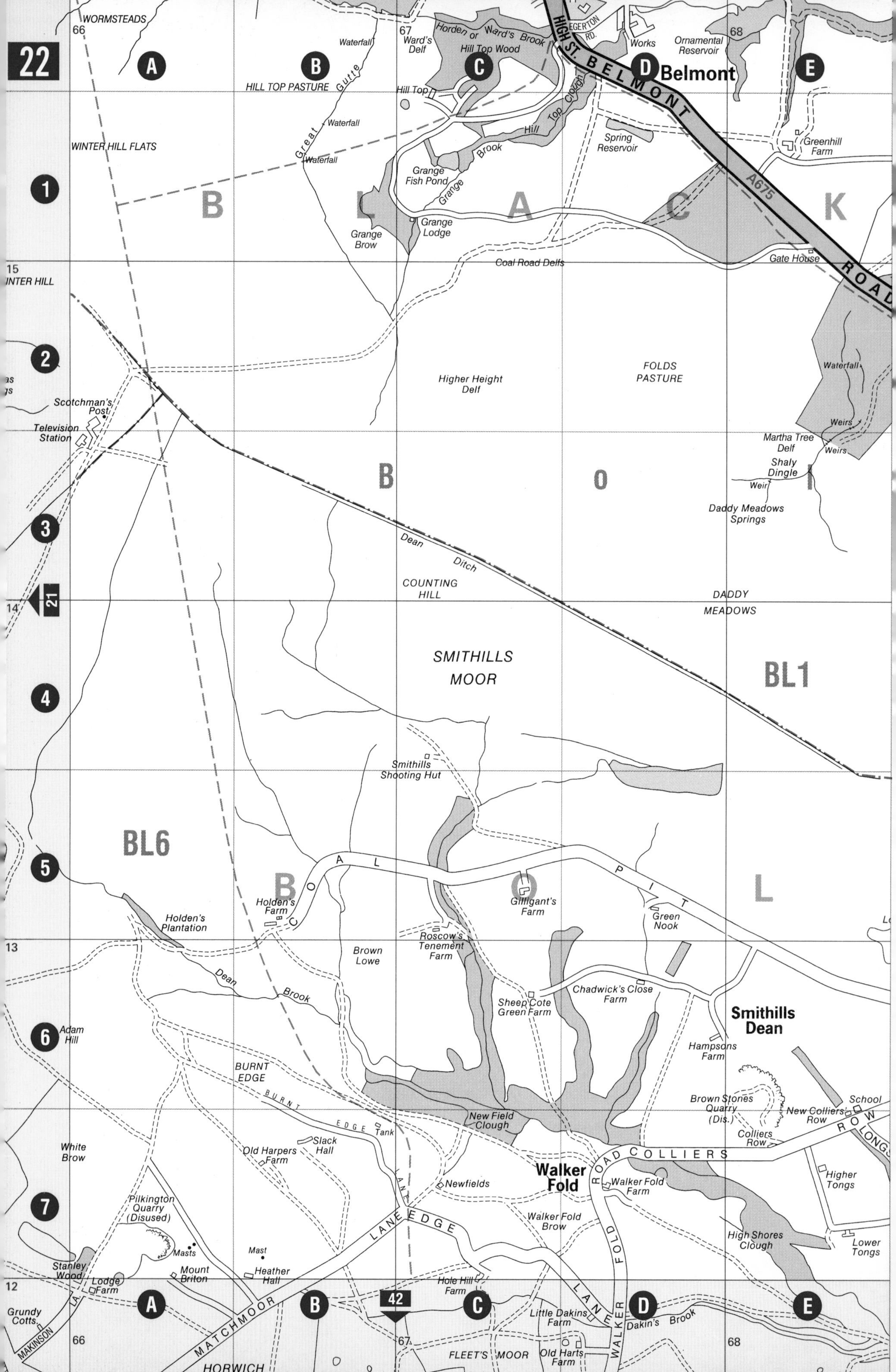

WORMSTEADS
66

A

B

HILL TOP PASTURE

Waterfall

67

Ward's Delf

Horden or Ward's Brook

Hill Top Wood

C

HIGH ST. BELMONT

EGERTON RD.

Works

68

Ornamental Reservoir

D

Belmont

E

A675

BLACK

WINTER HILL FLATS

Waterfall

Waterfall

Hill Top

Hill Top Corgal

Hill

Grange Fish Pond

Grange Brook

Brook

Spring Reservoir

Greenhill Farm

B

L

A

C

K

Grange Brow

Grange Lodge

Coal Road Delfs

Gate House

ROAD

15

WINTER HILL

Scotchman's Post

Television Station

2

Higher Height Delf

FOLDS PASTURE

Waterfall

Weirs

Martha Tree Delf

Shaly Dingle

Weirs

B

O

I

Weir

Daddy Meadows Springs

3

Dean

Ditch

COUNTING HILL

DADDY MEADOWS

14

21

SMITHILLS MOOR

BL1

4

Smithills Shooting Hut

BL6

5

B

O

A

L

P

I

T

L

Holden's Plantation

Holden's Farm

Gilligant's Farm

Green Nook

13

Brown Lowe

Roscow's Tenement Farm

Chadwick's Close Farm

Smithills Dean

Dean

Brook

Sheep Cote Green Farm

Hampsons Farm

6

Adam Hill

BURNT EDGE

BURNT EDGE

New Field Clough

Brown Stones Quarry (Dis.)

New Colliers Row

School

Colliers Row

ROW

LONGS

White Brow

Old Harpers Farm

Slack Hall

Tank

Newfields

Walker Fold

ROAD COLLIERS

Walker Fold Farm

Higher Tongs

7

Pilkington Quarry (Disused)

LANE EDGE

Walker Fold Brow

WALKER FOLD LANE

High Shores Clough

Lower Tongs

Stanley Wood

Lodge Farm

Masts

Mount Briton

Mast

Heather Hall

Hole Hill Farm

Little Dakins Farm

Dakin's Brook

Grundy Cotts

12

66

A

MATCHMOOR

HORWICH

B

67

42

FLEET'S MOOR

Old Harts Farm

C

D

68

E

MAKINSON LA

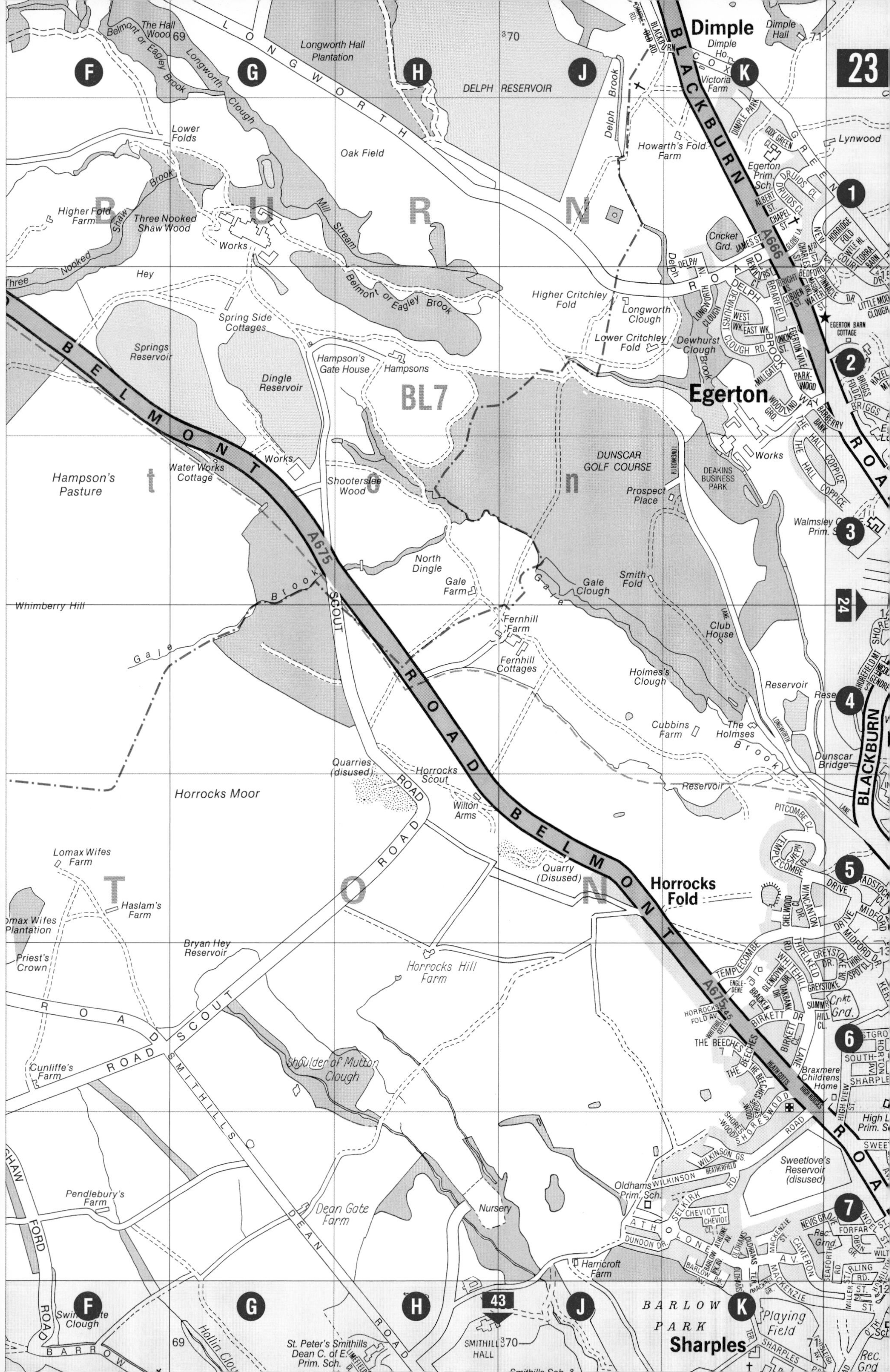

Dimple
Egerton
Horrocks Fold
Sharples
DELPH RESERVOIR
DUNSCAR GOLF COURSE
Horrocks Moor
Hampson's Pasture
Whimberry Hill
Springs Reservoir
Dingle Reservoir
BELMONT ROAD
A675
BLACKBURN ROAD
A666
SCOUT ROAD
SMITHILLS DEAN ROAD
LONGWORTH ROAD
BL7
BARLOW PARK
Longworth Hall Plantation
Oak Field
Three Nooked Shaw Wood
Higher Fold Farm
Lower Folds
Spring Side Cottages
Water Works Cottage
Hampson's Gate House
Hampsons
Shooterslee Wood
North Dingle
Gale Farm
Fernhill Farm
Fernhill Cottages
Higher Critchley Fold
Lower Critchley Fold
Longworth Clough
Dewhurst Clough
Howarth's Fold Farm
Victoria Farm
Dimple Ho.
Dimple Hall
Egerton Prim. Sch.
Cricket Grd.
Deakins Business Park
Prospect Place
Smith Fold
Gale Clough
Club House
Holmes's Clough
Cubbins Farm
The Holmses
Reservoir
Dunscar Bridge
Walmsley C. Prim. S.
Quarries (disused)
Horrocks Scout
Wilton Arms
Quarry (Disused)
Lomax Wifes Farm
Haslam's Farm
Priest's Crown
Bryan Hey Reservoir
Horrocks Hill Farm
Cunliffe's Farm
Shoulder of Mutton Clough
Pendlebury's Farm
Dean Gate Farm
Nursery
Harricroft Farm
Oldhams Prim. Sch.
Sweetlove's Reservoir (disused)
Braxmere Childrens Home
Playing Field
St. Peter's Smithills Dean C. of E. Prim. Sch.
Smithills Hall
43
24

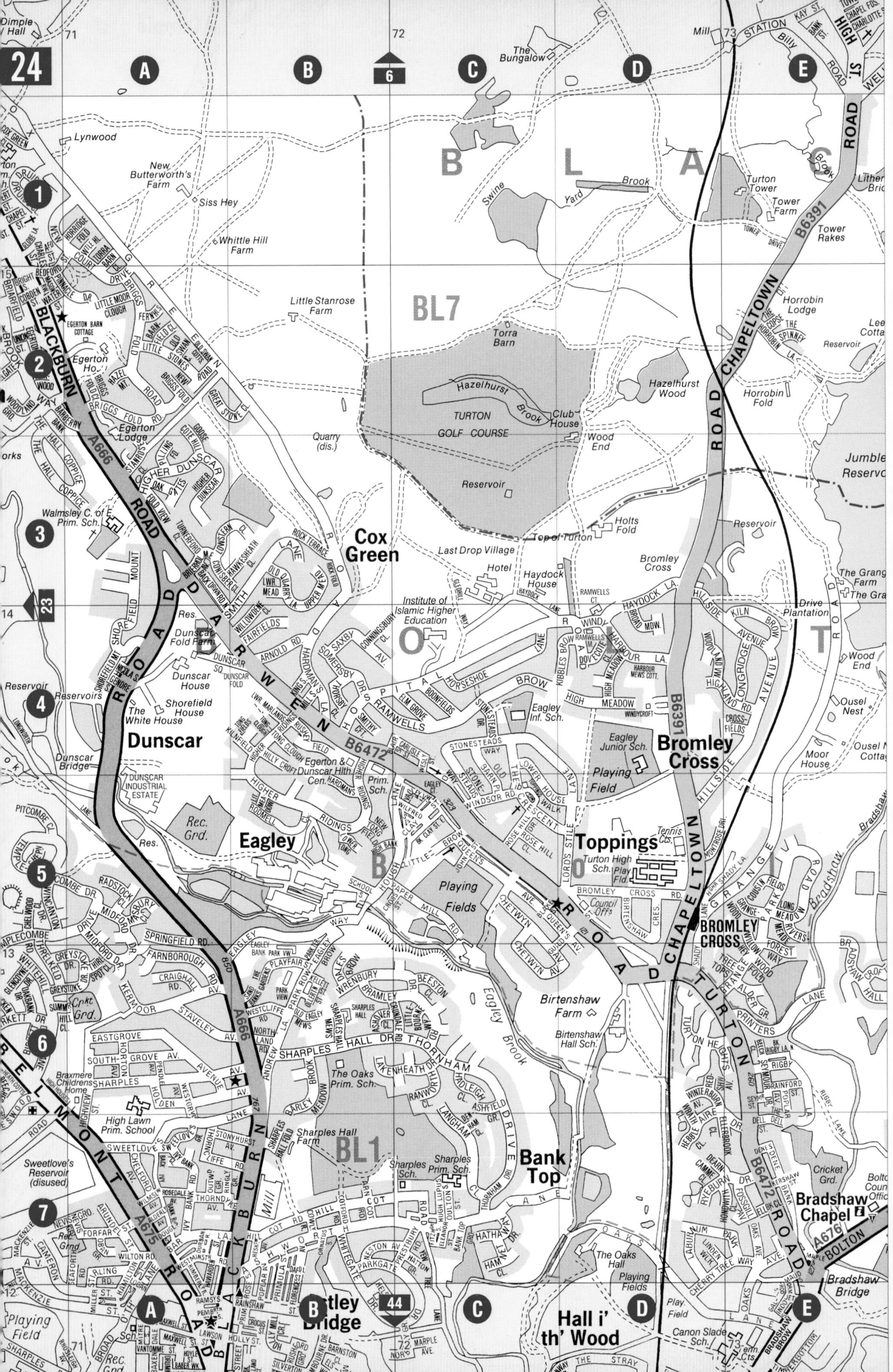

Dimple Hall
Lynwood
New Butterworth's Farm
Siss Hey
Whittle Hill Farm
Little Stanrose Farm
The Bungalow
Mill
STATION
BL7
Torra Barn
Hazelhurst Wood
Hazelhurst Brook
TURTON GOLF COURSE
Club House
Wood End
Reservoir
Quarry (dis.)
Turton Tower
Tower Farm
Tower Rakes
Horrobin Lodge
Horrobin Fold
Jumbles Reservoir
Holts Fold
Top o' Turton
Cox Green
Last Drop Village Hotel
Haydock House
Bromley Cross
Institute of Islamic Higher Education
Drive Plantation
The Grange Farm
Wood End
Ousel Nest
Moor House
Egerton Ho.
Egerton Lodge
Walmsley C. of E. Prim. Sch.
Dunscar Fold Farm
Dunscar House
Shorefield House
The White House
Dunscar
Reservoirs
Dunscar Bridge
DUNSCAR INDUSTRIAL ESTATE
Rec. Grd.
Eagley
Egerton & Dunscar Hlth. Cen.
Prim. Sch.
Eagley Inf. Sch.
Eagley Junior Sch.
Playing Field
Bromley Cross
Toppings
Turton High Sch.
Council Offs
BROMLEY CROSS
Playing Fields
Birtenshaw Farm
Birtenshaw Hall Sch.
Eagley Brook
Bradshaw Brook
The Oaks Prim. Sch.
Sharples Hall Farm
BL1
Sharples Sch.
Sharples Prim. Sch.
Bank Top
High Lawn Prim. School
Braxmere Childrens Home
Sweetlove's Reservoir (disused)
Cricket Grd.
Bradshaw Chapel
The Oaks Hall
Playing Fields
Hall i' th' Wood
Canon Slade Sch.
Bradshaw Bridge
Astley Bridge
Playing Field
BLACKBURN ROAD
DARWEN ROAD
CHAPELTOWN ROAD
TURTON ROAD
BELMONT ROAD
A666
B6472
B6391
A675
A676
6
23
44

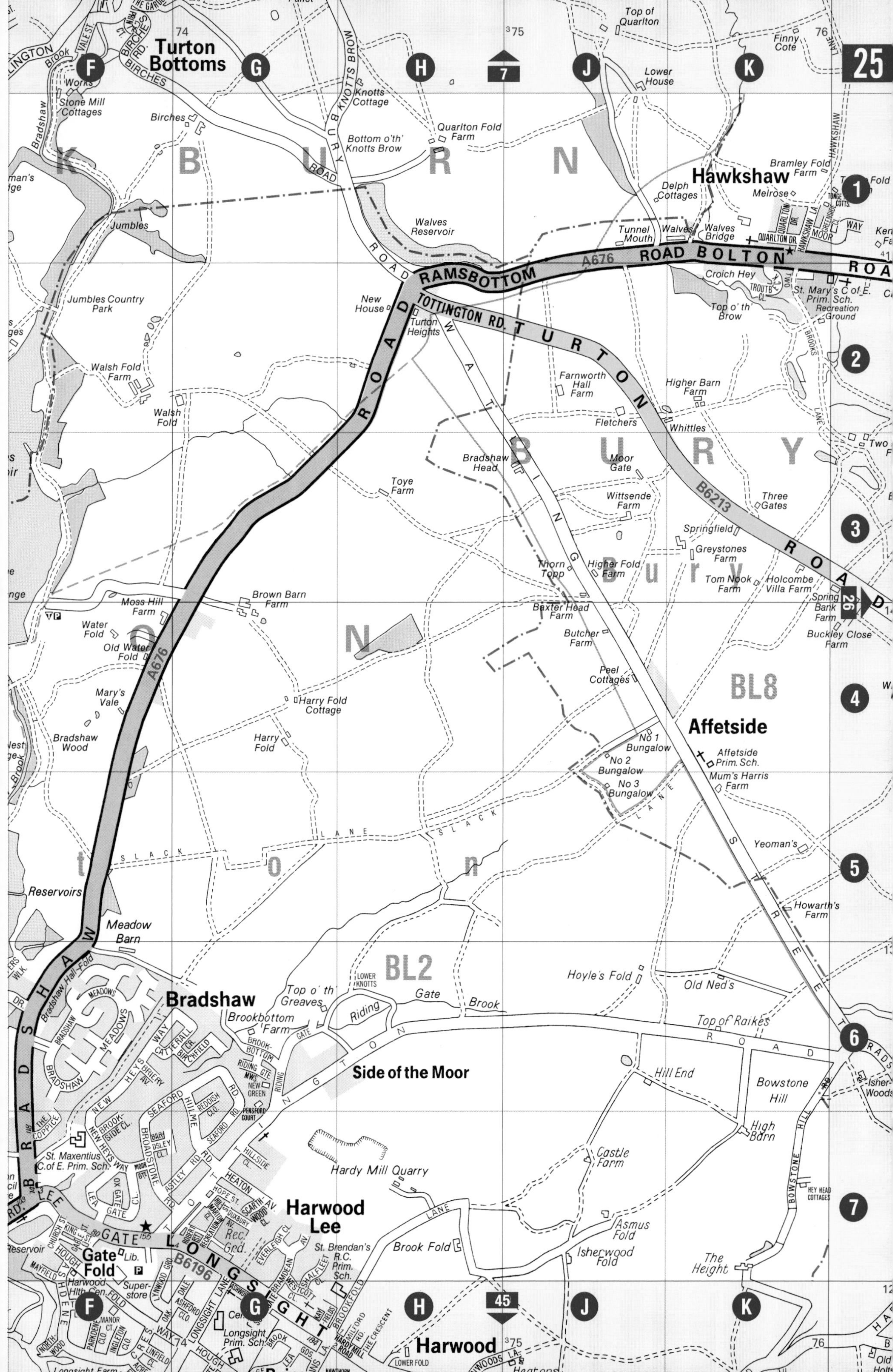
Turton Bottoms
Top of Quarlton
Finny Cote
Lower House
Stone Mill Cottages
Knotts Cottage
Birches
Quarlton Fold Farm
Bottom o'th' Knotts Brow
Hawkshaw
Bramley Fold Farm
Delph Cottages
Melrose
Jumbles
Walves Reservoir
Tunnel Mouth
Walves
Walves Bridge
RAMSBOTTOM ROAD BOLTON ROAD
A676
Croich Hey
St. Mary's C of E. Prim. Sch.
Recreation Ground
Top o' th' Brow
Jumbles Country Park
New House
Turton Heights
TOTTINGTON RD.
TURTON ROAD
Walsh Fold Farm
Walsh Fold
Farnworth Hall Farm
Higher Barn Farm
Fletchers
Whittles
Bradshaw Head
Moor Gate
Toye Farm
Wittsende Farm
Three Gates
B6213
Springfield
Greystones Farm
Thorn Topp
Higher Fold Farm
Tom Nook Farm
Holcombe Villa Farm
Spring Bank Farm
Brown Barn Farm
Moss Hill Farm
Water Fold
Old Water Fold
Baxter Head Farm
Butcher Farm
Buckley Close Farm
Peel Cottages
BL8
Mary's Vale
Harry Fold Cottage
Affetside
Harry Fold
Bradshaw Wood
No 1 Bungalow
No 2 Bungalow
No 3 Bungalow
Affetside Prim. Sch.
Mum's Harris Farm
SLACK LANE
Yeoman's
Reservoirs
Howarth's Farm
Meadow Barn
BL2
Hoyle's Fold
Old Ned's
Bradshaw
Top o' th' Greaves
Riding Gate Brook
Brookbottom Farm
Top of Raikes
TURTON ROAD
Side of the Moor
Hill End
Bowstone Hill
High Barn
Castle Farm
St. Maxentius C.of E. Prim. Sch.
Hardy Mill Quarry
Harwood Lee
Asmus Fold
Brook Fold
Isherwood Fold
Gate Fold
St. Brendan's R.C. Prim. Sch.
The Height
LONGSIGHT
B6196
Longsight Prim. Sch.
Harwood
Longsight Farm
Heatons
7
26
45

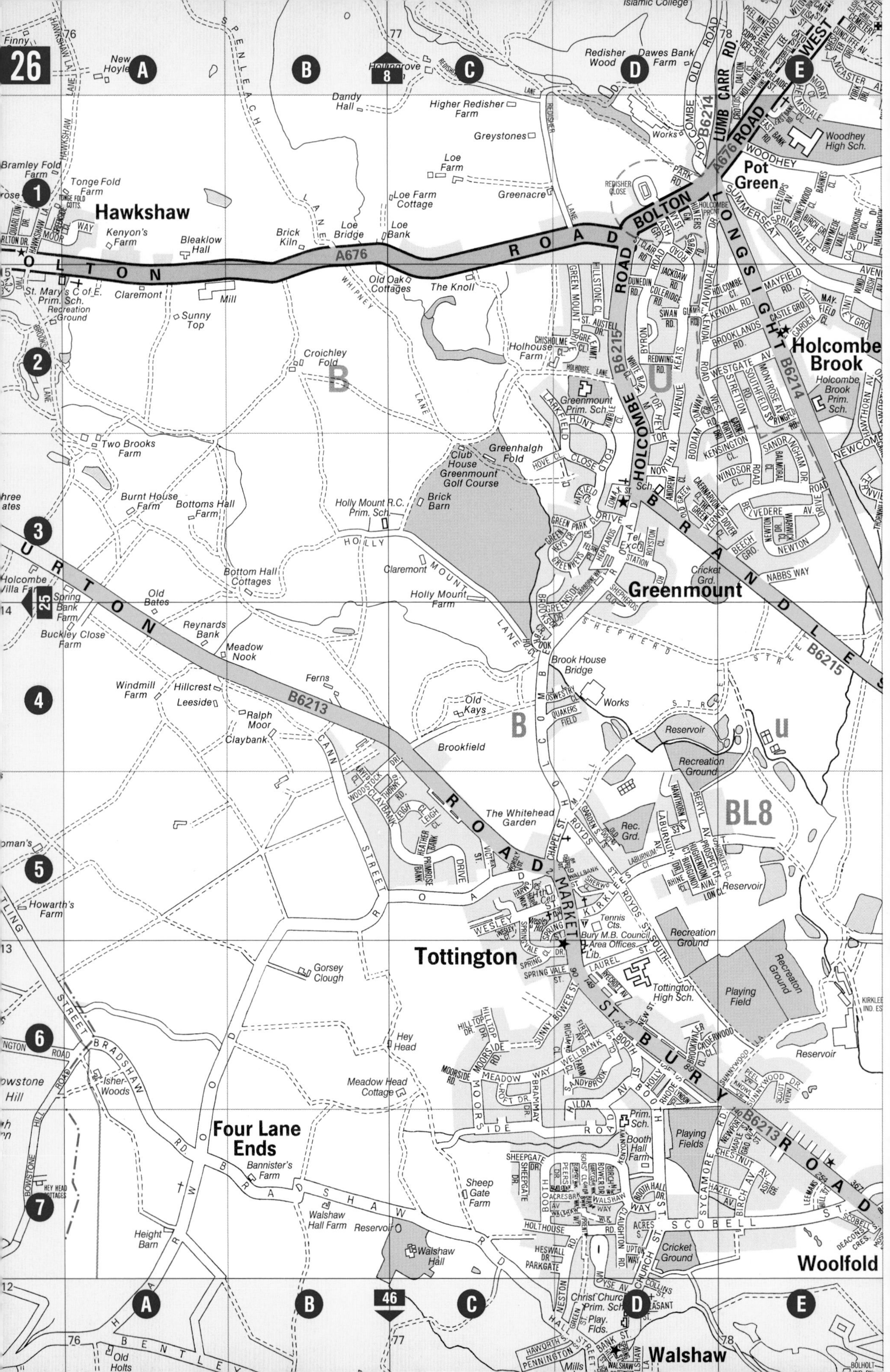
Hawkshaw
Pot Green
Holcombe Brook
Greenmount
Tottington
Four Lane Ends
Woolfold
Walshaw
BL8
BOLTON ROAD
A676
BURTON ROAD
B6213
HOLCOMBE ROAD
B6215
LONGSIGHT RD.
B6214
BRANDLESHOLME ROAD
BURY ST.
MARKET ST.
BRADSHAW RD.
WOOD RD.
SCOBELL ST.
SHEPHERD STREET
New Hoyle
Hollingrove
Dandy Hall
Higher Redisher Farm
Greystones
Redisher Wood
Dawes Bank Farm
Islamic College
Woodhey High Sch.
Bramley Fold Farm
Tonge Fold Farm
Loe Farm
Loe Farm Cottage
Greenacre
Kenyon's Farm
Bleaklow Hall
Brick Kiln
Loe Bridge
Loe Bank
Old Oak Cottages
The Knoll
St. Mary's C of E. Prim. Sch.
Claremont
Mill
Recreation Ground
Sunny Top
Croichley Fold
Holhouse Farm
Greenmount Prim. Sch.
Holcombe Brook Prim. Sch.
Two Brooks Farm
Club House Greenmount Golf Course
Greenhalgh Fold
Burnt House Farm
Bottoms Hall Farm
Holly Mount R.C. Prim. Sch.
Brick Barn
Tel. Exch.
Cricket Grd.
Bottom Hall Cottages
Claremont
Holly Mount Farm
Old Bates
Spring Bank Farm
Buckley Close Farm
Holcombe Villa Farm
Reynards Bank
Meadow Nook
Brook House Bridge
Windmill Farm
Hillcrest
Leeside
Ferns
Old Kays
Works
Ralph Moor
Claybank
Brookfield
Reservoir
Recreation Ground
The Whitehead Garden
Rec. Grd.
Howarth's Farm
Tennis Cts.
Bury M.B. Council Area Offices
Lib.
Recreation Ground
Gorsey Clough
Tottington High Sch.
Playing Field
Recreaton Ground
Hey Head
Isher Woods
Meadow Head Cottage
Prim. Sch.
Booth Hall Farm
Playing Fields
Bannister's Farm
Sheep Gate Farm
Walshaw Hall Farm
Reservoir
Height Barn
Walshaw Hall
Cricket Ground
Christ Church Prim. Sch.
Play. Flds.
Old Holts
Mills
76
77
78
12
13
14
15
A
B
C
D
E
1
2
3
4
5
6
7
8
25
46

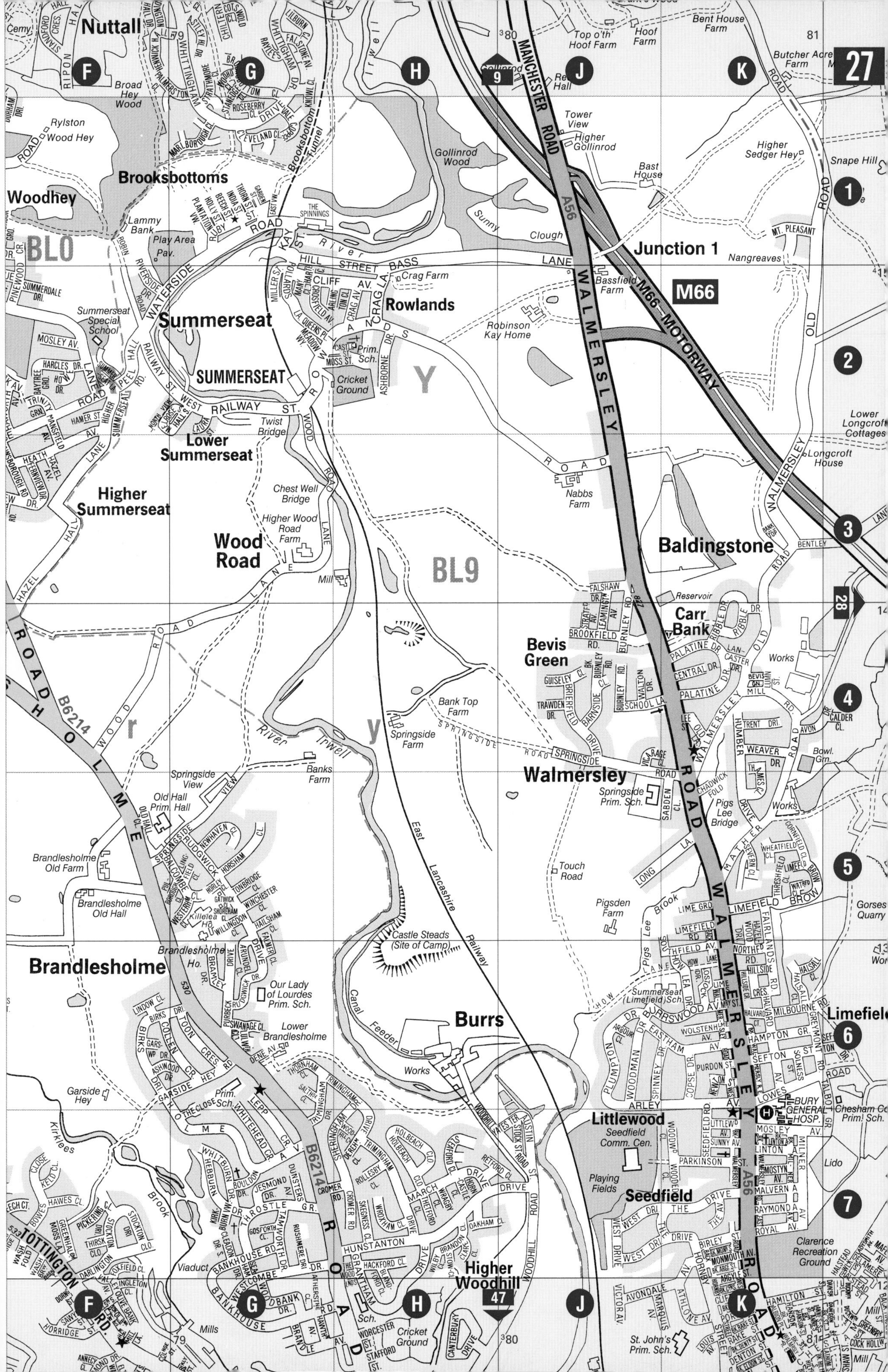
27
Nuttall
Broad Hey Wood
Rylston
Wood Hey
Brooksbottoms
Brooksbottom Tunnel
Woodhey
BL0
Lammy Bank
Play Area
Pav.
THE SPINNINGS
River Irwell
Gollinrod Wood
Sunny Clough
Top o'th' Hoof Farm
Hoof Farm
Bent House Farm
Butcher Acre Farm
Tower View
Higher Gollinrod
Bast House
Higher Sedger Hey
Snape Hill
MANCHESTER ROAD
A56
Junction 1
M66
M66 MOTORWAY
MT. PLEASANT
Nangreaves
BASS LANE
Bassfield Farm
Crag Farm
Rowlands
Summerseat
Summerseat Special School
SUMMERSEAT
Cricket Ground
Prim. Sch.
Robinson Kay Home
WALMERSLEY ROAD
Lower Longcroft Cottages
Longcroft House
Twist Bridge
Lower Summerseat
Higher Summerseat
Chest Well Bridge
Higher Wood Road Farm
Wood Road
Nabbs Farm
Baldingstone
BL9
Mill
Reservoir
Carr Bank
Bevis Green
Works
Bank Top Farm
Springside Farm
SPRINGSIDE ROAD
B6214
HOLME ROAD
River Irwell
Banks Farm
Springside View
Walmersley
Springside Prim. Sch.
Old Hall Prim. Hall
Pigs Lee Bridge
Bowl. Grn.
Brandlesholme Old Farm
Brandlesholme Old Hall
Touch Road
Pigsden Farm
Gorses Quarry
Killelea Ho.
Brandlesholme Ho.
Brandlesholme
Castle Steads (Site of Camp)
East Lancashire Railway
Canal Feeder
Our Lady of Lourdes Prim. Sch.
Summerseat (Limefield) Sch.
Limefield
Lower Brandlesholme
Burrs
Works
Garside Hey
Prim. Sch.
Kirklees
Littlewood
Seedfield Comm. Cen.
BURY GENERAL HOSP.
Chesham Co. Prim. Sch.
Lido
Playing Fields
Seedfield
Viaduct
Brook
TOTTINGTON RD.
Higher Woodhill
47
Clarence Recreation Ground
Mills
Sch.
Cricket Ground
St. John's Prim. Sch.
F
G
H
J
K
1
2
3
4
5
6
7
28
9
79
80
81

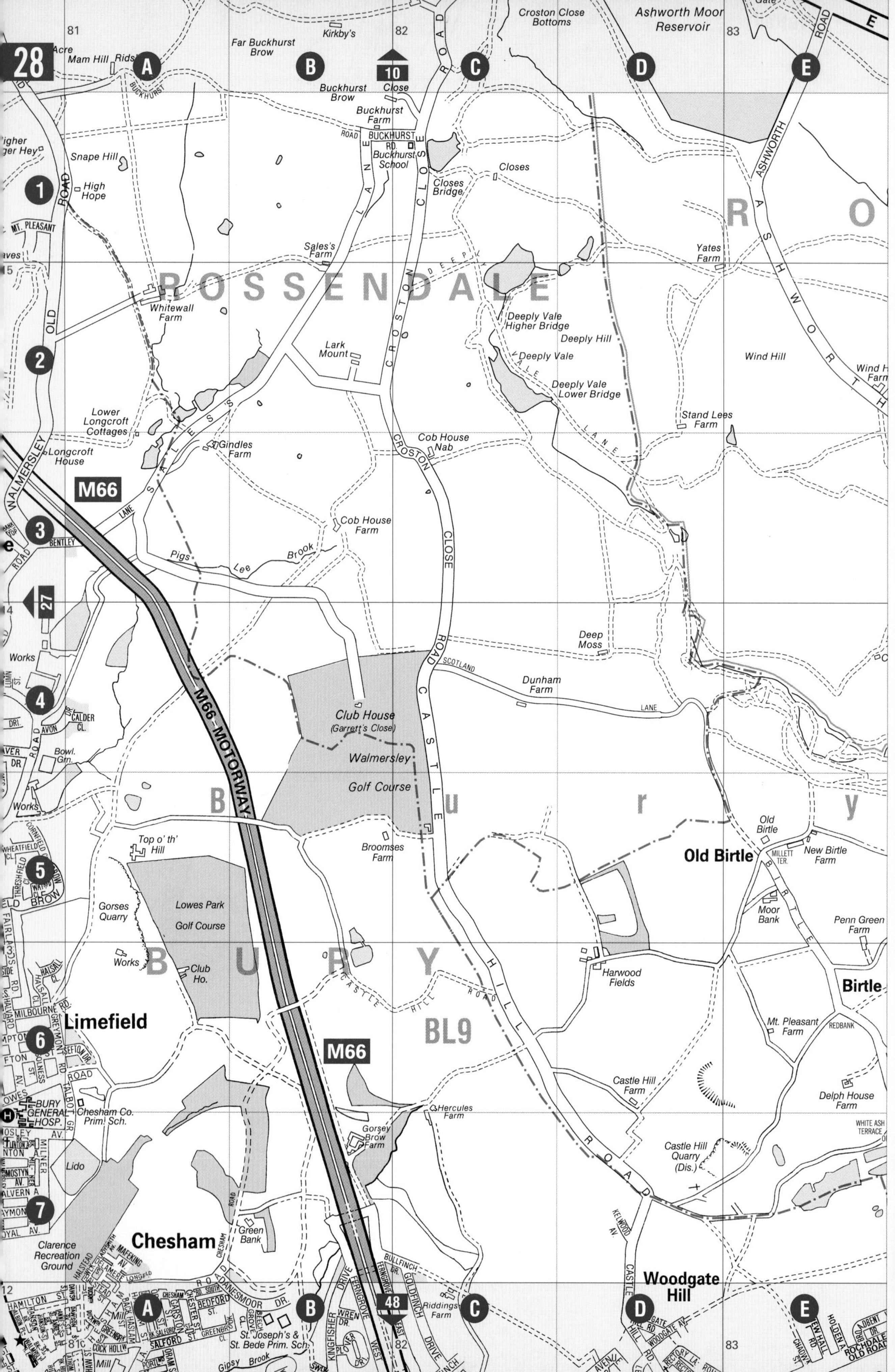

Far Buckhurst Brow
Kirkby's
Croston Close Bottoms
Ashworth Moor Reservoir
Mam Hill
Buckhurst Brow
Buckhurst Farm
Buckhurst School
Snape Hill
High Hope
Closes
Closes Bridge
ROSSENDALE
Sales's Farm
Yates Farm
Whitewall Farm
Deeply Vale Higher Bridge
Deeply Hill
Deeply Vale
Lark Mount
Wind Hill
Deeply Vale Lower Bridge
Lower Longcroft Cottages
Longcroft House
Gindles Farm
Cob House Nab
Stand Lees Farm
M66
Cob House Farm
Pigs Lee Brook
Works
Deep Moss
Dunham Farm
Club House (Garrett's Close)
Walmersley Golf Course
Bowl. Grn.
Bury
Old Birtle
New Birtle Farm
Top o' th' Hill
Broomses Farm
Moor Bank
Penn Green Farm
Gorses Quarry
Lowes Park Golf Course
Club Ho.
BURY
Harwood Fields
Birtle
Limefield
BL9
Mt. Pleasant Farm
M66-MOTORWAY
Castle Hill Farm
Delph House Farm
Bury General Hosp.
Chesham Co. Prim. Sch.
Hercules Farm
Gorsey Brow Farm
Castle Hill Quarry (Dis.)
Lido
Clarence Recreation Ground
Chesham
Green Bank
Woodgate Hill
Riddings Farm
St. Joseph's & St. Bede Prim. Sch.
Gipsy Brook
Mill

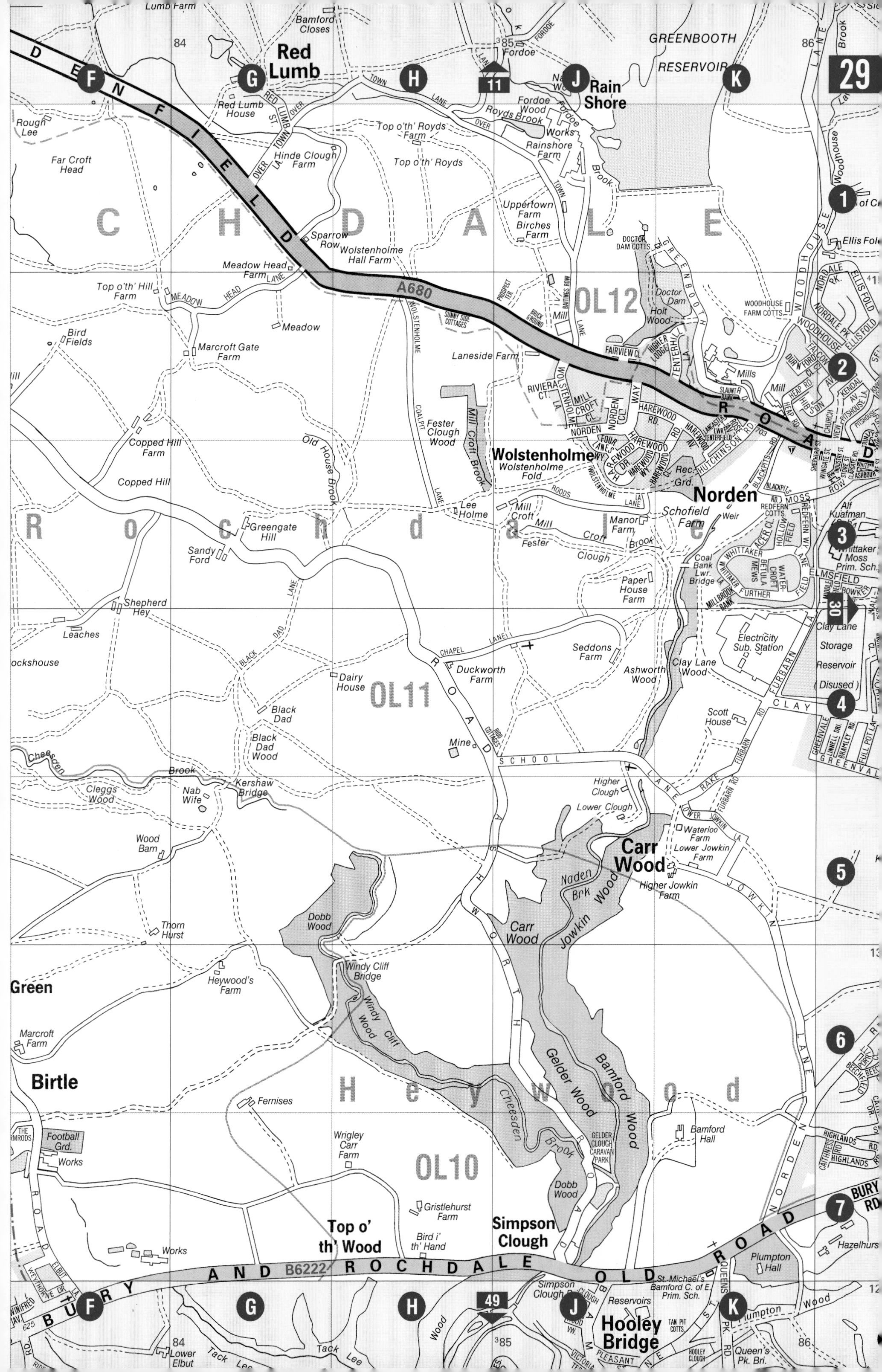

29
Red Lumb
Lumb Farm
Bamford Closes
Fordoe
GREENBOOTH RESERVOIR
Rain Shore
Red Lumb House
Rough Lee
Far Croft Head
Hinde Clough Farm
Top o'th' Royds Farm
Top o'th' Royds
Fordoe Wood
Royds Brook
Works
Rainshore Farm
Uppertown Farm
Birches Farm
C H A D D E R D A L E
DENFIELD
A680
Sparrow Row
Wolstenholme Hall Farm
Meadow Head Farm
Top o'th' Hill Farm
Meadow
Bird Fields
Marcroft Gate Farm
Laneside Farm
Doctor Dam
Holt Wood
OL12
Mills
Mill
Copped Hill Farm
Copped Hill
Fester Clough Wood
Mill Croft Brook
Old House Brook
Wolstenholme
Wolstenholme Fold
Rec. Grd.
Norden
Schofield Farm
Weir
Alf Kuafman
Whittaker Moss Prim. Sch.
Lee Holme
Mill Croft
Fester Clough
Manor Farm
Greengate Hill
Sandy Ford
R o c h d a l e
Coal Bank Lwr. Bridge
Paper House Farm
Shepherd Hey
Leaches
ockshouse
Clay Lane Storage Reservoir (Disused)
Electricity Sub. Station
Seddons Farm
Ashworth Wood
Clay Lane Wood
Duckworth Farm
Dairy House
OL11
Black Dad
Black Dad Wood
Scott House
Mine
SCHOOL LANE
Cheesden Brook
Cleggs Wood
Nab Wife
Kershaw Bridge
Higher Clough
Lower Clough
Waterloo Farm
Lower Jowkin Farm
Carr Wood
Higher Jowkin Farm
Wood Barn
Naden Brk
Jowkin Wood
Dobb Wood
Thorn Hurst
Carr Wood
Windy Cliff Bridge
Green
Heywood's Farm
Windy Cliff Wood
Marcroft Farm
Birtle
Gelder Wood
Bamford Wood
H e y w o o d
Fernises
Football Grd.
Works
Wrigley Carr Farm
Cheesden Brook
Gelder Clough Caravan Park
Bamford Hall
OL10
Dobb Wood
Gristlehurst Farm
Top o' th' Wood
Bird i' th' Hand
Simpson Clough
Hazelhurs
Plumpton Hall
Works
BURY AND ROCHDALE OLD ROAD
B6222
St. Michael's Bamford C. of E. Prim. Sch.
Simpson Clough
Reservoirs
Hooley Bridge
Plumpton Wood
Lower Elbut
Tack Lee
Queen's Pk. Bri.
11
49
30

30
Catley Lane Head
Hungerhill End Farm
Brown Hill
12
Hollands Farm
Reservoir
Visitors Centre
Healey Hall Wood
Lower Fold
Nabs Plantation
Top of Nabs
Top of Croft Farm
Mount Etna
Ellis Fold Farm
Kit Booth
Fern Hill
White Lees
Stone Hill Wood
Shawfield Stones Wood
Bank House
Shawfield Stones
Caldershaw
Redfearn Wood
Brotherod Wood
Playground
Bank House Farm
Shawfield Stone Farm
Shawfield
Norden Community Prim. Sch.
Cricket Grd.
Mills
Works
Passmonds
Quarry (Dis.)
Alf Kaufman Sch.
Whittaker Moss Prim. Sch.
Caldershaw Brook
R.C. Prim. Sch.
Rec. Grd.
Clinic
Spotland Fold
Meanwood Prim. Sch.
Jun. Dept.
Liby.
A680
Clay Lane Storage Reservoir (Disused)
Newhouse Farm
Club Ho.
Cutgate
Cutgate Shop. Precinct
Up. Passmonds
Denehurst Park
Rochdale F.C. Grd.
Bagslate Moor
Rochdale Golf Course
Greave
Oulder Hill Community (Lower) Sch.
Ten. Cts.
Oulder Hill Community (Upper) Sch.
Springs
Knowl View School
Playing Field
Rugby Grd.
Pond
Crematorium
Rochdale Cemetery
Broadhalgh
Bamford Prim. Sch.
Bamford
B6222
B6452
Ryefield
OL11
Sewage Works
Half Acre Bridge
Mill
River Roch
Springfield Park Public Golf Course
Mills
Kenyon Fold
Hazelhurst
Plumpton Hall
Running Track
OL10
Mereside Ho.
Springfield Park
Springfield Cotts.
Marland
Marland Wood
Sudden Brook
High Birch Sch.
Marland Hill Prim. Sch.
Marland Mill Fm.
Crimble Hall Farm
Crimble
Heywood Cemetery
50
29
A B C D E
1 2 3 4 5 6 7
86 87 88
12 13 14 15

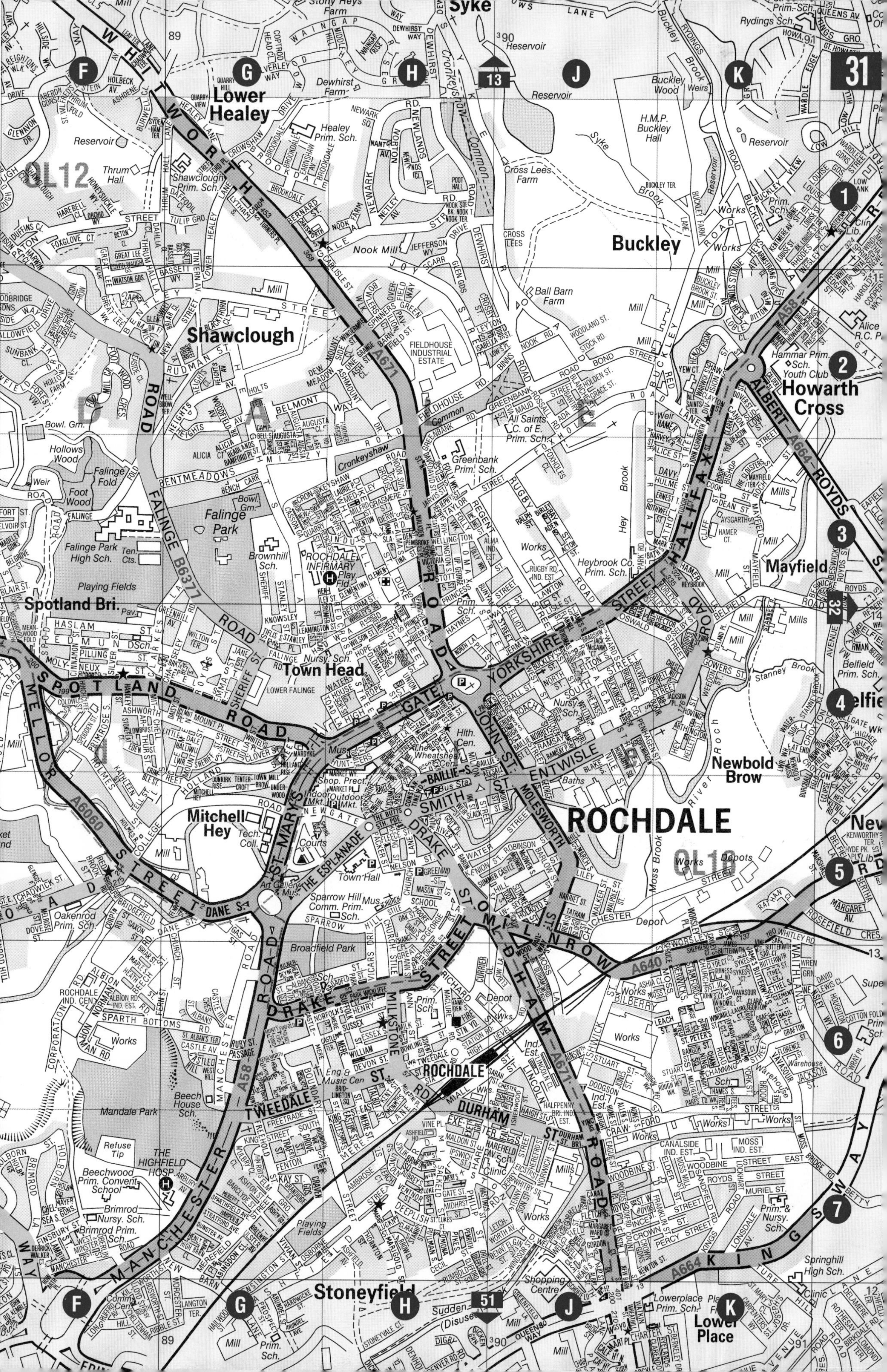
31
Syke
Lower Healey
Shawclough
Buckley
H.M.P. Buckley Hall
Buckley Wood
Reservoir
Healey Prim. Sch.
Shawclough Prim. Sch.
Cross Lees Farm
Nook Mill
Ball Barn Farm
Fieldhouse Industrial Estate
Dewhirst Farm
Thrum Hall
OL12
Howarth Cross
Hammar Prim. Sch.
Youth Club
Mayfield
Falinge Park
Falinge Park High Sch.
Playing Fields
Spotland Bri.
Brownhill Sch.
Rochdale Infirmary
Town Head
Lower Falinge
Greenbank Prim. Sch.
All Saints C. of E. Prim. Sch.
Heybrook Co. Prim. Sch.
Newbold Brow
Belfield Prim. Sch.
Rochdale
OL16
Mitchell Hey
Tech. Coll.
Town Hall
Courts
Art Gallery & Mus.
Sparrow Hill Comm. Prim. Sch.
Broadfield Park
Oakenrod Prim. Sch.
Rochdale Ind. Cen.
Mandale Park
Beech House Sch.
Refuse Tip
The Highfield Hosp.
Beechwood Prim. Convent School
Brimrod Nursy. Sch.
Brimrod Prim. Sch.
Stoneyfield
Lower Place
Lowerplace Prim. Sch.
Springhill High Sch.
Shopping Centre
Canalside Ind. Est.
Moss Ind. Est.
Halfpenny Bri. Ind. Est.
Eng & Music Cen
Whitworth Road
Falinge Road
Spotland Road
Yorkshire Street
Halifax Road
Albert Royds
John St.
Entwisle
Molesworth St.
St. Mary's Gate
Manchester Road
Drake Street
Oldham Road
Milkstone Road
Tweedale St.
Durham St.
Kingsway
Whitley Rd.
Mellor St.
A58
A671
A640
A664
A6060
B6377
13
32
51
1
2
3
4
5
6
7
F
G
H
J
K
89
90
91

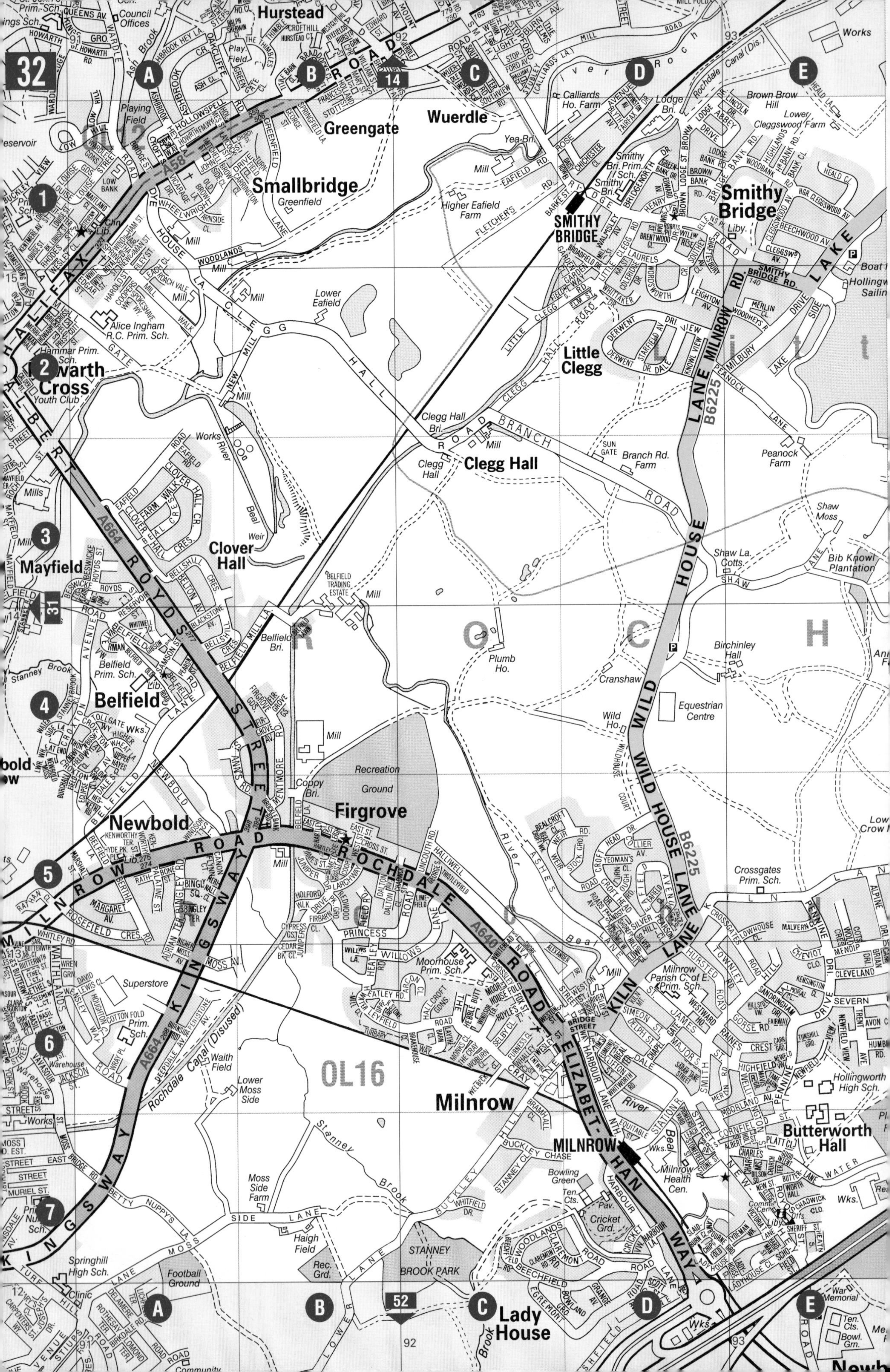
Hurstead
Smallbridge
Greengate
Wuerdle
Smithy Bridge
SMITHY BRIDGE
Little Clegg
Clegg Hall
Clover Hall
Mayfield
Belfield
Newbold
Firgrove
Milnrow
MILNROW
Butterworth Hall
Lady House
OL16
OL12
Howarth Cross
A58
A664
A640
B6225
HALIFAX RD.
ROYDS ST.
KINGSWAY
ROCHDALE ROAD
ELIZABETHAN WAY
WILD HOUSE LANE
KILN LANE
MILNROW RD.
LAKE BANK
CLEGG HALL ROAD
BRANCH ROAD
Rochdale Canal (Disused)
River Roch
River Beal
Stanney Brook
Recreation Ground
STANNEY BROOK PARK
Cricket Grd.
Football Ground
Equestrian Centre
Superstore
Peanock Farm
Brown Brow Hill
Hollingworth High Sch.
Springhill High Sch.
Moorhouse Prim. Sch.
Milnrow Parish C. of E. Prim. Sch.
Crossgates Prim. Sch.
Belfield Prim. Sch.
Alice Ingham R.C. Prim. Sch.
Smithy Bri. Prim. Sch.
Milnrow Health Cen.
Plumb Ho.
Birchinley Hall
Bib Knowl Plantation
Shaw Moss
BELFIELD TRADING ESTATE
14
31
52
A B C D E
1 2 3 4 5 6 7
92
93

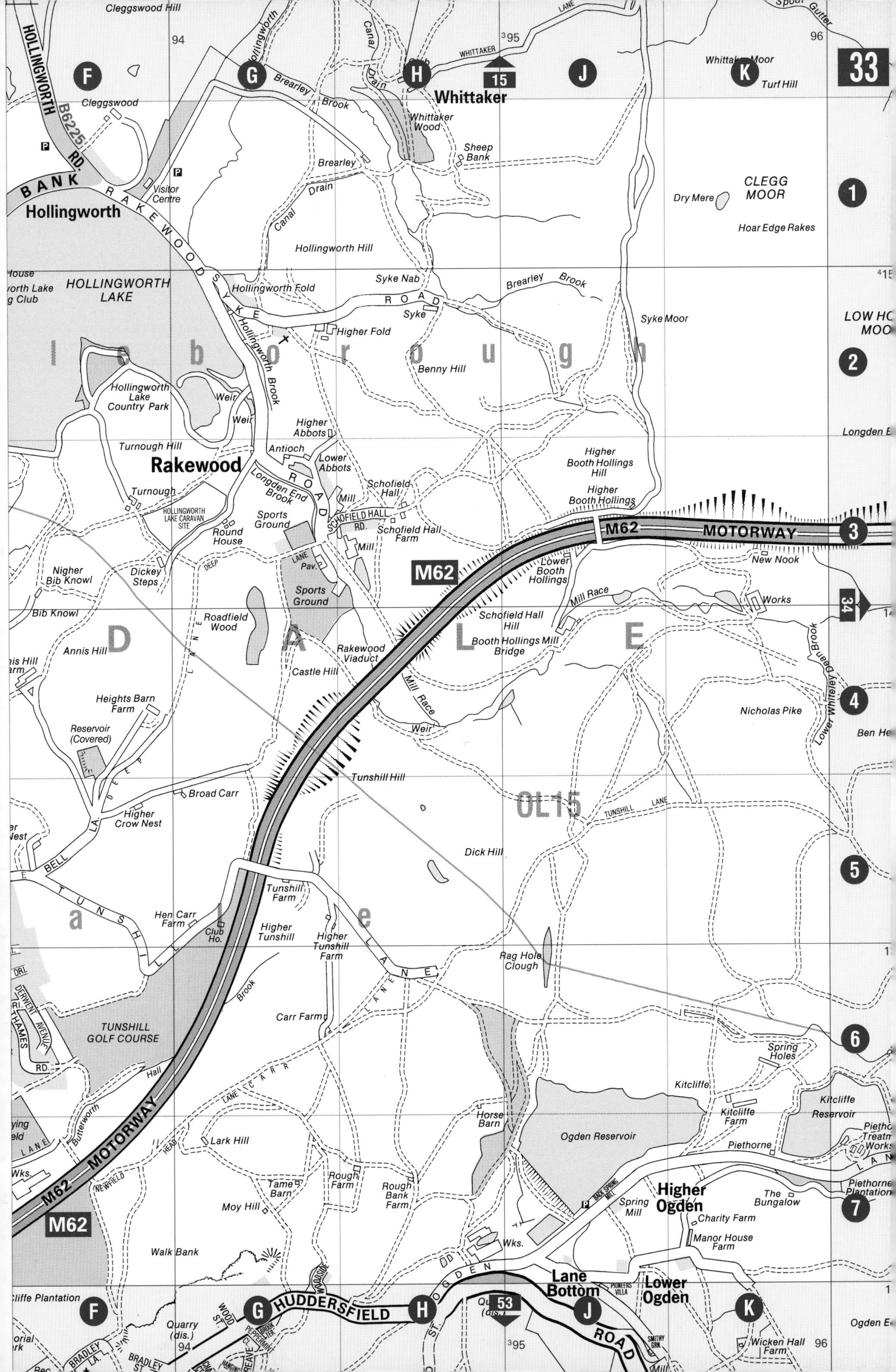
Cleggswood Hill
Whittaker
Whittaker Wood
Sheep Bank
Brearley
Whittaker Moor
Turf Hill
CLEGG MOOR
Dry Mere
Hoar Edge Rakes
Cleggswood
HOLLINGWORTH RD.
BANK
B6225
Hollingworth
RAKEWOOD
Visitor Centre
Brearley Brook
Canal Drain
Hollingworth Hill
HOLLINGWORTH LAKE
Hollingworth Fold
Syke Nab
SYKE ROAD
Syke
Higher Fold
Brearley Brook
Syke Moor
LOW HOLLINGWORTH MOOR
Littleborough
Benny Hill
Hollingworth Brook
Hollingworth Lake Country Park
Weir
Higher Abbots
Antioch
Lower Abbots
Turnough Hill
Rakewood
Longden End Brook
Higher Booth Hollings Hill
Higher Booth Hollings
Turnough
HOLLINGWORTH LAKE CARAVAN SITE
Sports Ground
Round House
Mill
Schofield Hall
SCHOFIELD HALL RD.
Schofield Hall Farm
M62 MOTORWAY
New Nook
Lower Booth Hollings
Mill Race
Works
34
Nigher Bib Knowl
Dickey Steps
DEEP LANE
Pav.
Sports Ground
Bib Knowl
Roadfield Wood
Schofield Hall Hill
Booth Hollings Mill Bridge
DALE
Annis Hill
Rakewood Viaduct
Castle Hill
Lower Whitelees Dean Brook
Heights Barn Farm
Mill Race
Weir
Nicholas Pike
Reservoir (Covered)
Ben Heys
Tunshill Hill
Broad Carr
OL15
TUNSHILL LANE
Higher Crow Nest
BELL LA.
Dick Hill
Tunshill Farm
TUNSHILL LANE
Hen Carr Farm
Club Ho.
Higher Tunshill
Higher Tunshill Farm
Rag Hole Clough
Brook
Carr Farm
TUNSHILL GOLF COURSE
DERWENT AVENUE
THAMES RD.
Spring Holes
CARR LANE
Hall
Butterworth
Kitcliffe
Kitcliffe Reservoir
Kitcliffe Farm
Horse Barn
Lark Hill
Ogden Reservoir
M62 MOTORWAY
Piethorne
Piethorne Treatment Works
NEWFIELD HEAD
Rough Farm
Tame Barn
Rough Bank Farm
BACK SPRING MILL
Spring Mill
Higher Ogden
The Bungalow
Piethorne Plantation
M62
Moy Hill
Charity Farm
Manor House Farm
Walk Bank
Wks.
OGDEN
Lane Bottom
PIONEERS VILLA
Lower Ogden
Cliffe Plantation
HUDDERSFIELD ROAD
WOODSIDE
Quarry (dis.)
53
Ogden Edge
Quarry (dis.)
WOOD ST.
SMITHY GRN.
Wicken Hall Farm
BRADLEY LA.
BRADLEY ST.
F G H J K
1 2 3 4 5 6 7
94 395 96

A **B** 16 **C** **D** **E**

96 97 Sun End 98

1
EGG
OOR
Edge Rakes
Hoar Edge
Moss Slack
Ford
Ford
Longden End Clough
Pennine Way
Slippery Moss

15

Low House Moor
Little Hoar Edge
White Isles
Lads Grave

2
LOW HOUSE
MOOR
Great Hoar Edge
Black Moor
M62
Rook Stones Hill

Longden End Moor
Castle Shore Clough
Castle Shore Hill

Moss Slack Brook
Longden End Brook

3
w Nook
M62 — MOTORWAY
Longden End Clough
Longden End Brook
Windy Hill
Tag Heys
Windy Hill
T.V. & Radio Station
A672

R O C H D A L E

33
14
Works

4
olas Pi
Ben Heys
Windy Hills
Piethorne Clough
Brook
Weir
Green Meadows
Axletree Edge
Pennine Way

Lower Whitlalay Dean Brook

L i t t l e b o r o u g h
Piethorne
Weir
Ashworth Clough
Griffiths Clough
Green H

5
Binns Pasture
Weir
Weir
Weir
Fool Hill
Bleakedgate Moor
Foxstone Edge
Green H

OL15
Norman Hill Reservoir

13

Rooden
Catchwater
Little Whin
Millsto
O L
O l

6
Sprin
Holes
Old House Ground Plantation
Clough
Great Hill
Great

PIETHORNE RESERVOIR
Weir
Cold Greave Clough
Weir
Culvert
RIPPONDEN ROAD A672

Kitcliffe Reservoir
Weir
Cold Greave
Rooden Catchwater

Piethorne Treatment Works
LANE
Knowsley Plantation
Hanging Lees Resr

7
DEN
Piethorne Plantation
he
ngalow
Rochdale
OL16
Rooden Catchwater
APES
HIG

Ogden Edge
Bent Heath
Readycon
Dean

A **B** 54 **C** **D** **E**

96 97 Rooden Reservoir 98

Weir

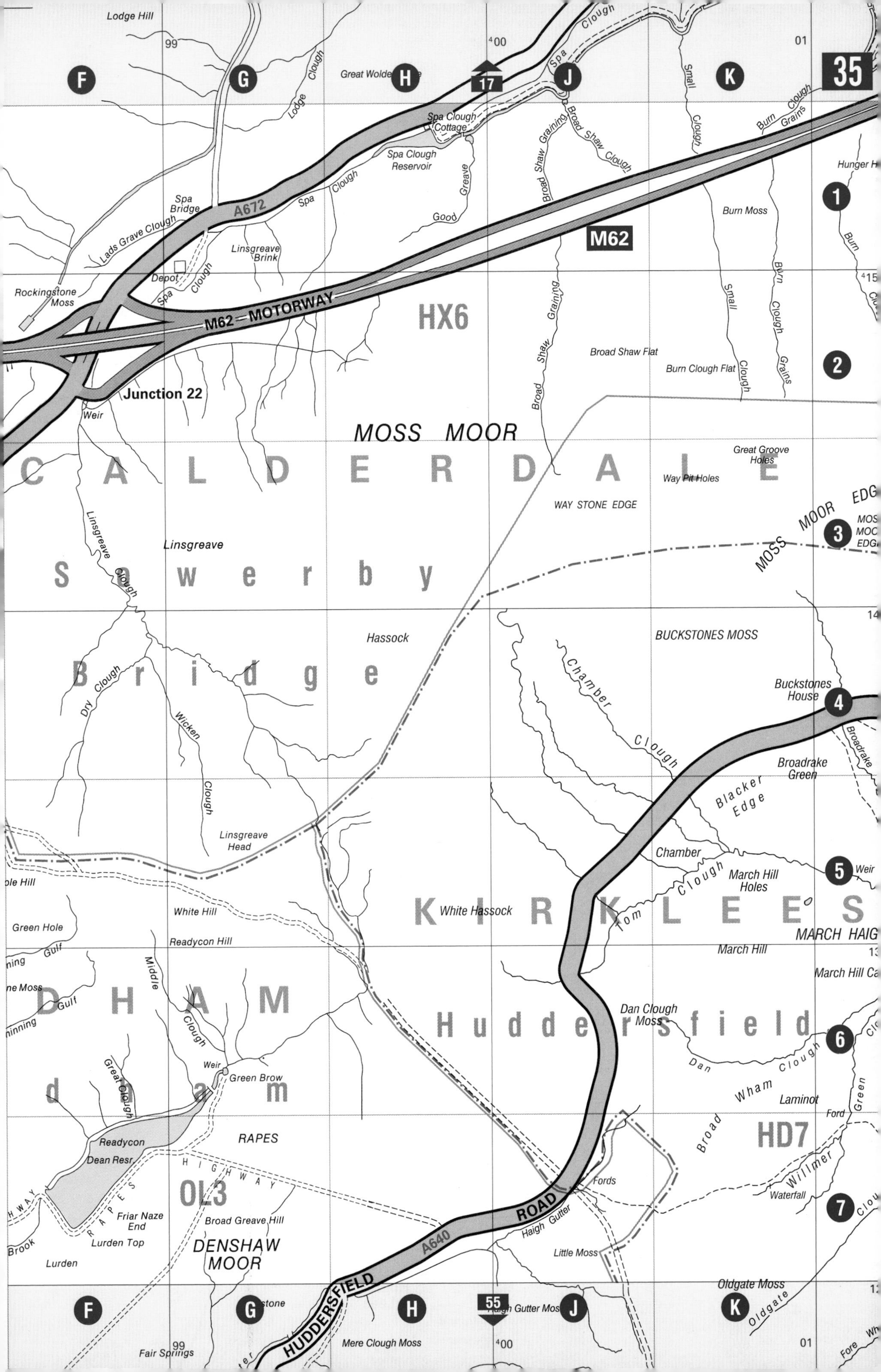
Lodge Hill
99
400
01
F
G
H
J
K
17
Great Wolden Edge
Lodge Clough
Spa Clough
Spa Clough Cottage
Spa Clough Reservoir
Broad Shaw Graining
Broad Shaw Clough
Small Clough
Burn Clough Grains
Hunger Hill
1
A672
Spa Bridge
Lads Grave Clough
Spa Clough
Good Greave
Burn Moss
M62
Linsgreave Brink
Depot
Rockingstone Moss
M62 – MOTORWAY
HX6
Broad Shaw Graining
Small Clough
Burn Clough Grains
Broad Shaw Flat
Burn Clough Flat
2
Junction 22
Weir
MOSS MOOR
CALDERDALE
Great Groove Holes
Way Pit Holes
WAY STONE EDGE
MOSS MOOR EDGE
3
Linsgreave Clough
Linsgreave
Sowerby
BUCKSTONES MOSS
Hassock
Chamber Clough
Bridge
Dry Clough
Buckstones House
4
Wicken Clough
Broadrake
Broadrake Green
Blacker Edge
Linsgreave Head
Chamber
5
Weir
Tom Clough
March Hill Holes
White Hill
White Hassock
KIRKLEES
Green Hole
Readycon Hill
MARCH HAIGH
March Hill
Gulf
March Hill Cairn
Middle Clough
Gulf
OLDHAM
Dan Clough Moss
Huddersfield
6
Weir
Green Brow
Great Clough
Dan Clough
Broad Wham
Laminot
Ford
Green
Readycon Dean Resr.
RAPES
HIGHWAY
HD7
OL3
Fords
Willmer
Waterfall
7
RAPES HIGHWAY
ROAD
Friar Naze End
Broad Greave Hill
Haigh Gutter
Lurden Top
A640
DENSHAW MOOR
Brook
Lurden
Little Moss
Oldgate Moss
HUDDERSFIELD
55
Haigh Gutter Moss
Oldgate
Fair Springs
Mere Clough Moss
Fore Wham

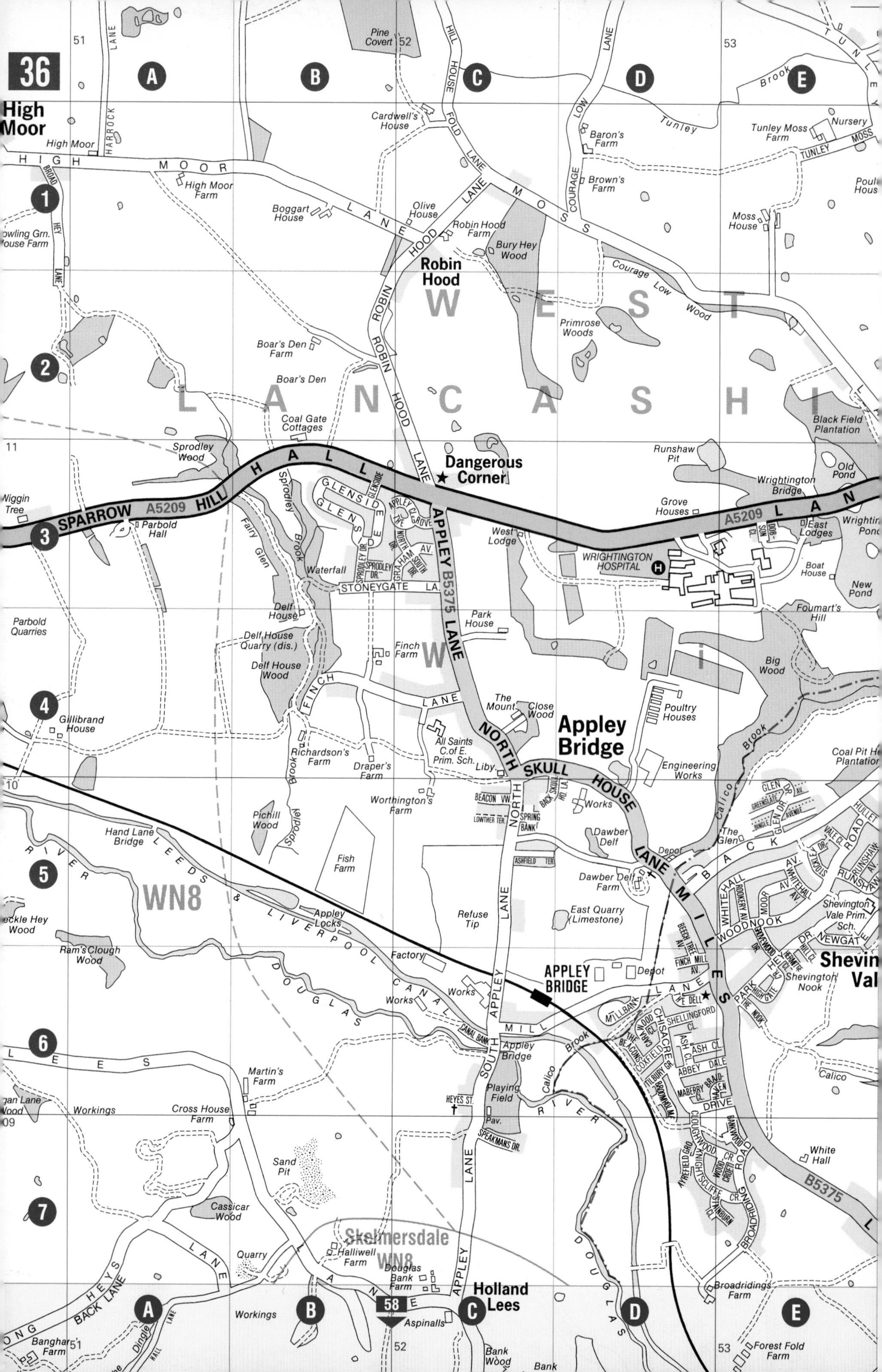
High Moor
Pine Covert
Cardwell's House
Baron's Farm
Brown's Farm
Tunley Moss Farm
Nursery
High Moor Farm
Boggart House
Olive House
Robin Hood Farm
Bury Hey Wood
Moss House
Robin Hood
WEST LANCASHIRE
Primrose Woods
Boar's Den Farm
Boar's Den
Coal Gate Cottages
Sprodley Wood
Dangerous Corner
Runshaw Pit
Black Field Plantation
Old Pond
Wrightington Bridge
Grove Houses
East Lodges
West Lodge
WRIGHTINGTON HOSPITAL
Boat House
New Pond
Foumart's Hill
Wiggin Tree
SPARROW HILL A5209 HALL LANE
Parbold Hall
Fairy Glen
Waterfall
Delf House
Delf House Quarry (dis.)
Delf House Wood
Parbold Quarries
Park House
Finch Farm
Big Wood
Poultry Houses
Gillibrand House
The Mount
Close Wood
Appley Bridge
All Saints C.of E. Prim. Sch.
Liby.
Richardson's Farm
Draper's Farm
Engineering Works
Coal Pit Plantation
Worthington's Farm
Works
Dawber Delf
Pichill Wood
Hand Lane Bridge
Fish Farm
Dawber Delf Farm
Depot
The Glen
Shevington Vale Prim. Sch.
WN8
Appley Locks
Refuse Tip
East Quarry (Limestone)
Heckle Hey Wood
Ram's Clough Wood
Factory
APPLEY BRIDGE
Depot
Shevington Nook
Shevington Vale
Works
Appley Bridge
Martin's Farm
Cross House Farm
Playing Field
Pav.
Calico
White Hall
Workings
Sand Pit
Cassicar Wood
Quarry
Halliwell Farm
Skelmersdale WN8
Douglas Bank Farm
Holland Lees
Broadridings Farm
Workings
Aspinalls
Banghars Farm
Bank Wood
Forest Fold Farm
B5375

58

Shevington Moor
Langtree
STANDISH
Shevington
Junction 27
M6 MOTORWAY
CROW ORCHARD RD.
MOSSY LEA ROAD
PRESTON ROAD
ALMOND BROOK ROAD
SHEVINGTON LANE
PEPPER LANE
SCHOOL LA.
WIGAN ROAD
CHURCH LA.
NEW MILES LA.
GATHURST
STANDISH PARK
BIRLEY WOOD
WN6
South Tunley Farm
Pumping Station
Rigby's Bridge
Moss View Farm
Lassell House Farm
Tunley Lane Farm
Lane Farm
Hunger Hill
St. Josephs R.C. Prim. School
Potters Farm
Thompson House
Depot
Langtree Hall West
Langtree Old Hall
Cross Farm
Workings
Chadwick Farm
Pepper Lane Farm
Saddle Hill Farm
Langtree Hall
Moat
Robin Hill Farm East
Robin Hill Farm West
Standish Community High Sch.
The Rookery
The Dingle
Home Farm
Chamberlain's Farm
Cat i'th' Window Farm
Black Horse Farm
The Woods Nursery
Aspinalls Farm
Gunnell's Fold Farm
Bowling Green House
The Beeches
Woodfold Prim. Sch.
Beech Lodge
Wood's Farm
White Hill Farm
Pumping Station
Merrybone Farm
Cricket Ground
Hullet Hole Wood
Shevington High Sch.
Stockley Hill Wood
Paradise Farm
Beech Walk Plantation
Calico Wood
Mill Dam Wood Cotts.
Hot House Wood
Standish Hall Farm
Calico Wood Farm
Millbrook Prim. Sch.
Elnup Wood
Shevington Prim. Sch.
Clinic
St. Bernadette's R.C. Prim. Sch.
Rec. Grd.
Club House
Lib.
Upper W Farm
Lower W
38
59

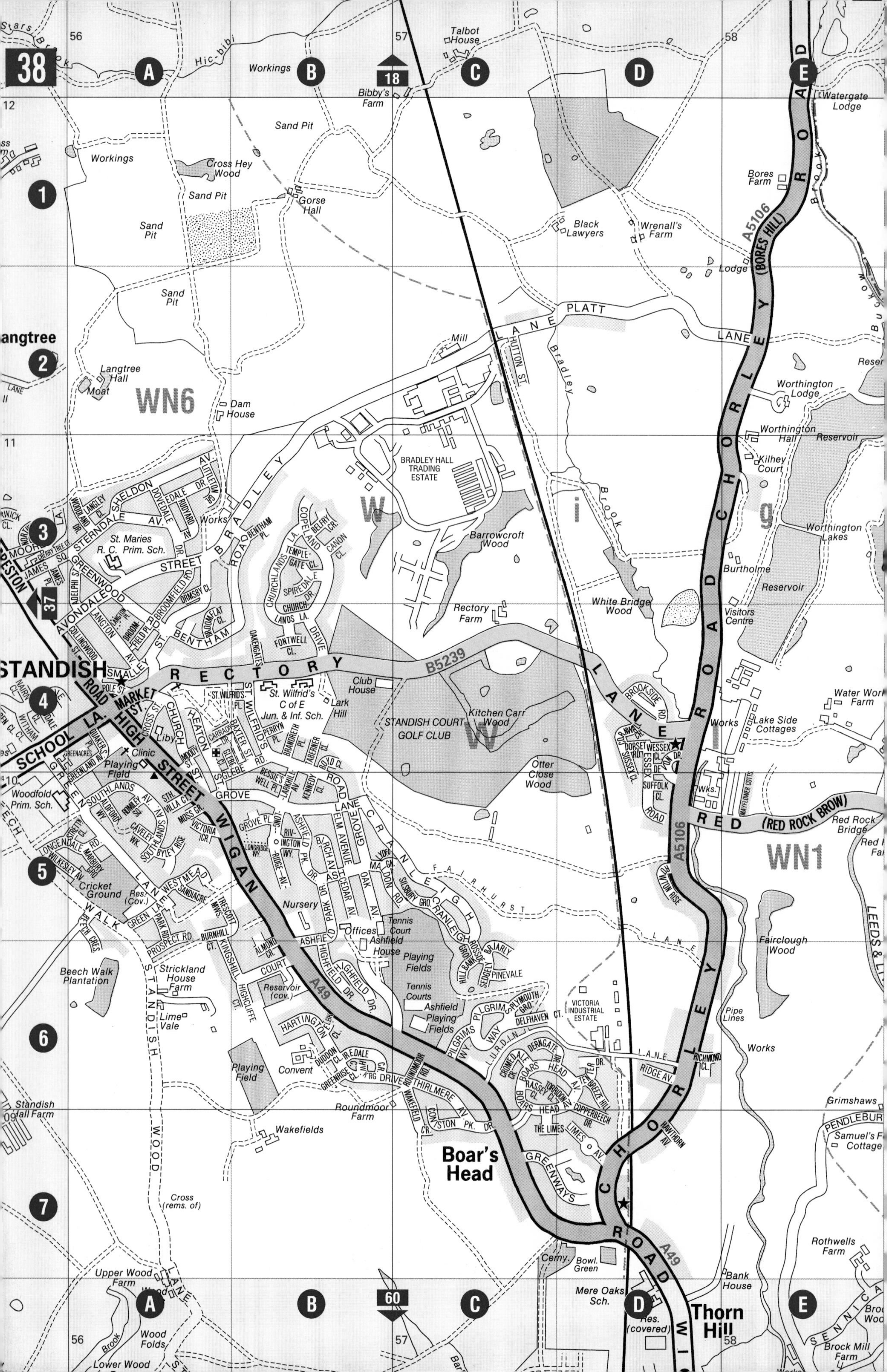
STANDISH
WN6
WN1
Boar's Head
Thorn Hill
Langtree Hall
Moat
Dam House
Workings
Cross Hey Wood
Sand Pit
Gorse Hall
Bibby's Farm
Talbot House
Black Lawyers
Wrenall's Farm
Bores Farm
Watergate Lodge
Lodge
PLATT LANE
Mill
HUTTON ST.
Bradley Brook
CHORLEY ROAD
A5106
(BORES HILL)
Worthington Lodge
Worthington Hall
Reservoir
Kilhey Court
Worthington Lakes
Burtholme
Visitors Centre
BRADLEY HALL TRADING ESTATE
Barrowcroft Wood
Rectory Farm
White Bridge Wood
RECTORY LANE
B5239
Club House
Lark Hill
St. Wilfrid's C of E Jun. & Inf. Sch.
STANDISH COURT GOLF CLUB
Kitchen Carr Wood
Otter Close Wood
Water Works Farm
Lake Side Cottages
Works
RED ROCK LANE
(RED ROCK BROW)
Red Rock Bridge
FAIRHURST LANE
Fairclough Wood
Pipe Lines
St. Maries R. C. Prim. Sch.
BRADLEY LANE
STERNDALE AV.
SHELDON AV.
GREENWOOD
AVONDALE
BENTHAM ST.
SMALLEY ST.
MARKET ST.
HIGH STREET
SCHOOL LA.
WIGAN ROAD
A49
Clinic
Liby.
Playing Field
Woodfold Prim. Sch.
SOUTHLANDS
GROVE LANE
CRANLEIGH
Nursery
Offices
Tennis Court
Ashfield House
Playing Fields
Ashfield Playing Fields
VICTORIA INDUSTRIAL ESTATE
Cricket Ground
WESTMEAD LANE
BEECH WALK
Beech Walk Plantation
Strickland House Farm
Lime Vale
STANDISH WOOD LANE
Reservoir (cov.)
Convent
Playing Field
Roundmoor Farm
Wakefields
Standish Hall Farm
Cross (rems. of)
Upper Wood Farm
Wood Folds
Lower Wood
Cemy.
Bowl. Green
Mere Oaks Sch.
Res. (covered)
Bank House
Rothwells Farm
Grimshaws
Samuel's Fold Cottage
Brock Mill Farm
THIRLMERE AV.
CONISTON PK. DR.
GREENWAYS
BOARS HEAD AV.
THE LIMES
HAWTHORN AV.
RIDGE AV.
RICHMOND CL.
18
37
60
56
57
58
12
11
10
09
A
B
C
D
E
1
2
3
4
5
6
7

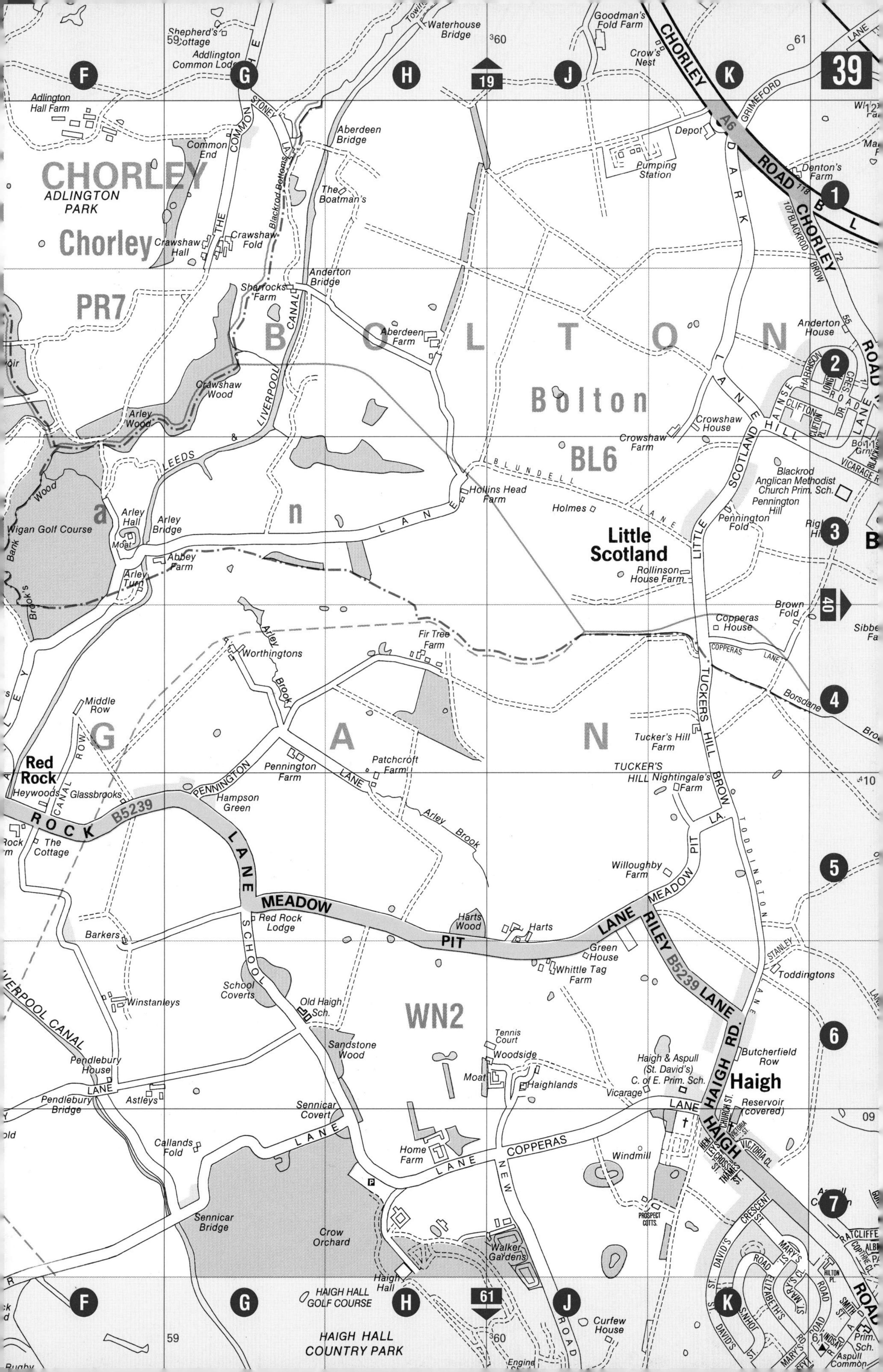

CHORLEY
ADLINGTON PARK
Chorley
PR7
BOLTON
Bolton
BL6
Little Scotland
WIGAN
Red Rock
WN2
Haigh
Shepherd's Cottage
Addlington Common Lodge
Adlington Hall Farm
Waterhouse Bridge
Goodman's Fold Farm
Crow's Nest
Common End
Aberdeen Bridge
The Boatman's
Depot
Pumping Station
Denton's Farm
Crawshaw Hall
Crawshaw Fold
Sharrocks Farm
Anderton Bridge
Aberdeen Farm
Anderton House
Crawshaw Wood
Arley Wood
Crowshaw House
Crowshaw Farm
Wigan Golf Course
Arley Hall
Arley Bridge
Moat
Abbey Farm
Arley Turn
Hollins Head Farm
Holmes
Blackrod Anglican Methodist Church Prim. Sch.
Pennington Hill
Pennington Fold
Rollinson House Farm
Brown Fold
Copperas House
Worthingtons
Fir Tree Farm
Middle Row
Tucker's Hill Farm
Pennington Farm
Patchcroft Farm
TUCKER'S HILL
Nightingale's Farm
Heywoods
Glassbrooks
Hampson Green
The Cottage
Willoughby Farm
Red Rock Lodge
Harts Wood
Harts
Barkers
Green House
Whittle Tag Farm
Toddingtons
School Coverts
Old Haigh Sch.
Winstanleys
Sandstone Wood
Tennis Court
Woodside
Moat
Haighlands
Haigh & Aspull (St. David's) C. of E. Prim. Sch.
Butcherfield Row
Vicarage
Reservoir (covered)
Pendlebury House
Astleys
Pendlebury Bridge
Sennicar Covert
Callands Fold
Home Farm
Windmill
PROSPECT COTTS.
Sennicar Bridge
Crow Orchard
Walker Gardens
Haigh Hall
HAIGH HALL GOLF COURSE
HAIGH HALL COUNTRY PARK
Curfew House
Aspull Common
Prim. Sch.
LEEDS & LIVERPOOL CANAL
Blackrod Bottoms
ROCK LANE B5239
PENNINGTON LANE
MEADOW PIT LANE
RILEY LANE B5239
SCHOOL LANE
COPPERAS LANE
HAIGH RD.
NEW ROAD
DARK LANE
LITTLE SCOTLAND
TUCKERS HILL BROW
TODDINGTON LANE
BLUNDELL LANE
CHORLEY ROAD A6
BLACKROD BROW
COPPERAS LANE
Borsdane Brook
Arley Brook
STANLEY
PIT LA.
ST. DAVID'S CRESCENT
ST. ELIZABETH'S ROAD
ST. JOHN'S
ST. MARY'S
HILTON PL.
RATCLIFFE
SMITH ST.
CHURCH ST.
VICTORIA ST.
VICTORIA CL.
THAMES ST.
CROSS ST.
HAINSE HILL
CLIFTON
HARRISON
LONG
VICARAGE
F G H J K
1 2 3 4 5 6 7
59 360 61 410 09
19 40 61

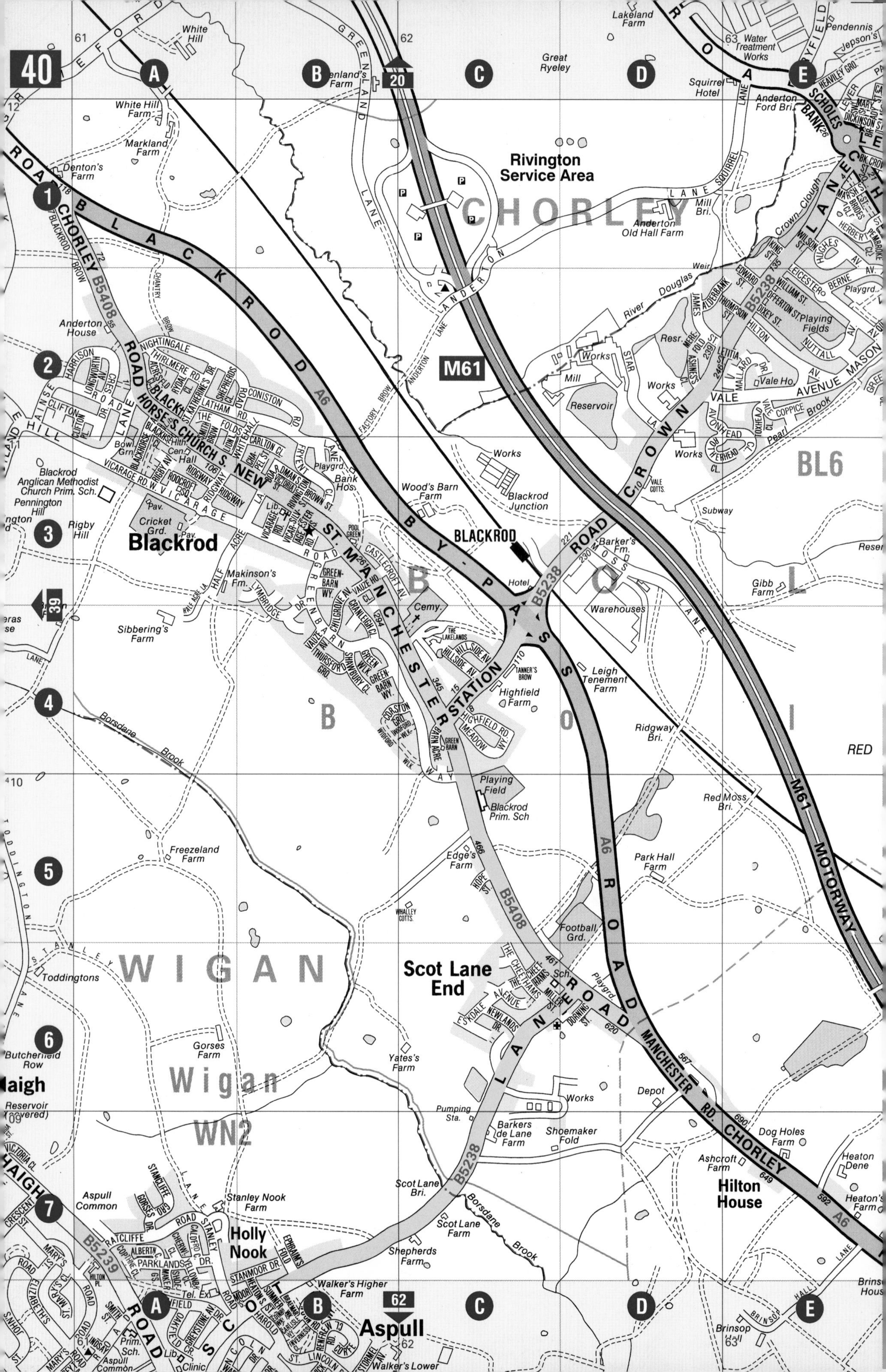

Lakeland Farm
White Hill
Great Ryeley
Water Treatment Works
Pendennis
Greenland's Farm
20
M61
Squirrel Hotel
Anderton Ford Bri.
White Hill Farm
Markland Farm
Denton's Farm
Rivington Service Area
CHORLEY
Mill Bri.
Anderton Old Hall Farm
BLACKROD
A6
B5408
River Douglas
Weir
Crown Clough
Playing Fields
Anderton House
Works
Mill
Reservoir
Resr.
Vale Ho.
BL6
Blackrod Anglican Methodist Church Prim. Sch.
Pennington Hill
Rigby Hill
Blackrod
Cricket Grd.
Wood's Barn Farm
Blackrod Junction
Barker's Fm.
Makinson's Fm.
Warehouses
Gibb Farm
Sibbering's Farm
Cemy.
Hotel
Subway
B5238
Leigh Tenement Farm
Highfield Farm
Ridgway Bri.
Borsdane Brook
Playing Field
Blackrod Prim. Sch
Red Moss Bri.
Freezeland Farm
Edge's Farm
Park Hall Farm
Whalley Cotts.
Football Grd.
WIGAN
Scot Lane End
Toddingtons
Gorses Farm
Yates's Farm
Butcherfield Row
Haigh
Reservoir (covered)
Wigan
WN2
Depot
Pumping Sta.
Works
Barkers de Lane Farm
Shoemaker Fold
Dog Holes Farm
Ashcroft Farm
Heaton Dene
Scot Lane Bri.
Hilton House
Heaton's Farm
Aspull Common
Stanley Nook Farm
Holly Nook
Scot Lane Farm
Shepherds Farm
Walker's Higher Farm
62
Aspull
Walker's Lower
Brinsop Hall
MANCHESTER RD. CHORLEY
MOTORWAY
39

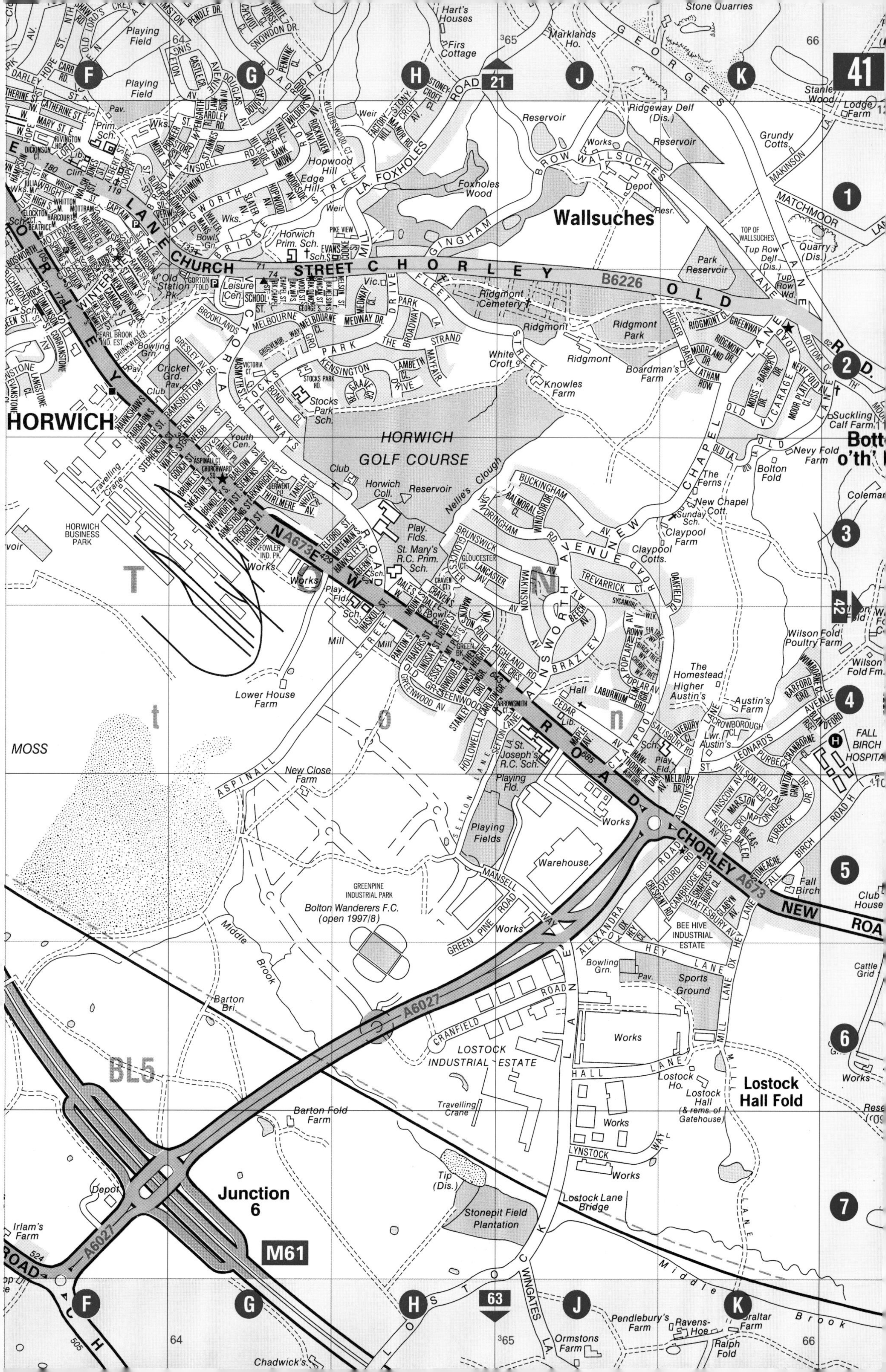
HORWICH
Wallsuches
HORWICH GOLF COURSE
Horwich Coll.
Lostock Hall Fold
LOSTOCK INDUSTRIAL ESTATE
GREENPINE INDUSTRIAL PARK
Bolton Wanderers F.C. (open 1997/8)
BEE HIVE INDUSTRIAL ESTATE
HORWICH BUSINESS PARK
FALL BIRCH HOSPITAL
Junction 6
M61
A6027
A673
B6226
CHORLEY NEW ROAD
CHURCH STREET
CHORLEY OLD ROAD
LOSTOCK LANE
BL5
MOSS
Stone Quarries
Hart's Houses
Firs Cottage
Marklands Ho.
Ridgeway Delf (Dis.)
Reservoir
Foxholes Wood
Hopwood Hill
Edge Hill
Horwich Prim. Sch.
Park Reservoir
Ridgmont Cemetery
Ridgmont Park
Boardman's Farm
Knowles Farm
White Croft
Stocks Park Sch.
Cricket Grd.
St. Mary's R.C. Prim. Sch.
St. Joseph's R.C. Sch.
Lower House Farm
New Close Farm
Playing Fields
Warehouse
Sports Ground
Barton Bri.
Barton Fold Farm
Stonepit Field Plantation
Lostock Lane Bridge
Lostock Ho.
Lostock Hall (& rems. of Gatehouse)
Irlam's Farm
Pendlebury's Farm
Ravens-Hoe
Ralph Fold
Ormstons Farm
Chadwick's
Middle Brook
Grundy Cotts.
Stanley Wood
Lodge Farm
Suckling Calf Farm
Nevy Fold Farm
Bolton Fold
Claypool Farm
Claypool Cotts.
Wilson Fold Poultry Farm
The Homestead
Higher Austin's
Austin's Farm
Lwr. Austin's
Club House
Fall Birch
Tip (Dis.)
Travelling Crane
21
63
42
64
365
66

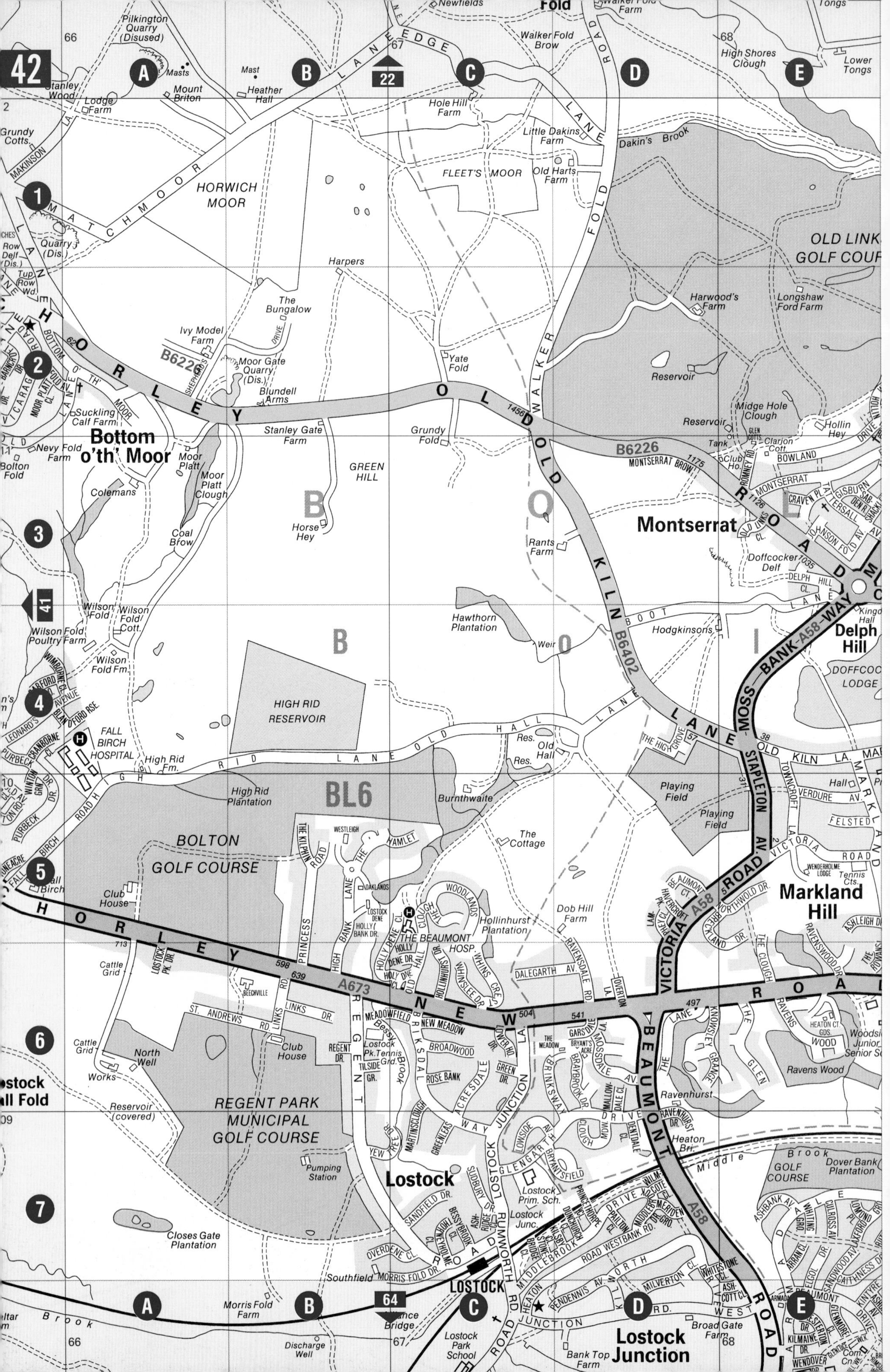
Pilkington Quarry (Disused)
Masts
Mast
Heather Hall
Mount Briton
Stanley Wood
Lodge Farm
Grundy Cotts.
MAKINSON LA.
MATCHMOOR LANE
EDGE LANE
22
Newfields
Walker Fold Farm
Walker Fold Brow
High Shores Clough
Lower Tongs
Tongs
Hole Hill Farm
Little Dakins Farm
FLEET'S MOOR
Old Harts Farm
Dakin's Brook
WALKER FOLD ROAD
HORWICH MOOR
Quarry (Dis.)
Row Delf (Dis.)
Tup Row Wd.
OLD LINKS GOLF COURSE
Harpers
The Bungalow
Harwood's Farm
Longshaw Ford Farm
Ivy Model Farm
B6226
Moor Gate Quarry (Dis.)
SHEPHERDS
Yate Fold
Reservoir
Blundell Arms
HORLEY OLD ROAD
BOTTOM O' TH' MOOR
MOOR PLATT
VICARAGE
Suckling Calf Farm
Bottom o'th' Moor
Nevy Fold Farm
Bolton Fold
Stanley Gate Farm
Grundy Fold
GREEN HILL
Midge Hole Clough
Reservoir
Tank
Clarjon Cott.
Club Ho.
Hollin Hey
BOWLAND
MONTSERRAT BROW
MONTSERRAT
Moor Platt
Moor Platt Clough
Colemans
Coal Brow
Horse Hey
BOLTON
Rants Farm
Montserrat
OLD LINKS CL.
Doffcocker Delf
DELPH HILL CL.
41
Wilson Fold
Wilson Fold Cott.
Wilson Fold Poultry Farm
Wilson Fold Fm.
Hawthorn Plantation
Weir
BOOT LANE
Hodgkinsons
B6402
OLD KILN LANE
MOSS BANK WAY
A58
Delph Hill
DOFFCOCKER LODGE
HIGH RID RESERVOIR
OLD HALL LANE
Res.
Old Hall
THE HIGH GROVE
FALL BIRCH HOSPITAL
High Rid Fm.
RID LANE
HIGH ROAD
BIRCH ROAD
High Rid Plantation
BL6
Burnthwaite
Playing Field
STAPLETON AV.
TOWNCROFT
VERDURE AV.
FELSTED
VICTORIA ROAD
MARKLAND
Markland Hill
BOLTON GOLF COURSE
THE KILPHIN ROAD
WESTLEIGH
THE HAMLET
The Cottage
Fall Birch
Club House
OAKLANDS
WOODLANDS
Hollinhurst Plantation
THE BEAUMONT HOSP.
Dob Hill Farm
VICTORIA ROAD
Ravenswood
Tennis Cts.
WENDERHOLME LODGE
CHORLEY NEW ROAD
A673
PRINCESS
HIGH BANK LANE
LOSTOCK PK. DR.
Cattle Grid
598
639
DALEGARTH AV.
RAVENSDALE RD.
OVERTON
497
REGENT
BEECHVILLE
ST. ANDREWS RD.
LINKS DR.
MEADOWFIELD
NEW MEADOW
BROADWOOD
Lostock Pk.Tennis Grd.
BEAUMONT ROAD
HEATON CT. GDS.
WOOD
Woodsid Junior Senior Sc
Ravens Wood
North Well
Club House
ROSE BANK
ACRESDALE
LOSTOCK JUNCTION
BRINKSWAY
Ravenhurst
Works
REGENT PARK MUNICIPAL GOLF COURSE
Reservoir (covered)
Lostock
Heaton Bri.
Middle Brook
GOLF COURSE
Dover Bank Plantation
Pumping Station
Lostock Prim. Sch.
Lostock Junc.
ASHBANK AV.
Closes Gate Plantation
RUMWORTH RD.
ROAD
WESTBANK RD.
KILWORTH
MILVERTON CL.
Southfield
MORRIS FOLD DR.
LOSTOCK
64
Morris Fold Farm
Brook
Discharge Well
Lostock Park School
HEATON
PENDENNIS AV.
WEST RD.
JUNCTION
Broad Gate Farm
Bank Top Farm
Lostock Junction
BEAUMONT
WENDOVER
KILMAINE DR.
66
67
68

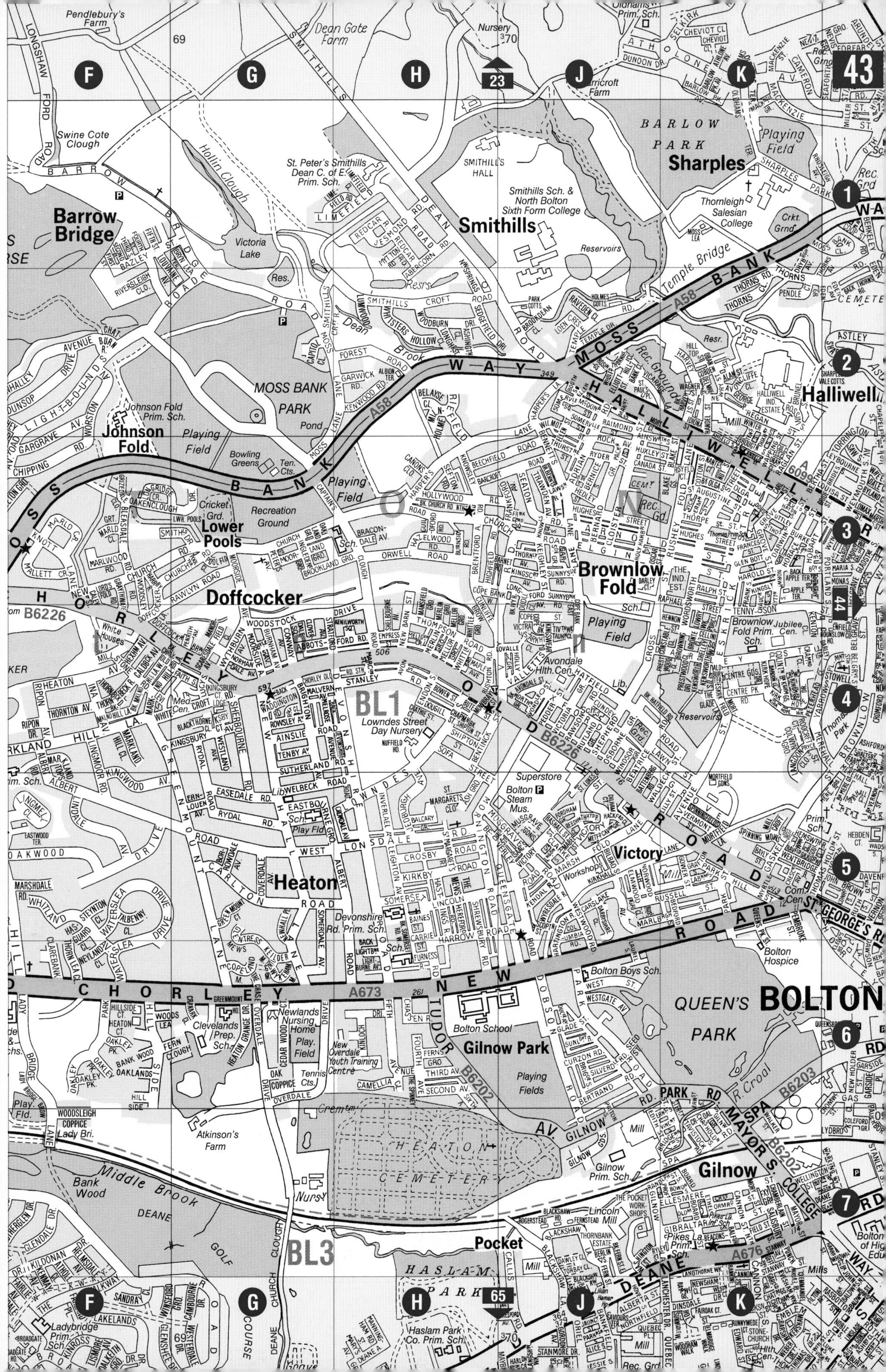

Pendlebury's Farm
Dean Gate Farm
Nursery
23
F
G
H
J
K
Barricroft Farm
Swine Cote Clough
BARLOW PARK
Sharples
Playing Field
Hollin Clough
St. Peter's Smithills Dean C. of E. Prim. Sch.
SMITHILL'S HALL
Smithills Sch. & North Bolton Sixth Form College
Thornleigh Salesian College
Barrow Bridge
Victoria Lake
Smithills
Reservoirs
Temple Bridge
Res.
Resrs
Dean Brook
MOSS BANK WAY
A58
MOSS BANK PARK
Johnson Fold Prim. Sch.
Johnson Fold
Playing Field
Bowling Greens
Ten. Cts.
Pond
Recreation Ground
Cricket Grd.
Lower Pools
HALLIWELL RD.
Halliwell
HALLIWELL IND. ESTATE
A6099
Rec. Ground
Doffcocker
B6226
CHORLEY OLD ROAD
White Houses
Brownlow Fold
Playing Field
Brownlow Fold Prim. Sch.
Avondale Hlth. Cen.
BL1
Lowndes Street Day Nursery
Reservoirs
Superstore
Bolton Steam Mus.
Heaton
Victory
Workshops
Devonshire Rd. Prim. Sch.
CHORLEY NEW ROAD
A673
Bolton Boys Sch.
Bolton Hospice
QUEEN'S PARK
BOLTON
Clevelands Prep. Sch.
Newlands Nursing Home
Play. Field
New Overdale Youth Training Centre
Tennis Cts.
Bolton School
Gilnow Park
Playing Fields
B6202
B6203
R. Croal
Atkinson's Farm
Cremtm.
HEATON CEMETERY
Gilnow Prim. Sch.
Gilnow
Mill
Bank Wood
Middle Brook
DEANE GOLF COURSE
Nurs.y
BL3
Lincoln Mill
Pocket
HASLAM PARK
65
Haslam Park Co. Prim. Sch.
Pikes La. Prim. Sch.
A676
DEANE ROAD
Ladybridge Prim. Sch.
Lady Bri.
1
2
3
4
5
6
7
44

Astley Bridge
Hall i' th' Wood
Bradshaw Bridge
Bradshaw Chapel
Halliwell
Castle Hill
Firwood Fold
Tonge Moor
Back o' th' Bank
Thicketford Brow
Mill Hill
Tonge Fold
BOLTON
Springfield
Lecturers Closes
Rose Hill
Burnden Viaduct
BL1
BL3
A
B
C
D
E
1
2
3
4
5
6
7
24
43
66
Playing Field
Crkt. Grnd
Rec. Grnd
Sports Grd.
Eagley Brook Bridge
Hall i' th' Wood (Museum)
The Oaks Hall
Playing Fields
Play. Field
Canon Slade Sch.
Tenn. Cts.
Works
Depot
HALL I'TH WOOD Recreation Ground
Football Ground
Castle Hill Prim. & High Schools
Factory
Mills
Tonge Viaduct
R. Tonge
Turner Bridge Works
Moorgate Prim. Sch.
Firwood Sch.
Thicketford Farm
Reservoir
Tonge Fold Health Cen.
TONGE CEMETERY
River Tonge
St. Stephen & All Martyrs Prim. Sch.
Thomasson Park
C. of E. Prim. Sch.
Bolton Hospice
Market Hall
Bus-Rail Interch.
The Water Place
Superstore
Bolton Inst. of Higher Educ.
Bolton Coll.
Inst. of Higher Educ.
Teachers Centre
Trinity Retail Park
Sports Centre
Shipgates Cen.
Lodge Vw Caravan Pk.
CEMETERY
Tonge Pk.
A58
A666
A676
A673
A579
B6208
B6209
CROMPTON WAY
BLACKBURN ROAD
HALLIWELL RD
ST. PETER'S WAY
WATERLOO ST.
TONGE MOOR ROAD
BURY NEW RD.
BRADFORD ST.
TRINITY STREET
DEANE RD.
MARSDEN RD
TOPP WAY
ST. GEORGE'S ROAD
BRADSHAWGATE
RADCLIFFE RD.

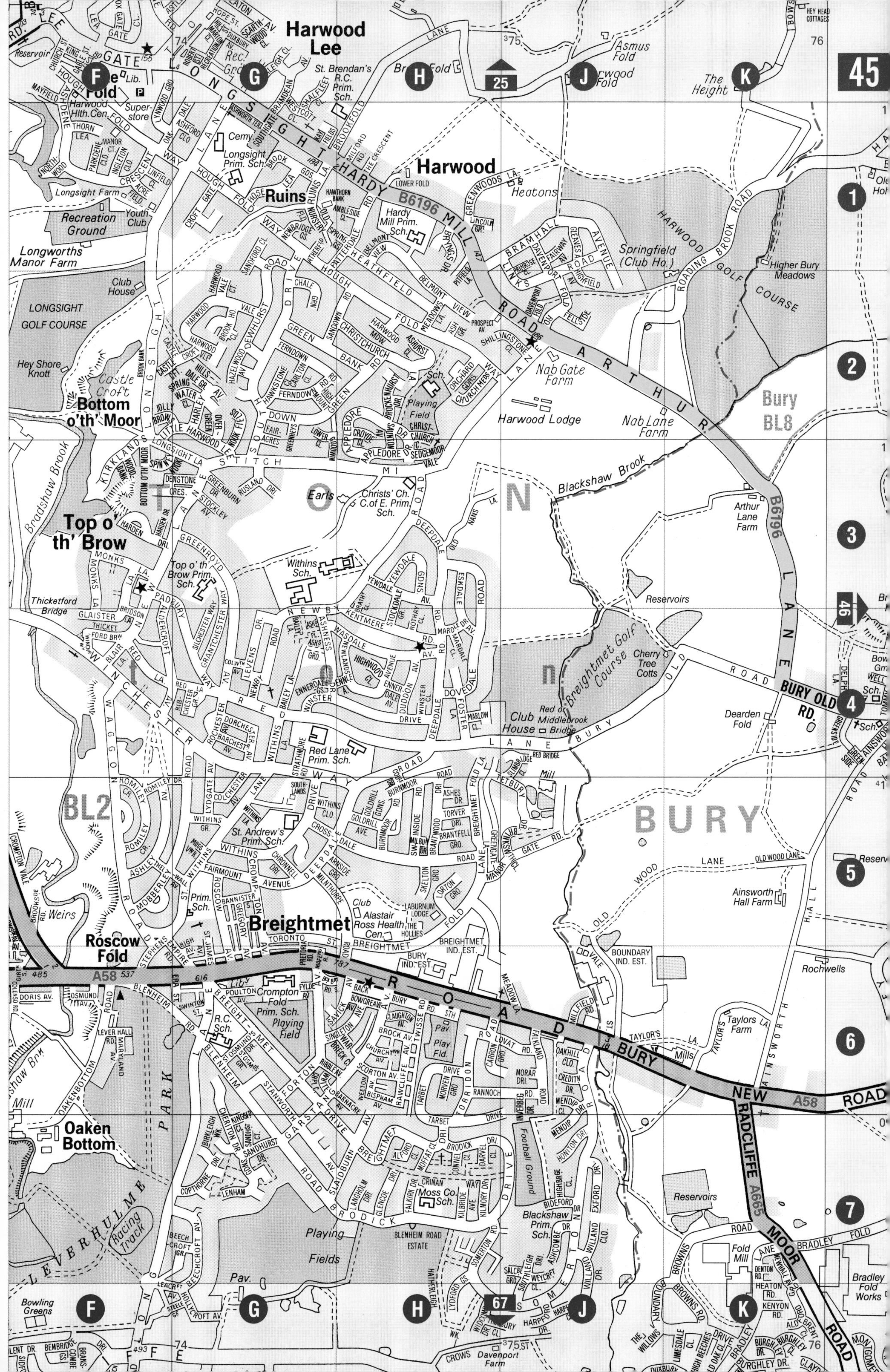
Harwood Lee
Harwood
Ruins
Longsight Farm
Recreation Ground
Longworths Manor Farm
LONGSIGHT GOLF COURSE
Hey Shore Knott
Castle Croft
Bottom o'th' Moor
Top o' th' Brow
Thicketford Bridge
Heatons
Springfield (Club Ho.)
HARWOOD GOLF COURSE
Higher Bury Meadows
Nab Gate Farm
Harwood Lodge
Nab Lane Farm
Bury BL8
Blackshaw Brook
Arthur Lane Farm
Reservoirs
Breightmet Golf Course
Cherry Tree Cotts
Dearden Fold
BL2
BURY
Ainsworth Hall Farm
Breightmet
Roscow Fold
Rochwells
Taylors Farm
Oaken Bottom
Racing Track
Football Ground
Playing Fields
Blackshaw Prim. Sch.
Fold Mill
Bradley Fold Works
Bowling Greens
Davenport Farm
LEVERHULME PARK
A58
A665
B6196
25
46
67
1
2
3
4
5
6
7
F
G
H
J
K

Walshaw
Bolholt
Owler Barrow
Starling
Ainsworth
Black Lane
Bolton
Manchester
BL8
BL2
M26
Cockey Moor
Reservoir
Walshaw Hall Farm
Walshaw Hall
Sheep Gate Farm
Old Holts
Bentley Hall
High Crompton
Meadow Croft
Higher Bury Meadows
Barrock Fold
Ainsworth Nursing Home
Old Barn
Knowsley
Brown Hill
Mill
Pilkington Fold
Top o' th' Carrs
Kiln Clough
Plane Trees
Rochwells
Higher Spen Moor
Ainsworth Lodge Farm
Halfway Houses
Openshaw Fold
Coggra Fold
Bradley Fold Works
Moss Shaw Farm
Recreation Ground
Cemetery
Withins
Elton High School
Chantlers Co. Prim. Sch.
Lowercroft Co. Prim. Sch.
Christ Church Prim. Sch.
Cricket Ground
Sewage Works
Scholes Nursery
Constellation Trad. Est.
BENTLEY HALL ROAD
CHURCH STREET
COCKEY MOOR ROAD
AINSWORTH ROAD
STARLING ROAD
BOLTON ROAD
BURY NEW RD.
BURY AND BOLTON ROAD
HIGHER AINSWORTH ROAD
BURY OLD RD.
B6196
B6292
A58
26
45
68

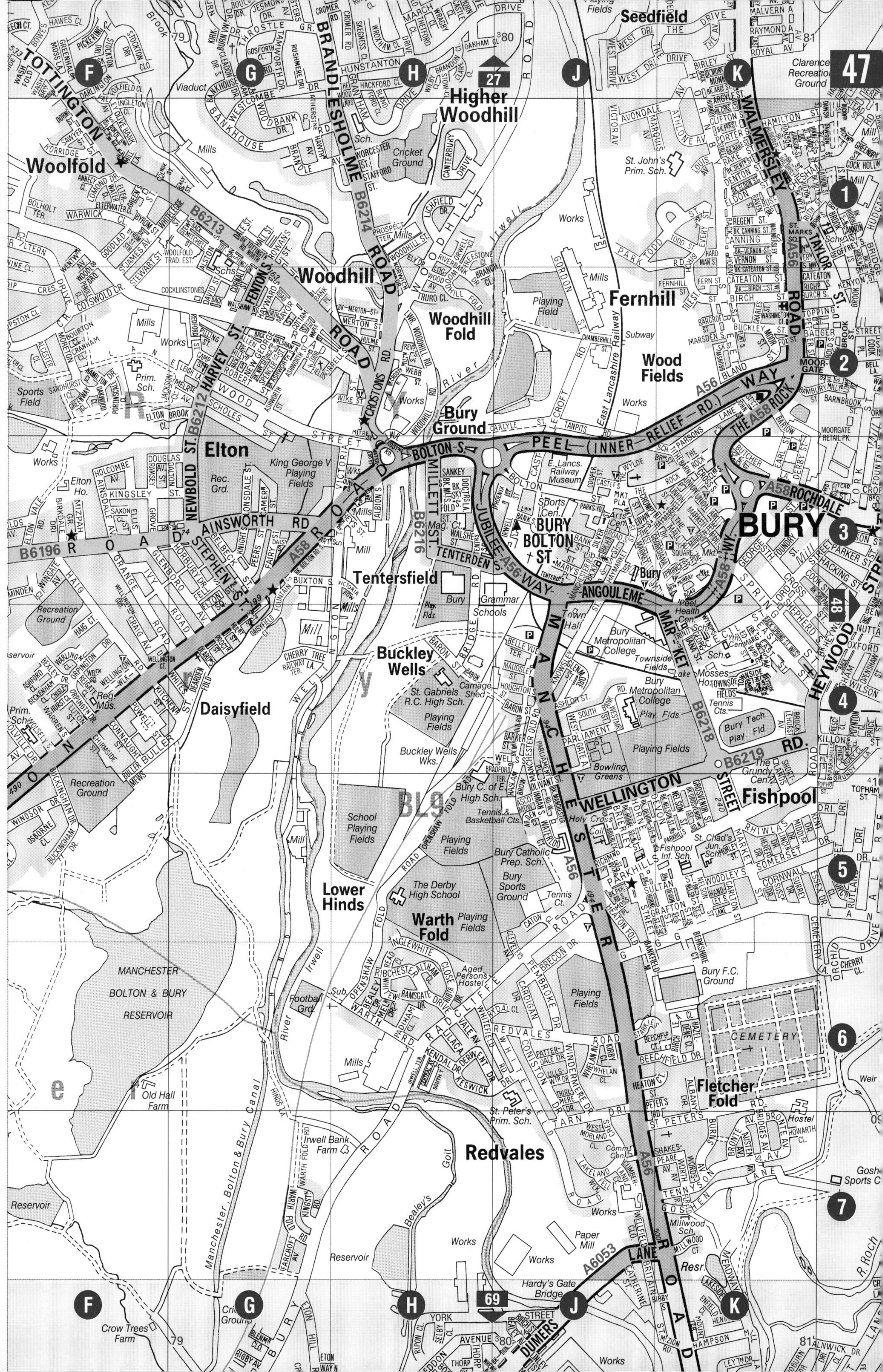

Seedfield
Higher Woodhill
Woolfold
TOTTINGTON
Woodhill
Woodhill Fold
Fernhill
Wood Fields
Elton
BURY
Tentersfield
Buckley Wells
Daisyfield
Fishpool
Lower Hinds
Warth Fold
Redvales
Fletcher Fold
MANCHESTER BOLTON & BURY RESERVOIR
BL9
27
48
69
F
G
H
J
K
1
2
3
4
5
6
7
BRANDLESHOLME ROAD
B6214
B6213
B6212
B6196
B6216
B6218
B6219
A56
A58
A6053
WALMERSLEY ROAD
PEEL (INNER RELIEF RD.) WAY
BOLTON ROAD
AINSWORTH RD
ROCHDALE
HEYWOOD ST
JUBILEE WAY
ANGOULEME
MANCHESTER ROAD
WELLINGTON
STREET
NEWBOLD ST.
HARVEY ST.
STEPHEN ST.
TENTERDEN ST.
MILLETT ST.
CROSTONS RD.
BURY BOLTON ST.
Bury Ground
King George V Playing Fields
Cricket Ground
Bury Grammar Schools
Bury Metropolitan College
Town Hall
St. Gabriels R.C. High Sch.
Bury C. of E. High Sch.
Bury Catholic Prep. Sch.
The Derby High School
Bury Sports Ground
Bury F.C. Ground
CEMETERY
School Playing Fields
Recreation Ground
Sports Field
Rec. Grd.
Elton Ho.
Reg. Mus.
E. Lancs. Railway Museum
Peel Health Cen.
Bury Tech. Play. Fld.
The Grundy Cen.
Bowling Greens
Holy Cross Coll.
Fishpool Inf. Sch.
St. Chad's Jun. Sch.
St. John's Prim. Sch.
St. Peter's Prim. Sch.
Clarence Recreation Ground
East Lancashire Railway
Manchester, Bolton & Bury Canal
River Irwell
Old Hall Farm
Irwell Bank Farm
Crow Trees Farm
Hardy's Gate Bridge
Paper Mill
Works
Mills
Reservoir
Aged Persons Hostel
Football Grd.
Viaduct
Subway
Carriage Shed
Buckley Wells Wks.
Mosses Ho.
Tennis & Basketball Cts.
Millwood Sch.
Goshen Sports C
Weir

Chesham
Freetown
Fern Grove
Woodgate Hill
Jericho
Fairfield General Hospital
Fairfield
Broad Oak Farm
Prettywood
Bury
Heap Bridge
Pimhole
Junction 2
Junction 3
M66 Motorway
Bridge Hall Industrial Estate
Yeargate Industrial Estate
Heywood Community High Sch.
Moor Hole Farm
Sand Quarry
Water Farm
Reservoir
Gigg
Roach Bank Ind. Est.
Pilsworth Industrial Estate
Superstore
Cinema
Goshen Sports Centre
Hollins Vale
Lomax's
Captain's
Hill Top
Pilsworth Clough
Pilsworth Cotts.
Jackson Fold
Spout Bank Farm
Water Fold Farm
Heap Bridge Junc.
Heap Fold Farm
BL9
Rochdale Rd. Rec. Grd.
Broad Oak High Sch.
B6222
A58
B6219
B6221
28
47
70
81
82
83

Top o' th' Wood
Gristlehurst Farm
Bird i' th' Hand
Simpson Clough
29
Works
BURY AND ROCHDALE OLD ROAD
Plumpton Hall
St. Michael's Bamford C. of E. Prim. Sch.
Simpson Clough Bri.
Reservoirs
Hooley Bridge
Plumpton Wood
Queen's Pk. Bri.
Lower Elbut
Tack Lee Wood
Tack Lee Brook
Gristlehurst Wood
Smethurst Wood
Elbut Wood
R. Roch
Lomax Wood
Lower Lomax
Boating Lake
QUEEN'S PARK
Cricket Ground
Bottom o' th' Brow
Back o' th' Moss
Playing Fields
Sports Cen.
Swim. Pool
Hooley Brow
St. Luke's C. of E. Prim. Sch.
Athletic Grd.
Birtle View Sch.
Moss Field Prim. Sch.
Summit
Heady Hill
Boothole Sand Pit
BURY NEW RD.
BURY ST.
BRIDGE ST.
YORK ST.
CHURCH ST.
A58
Top of Heap
Youth Cen.
Prim. Sch.
Rec. Grd.
Play. Fld.
Civic Hall
Lib.
Clinic
St. Margarets Prim. Sch.
Darn Hill
Playing Fields
Broadfield
Mill
Darnhill Prim. Sch.
Warehouse
St. Joseph's R.C. High Sch.
St. Joseph's R.C. Prim. Sch.
Higher Broadfield Farm
MANCHESTER RD.
A6046
HE
50
Heywood
HEYWOOD BUSINESS PARK
Chemical Distribution Centre
PARKLANDS WAY
OL10
Playing Field
Siddal Moor High Sch.
Siddal Moor Depot
Tennis Cts.
Mercer's Farm
Hares Hill Farm
Collop Gate Farm
Brightley Brook
Coal Pits
Siddal Moor Farm
Junct 19
Higher Fields
Stock Nook
DOCTOR FOLD
New Gap Farm
Saxons Farm
M62
M62 MOTORWAY
A6045
Higher Barn
BIRCH INDUSTRIAL ESTATE
71
Doctor Fold
Siddal Farm
Lower
MOSS HALL ROAD
F
G
H
J
K
1
2
3
4
5
6
7
84
85
86

Kenyon Fold
Hazelhurst
Running Track
30
Marland Wood
Crimble Hall Farm
Mereside Ho.
Springfield Cotts.
Springfield Park
Marland
High Birch Sch.
Marland Mill Fm.
Crimble
HEYWOOD CEMETERY
Boating Lake
QUEEN'S PARK
BOLTON ROAD
A58
ROAD
Matthew Moss High Sch.
Primrose Hill Farm
Chamberhouse Urban Farm
Sudden
Cricket Ground
Captain Fold
All Souls C. of E. Prim. Sch.
Ryecroft House
Ryecroft Farm
Reservoir (Covered)
St. Luke's C. of E. Prim.
Chamber House
ROCHDALE ROAD EAST
MANCHESTER RD.
A664
Works
Mill
Francil
Superstore
Warehouse
Harefield Hall
Harefield Farm
Cricket Grd.
Castleton
CASTLETON
HEYWOOD
Castleton Gabriel's F.C. Ground
St. Edward's Prim. Sch.
Wilderness
CASTLE HAWK GOLF COURSE
Club Ho.
Roeacre Brook
HEYWOOD LANE
49
SOUTHGATE IND. EST.
JUNCTION 19 INDUSTRIAL PARK
Rail Welding Depot
Lock
Mills
PHOENIX PARK INDUSTRAIL ESTATE
Hopwood
Castleton Worth Junction
Heywood
M62
MOTORWAY
Playing Field
Hope Cott.
Lane End Fm.
Ley Farm
Works
Lane End
OL10
Depot
Collop Gate Farm
MANCHESTER GOLF CLUB
Brook
Trub
Junction 19
A6045
A6046
Saxons Farm
Glade Wood
Round Hill
Hopwood Cottages Club Ho.
Towing Path
Yew Tree Farm East
Hopwood Hall Farm
OAKEN BANK ROAD
72
Oaken Bank Wood
Lord's Wood
Hopwood Hall
Hatters
Siddal
Locks
ROCHDALE
A
B
C
D
E
1
2
3
4
5
6
7
86
87
88

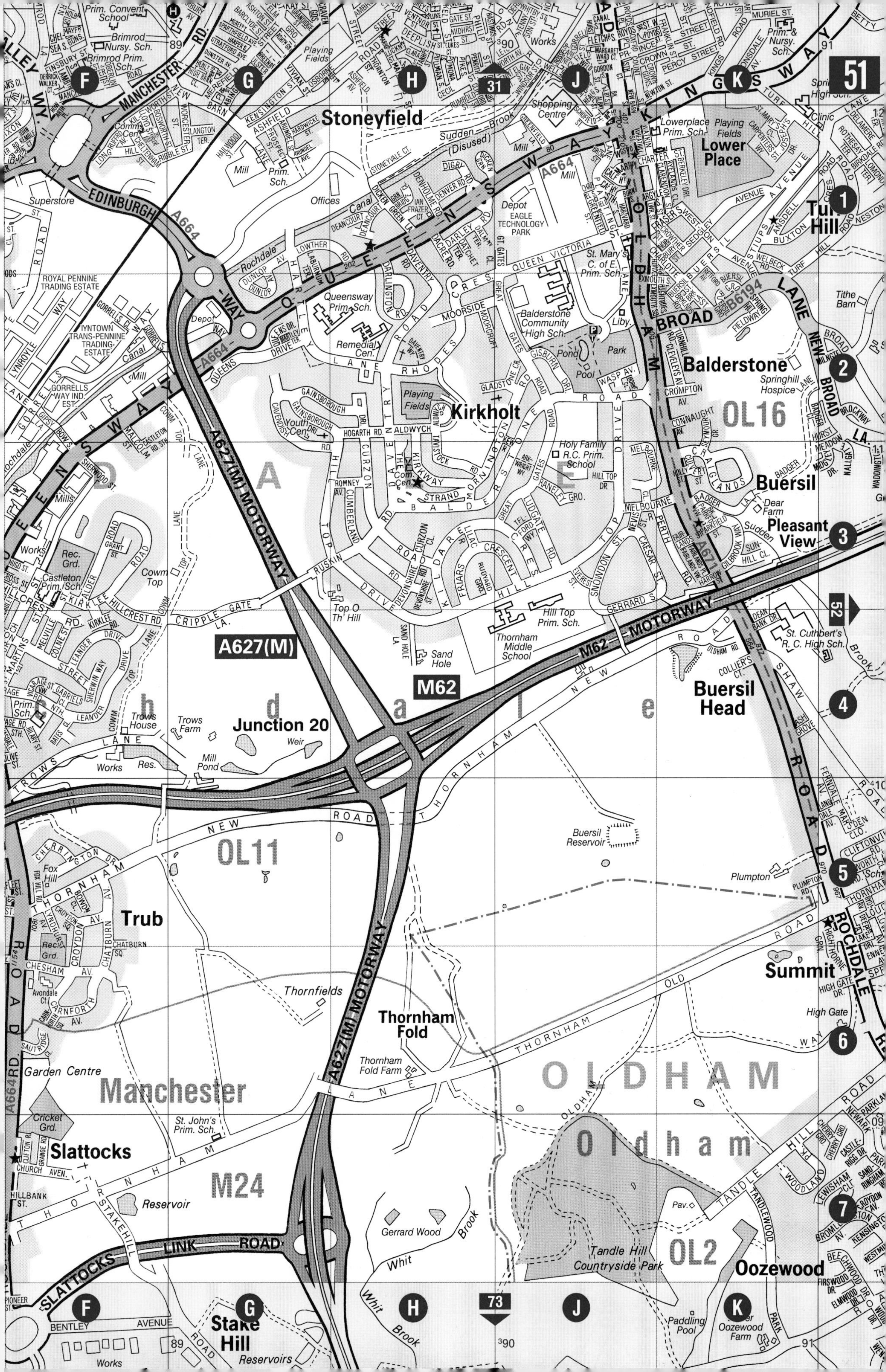
Stoneyfield
Kirkholt
Balderstone
Lower Place
Turf Hill
Buersil
Pleasant View
Buersil Head
Junction 20
Trub
Manchester
Slattocks
Stake Hill
Thornham Fold
Summit
Oozewood
OLDHAM
Oldham
Rochdale
OL11
OL16
OL2
M24
A627(M) MOTORWAY
A627(M)
M62 MOTORWAY
M62
QUEENSWAY
A664
EDINBURGH WAY
MANCHESTER RD.
OLDHAM RD.
A671
BROAD LANE
B6194
NEW BROAD LA.
THORNHAM NEW ROAD
THORNHAM OLD ROAD
THORNHAM LANE
SLATTOCKS LINK ROAD
TANDLE HILL ROAD
ROCHDALE RD.
SHAW ROAD
A664 RD.
ROYAL PENNINE TRADING ESTATE
TYNTOWN TRANS-PENNINE TRADING ESTATE
GORRELLS WAY IND. EST.
EAGLE TECHNOLOGY PARK
Tandle Hill Countryside Park
Buersil Reservoir
Gerrard Wood
Whit Brook
Sudden Brook (Disused)
Rochdale Canal
Queensway Prim. Sch.
Balderstone Community High Sch.
St. Mary's C. of E. Prim. Sch.
Holy Family R.C. Prim. School
Hill Top Prim. Sch.
Thornham Middle School
St. Cuthbert's R.C. High Sch.
Springhill Hospice
Castleton Prim. Sch.
St. John's Prim. Sch.
Lowerplace Prim. Sch.
Trows House
Trows Farm
Thornfields
Thornham Fold Farm
Garden Centre
Cricket Grd.
Plumpton
High Gate
Tithe Barn
Dear Farm
Sand Hole
Top O Th' Hill
Cowm Top
Mill Pond
Weir
Paddling Pool
Oozewood Farm
Reservoir
Reservoirs
Works
F
G
H
J
K
1
2
3
4
5
6
7
31
52
73
89
90
91

Turf Hill
Buersil
Pleasant
Summit
Lady House
Newhey
Junction 21
M62
Green Gate
Bentgate
OL16
Burnedge
Green Hill
Moss Gate
Lower Rushcroft
Higher Rushcroft
Gravel Hole
Narrow Gate Brow
High Crompton
Hanging Chadder
OL2
Low Crompton
Cowlishaw
Thorp
R O C H D A L E
B r o c h d a l e
O L D
Springhill High Sch.
Football Ground
Community Centre
Mayfields Farm
Fenns Farm Equestrian Centre
Stanney Brook
Tithe Barn
Silver Hill
Castle
Works
Subway
Ellenroad
Reservoir
Dig Gate
Garside
Broad Shaw
Chadwick Fold
Ginnell
Calf Hey
Beet
Knott Booth
Bryney Heys
Top o' th' Meadow
Burnedge Farm
Hey Farm
St. Cuthbert's R. C. High Sch.
Sudden Brook
Snipe Leach
Green Hill Farm
Moss Gate Farm
Putting Grn.
Tennis Cts.
High Crompton Park
Bowling Grn.
Thornham St. James' C. of E. Prim. Sch.
Thornham
Starkeys
St. Mary's C. of E. Prim. Sch.
Cemetery
Playing Field
Firbank Prim. Sch.
Narrow Gate
Sewage Works
Source of River Irk
River Irk
Cow Gates
Newbarn Jun. & Inf. School
Cowlishaw Farm
Crompton & Royton Golf Course
Royton Cemetery
Hall Play-ground
High Gate
Football Grd.
A640 NEWHEY WAY
B6194
A671
ROCHDALE ROAD
ROCHDALE LANE
BROAD LANE
M62 MOTORWAY
ELIZABETHAN WAY
MANCHESTER
32
51
74
A B C D E
1 2 3 4 5 6 7
91 92 93
12 11 410 09

Higher Ogden
Charity Farm
Manor House Farm
Lane Bottom
Lower Ogden
HUDDERSFIELD ROAD
A640
NEWHEY
Haugh
OL16
Bethany Farm
Bye Carr Farm
Wicken Hall Farm
Far Wicken Hall Farm
Helpet Edge
Haugh Hey
Top O'Th' Hill
A663
Jubilee
Ley Wood
Little Rochdale Parish
Slences Hey
Whitesides
Whitfield Hall
Dun Wood Park
Crow Knowl
Jordan Brow
BUCKSTONES ROAD
Top o'th' Green Quarry (dis.)
Brushes Clough Quarry (dis.)
Crompton Fold
Wood End
Goats
Shore Edge
Way Moss
OL3
Industrial Estate
Nook
Lane Side
Dog Hill
Top O'th' Dog Hill
SHAW & CROMPTON
Burn Farm
Chapel Farm
B6197
OL1
New Town
Moss Hey
Clough
Slack Farm
Cartchief Nook Farm
SHAW
Fullwood
Besom Hill Reservoir
Besom Hill
Shaw Side
Doorstone Farm

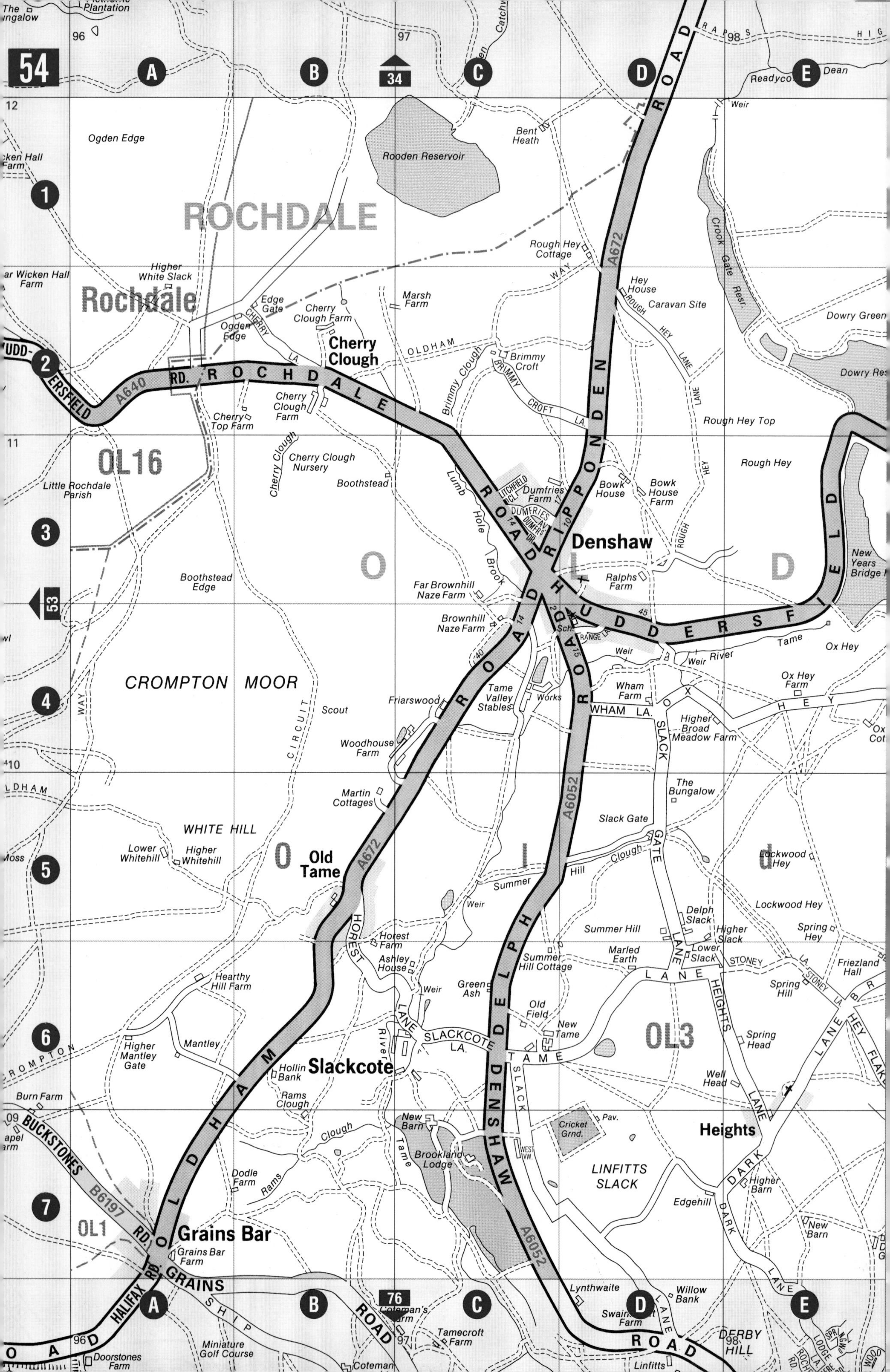

ROCHDALE
Rochdale
OL16
Ogden Edge
Rooden Reservoir
Bent Heath
Higher White Slack
Edge Gate
Ogden Edge
Cherry Clough Farm
Cherry Clough
Marsh Farm
Rough Hey Cottage
Hey House
Caravan Site
Crook Gate Resr.
Dowry Green
Dowry Res
Brimmy Croft
Cherry Clough Farm
Cherry Top Farm
Rough Hey Top
Rough Hey
Cherry Clough Nursery
Boothstead
Little Rochdale Parish
Bowk House
Bowk House Farm
Dumfries Farm
Denshaw
Ralphs Farm
New Years Bridge
Boothstead Edge
Far Brownhill Naze Farm
Brownhill Naze Farm
CROMPTON MOOR
Scout
Friarswood
Tame Valley Stables
Works
Wham Farm
Ox Hey Farm
Ox Hey
Higher Broad Meadow Farm
Woodhouse Farm
Martin Cottages
The Bungalow
Slack Gate
WHITE HILL
Lower Whitehill
Higher Whitehill
Old Tame
Lockwood Hey
Summer Hill
Delph Slack
Higher Slack
Lower Slack
Spring Hey
Horest Farm
Ashley House
Summer Hill Cottage
Marled Earth
Friezland Hall
Hearthy Hill Farm
Green Ash
Old Field
Spring Hill
Higher Mantley Gate
Mantley
Hollin Bank
Slackcote
New Tame
OL3
Spring Head
Well Head
Burn Farm
Rams Clough
New Barn
Brookland Lodge
Cricket Grnd.
Pav.
Heights
LINFITTS SLACK
Dodle Farm
Edgehill
Higher Barn
New Barn
OL1
Grains Bar
Grains Bar Farm
Lynthwaite
Willow Bank
Swain Farm
Tamecroft Farm
Miniature Golf Course
Doorstones Farm
Coteman
Linfitts
DERBY HILL
ROCHDALE RD.
HUDDERSFIELD ROAD
RIPPONDEN ROAD
OLDHAM ROAD
DENSHAW ROAD
DELPH ROAD
BUCKSTONES RD.
GRAINS RD.
HALIFAX RD.
SHIP
ROAD
A640
A672
A6052
B6197

34
53
76

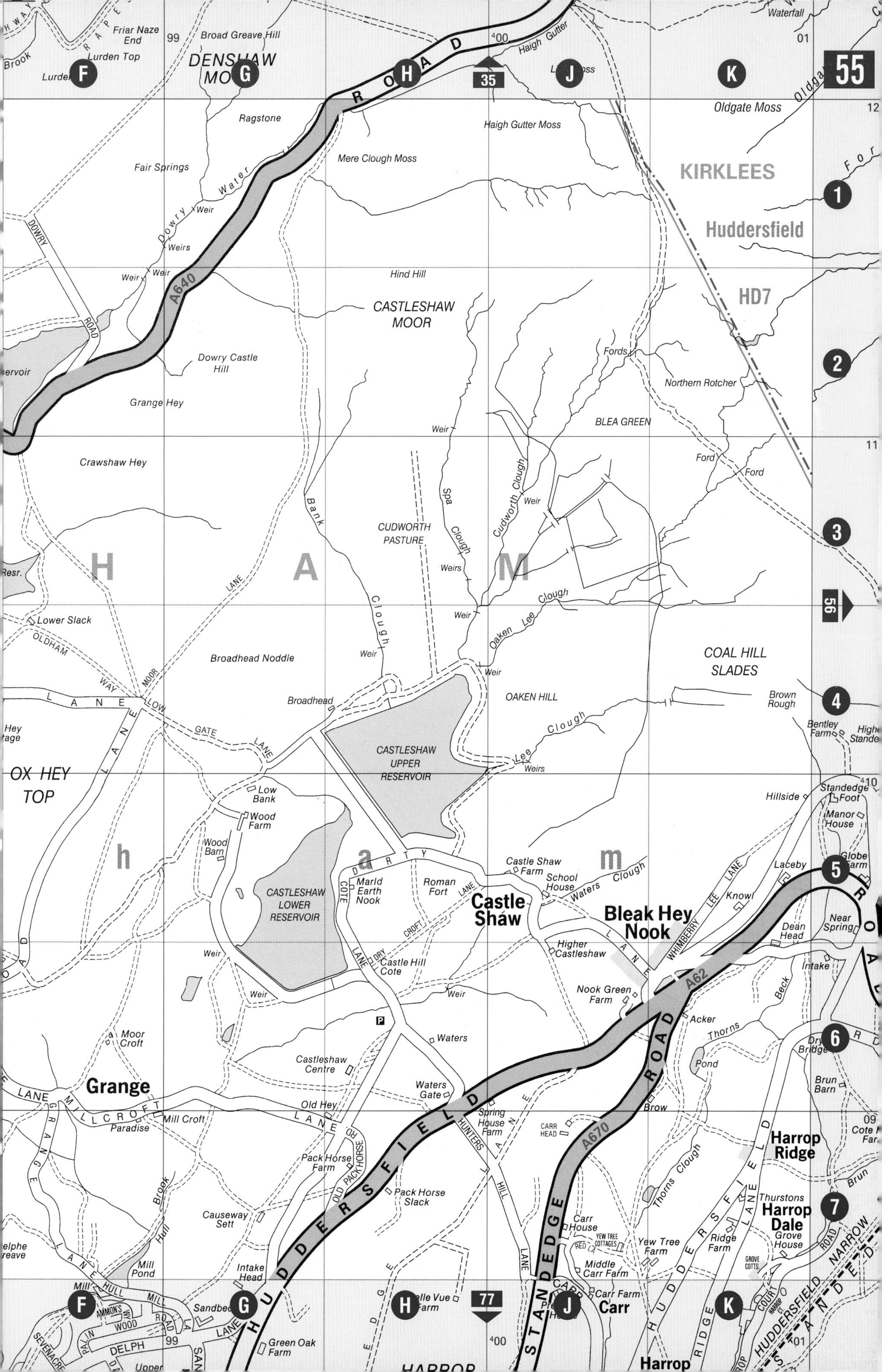

Friar Naze End
Lurden Top
Broad Greave Hill
DENSHAW MOOR
Haigh Gutter
Waterfall
35
Oldgate Moss
Ragstone
Haigh Gutter Moss
Mere Clough Moss
Fair Springs
KIRKLEES
Huddersfield
HD7
Dowry Water
Weir
Weirs
A640
Hind Hill
CASTLESHAW MOOR
Dowry Castle Hill
Fords
Northern Rotcher
Grange Hey
BLEA GREEN
Crawshaw Hey
Ford
Spa Clough
Cudworth Clough
CUDWORTH PASTURE
Bank Clough
H
A
M
Oaken Lee Clough
Lower Slack
OLDHAM WAY
MOOR LANE
Broadhead Noddle
COAL HILL SLADES
Broadhead
OAKEN HILL
Brown Rough
Bentley Farm
LOW GATE LANE
Lee Clough
Weirs
CASTLESHAW UPPER RESERVOIR
OX HEY TOP
Low Bank
Wood Farm
Hillside
Standedge Foot
Manor House
Wood Barn
h
a
m
Castle Shaw Farm
School House
Waters Clough
Globe Farm
Laceby
CASTLESHAW LOWER RESERVOIR
DARTY LANE
Marld Earth Nook
Roman Fort
Castle Shaw
Bleak Hey Nook
WHIMBERRY LEE LANE
Knowl
Near Spring
Dean Head
Higher Castleshaw
DRY CROFT LANE
Castle Hill Cote
Intake
Nook Green Farm
A62
Weir
Acker
Beck
Thorns
Moor Croft
Waters
Dry Bridge
Pond
Castleshaw Centre
Brun Barn
Grange
Waters Gate
HUDDERSFIELD ROAD
Old Hey
MILLCROFT LANE
Mill Croft
Paradise
Spring House Farm
HUNTERS HILL LANE
CARR HEAD
A670
Brow
Cote Farm
Harrop Ridge
Pack Horse Farm
OLD PACKHORSE RD
Pack Horse Slack
Thorns Clough
Thurstons
Harrop Dale
Causeway Sett
Carr House
YEW TREE COTTAGES
Yew Tree Farm
Ridge Farm
Grove House
STANDEDGE ROAD
Intake Head
Mill Pond
Middle Carr Farm
GROVE COTTS
Sandbed
Carr Farm
Carr
77
Green Oak Farm
HUDDERSFIELD NARROW
DELPH
PALIN WOOD
AMMON'S WAY
SEVENACRE
MILL ROAD
RIDGE LANE
COURT
Harrop
Upper

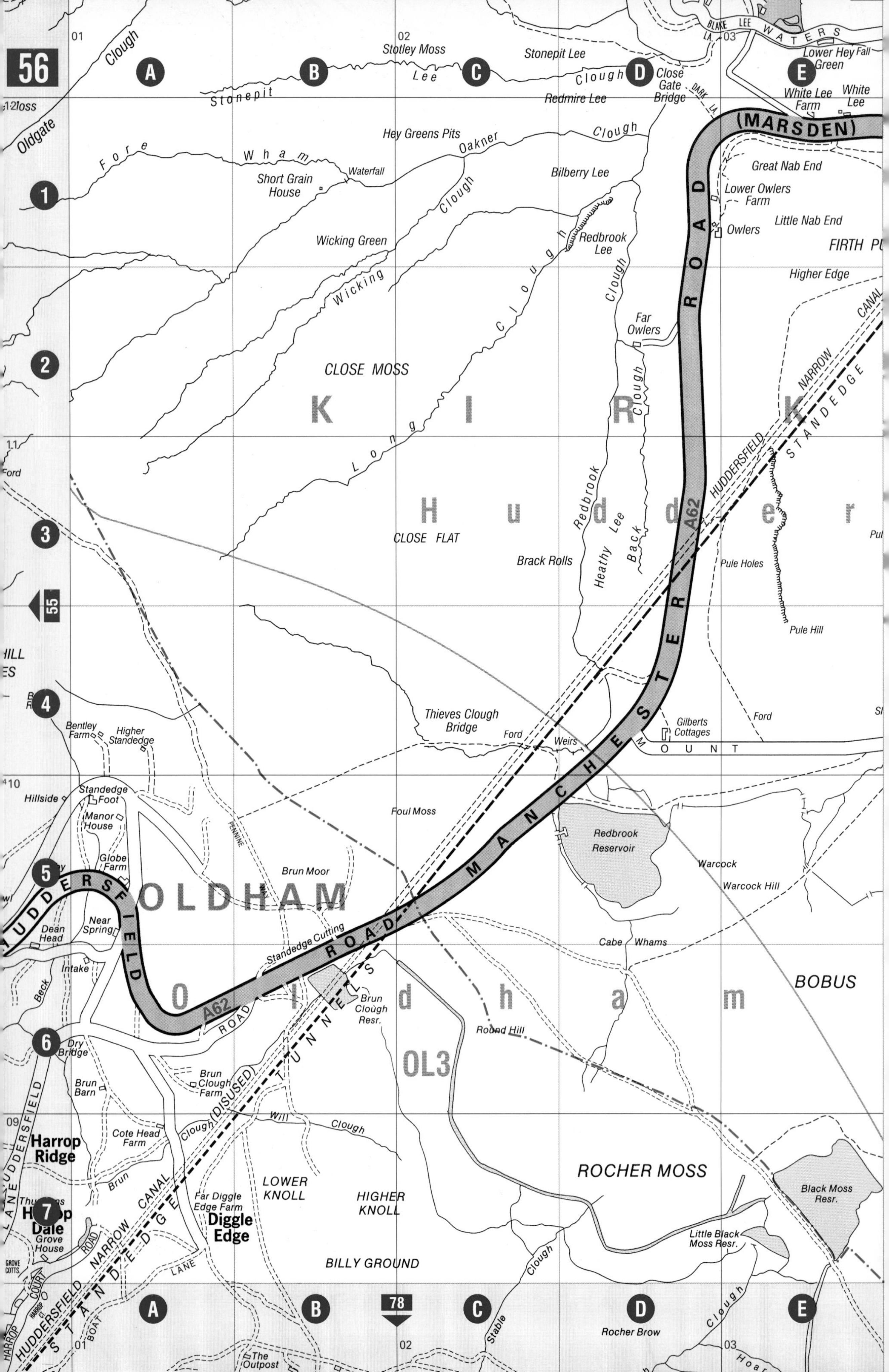
Stotley Moss
Stonepit Lee
Redmire Lee
Close Gate Bridge
BLAKE LEE LA.
WATERS
Lower Hey Fall Green
White Lee Farm
White Lee
(MARSDEN)
Oldgate
Clough
Stonepit
Lee
Clough
Hey Greens Pits
Oakner
Clough
Fore Wham
Waterfall
Short Grain House
Bilberry Lee
Great Nab End
Lower Owlers Farm
Little Nab End
Owlers
Redbrook Lee
FIRTH
Higher Edge
Wicking Green
Wicking
Clough
Long Clough
Far Owlers
CLOSE MOSS
K I R K
H u d d e r
CLOSE FLAT
Redbrook
Heathy Lee
Back
Clough
Brack Rolls
Pule Holes
Pule Hill
HUDDERSFIELD NARROW CANAL
STANDEDGE
MANCHESTER ROAD
A62
Thieves Clough Bridge
Ford
Weirs
Gilberts Cottages
Ford
MOUNT
Bentley Farm
Higher Standedge
Hillside
Standedge Foot
Manor House
Globe Farm
PENNINE
Foul Moss
Brun Moor
Redbrook Reservoir
Warcock
Warcock Hill
OLDHAM
HUDDERSFIELD ROAD
Dean Head
Near Spring
Standedge Cutting
Intake
Beck
Cabe
Whams
BOBUS
O l d h a m
TUNNELS
Brun Clough Resr.
Round Hill
OL3
Dry Bridge
Brun Barn
Brun Clough Farm
Harrop Ridge
Cote Head Farm
Clough
(DISUSED)
Will Clough
ROCHER MOSS
Black Moss Resr.
Brun
Far Diggle Edge Farm
Diggle Edge
LOWER KNOLL
HIGHER KNOLL
Harrop Dale
Grove House
GROVE COTTS
COURT
HARROP
BOAT
LANE
Little Black Moss Resr.
BILLY GROUND
Clough
Stable
Rocher Brow
Hoar
The Outpost
55
78

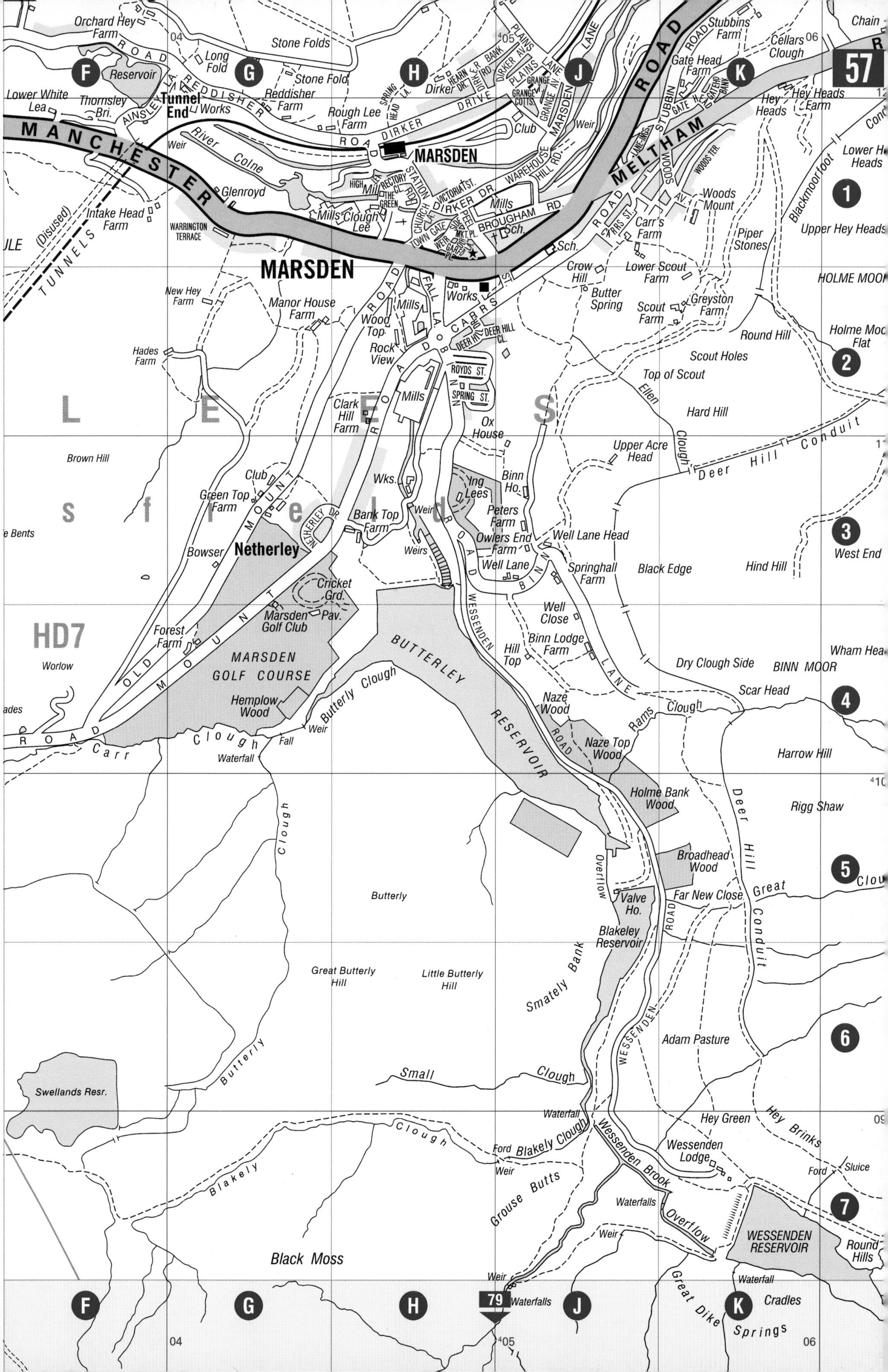
MARSDEN
Tunnel End
Netherley
Reservoir
MANCHESTER ROAD
MELTHAM ROAD
BUTTERLEY RESERVOIR
MARSDEN GOLF COURSE
Marsden Golf Club
Blakeley Reservoir
WESSENDEN RESERVOIR
Swellands Resr.
Black Moss
Butterly
Great Butterly Hill
Little Butterly Hill
Hemplow Wood
Naze Top Wood
Holme Bank Wood
Broadhead Wood
Wessenden Lodge
Deer Hill Conduit
Great Conduit
Black Edge
Hard Hill
Top of Scout
Scout Holes
Round Hill
Adam Pasture
Hey Green
Hey Brinks
Rigg Shaw
Harrow Hill
Scar Head
BINN MOOR
HOLME MOOR
Upper Hey Heads
HD7
Worlow
Brown Hill
Orchard Hey Farm
Stone Folds
Long Fold
Reddisher Farm
Rough Lee Farm
Stubbins Farm
Gate Head Farm
Cellars Clough
Hey Heads Farm
Glenroyd
Intake Head Farm
Manor House Farm
New Hey Farm
Hades Farm
Clark Hill Farm
Green Top Farm
Forest Farm
Crow Hill
Butter Spring
Lower Scout Farm
Scout Farm
Greyston Farm
Woods Mount
Piper Stones
Carr's Farm
Upper Acre Head
Ox House
Binn Ho.
Peters Farm
Owlers End Farm
Well Lane
Well Lane Head
Springhall Farm
Well Close
Binn Lodge Farm
Hill Top
Naze Wood
Dry Clough Side
Far New Close
Valve Ho.
Smately Bank
Grouse Butts
Waterfalls
Round Hills
Cradles
Great Dike Springs
79

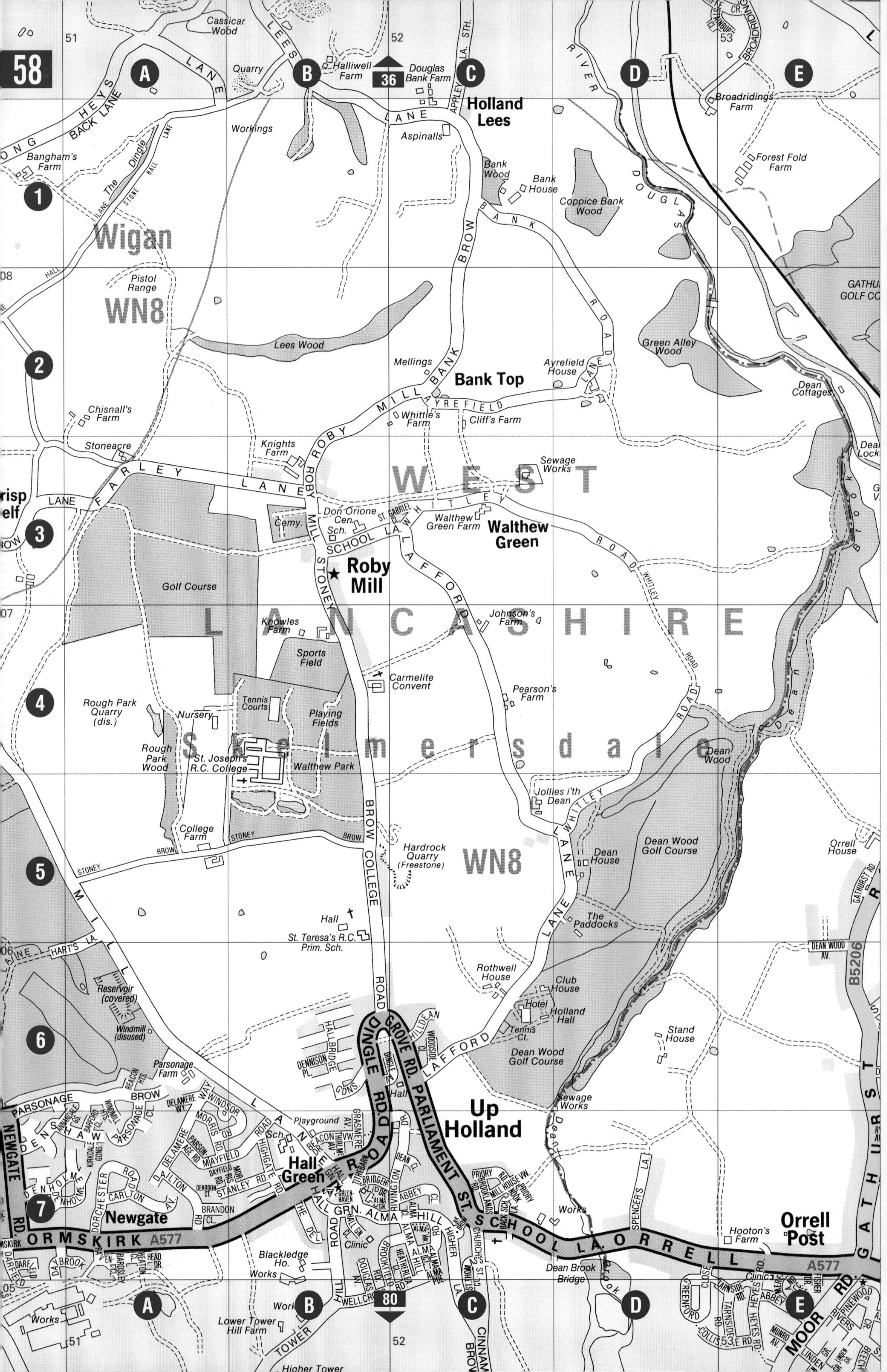

Cassicar Wood
Quarry
Halliwell Farm
36
Douglas Bank Farm
Holland Lees
Workings
Aspinalls
Bangham's Farm
Bank Wood
Bank House
Coppice Bank Wood
Broadridings Farm
Forest Fold Farm
Wigan
WN8
Pistol Range
Lees Wood
Green Alley Wood
GATHURST GOLF CO
Mellings
Bank Top
Ayrefield House
Dean Cottages
Chisnall's Farm
Whittle's Farm
Cliff's Farm
Stoneacre
Knights Farm
Sewage Works
WEST LANCASHIRE
Cemy.
Don Orione Cen.
Sch.
Walthew Green Farm
Walthew Green
Roby Mill
Golf Course
Knowles Farm
Johnson's Farm
Sports Field
Carmelite Convent
Pearson's Farm
Rough Park Quarry (dis.)
Tennis Courts
Nursery
Playing Fields
Skelmersdale
Rough Park Wood
St. Joseph's R.C. College
Walthew Park
Dean Wood
Jollies i'th Dean
College Farm
Hardrock Quarry (Freestone)
WN8
Dean House
Dean Wood Golf Course
Orrell House
The Paddocks
Hall
St. Teresa's R.C. Prim. Sch.
Reservoir (covered)
Windmill (disused)
Rothwell House
Club House
Hotel
Holland Hall
Tennis Ct.
Dean Wood Golf Course
Stand House
Parsonage Farm
Sewage Works
Playground
Up Holland
Hall Green
Newgate
Works
Hooton's Farm
Orrell Post
Blackledge Ho.
Clinic
Dean Brook Bridge
Works
Lower Tower Hill Farm
Higher Tower
80
B5206
A577
LONG HEYS LANE
BACK LANE
LEES
LANE
DOUGLAS
BANK BROW
ROBY MILL
AYREFIELD
FARLEY LANE
SCHOOL LA.
WHITLEY ROAD
LAFFORD LANE
STONEY BROW
COLLEGE ROAD
MILL LANE
HART'S LA.
PARSONAGE BROW
DINGLE RD.
GROVE RD.
PARLIAMENT ST.
ORMSKIRK RD.
SCHOOL LA.
ORRELL RD.
MOOR RD.
GATHURST RD.
NEWGATE
SPENCER'S LA.
DEAN WOOD AV.

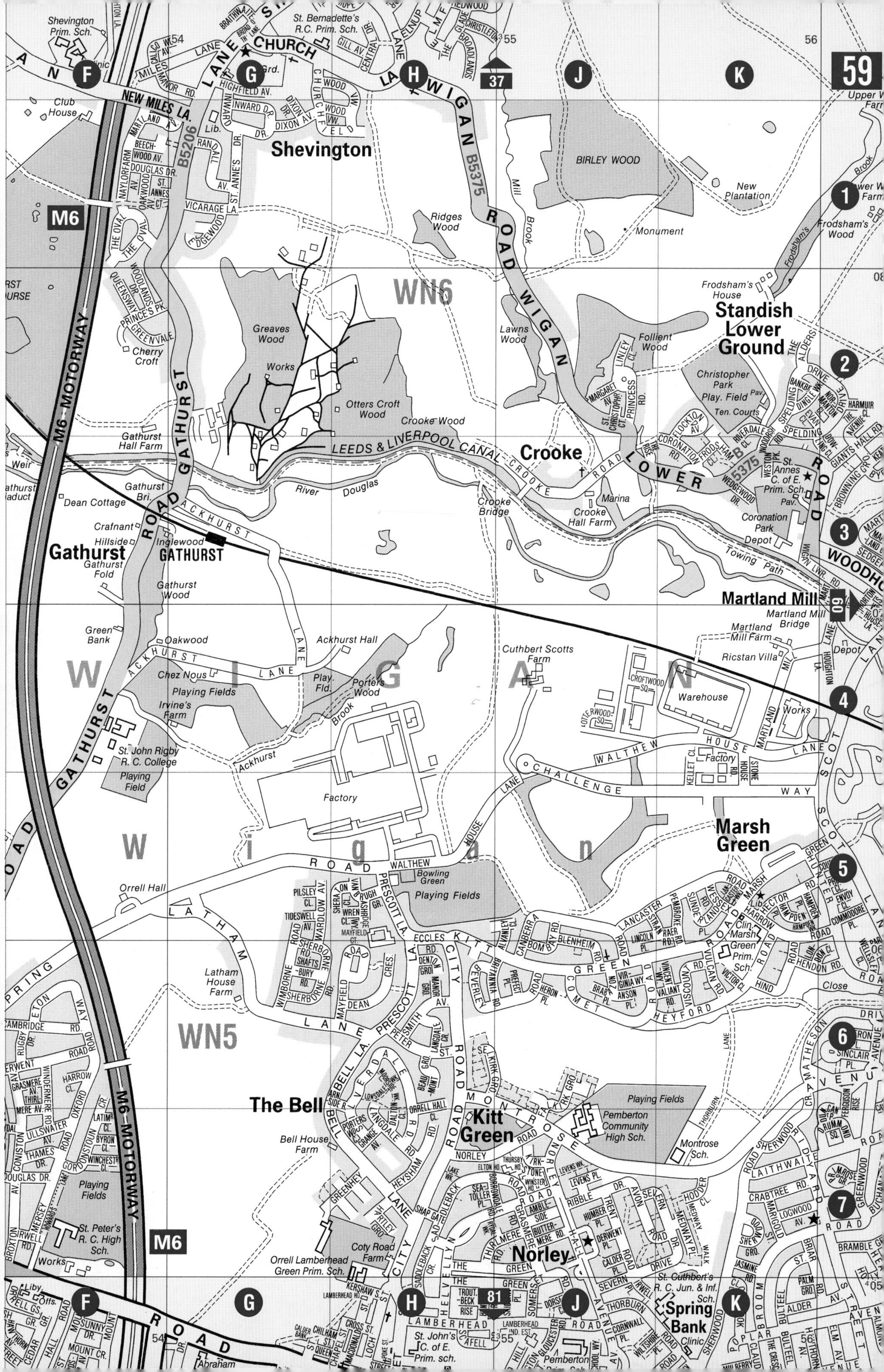
Shevington
Standish Lower Ground
Crooke
Gathurst
Marsh Green
The Bell
Kitt Green
Norley
Spring Bank
Martland Mill
WN6
WN5
Wigan
M6
M6 MOTORWAY
WIGAN ROAD B5375
GATHURST ROAD B5206
LEEDS & LIVERPOOL CANAL
River Douglas
Birley Wood
Greaves Wood
Otters Croft Wood
Crooke Wood
Ridges Wood
Lawns Wood
Follient Wood
Frodsham's Wood
New Plantation
Christopher Park Play. Field
Coronation Park
St. John Rigby R. C. College
Pemberton Community High Sch.
Factory
Warehouse
Playing Fields
37
81
60

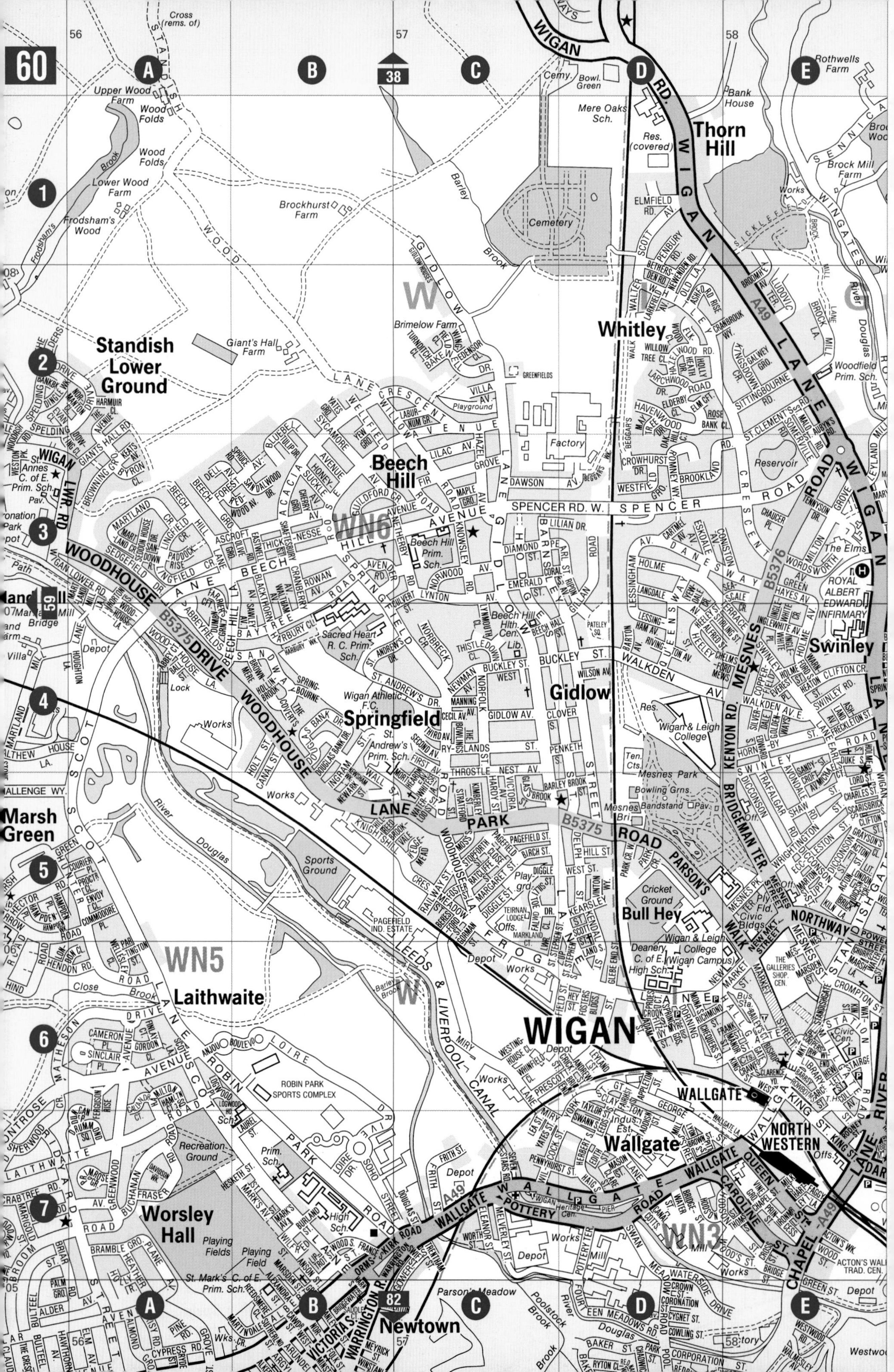
56
57
58
A
B
C
D
E
1
2
3
4
5
6
7
38
59
82
Cross (rems. of)
Upper Wood Farm
Wood Folds
Lower Wood Farm
Frodsham's Wood
Brockhurst Farm
Cemy.
Bowl. Green
Mere Oaks Sch.
Bank House
Thorn Hill
Rothwells Farm
Brock Mill Farm
Res. (covered)
Cemetery
Standish Lower Ground
Giant's Hall Farm
Brimelow Farm
Whitley
Factory
Playground
Woodfield Prim. Sch.
Reservoir
Beech Hill
WN6
Beech Hill Prim. Sch.
The Elms
ROYAL ALBERT EDWARD INFIRMARY
Swinley
Sacred Heart R. C. Prim. Sch.
Beech Hill Hlth. Cen.
Lib.
Gidlow
Wigan & Leigh College
Wigan Athletic F.C.
Springfield
St. Andrew's Prim. Sch.
Mesnes Park
Bowling Grns.
Bandstand
Pav.
Marsh Green
Sports Ground
Cricket Ground
Bull Hey
Civic Bldgs.
PAGEFIELD IND. ESTATE
Wigan & Leigh College (Wigan Campus)
Deanery C. of E. High Sch.
THE GALLERIES SHOP. CEN.
WN5
Laithwaite
LEEDS & LIVERPOOL CANAL
WIGAN
Civic Cen.
ROBIN PARK SPORTS COMPLEX
WALLGATE
Wallgate
NORTH WESTERN
Recreation Ground
Worsley Hall
Playing Fields
Playing Field
St. Mark's C. of E. Prim. Sch.
High Sch.
Heritage Cen.
WN3
ACTON'S WALK TRAD. CEN.
Parson's Meadow
Newtown
River Douglas
Poolstock Brook
WIGAN RD.
WIGAN LANE
WOODHOUSE DRIVE
WOODHOUSE LANE
PARK ROAD
PARSON'S WALK
SPENCER RD. W.
SPENCER ROAD
GIDLOW LANE
BEECH HILL AVENUE
BEECH HILL LANE
WALLGATE
POTTERY ROAD
MESNES RD.
KENYON RD.
BRIDGEMAN TER.
SCOT LANE
ROBIN PARK ROAD
CHAPEL ST.
FROG LANE
B5375
B5376
A49

Sennicar Bridge
Crow Orchard
Walker Gardens
39
Aspull Common
Haigh Hall
HAIGH HALL GOLF COURSE
HAIGH HALL COUNTRY PARK
Curfew House
Engine Shed
Haigh Upper Plantations
Miniature Railway
Rugby Ground
Hilton Farm
Manor House Farm
Basin Quay
HAIGH UPPER PLANTATIONS
LEEDS & LIVERPOOL CANAL
Longhurst
Haigh Cottage
Hanfield
Hall Lane Lodge
Leyland Mill Farm
Leyland Mill Brow
The Receptacle
Leyland Mill Bridge
HAIGH LOWER PLANTATIONS
Shedfield Bridge
Marylebone
Springs Bri.
Lower House Farm
St. John the Baptist C. of E. Jun. Sch.
Park House
Bottling Wood
New Springs
WHELLEY HOSP.
Top Lock
Bakery
Playing Field
Resr. (covered)
Reservoir
WN1
WN2
Depot
Kirkless Hall
Whelley
Water Heyes
Prim. Sch.
Longshoot
Central Park
Rec. Grd.
Clarrington
Rose Bridge
High Sch.
Peel Hall Bridge
Belle Green C. of E. Prim. Sch.
Scholes
Towing Path
Playing Fields
Gidlow House
Magistrates Ct.
EMPRESS INDUSTRIAL ESTATE
Higher Ince
Whalley's Basin
William Foster Playing Fields
Ince-in-Makerfield C. of E. Prim. Sch.
St. Williams R. C. Prim. Sch.
Britannia Bri.
INCE-IN-MAKERFIELD
INCE
Britannia Bri. Prim. Sch.
83
Walmesley Park
Brownlow
Ince Farm
WIGAN ROAD
WHELLEY
MANCHESTER ROAD
WARRINGTON RD.
CENTRAL PARK WAY
MAKERFIELD
B5238
A577
A573
A49

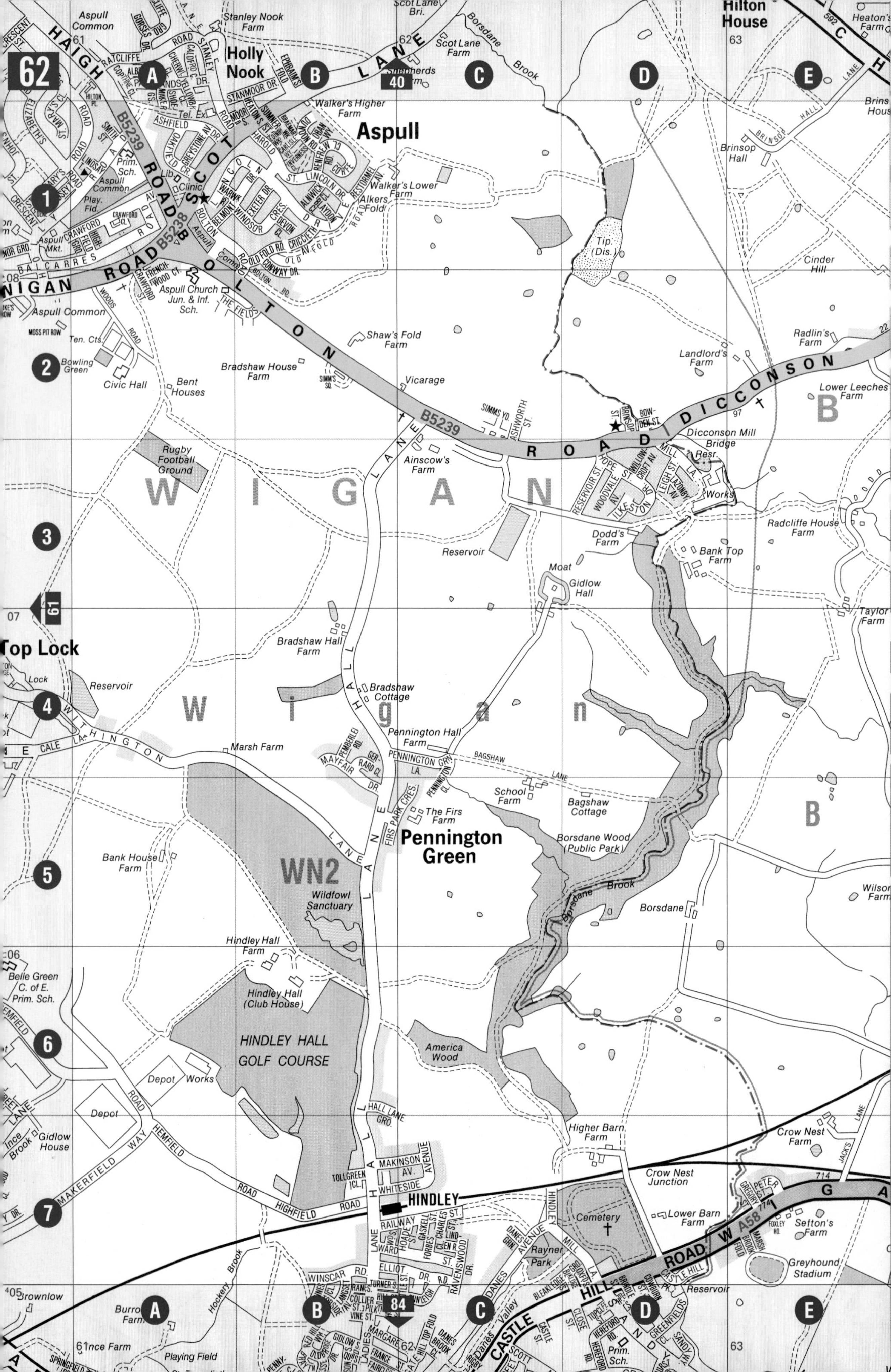
Aspull Common
Stanley Nook Farm
Holly Nook
Scot Lane Bri.
Scot Lane Farm
Borsdane Brook
Hilton House
Shepherds Farm
40
Walker's Higher Farm
Aspull
Walker's Lower Farm
Alkers Fold
Tip (Dis.)
Brinsop Hall
Cinder Hill
Aspull Church Jun. & Inf. Sch.
Aspull Common
Bowling Green
Civic Hall
Bent Houses
Bradshaw House Farm
Shaw's Fold Farm
Vicarage
Landlord's Farm
Radlin's Farm
Lower Leeches Farm
Dicconson Mill Bridge
Rugby Football Ground
W I G A N
Ainscow's Farm
Radcliffe House Farm
Dodd's Farm
Bank Top Farm
Reservoir
Moat
Gidlow Hall
Taylor Farm
Top Lock
Bradshaw Hall Farm
Reservoir
Bradshaw Cottage
W i g a n
Marsh Farm
Pennington Hall Farm
School Farm
Bagshaw Cottage
The Firs Farm
Pennington Green
Borsdane Wood (Public Park)
Bank House Farm
WN2
Wildfowl Sanctuary
Borsdane
Wilson Farm
Hindley Hall Farm
Belle Green C. of E. Prim. Sch.
Hindley Hall (Club House)
HINDLEY HALL GOLF COURSE
America Wood
Depot
Works
Depot
Gidlow House
Higher Barn Farm
Crow Nest Farm
Crow Nest Junction
HINDLEY
Cemetery
Lower Barn Farm
Sefton's Farm
Rayner Park
Greyhound Stadium
Reservoir
Brownlow
Burrow Farm
Ince Farm
Playing Field
84
B5239
B5238
A58
WIGAN ROAD
BOLTON ROAD
DICCONSON ROAD
CASTLE HILL ROAD

Junction 6
Irlam's Farm
Depot
Stonepit Field Plantation
Lostock Lane Bridge
Middle Brook
Pendlebury's Farm
Ravens-Hoe
Gibraltar Farm
Ralph Fold
Ormstons Farm
Chadwick's Farm
Cooper Turning
Works
Four Gates
Three Lovers
Whipple Tree Farm
Ratcliffes Farm
Poplars Farm
BL6
Fourgates Prim. Sch.
Football Gnd.
M61
Sunny Brow Farm
B5239
Blue Bell Farm
Depot
Moss Hall
Moss Cottages
Whittle House Farm
M61 MOTORWAY
Higher Leeches Farm
BOLTON
Hartleys Farm
Corges
Reeve's House Farm
Wingates
St. John's C.of E. Prim. Sch.
Ditcher's Farm
BEECH HOUSE
Works
MANCHESTER ROAD
A6
Carlies
WINGATES INDUSTRIAL ESTATE
Holden Woods
Garden Cent.
Industrial Estate
WESTHOUGHTON
THE MORTONS
Willow Bank
LONG LANE
Hall
Mills
Sacred Heart R.C. Prim. Sch.
Westhoughton Prim. Sch.
Play. Fields
LONG ISLAND GOLF COURSE
Club House
Long Island Farm
Long Island Golf Course
Leigh Common
Cemetery
Central Park
Bowl.Grns
Aqueduct
BL5
Grundy's Farm
Aldreds
Clinic
Works
Lib.
Prim. Sch.
WESTHOUGHTON
Westhoughton High Sch.
Play. Flds.
Old Lane Farm
Hill Crest
Esther Fold
Bowl. Grn.
CRICKETERS WAY
A58
PARK RD.
Baldwin's Farm
Pav. Cricket Grd.
Rugby Football Grd.
Cloughs Fold Farm
Weirs
Old Fold Farm
Cunningham Brook
Reservoirs
Dobb Brow
Mill
Hart Common
Washacre Prim. Sch.
Playing Field
Dorothy Rigby's Farm
Youth Cen.
Hart Common C.of E. Prim. Sch.
Playing Field
Works
Lambert Sales Farm
Club House
B5235
Hatock County Prim. Sch.
Banks Farm
Daisy Hill
DAISY HILL
WESTHOUGHTON

64
Lostock
Closes Gate Plantation
Lostock Prim. Sch.
Lostock Junc.
42
Southfield
MORRIS FOLD DR.
LOSTOCK
Morris Fold Farm
Alliance Bridge
Middle Brook
Discharge Well
Lostock Park School
School Farm
Play. Fld.
RUMWORTH RD.
TEMPEST ROAD
JUNCTION ROAD WEST
Lostock Junction
Bank Top Farm
Broad Gate Farm
RUMWORTH LODGE RESERVOIR
Greenfields
BEAUMONT ROAD
A58
BL6
BOL
Chulsey Gate Farm
Moss Hall Farm
Villa Rose
CHULSEY GATE LANE
Whittle House Farm
St. Johns Wood
Wicken Lees Farm
NEW TEMPEST RD.
LOCK LANE
Sunderland Nursery
OAK BARTON
Mosslands
ST. JOHN'S TEMPEST
Recn. Gd.
Chew Moor
Seddon Fold
Gravel Hole
POCKET NOOK RD.
M61 MOTORWAY
M61
Nook Gate
Recreation Ground
Pocket Nook
Morris Farm
BEECH HOUSE
Pav.
CHEW MOOR LA.
Hunger Hill
Knutshaw Bridge
Garden Centre
63
Cow Lee Brook
Factory
Monks Farm
WINSLOW RD.
WHITEGATE
HIGHGATE
TAYWOOD RD.
HILLSIDE CL.
CARTMEL
BOLTON
HORNBY DR.
A58 WIGAN RD.
Hunger Hill
PENDLEBURY FOLD
PUNCH LANE
Works
METAL BOX WY.
Playing Fields
HEATONS GRO.
SNYDALE CL.
Snydale Cott.
BOLTON ROAD
Snydale Gate Farm
CALVER HEY CL.
Snydale Hall Farm
WHITE HORSE GRO.
Reservoir (covered)
MANCHESTER ROAD
A6
SNYDALE WAY
Junction 5
WHARFEDALE
CHERWELL
BROOM WAY
CHELMER ROAD
B5235
COW LEES
Westhoughton
BOLTON
YELLOW LODGE DR.
MANLEY CRES.
BEEHIVE GREEN
Sch.
Works
MORRIS RD.
Knowles Bridge Farm
Back Gates Farm
Gorse Wood
CAPTAIN LEES RD.
BARNFIELD DR.
FAIRHAVEN AV.
ALEXANDRIA DR.
SINGLETON GRO.
Recn. Gd.
Beech Hall Farm
Knowles Bank Bridge
The Cottage
Stone Holes Wood
Reservoir (disused)
Hardwicks Plantations
Westhoughton High Sch.
Play. Flds.
Owler Hall Farm
MANLEY ROW
Chequerbent
Markland Plantation
CAPTAIN GDNS.
MARY HN. CT.
PARK ROAD
A58
Water's Nook
BAILEY FOLD
LEE BANK
BL5
Deardens
Weirs
FOREST DR.
PLATT LANE
Old Dam Wood
Shippon's Field
WADE BANK
LEIGH ROAD
Hurst Hole
Stone Shed Wood
Cow Wood
STANLEY CL.
Hall Lee Bank Park
Hooper Green
Back o'th' Lawn Wood
Home Farm
Hulton Park
GREEN COMMON LANE
Green Common
Ashes Farm
Scout Camp
Weir
Mill Dam Stream
Park Pit Wood
INDUSTRIAL ST.
Yew Tree Farm
Belgrave Spinney
Weir
86
Hawsthorne Wood
DAISY HILL
Lower Whittles
Langley Hall
GREEN COMMON LA.

F
G
H
J
K
Deane
Willows
Daubhill
Fernhill Gate
Morris Green
Over Hulton
Hulton Lane Ends
Junction 4
Pocket
43
HASLAM PARK
Haslam Park Co. Prim. Sch.
Grave Yard
Club Ho.
DEANE GOLF COURSE
DEANE CHURCH CLOUGH
Ladybridge Prim. Sch.
New York
St. Mary's C of E. Prim. School
Tennis Cts.
The Deane School
Clin. & Lib.
HULTON HOSP.
Com. Cn.
HULTON LANE ESTATE
BL3
Playing Field
Rec. Grd.
Com. Cen.
Lincoln Mill
THE POCKET WORKSHOPS
Pikes La. Prim. Sch.
Mills
Tel. Exch.
Nursing Home
Works
Children's Home
Sports Ground
Hayward Sch. & South College
Hayward High Sch.
Lever Edge Prim. Sch.
PIKE MILL ESTATE
Wks.
Heathfield Prim. Sch.
Garnet Fold Farm
Whitegate Farm
Water Towers
Top o'th Cow
Top o' th' Height
EDGE FOLD INDUSTRIAL ESTATE
Playing Fields
GREAT LEVER & FARNWORTH GOLF COURSE
Club House
Scot Meadow
BL4
Cranberry Fm.
Heathfield Farm
Stone House
Four Lane Ends Farm
Braemar
St. Andrew's Over Hulton C.of E. Prim. Sch.
Play. Fld.
Sewage Works
Umberton's Farm
Adises Farm
Moss Hall Farm
Subway
Israel's Farm
Bewshill's Farm
Cutacre Brook
Eccorsley Farm
The Firs
M61
M61-MOTORWAY
PLODDER LANE
B6199
WATER GATE LA.
SALFORD ROAD
A6
A579
A676
A6145
DEANE ROAD
DERBY ROAD
HULTON LANE
HELEN ST.
NEWBROOK ROAD
ST. HELENS ROAD
LEVER EDGE LANE
HIGHER BRIDGEMAN ST.
SLACK FOLD LA.
ROSE MARY LANE
BACK LANE
WALKDEN ROAD
MORRIS GREEN LA.
CANNON ST.
CHORLEY STREET
BUTTERMERE
87
99
1
2
3
4
5
6
7

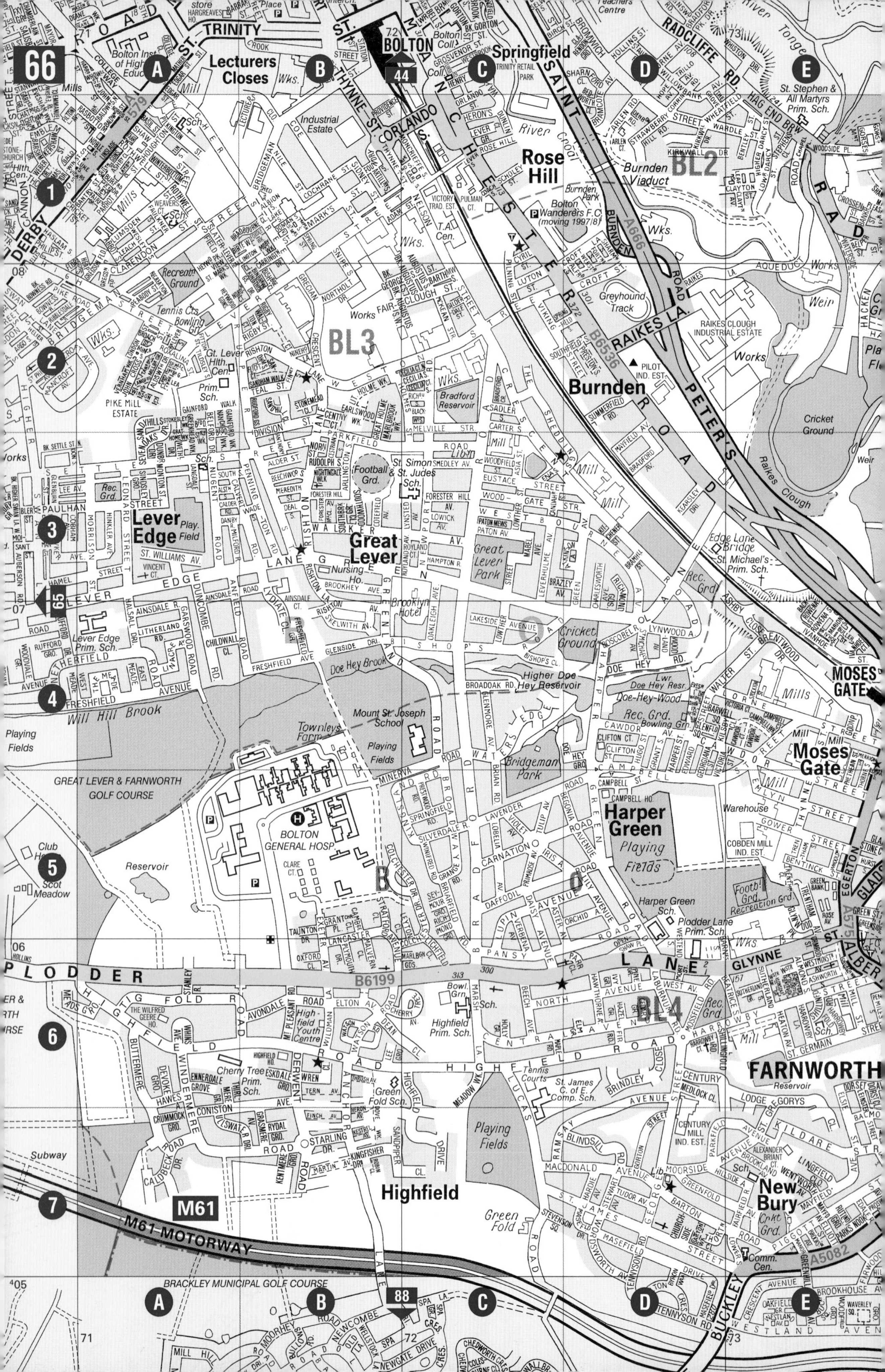
A
B
C
D
E
1
2
3
4
5
6
7
BOLTON
44
65
88
Lecturers Closes
Springfield
Rose Hill
BL2
BL3
BL4
Burnden
Burnden Viaduct
Burnden Park
Bolton Wanderers F.C. (moving 1997/8)
Greyhound Track
RAIKES CLOUGH INDUSTRIAL ESTATE
Cricket Ground
Raikes Clough
Great Lever
Lever Edge
Great Lever Park
Bradford Reservoir
Industrial Estate
TRINITY RETAIL PARK
Bolton Inst. of Higher Educ.
Recreation Ground
Tennis Cts. Bowling
Gt. Lever Hlth. Cen.
PIKE MILL ESTATE
Prim. Sch.
Football Grd.
St. Simon & St. Judes Sch.
Nursing Ho.
Brooklyn Hotel
Lever Edge Prim. Sch.
Cricket Ground
Doe Hey Brook
Higher Doe Hey Reservoir
Lwr. Doe Hey Resr.
Doe-Hey-Wood
Rec. Grd.
Will Hill Brook
Playing Fields
GREAT LEVER & FARNWORTH GOLF COURSE
Townleys Farm
Mount St. Joseph School
Bridgeman Park
BOLTON GENERAL HOSP.
Reservoir
Club House
Scot Meadow
Harper Green
Harper Green Playing Fields
Harper Green Sch.
Plodder Lane Prim. Sch.
Moses Gate
MOSES GATE
Warehouse
COBDEN MILL IND. EST.
Footbl Grd. Recreation Grd.
Edge Lane Bridge
St. Michael's Prim. Sch.
St. Stephen & All Martyrs Prim. Sch.
PILOT IND. EST.
Weir
Works
PLODDER LANE
B6199
A666
B6536
A579
A575
A5082
Highfield
Highfield Prim. Sch.
High-field Youth Centre
Cherry Tree Prim. Sch.
Green Fold Sch.
Tennis Courts
St. James C. of E. Comp. Sch.
Playing Fields
Green Fold
CENTURY MILL IND. EST.
FARNWORTH
New Bury
Crkt Grd.
Comm. Cen.
Subway
M61
M61 MOTORWAY
BRACKLEY MUNICIPAL GOLF COURSE
SAINT PETER'S ROAD
MANCHESTER ROAD
RADCLIFFE RD.
BURNDEN ROAD
RAIKES LA.
DERBY ST.
BRIDGEMAN ST.
LEVER EDGE LANE
GREEN LANE
BISHOP'S ROAD
BRADFORD ROAD
HARPER GREEN ROAD
HIGHFIELD ROAD
BUCKLEY LANE
GLYNNE ST.
ALBERT RD.
THYNNE ST.
TRINITY ST.
71
72
73
05
06
07
08
405

67
F
G
H
J
K
1
2
3
4
5
6
7
BL2
BL3
45
89
LEVERHULME PARK
Racing Track
Playing Fields
Reservoirs
B6209
RADCLIFFE MOOR ROAD
A665
M26
Bradley Fold Works
Bradley Fold Pottery
Davenport Farm
Five Acre Farm
Darcy Lever
Old Hall Farm
Grundy Fold
Masefield Primary School
DOVE BANK RD.
Little Lever
Cricket Grd
Bowness Prim. Sch.
Little Lever Sch.
Sports Hall
CHURCH LANE
HALL LANE
A6053
Hacken Bri.
River Croal
Reservoirs
Caravan Site
Farnworth Bridge
Canal (dis.)
Towing Path
Bolton Coun. Area Office
St. Matthews Prim. Sch.
St. Teresa's R.C. Prim. Sch.
HIGH ST.
STOPES R
Playing Fields
Little Lever Health Cen.
Football Ground
Rock Hall
Reservoir
Farnworth Cemetery
Lower Farley
Nob End
Wellfield
River Irwell
Weir
Mill
BURY
FARNWORTH AND KEARSLEY WAY
A666
Darley Park
Tennis Cts.
Bowl Grn.
Football Ground
All Saint's C.of E. Prim. Sch.
BOLTON RD.
FARNWORTH
Wilsons Bridge
Oak Hill
Seddon's Fold
Manchester
Langley Brow
Manchester, Bolton & Bury Canal (Dis.)
Prestolee Prim. Sch.
Ringley Lock
Clammerclough Tunnel
Kearsley Park
BY-PASS
Prestolee
Horridge Brook
Playing Field
MARKET ST.
S. RINGLEY RD.
KEARSLEY
Stoneclough
EUROPA TRADING ESTATE
LONG CAUSEWAY
A5082
BOLTON ROAD
STONECLOUGH RD.
A667
Singing Clough
KEARSLEY
EXPRESS TRADING ESTATE
George Tomlinson School
Sports Hall & Pool
Rec. Grd.
Alderbank (Home for Aged)
Cricket Grd.
Kearsley Mount
A575 ROAD
WORSLEY
74
75
76
08
07
06

Black Lane
RADCLIFFE
M26
BL3
Outwood
Ringley
BOLTON
CEMETERY
Radcliffe High Sch.
Playing Fields
Cricket Ground
Football Grd.
Bolton Rd. Park
Outwood Sidings
King George's Field
Reservoir
River Irwell
Manchester Bolton & Bury Canal
Ringley Wood
Nuttall Wood
Sewage Works
Higher Heaps
Lower Heaps
Heaps Cottage
Shore Top Farm
Nearer Shore Top
Stopes Farm
Harper Fold
Mount Sion
Nickernoie Bridge
Higher Barn
Hillsden Farm
Moss Shaw Farm
Bradley Fold Works
Coggra Fold
Grundy Fold
Rush Acre
Cams Lane Prim. Sch.
Radcliffe Jun. & Inf. Schs.
Red Bank Health Cen.
St. Mary's R.C. Sch.
Gorsefield Prim. Sch.
Refuse Disposal Works
Ringley Lock
Ringley Bridge
Ringley Canal Bridge
Bottom of Croft
St. Saviour C.of E. Prim. Sch.
Ringley Old Br.
Giants Seat
Hurst Farm
Coney Green
Withins Res.
RADCLIFFE MOOR ROAD
STOPES ROAD
BOLTON ROAD
COUNTESS LANE
AINSWORTH ROAD
RINGLEY ROAD
KEARSLEY RD.
PRESTOLEE ROAD
WATER ST.
PILKINGTON ST.
A665
A6053
A667
B6292
46
67
90

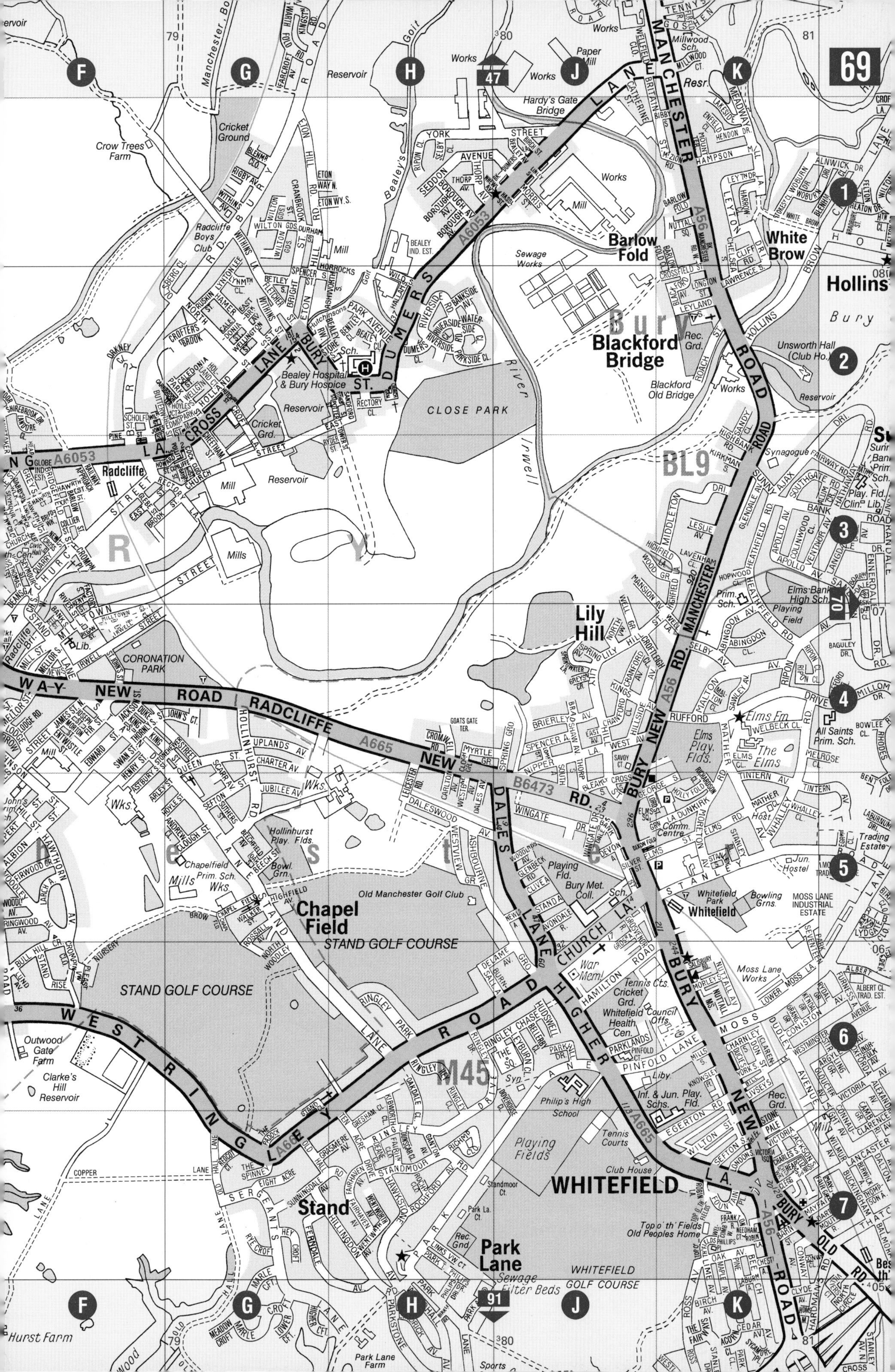
69
47
91
70
F
G
H
J
K
1
2
3
4
5
6
7
Crow Trees Farm
Cricket Ground
Reservoir
Works
Paper Mill
Hardy's Gate Bridge
Barlow Fold
White Brow
Hollins
Radcliffe Boys Club
Bealey Hospital & Bury Hospice
CLOSE PARK
Sewage Works
Blackford Bridge
Blackford Old Bridge
Unsworth Hall (Club Ho.)
Synagogue
BL9
Radcliffe
Mills
Lily Hill
CORONATION PARK
RADCLIFFE NEW ROAD
A665
A6053
A56
B6473
Elms Play. Flds.
The Elms
Hollinhurst Play. Flds.
Chapelfield Prim. Sch.
Chapel Field
Old Manchester Golf Club
STAND GOLF COURSE
Bury Met. Coll.
Whitefield
Moss Lane Industrial Estate
WEST RING ROAD
M45
Outwood Gate Farm
Clarke's Hill Reservoir
Philip's High School
Playing Fields
WHITEFIELD
Stand
Park Lane
WHITEFIELD GOLF COURSE
Sewage Filter Beds
Top o' th' Fields Old Peoples Home
Hurst Farm
Park Lane Farm
MANCHESTER ROAD
BURY NEW RD.
BURY OLD RD.

A
B
C
D
E
1
2
3
4
5
6
7
48
69
92
Pilsworth Clough
Captain's
Reservoir
Hollins Brook
Pilsworth Cotts.
Hollins Vale
CROFT IND. EST.
Grundy Play. Flds.
Hollins Grundy Prim. Sch.
BL9
White Brow
Hollins
Bury Golf Course
Insworth Hall (Club House)
Mountains Farm
Parr Brook
Thurston Fold
Castle Brook Farm
Brick House
Roe Barn
Whittle
Sunny Bank
Sunny Bank Prim. Sch.
Synagogue
Unsworth
M66 MOTORWAY
M66
Castle Brook High Sch.
Moss Side
Back o'th' Moss
Cricket Ground
Tennis Cts.
The Hills
Unsworth Prim. Sch.
All Saints Prim. Sch.
The Elms
Elms Fm
Playing Fields
Pilkington Ho.
Egypt Farm
Lower Droughts Farm
Junction 4 (M66)
Junction 18 (M60)
Simister
Nursery
Trading Estate
MOSS LANE TRADING ESTATE
MOSS LANE INDUSTRIAL ESTATE
Bowling Grns.
Ribble Drive Primary Sch.
St. Michael's R.C. Prim. Sch.
Shuttle Cen.
Bury Met. Coll.
M45
M25
M60 MOTORWAY
M60
Oak Bank
Whitefield Prim. Sch.
Playing Field
Besses o' th' Barn
Parrenthorn Farm
St. Margarets C.of E. Primary School
Parrenthorn School
Clark's Cross
Whitehouse Farm
Heywood Farm
Playing Fields
Kirkhams
Half Acre
HEATON PARK RESERVOIR
Dog Kennel Cotts.
MANCHE
HEATON
BRIDLE ROAD
SIMISTER ROAD
BURY OLD ROAD
BURY NEW ROAD
A56

Higher Fields
Stock Nook
Higher Barn
New Gap Farm
Saxons Farm
49
BIRCH INDUSTRIAL ESTATE
Siddal Farm
Siddal Fold
Doctor Fold
Lower Whittle
Meadow Croft Fold
Heywood
Broom Hill
Birch Service Area
Mills
Top o' th' Hill
M62 MOTORWAY
MANCHESTER ROAD
OL10
Whittle Fold
M62
The Grange
Grange Farm
Birch
Langley Lane Farm
LANGLEY LANE
ROCHDALE
Greenhill Farm
Whittle Brook
Playing Fields
Langley Brook Adult Training Centre
Burnside Community Centre
Unsworth Moss
Sand Field
Green Lane End
Langley Brook
Furrow Community School
Lib.
Langley
72
Mere Brook
Simon Lane Farm
Mill
Clinic
Parkside Farm
Golf Driving Range
Council Depot
The Lakeside Centre
Parkside
Bowlee
Truffet Park Rec. Grnd.
Bury West
Cambashaw
Toll
A6045 HEYWOOD OLD ROAD
NORTH MANCHESTER GOLF COURSE
Mellowdews
M24
Asker Dam
Cobler's Dam
Sunny Brow Nursery Sch.
Mount Pleasant Farm
Reservoir
Rhodes Green
Rhodes Green Farm
BOARDMAN LANE
Frank's Dam
Reservoirs
Rhodes Ho. (Club Ho.)
Parkwood Cotts.
Bradley Hall Farm
Rec. Grd.
Little Heaton Prim. Sch.
Little Nook
M60
A576 OLD ROAD
Res.
Reservoir
Works
Rhodes
Mills
Fish Pond
Junction 19
MANCHESTER OLD ROAD
Manchester
M9
Oak Croft Hill
93
M60 MOTORWAY
Youth Centre
PARK GOLF COURSE
F G H J K
1 2 3 4 5 6 7
84 385 86
08 07 06 405

A
B
C
D
E
1
2
3
4
5
6
7
86
87
88
50
71
94
Glade Wood
Round Hill
Hopwood Cottages Club Ho.
Yew Tree Farm East
Yew Tree Farm South
Hopwood Hall Farm
OLDHAM RD.
OAKEN BANK ROAD
Oaken Bank Wood
Lord's Wood
Hatters Farm
Hopwood Hall
Hopwood Hall College
The Butts
Resr.
Playing Field
Slattocks
Locks
HOLLIN
STOTT LA.
Tennis Courts
Playing Fields
The Queen Elizabeth School
Woodside Farm
Hopwood Clough
Leighs
ROCHDALE
Langley Lane Farm
LANGLEY LANE
HAZELHURST
LYME CLOUGH WY.
Playing Field
Alderman Kay Sch.
Cardinal Langley R.C. High Sch.
Whit Brook
Towing Path
Top of Hebers
A6046
Schofield Ho.
Hollins
WAVERLEY ROAD
Stanycliffe
St. John Fisher R.C. Prim. Sch.
Arcesfield Nursery Sch.
Hollins Jun. & Inf. Sch.
Stanycliffe Bri.
A664
Burnside Community Centre
Langley Prim. Sch.
Langley
Playgrd.
HOLLINS GREEN
Boarshaw Prim. Sch.
BOARSHAW CEMETERY
Clinic
St. Mary's Prim. Sch.
Cricket Grd.
Recreation Ground
Manchester
Middleton Parish C. of E. Prim. Sch.
Playing Field
Reservoir
Little Green
MELLALIEU STREET
Jubilee Park
CROMER INDUSTRIAL ESTATE
Clinic
Burial Ground
LONG ST
John Lee Fold
A669
Elm Wood Prim. Sch.
Playing Field
Parkfield Prim. Sch.
Asker Dam
Sunny Brow Nursery Sch.
SUNNY BROW ROAD
ARNDALE SHOP. CEN.
Bus Sta.
Lark Hill
MIDDLETON
M24
The Middleton Technology School
Lime Field
Recreation Ground
Council Offices
MIDDLETON WAY
Little Park
GRIMSHAW
Reservoirs
Rhodes Ho. (Club Ho.)
MANCHESTER OLD ROAD
A576
MC BRIDE RIVERSIDE PARK
Mill
Res.
Ramsden Farm
Moorclose
Bowling Green
Playing Field
River Irk
Lever Bri.
Kitchen Wood
St. Peter's R.C. Prim. Sch.
FARMWAY
Reservoirs
Bird Sanctuary
Alkrington Hall
Alkrington Wood
MANCHESTER NEW RD.
A664
MOUNT RD.
KIRKWAY
B6189
Wince Brook
Liby.
Nursy Sch.
KINGSWAY
Wood Cott.
Alkrington Prim. Sch.
BRADSHAW TRADING EST.
Alkrington

Stake Hill
Higher Stake Hill
Oozewood
OL2
OL1
Healds Green
Street Bridge
Buckley Wood
Haggate
Royley
Higher Boarshaw
Acres
Chadderton Fold
Chadderton Park
OL9
Mills Hill
Green Hill
Middleton Junction
CHADDERTON
Stock Brook
Cowhill
Alder Root
A627(M)
MOTORWAY
A663
A669
B6195
51
74
95
Stake Hill Industrial Estate
Tandle Hill Countryside Park
Chadderton Hall Park
North Chadderton Upper School
Chadderton Cemetery
Radclyffe Upper School
Ferney Field School

Cowlishaw
Thorp
ROYTON
Royton Cemetery
Dogford Park
CROMPTON & ROYTON GOLF COURSE
Source of River Irk
River Irk
Diamond Rope Works
A.T.C. Headquarters
Luzley Brook
Albion Ho. (Home for the Aged)
Royton & Crompton Sch.
Blackshaw Lane Primary School
Playing Fields
Heyside
Haggate
Royley
Holden Fold
Superstores
Elk Mill
Cricket Grd.
Crofters
Rowley Clough
Brookside Farm
Vernon Works
Highbarn Jun. Sch.
King Mill
Lake Bee Mill
OL2
Dr Kershaw's Hospice
Industrial Estate
Warehouse
Sun Fields
Salmon Fields
Rhos Mill
Higginshaw
Factory
Gas Works
Football Grd.
Reservoirs
Monarch Mill
Long Clough
Our Lady's R.C. High Sch.
Broadway Playground
Playing Field
Tennis Courts
Clayton Playing Fields
The Clayton Arms Sports Hall
Boundary Park
Oldham Athletic FC
Long Sight
THE ROYAL OLDHAM HOSPITAL PARK
West Hulme
WESTWOOD Running Track
West Pennine College of Health Studies
OLDHAM
Sarah Moor
COLDHURST HOLLOW ESTATE
Shaw Road Estate
Oldham Edge
Playing Field
DERKER
Higginshaw Youth Cen.
OLDHAM CENTRAL TRADING PARK
Lower Moor
Burnley Brow
Busk
Cold Hurst
North Moor
OL9
Frank Hill
Oldham College
Civic Centre
Market
Oldham Sports Cen.
Sports Stadium
Blue Coat C. of E. Sch.
Mumps
Bus Depot
YORKSHIRE ST.
THE SPINDLES & TOWN SQ. SHOP. CEN.
Westwood
WESTWOOD INDUSTRIAL ESTATE
Alder Root
BOOTH HOUSE TRAD. EST.
WESTWOOD BUS. CEN.
Richmond Jun. Sch.
Bank Top
Rhodes Bank
OLDHAM MUMPS
SOUTHLINK BUSINESS PK.
Fitton Mill
Town Hall
Baths
Liby.
ROCHDALE ROAD A671
OLDHAM ROAD
SHAW ROAD A663
BROADWAY A663
CHADDERTON WAY A627
MIDDLETON ROAD
FEATHERSTALL ROAD
OLDHAM WAY A627
HIGGINSHAW LANE B6194
MANCHESTER STREET
A669
B6195
B6190
A6048
52
73
96
A B C D E
1 2 3 4 5 6 7
91 92 93
05 06 07 08

75
SHAW
Moss Hey
Clough
Fullwood
Lower Fullwood Farm
Cartchief Nook Farm
Slack Farm
Besom Hill Reservoir
Besom Hill Farm
Besom Hill
Doorstone Farm
Alderney Farm
Sholver Moor Farm
Shaw Side
Moss Farm
Cape Mill
Lilac Mill
Reservoirs Recreation Ground
Birshaw House
Shaw Edge
Sholver
Sholver Hall Comm. Centre
Sholver Grn.
Old Bank
Intake Farm
Bullcote Farm
Brownlow
Woodstock Factory
Harleyroad
River Beal
Hodge Clough
Hodge Clough Jun. Sch.
Hodge Clough Infant School
Our Lady's R.C. Sch.
Moorside
Count Hill
Strine Dale
Cricket Ground
Playing Field
Higher Barrowshaw
Higher Count Hill
Lower Count Hill
Haven
Reservoir
Green Lane Farm
Strines
Gailey Hall
Lower Strinesdale Reservoir
Waterhead Water Treatment Works
Top o' th' Meadows
Pastures Farm
Barrowshaw Farm
Counthill School
Broadbent
Watersheddings
Sacred Heart R.C. Prim. Sch.
Stoneleigh Prim. Sch.
Stoneleigh Park
The Pollards
Watersheddings Prim. Sch.
Playing Fields
Near Barrowshaw
OL4
Greyhound Racing Track
Oldham R.L.F.C.
Spring Hill
Waterhead Park
Waterhead
Mayfield Prim. Sch.
Nursery Sch.
Greenacres Hill
Littlemoor Prim. Sch.
Top Of Moor
Birks
Cricket Ground
Acre
East Works
Greenacres Moor
Greenacres Prim. Sch.
Greenacres Fold
Greenacres Cemetery
Greenacres
Cross Bank
Cookcroft
Sun Hill
Hey With Zion Prim. Sch.
St. Edward's R.C. Prim. Sch.
St. Anne's R.C. Prim. Sch.
Castle Wks
Warehouses
Depots
Horton Mill Prim. Sch.
Moorhey
Clarksfield Inft. & Prim. Sch.
Arthurs & Alice Kenyon Ind. Est.
Nuffield Hostel
Bank Top
St. John's Ind. Est.
Football Grd.
Springhead Inf. Sch.
Ashfield Ho.
Walkers
A672
A62
A669
ROAD
53
76
97
F
G
H
J
K
1
2
3
4
5
6
7

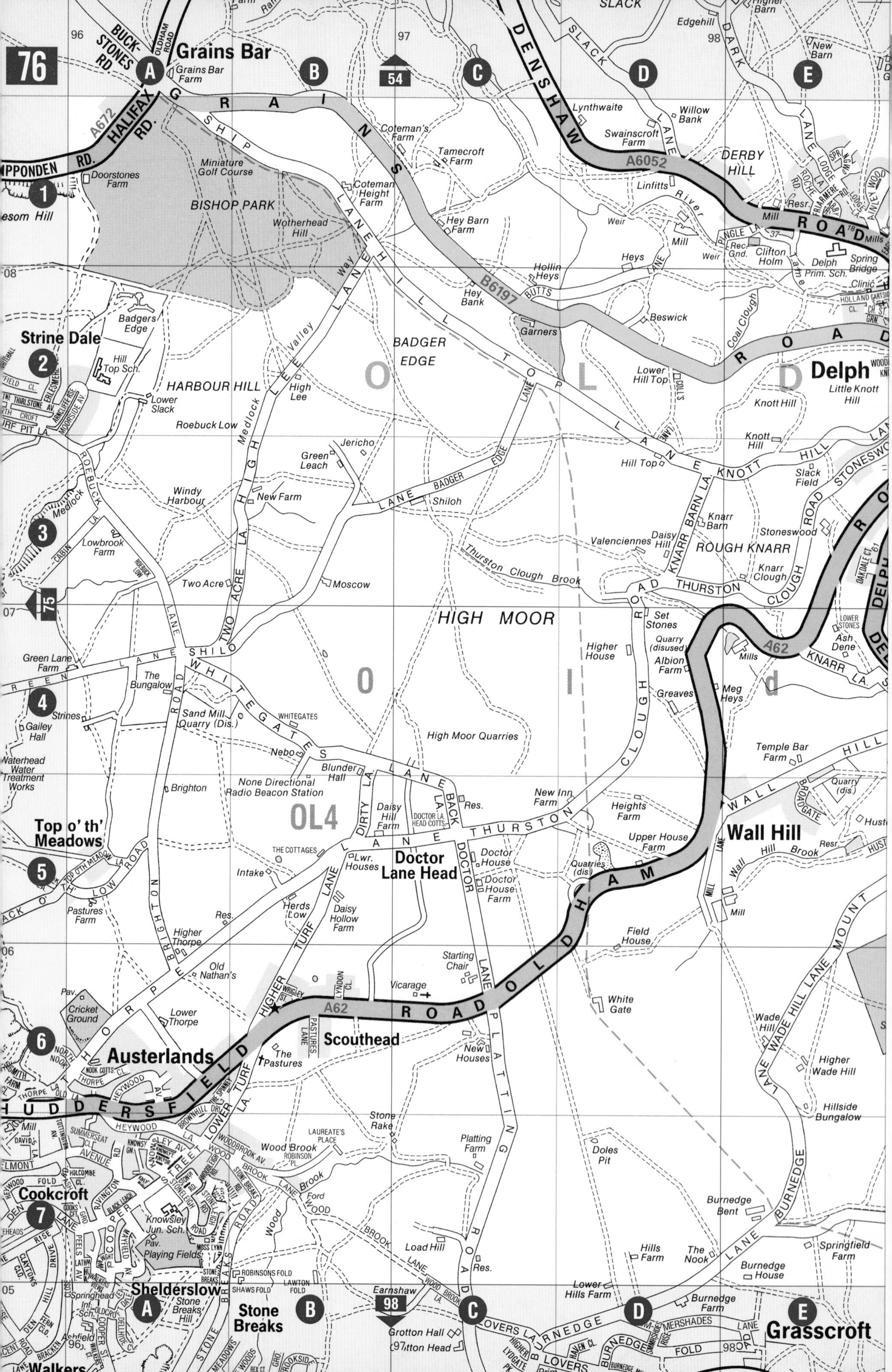

76
Grains Bar
Grains Bar Farm
BUCK-STONES RD.
OLDHAM ROAD
HALIFAX RD.
A672
RIPPONDEN RD.
54
98
75
GRAINS ROAD
SHIP LANE
Miniature Golf Course
BISHOP PARK
Doorstones Farm
Wotherhead Hill
Coteman's Farm
Tamecroft Farm
Coteman Height Farm
Hey Barn Farm
Hollin Heys
Hey Bank
B6197
Garners
BUTTS
Lynthwaite
Swainscroft Farm
Willow Bank
DENSHAW
A6052
DERBY HILL
Linfitts
River
Weir
Mill
Heys
Beswick
Edgehill
SLACK
DARK LANE
New Barn
Higher Barn
MILL ROAD
Resr.
FRIARMERE RD.
LODGE LA.
ROCHE RD.
PINGLE LA.
Rec. Gnd.
Clifton Holm
Delph Prim. Sch.
Spring Bridge
Clinic
HOLLAND CL.
Coal Clough
Delph
Little Knott Hill
Knott Hill
Lower Hill Top
Hill Top
TOP LANE
KNOTT HILL
Slack Field
Badgers Edge
Strine Dale
Hill Top Sch.
HARBOUR HILL
Lower Slack
Roebuck Low
Medlock
Valley Way
HIGH LEE LANE
High Lee
BADGER EDGE
BADGER EDGE LANE
Jericho
Green Leach
Shiloh
Windy Harbour
New Farm
Lowbrook Farm
Two Acre
TWO ACRE LA.
Moscow
Thurston Clough Brook
THURSTON CLOUGH ROAD
Valenciennes
Daisy Hill
KNARR BARN LA.
Knarr Barn
ROUGH KNARR
Stoneswood
Knarr Clough
STONESWOOD ROAD
HIGH MOOR
OLDHAM
Set Stones
Quarry (disused)
Higher House
Albion Farm
Greaves
Meg Heys
Mills
A62
KNARR LA.
Lower Stones
Ash Dene
OAKDALE CT.
Green Lane Farm
GREEN LANE
SHILOH LANE
ROEBUCK LOW LANE
The Bungalow
WHITEGATES LANE
Strines
Gailey Hall
Waterhead Water Treatment Works
Sand Mill Quarry (Dis.)
WHITEGATES
Nebo
Blunder Hall
High Moor Quarries
Temple Bar Farm
WALL HILL
Quarry (dis.)
BROADGATE
Brighton
None Directional Radio Beacon Station
OL4
DIRTY LA.
Daisy Hill Farm
DOCTOR LA. HEAD COTTS.
BACK LA.
Res.
New Inn Farm
Heights Farm
Upper House Farm
Wall Hill
Hill Brook
Top o' th' Meadows
THE COTTAGES
THURSTON LANE
Lwr. Houses
Doctor Lane Head
Doctor House
Doctor House Farm
Quarries (dis.)
OLDHAM ROAD
MILL LANE
Mill
Intake
Herds Low
TURF LANE
Daisy Hollow Farm
DOCTOR LANE
BRIGHTON ROAD
TOP O'TH MEADOW LA.
LOW ROAD
Pastures Farm
Res.
Higher Thorpe
Field House
Starting Chair
Old Nathan's
Vicarage
LYNDON CL.
WRIGLEY ST.
White Gate
WADE HILL LANE
MOUNT LANE
Pav.
Cricket Ground
Lower Thorpe
THORPE LANE
HIGHER TURF LANE
PASTURES LANE
Scouthead
PLATTING ROAD
New Houses
Wade Hill
Higher Wade Hill
Austerlands
NORTH NOOK
NOOK COTTS.
THORPE CL.
The Pastures
HUDDERSFIELD ROAD
HEYWOOD AV.
THE SPINNEY
LOWER TURF LA.
BROWNHILL DRI.
Hillside Bungalow
Stone Rake
LAUREATE'S PLACE
Wood Brook
ROBINSON PL.
WOODBROOK AV.
Platting Farm
Doles Pit
BURNEDGE LANE
Mill
HEYWOOD
SUMMERSEAT CL.
AVENUE
HOLCOMBE CL.
Cookcroft
RIVINGTON
Knowsley Jun. Sch.
Pav.
Playing Fields
STONE BREAKS ROAD
BROOK LANE
Ford
Wood
Burnedge Bent
Load Hill
Hills Farm
The Nook
Springfield Farm
Burnedge House
Res.
ROBINSONS FOLD
SHAWS FOLD
LAWTON FOLD
Earnshaw
Lower Hills Farm
Burnedge Farm
Shelderslow
Stone Breaks Hill
Stone Breaks
Springhead Inf. Sch.
Grotton Hall
Grotton Head
LOVERS LA.
BURNEDGE
MERSHADES
Grasscroft
BURNEDGE FOLD
HIGHER LYDGATE PK.
Walkers

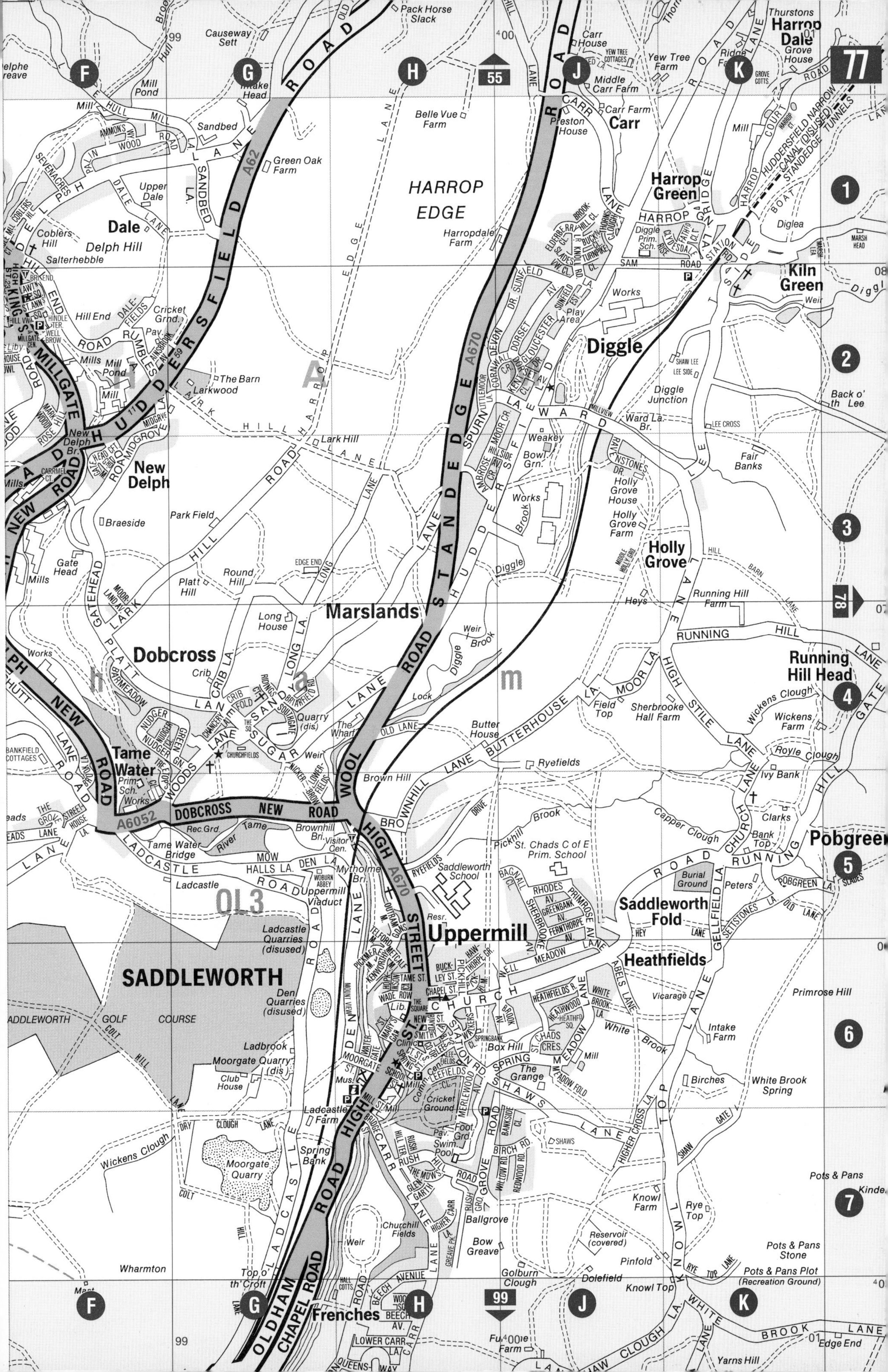

55
99
78
Harrop Dale
Harrop Green
Carr
Diggle
Kiln Green
Harrop Edge
Dale
Delph Hill
New Delph
Marslands
Dobcross
Holly Grove
Running Hill Head
Tame Water
Uppermill
Saddleworth Fold
Heathfields
Pobgreen
Frenches
SADDLEWORTH
OL3
Huddersfield Road
Standedge Road
Wool Road
High Street
Oldham Road
Chapel Road
Dobcross New Road
New Road
Ladcastle Road
Running Hill Lane
Butterhouse Lane
Brownhill Lane
Church Road
Saddleworth Golf Course
Moorgate Quarry
Ladcastle Quarries (disused)
Den Quarries (disused)
Saddleworth School
St. Chads C of E Prim. School
Diggle Prim. Sch.
Huddersfield Narrow Canal (disused)
Standedge Tunnels
Diggle Junction
Sherbrooke Hall Farm
Wickens Farm
Primrose Hill
White Brook Spring
Pots & Pans Stone
Pots & Pans Plot (Recreation Ground)
Knowl Top
Yarns Hill
Edge End

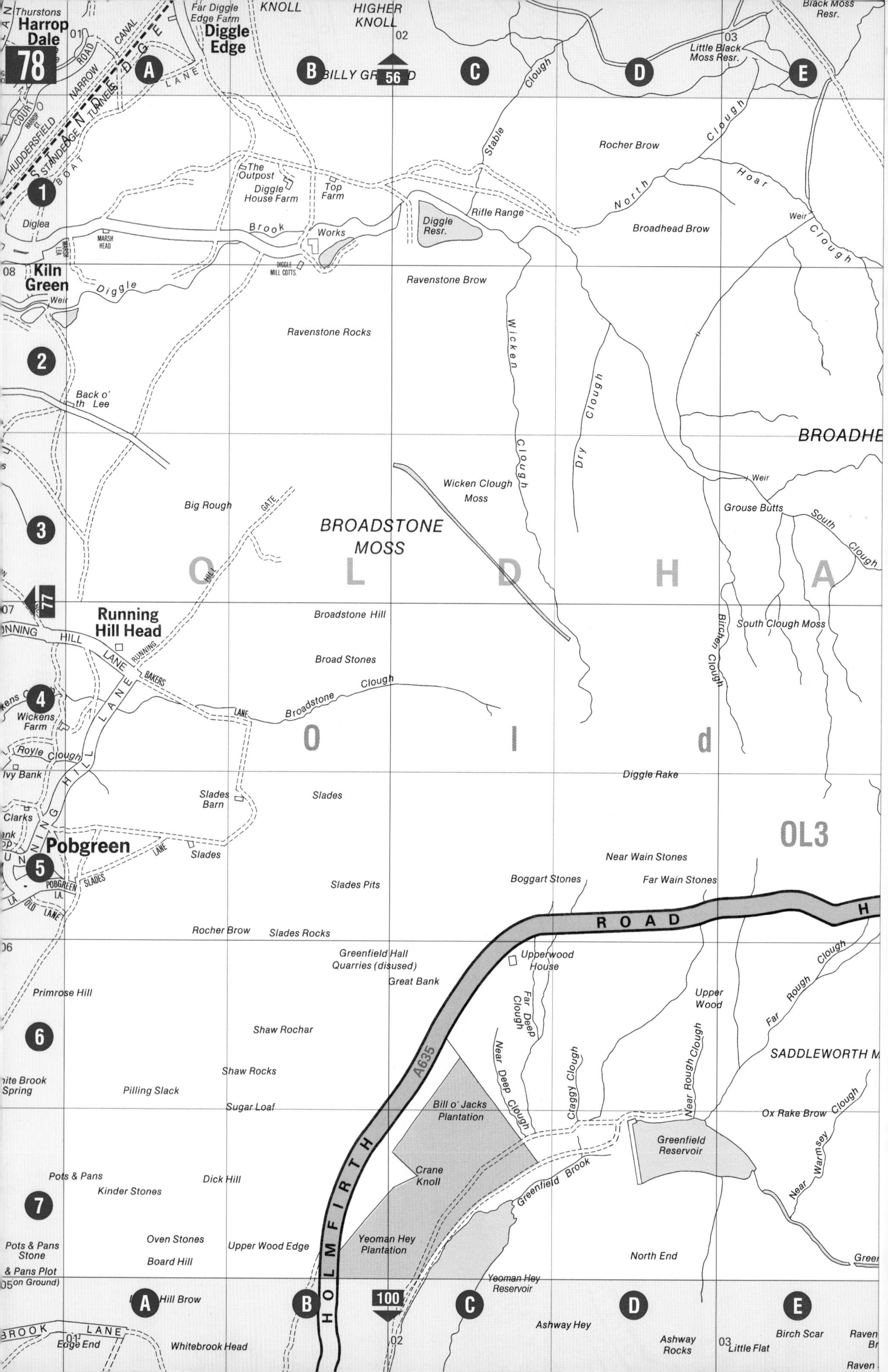
78
Harrop Dale
Thurstons
Far Diggle Edge Farm
Diggle Edge
KNOLL
HIGHER KNOLL
BILLY GREEN
56
Black Moss Resr.
Little Black Moss Resr.
STANDEDGE
STANDEDGE TUNNELS
HUDDERSFIELD NARROW CANAL
Stable Clough
Rocher Brow
North Hoar Clough
The Outpost
Diggle House Farm
Top Farm
Diggle Resr.
Rifle Range
Broadhead Brow
Weir
Diglea
Brook
Works
MARSH HEAD
DIGGLE MILL COTTS.
Kiln Green
Diggle
Ravenstone Brow
Ravenstone Rocks
Wicken Clough
Dry Clough
Back o' th Lee
BROADHEAD
Wicken Clough Moss
Big Rough
GATE
BROADSTONE MOSS
Grouse Butts
South Clough
O L D H A
Running Hill Head
RUNNING HILL LANE
BAKERS LANE
Broadstone Hill
Broad Stones
Birchen Clough
South Clough Moss
Broadstone Clough
Wickens Farm
Royle Clough
Ivy Bank
Old
Diggle Rake
Slades Barn
Slades
Clarks
Pobgreen
OL3
Near Wain Stones
Boggart Stones
Far Wain Stones
Slades Pits
POBGREEN LA.
SLADES LANE
OLD LANE
ROAD
Rocher Brow
Slades Rocks
Greenfield Hall Quarries (disused)
Upperwood House
Great Bank
Primrose Hill
Far Deep Clough
Upper Wood
Far Rough Clough
Shaw Rochar
A635
Near Deep Clough
Craggy Clough
Near Rough Clough
SADDLEWORTH MOOR
White Brook Spring
Shaw Rocks
Pilling Slack
Sugar Loaf
Bill o' Jacks Plantation
Ox Rake Brow
Clough
Greenfield Reservoir
Near Warmsey
Pots & Pans
Kinder Stones
Dick Hill
Crane Knoll
Greenfield Brook
HOLMFIRTH
Pots & Pans Stone
Oven Stones
Upper Wood Edge
Yeoman Hey Plantation
North End
Board Hill
Pots & Pans Plot (on Ground)
Yeoman Hey Reservoir
Hill Brow
100
BROOK LANE
Edge End
Whitebrook Head
Ashway Hey
Ashway Rocks
Little Flat
Birch Scar
Raven
01
02
03
08
07
06
05
1 2 3 4 5 6 7
A B C D E

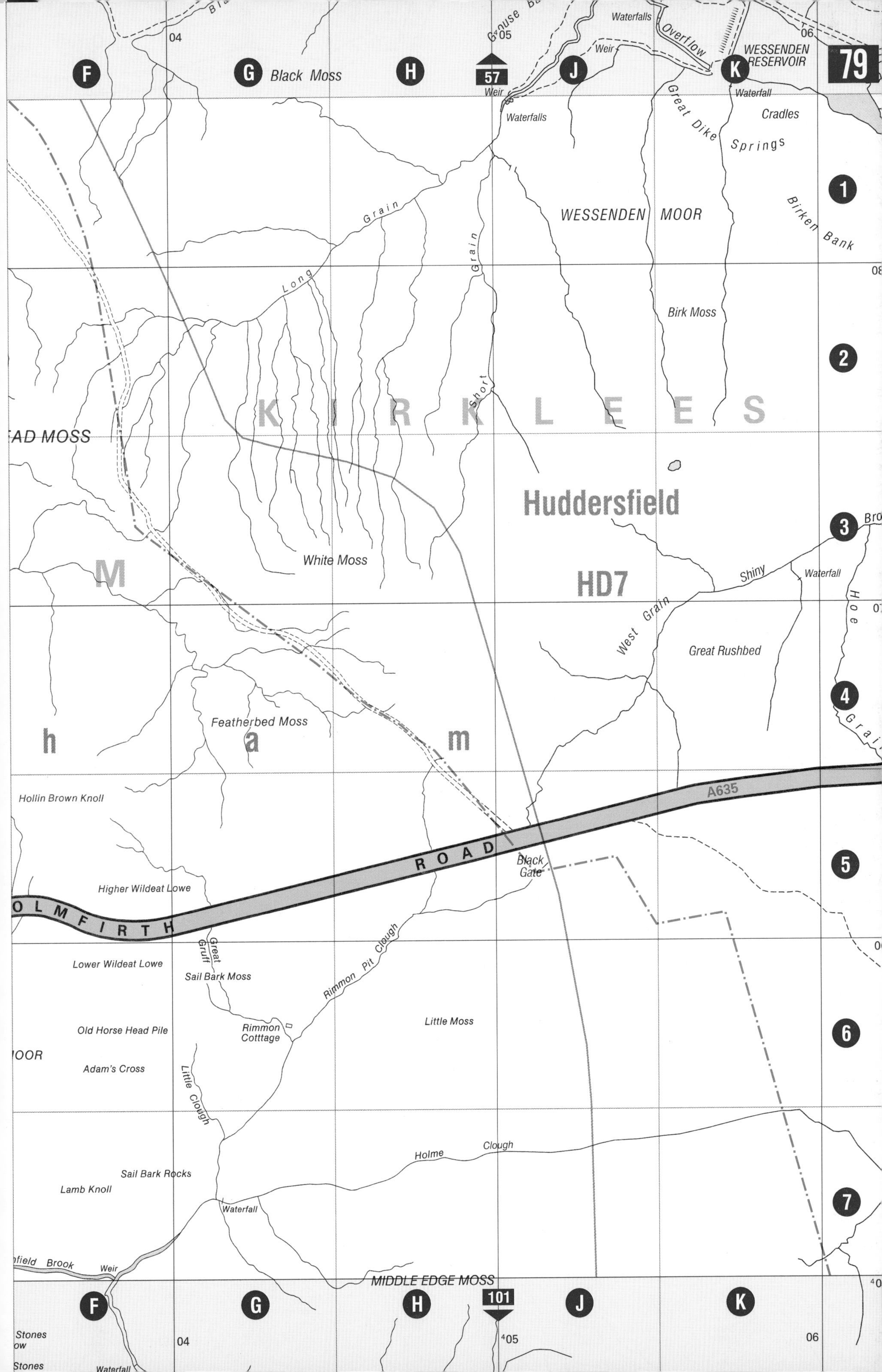

F G Black Moss H J WESSENDEN RESERVOIR K

Waterfalls Overflow Weir Waterfall

57 Weir Cradles Springs

Waterfalls

1

WESSENDEN MOOR

Birken Bank

08

Birk Moss

2

K I R K L E E S

AD MOSS

Huddersfield

3 Bro

M White Moss Shiny Waterfall

HD7 Hoe

West Grain Great Rushbed

4 Grai

h a m

A635

Hollin Brown Knoll

5

R O A D Black Gate

OLMFIRTH Higher Wildeat Lowe

Lower Wildeat Lowe Great Gruff

Sail Bark Moss Rimmon Pit Clough Little Moss

Old Horse Head Pile Rimmon Cotttage

6

OOR Adam's Cross Little Clough

Sail Bark Rocks Holme Clough

Lamb Knoll

7

field Brook Weir Waterfall

MIDDLE EDGE MOSS

Stones ow 04 405 40

Stones

Waterfall 06

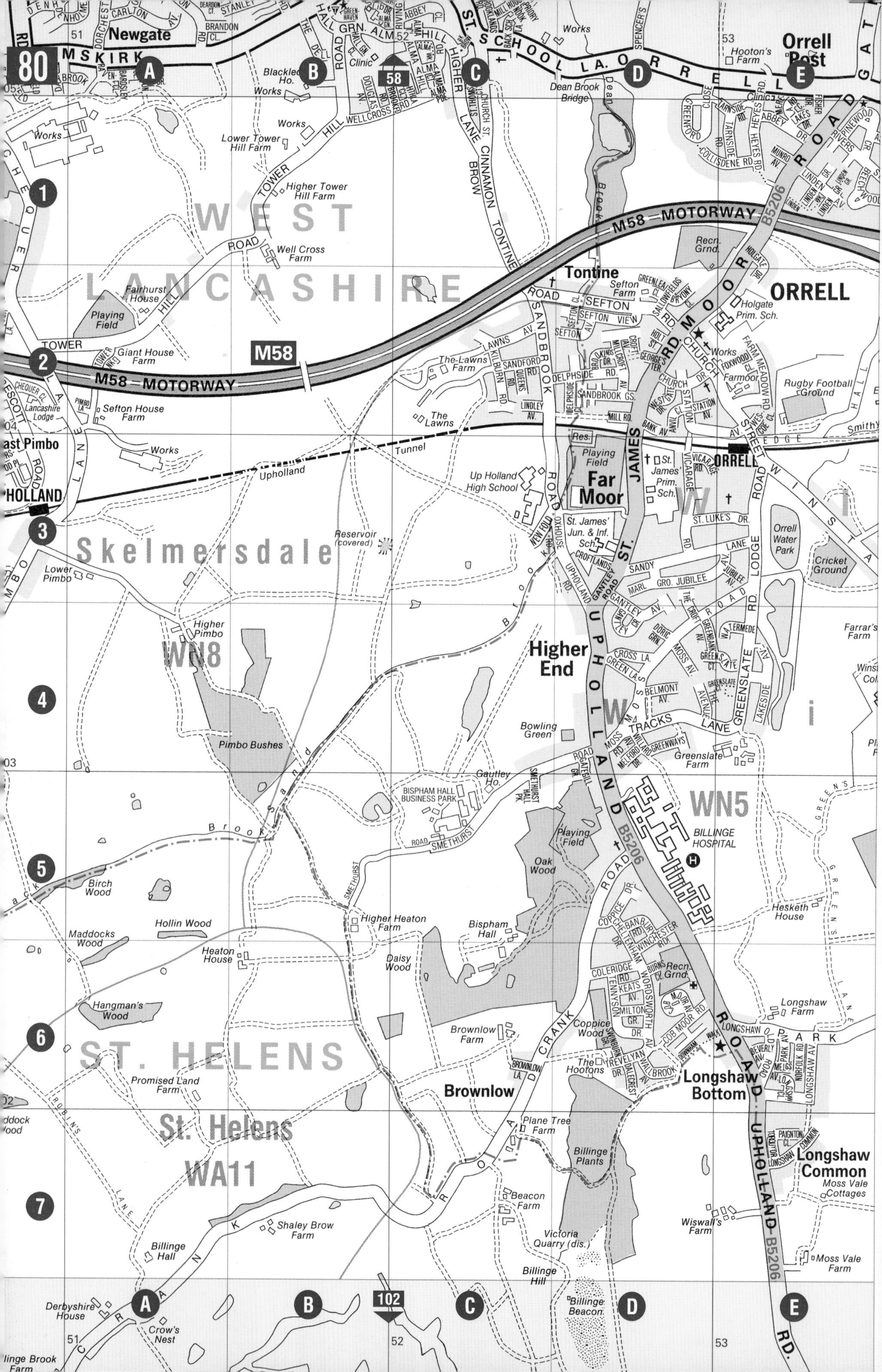

Newgate
ORMSKIRK
58
ST.
SCHOOL LA.
ORRELL
Orrell Post
Hooton's Farm
Works
Dean Brook Bridge
Blackley Ho.
Works
Lower Tower Hill Farm
Higher Tower Hill Farm
Well Cross Farm
WELLCROSS RD.
TOWER HILL
HIGHER LANE
CINNAMON BROW
TONTINE
Dean Brook
WEST LANCASHIRE
Fairhurst House
Playing Field
Giant House Farm
M58
M58 MOTORWAY
Sefton House Farm
Lancashire Lodge
East Pimbo
Works
Tunnel
Upholland
UPHOLLAND
Tontine
Sefton Farm
ORRELL
Holgate Prim. Sch.
Rugby Football Ground
Farmoor
The Lawns Farm
The Lawns
Recn. Grnd.
B5206
Playing Field
Far Moor
St. James' Prim. Sch.
Up Holland High School
St. James' Jun. & Inf. Sch.
ORRELL
Orrell Water Park
Cricket Ground
Skelmersdale
Reservoir (covered)
Lower Pimbo
Higher Pimbo
WN8
Pimbo Bushes
Higher End
Farrar's Farm
Bowling Green
Greenslate Farm
WN5
Gautley Ho.
BISPHAM HALL BUSINESS PARK
SMETHURST ROAD
Playing Field
BILLINGE HOSPITAL
Oak Wood
Birch Wood
Hollin Wood
Maddocks Wood
Higher Heaton Farm
Bispham Hall
Heaton House
Daisy Wood
Hesketh House
Hangman's Wood
Brownlow Farm
Coppice Wood
Longshaw Farm
ST. HELENS
Promised Land Farm
The Hootons
Brownlow
Longshaw Bottom
St. Helens
WA11
Plane Tree Farm
Billinge Plants
Longshaw Common
Moss Vale Cottages
Beacon Farm
Shaley Brow Farm
Billinge Hall
Victoria Quarry (dis.)
Wiswall's Farm
Moss Vale Farm
Billinge Hill
Derbyshire House
Crow's Nest
Billinge Beacon
102
Billinge Brook Farm
UPHOLLAND ROAD
CRANK ROAD
RD.

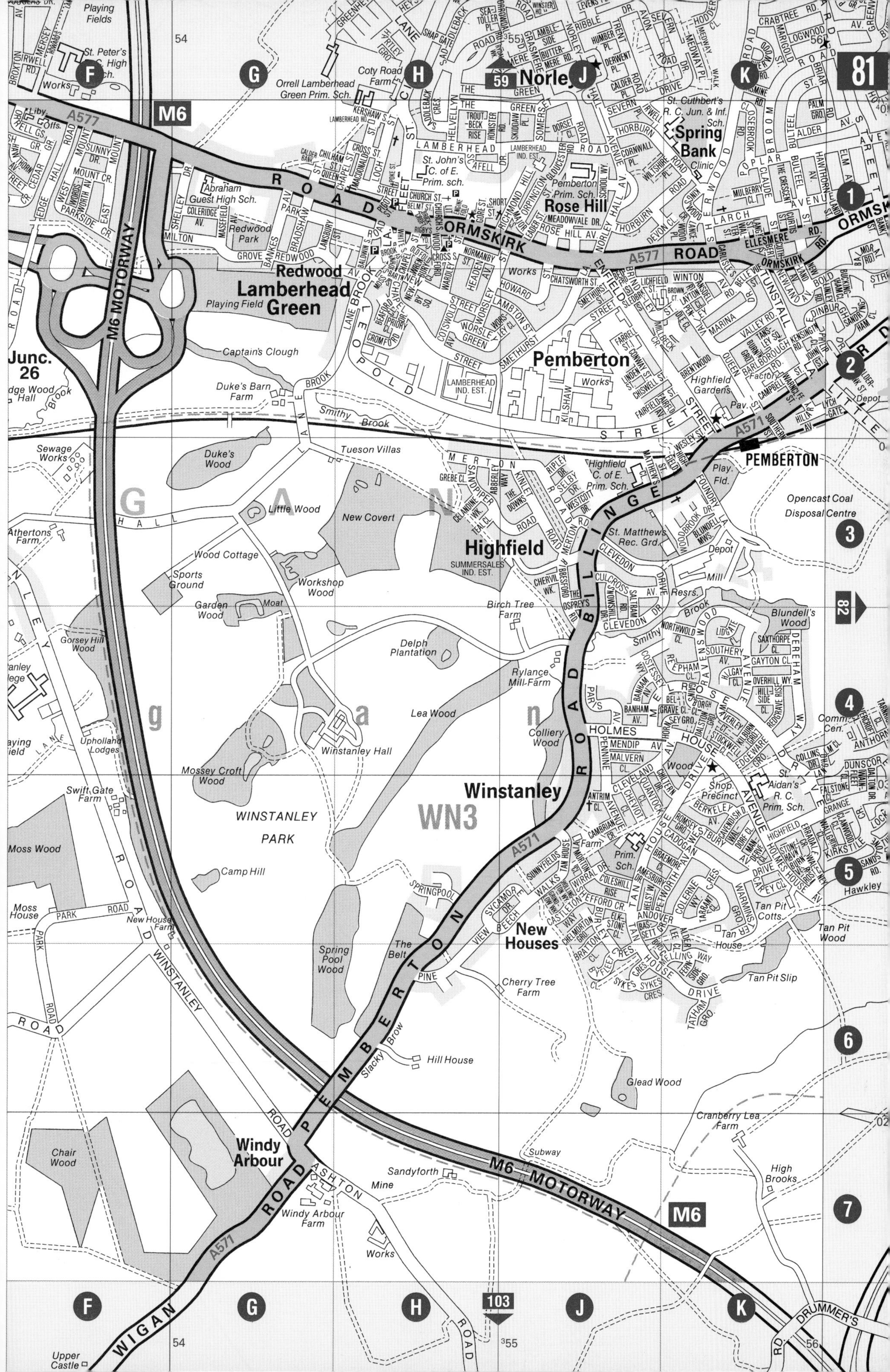

81
Norley
Spring Bank
Rose Hill
Redwood
Lamberhead Green
Pemberton
PEMBERTON
Highfield
Winstanley
WINSTANLEY PARK
WN3
New Houses
Windy Arbour
Junc. 26
M6 MOTORWAY
M6
A577
A571
ORMSKIRK ROAD
BILLINGE ROAD
PEMBERTON ROAD
WIGAN ROAD
ASHTON ROAD
WINSTANLEY ROAD
DRUMMER'S LANE
Opencast Coal Disposal Centre
Winstanley Hall
Duke's Wood
Little Wood
New Covert
Workshop Wood
Garden Wood
Lea Wood
Delph Plantation
Mossey Croft Wood
Moss Wood
Chair Wood
Spring Pool Wood
The Belt
Colliery Wood
Glead Wood
Tan Pit Wood
Blundell's Wood
Gorsey Hill Wood
Camp Hill
Hill House
Cranberry Lea Farm
High Brooks
Sandyforth Mine
Windy Arbour Farm
Cherry Tree Farm
Birch Tree Farm
Rylance Mill-Farm
Duke's Barn Farm
Swift Gate Farm
Athertons Farm
Sewage Works
Upper Castle
Hawkley
Tan Pit Slip
Tan Pit Cotts.
Captain's Clough
Smithy Brook
Tueson Villas
Summersales Ind. Est.
Lamberhead Ind. Est.
Highfield C. of E. Prim. Sch.
St. Matthews Rec. Grd.
Abraham Guest High Sch.
St. John's C. of E. Prim. sch.
Pemberton Prim. Sch.
St. Cuthbert's R. C. Jun. & Inf. Sch.
Orrell Lamberhead Green Prim. Sch.
St. Aidan's R. C. Prim. Sch.
Highfield Gardens
Winstanley Park
F
G
H
J
K
1
2
3
4
5
6
7
54
55
56
59
82
103

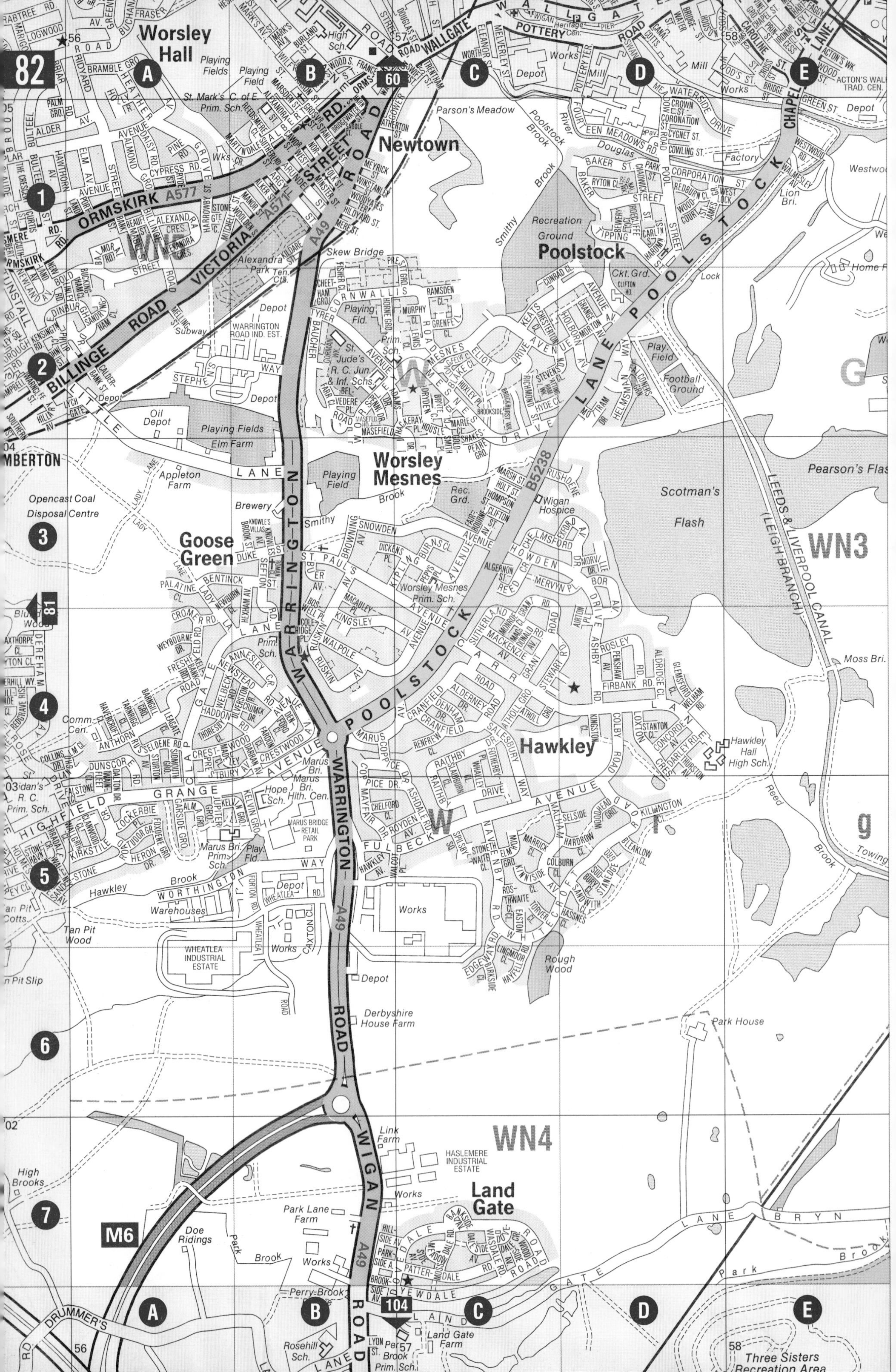
Worsley Hall
Newtown
Poolstock
Worsley Mesnes
Goose Green
Hawkley
Land Gate
Scotman's Flash
WN3
WN4
WN5
ORMSKIRK RD.
BILLINGE ROAD
VICTORIA STREET
WARRINGTON ROAD
POOLSTOCK LANE
WIGAN ROAD
WALLGATE
LEEDS & LIVERPOOL CANAL (LEIGH BRANCH)
Pearson's Flash
Recreation Ground
Parson's Meadow
Playing Fields
Wheatlea Industrial Estate
Haslemere Industrial Estate
Marus Bridge Retail Park
Hawkley Hall High Sch.
Opencast Coal Disposal Centre
Three Sisters Recreation Area
Rough Wood
Tan Pit Wood
Derbyshire House Farm
Park House
Link Farm
Park Lane Farm
Doe Ridings
Land Gate Farm
Appleton Farm
Elm Farm
M6
A49
A577
A571
B5238
60
104
81

F
G
H
J
K
1
2
3
4
5
6
7
INCE-IN-MAKERFIELD
INCE
Lower Ince
Spring View
Platt Bridge
Abram
Bamfurlong
WN2
AMBERSWOOD COMMON
Ince Moss
WARRINGTON ROAD
MANCHESTER ROAD
WIGAN RD.
WALTHEW LANE
LIVERPOOL RD.
BICKERSHAW LANE
LILY LANE
A577
A573
A58
B5237
61
84
105
Whalley's Basin
William Foster Play Fields
Britannia Bri.
Britannia Bridge Prim. Sch.
Ince-in-Makerfield C. of E. Prim. Sch.
St. Williams Prim. Sch.
Walmesley Park
Bowl. Green
Tennis Courts
Brownlow
Ince Farm
Moss Hall Farm
Research Cen.
Works
Depot
Timber Yard
Westwood Bri.
Westwood Cemy.
Westwood Park Gardens
Sewage Works
Wigan Borough Cemetery
Ince Cemetery
Springs Branch Junction
Coal Depot
Liverpool Junction
Manchester Junction
Bushell's Farm
Dower House Farm
Low Hall Prim. Sch.
Low Hall Park
Prim. Sch.
Youth Centre
Holy Family R. C. Prim. Sch.
Sewage Works
Caravan Site
Dorsdane Brook
Hey Brook
Platt Bri.
Abram C. of E. Prim. Sch.
Lee Lane Park
Lee Lane Farm
Bamfurlong Bri.
Gravel Pit
Park Brook Bri.
Bryn Hall
Bryn Hall Farm
GATES LANE
Tip (disused)
Recreation Ground
Prim. Sch.
Stone Bri.
St. Peter's C. of E. Prim.
59
60
61
360

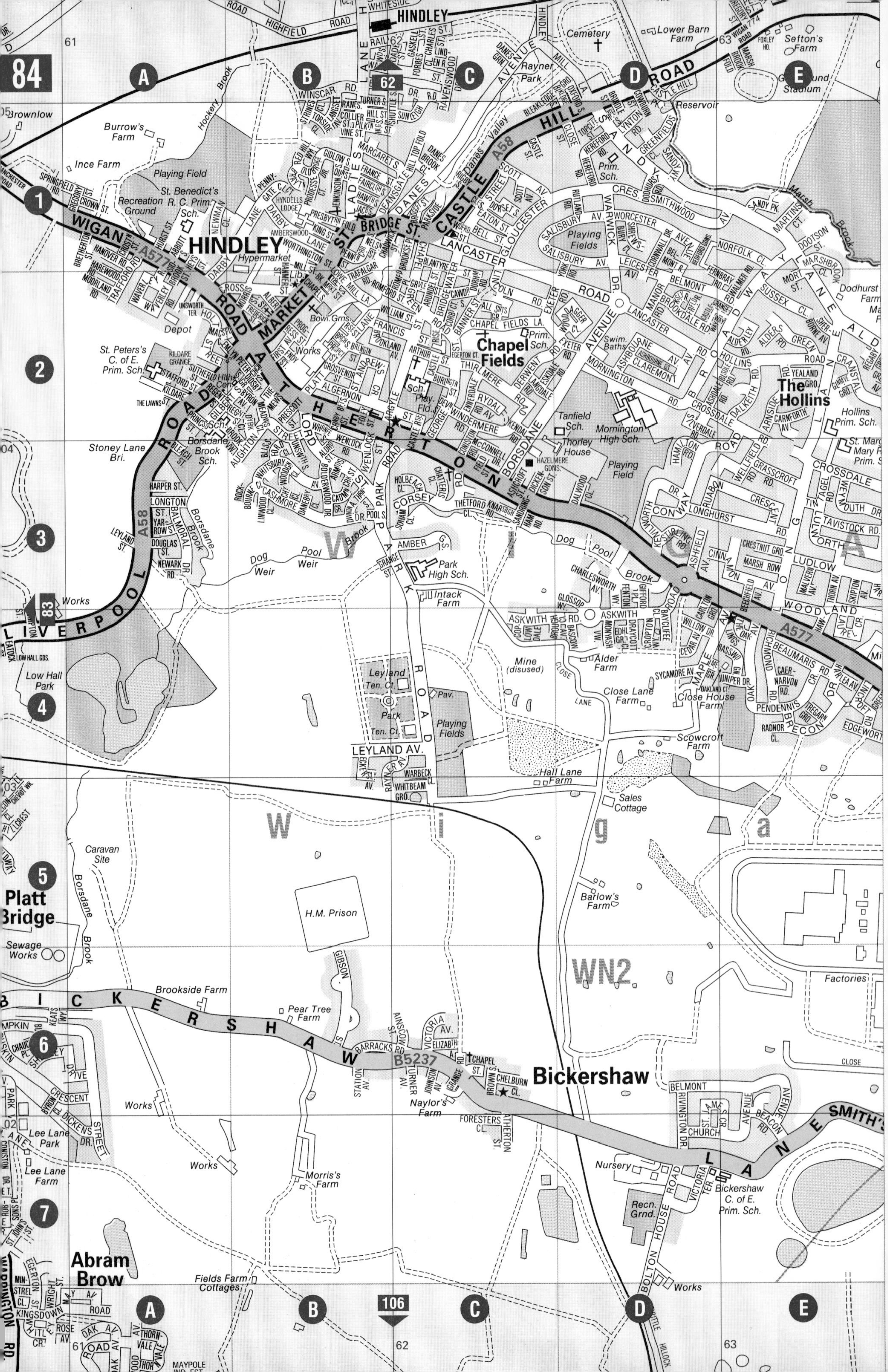
HINDLEY
Hindley
Rayner Park
Lower Barn Farm
Cemetery
Sefton's Farm
Greyhound Stadium
Brownlow
Burrow's Farm
Ince Farm
Playing Field
St. Benedict's R. C. Prim. Sch.
Recreation Ground
Hypermarket
Depot
St. Peters's C. of E. Prim. Sch.
Chapel Fields
Playing Fields
Reservoir
Prim. Sch.
Swim. Baths
The Hollins
Hollins Prim. Sch.
Dodhurst Farm
Tanfield Sch.
Mornington High Sch.
Thorley House
Playing Field
Stoney Lane Bri.
Borsdane Brook Sch.
Borsdane Brook
Dog Pool Weir
Weir
Park High Sch.
Intack Farm
Works
Low Hall Park
Leyland Ten. Ct.
Park Ten. Ct.
Pav.
Mine (disused)
Alder Farm
Close Lane Farm
Close House Farm
Scowcroft Farm
Hall Lane Farm
Sales Cottage
Caravan Site
Platt Bridge
Sewage Works
H.M. Prison
Barlow's Farm
Factories
WN2
Wigan
Brookside Farm
Pear Tree Farm
Naylor's Farm
Bickershaw
Lee Lane Park
Lee Lane Farm
Morris's Farm
Nursery
Recn. Grnd.
Bickershaw C. of E. Prim. Sch.
Abram Brow
Fields Farm Cottages
Works
Maypole Ind. Est.
WIGAN ROAD
A577
A58
MARKET ST.
BRIDGE ST.
CASTLE HILL ROAD
ATHERTON ROAD
LIVERPOOL ROAD
BICKERSHAW LANE
B5237
SMITH'S LANE
PARK ROAD
BOLTON HOUSE ROAD
LANCASTER ROAD
BORSDANE AVENUE
HIGHFIELD ROAD
LEYLAND AV.
62
106
83

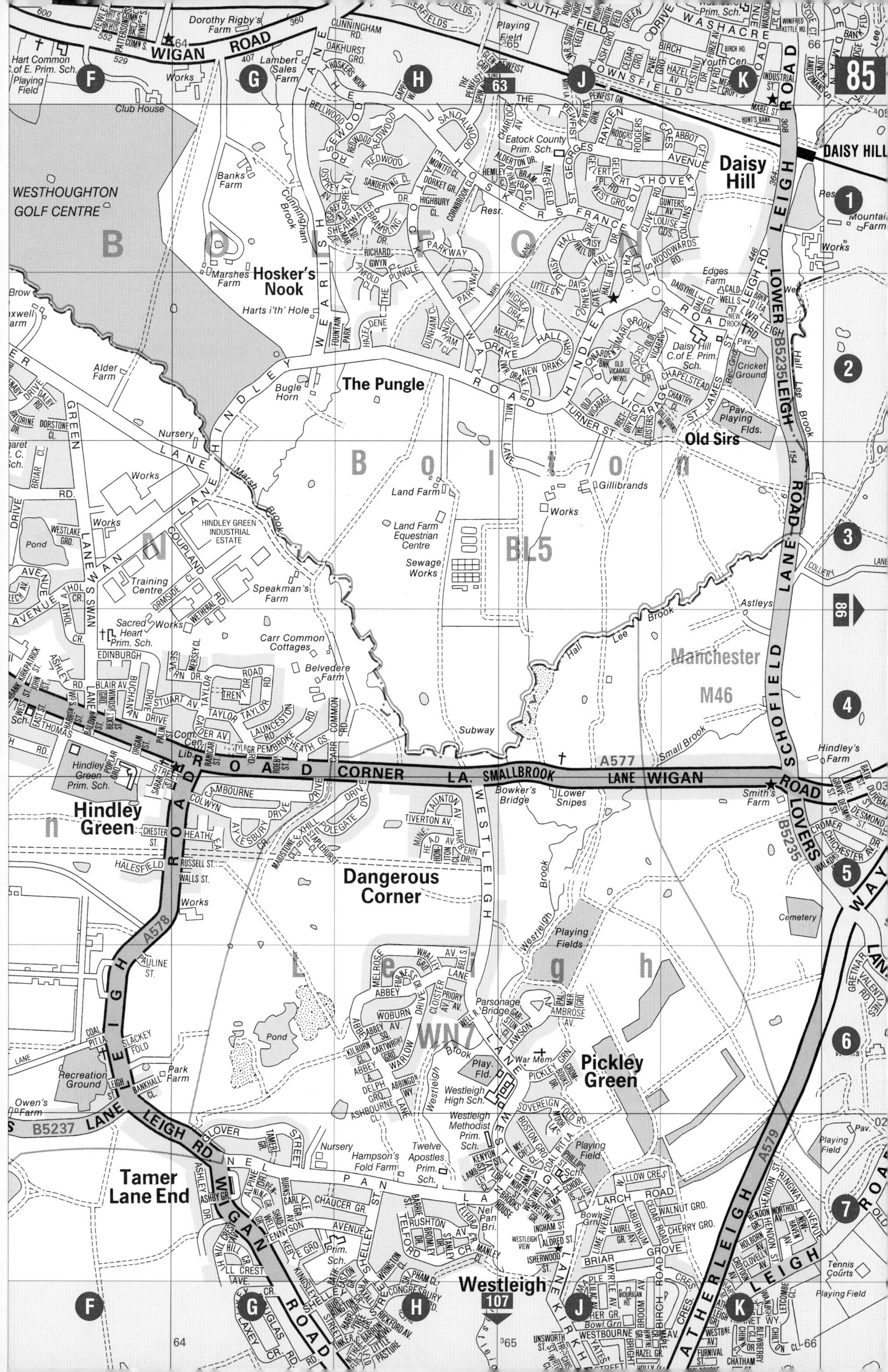

WIGAN ROAD
Dorothy Rigby's Farm
Hart Common C.of E. Prim. Sch.
Playing Field
Lambert Sales Farm
Club House
WESTHOUGHTON GOLF CENTRE
Banks Farm
Cunningham Brook
Marshes Farm
Hosker's Nook
Harts i'th' Hole
Alder Farm
Bugle Horn
The Pungle
Nursery
Works
HINDLEY GREEN INDUSTRIAL ESTATE
Training Centre
Speakman's Farm
Sacred Heart Prim. Sch.
Carr Common Cottages
Belvedere Farm
Eatock County Prim. Sch.
Daisy Hill
Daisy Hill C.of E. Prim. Sch.
Cricket Ground
Old Sirs
Edges Farm
Mountain Farm
Land Farm
Land Farm Equestrian Centre
Sewage Works
Gillibrands
BL5
Astleys
Hall Lee Brook
Manchester
M46
Small Brook
Subway
Hindley's Farm
CORNER LA. SMALLBROOK LANE WIGAN ROAD
A577
Bowker's Bridge
Lower Snipes
Smith's Farm
Hindley Green
Hindley Green Prim. Sch.
Dangerous Corner
Works
Cemetery
Playing Fields
Parsonage Bridge
WN7
Pond
Pickley Green
War Mem
Recreation Ground
Park Farm
Owen's Farm
B5237
LEIGH RD.
Westleigh High Sch.
Westleigh Methodist Prim. Sch.
Twelve Apostles Prim. Sch.
Hampson's Fold Farm
Nursery
Tamer Lane End
Playing Field
Tennis Courts
Westleigh
A579
A578
B5235
SCHOFIELD LANE
LOWER LEIGH ROAD
ATHERLEIGH WAY
63
98
107

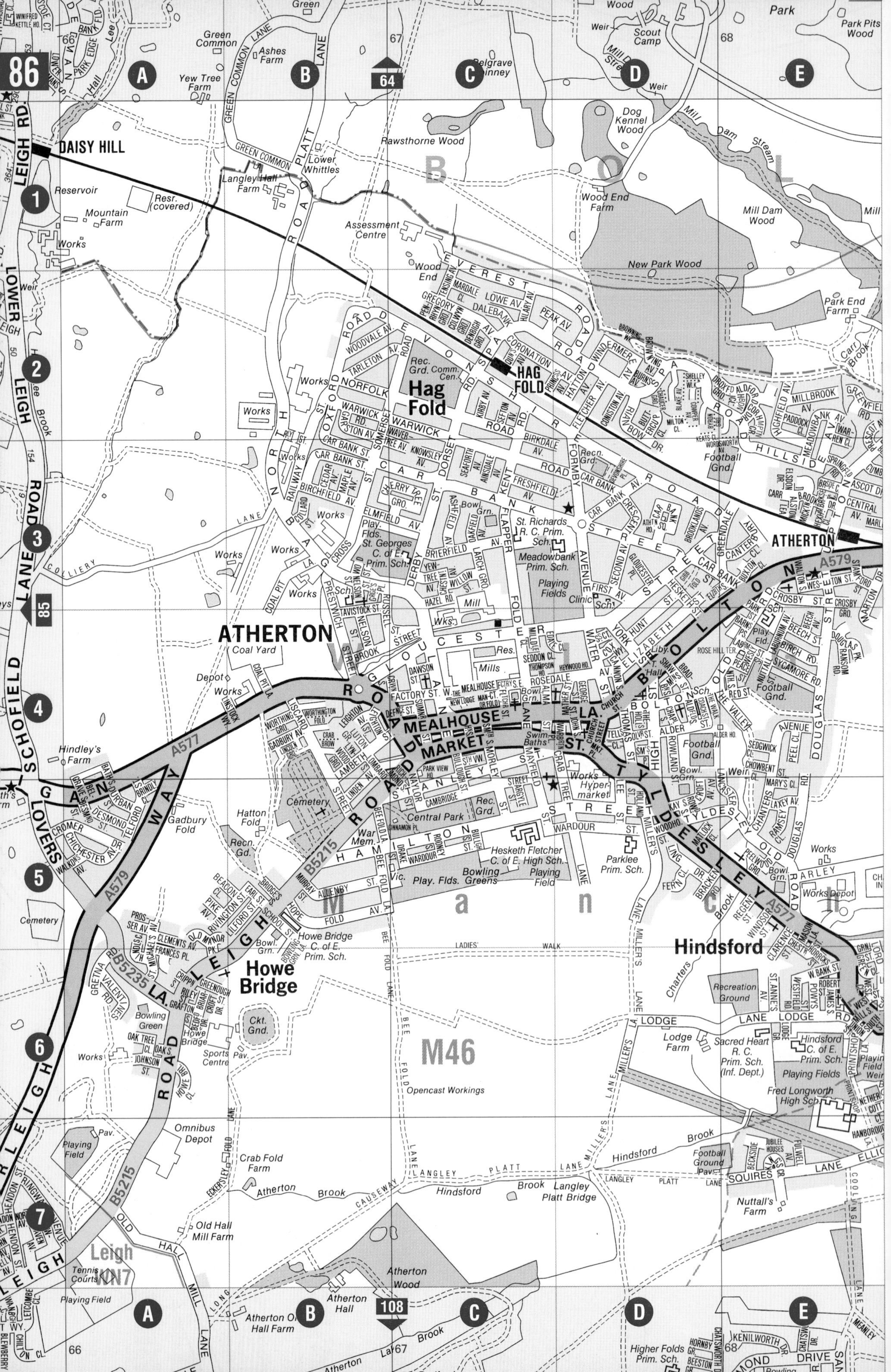

ATHERTON
Hag Fold
HAG FOLD
DAISY HILL
Howe Bridge
Hindsford
M46
Reservoir
Resr. (covered)
Mountain Farm
Green Common
Yew Tree Farm
Ashes Farm
Langley Hall Farm
Lower Whittles
Rawsthorne Wood
Belgrave Spinney
Scout Camp
Dog Kennel Wood
Wood End Farm
Mill Dam Wood
New Park Wood
Park End Farm
Park Pits Wood
Assessment Centre
Wood End
Coal Yard
Hindley's Farm
Gadbury Fold
Hatton Fold
Cemetery
Central Park
Hesketh Fletcher C. of E. High Sch.
Parklee Prim. Sch.
St. Georges C. of E. Prim. Sch.
St. Richards R. C. Prim. Sch.
Meadowbank Prim. Sch.
Howe Bridge C. of E. Prim. Sch.
Sacred Heart R.C. Prim. Sch. (Inf. Dept.)
Hindsford C. of E. Prim. Sch.
Fred Longworth High Sch.
Lodge Farm
Recreation Ground
Sports Centre
Omnibus Depot
Crab Fold Farm
Atherton Brook
Hindsford Brook
Langley Platt Bridge
Nuttall's Farm
Opencast Workings
Old Hall Mill Farm
Atherton Wood
Atherton Hall
Atherton Old Hall Farm
Higher Folds Prim. Sch.
Leigh WN7
LEIGH RD.
LOWER LEIGH ROAD
SCHOFIELD LANE
LOVERS LANE
LEIGH ROAD
MEALHOUSE LA.
MARKET ST.
BOLTON OLD ROAD
TYLDESLEY ROAD
GLOUCESTER ST.
CAR BANK ST.
FORMBY AVENUE
HAMILTON ST.
STANLEY ST.
LODGE LANE
MILLER'S LANE
BEE FOLD LANE
LADIES' WALK
LANGLEY PLATT LANE
GREEN COMMON LANE
PLATT LANE
NORTH ROAD
EVERST ROAD
DEVONSHIRE ROAD
HATTON AV.
A577
A579
B5215
B5235
64
85
108
66
67
68

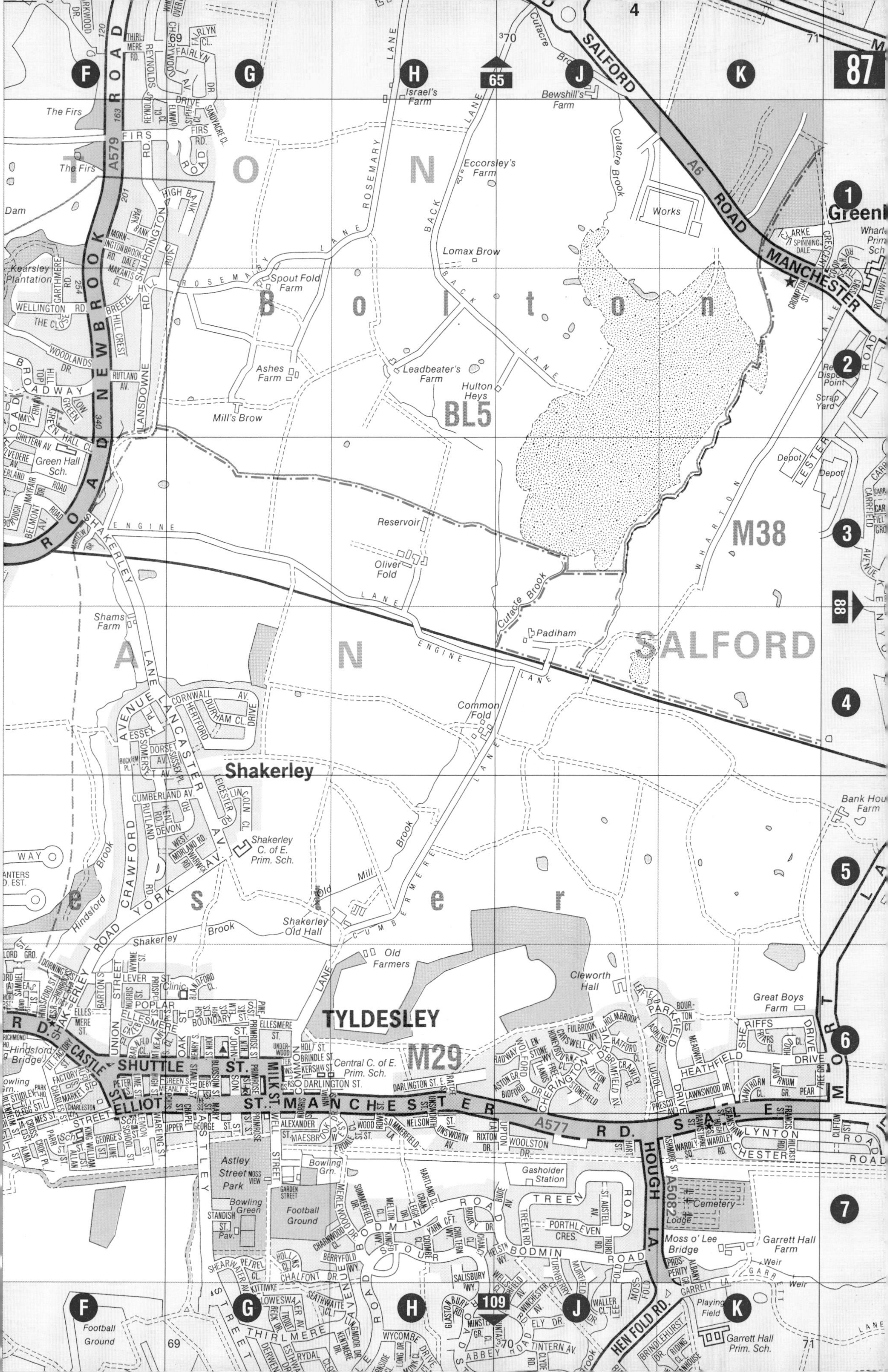

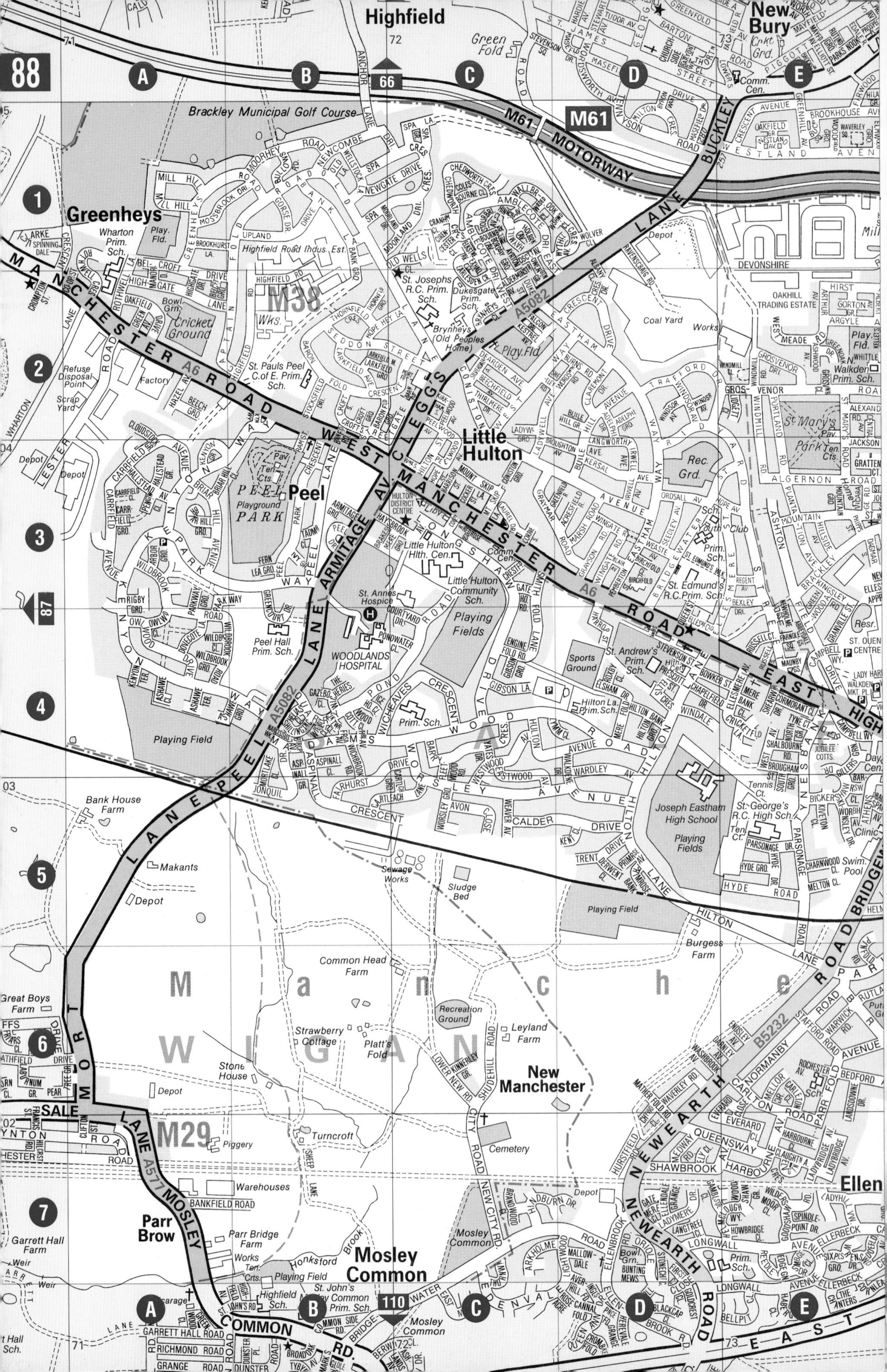
Highfield
New Bury
66
M61
M61 MOTORWAY
Brackley Municipal Golf Course
Green Fold
Greenheys
Wharton Prim. Sch.
Play. Fld.
Highfield Road Indus. Est.
M38
St. Josephs R.C. Prim. Sch.
Dukesgate Prim. Sch.
Brynheys (Old Peoples Home)
Play. Fld.
Cricket Ground
Bowl. Grn.
MANCHESTER ROAD
A6
WEST MANCHESTER ROAD
EAST
Refuse Disposal Point
Scrap Yard
Factory
St. Pauls Peel C.of E. Prim. Sch.
Coal Yard
Works
Depot
Oakhill Trading Estate
Walkden Prim. Sch.
St Mary's Park
Little Hulton
Peel
PEEL PARK
Playground
Hulton District Centre
Little Hulton Hlth. Cen.
Little Hulton Community Sch.
Playing Fields
Rec. Grd.
Youth Club
Prim. Sch.
St. Edmund's R.C. Prim. Sch.
St. Andrew's Prim. Sch.
Sports Ground
St. Annes Hospice
Woodlands Hospital
Peel Hall Prim. Sch.
ARMITAGE AV.
CLEGG'S LANE
A5082
PEEL LANE
Playing Field
Hilton La. Prim. Sch.
Prim. Sch.
Joseph Eastham High School
Playing Fields
St. George's R.C. High Sch.
Tennis Ct.
Swim. Pool
Clinic
Bank House Farm
Makants
Depot
Sewage Works
Sludge Bed
Playing Field
Burgess Farm
Manchester
WIGAN
Common Head Farm
Recreation Ground
Leyland Farm
Great Boys Farm
Strawberry Cottage
Platt's Fold
Stone House
New Manchester
Depot
M29
Piggery
Turncroft
Cemetery
MORT LANE
MOSLEY
A577
Warehouses
BANKFIELD ROAD
Parr Brow
Parr Bridge Farm
Works
Garrett Hall Farm
Weir
Honksford
Playing Field
Mosley Common
Highfield Sch.
St. John's Mosley Common Prim. Sch.
110
Mosley Common
NEWEARTH ROAD
B5232
BRIDGEWATER ROAD
Ellen
Prim. Sch.
Bowl. Grn.
Depot
COMMON RD.
EAST LANCASHIRE ROAD
71
72
73
A B C D E
1 2 3 4 5 6 7
87

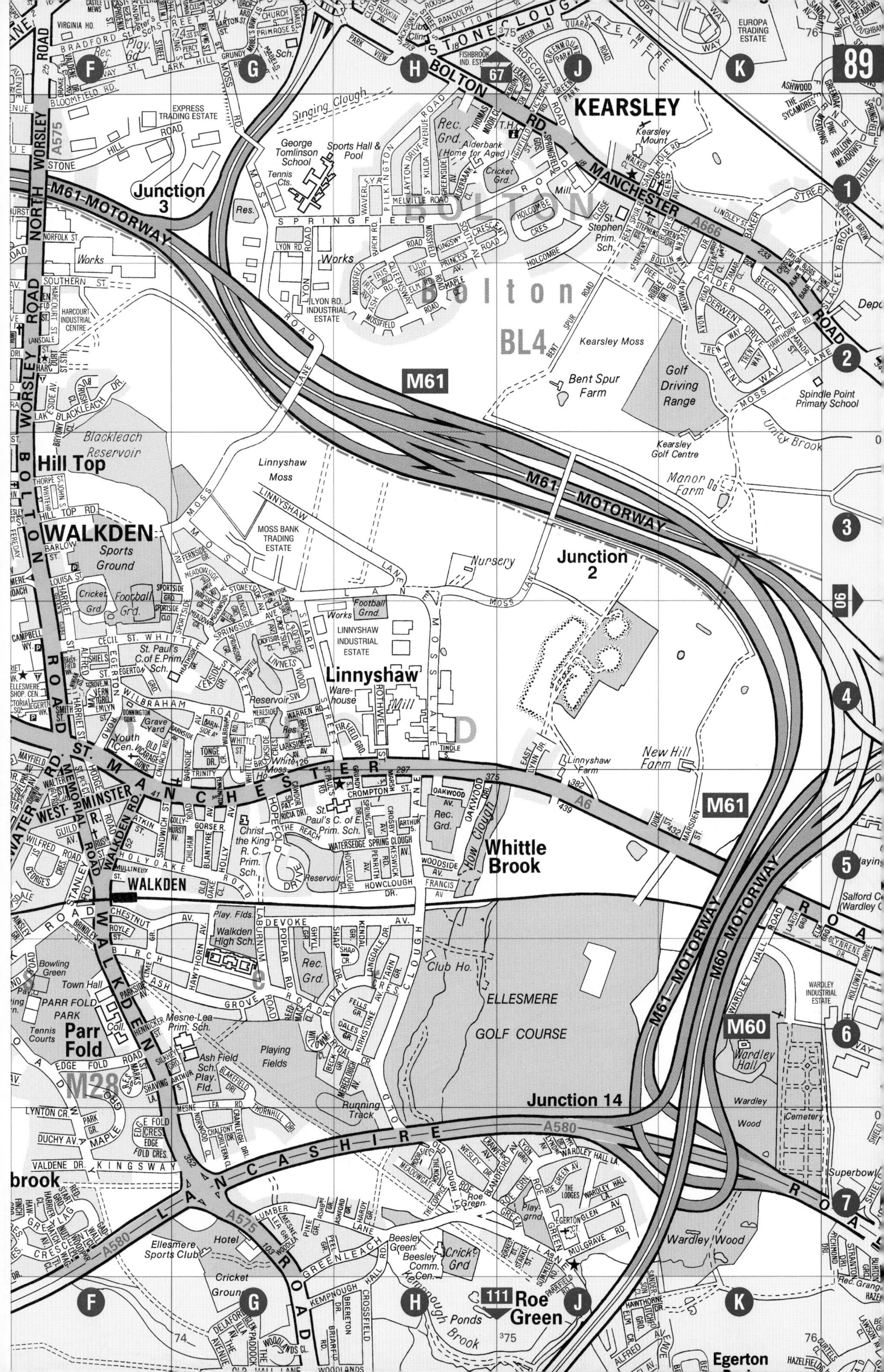
KEARSLEY
Kearsley Mount
EUROPA TRADING ESTATE
STONECLOUGH
BOLTON RD.
MANCHESTER ROAD
A666
FISHBROOK IND. EST.
67
90
111
George Tomlinson School
Sports Hall & Pool
Singing Clough
EXPRESS TRADING ESTATE
Junction 3
M61 MOTORWAY
M61
M60 MOTORWAY
M60
Bolton
BL4
Kearsley Moss
Bent Spur Farm
Golf Driving Range
Kearsley Golf Centre
Spindle Point Primary School
Manor Farm
Unity Brook
St. Stephen Prim. Sch.
LYON RD. INDUSTRIAL ESTATE
HARCOURT INDUSTRIAL CENTRE
Blackleach Reservoir
Hill Top
WALKDEN
Sports Ground
Linnyshaw Moss
MOSS BANK TRADING ESTATE
Nursery
Junction 2
LINNYSHAW INDUSTRIAL ESTATE
Linnyshaw
Warehouse
Mill
Linnyshaw Farm
New Hill Farm
St. Paul's C. of E. Prim. Sch.
Christ the King R. C. Prim. Sch.
Whittle Brook
How Clough
WALKDEN
Walkden High Sch.
Club Ho.
ELLESMERE GOLF COURSE
Playing Fields
Running Track
Town Hall
PARR FOLD PARK
Parr Fold
Tennis Courts
Mesne-Lea Prim. Sch.
Ash Field Sch.
M28
Junction 14
LANCASHIRE ROAD
A580
A575
A6
WARDLEY INDUSTRIAL ESTATE
Wardley Hall
Wardley Wood
Cemetery
Superbowl
Salford C (Wardley C
Ellesmere Sports Club
Hotel
Cricket Ground
Beesley Green
Beesley Comm. Cen.
Kempnough Brook
Ponds
Roe Green
Egerton
Wardley Wood
F
G
H
J
K
1
2
3
4
5
6
7
74
75
76

A
B
C
D
E
1
2
3
4
5
6
7
68
89
112
M26
M27
M28
M61
M60
BL4
BOLTON
Bolton
SALFORD
Ringley
St. Saviour C.of E. Prim. Sch.
Mill
Heaps Cottage
Lower Heaps
Nuttall Wood
COPPER
Hurst Farm
Sewage Works
Works Weir
Giants Seat House
Giant's Seat Wood
Little Hurst Wood
Fat Hurst Wood
River Irwell
Electricity Sub. Station
Depot
Clifton Marina
Clifton House Farm
Unity Brook Farm
Spindle Point Primary School
Unity Brook
Ryder's Farm
Rhodes Fm.
Weir
Rhodes Lock
Sewage
Fletcher's Canal
MANCHESTER ROAD
A666
Rec. Grd.
Clifton Moss Farm
MOSS COLLIERY
Junction 16
T.A. Centre
Junction 1 (M61)
M60 MOTORWAY
Junction 15 (M60)
Clifton
Clifton Prim. Sch.
Res.
Wardley
Wardley Grange Playing Field
Salford Coll. (Wardley Campus)
Wardley C.E. Prim. Sch.
Newtown
Ponds
Cricket Grd Pavilions
Cemetery
Mossfield Prim. Sch.
Playing Field
The Swinton High Sch.
St.Mark's R.C.Prim. Sch.
Reservoir
Pendlebury Hlth. Cen.
Playing Fields
A6
WARDLEY INDUSTRIAL ESTATE
Ind. Est.
Industrial Estate
Works
MOORSIDE
Moorside
Superbowl
Superstore
SWINTON
St.Charles's R.C. Prim. Sch.
Beech Farm Playing Fields
Moorside Park
Tennis Cts.
Bowl. Grn.
Warehouse
Lib.
Fletcher Hall
Sch. & The Denes
Prim. Sch.
Civic Cen.
Elmstead Sch.
Clinic
Shopping Precinct
Superstores
PENDLEBURY INDUSTRIAL ESTATE
Bowls Grn.
Prim. Sch.
Victoria Park
Ten. Cts.
Playing Fields
EAST LANCASHIRE ROAD
A580
CHORLEY ROAD
STATION ROAD
BOLTON ROAD
B5231
Deans
MANCHESTER
76
77
78

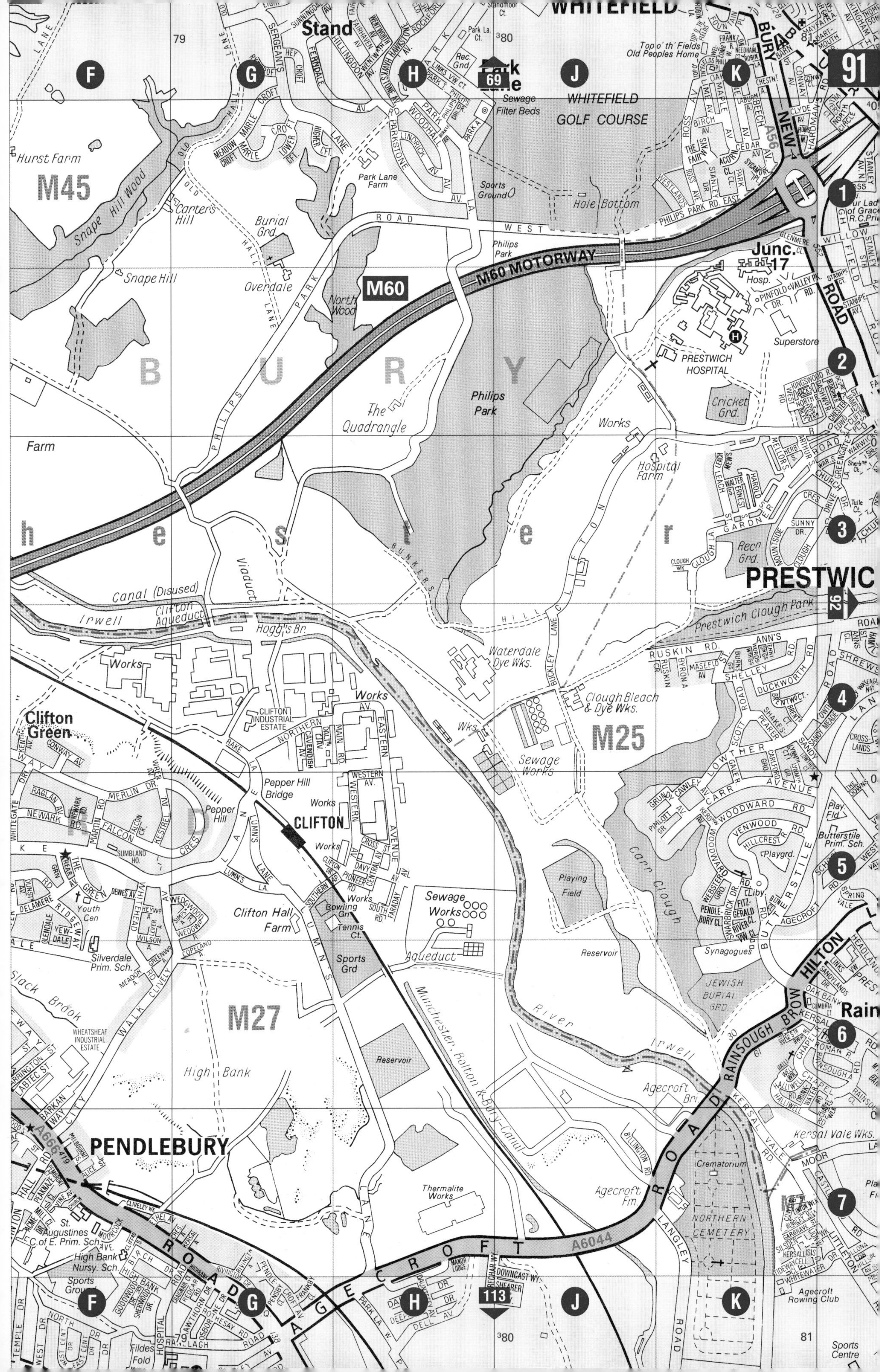

WHITEFIELD
Stand
Park Lane
69
WHITEFIELD GOLF COURSE
Sewage Filter Beds
Top o' th' Fields Old Peoples Home
Hurst Farm
M45
Snape Hill Wood
Carter's Hill
Burial Grd.
Park Lane Farm
Sports Ground
Hole Bottom
PHILIPS PARK RD. EAST
ROAD WEST
Philips Park
M60 MOTORWAY
M60
Junc. 17
Snape Hill
Overdale
North Wood
PRESTWICH HOSPITAL
Superstore
Cricket Grd.
B U R Y
Philips Park
The Quadrangle
Works
Hospital Farm
Farm
h e s t e r
BUNKERS
Recn Grd.
PRESTWIC
92
Canal (Disused)
Viaduct
Clifton Aqueduct
Irwell
Hogg's Br.
Prestwich Clough Park
Waterdale Dye Wks.
Works
Clough Bleach & Dye Wks.
Clifton Green
CLIFTON INDUSTRIAL ESTATE
M25
Sewage Works
Pepper Hill Bridge
Pepper Hill
CLIFTON
Playing Field
Carr Clough
Butterstile Prim. Sch.
Youth Cen
Clifton Hall Farm
Sports Grd
Sewage Works
Aqueduct
Reservoir
Synagogues
JEWISH BURIAL GRD.
Silverdale Prim. Sch.
M27
Manchester, Bolton & Bury Canal
River Irwell
WHEATSHEAF INDUSTRIAL ESTATE
High Bank
Reservoir
Agecroft Bri
Kersal Vale Wks.
PENDLEBURY
Agecroft Fm.
Crematorium
NORTHERN CEMETERY
Thermalite Works
St. Augustines C. of E. Prim. Sch.
High Bank Nursy. Sch.
AGECROFT ROAD
A6044
113
Agecroft Rowing Club
Fildes Fold
Sports Centre

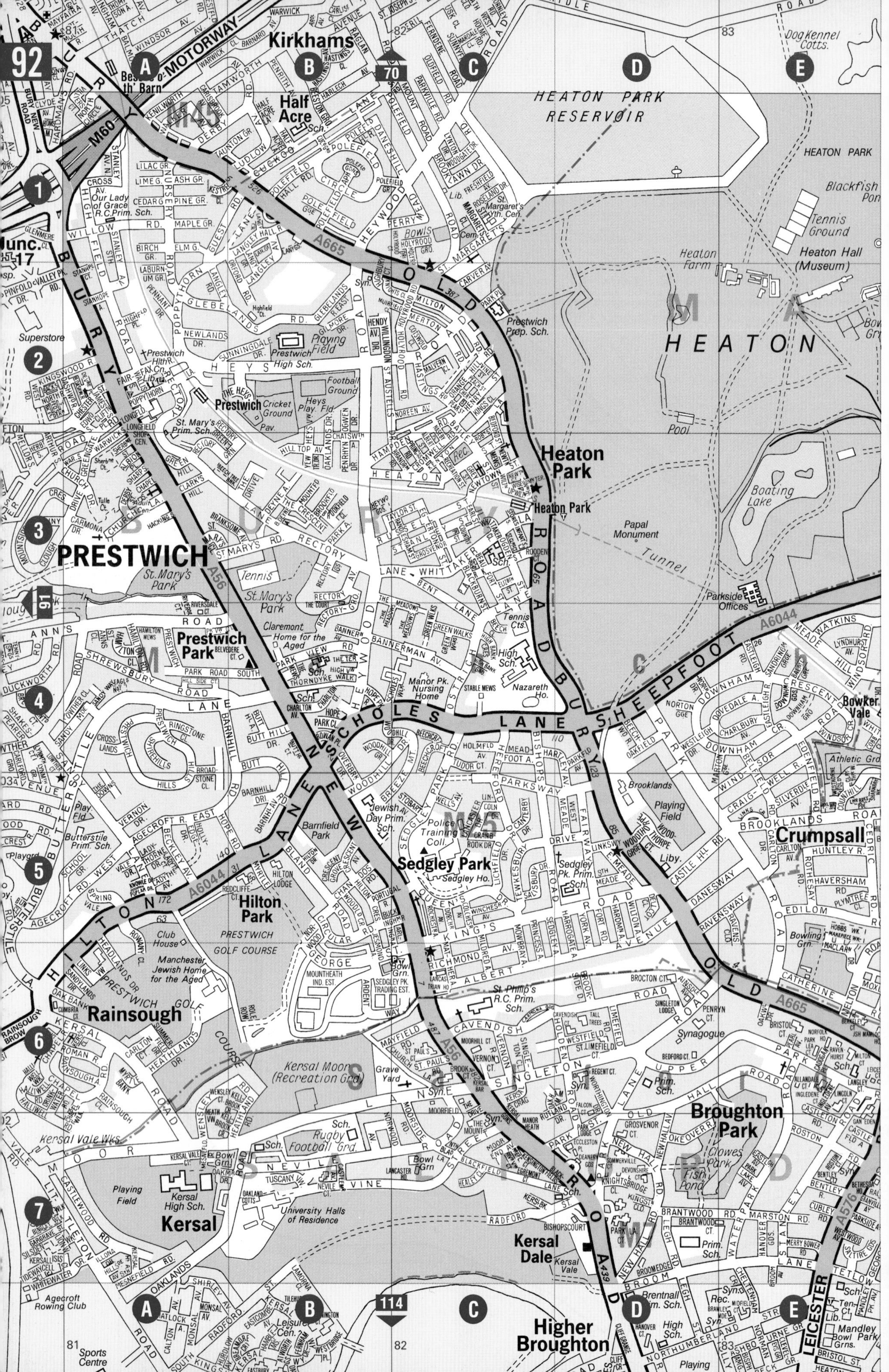

92
Kirkhams
Half Acre
MOTORWAY
M60
M45
70
HEATON PARK RESERVOIR
HEATON PARK
Dog Kennel Cotts.
Blackfish Pond
Tennis Ground
Heaton Hall (Museum)
Heaton Farm
HEATON
Pool
Heaton Park
Boating Lake
Papal Monument
Tunnel
Parkside Offices
Junc. 17
Superstore
PRESTWICH
St. Mary's Park
Prestwich High Sch.
Playing Field
Prestwich Cricket Ground
Football Ground
Heys Play. Fld.
Prestwich Prep. Sch.
Tennis
Claremont Home for the Aged
Prestwich Park
Manor Pk. Nursing Home
High Sch.
Nazareth Ho.
Tennis Cts.
91
A665
A56
A6044
BURY NEW ROAD
BURY OLD ROAD
SCHOLES LANE
SHEEPFOOT LANE
HILTON LANE
Bowker Vale
Athletic Grd.
Brooklands
Playing Field
Crumpsall
Butterstile Prim. Sch.
Barnfield Park
Jewish Day Prim. Sch.
Police Training Coll.
Sedgley Park
Sedgley Ho.
Sedgley Pk. Prim. Sch.
Hilton Park
PRESTWICH GOLF COURSE
Club House
Manchester Jewish Home for the Aged
Rainsough
Kersal Moor (Recreation Grd.)
Grave Yard
St. Philip's R.C. Prim. Sch.
Synagogue
Broughton Park
Clowes Park
Fish Pond
Kersal Vale Wks.
Rugby Football Grd.
Playing Field
Kersal High Sch.
Kersal
University Halls of Residence
Kersal Dale
Kersal Vale
Agecroft Rowing Club
Sports Centre
Leisure Cen.
114
Higher Broughton
Brentnall Prim. Sch.
High Sch.
Prim. Sch.
Mandley Park
Bowl Grns.
A576
LEICESTER
A1
B1
C1
D1
E1
A
B
C
D
E
1
2
3
4
5
6
7
81
82
83

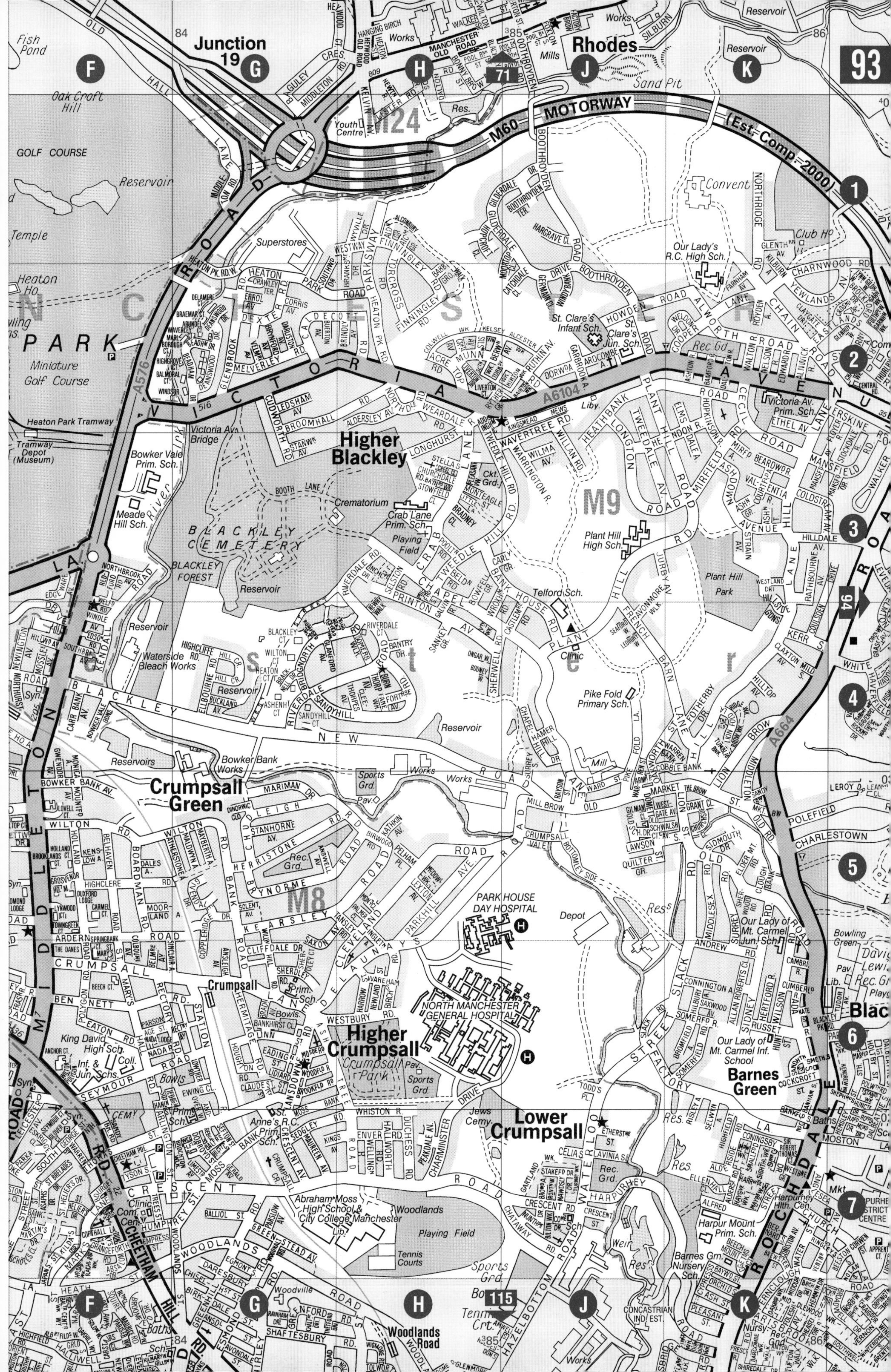
Junction 19
Rhodes
M60 MOTORWAY (Est. Comp. 2000)
HEATON PARK
Higher Blackley
BLACKLEY CEMETERY
BLACKLEY FOREST
M9
Plant Hill Park
Crumpsall Green
M8
Crumpsall
Higher Crumpsall
Crumpsall Park
NORTH MANCHESTER GENERAL HOSPITAL
PARK HOUSE DAY HOSPITAL
Lower Crumpsall
Barnes Green
VICTORIA AVENUE
A6104
A576
A664
ROCHDALE ROAD
MIDDLETON ROAD
CHEETHAM HILL RD.
BLACKLEY NEW ROAD
Abraham Moss High School & City College Manchester
Woodlands Road
Heaton Park Tramway
Concastrian Ind. Est.
71
94
115

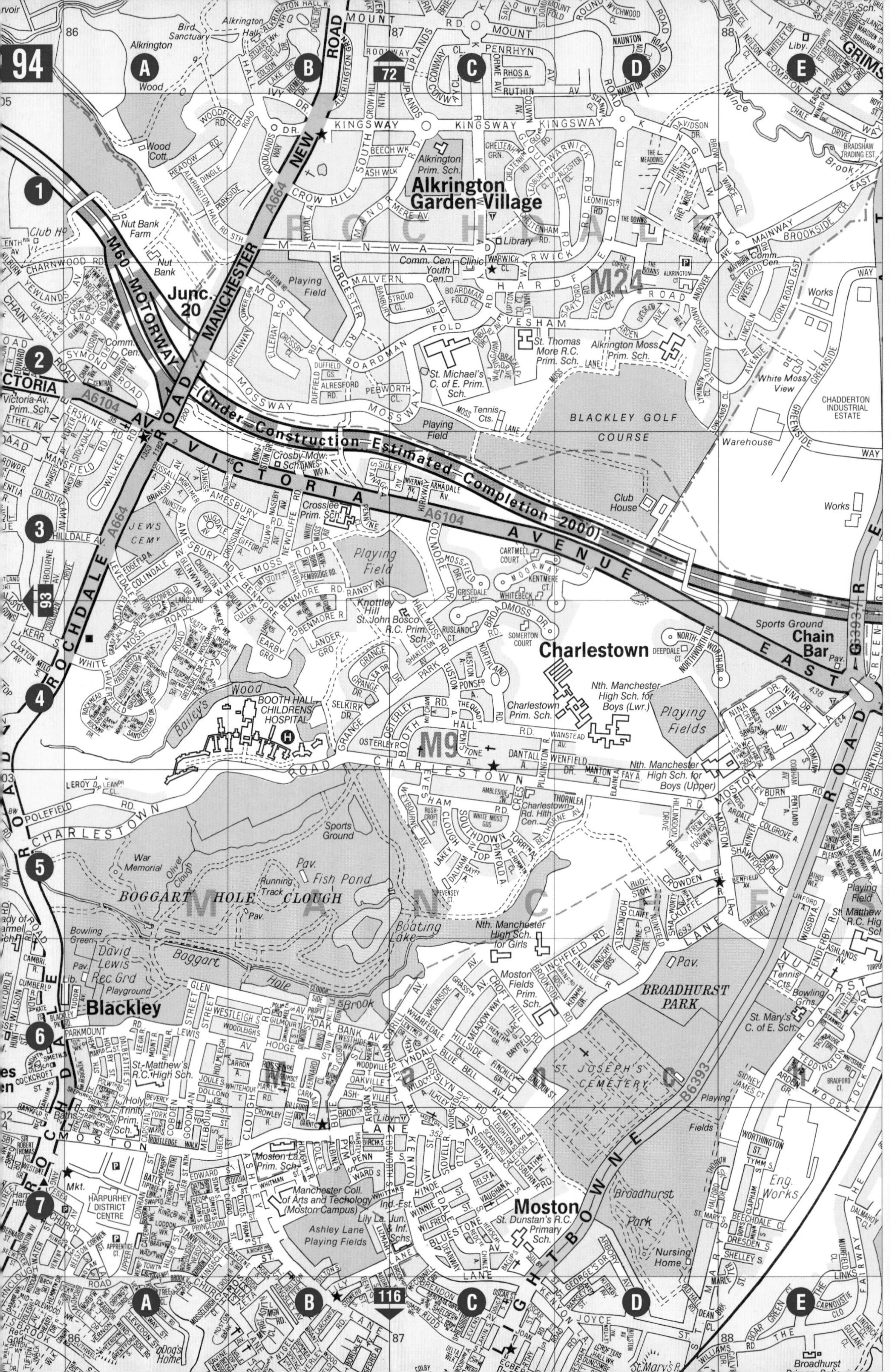

72
93
116
Alkrington Wood
Bird Sanctuary
Alkrington Hall
Alkrington Garden Village
Alkrington Prim. Sch.
KINGSWAY
MAINWAY
NEW ROAD
MANCHESTER ROAD
A664
M60 MOTORWAY
Junc. 20
M24
Nut Bank Farm
Nut Bank
Wood Cott.
Library
Comm. Cen.
Youth Cen.
Clinic
Playing Field
St. Thomas More R.C. Prim. Sch.
St. Michael's C. of E. Prim. Sch.
Alkrington Moss Prim. Sch.
White Moss View
CHADDERTON INDUSTRIAL ESTATE
Warehouse
BLACKLEY GOLF COURSE
Club House
Works
BRADSHAW TRADING EST.
(Under Construction Estimated Completion 2000)
VICTORIA AVENUE
A6104
VICTORIA AVENUE EAST
Victoria Av. Prim. Sch.
JEWS CEMY
ROCHDALE ROAD
WHITE MOSS ROAD
Crosslee Prim. Sch.
Crosby Mdw. Sch.
Knottley Hill
St. John Bosco R.C. Prim. Sch.
Charlestown
Nth. Manchester High Sch. for Boys (Lwr.)
Charlestown Prim. Sch.
Playing Fields
Sports Ground
Chain Bar
Pav.
Bailey's Wood
BOOTH HALL CHILDRENS' HOSPITAL
M9
CHARLESTOWN ROAD
Nth. Manchester High Sch. for Boys (Upper)
Charlestown Rd. Hlth. Cen.
MOSTON LANE
Sports Ground
War Memorial
Oliver Clough
Running Track
Fish Pond
BOGGART HOLE CLOUGH
Boating Lake
Bowling Green
David Lewis Rec. Grd
Playground
Baggart Hole Brook
Lib.
Blackley
Nth. Manchester High Sch. for Girls
Moston Fields Prim. Sch.
BROADHURST PARK
St. Mary's C. of E. Sch.
St. Matthew's R.C. High Sch.
Holy Trinity Prim. Sch.
Baths
ST. JOSEPH'S CEMETERY
B6393
LIGHTBOWNE ROAD
Playing Fields
Eng. Works
Moston Lane Prim. Sch.
Manchester Coll. of Arts and Techology (Moston Campus)
Ind. Est.
Ashley Lane Playing Fields
Lily La. Jun. & Inf. Schs.
Moston
St. Dunstan's R.C. Primary Sch.
Broadhurst Park
Nursing Home
HARPURHEY DISTRICT CENTRE
Mkt.
Dog's Home
Broadhurst
ROCHDALE
MANCHESTER

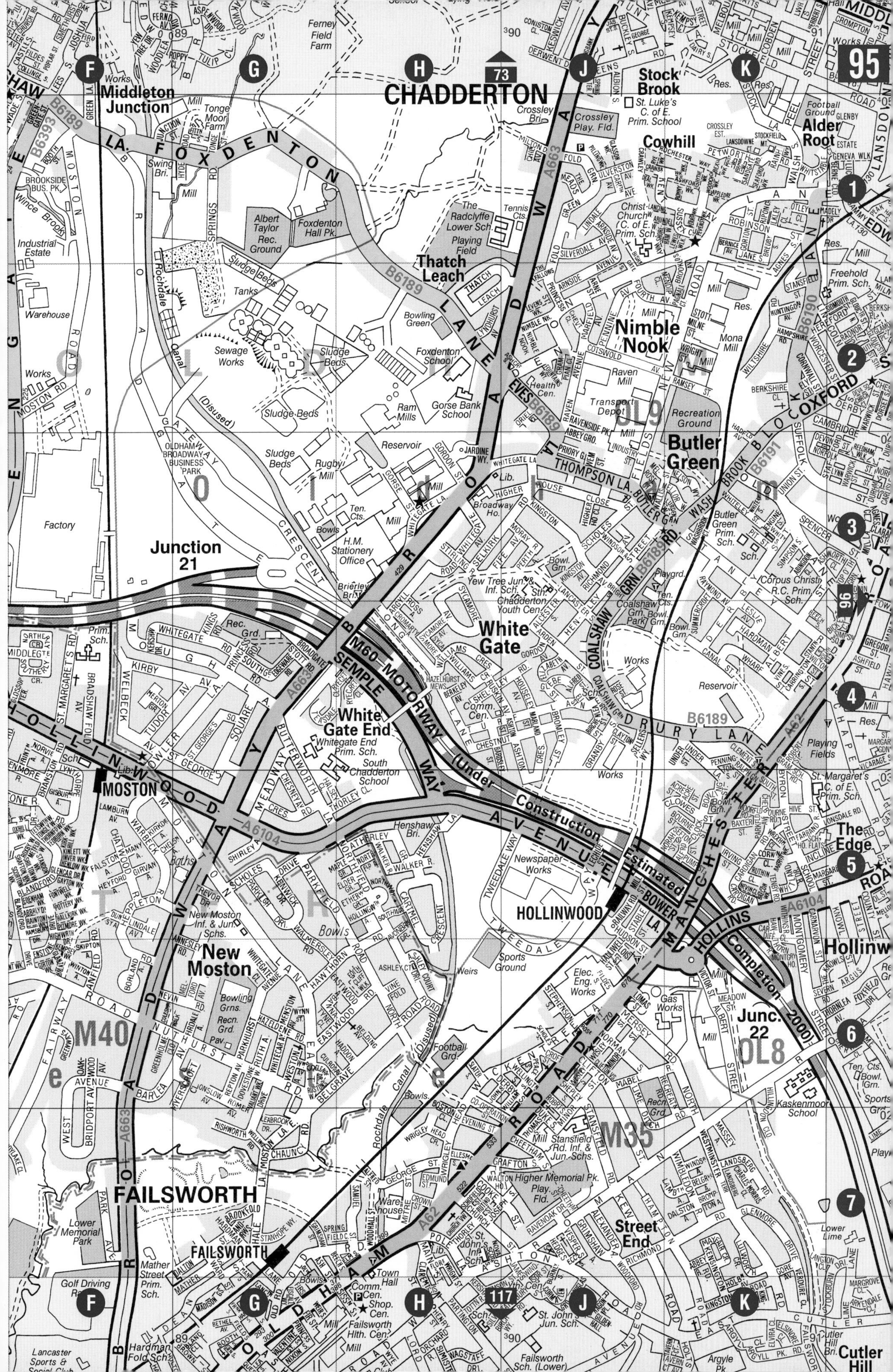
CHADDERTON
73
Middleton Junction
Stock Brook
Cowhill
Alder Root
Thatch Leach
Nimble Nook
Butler Green
White Gate
White Gate End
Junction 21
MOSTON
New Moston
HOLLINWOOD
Junc. 22
FAILSWORTH
Street End
The Edge
96
117
M40
M35
OL9
OL8
M60 MOTORWAY (Under Construction Estimated Completion 2000)
FOXDENTON LA.
HOLLINWOOD AV.
SEMPLE WAY
BROADWAY
MANCHESTER RD.
OLDHAM RD.
DRURY LANE
OXFORD ST.
A663
A62
A6104
B6189
B6190
B6191
B6393
F
G
H
J
K
1
2
3
4
5
6
7

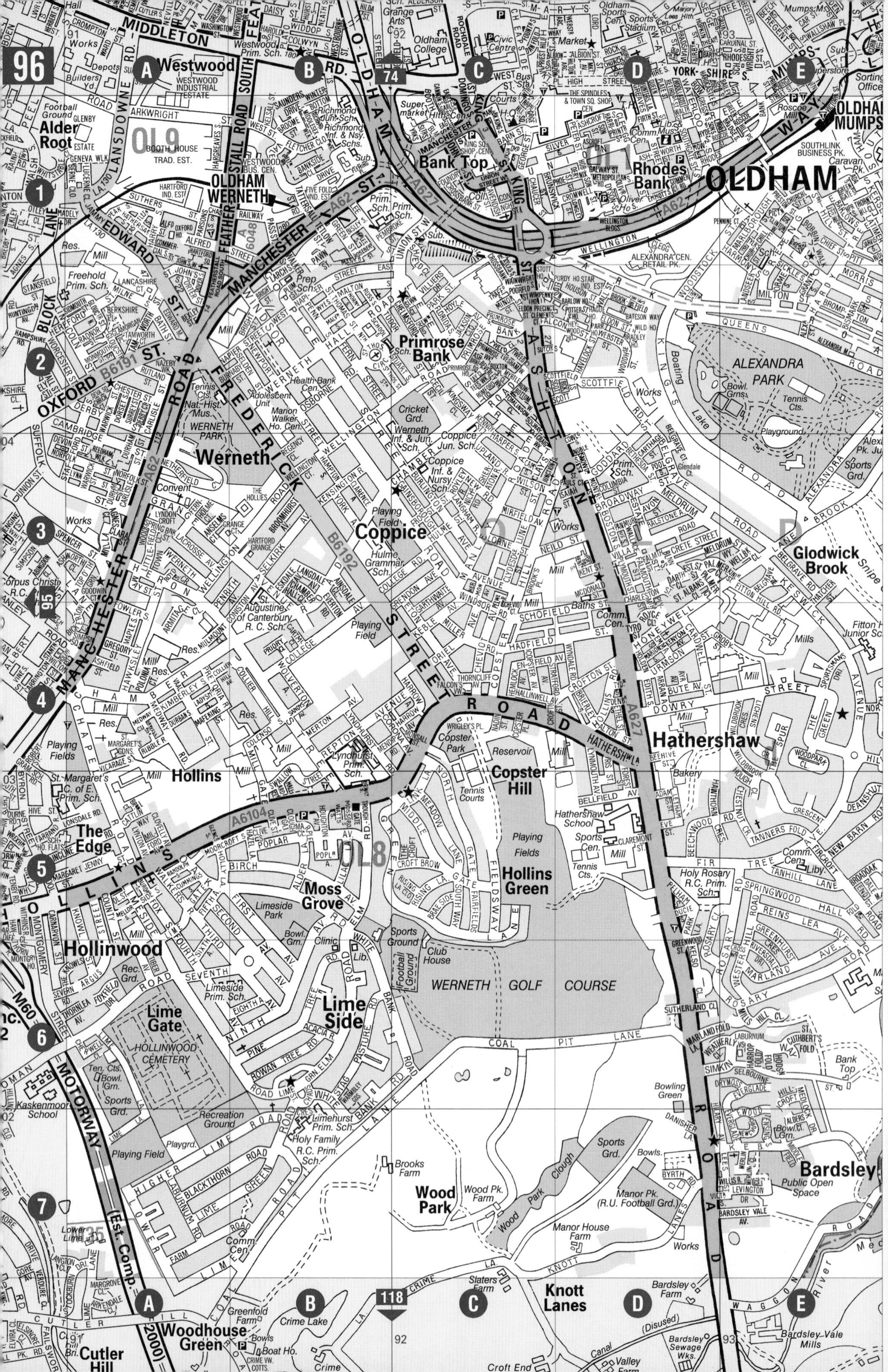
Westwood
Alder Root
OL9
Oldham Werneth
Bank Top
Rhodes Bank
OLDHAM
Oldham Mumps
Primrose Bank
Werneth
Werneth Park
Coppice
Alexandra Park
Glodwick Brook
Hathershaw
Hollins
Copster Hill
The Edge
Moss Grove
OL8
Hollins Green
Hollinwood
Lime Gate
Hollinwood Cemetery
Lime Side
Werneth Golf Course
Wood Park
Bardsley
Knott Lanes
Woodhouse Green
Cutler Hill
Crime Lake
Oldham College
Middleton Road
Manchester Street
Frederick Street
Ashton Road
Hollins Road
Coal Pit Lane
Oldham Way
Manchester Road
Motorway
A62
A627
A6104
B6192
B6191
74
95
118
A B C D E
1 2 3 4 5 6 7
91 92 93

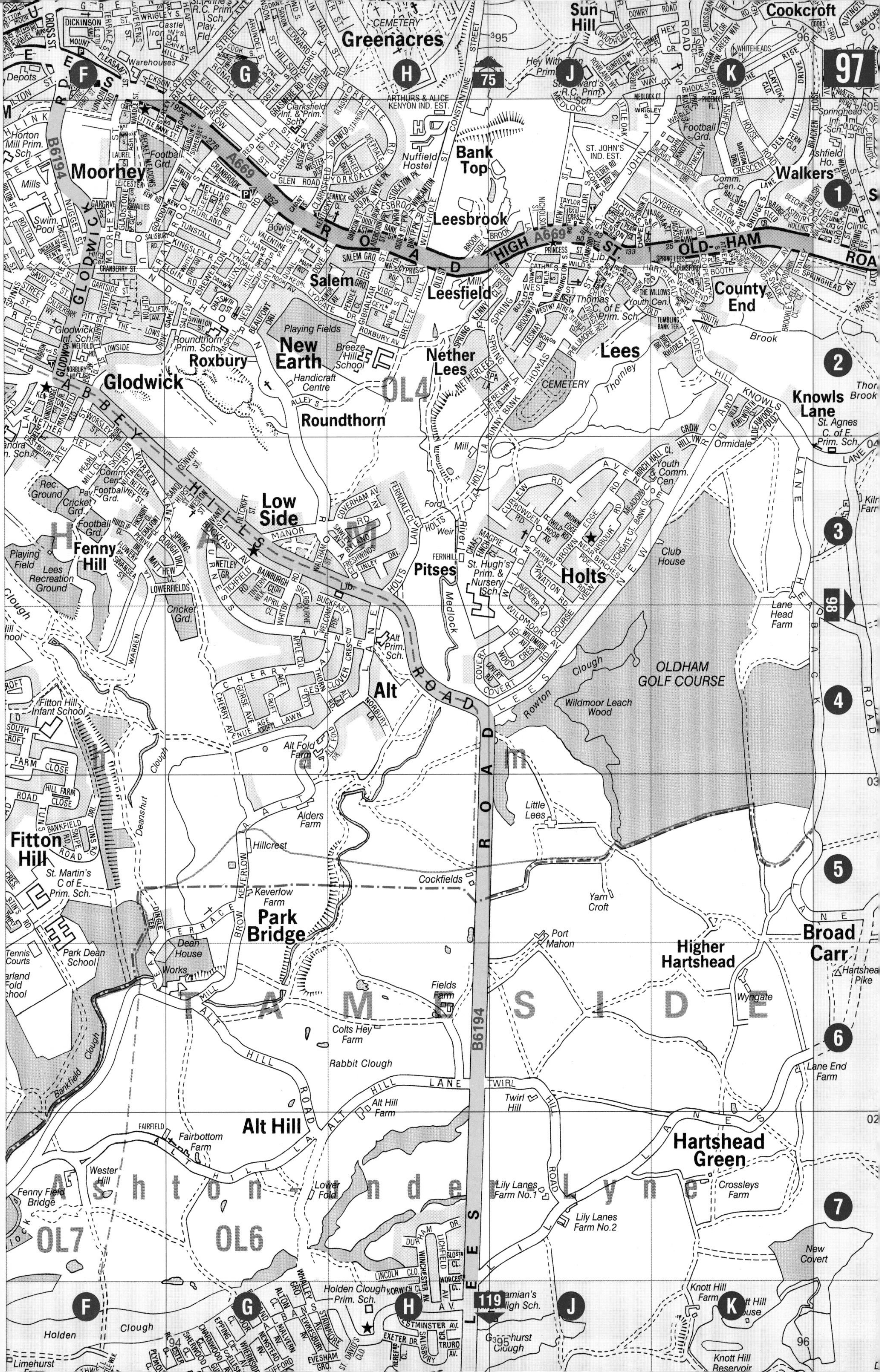
Greenacres
Sun Hill
Cookcroft
Moorhey
Glodwick
Roxbury
New Earth
Salem
Leesbrook
Bank Top
Leesfield
Nether Lees
Lees
County End
Walkers
Knowls Lane
Roundthorn
Low Side
Fenny Hill
Pitses
Holts
Alt
Fitton Hill
Park Bridge
Higher Hartshead
Broad Carr
Alt Hill
Hartshead Green
OL4
OL6
OL7
OLDHAM GOLF COURSE
Wildmoor Leach Wood
T A M E S I D E
Ashton-under-Lyne
A669
B6194
HIGH ST.
OLDHAM ROAD
ABBEY HILLS ROAD
LEES ROAD
GLODWICK RD.
CEMETERY
Playing Fields
Breeze Hill School
Handicraft Centre
Nuffield Hostel
ARTHURS & ALICE KENYON IND. EST.
ST. JOHN'S IND. EST.
Clarksfield Inf. & Prim. Sch.
Hey With Zion Prim. Sch.
St. Edward's R.C. Prim. Sch.
St. Thomas C. of E. Prim. Sch.
Youth Cen.
Roundthorn Prim. Sch.
Glodwick Inf. Sch.
Horton Mill Prim. Sch.
Swim. Pool
Mills
Football Grd.
Cricket Grd.
Rec. Ground
Lees Recreation Ground
Playing Field
St. Hugh's Prim. & Nursery Sch.
Alt Prim. Sch.
Youth & Comm. Cen.
Club House
St. Agnes C. of E. Prim. Sch.
Ormidale
Lane Head Farm
Fitton Hill Infant School
St. Martin's C of E Prim. Sch.
Park Dean School
Tennis Courts
Dean House
Works
Keverlow Farm
Hillcrest
Alders Farm
Alt Fold Farm
Little Lees
Cockfields
Yarn Croft
Port Mahon
Fields Farm
Colts Hey Farm
Rabbit Clough
Alt Hill Farm
Twirl Hill
Fairbottom Farm
Wester Hill
Fenny Field Bridge
Lower Fold
Lily Lanes Farm No.1
Lily Lanes Farm No.2
Crossleys Farm
Wyngate
Hartshead Pike
Lane End Farm
New Covert
Knott Hill Farm
Knott Hill Reservoir
Holden Clough
Holden Clough Prim. Sch.
Limehurst
Thornley
Brook
Deanshut
Bankfield Clough
Rowton Clough
Medlock
75
98
119
F G H J K
1 2 3 4 5 6 7

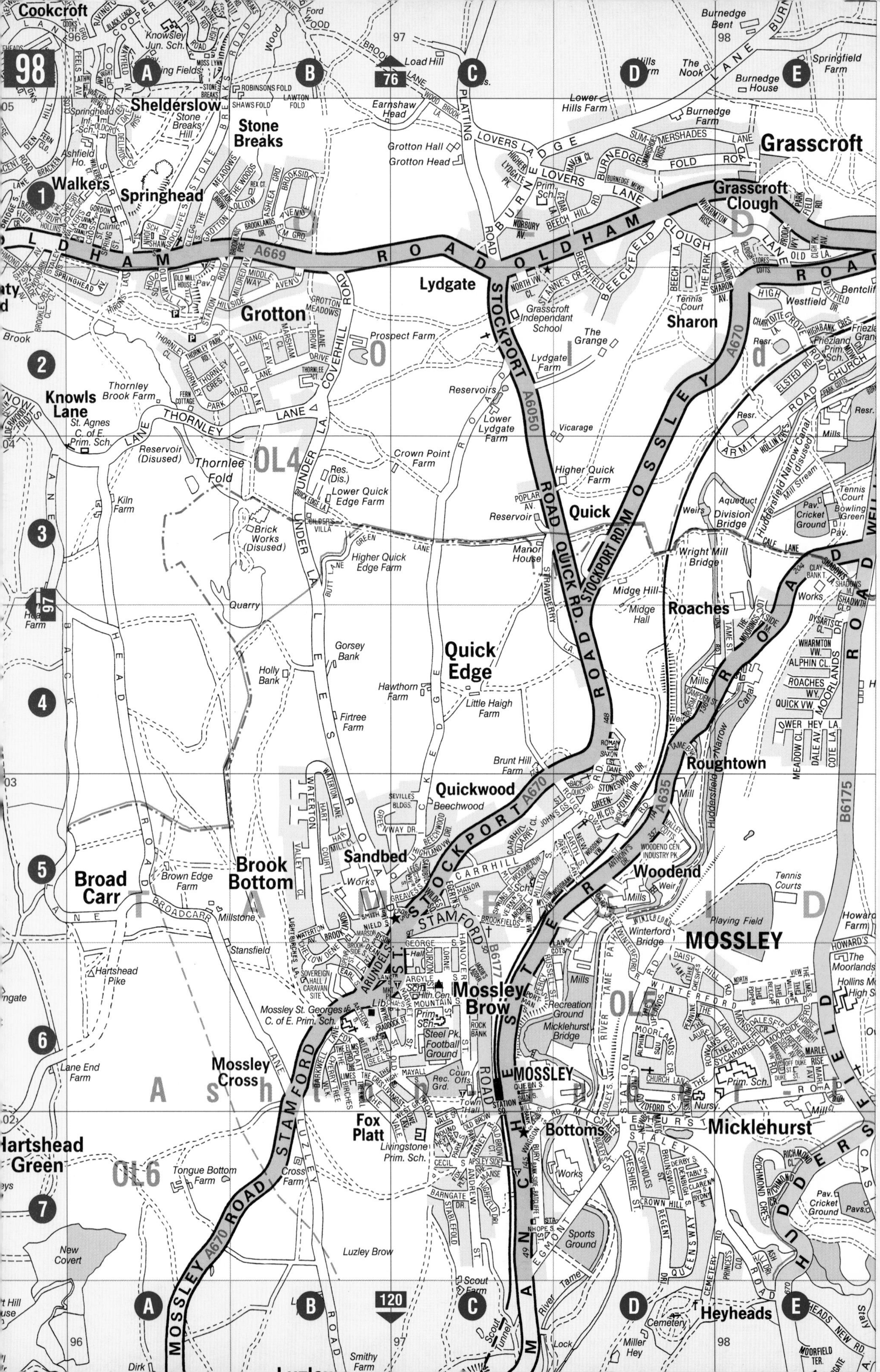
Cookcroft
Shelderslow
Stone Breaks
Walkers
Springhead
Grotton
Lydgate
Grasscroft
Grasscroft Clough
Sharon
Knowls Lane
Quick
Roaches
Quick Edge
Quickwood
Roughtown
Sandbed
Brook Bottom
Broad Carr
Woodend
MOSSLEY
Mossley Brow
Mossley Cross
Fox Platt
Bottoms
Micklehurst
Heyheads
Hartshead Green
OLDHAM ROAD
A669
STOCKPORT ROAD
A6050
MOSSLEY ROAD
A670
STAMFORD ROAD
MANCHESTER ROAD
A635
HUDDERSFIELD ROAD
B6175
OL4
OL5
OL6
76
97
120

Greenfield
Tunstead
Boarshurst
Road End
Friezland
Dacres
Frenches
Lower Arthurs
Fur Lane
Shaw Hall
Shaw Hall Bank
GREENFIELD
Stalybridge
OL3
SK15
Buckton Moor
Buckton Castle
Buckton Vale Quarry
Alphin Pike
Alphin Brow
Alphin Quarry (disused)
White Gate
Greave
Warlow Pike
Abraham's Chair
Broken Ground
Hare Hill
Far Harehill Clough
Slack Head Brow
Noonsun Hill
Greentop
Green Hollow
Tamyon Brook
Warlow Brook
Wharmton
Mast
Kinder
Pots & Pans Stone
Pots & Pans Plot (Recreation Ground)
Edge End
Yarns Hill
Low Rocks
Hawk Yard
Hollins Hill
Greenfield Mill
Waterside Mill
Mill Pond
Higher Hollins Farm
Ley Butts
Holly Ville
Lower Tunstead Farm
Tunstead Farm
Moorlea
Fern Lee Farm
White Lee
Woolleys Hill
Cowards
Lower Lane Head
Greenmans
Lane Head
Dacres Hall
Well-i-Hole Farm
Wellihole Bridge
Mann's Wharf Bridge
Manns
Sewage Works
Towing Path
A669
A635
B6175
MANCHESTER ROAD
HOLMFIRTH ROAD
CHEW VALLEY ROAD
OLDHAM ROAD
CHAPEL ROAD
MOOR EDGE ROAD
INTAKE LANE
BRADBURY'S INTAKE LANE
HAW CLOUGH LA.
WHITE BROOK LANE
LONG LANE
HAWK YARD LANE
TUNSTEAD LANE
77
100
121
F G H J K
1 2 3 4 5 6 7

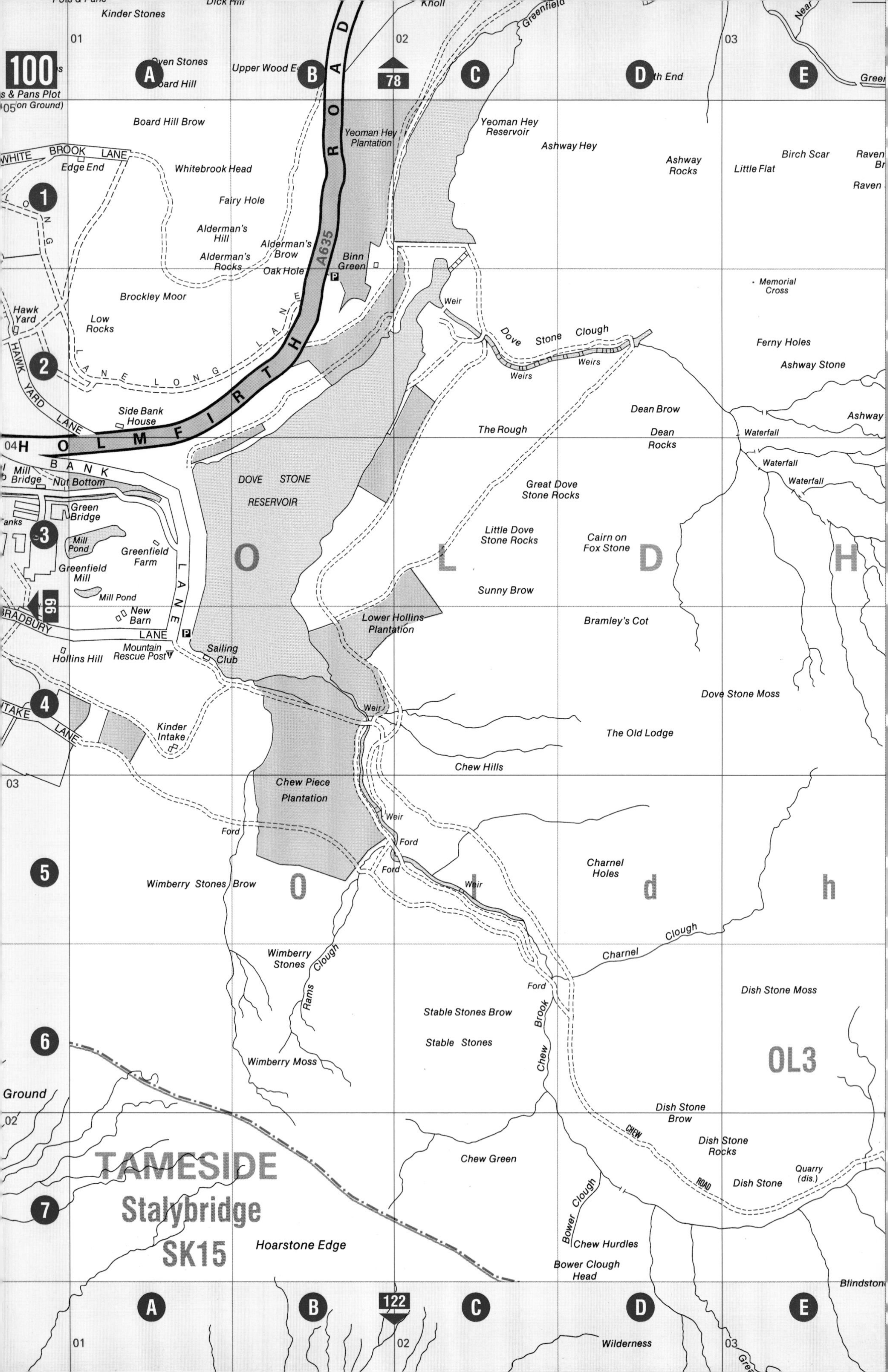
Kinder Stones
Oven Stones
Board Hill
Upper Wood End
Board Hill Brow
Yeoman Hey Plantation
Yeoman Hey Reservoir
Ashway Hey
Ashway Rocks
Little Flat
Birch Scar
WHITE BROOK LANE
Edge End
Whitebrook Head
Fairy Hole
Alderman's Hill
Alderman's Brow
Alderman's Rocks
Binn Green
Oak Hole
HOLMFIRTH ROAD
A635
Brockley Moor
Hawk Yard
Low Rocks
LONG LANE
HAWK YARD LANE
Memorial Cross
Weir
Dove Stone Clough
Weirs
Ferny Holes
Ashway Stone
Side Bank House
Dean Brow
The Rough
Dean Rocks
Waterfall
BANK LANE
Mill Bridge
Nut Bottom
DOVE STONE RESERVOIR
Great Dove Stone Rocks
Green Bridge
Mill Pond
Greenfield Farm
Greenfield Mill
Little Dove Stone Rocks
Cairn on Fox Stone
OLDHAM
Sunny Brow
New Barn
Lower Hollins Plantation
Bramley's Cot
BRADBURY LANE
Hollins Hill
Mountain Rescue Post
Sailing Club
Dove Stone Moss
INTAKE LANE
Kinder Intake
The Old Lodge
Chew Hills
Chew Piece Plantation
Ford
Charnel Holes
Oldham
Wimberry Stones Brow
Wimberry Stones
Rams Clough
Charnel Clough
Dish Stone Moss
Stable Stones Brow
Stable Stones
Chew Brook
Wimberry Moss
OL3
Ground
Dish Stone Brow
CHEW ROAD
Dish Stone Rocks
TAMESIDE
Stalybridge
SK15
Chew Green
Dish Stone
Quarry (dis.)
Bower Clough
Chew Hurdles
Hoarstone Edge
Bower Clough Head
Blindstone
Wilderness
78
99
122

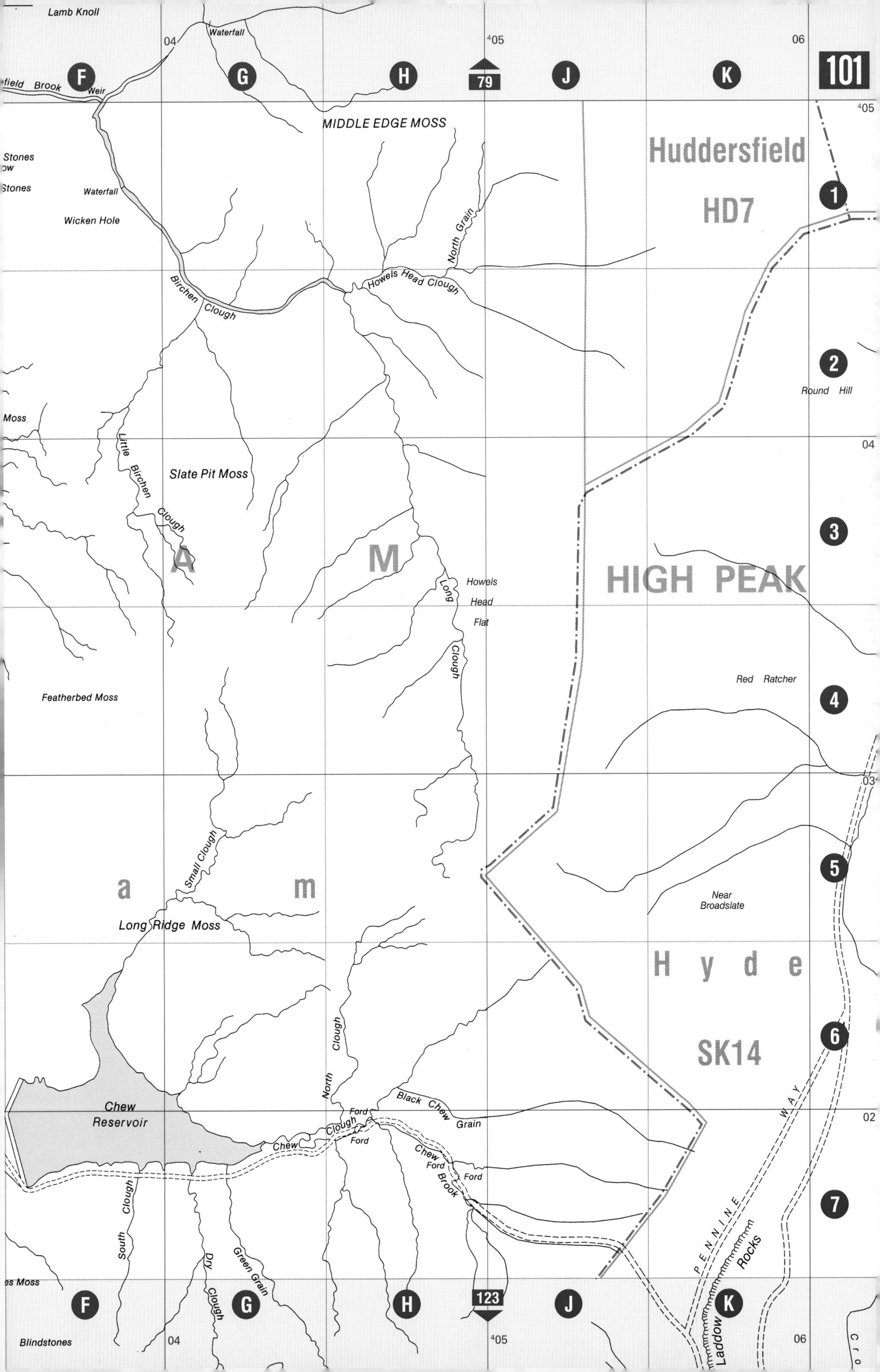

Lamb Knoll

Waterfall

Stones
ow

Stones

Waterfall

Wicken Hole

field Brook

F Weir

G

H

79

J

K

Huddersfield

HD7

1

MIDDLE EDGE MOSS

North Grain

Howels Head Clough

Birchen Clough

2

Round Hill

Moss

Little Birchen Clough

Slate Pit Moss

A

M

Howels

Head

Flat

3

HIGH PEAK

Long Clough

4

Red Ratcher

Featherbed Moss

a

Small Clough

m

5

Near
Broadslate

Long Ridge Moss

H y d e

North Clough

SK14

6

Chew
Reservoir

Black Chew
Grain

W A Y

7

Chew

Ford

Ford

Ford

Chew
Brook

Ford

Ford

P E N N I N E

Laddow Rocks

South Clough

Dry Clough

Green Grain

F

G

H

123

J

K

Blindstones

es Moss

Cro

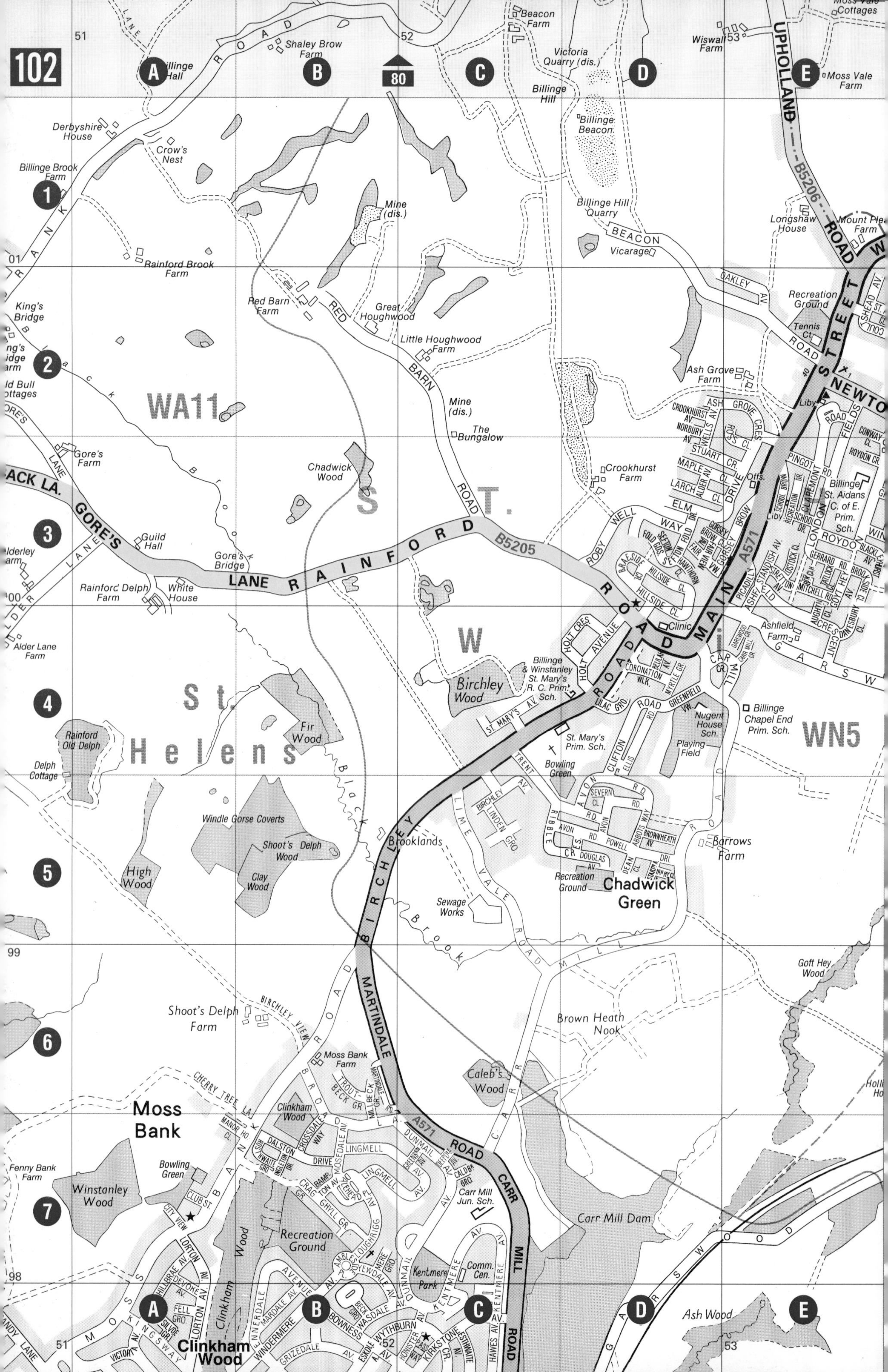

80
Billinge Hall
Shaley Brow Farm
Beacon Farm
Victoria Quarry (dis.)
Billinge Hill
Billinge Beacon
Wiswall Farm
Moss Vale Cottages
Moss Vale Farm
UPHOLLAND ROAD
B5206
Derbyshire House
Crow's Nest
Billinge Brook Farm
Mine (dis.)
Billinge Hill Quarry
BEACON
Vicarage
Longshaw House
Mount Pleasant Farm
Rainford Brook Farm
King's Bridge
Red Barn Farm
Great Houghwood
Little Houghwood Farm
RED BARN ROAD
OAKLEY AV.
Recreation Ground
Tennis Ct.
STREET
Ash Grove Farm
NEWTON
WA11
The Bungalow
Gore's Farm
BLACK LA.
GORE'S LANE
Chadwick Wood
Crookhurst Farm
Guild Hall
Gore's Bridge
RAINFORD LANE
B5205
ROBY WELL WAY
Billinge St. Aidans C. of E. Prim. Sch.
Rainford Delph Farm
White House
Alder Lane Farm
MAIN ROAD
A571
Clinic
Ashfield Farm
GARSWOOD
Birchley Wood
Billinge & Winstanley St. Mary's R. C. Prim. Sch.
Billinge Chapel End Prim. Sch.
WN5
St. Helens
Fir Wood
Rainford Old Delph
Delph Cottage
St. Mary's Prim. Sch.
Bowling Green
Nugent House Sch.
Playing Field
Windle Gorse Coverts
Shoot's Delph Wood
Brooklands
Barrows Farm
High Wood
Clay Wood
Sewage Works
Recreation Ground
Chadwick Green
BIRCHLEY ROAD
Goft Hey Wood
Shoot's Delph Farm
Brown Heath Nook
MARTINDALE
Moss Bank Farm
Caleb's Wood
Moss Bank
Clinkham Wood
CHERRY TREE LA.
A571
CARR MILL ROAD
Fenny Bank Farm
Bowling Green
Winstanley Wood
Carr Mill Jun. Sch.
Carr Mill Dam
Recreation Ground
Kentmere Park
Comm. Cen.
GARSWOOD ROAD
Clinkham Wood
Ash Wood
MOSS LANE
KINGSWAY

Windy Arbour Farm
Works
Mine
M6 MOTORWAY
DRUMMER'S LANE
BROCSTEDES RD.
Upper Castle
Maddox House
WIGAN
WIGAN ROAD
A571
Ryecroft Farm
Brocstedes
Brocstedes Farm
Junction 25
North Ashton
St. Peter's C. of E. Prim. Sch.
Gladden Hey Brow
Barton Clough
Down Brook
Booth's Brow Farm
CORONATION ST.
BOOTH'S BROW ROAD
Higher Billinge Lane Farm
Tatlock's Hillock
WINSTANLEY ROAD
Leyland Green
Leyland Green Farm
LEYLAND GREEN ROAD
Rectory Prim. Sch.
Playing Fields
Lower Billinge Lane Farm
B5207
CONWAY DR.
ELLENS
Billinge
BILLINGE ROAD
Billinge Lane Farm
BILLINGE RD.
Simm's Lane End
GARSWOOD ROAD
Downall Green
BIRCH
HAWTHORN AV.
LILAC AV.
RECTORY AVENUE
PALM AV.
POPLAR AV.
ELM
CEDAR GR.
GROVE
Playing Field
Bowl. Grn.
EVERTON ST.
BOLTON ST.
DOWNALL GREEN RD.
FERN LEA GR.
Blackley Hurst Hall
SMOCK LANE
THORNHILL ROAD
SELKIRK AV.
STIRLING
LAVENDER WK.
ELGIN AV.
GORDON AV.
AUSTIN AV.
Bowling Green
Club
Playing Field
OBAN DR.
GIRVAN
FALKLAND DR.
DUNBLANE CL.
ARGYLL CL.
LANGHOLM RD.
DARVEL AV.
KINROSS AV.
HAMILTON
FORRES GR.
ABINGER
ELSTEAD GR.
WHITBURN CL.
AVIEMORE CL.
HILLBECK CL.
HOLLINS CL.
KENMORE GR.
HILLOCK
CAMP ROAD
SPINDLE
Seneley Green Farm
Garswood Prim. Sch.
Garswood
STATION ROAD
OLD COLLIERY YARD
MELROSE CR.
MANOR CL.
Inf. Sch.
Lib.
VICTORIA ROAD
NEWBRIDGE CL.
COLDSTONE
LEDMORE
STRANGE ROAD
SCHOOL LA.
MONTREY CR.
Torpen Wood
Montrey Resr.
WN4
Charity Farm
ARCH LANE
Arch Lane Farm
Mine
Manor House Farm
GARSWOOD
Depot
Coal Yard
Depots
Warehouse
PARK INDUSTRIAL ESTATE
Tithe Barn Hillock
TITHEBARN
Tithe Barn Farm
GIBBON'S ROAD
Ashton Cross
Carter's Fold Farm
Hollin Hey Farm
OLD ROAD
Old Garswood Park
Crock Hey Wood
Deer House Farm
Old Garswood Hall Fm.
Old Garswood Hall Farm
GARSWOOD RD.
A58
WA11
Playing Field
Pewfall
LIVERPOOL
Clipsley Brook
Millfield Farm
MILLFIELD
THE FAIRWAYS
Vista Plantation
Depot
Depots
HAYDOCK LANE INDUSTRIAL ESTATE
HAYDOCK
WINCHESTER RD.
SALISBURY RD.
Waggon Road Plantation
81
104
F G H J K
1 2 3 4 5 6 7
54 355 56

Land Gate
Works
Park Lane Farm
Doe Ridings
Brook
Perry Brook Bridge
Rosehill Sch.
Drummer's Fields
DRUMMER'S LANE
Land Gate Farm
Perry Brook Prim. Sch.
Edmund Collins Park
Three Sisters Recreation Area
Boating Lake
Warehouse
Junction 25
North Ashton
St. Peter's C. of E. Prim. Sch.
Rose Hill
M6
DOWNALL GREEN ROAD
B5207
Play. Fld.
Downall Green R. C. Prim. Sch.
Playing Field
BRYN ROAD
WIGAN ROAD
Bryn
BRYN
SOUTH LANCASHIRE INDUSTRIAL ESTATE
Depot
Works
WN4
Rectory Prim. Sch.
Playing Fields
Highfield House
Mill Farm
M6-MOTORWAY
BILLINGE ROAD
Nicol Mere Prim. Sch.
Frederick Medical Cen.
Surgery
Leisure Cen.
Cansfield Community High Sch.
A49
The Clough
Playing Field
Potter's Farm
White Rushes Farm
LOW BANK ROAD
HILLOCK ROAD
ALEXANDRA RD.
Jubilee Parks
Long Covert
Down Brook
R. C. Hughes Prim. Sch.
Jack Brook
Clinic
Lib.
Millingford Brook
Coal Yard
Depot
Saw Mill
Depots
Junction 24
Warehouse
PARK INDUSTRIAL ESTATE
A58
GERARD ROAD
St. Oswalds R. C. Prim. Sch.
Prim. Sch.
Bowl. Grn.
Works
Rookery Plantation
LIVERPOOL ROAD
Garswood Park
Vista Plantation
Club House
Ashton-in-Makerfield Golf Course
New Hall Wood
ASHTON-IN-MAKERFIELD
Playing Field
Byrchall High Sch.
WARRINGTON ROAD
Graveyard
Mill
Ashton Heath
Haydock Boundary Plantation
Stables
Paddock
Brook
Millfield Farm
Reservoir (covered)
ST. HELENS
St. Helens
WA11
M6
Newton-le-
WA12
HAYDOCK INDUSTRIAL ESTATE
Depots
Warehouses
124
OLD BOSTON TRADING ESTATE
LODGE LANE
A B C D E
1 2 3 4 5 6 7
56 57 58
98 99

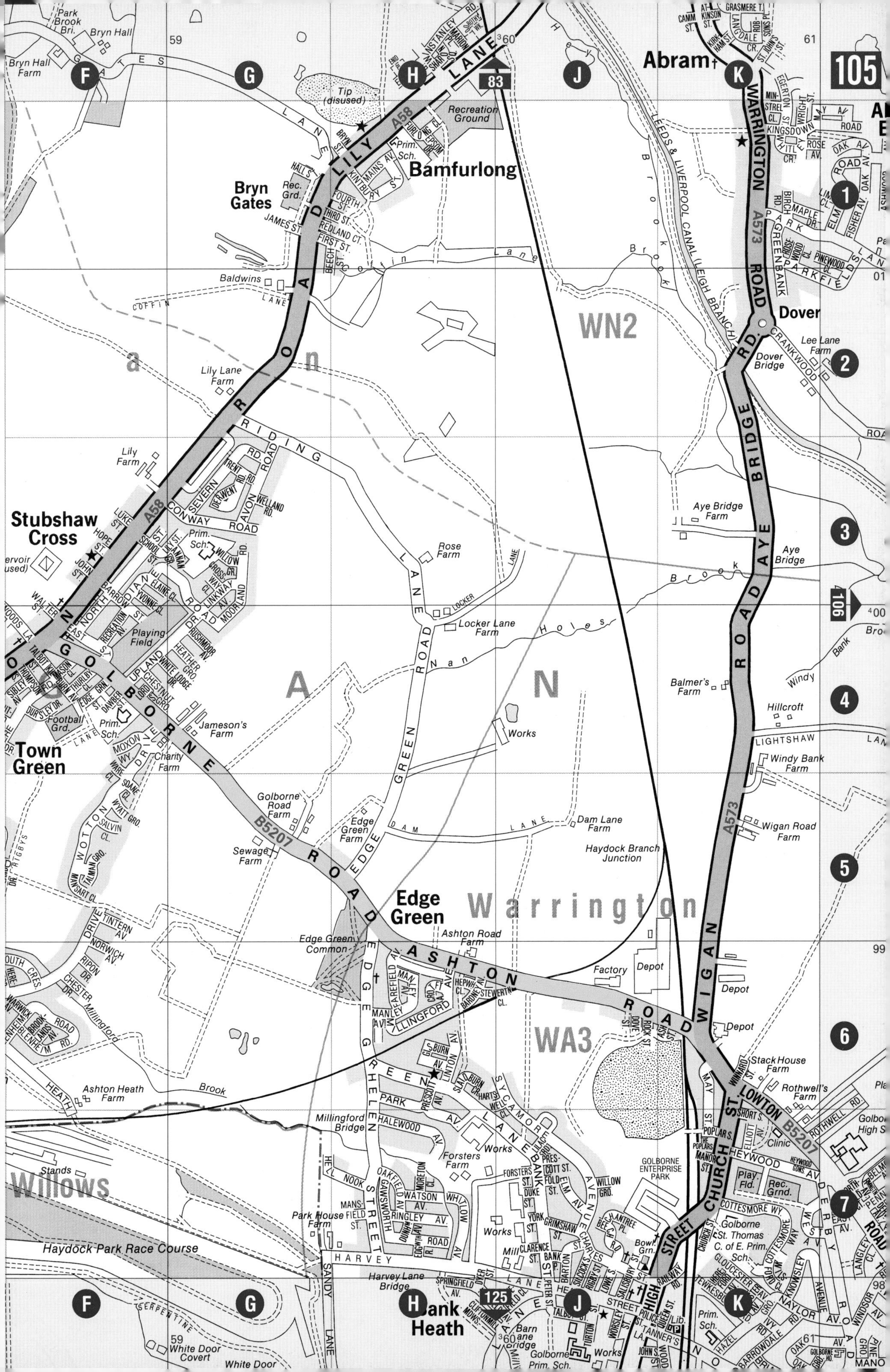
Abram
Bamfurlong
Bryn Gates
Bryn Hall
Bryn Hall Farm
Tip (disused)
Recreation Ground
Dover
Lee Lane Farm
Dover Bridge
WN2
Lily Lane Farm
Lily Farm
Stubshaw Cross
Rose Farm
Aye Bridge Farm
Aye Bridge
Locker Lane Farm
Balmer's Farm
Hillcroft
Windy Bank Farm
Town Green
Jameson's Farm
Charity Farm
Golborne Road Farm
Edge Green Farm
Dam Lane Farm
Haydock Branch Junction
Sewage Farm
Wigan Road Farm
Edge Green
Warrington
Edge Green Common
Ashton Road Farm
Factory
Depot
WA3
Stack House Farm
Rothwell's Farm
Ashton Heath Farm
Millingford Bridge
Forsters Farm
Golborne Enterprise Park
Willows
Stands
Park House Farm
Haydock Park Race Course
Harvey Lane Bridge
Bank Heath
Barn Lane Bridge
Golborne Prim. Sch.
White Door Covert
Golborne St. Thomas C. of E. Prim. Sch.
A58
A573
B5207
LILY LANE
WARRINGTON ROAD
AYE BRIDGE ROAD
WIGAN ROAD
ASHTON ROAD
GOLBORNE ROAD
HIGH STREET
CHURCH ST.
LEEDS & LIVERPOOL CANAL (LEIGH BRANCH)
83
106
125

61
62
63
A
B
C
D
E
1
2
3
4
5
6
7
84
105
126
01
00
99
98
Abram Brow
Dover
Dover Bridge
Crankwood
Lowton
Lowton Common
Wigan
WN2
Warrington
WA3
Fields Farm Cottages
Recn. Grnd.
Bickershaw C. of E. Prim. Sch.
Works
Maypole Ind. Est.
Park Lane Farm
Maypole House Farm
Lygoe's Farm
Lee Lane Farm
Chadwick's Farm
Scotson's Farm
Aye Bridge
Crankwood House
Crank Wood
New Bear Hey
Old Bear Hey
Gerrard's Bridge
Smith's Bridge
Bickershaw Sidings
Dunster Farm
Plank Lane Bri.
Ackers Whitley's Basin
Leeds & Liverpool
Windy Bank Brook
Hey Brook
Windy Bank Farm
Lightshaw Hall
Wigan Road Farm
Houghton Coat Bridge (north)
Critchley House
Houghton Coat Br. (south)
Mossley Hall
Byrom Hall
Little Byrom Hall
Saddletree Fold Farm
Elm House Farm
Belle-vue
Leigh & Lowton Sailing Club
Wilton Cottages
New Barn Farm
Rowe Farm
Laburnum Cottage
Red House Farm
Small Brook
Stack House Farm
Rothwell's Farm
Playing Field
Golborne High Sch.
Clinic
Rec. Grnd.
Bowl. Grn.
Ullswater House
Con. Cen.
Lowton West Prim. Sch.
The Meadows
Cheetham Fold
Civic Hall
Warrington Rd.
Bolton House Rd.
Shuttle Hillock Rd.
Park Lane
Crankwood Road
Plank Lane
Lightshaw Lane
Sandy Lane
Byrom Lane
Green Lane
Golborne Rd.
B5207
Newton Rd.
Kingsdown Road
Oak Av.
Thornvale
Ashwood Av.
Beech Gr.
Fisher Av.
Lime Cl.
Elm Dr.
Greenbank
Parkfields
Pinewood Cl.
Rosewood Cl.
Durban St.
Montreal St.
North Av.
South Av.
Talbot Rd.
Newtons Fold
Horrocks St.
Hayes St.
Haddon Rd.
Rothwell Rd.
Carlton Rd.
Cotton Rd.
Vanhoe Av.
Balmoral Av.
Waverley Rd.
Marmion Dr.
Woodvale
Pennine Lane
Ullswater Av.
Rivington Av.
Derby Rd.
East Av.
Langley Cl.
Hilary Av.
Lincoln Av.
Crow Wood Rd.
Ivy House Rd.
Canterbury Av.
Grampian Wy.
Garton Drive
Raydale Cl.
Linbeck Gr.
Lane Head Av.
Stone Pit Cl.
Lynn Av.
White Croft Av.
The Pipers
Clayton Cl.
Blackburn Cl.
Garton Road
Hesketh
Windsor Av.
Naylor Av.
Avenue
Knowsley
Cottesmore Way
Pine Gro.
Manor
Laurel Gro.
Cleveland Dr.
Lichfield Cl.
Chester Av.
Ripon Av.
Upton
Redmain Gro.
Spa
Brook St.
Bodden St.
St. Nicholas Rd.
Alfred Rd.
Pond St.
Barford

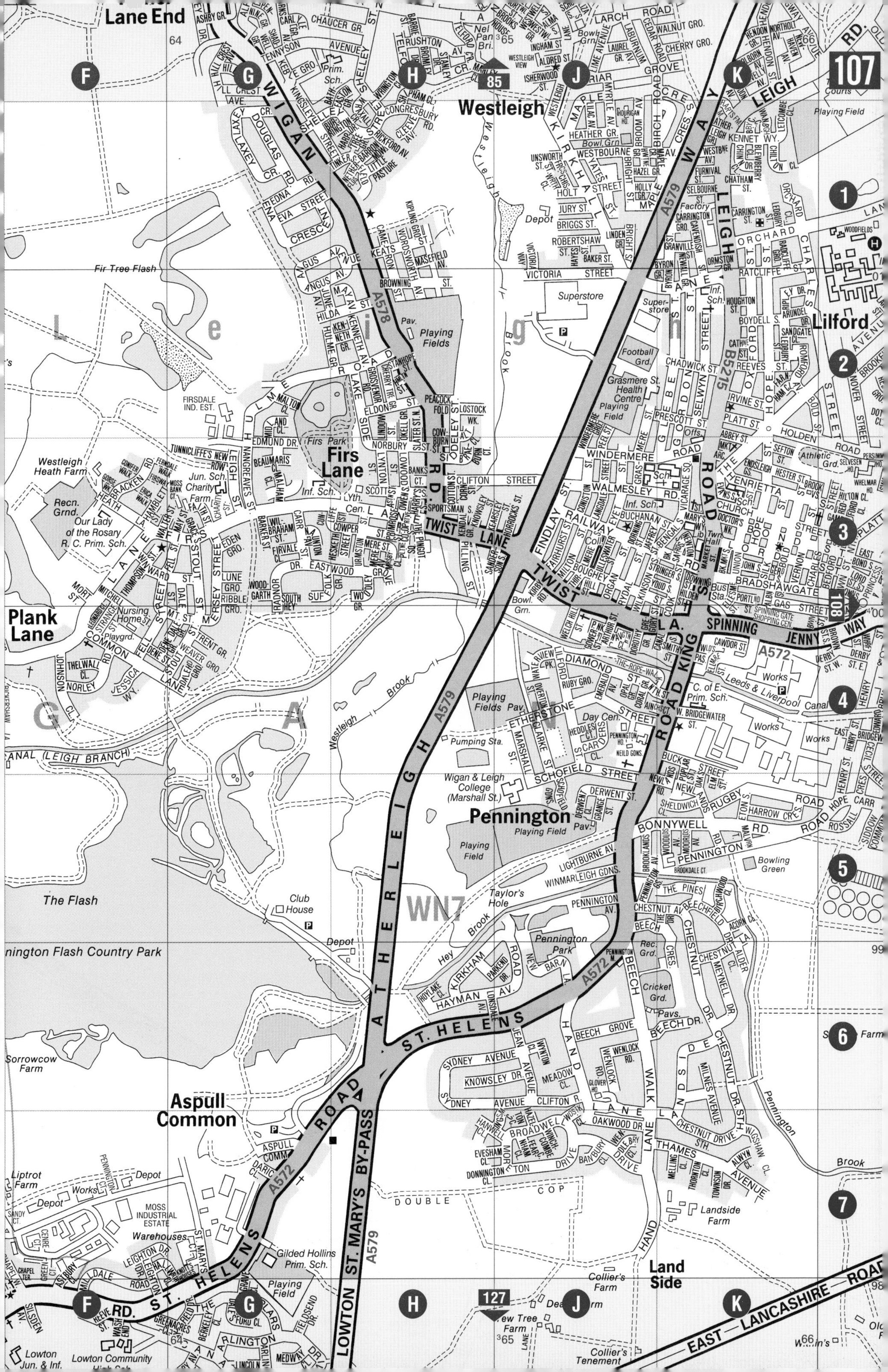
Lane End
Westleigh
Firs Lane
Lilford
Plank Lane
Pennington
Aspull Common
Land Side
WN7
Pennington Flash Country Park
The Flash
Fir Tree Flash
Westleigh Heath Farm
Recn. Grnd.
Our Lady of the Rosary R. C. Prim. Sch.
Sorrowcow Farm
Liptrot Farm
MOSS INDUSTRIAL ESTATE
Warehouses
Gilded Hollins Prim. Sch.
Playing Field
Lowton Jun. & Inf.
Lowton Community High Sch.
Collier's Farm
Collier's Tenement
Yew Tree Farm
Landside Farm
Pennington Park
Cricket Grd.
Rec. Grd.
Taylor's Hole
Club House
Depot
Wigan & Leigh College (Marshall St.)
Pumping Sta.
Day Cen.
C. of E. Prim. Sch.
Works
Leeds & Liverpool Canal
CANAL (LEIGH BRANCH)
Westleigh Brook
Hey Brook
Bowling Green
Football Grd.
Grasmere St. Health Centre
Superstore
Firsdale Ind. Est.
Firs Park
Playing Fields
Athletic Grd.
Spinning Gate Shopping Cen.
Twn. Hall
Bus Sta.
Nursing Home
WIGAN ROAD
A578
A579
A572
B5215
ATHERLEIGH WAY
LEIGH ROAD
TWIST LANE
SPINNING JENNY WAY
KING STREET
ST. HELENS ROAD
LOWTON ST. MARY'S BY-PASS
EAST LANCASHIRE ROAD
HULME ROAD
CHURCH ST.
BRADSHAWGATE
DOUBLE COP
HAND LANE
BEECH WALK
LANDSIDE
PENNINGTON RD.
DIAMOND ST.
THE ROPE WALK
SCHOFIELD STREET
WINDERMERE ROAD
VICTORIA STREET
F G H J K
1 2 3 4 5 6 7
85
108
127
64
65
66
98
99

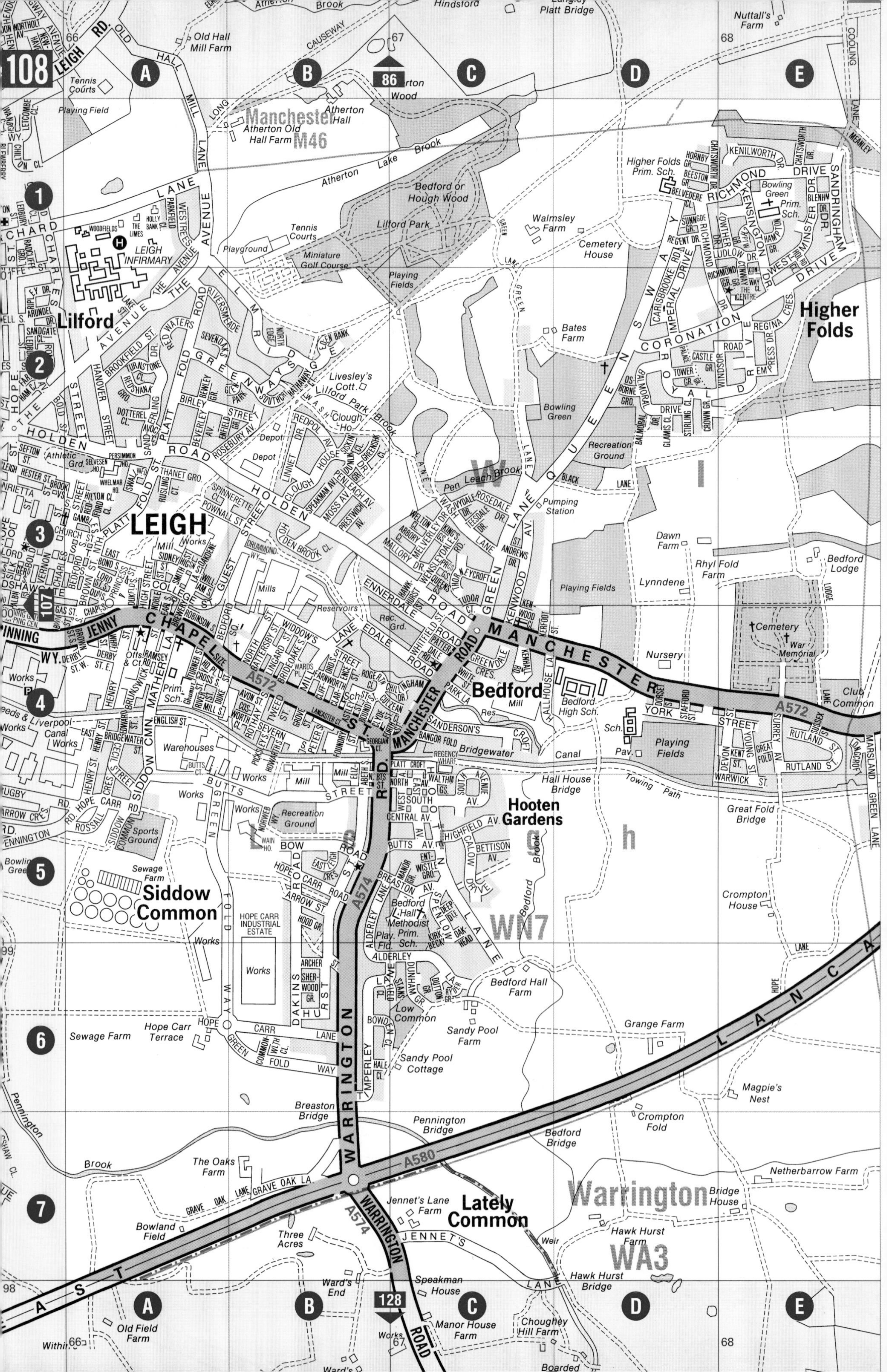

108
LEIGH
Lilford
Higher Folds
Bedford
Hooten Gardens
Siddow Common
Lately Common
Leigh
WN7
Warrington
WA3
Manchester
M46
86
107
128
A572
A574
A580
EAST LANCASHIRE ROAD
WARRINGTON ROAD
MANCHESTER ROAD
CHAPEL ST.
HOLDEN ROAD
QUEENSWAY
CORONATION DRIVE
LEIGH INFIRMARY
Lilford Park
Bedford or Hough Wood
Atherton Hall
Atherton Old Hall Farm
Old Hall Mill Farm
Atherton Lake Brook
Pen Leach Brook
Bridgewater Canal
Towing Path
Hall House Bridge
Great Fold Bridge
Breaston Bridge
Pennington Bridge
Bedford Bridge
Hawk Hurst Bridge
Pennington Brook
Bedford Brook
Hope Carr Industrial Estate
Bedford High Sch.
Higher Folds Prim. Sch.
Walmsley Farm
Cemetery House
Bates Farm
Dawn Farm
Rhyl Fold Farm
Bedford Lodge
Lynndene
Nursery
Crompton House
Grange Farm
Magpie's Nest
Crompton Fold
Netherbarrow Farm
Bedford Hall Farm
Sandy Pool Farm
Sandy Pool Cottage
Hope Carr Terrace
Sewage Farm
The Oaks Farm
Bowland Field
Three Acres
Ward's End
Speakman House
Manor House Farm
Choughey Hill Farm
Hawk Hurst Farm
Jennet's Lane Farm
Old Field Farm
Nuttall's Farm
Recreation Ground
Playing Fields
Sports Ground
Pumping Station
Cemetery
War Memorial
Club Common
Tennis Courts
Miniature Golf Course
A B C D E
1 2 3 4 5 6 7
66 67 68
98 99

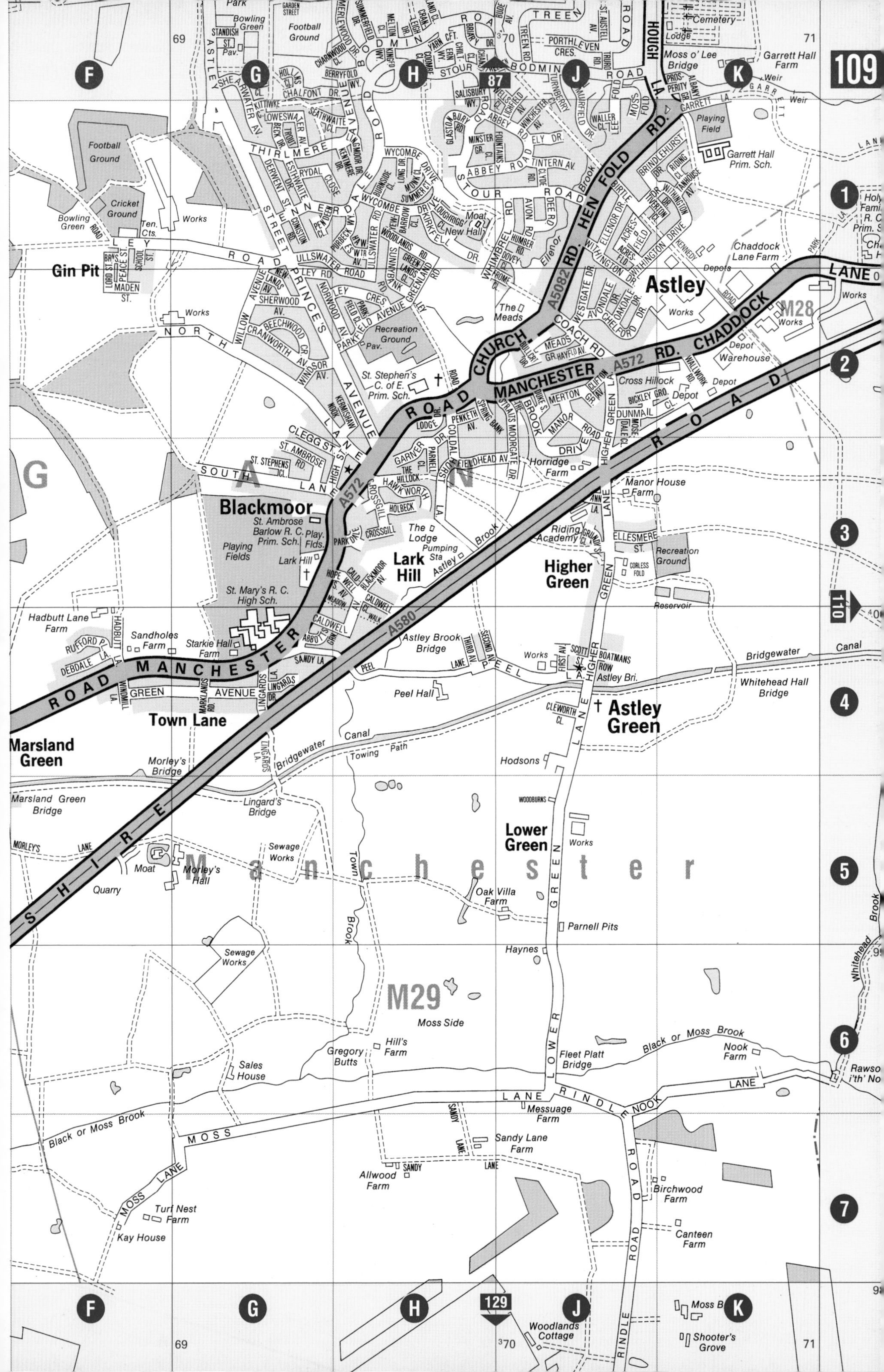

Astley
Gin Pit
Blackmoor
Lark Hill
Higher Green
Astley Green
Town Lane
Marsland Green
Lower Green
Manchester
M28
M29
MANCHESTER ROAD
CHURCH RD.
HEN FOLD RD.
CHADDOCK LANE
SHIRE ROAD
A580
A572
A5082
Bridgewater Canal
Black or Moss Brook
Moss Side
Football Ground
Cricket Ground
Bowling Green
Recreation Ground
Playing Fields
Playing Field
Garrett Hall Prim. Sch.
Garrett Hall Farm
Moss o' Lee Bridge
Cemetery
Chaddock Lane Farm
St. Stephen's C. of E. Prim. Sch.
St. Ambrose Barlow R. C. Prim. Sch.
St. Mary's R. C. High Sch.
Hadbutt Lane Farm
Sandholes Farm
Starkie Hall Farm
Astley Brook Bridge
Peel Hall
Morley's Bridge
Marsland Green Bridge
Lingard's Bridge
Morley's Hall
Sewage Works
Quarry
Moat
Oak Villa Farm
Parnell Pits
Haynes
Hodsons
Horridge Farm
Manor House Farm
Riding Academy
Reservoir
Whitehead Hall Bridge
Astley Bri.
Hill's Farm
Gregory Butts
Sales House
Fleet Platt Bridge
Nook Farm
Messuage Farm
Sandy Lane Farm
Allwood Farm
Turf Nest Farm
Kay House
Birchwood Farm
Canteen Farm
Woodlands Cottage
Shooter's Grove
RINDLE ROAD
MOSS LANE
LOWER GREEN LANE
HIGHER GREEN LANE
87
110
129
69
370
71
F
G
H
J
K
1
2
3
4
5
6
7

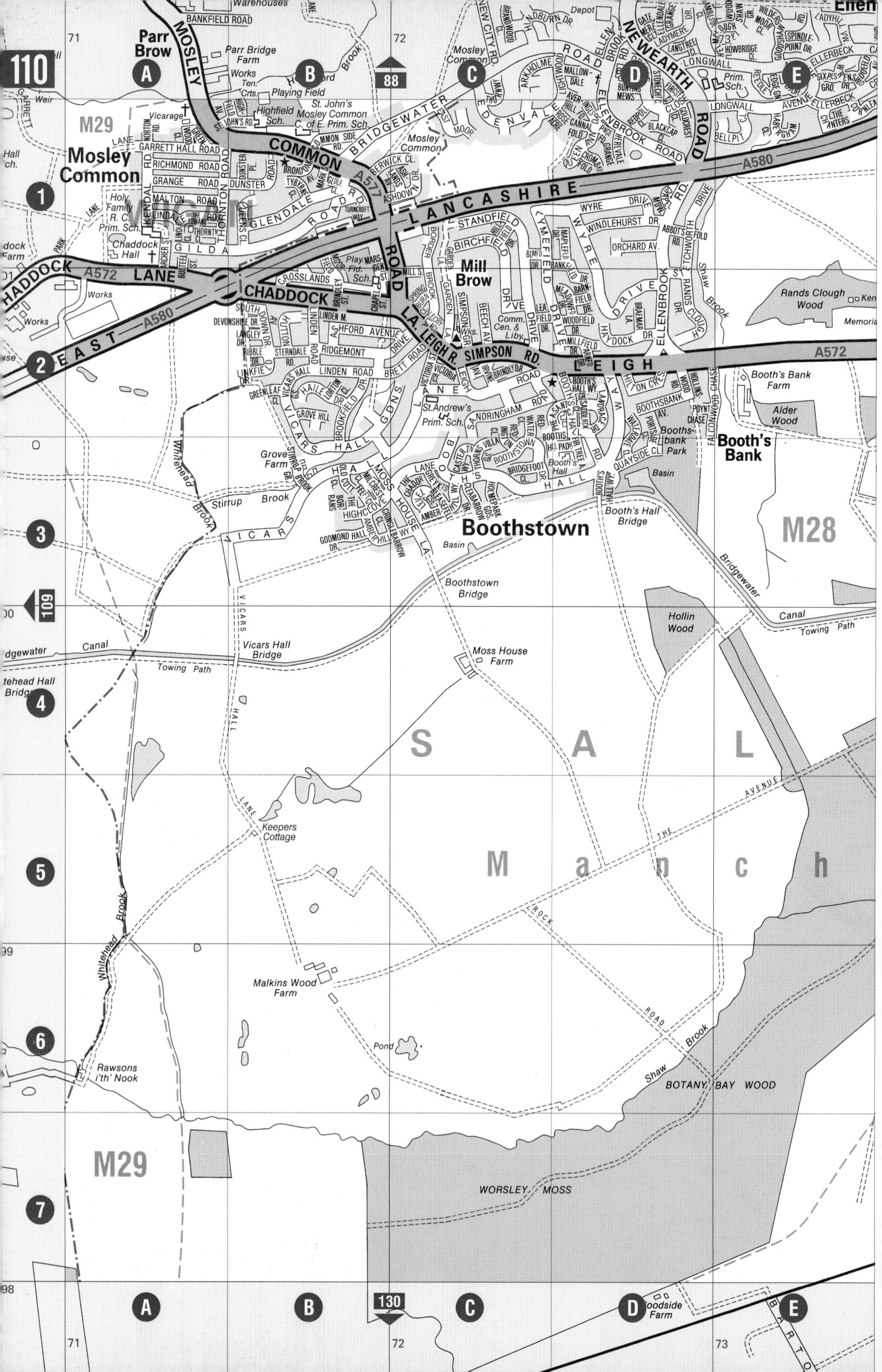

Parr Brow
Parr Bridge Farm
Works
Playing Field
Mosley Common
Highfield Sch.
St. John's Mosley Common C. of E. Prim. Sch.
Vicarage
M29
Mosley Common
Holy Family R.C. Prim. Sch.
Chaddock Hall
Chaddock Farm
Works
BANKFIELD ROAD
MOSLEY COMMON ROAD
BRIDGEWATER ROAD
GARRETT HALL ROAD
RICHMOND ROAD
GRANGE ROAD
MALTON ROAD
GLENDALE ROAD
DUNSTER
THORNTON ROAD
GILDA
CHADDOCK LANE
A572
A577
A580
EAST LANCASHIRE ROAD
CROSSLANDS
Play. Fld.
Mars-den Sch.
LEIGH ROAD
SIMPSON RD.
Mill Brow
Comm. Cen. & Liby.
Wks.
STANDFIELD
BIRCHFIELD
WYRE DRIVE
WINDLEHURST DR.
ORCHARD AV.
LYMEFIELD DRIVE
HAYDOCK DR.
ELLENBROOK RD.
ELLENBROOK ROAD
NEWEARTH ROAD
LONGWALL AVENUE
ELLERBECK
Prim. Sch.
Depot
Warehouses
LEIGH
LINDEN ROAD
RIDGEMONT
STERNDALE RD.
BRETT ROAD
VICARS HALL
SANDRINGHAM RD.
St. Andrew's Prim. Sch.
GROVE HILL
BROOKFIELD DR.
Grove Farm
Stirrup Brook
BOOTH'S HALL RD.
BOOTHSTOWN
Booth's Hall
BOOTHSBANK AV.
Boothsbank Park
QUAYSIDE CL.
Basin
Booth's Hall Bridge
Boothstown
Booth's Bank
Booth's Bank Farm
Alder Wood
Rands Clough Wood
Shaw Brook
M28
Bridgewater Canal
Towing Path
Boothstown Bridge
Hollin Wood
Moss House Farm
Vicars Hall Bridge
Whitehead Brook
Whitehead Hall Bridge
VICARS HALL LANE
S A L
M a n c h
THE AVENUE
ROCK ROAD
Keepers Cottage
Malkins Wood Farm
Pond
Rawsons i'th' Nook
BOTANY BAY WOOD
WORSLEY MOSS
M29
Woodside Farm
BARTON

88
109
130

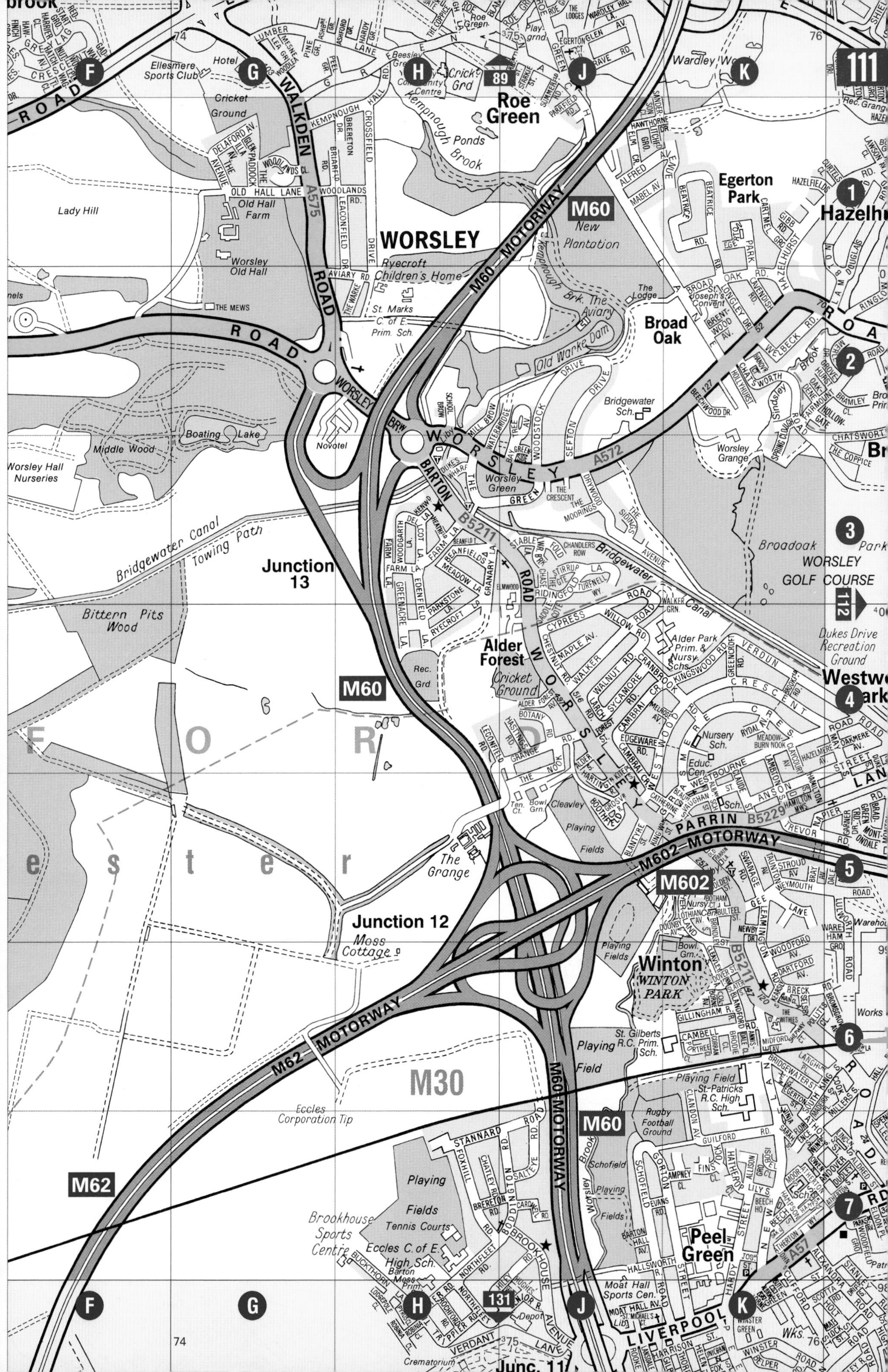

WORSLEY
Roe Green
Egerton Park
Hazelhurst
Broad Oak
Alder Forest
Junction 13
Junction 12
Winton
Peel Green
Westwood Park
WORSLEY GOLF COURSE
M60 MOTORWAY
M602 MOTORWAY
M62 MOTORWAY
M30
WALKDEN ROAD
WORSLEY ROAD
LIVERPOOL ROAD
Bridgewater Canal
Lady Hill
Worsley Old Hall
Old Hall Farm
Middle Wood
Boating Lake
Bittern Pits Wood
Worsley Hall Nurseries
Novotel
The Grange
Moss Cottage
Eccles Corporation Tip
Brookhouse Sports Centre
Eccles C. of E. High Sch.
St. Patricks R.C. High Sch.
Winton Park
Cleavley Playing Fields
Broadoak Park
Dukes Drive Recreation Ground
Worsley Green
Old Warke Dam
New Plantation
Kempnough Ponds
Ellesmere Sports Club
Crematorium
Junc. 11
89
112
131
74
75
76

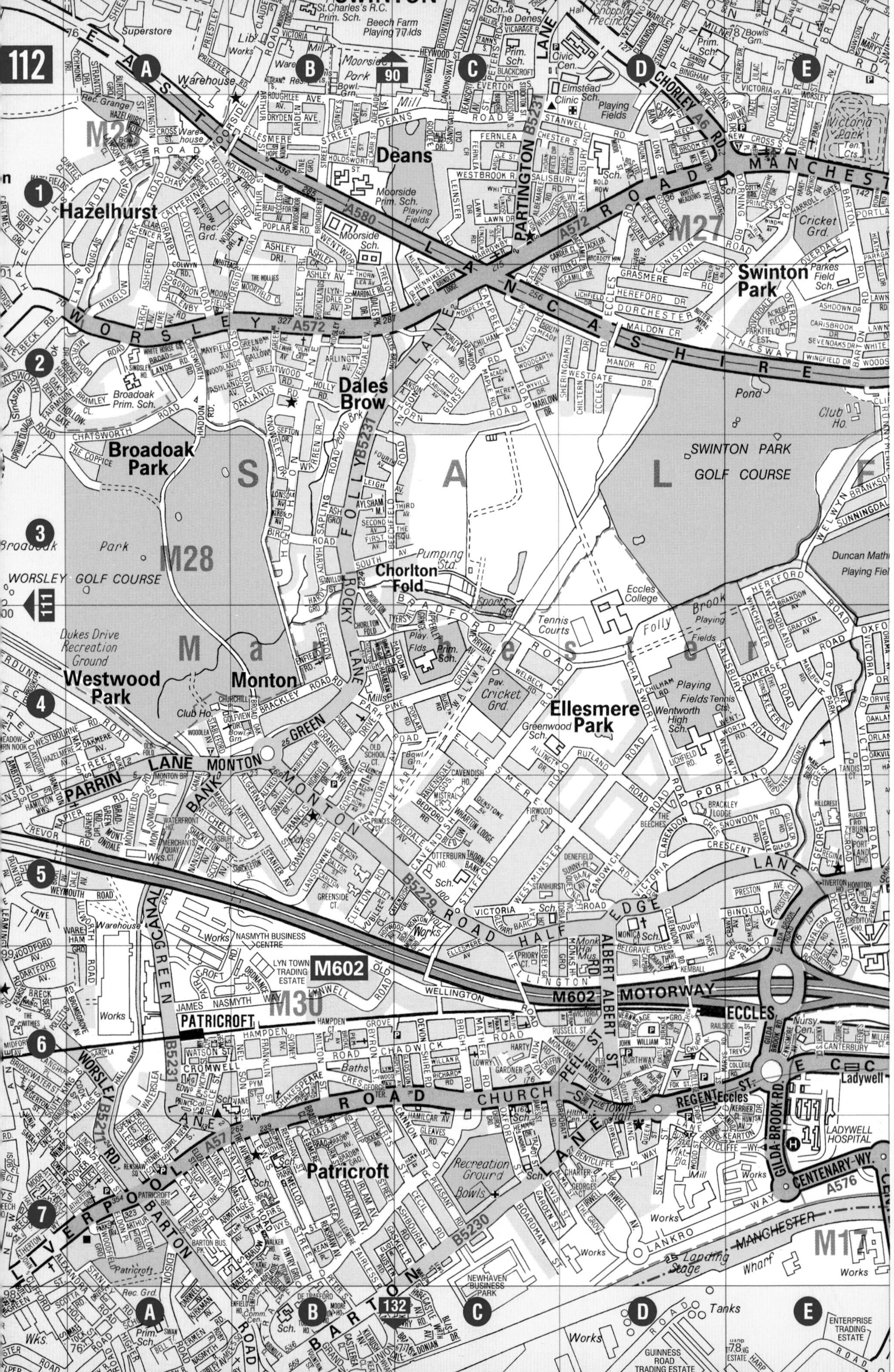
SWINTON
Deans
Hazelhurst
Dales Brow
Broadoak Park
Swinton Park
SWINTON PARK GOLF COURSE
WORSLEY GOLF COURSE
Chorlton Fold
Westwood Park
Monton
Ellesmere Park
PATRICROFT
Patricroft
ECCLES
Eccles
LADYWELL HOSPITAL
M602 MOTORWAY
90
111
132

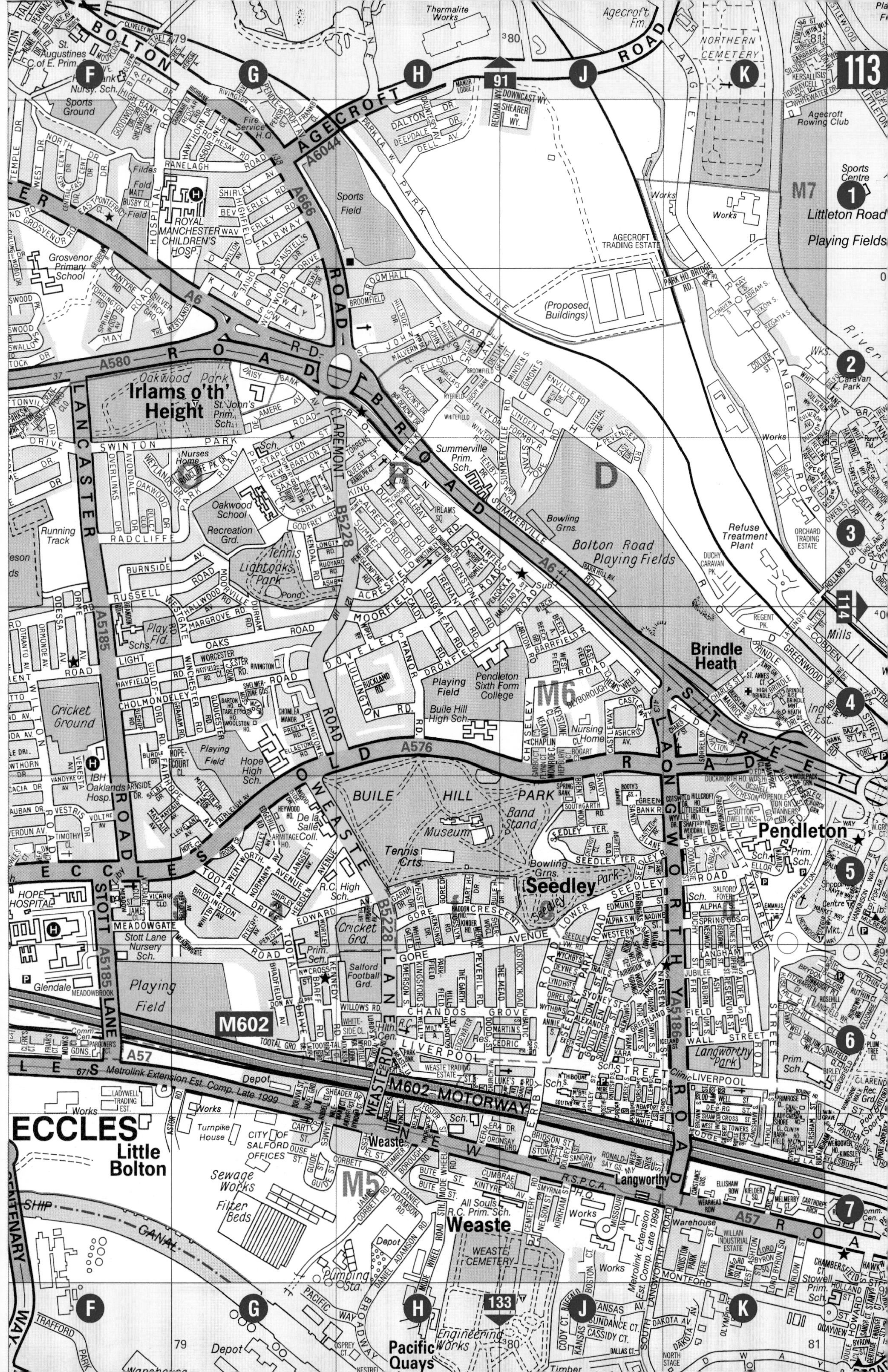
Irlams o'th' Height
Pendleton
Seedley
Brindle Heath
Weaste
ECCLES
Little Bolton
Langworthy
Pacific Quays
BOLTON ROAD
AGECROFT ROAD
Buile Hill Park
Bolton Road Playing Fields
Littleton Road Playing Fields
Royal Manchester Children's Hosp.
Hope Hospital
M602 MOTORWAY
91
114
133

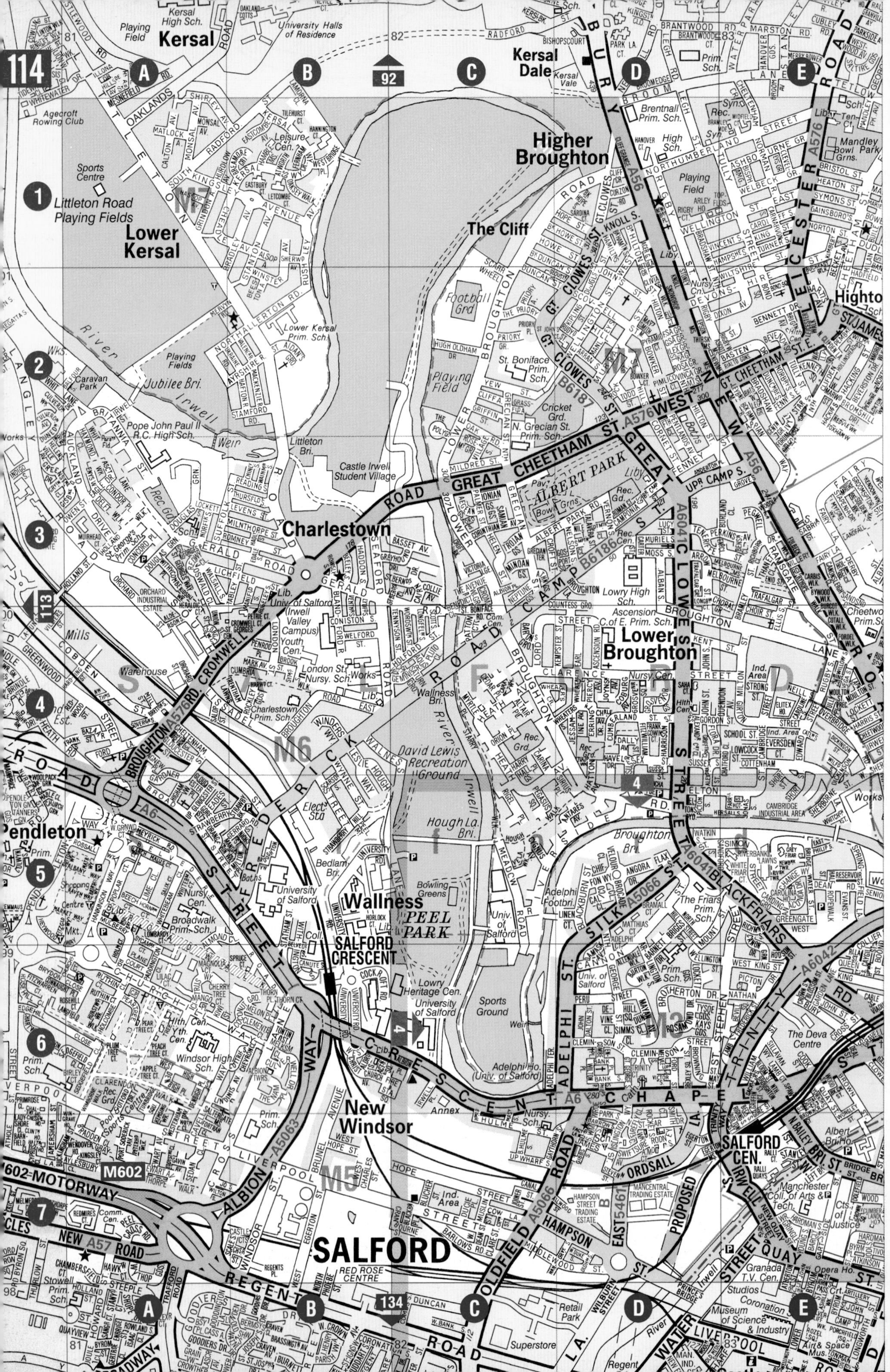
Kersal
Kersal High Sch.
Playing Field
University Halls of Residence
Kersal Dale
Kersal Vale
Agecroft Rowing Club
Sports Centre
Littleton Road Playing Fields
Lower Kersal
Higher Broughton
The Cliff
Brentnall Prim. Sch.
High Sch.
Playing Field
Football Grd
Leisure Cen.
Lower Kersal Prim. Sch.
Playing Fields
Jubilee Bri.
River Irwell
Caravan Park
Pope John Paul II R.C. High Sch.
Weir
Littleton Bri.
Castle Irwell Student Village
St. Boniface Prim. Sch.
Cricket Grd.
N. Grecian St. Prim. Sch.
GREAT CHEETHAM ST.
ALBERT PARK
Charlestown
Orchard Industrial Estate
Lowry High Sch.
Ascension C. of E. Prim. Sch.
Lower Broughton
Mills
Warehouse
Charlestown Prim. Sch.
London St. Nursy. Sch.
Wallness Bri.
David Lewis Recreation Ground
Ind. Area
Cambridge Industrial Area
Pendleton
Shopping Centre
Broadwalk Prim. Sch.
Elect. Sta
Bedlam Bri.
Hough La. Bri.
University of Salford
Wallness
Bowling Greens
PEEL PARK
SALFORD CRESCENT
Broughton Bri.
The Friars Prim. Sch.
Adelphi Footbri.
Lowry Heritage Cen. University of Salford
Sports Ground
Windsor High Sch.
Adelphi Ho. (Univ. of Salford)
Prim. Sch.
New Windsor
Annex
The Deva Centre
SALFORD CEN.
Albert Bri.
M602 MOTORWAY
Ind. Area
Hampson Street Trading Estate
Mancentral Trading Estate
Manchester Coll. of Arts & Tech.
Cts. of Justice
SALFORD
Red Rose Centre
Retail Park
Superstore
Granada T.V. Cen.
Studios
Museum of Science & Industry
Air & Space Mus.
Opera Ho.
River Irwell
Regent
92
113
134
M7
M6
M5
M3
A6
A56
A576
A5066
A6041
A6042
A5063
A57
B6186
B6187

MANCHESTER
Cheetham Hill
Cheetham
Strangeways
Smedley
Collyhurst
Great Horrocks
Newtown
Ancoats
QUEEN'S PARK
Manchester General Cemetery
Museum & Art Gall.
Smedley Fields Recreation Grd.
Woodlands Road
Abraham Moss High School & City College Manchester
Harpur Mount Prim. Sch.
Metro Link Depot
H. M. Prison
VICTORIA
Nynex Arena
PICCADILLY
Piccadilly Gs.
Arndale Shopping Centre
High St.
Mosley St.
St. Peter's Sq.
Central Retail Park
Vulcan Works
Piccadilly Trading Est.
Victoria Ind. Est.
Concastrian Ind. Est.
Sherborne St. Trading Estate
St. Malachy's R.C. Prim. Sch.
St. Patrick's R.C. Prim. Sch.
Abbott Prim. Sch.
St. Chad's Prim. Sch.
St. Augustine's C. of E. Prim. Sch.
Corpus Christi Sch.
St. Marks C. of E. Prim. School
St. Judes C. of E. Prim. Sch.
Aged Persons Day Cen.
QUEENS ROAD
A664
A6010
A665
A62
A662
ROCHDALE ROAD
OLDHAM ROAD
GREAT ANCOATS STREET
POLLARD ST.
ASHTON NEW RD.
CHEETHAM HILL ROAD
QUEENS ROAD
TRINITY WAY
CORPORATION ST.
PICCADILLY
M1
M3
M4
M8
M9
M40
F
G
H
J
K
1
2
3
4
5
6
7
93
116
135

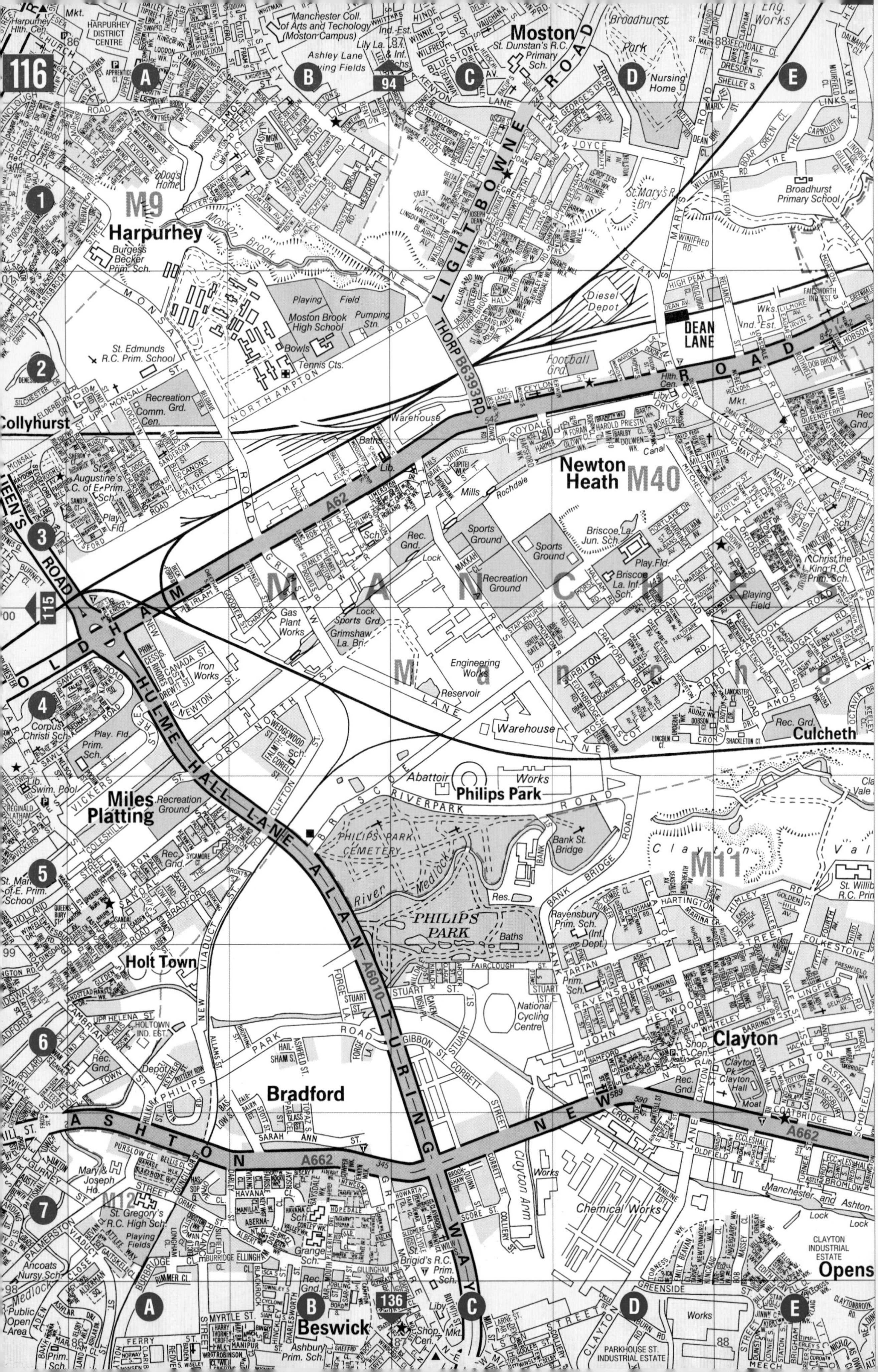
Harpurhey
M9
Moston
Collyhurst
Newton Heath
M40
Dean Lane
Miles Platting
Holt Town
Bradford
Philips Park
Clayton
M11
M12
Beswick
Culcheth
Opens
MANCHESTER
Broadhurst Park
Broadhurst Primary School
Moston Brook High School
Manchester Coll. of Arts and Techology (Moston Campus)
Ashley Lane Playing Fields
Burgess Becker Prim. Sch.
St. Edmunds R.C. Prim. School
Recreation Grd.
Comm. Cen.
St. Augustine's C. of E. Prim. Sch.
Gas Plant Works
Grimshaw La. Bri.
Engineering Works
Reservoir
Warehouse
Briscoe La. Jun. Sch.
Briscoe La. Inf. Sch.
Sports Ground
Recreation Ground
Football Grd.
Diesel Depot
Philips Park Cemetery
River Medlock
Abattoir
Works
Ravensbury Prim. Sch.
National Cycling Centre
Chemical Works
Clayton Industrial Estate
Parkhouse St. Industrial Estate
St. Gregory's R.C. High Sch.
Mary & Joseph Ho.
Ancoats Nursy. Sch.
Grange Sch.
Ashbury Prim. Sch.
Holtown Ind. Est.
Iron Works
Corpus Christi Sch.
St. Mary's C. of E. Prim. School
Christ the King R.C. Prim. Sch.
Clayton Vale
LIGHTBOWNE ROAD
THORP RD. B6393
OLDHAM ROAD
A62
HULME HALL LANE
ALAN TURING WAY
A6010
ASHTON NEW ROAD
A662
ASHTON OLD ROAD
Manchester and Ashton Canal
Rochdale Canal
94
115
136

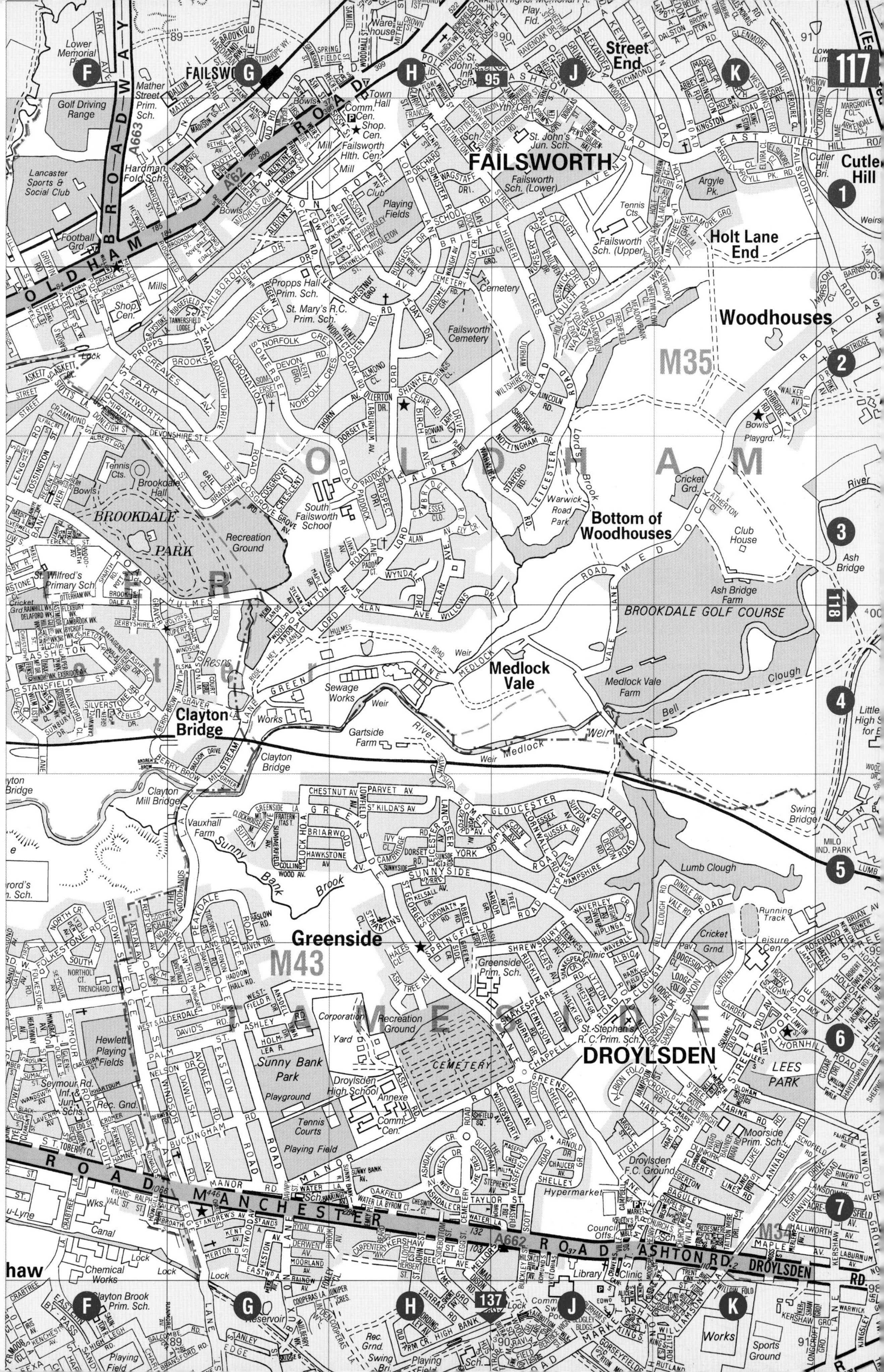

117
FAILSWORTH
Street End
Holt Lane End
Cutler Hill
Woodhouses
M35
OLDHAM
Bottom of Woodhouses
BROOKDALE PARK
Recreation Ground
South Failsworth School
Failsworth Cemetery
Medlock Vale
BROOKDALE GOLF COURSE
Ash Bridge Farm
Medlock Vale Farm
Sewage Works
Gartside Farm
Clayton Bridge
Clayton Mill Bridge
Vauxhall Farm
Greenside
M43
TAMESIDE
DROYLSDEN
Lumb Clough
Sunny Bank Park
Droylsden High School
Corporation Yard
Recreation Ground
CEMETERY
Hewlett Playing Fields
LEES PARK
Moorside Prim. Sch.
Droylsden F.C. Ground
Hypermarket
Library
Clinic
MANCHESTER ROAD
ASHTON RD.
OLDHAM ROAD
BROADWAY
A62
A663
A662
Canal
Chemical Works
Reservoir
Works
Sports Ground
Clayton Brook Prim. Sch.
Lancaster Sports & Social Club
Golf Driving Range
Lower Memorial Pk.
Mather Street Prim. Sch.
Hardman Fold Sch.
Propps Hall Prim. Sch.
St. Mary's R.C. Prim. Sch.
St. Wilfred's Primary Sch.
Failsworth Sch. (Lower)
Failsworth Sch. (Upper)
Playing Fields
Cricket Grd.
Warwick Road Park
Greenside Prim. Sch.
St. Stephen's R.C. Prim. Sch.
Leisure Cen.
Running Track
Swing Bridge
MILO IND. PARK
River Medlock
Sunny Bank Brook
Weir
F G H J K
1 2 3 4 5 6 7
95
118
137

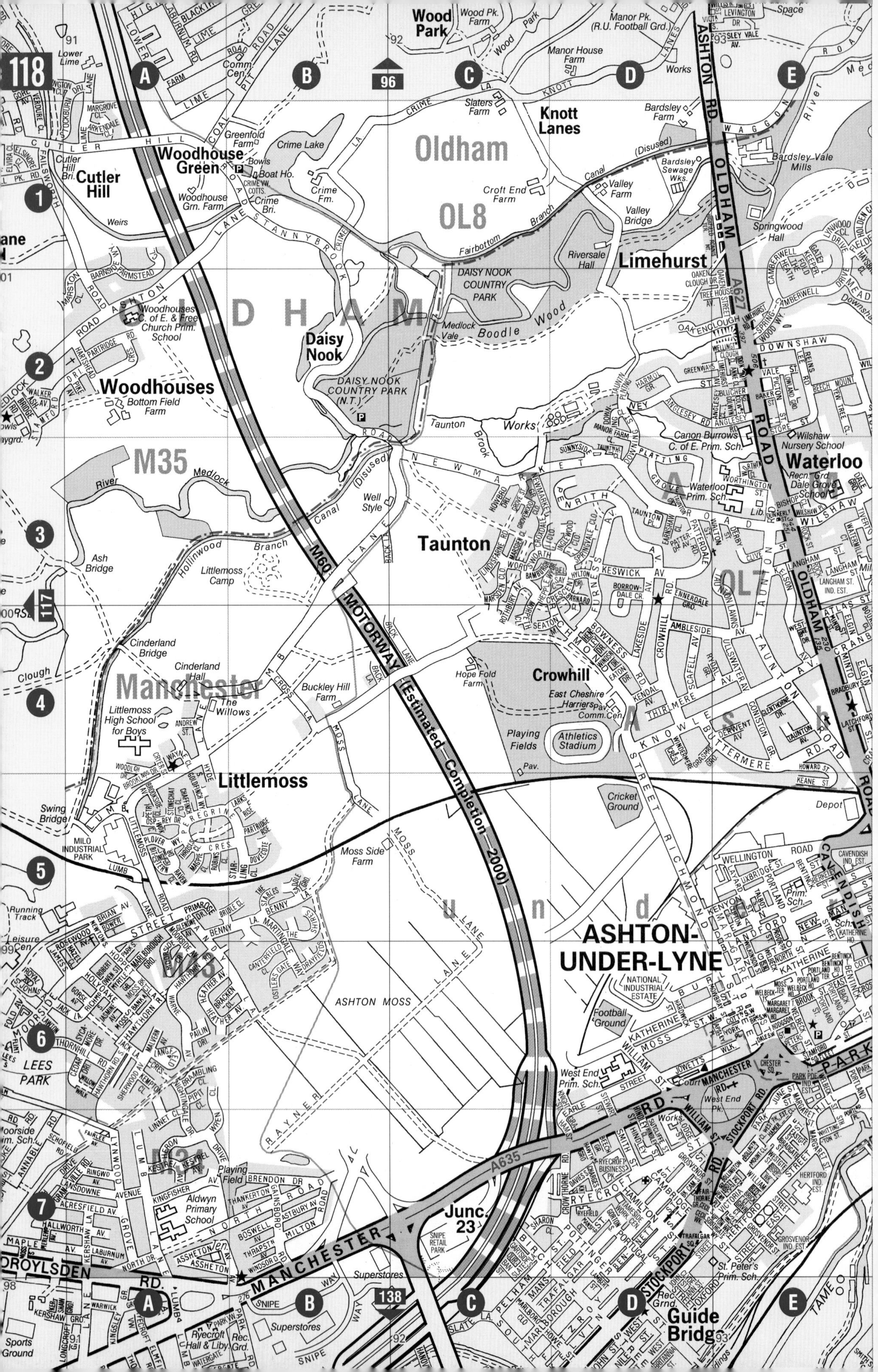
118
96
117
138
A
B
C
D
E
1
2
3
4
5
6
7
Wood Park
Wood Pk. Farm
Manor Pk. (R.U. Football Grd.)
Manor House Farm
Works
Space
Lower Lime
Comm. Cen.
Slaters Farm
Knott Lanes
Bardsley Farm
Greenfold Farm
Crime Lake
Oldham
Woodhouse Green
Bowls
Boat Ho.
Cutler Hill
Cutler Hill Bri.
Crime Fm.
Crime Bri.
Woodhouse Grn. Farm
Weirs
Croft End Farm
Valley Farm
Valley Bridge
Bardsley Sewage Wks.
Bardsley Vale Mills
OL8
Fairbottom Branch
Canal
(Disused)
Springwood Hall
Riversale Hall
Limehurst
DAISY NOOK COUNTRY PARK
OLDHAM
Woodhouses C. of E. & Free Church Prim. School
Daisy Nook
Medlock Vale
Boodle Wood
DAISY NOOK COUNTRY PARK (N.T.)
Woodhouses
Bottom Field Farm
Taunton
Works
Canon Burrows C. of E. Prim. Sch.
Wilshaw Nursery School
Waterloo
Recn. Grd. Dale Grove School
M35
River Medlock
Waterloo Prim. Sch.
Lib.
Well Style
Taunton
Ash Bridge
Hollinwood Branch
Littlemoss Camp
M60 MOTORWAY (Estimated Completion 2000)
OL7
Cinderland Bridge
Cinderland Hall
Clough
Manchester
Buckley Hill Farm
Hope Fold Farm
Crowhill
East Cheshire Harriers Pav. Comm.Cen.
The Willows
Littlemoss High School for Boys
Playing Fields
Athletics Stadium
Pav.
Littlemoss
Cricket Ground
Depot
Swing Bridge
MILO INDUSTRIAL PARK
Moss Side Farm
Running Track
Leisure Cen.
ASHTON-UNDER-LYNE
NATIONAL INDUSTRIAL ESTATE
ASHTON MOSS
Football Ground
M43
LEES PARK
West End Prim. Sch.
Court
West End Pk.
CAVENDISH IND. EST.
Prim. Sch.
A635
A627
Playing Field
Aldwyn Primary School
M34
Junc. 23
SNIPE RETAIL PARK
Superstores
St. Peter's Prim. Sch.
Rec. Grnd.
Guide Bridge
DROYLSDEN
Sports Ground
Ryecroft Hall & Liby.
Rec. Grd.
TAME
MANCHESTER RD.
OLDHAM ROAD
ASHTON RD.
STOCKPORT RD.
HERTFORD IND. EST.
GROSVENOR IND. EST.
RYECROFT BUSINESS PK.
LANGHAM ST. IND. EST.

97
120
139
Fenny Field Bridge
Lower Fold
Lily Lanes Farm No.1
Lily Lanes Farm No.2
Crossleys Farm
Holden Clough
Holden Clough Prim. Sch.
St. Damian's R.C. High Sch.
Greenhurst Clough
Knott Hill Farm
Knott Hill House
Knott Hill Reservoir
Limehurst Farm
Broadoak Clough
Play. Fld.
Hurst Methodist Junior School
Hartshead High Sch.
Club House
ASHTON-UNDER-LYNE GOLF COURSE
Hurst Nook
Gorsey Farm
Sports Ground
Sports Ground
Broadoak Sports Centre
Temperley Clough
Football Ground
Higher Hurst
Hazelhurst
Rogers House
Football Ground
War Mem.
Cemetery
Smallshaw
Comm. Cen.
Smallshaw Brook
OL6
Hurst
Cedar Park
Hurst Knoll
Liby.
Inf. Sch.
Playing Field
Mill
Stamford High Sch.
Arlies Prim. & Nursery Sch.
Staley House
Samuel Laycock School
Canon Johnson Prim. Sch.
King George V Playing Fields
Comm. Cen.
Hurst Brook
CHARLESTOWN IND. EST.
Clinic
TAMESIDE GENERAL HOSPITAL
Lake
Sports Grnd.
Prim. Sch.
The Heys Prim. Sch.
ALBION TRADING EST.
Ashton-under-Lyne Sixth Form College
Playing Field
Play. Fld.
Boating Lake
Playing Field
Liby.
Ridge Hill Prim. & Nursy. Schs.
ASHTON-UNDER-LYNE
Council Offs.
T.H.
Mkt.
Bus Sta.
Gdns.
Swim. Pool
ARCADES SHOP. CEN.
Lib.
Mem. Gdns.
Clinic
Tameside College of Technology
Cockbrook
Ridge Hill
STAMFORD PARK
West Hill High Sch.
Playing Field
Crown Bldg.
Cemetery
Superstore
PLANTATION INDUSTRIAL ESTATE
WELLINGTON CENTRE
Depot
WHITELANDS INDUSTRIAL ESTATE
RASSBOTTOM IND. EST.
Stalybridge
STALYBRIDGE
Weir
Works
SK15
Works
Mill
Mills
Mills
Mills
RIVER TAME
Canal
Prim. Sch.
DUKINFIELD
Wer Mem.
CEMETERY
Crem.
Tame Valley
Hydes
Trinity Sch. (Upper)
Gorse Hall Prim. Sch.
Mills
Reservoir
Recreation Ground
RAVENSFIELD INDUSTRIAL ESTATE
Dukinfield SK16
Town Hall
Comm. Cen.
DUKINFIELD PARK
A6043
A635
A627
A670
B6194
B6431
B6445
B6169
B6170
B6175
WELLINGTON RD.
PENNY MDW.
WHITEACRE RD.
QUEENS RD.
LEES RD.
PARK PARADE
STAMFORD ST.
STAMFORD SQ.
CAVENDISH ST.
KING ST.
ASTLEY ST.
CRESCENT RD.
PARK RD.
CLARENCE ST.
HIGH ST.
SANDY LA.
FOUNDRY ST.
MOTTRAM RD.
ASHTON RD.
GORSEY LANE
KING'S RD.
CURZON RD.
BROADOAK RD.
SMALLSHAW LA.
HURST CROSS

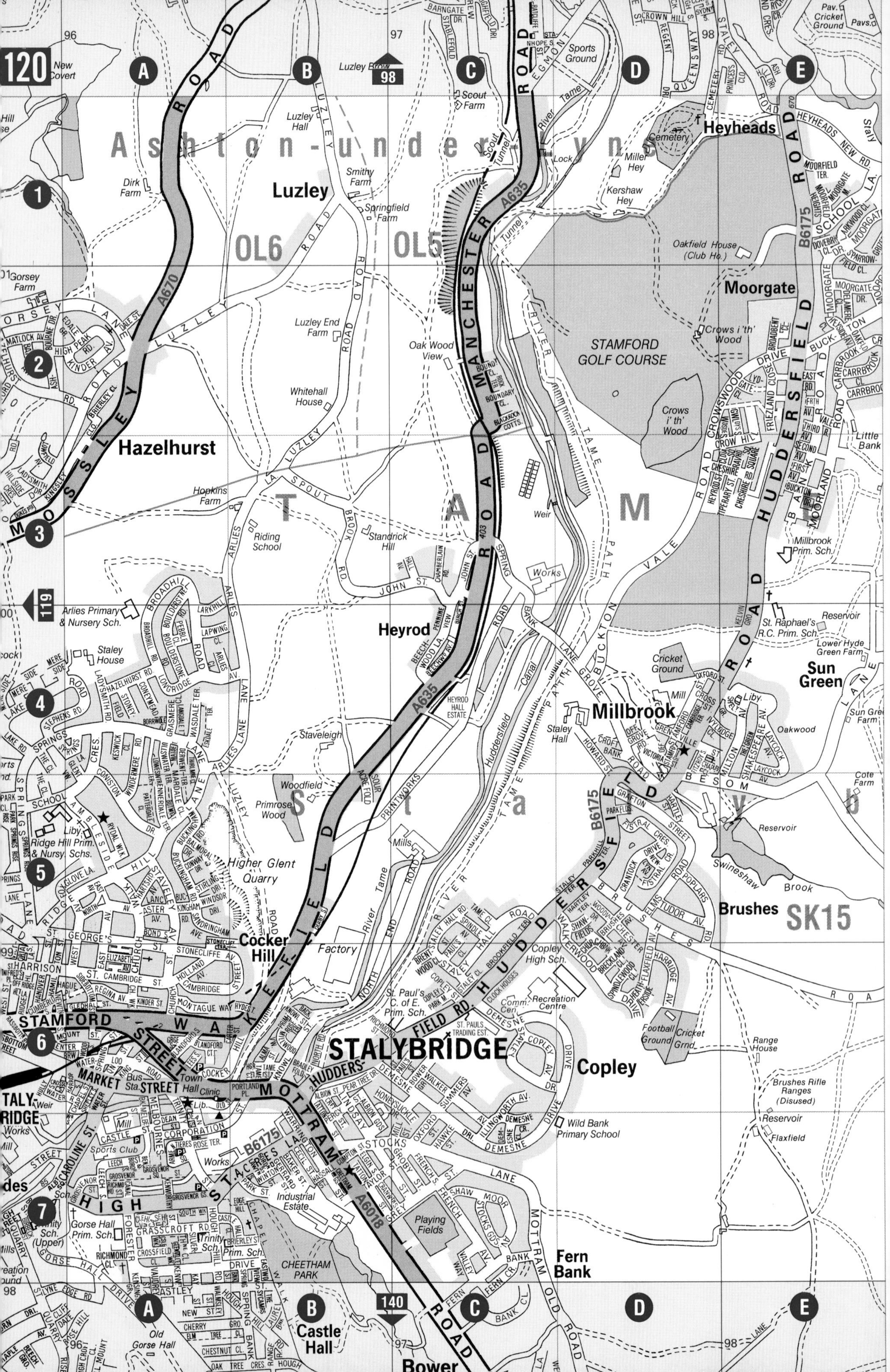

Ashton-under-Lyne
Luzley
Hazelhurst
Heyheads
Moorgate
STAMFORD GOLF COURSE
Heyrod
Millbrook
Sun Green
Brushes
SK15
OL6
OL5
Cocker Hill
STALYBRIDGE
Copley
Fern Bank
Castle Hall
Bower
MOSSLEY ROAD
MANCHESTER ROAD
HUDDERSFIELD ROAD
WAKEFIELD ROAD
MOTTRAM ROAD
HIGH STREET
MARKET STREET
STAMFORD STREET
A670
A635
B6175
A6018
Higher Glent Quarry
CHEETHAM PARK
Playing Fields
Industrial Estate
Copley High Sch.
Wild Bank Primary School
Brushes Rifle Ranges (Disused)
Reservoir

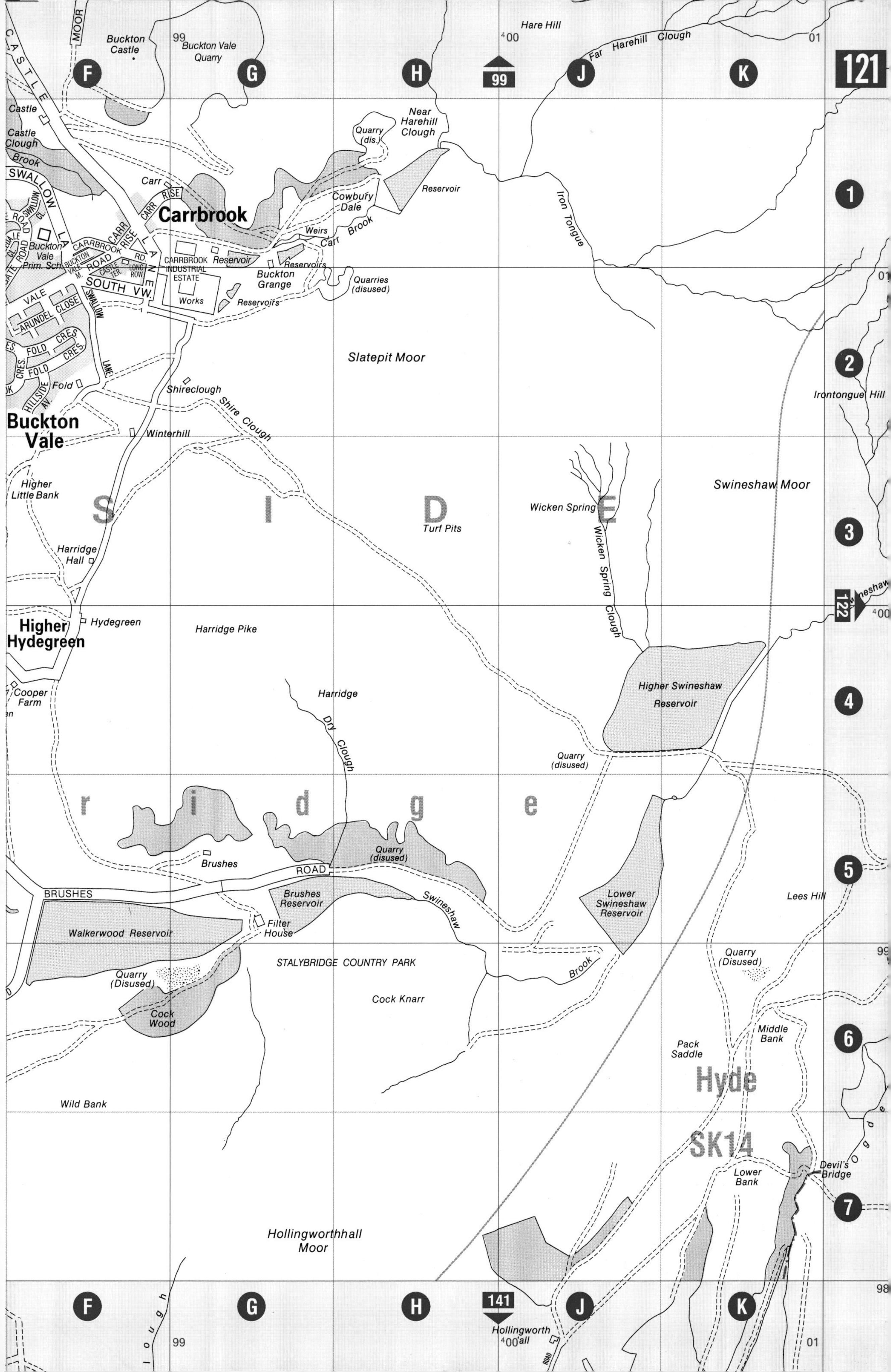

F **G** **H** 99 **J** **K**

Hare Hill

⁴00

Far Harehill Clough

01

Buckton
Castle

Buckton Vale
Quarry

99

CASTLE

MOOR

Castle

Castle
Clough
Brook

SWALLOW

Near
Harehill
Clough

Quarry
(dis.)

Cowbury
Dale

Reservoir

Iron Tongue

1

01

Carr

CARR RISE

Carrbrook

CARR
RISE

Weirs

Carr

Brook

Carr

Reservoir

CARRBROOK
INDUSTRIAL
ESTATE

Buckton
Grange

Reservoirs

Quarries
(disused)

Buckton Vale
Prim. Sch

ROAD

LANE

LONG
ROW

SOUTH VW.

Works

Reservoirs

CASTLE
TER

2

Slatepit Moor

Irontongue Hill

01

ARUNDEL CLOSE

CRES

FOLD CRES

CRES

FOLD

HILLSIDE AV

Fold

SWALLOW LANE

Shireclough

Shire Clough

Swineshaw Moor

**Buckton
Vale**

Winterhill

Wicken Spring

S **I** **D** **E**

Higher
Little Bank

Turf Pits

Wicken Spring Clough

Swineshaw

3

122

⁴00

Harridge
Hall

**Higher
Hydegreen**

Hydegreen

Harridge Pike

Higher Swineshaw
Reservoir

4

Cooper
Farm

Harridge

Dry Clough

Quarry
(disused)

r **i** **d** **g** **e**

Brushes

Quarry
(disused)

Lower
Swineshaw
Reservoir

Lees Hill

5

99

BRUSHES

ROAD

Brushes
Reservoir

Swineshaw

Quarry
(Disused)

Filter
House

Walkerwood Reservoir

Middle
Bank

Quarry
(Disused)

STALYBRIDGE COUNTRY PARK

Brook

6

Cock
Wood

Cock Knarr

Pack
Saddle

Hyde

Wild Bank

SK14

Lower
Bank

Devil's
Bridge

7

98

Hollingworthhall
Moor

F **G** **H** 141 **J** **K**

99

Hollingworth
⁴00 all

01

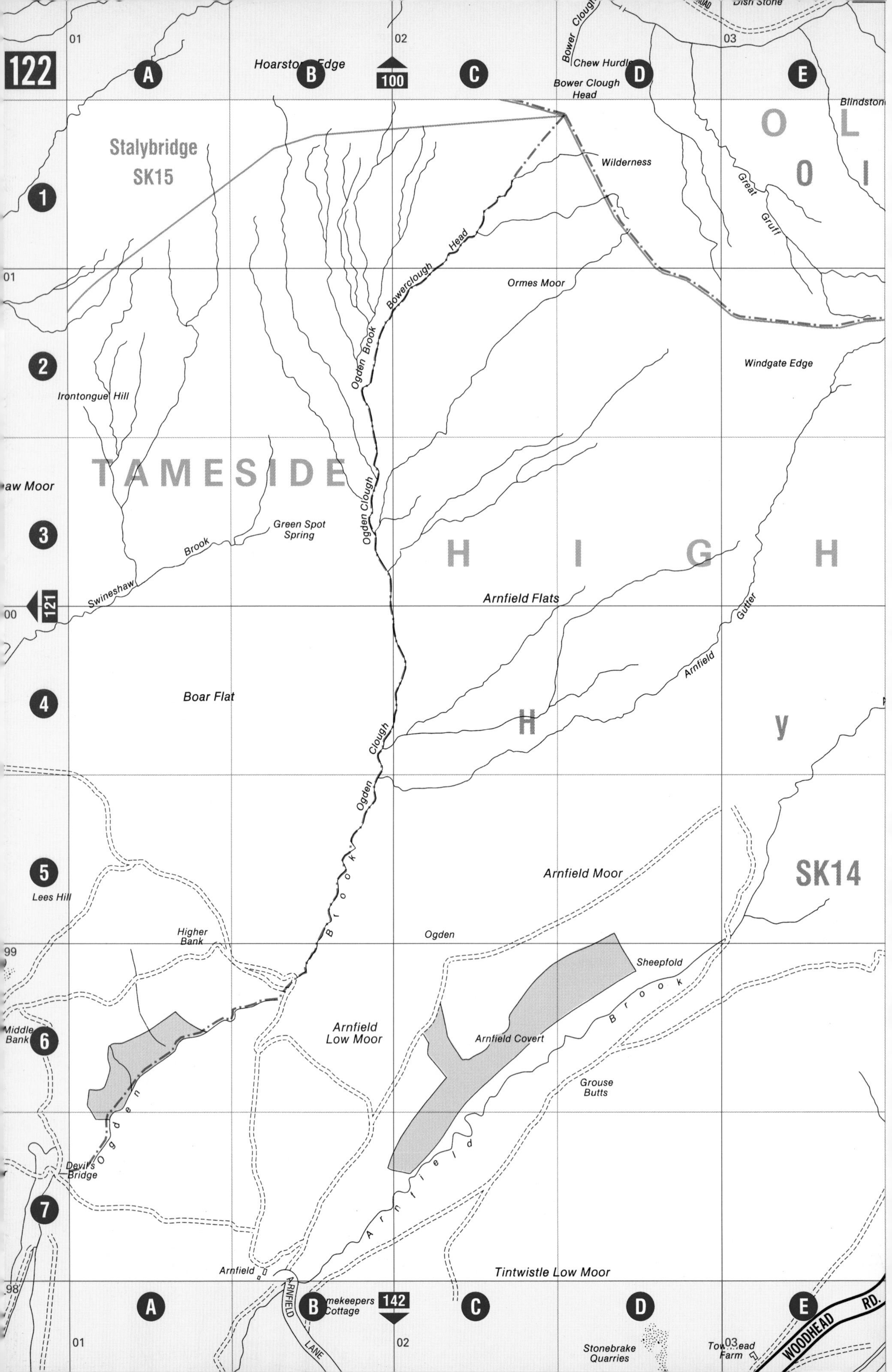

A   Hoarstone Edge   B   ⬆ **100**   C   Chew Hurdle   D   Bower Clough   E

01   **02**   **03**

Bower Clough Head

Stalybridge
SK15

Wilderness

O L
O I

1

Blindston

Great Gruff

01

Bowerclough Head

Ormes Moor

2

Irontongue Hill

Windgate Edge

Ogden Brook

~aw Moor

T A M E S I D E

3

Swineshaw Brook

Green Spot Spring

Ogden Clough

H   **I**   **G**   **H**

Arnfield Flats

◄ **121**

00

Arnfield Gutter

4

Boar Flat

Clough

H   **y**

Ogden

5

Lees Hill

Arnfield Moor

SK14

99

Higher Bank

Ogden

Sheepfold

Middle Bank

6

Brook

Arnfield Low Moor

Arnfield Covert

Brook

Grouse Butts

Arnfield

Devil's Bridge

Ogden

7

Arnfield

Tintwistle Low Moor

A   B   Gamekeepers Cottage   ⬇ **142**   C   D   E   **WOODHEAD RD.**

ARNFIELD LANE

Stonebrake Quarries

Townhead Farm

Dish Stone

98

01   **02**   **03**

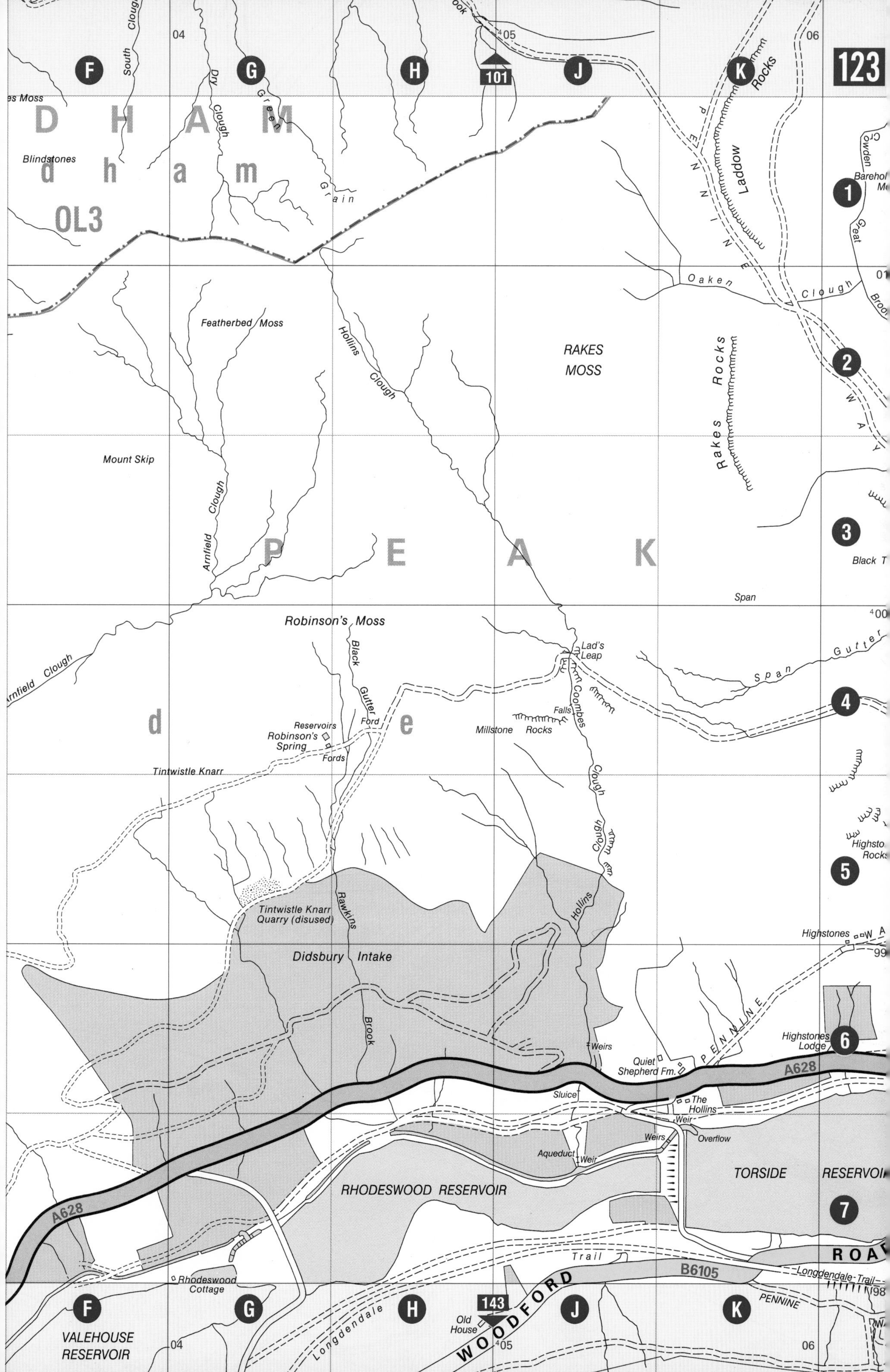

F G H 101 J K

1

2

3

4

5

6

7

F 143 H J K

OL3

DHAM
dham
Blindstones
es Moss
D h A M
d h a m

South Clough
04
Dry Clough
Green Grain
05

ook
405
EN NINE
d
Laddow Rocks
Cowden Cl
Barehol Me
01
Great Brook
W A Y
Oaken Clough
06

Featherbed Moss
Hollins Clough
RAKES MOSS
Rakes Rocks
Black T

Mount Skip
P E A K
Arnfield Clough
d
h
Span
400
Span Gutter

Robinson's Moss
Black Gutter
Reservoirs
Robinson's Spring
Fords
Ford
e
Lad's Leap
Falls
Coombes
Millstone Rocks
Clough

Arnfield Clough
Tintwistle Knarr

Highsto Rocks

Tintwistle Knarr Quarry (disused)
Rawkins
Hollins
Highstones
W A
99

Didsbury Intake
Brook
PENNINE
Highstones Lodge
A628

Weirs
Quiet Shepherd Fm.
Sluice
The Hollins
Weir
Weir
Overflow
TORSIDE RESERVOI

Aqueduct
Weir
Weirs

RHODESWOOD RESERVOIR
Trail
B6105
Longdendale Trail
R O A
198

A628
Rhodeswood Cottage
04
Longdendale
W O O D F O R D
Old House
405
PENNINE
06

VALEHOUSE RESERVOIR

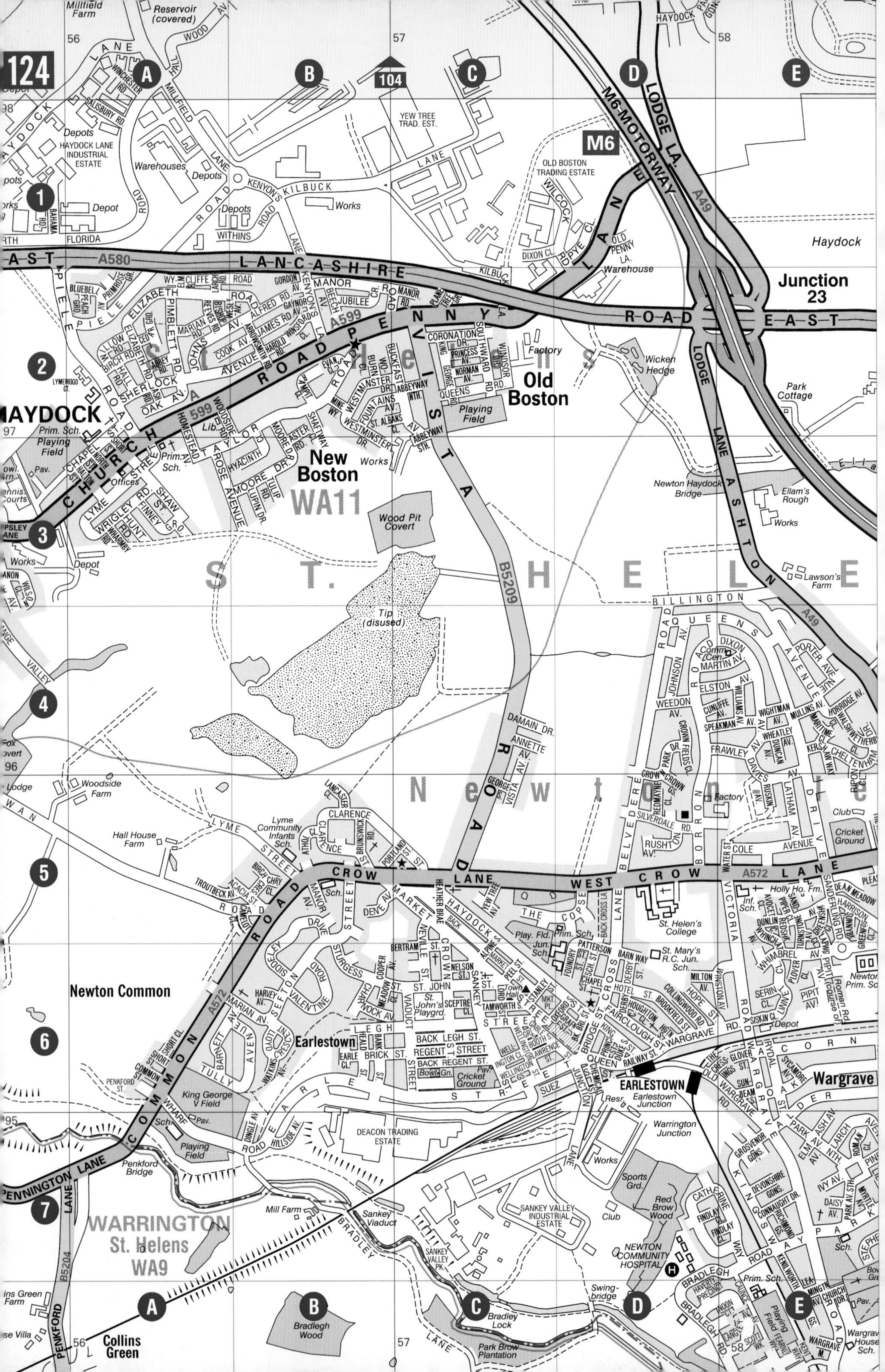
104
M6
Haydock
Junction 23
Old Boston
New Boston
WA11
HAYDOCK
Newton Common
Earlestown
EARLESTOWN
Wargrave
WARRINGTON
St. Helens
WA9
Collins Green
LANCASHIRE ROAD EAST
M6 MOTORWAY
LODGE LA.
PENNY LANE
VISTA ROAD
CROW LANE
WEST CROW LANE
COMMON ROAD
PENNINGTON LANE
PENKFORD LANE
ASHTON ROAD
HAYDOCK LANE INDUSTRIAL ESTATE
YEW TREE TRAD. EST.
OLD BOSTON TRADING ESTATE
DEACON TRADING ESTATE
SANKEY VALLEY INDUSTRIAL ESTATE
NEWTON COMMUNITY HOSPITAL
St. Helen's College
Wood Pit Covert
Tip (disused)
Wicken Hedge
Park Cottage
Newton Haydock Bridge
Ellam's Rough
Lawson's Farm
Woodside Farm
Hall House Farm
King George V Field
Penkford Bridge
Mill Farm
Sankey Viaduct
Bradley Lock
Bradlegh Wood
Park Brow Plantation
Red Brow Wood
Earlestown Junction
Warrington Junction
A580
A599
B5209
A572
A49
B5204
56
57
58
97
96
95

HAYDOCK PARK RACECOURSE
Park House Farm
HARVEY LANE
Harvey Lane Bridge
Bank Heath
White Door Covert
White Door Dam
Park
Lady Hill Plantation
Barn Lane Bridge
Golborne Prim. Sch.
GOLBORNE
Golborne St. Thomas C. of E. Prim.
Prim. Sch.
Recn. Grnd.
Millfield Farm
MILLINGFORD INDUSTRIAL ESTATE
Lawson's Farm
Town Farm
A580
LANCASHIRE ROAD
Fox Covert
Cowhey Dam
Dean Dam
Haydock Park Farm
Lowton Heath House
PARK ROAD
Dean Dam Farm
Keeper's House
Ellam's Rough
Brook
Dean Moor Wood
Hollows Wood
WIGAN
Park Plantation
Depot
Lodge
HAYDOCK PARK GOLF COURSE
COLONEL'S LANE
Colonel's Wood
Dean School Cottage
Newton Hollows
Hollows Bridge
Golborne Park (Club Ho.)
Golborne Park Wood
Lowton Heath
Warrington
WA3
Tennis Courts
Community High School
Playing Fields
Millingford
Brook
Golborne Junction
Lowton House Farm
Byron's Farm
Marsh Farm
A572
Golborne Dale Bridge
Town of Lowton
The Elms Farm
WARRINGTON
A573
GOLBORNE DALE RD.
NEWTON LANE
NEWTON ROAD
WILLOWS
Sandup Farm
Sandfield Hall
Mere House Unit
Newton Lake
HIGH STREET
CHURCH ST.
Willow Park
Lowton Junction
St. Aelred's R.C. High School
Play. Fld.
Reservoir
PARKSIDE
SOUTHWORTH
WA12
Parkside Manchester Junction
NEWTON-LE-WILLOWS
Pav.
Mesnes Park
Parkside Liverpool Junction
Highfield Farm
NEWTON-LE-WILLOWS
Stones Crossing
M6
Warehouse
WA2
Newton Park Farm
Parkside Farm
Bloody Stone
M6 MOTORWAY
WINWICK LANE
A49
Cemetery
Running Track
Redbank Community Home
Sports Ground
Club
Wood Head
BARROW LANE
ROAD
F
G
H
J
K
1
2
3
4
5
6
7
59
360
61
98
97
96
395
105
126

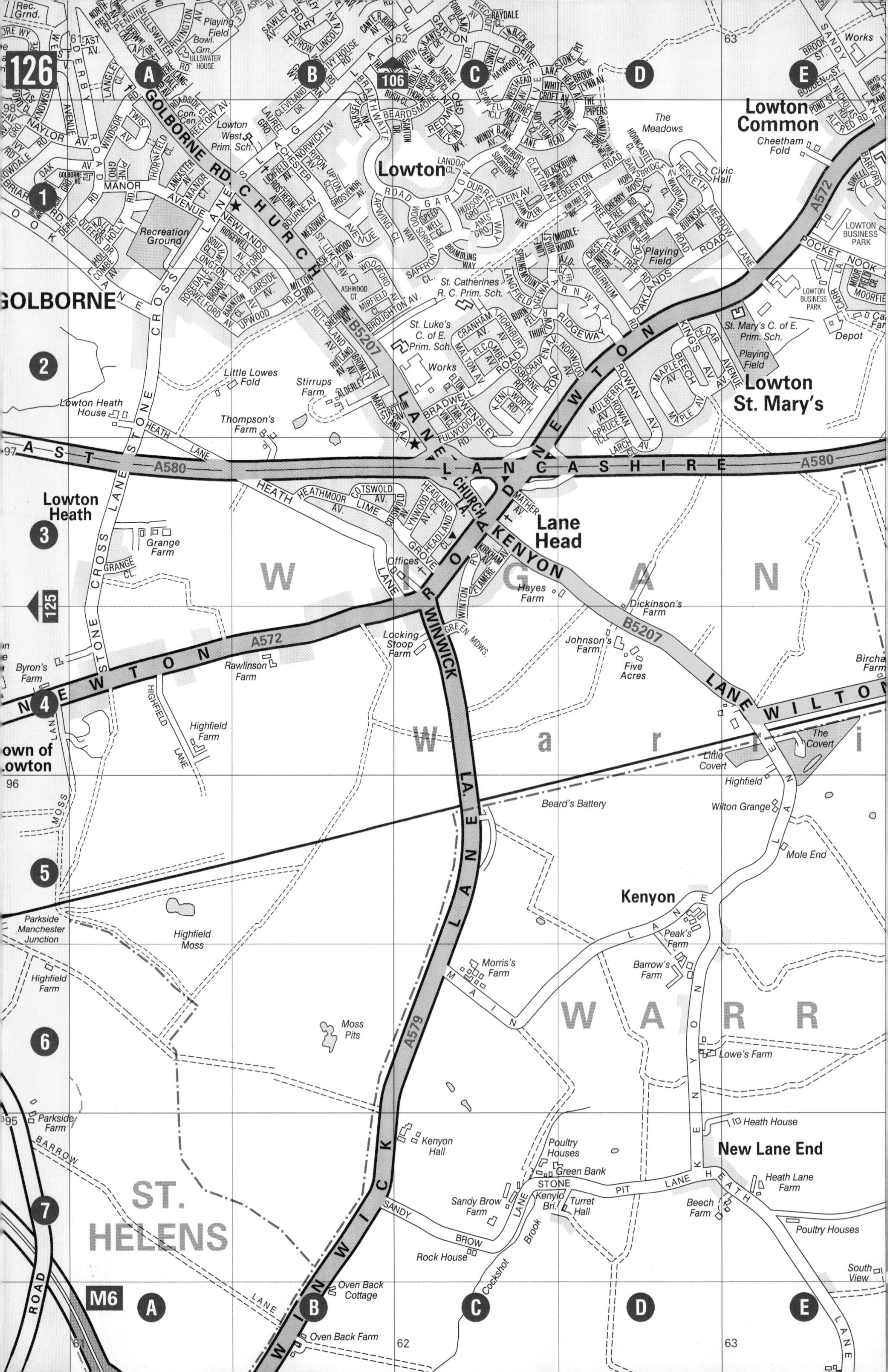
Lowton
Lowton Common
GOLBORNE
Lowton St. Mary's
Lowton Heath
Lane Head
Kenyon
New Lane End
ST. HELENS
W I G A N
W a r r i
W A R R
A580
A572
A579
B5207
M6
106
125

Leigh
WN7
Lowton St. Mary's By-Pass
A579
A580
East Lancashire Road
St. Helens Road
Wash End
Lowton Community High Sch.
Lowton Jun. & Inf. Sch.
Gilded Hollins Prim. Sch.
Moss Industrial Estate
Land Side
Landside Farm
Collier's Farm
Dean's Farm
Yew Tree Farm
Collier's Tenement
Old Carr House
Wood's Farm
Within's
Yates' Farm
Pocket Nook
Pocket Nook Farm
Fair House
Carr Brook
New Carr House
Depot
Culcheth Carrs
Diggle Green Farm
Layland's Farm
Hall Farm
Broseley Bridge
Broseley Hall
Broseley Lane
Pumping Sta.
Jibcroft Brook
Carr Bridge
Leatherbarrow Farm
Wellfield Wood
Tanners Farm
Twiss Green
Twiss Green Prim. Sch.
Pagoda Wood
Lodge
Club House
Leigh Golf Course
WA3
Warrington
Culcheth
Common Lane
B5207
Culcheth Hall Farm
Culcheth High Sch.
Playing Fields
Liby.
A574
Kinknall Hall Farm
Beech House
Culcheth Linear Park
Newchurch Prim. Sch.
Newchurch Rectory
Taylor Industrial Estate
Wigshaw
Wigshaw Farm
Wigshaw Ho.
Claremont
Glaziers Lane Farm
Phillips Farm
Blakeley
Kenyon Farm
Hill Top
Poultry Houses
Beech Farm
Highcroft Farm
Little Town
Mustard Lane
Lady La.
The Bungalow
Yew Tree Farm
New Hall Lane
Warrington Road
107
128

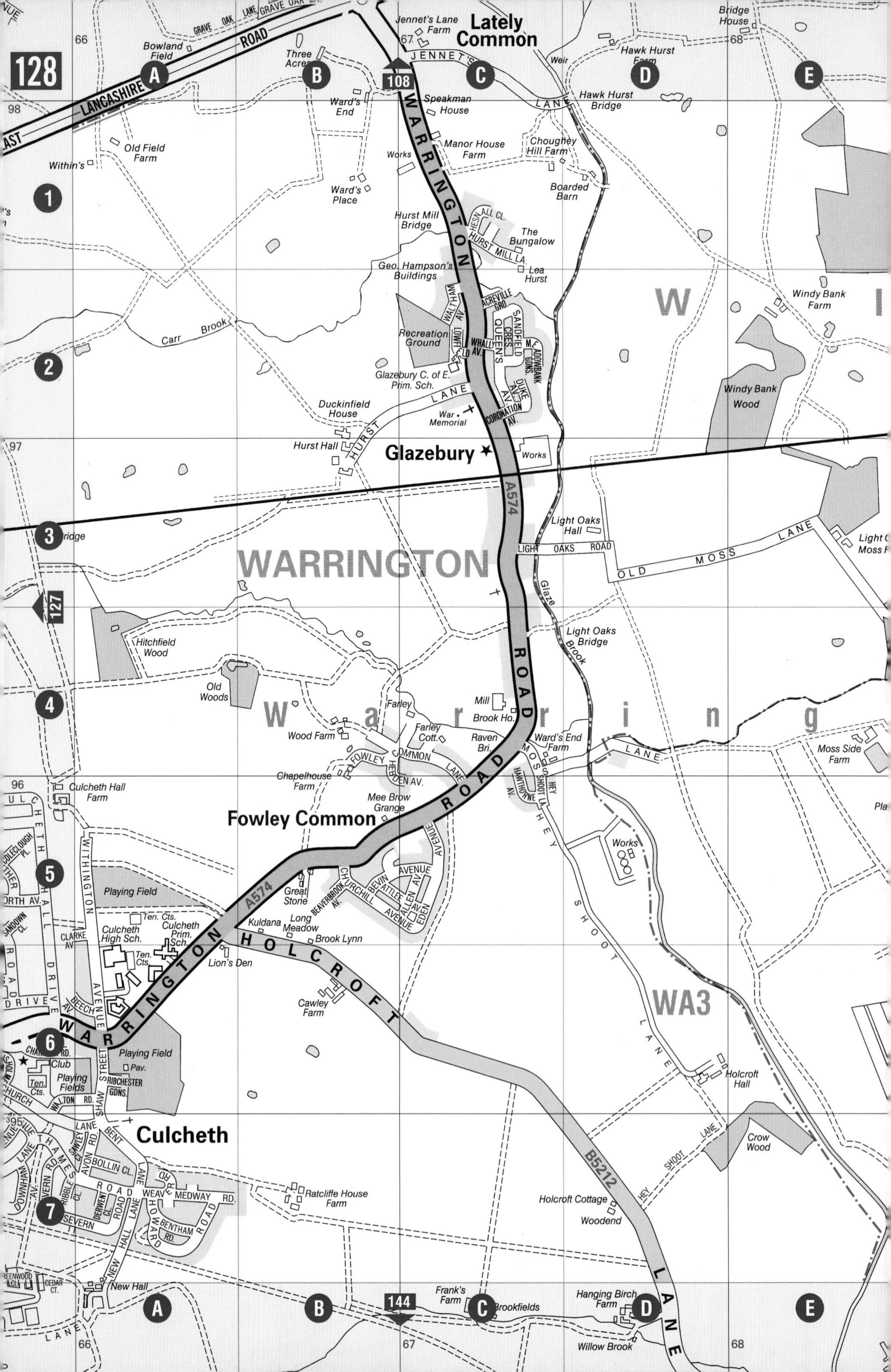

Lately Common
Jennet's Lane Farm
Bridge House
Bowland Field
Three Acres
Grave Oak Lane
East Lancashire Road
Jennet's Lane
Hawk Hurst Farm
Weir
Hawk Hurst Bridge
Ward's End
Speakman House
Old Field Farm
Within's
Manor House Farm
Works
Choughey Hill Farm
Boarded Barn
Ward's Place
Hurst Mill Bridge
Hurst Mill La.
The Bungalow
Lea Hurst
Geo. Hampson's Buildings
Warrington Road
Waltham Av.
Acreville Gro.
Sandfield Cres.
Queen's
Windy Bank Farm
Recreation Ground
Lowfield
Whalley Av.
Meadowbank Gdns.
Carr Brook
Glazebury C. of E. Prim. Sch.
Duke Av.
Windy Bank Wood
Duckinfield House
Hurst Lane
War Memorial
Coronation Av.
Hurst Hall
Glazebury
Works
A574
Bridge
Light Oaks Hall
Light Oaks Road
Old Moss Lane
Light Oaks Moss
WARRINGTON
Glaze Brook
Hitchfield Wood
Light Oaks Bridge
Old Woods
Mill
Brook Ho.
Farley
Farley Cott.
Wood Farm
Raven Bri.
Ward's End Farm
Warrington
Moss Side Farm
Fowley Common Lane
Chapelhouse Farm
Hebden Av.
Moss Hey
Hawthorne Av.
Shoot La.
Culcheth Hall Farm
Mee Brow Grange
Fowley Common
Avenue
Works
Hey Shoot Lane
Withington Avenue
Playing Field
Great Stone
Churchill Avenue
Bevin
Attlee
Allen Av.
Eden
Beaverbrook Av.
Ten. Cts.
Culcheth High Sch.
Culcheth Prim. Sch.
Kuldana
Long Meadow
Brook Lynn
Clarke Av.
Holcroft
Lion's Den
WA3
Cawley Farm
Culcheth Hall Drive
Beech Av.
Playing Field
Pav.
Club
Playing Fields
Ribchester Gdns.
Shaw Street
Walton Rd.
Holcroft Hall
Culcheth
Bent Lane
Crow Wood
Hey Shoot Lane
B5212
Bollin Cl.
Avon Rd.
Medway Rd.
Ratcliffe House Farm
Holcroft Cottage
Woodend
Severn
Derwent Cl.
Howard
Bentham Road
New Hall Lane
Cedar Ct.
New Hall
Frank's Farm
Brookfields
Hanging Birch Farm
Willow Brook
Lane
127
108
144
66
67
68
95
96
97
98

MOSS

Turf Nest
F·69
Kay House

F   **G**   **H**   109   **J**   ROAD   **K**   71   98

Birchwood
Farm

Canteen
Farm

370

Moss Bank

Shooter's
Grove

1

Woodlands
Cottage

RINDLE

Rindle
Farm

G **A** **N**

Bedford Moss

Railway
Cottages

Station
Cottages

2

Red House

Whitegates

M29

Moss Side
Farm

Elm
Holme

97

Ash
Cott.

Sunny
Bowers

Hill
Crest

Home - Stead Westleigh Silver
Birch

Fern
Cott.

3

Oaks
Farm

Four Winds
Farm

Showclough
Farm

CHAT MOSS   **M a n c h e s t e r**

130

Knowle's
Wood

Olive Mount
Farm

ASTLEY

4

White Gate
Farm

t **o** **n**

Railway View
Farm

96

Wood
For

Red House
Farm

ROAD

New Farm

Mosslands
Farm

House
arm

Moss Lodge
Farm

S **A** **L** **F** **O** **R** **D**

Holmleigh
Farm

5

Birch
Fa

Four Lane
Ends Farm

C **H** **A** **T**

M

O **S** **S**

Little Woolden
Moss

Ebenezer Farm

Larkhill
Farm

M44

Westholme

6

Drain

IRLAM   MOSS   395

Woodstock
Farm

Boundary

MOSS

Ringing Pits
Farm

Plant Cottage
Farm

ROAD

7

Birch Covert

Drain

F   **G**   **H**   145   **J**   **K**   71

Mosshall
Farm

MOTORWAY

69   370   **M62**   Worsley V

Brackley-

WORSLEY MOSS
110
M29
M28
Woodside Farm
BARTON
Moss Side Farm
Brighton Grange
Manor Farm
Nursery Farm
M62
S A L F
Elm Holme
Ash Cott.
Hill Crest
Fern Cott.
Black Wood
Bartonmoss Farm
ROAD
M30
129
YARDS
TWELVE
LANE
RASPBERRY
CUTNOOK
M a n c h e
Barton Grange
Moss Farm
RASPBERRY
Woodbarn Farm
M62 MOTORWAY
Oxcheek Cottage
Oakfield
Birch View Farm
M44
Sports Grd.
C H A T
M O S S
Larkhill Farm
M62
Cricket Ground
Moorfield Prim. Sch.
St. Joseph's Prim. Sch.
Nursy. Sch.
Fiddlers La. Prim. Sch.
Brooklands
Hephzibah
B5320
IRLAM MOSS
Woodstock Farm
Jenny Green
IRLAM
Springfield Farm
LIVERPOOL
CADISHEAD
Towns Gate
146
Worsley View
Ash Farm
Irlam Sch.
A57
ROAD
WAY
BOAT LANE
FERRY RD.
SPRINGFIELD
BROADWAY

F
G
H
J
K
1
2
3
4
5
6
7
74
375
76
97
96
95
98
111
132
147
Brookhouse Sports Centre
Fields
Tennis Courts
Eccles C.E. High Sch.
Barton Moss Prim. Sch.
Peel Green
Moat Hall Sports Cen.
A57
M60
M60 MOTORWAY
Junc. 11
Crematorium
Eccles Cemetery
Verdant Lane
Winster Green
Eccles Sewage Works
Boscombe Av.
Salteye Brook
Sewage Works
Barton Moss
Barton Aerodrome
Control Tower
Lancashire Aero Club
Works
Research Lab.
Tunnel Farm
Moss Road
Park House
Marriots Farm
Liverpool Road
River Irwell (Old Course)
Barton Locks
Wharf
Canal
Manchester Ship Canal
Storage Depot
Parkhall
Sewage Works
THE TRAFFORD CENTRE LEISURE COMPLEX (PROPOSED)
Junc.
Boysnope Cotts.
Boysnope Wharf
Stretford
M41
Ferry
Bent Lanes Brook
Davyhulme Road
Woodsend Road
Broadway
Broadway Park
Crofts Bank
Calder Bank
Davyhulme Park
Golf Course
Club House
Pond
Trafford General Hospital
Prim. Sch.
Play. Fld.
Woods End
Moorside
Moorside Road
Cricket Ground Pav.
Comm. Cen
Woodsend Park
Wellacre Jun. & Inf. Sch.
Wellacre High Sch.
Delamere School
St. Monica's R.C. Prim. School
Playing Field
Irlam Road
Rothiemay
Flixton
Flixton Road
Flixton Infant Sch.
Flixton Jun. Sch.
Flixton House
Acregate Farm
Acre Gate
Bowfell Road
B5158
Sports Cen.
Flixton Girls High School
Chassen Road
Mini Rly.
Abbotsfield Park
Football Grd.
Playground
Woodlands
TRAFFORD

Barton upon Irwell
Dumplington
THE TRAFFORD CENTRE
Junc. 10
Crofts Bank
Davyhulme
URMSTON
Junction 9
Lostock Park
M60 MOTORWAY
ASHBURTON ROAD
WEST
BARTON ROAD
LOSTOCK ROAD
Manchester Ship Canal
Bridgewater Canal

112
131
148

133
Weaste
113
Weaste Cemetery
Pacific Quays
Salford
M5
SALFORD
Broadway
Harbour City
Anchorage
Erie Basin
Huron Basin
Swing Bridge
Salford Quays
Ontario Basin
Waterside
Central Bay
Watersports Cen.
North Bay
North Wharf
Central Wharf
Trafford Wharf
Quay West
East Wharf North
East Wharf South
South Bay
MANCHESTER SHIP CANAL
Mode Wheel Locks
Dry Docks
Tanks
Depot
Pumping Sta.
Filter Beds
Engineering Works
Timber Yard
METROPLEX BUSINESS PK.
Pumping Station
Custom House
WATERWAY ENTERPRISE PARK
WHARFSIDE BUSINESS CENTRE
M17
Trafford Ecology Park
THE HIVES
WESTBROOK INDUSTRIAL ESTATE
Warehouses
Warehouse
Works
CENTRAL PARK ESTATE
LONG WOOD RD. ESTATE
ASHBURTON ROAD EAST
A5081
TRAFFORD PARK ROAD
A5081
Trafford Park
Redwing Cen.
TRAFFORD ENTERPRISE CENTRE
Ind. Est.
SPRINGFIELD TRADING ESTATE
UNITED TRADING ESTATE
M16
Manchester United F.C. Ground
SIR MATT BUSBY WAY
134
WESTINGHOUSE ROAD
MOSLEY ROAD
A5181
Electric Engineering Works
Freightliner Terminal
EUROTERMINAL
Bridgewater Canal
Taylor's Bri.
KINGS PARK
Depot
Factory
Training School
Sports Ground
Pav. Cricket Grd.
B5211
Warehouse
Football Grd.
TRAFFORD PK.
M32
Recreation Ground
LONGFORD TRADING EST.
Rec. Grd.
Gorse Hill Rec. Cen.
Superstore
A56
Town Hall
Sports Grd.
Sports Hall
North Trafford Coll. of Education
Old Trafford
Old Trafford Cricket Ground
Stretford High School
Gorse Hill Park
Gorse Hill
TALBOT ROAD
A5014
CHESTER ROAD
Highway Depot
Superstore
Offices
WHITE CITY RETAIL PARK
Jun. Sch.
Inf. Sch.
Vic. Pk. Jun. Sch.
VICTORIA PARK
Com. Centre
LONGFORD PARK
Playing Fields
Longford Park Sch.
Stretford Sports Cen.
Tennis Courts
Stretford
149
KINGSWAY
ARNDALE SHOPPING CENTRE
Recn Grd.
Schs.
Play. Fld.
Lib.
St. John's Prim.
F
G
H
J
K
1
2
3
4
5
6
7
79
80
81
95
96
97
98

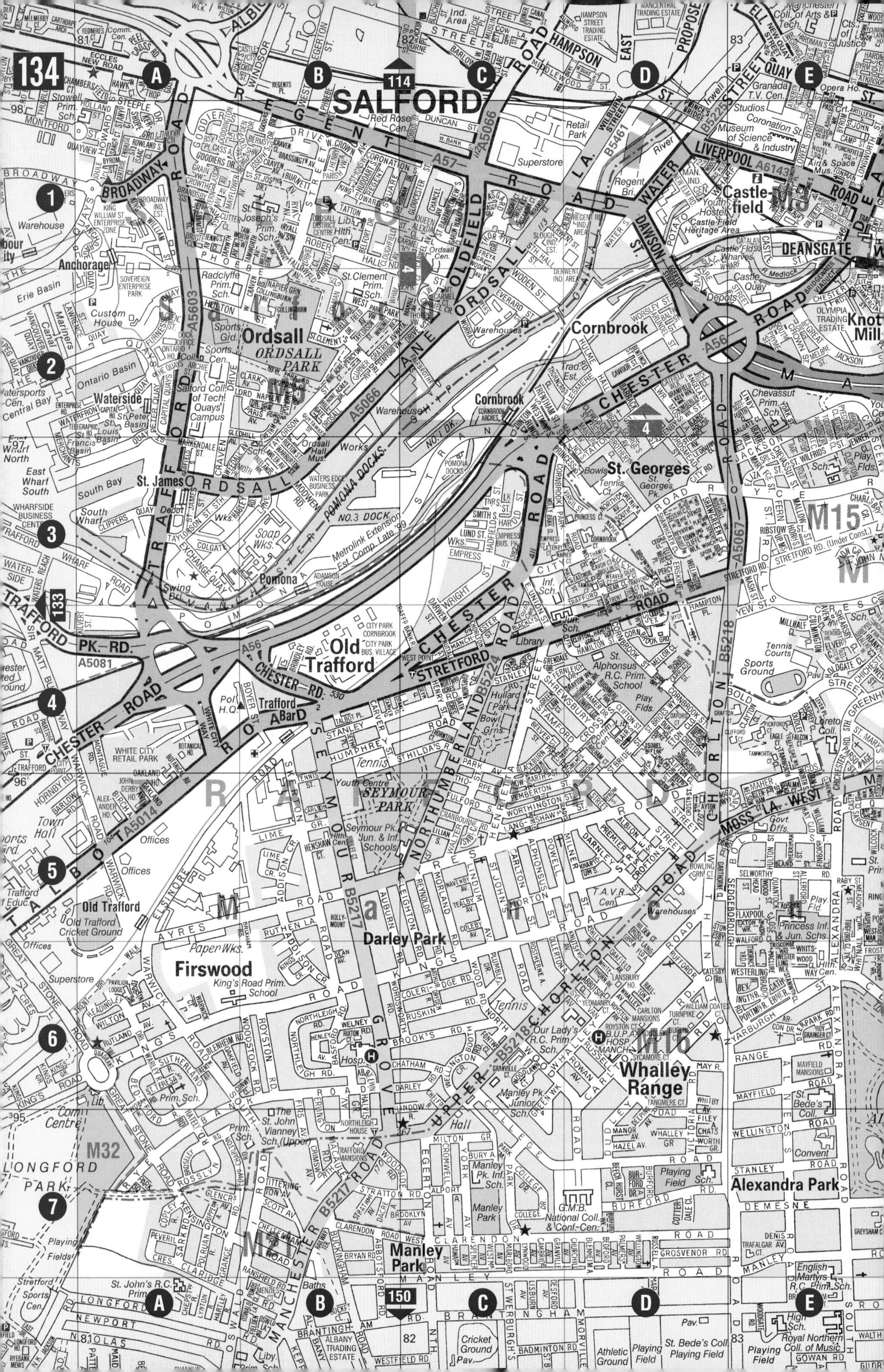
SALFORD
114
Ordsall
ORDSALL PARK
Waterside
Ontario Basin
Anchorage
Erie Basin
Custom House
Warehouse
South Bay
South Wharf
East Wharf South
St. James
Pomona
Pomona Docks
NO.3 DOCK
Metrolink Extension Est. Comp. Late '99
Cornbrook
St. Georges
Castlefield
DEANSGATE
Knott Mill
Superstore
Retail Park
Regent Bri.
Museum of Science & Industry
Granada T.V. Cen.
Coronation St.
Castle Field Heritage Area
Old Trafford
Trafford Bar
White City Retail Park
Old Trafford Cricket Ground
Firswood
King's Road Prim. School
Darley Park
Seymour Park
M15
M16
M32
Whalley Range
Alexandra Park
Manley Park
Longford Park
St. Bede's Coll.
St. Bede's Coll Playing Field
Cricket Ground
Athletic Ground
Playing Field
Royal Northern Coll. of Music
G.M.B. National Coll. & Conf. Cen.
B.U.P.A. Hosp. Manch.
Our Lady's R.C. Prim. Sch.
Manley Pk. Junior Sch.
Manley Pk. Inf. Sch.
St. Alphonsus R.C. Prim. School
Town Hall
Trafford Educ.
Stretford Sports Cen.
Albany Trading Estate
TRAFFORD RD.
CHESTER ROAD
STRETFORD ROAD
TALBOT ROAD
SEYMOUR GROVE
NORTHUMBERLAND ST.
UPPER CHORLTON ROAD
KINGS ROAD
MOSS LA. WEST
LIVERPOOL ROAD
REGENT ROAD
ORDSALL LANE
OLDFIELD ROAD
WATER ST.
A5063
A5066
A57
A56
A5081
A5014
A5067
B5217
B5218
B5224
B5461
A6143
133
150
4
A
B
C
D
E
1
2
3
4
5
6
7
81
82
83
98
97
96
95

PICCADILLY
Ardwick
ARDWICK
Universities
University of Manchester
Victoria University
Hulme
Gaythorn
Greenheys
Moss Side
Chorlton upon Medlock
Victoria Park
Rusholme
WHITWORTH PARK
PLATT FIELDS PARK
BIRCHFIELDS PARK
Fallowfield
MANCHESTER ROYAL INFIRMARY
ST. MARY'S HOSPITAL for Women & Children
Manchester City Football Ground
Manchester Grammar Sch.
Platt Hall (Art Gall. & Mus.)
A57(M)
115
151
136
5

136
A
B
C
D
E
1
2
3
4
5
6
7
116
135
152
Beswick
Openshaw
Ardwick
ARDWICK
ASHBURYS
West Gorton
Longsight
Belle Vue
BELLE VUE
Nutsford Vale
Crowcroft Park
Levenshulme
LEVENSHULME
Rushford Park
Coston Park
Birchfields Park
M11
M12
M13
M14
M19
ASHTON OLD ROAD
A635
HYDE ROAD
A57
STOCKPORT ROAD
A6
PLYMOUTH GROVE
A5184
DICKENSON RD
A6010
BIRCHFIELDS ROAD
A34
SLADE LANE
B5079
MOUNT ROAD
B6178
KIRKMANSHULME LA.
POTTERY LANE
ALAN TURING WAY
Chemical Works
CLAYTON INDUSTRIAL ESTATE
PARKHOUSE ST. INDUSTRIAL ESTATE
VAUGHAN INDUSTRIAL ESTATE
New Smithfield Market
Openshaw Complex
Manchester Coll. of Arts & Tech. (Openshaw Centre)
Depot
Car Auctions
Cinema
Snooker Club
Belle Vue Greyhound Race Course
Recreation Ground
Melland Playing Field
Corporation Yard
Manchester Grammar Sch.
Manchester Metropolitan University (Hollings Building)
Playing Fields
Gorton Mt. Inf. & Jun. Schs.
Spurley Hey High Sch.
LEVENSHULME TRADING EST.
Longsight Dist. Cen.
LONGSIGHT SHOPPING CEN.
Training Centre
Armitage C. of E. Prim. Sch.
Plymouth Grove Prim. Sch.
St. Gregory's R.C. High Sch.
Bus Depot
Works
Sports Ground Club
NICO DITCH

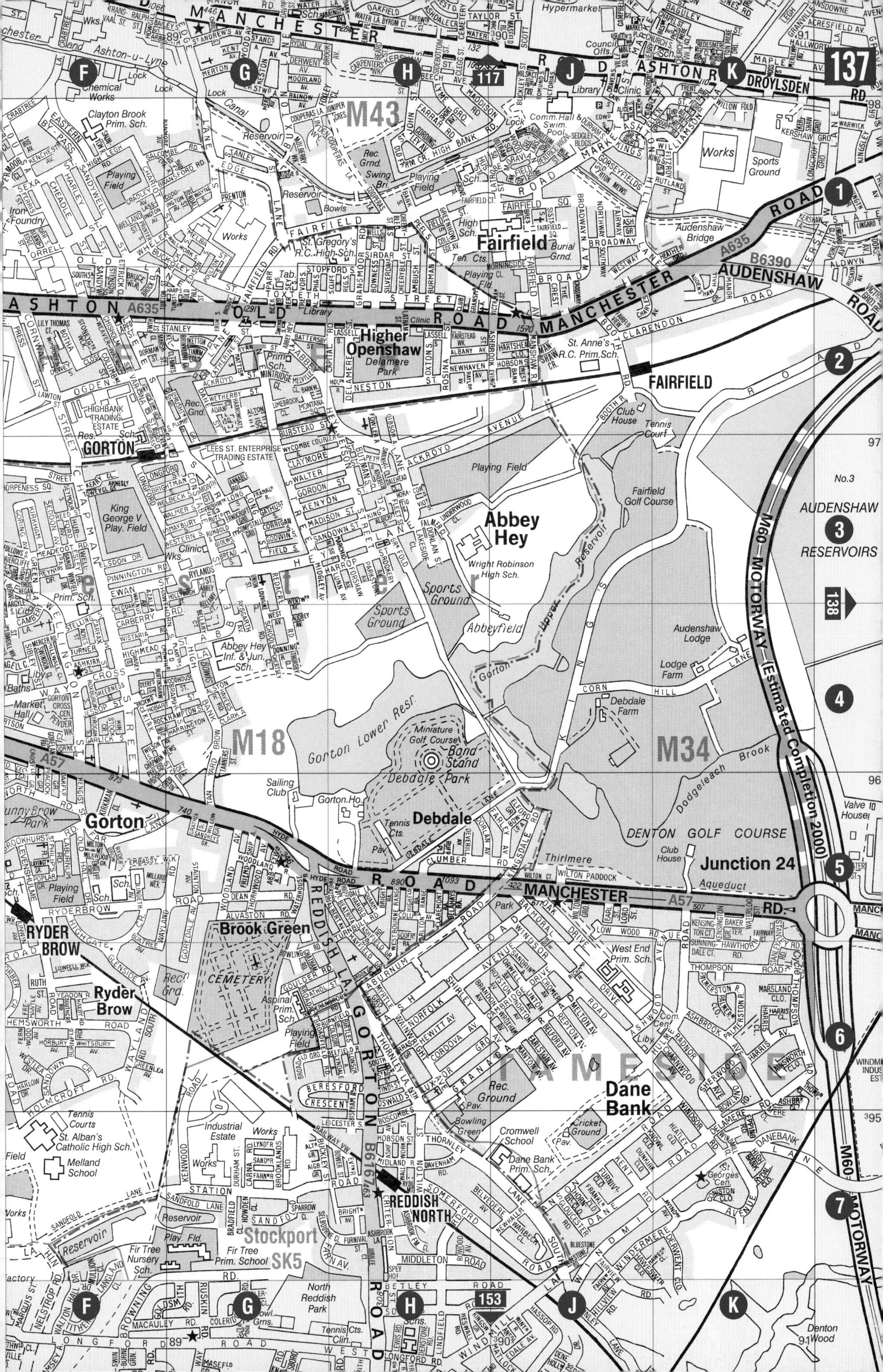

137
MANCHESTER
ASHTON RD.
DROYLSDEN RD.
Hypermarket
Council Offs.
Library
Clinic
Chemical Works
Clayton Brook Prim. Sch.
Canal
Reservoir
M43
Rec. Grnd.
Playing Field
Works
Sports Ground
Iron Foundry
Comm. Hall & Swim. Pool
Audenshaw Bridge
A635
B6390
AUDENSHAW ROAD
Fairfield
Burial Grnd.
Ten. Cts.
St. Gregory's R.C. High Sch.
High Sch.
ASHTON OLD ROAD
MANCHESTER ROAD
Higher Openshaw
Delamere Park
St. Anne's R.C. Prim. Sch.
FAIRFIELD
Club House
Tennis Court
HIGHBANK TRADING ESTATE
GORTON
LEES ST. ENTERPRISE TRADING ESTATE
Playing Field
King George V Play. Field
Abbey Hey
Wright Robinson High Sch.
Fairfield Golf Course
Upper Reservoir
No.3
AUDENSHAW RESERVOIRS
138
Sports Ground
Abbeyfield
Audenshaw Lodge
Lodge Farm
Abbey Hey Inf. & Jun. Sch.
Market Hall
Baths
Liby.
M18
Gorton Lower Resr.
Miniature Golf Course
Band Stand
Debdale Park
Debdale Farm
M34
Dodgeleach Brook
M60 MOTORWAY (Estimated Completion 2000)
A57
Sailing Club
Gorton Ho.
Debdale
Tennis Cts.
Pav.
DENTON GOLF COURSE
Club House
Valve House
Junction 24
Thirlmere
Aqueduct
Gorton
Playing Field
RYDER BROW
Brook Green
CEMETERY
Ryder Brow
Rec. Grd.
Aspinal Prim. Sch.
REDDISH LA.
West End Prim. Sch.
TAMESIDE
Rec. Ground
Dane Bank
Cricket Ground
Bowling Green
Cromwell School
Dane Bank Prim. Sch.
Tennis Courts
St. Alban's Catholic High Sch.
Melland School
Industrial Estate
Works
GORTON ROAD
B6167
REDDISH NORTH
Reservoir
Play. Fld.
Fir Tree Nursery Sch.
Fir Tree Prim. School
Stockport SK5
North Reddish Park
Tennis Cts.
Clin.
153
Denton Wood
M60 MOTORWAY
1 2 3 4 5 6 7
F G H J K

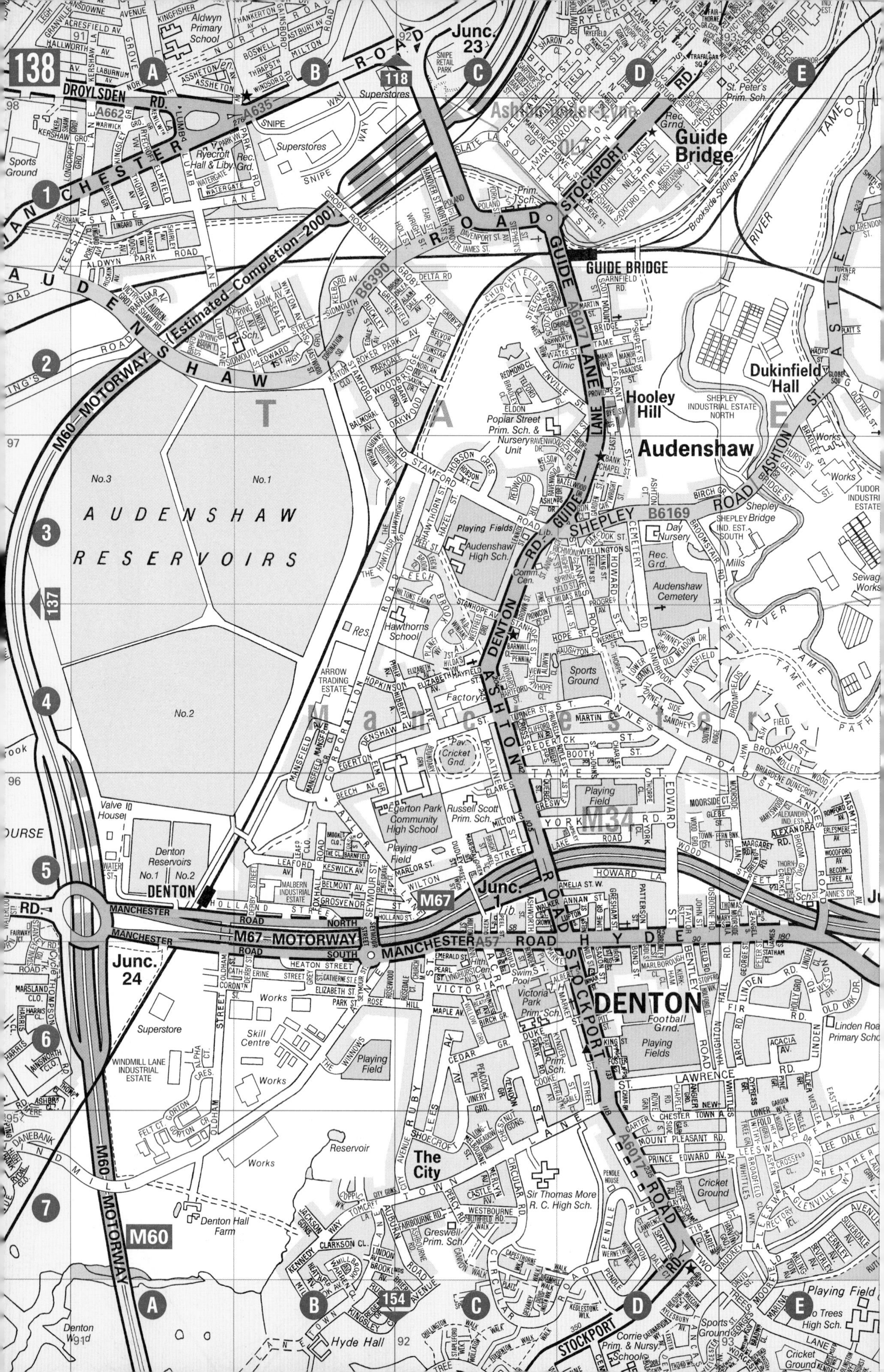
Junc. 23
Ashton-under-Lyne
Guide Bridge
DROYLSDEN RD.
MANCHESTER RD.
AUDENSHAW RD.
M60 MOTORWAY (Estimated Completion 2000)
GUIDE BRIDGE
Dukinfield Hall
Hooley Hill
Audenshaw
AUDENSHAW RESERVOIRS
No.1
No.2
No.3
Audenshaw High Sch.
Audenshaw Cemetery
Shepley Bridge
SHEPLEY INDUSTRIAL ESTATE NORTH
Egerton Park Community High School
Russell Scott Prim. Sch.
Denton Reservoirs
DENTON
Junc. 1
Junc. 24
M67 MOTORWAY
MANCHESTER A57 ROAD
HYDE RD.
DENTON
Victoria Park Prim. Sch.
WINDMILL LANE INDUSTRIAL ESTATE
The City
Sir Thomas More R. C. High Sch.
Greswell Prim. Sch.
Denton Hall Farm
Hyde Hall
Two Trees High Sch.
Corrie Prim. & Nursy. School
STOCKPORT RD.
M60 MOTORWAY
118
154
137

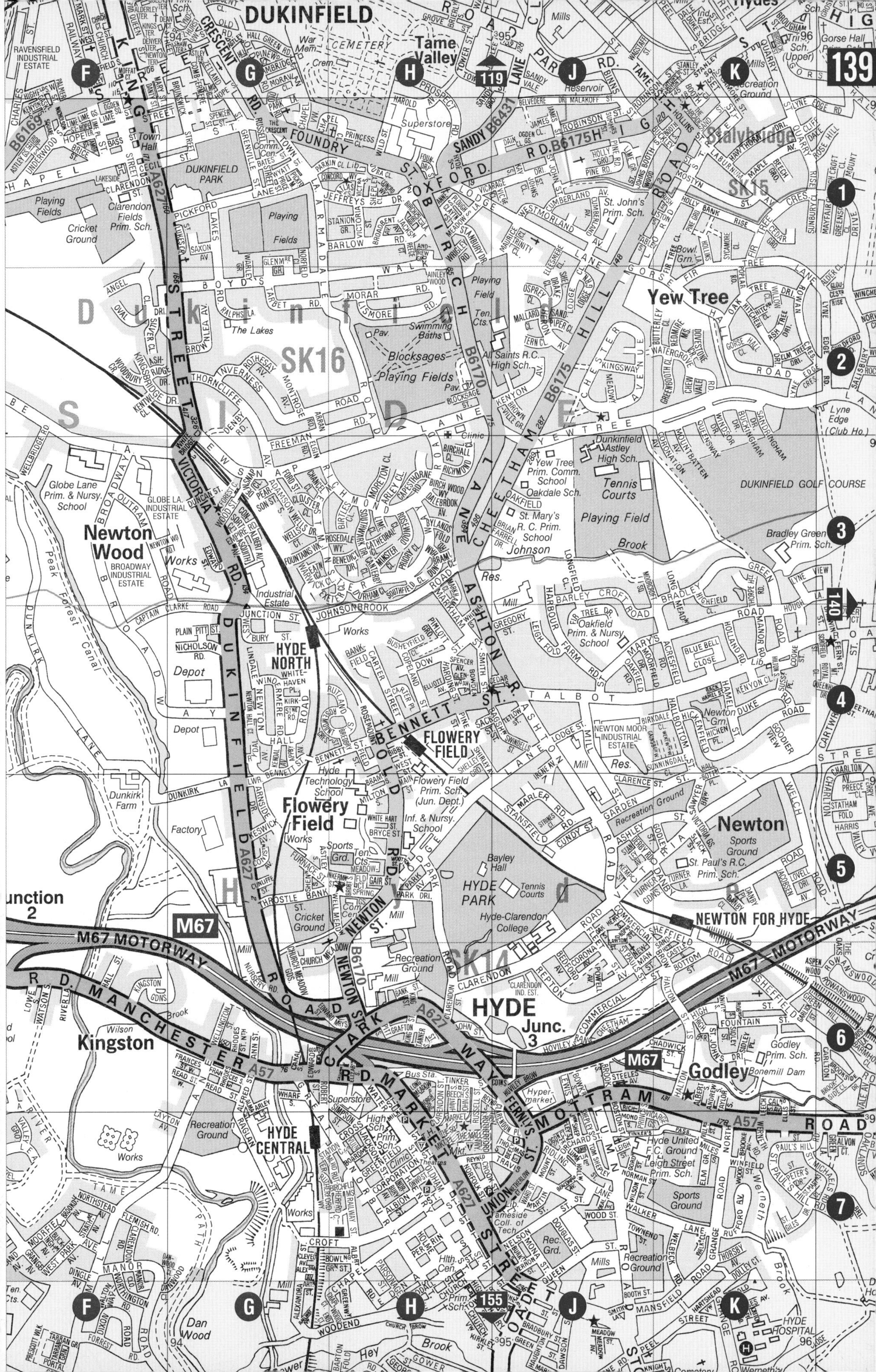

139
DUKINFIELD
Tame Valley
Stalybridge
SK15
Yew Tree
SK16
Dukinfield
Newton Wood
HYDE NORTH
FLOWERY FIELD
Flowery Field
Newton
NEWTON FOR HYDE
HYDE
Junc. 3
Junction 2
Kingston
Godley
HYDE CENTRAL
SK14
M67 MOTORWAY
M67
A627
A57
B6170
B6175
B6431
119
140
155
DUKINFIELD PARK
DUKINFIELD GOLF COURSE
HYDE PARK
Playing Fields
Cricket Ground
Clarendon Fields Prim. Sch.
Blocksages Playing Fields
All Saints R.C. High Sch.
Dukinfield Astley High Sch.
Yew Tree Prim. Comm. School
Oakdale Sch.
St. Mary's R.C. Prim. School
Oakfield Prim. & Nursy School
Globe Lane Prim. & Nursy. School
GLOBE LA. INDUSTRIAL ESTATE
BROADWAY INDUSTRIAL ESTATE
NEWTON MOOR INDUSTRIAL ESTATE
Bradley Green Prim. Sch.
Hyde Technology School
Flowery Field Prim. Sch. (Jun. Dept.)
Bayley Hall
Hyde-Clarendon College
St. Paul's R.C. Prim. Sch.
Godley Prim. Sch.
Hyde United F.C. Ground
Leigh Street Prim. Sch.
Tameside Coll. of Tech.
HYDE HOSPITAL
Peak Forest Canal
Dunkirk Farm
Dan Wood
RAVENSFIELD INDUSTRIAL ESTATE
Lyne Edge (Club Ho.)
F
G
H
J
K
1
2
3
4
5
6
7

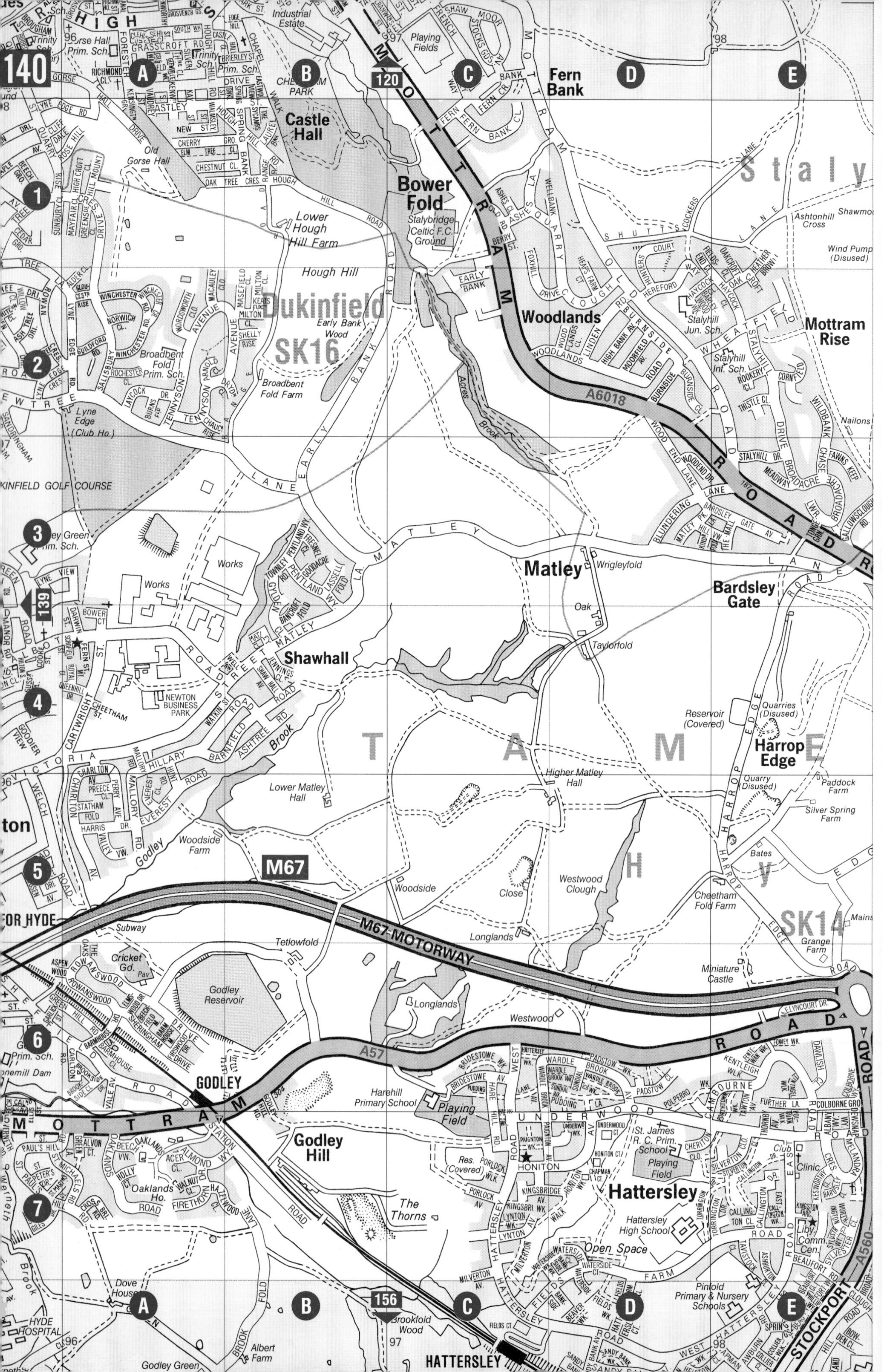

HIGH
Gorse Hall Prim. Sch.
Trinity Sch.
Industrial Estate
Playing Fields
120
Fern Bank
A
B
C
D
E
Castle Hall
Old Gorse Hall
Bower Fold
Stalybridge Celtic F.C. Ground
Lower Hough Hill Farm
Hough Hill
Dukinfield
SK16
Early Bank Wood
Broadbent Fold Prim. Sch.
Broadbent Fold Farm
Woodlands
Stalyhill Jun. Sch.
Stalyhill Inf. Sch.
Mottram Rise
Ashtonhill Cross
Wind Pump (Disused)
Nailons
Staly
A6018
Lyne Edge (Club Ho.)
DUKINFIELD GOLF COURSE
1
2
3
4
5
6
7
139
Works
Matley
Wrigleyfold
Oak
Taylorfold
Bardsley Gate
Shawhall
NEWTON BUSINESS PARK
Reservoir (Covered)
Quarries (Disused)
Harrop Edge
TAME
Higher Matley Hall
Lower Matley Hall
Paddock Farm
Silver Spring Farm
Woodside Farm
M67
Woodside
Close
Westwood Clough
Bates
Cheetham Fold Farm
SK14
Grange Farm
Longlands
Tetlowfold
Subway
M67 MOTORWAY
Cricket Gd.
Godley Reservoir
Miniature Castle
Longlands
Westwood
A57
GODLEY
Harehill Primary School
Playing Field
Godley Hill
St. James R. C. Prim. School
Playing Field
Hattersley
Res. (Covered)
Hattersley High School
Open Space
Oaklands Ho.
The Thorns
Dove House
HYDE HOSPITAL
Brookfold Wood
156
Albert Farm
Godley Green
HATTERSLEY
Pinfold Primary & Nursery Schools
Clinic
Liby.
Comm. Cen.
A560
STOCKPORT
MOTTRAM ROAD

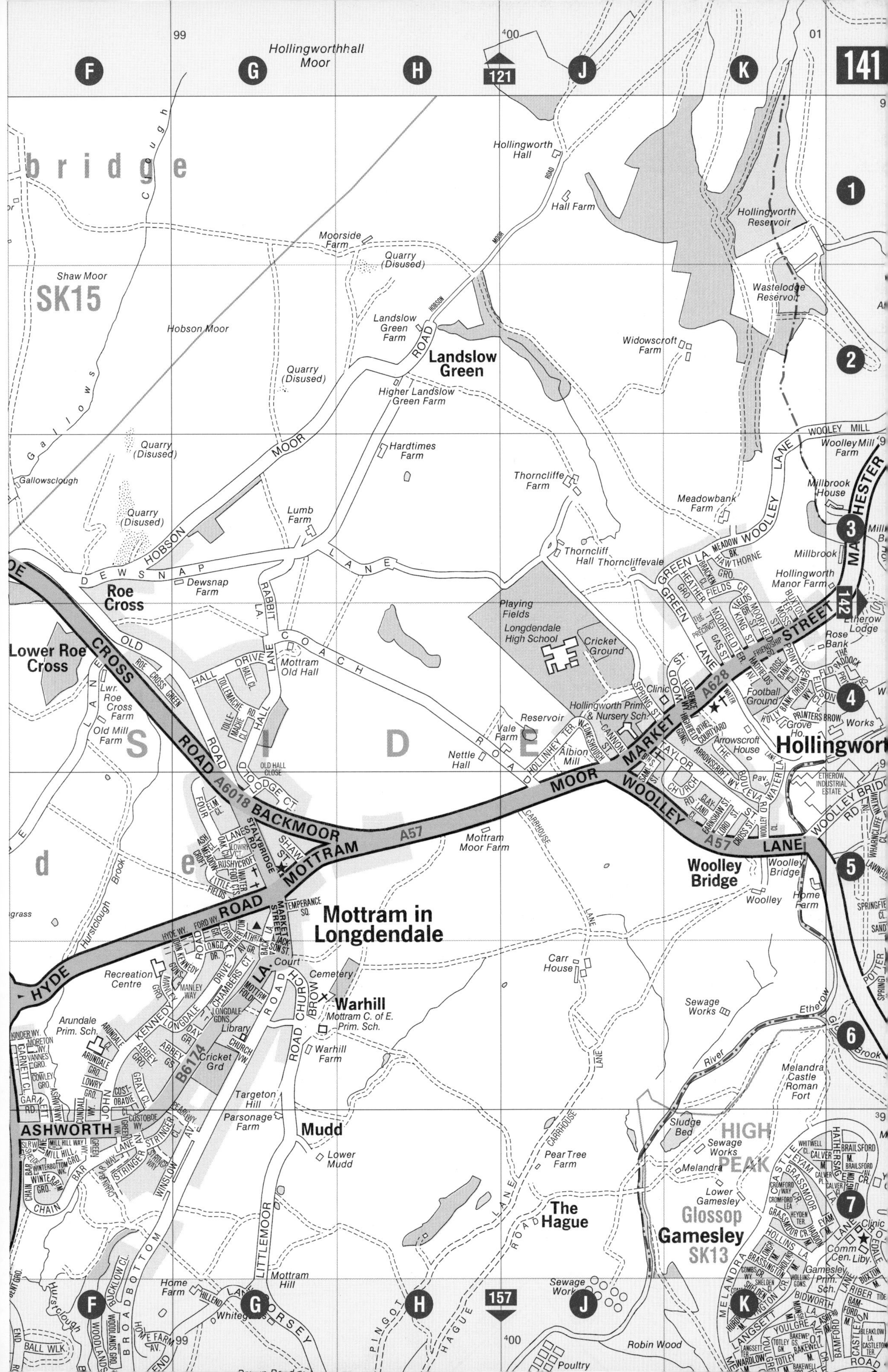
Hollingworthhall Moor
Hollingworth Hall
Hall Farm
Hollingworth Reservoir
Wastelodge Reservoir
Moorside Farm
Quarry (Disused)
Shaw Moor
SK15
Hobson Moor
Landslow Green Farm
Landslow Green
Higher Landslow Green Farm
Widowscroft Farm
Hardtimes Farm
Gallowsclough
Thorncliffe Farm
Meadowbank Farm
Woolley Mill Farm
Millbrook House
Lumb Farm
Thorncliff Hall
Thorncliffevale
Millbrook
Hollingworth Manor Farm
Dewsnap Farm
Roe Cross
Lower Roe Cross
Playing Fields
Longdendale High School
Cricket Ground
Etherow Lodge
Rose Bank
Mottram Old Hall
Lwr. Roe Cross Farm
Old Mill Farm
Clinic
Hollingworth Prim. & Nursery Sch.
Reservoir
Football Ground
Works
Vale Farm
Nettle Hall
Albion Mill
Arrowscroft House
Hollingworth
Etherow Industrial Estate
Mottram Moor Farm
Woolley Bridge
Home Farm
Woolley
Mottram in Longdendale
Recreation Centre
Court
Cemetery
Warhill
Mottram C. of E. Prim. Sch.
Arundale Prim. Sch.
Library
Cricket Grd
Warhill Farm
Carr House
Sewage Works
Melandra Castle Roman Fort
Targeton Hill
Parsonage Farm
Mudd
Lower Mudd
Sludge Bed
High Peak
Pear Tree Farm
Melandra
Lower Gamesley
The Hague
Glossop
Gamesley
SK13
Ashworth
Mottram Hill
Home Farm
Whitegates
Robin Wood
Poultry
A6018
A57
A628
B6174
121
142
157

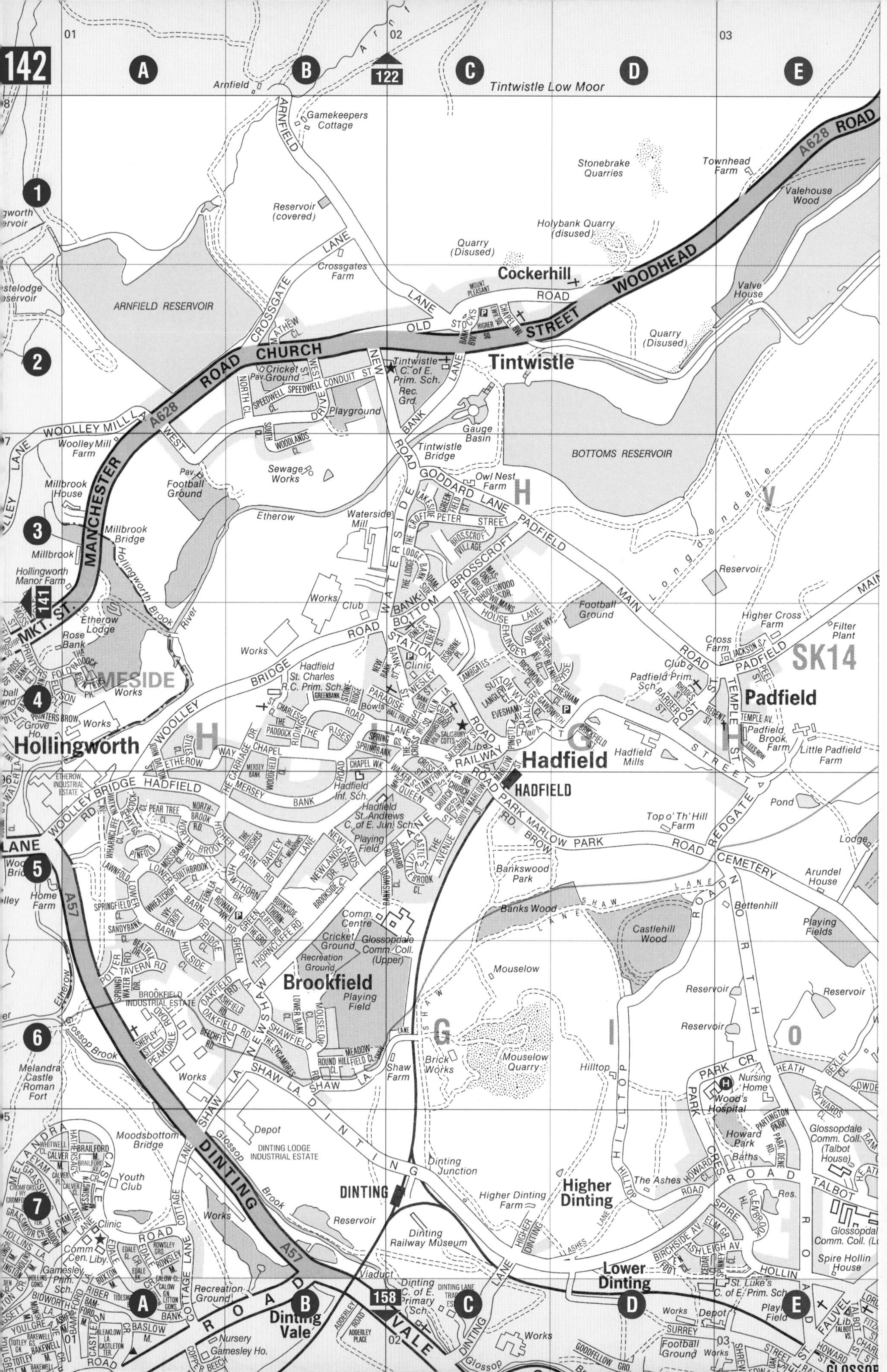

Tintwistle Low Moor
Arnfield
Gamekeepers Cottage
Stonebrake Quarries
Townhead Farm
Valehouse Wood
Reservoir (covered)
Holybank Quarry (disused)
Quarry (Disused)
Crossgates Farm
Cockerhill
WOODHEAD ROAD
A628
ARNFIELD RESERVOIR
Valve House
Tintwistle
CHURCH ROAD
MANCHESTER ROAD
Cricket Ground
Tintwistle C. of E. Prim. Sch.
Playground
Gauge Basin
BOTTOMS RESERVOIR
Woolley Mill Farm
Tintwistle Bridge
Sewage Works
Football Ground
Owl Nest Farm
Millbrook House
Etherow
Waterside Mill
Longdendale
Millbrook Bridge
Millbrook
Hollingworth Manor Farm
Reservoir
Works
Club
Football Ground
Higher Cross Farm
Filter Plant
Etherow Lodge
Rose Bank
Cross Farm
SK14
TAMESIDE
Hadfield St. Charles R.C. Prim. Sch.
Padfield Prim. Sch.
Padfield
Clinic
Bowls
Grove Ho.
Hollingworth
Hadfield
Hadfield Mills
Padfield Brook Farm
Little Padfield Farm
ETHEROW INDUSTRIAL ESTATE
Hadfield Inf. Sch.
HADFIELD
Hadfield St. Andrews C. of E. Jun. Sch.
Playing Field
Pond
Top o' Th' Hill Farm
Lodge
Home Farm
Bankswood Park
Arundel House
Banks Wood
Bettenhill
Castlehill Wood
Playing Fields
Comm. Centre
Cricket Ground
Glossopdale Comm. Coll. (Upper)
Recreation Ground
Mouselow
Brookfield
Playing Field
BROOKFIELD INDUSTRIAL ESTATE
Reservoir
Melandra Castle Roman Fort
Brick Works
Mouselow Quarry
Hilltop
Nursing Home
Wood's Hospital
Shaw Farm
Works
Depot
DINTING LODGE INDUSTRIAL ESTATE
Moodsbottom Bridge
Howard Park
Baths
Glossopdale Comm. Coll. (Talbot House)
Youth Club
Dinting Junction
DINTING
Higher Dinting Farm
Higher Dinting
The Ashes
Glossop Brook
Reservoir
Dinting Railway Museum
Glossopdale Comm. Coll.
Spire Hollin House
Clinic
Comm. Cen. Liby.
Gamesley Prim. Sch.
Viaduct
Lower Dinting
Recreation Ground
Dinting C. of E. Primary Sch.
St. Luke's C. of E. Prim. Sch.
Dinting Vale
Play Field
Works
Depot
Nursery
Gamesley Ho.
Works
Football Ground
122
141
158

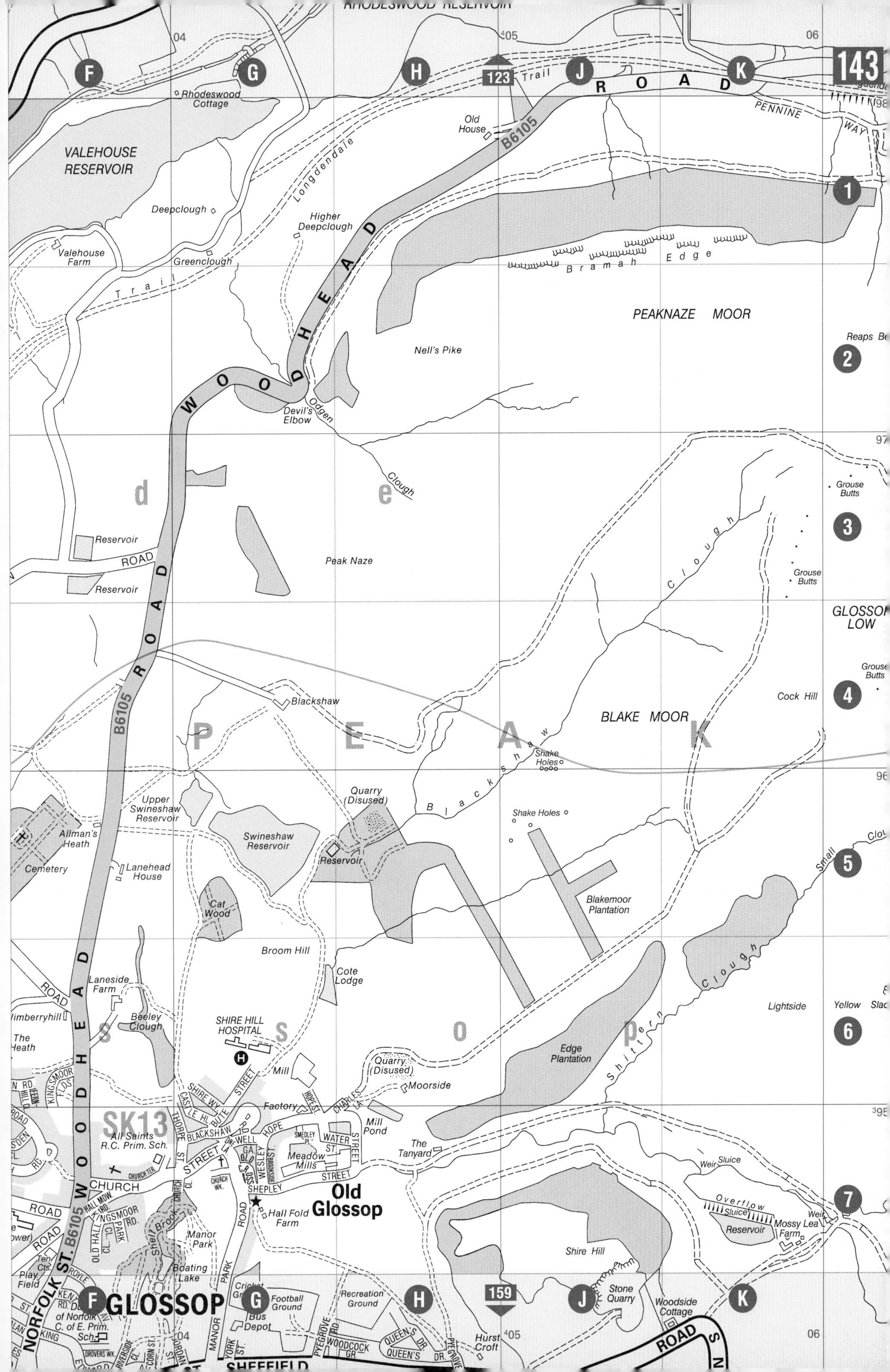
RHODESWOOD RESERVOIR
VALEHOUSE RESERVOIR
Rhodeswood Cottage
Valehouse Farm
Deepclough
Greenclough
Higher Deepclough
Longdendale Trail
Old House
WOODHEAD ROAD
B6105
PENNINE WAY
Bramah Edge
PEAKNAZE MOOR
Reaps
Nell's Pike
Devil's Elbow
Ogden Clough
Peak Naze
Reservoir
Reservoir
Grouse Butts
Grouse Butts
Grouse Butts
GLOSSOP LOW
Cock Hill
BLAKE MOOR
Blackshaw
Blackshaw Clough
Shake Holes
Shake Holes
PEAK
Quarry (Disused)
Upper Swineshaw Reservoir
Swineshaw Reservoir
Allman's Heath
Cemetery
Lanehead House
Reservoir
Blakemoor Plantation
Cat Wood
Broom Hill
Cote Lodge
Laneside Farm
Beeley Clough
Wimberryhill
The Heath
SHIRE HILL HOSPITAL
Mill
Quarry (Disused)
Moorside
Edge Plantation
Shittern Clough
Small Clough
Lightside
Yellow Slack
Factory
Mill Pond
SK13
All Saints R.C. Prim. Sch.
Meadow Mills
The Tanyard
Weir
Sluice
Overflow Sluice
Reservoir
Mossy Lea Farm
CHURCH STREET
SHEPLEY STREET
Old Glossop
Hall Fold Farm
Shire Hill
Manor Park
Boating Lake
Play Field
Ten Cts
Cricket Gr
Football Ground
Recreation Ground
Stone Quarry
Woodside Cottage
Hurst Croft
GLOSSOP
Duke of Norfolk C. of E. Prim. Sch.
Bus Depot
NORFOLK ST.
SHEFFIELD ROAD
123
159
04
405
06
97
96
395
98

Ratcliffe House Farm
Holcroft Cottage
Woodend
67
68
128
A
B
C
D
E
MEDWAY RD.
BENTHAM ROAD
HOWARD
NEW HALL LANE
CEDAR CT.
New Hall
NEW HALL LANE
Frank's Farm
Brookfields
Hanging Birch Farm
Willow Brook
HOLCROFT
B5212
Hole Mill Farm
Alken Knowles's Bridge
1
2
3
4
5
6
7
94
93
92
91
Moat
Old Abbey Farm
Moss Side Farm
PESTFURLONG MOSS
Junction 11
SILVER LANE
M62 MOTORWAY
M62
PRESTWOOD CT.
ROAD
LEACROFT
A574
BIRCHWOOD WAY
HOLCROFT MOSS
Pestfurlong Moss
WARRING
Warring
Glazebrook Moss
Gorse Covert
Hoyle's Moss Farm
Day Centre
Gorse Covert County Prim. Sch.
COVERT ROAD
ROCKINGHAM
INGLEWOOD CL.
New Hall Farm
SCHOOL
GORSE COVERT
MOSS GATE
WA3
Milverton Farm
DAM LANE
Omrod Farm
Ivy Cottage
BIRCHWOOD DISTRICT PARK
RISLEY MOSS
Sub.
AVENUE
Visitors Centre
RISLEY MOSS LOCAL NATURE RESERVE
KEYES CLOSE
ADMIRALS
Birchwood C. of E. Prim. Sch
Moss Hall Farm
MOSS SIDE
Barn End Farm
Ash Tree Farm
Prospect Farm
PROSPECT LANE
Moss Side Farm No 2
Moss Side Farm
Woodend Farm
MOSS
MOAT LANE
Birchwood Brook Park
160
66
The Bungalow
WOODEND
Woodend Cottage
Down's Covert
Top End Farm
RIXTON MOSS

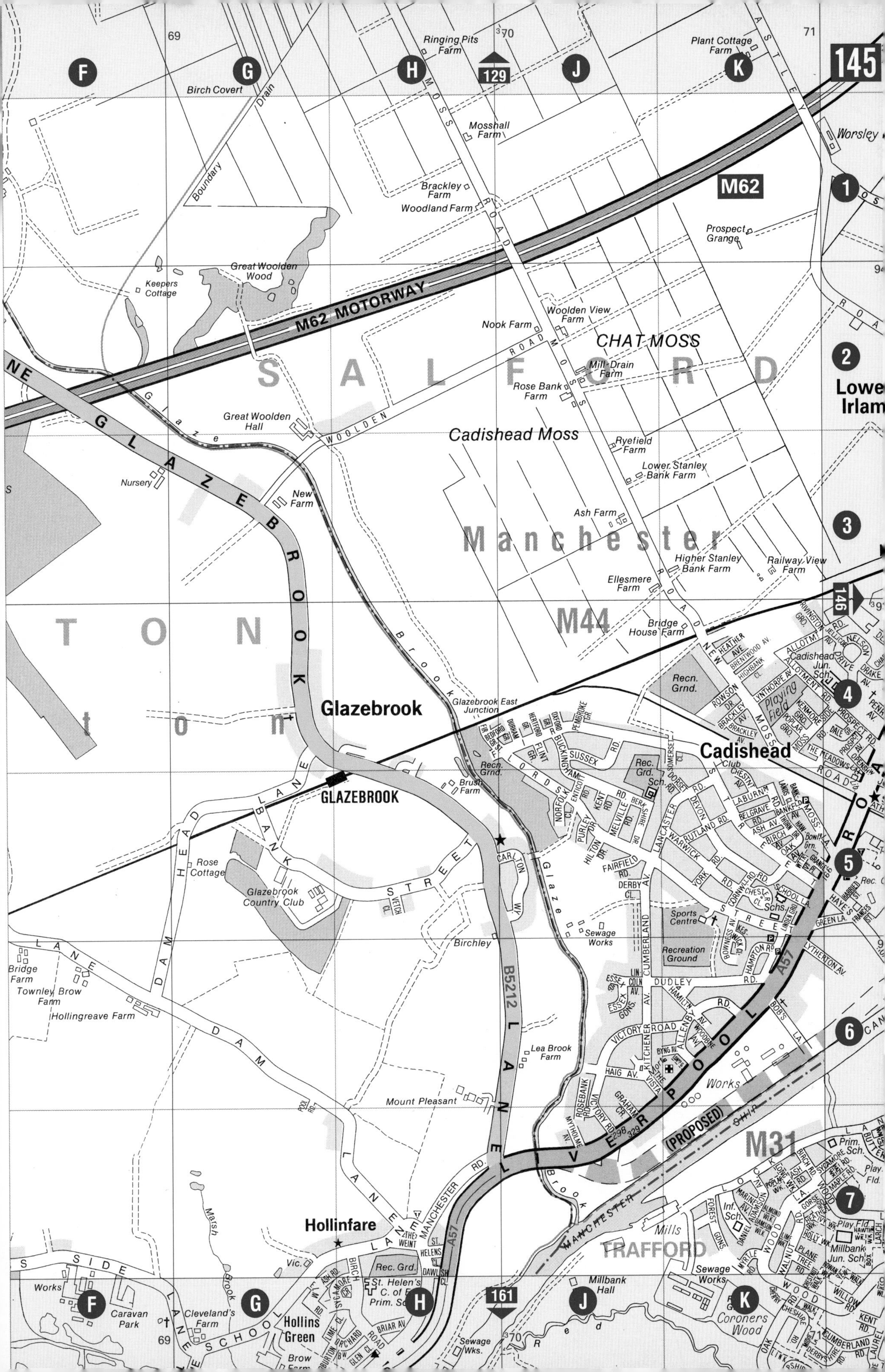

129
161
146
M62 MOTORWAY
M62
M44
M31
SALFORD
Manchester
TRAFFORD
CHAT MOSS
Cadishead Moss
Glazebrook
GLAZEBROOK
Cadishead
Hollinfare
Hollins Green
Ringing Pits Farm
Plant Cottage Farm
Birch Covert
Mosshall Farm
Brackley Farm
Woodland Farm
Prospect Grange
Great Woolden Wood
Keepers Cottage
Nook Farm
Woolden View Farm
Mill Drain Farm
Rose Bank Farm
Great Woolden Hall
Ryefield Farm
Lower Stanley Bank Farm
Nursery
New Farm
Ash Farm
Higher Stanley Bank Farm
Railway View Farm
Ellesmere Farm
Bridge House Farm
Glazebrook East Junction
Brush Farm
Rose Cottage
Glazebrook Country Club
Birchley
Sewage Works
Bridge Farm
Townley Brow Farm
Hollingreave Farm
Lea Brook Farm
Mount Pleasant
Works
Caravan Park
Cleveland's Farm
St. Helen's C. of E. Prim. Sch.
Millbank Hall
Sewage Wks.
Coroners Wood
Millbank Jun. Sch.
Cadishead Jun. Sch.
Playing Field
Recreation Ground
Sports Centre
Recn. Grnd.
Rec. Grd.
Worsley
Lower Irlam
MANCHESTER SHIP CANAL
(PROPOSED)
WOOLDEN ROAD
MOSS ROAD
GLAZEBROOK LANE
DAM HEAD LANE
DAM LANE
BANK STREET
B5212 LANE
LIVERPOOL ROAD
A57
MANCHESTER RD.
SCHOOL LANE
Glaze Brook
Boundary Drain

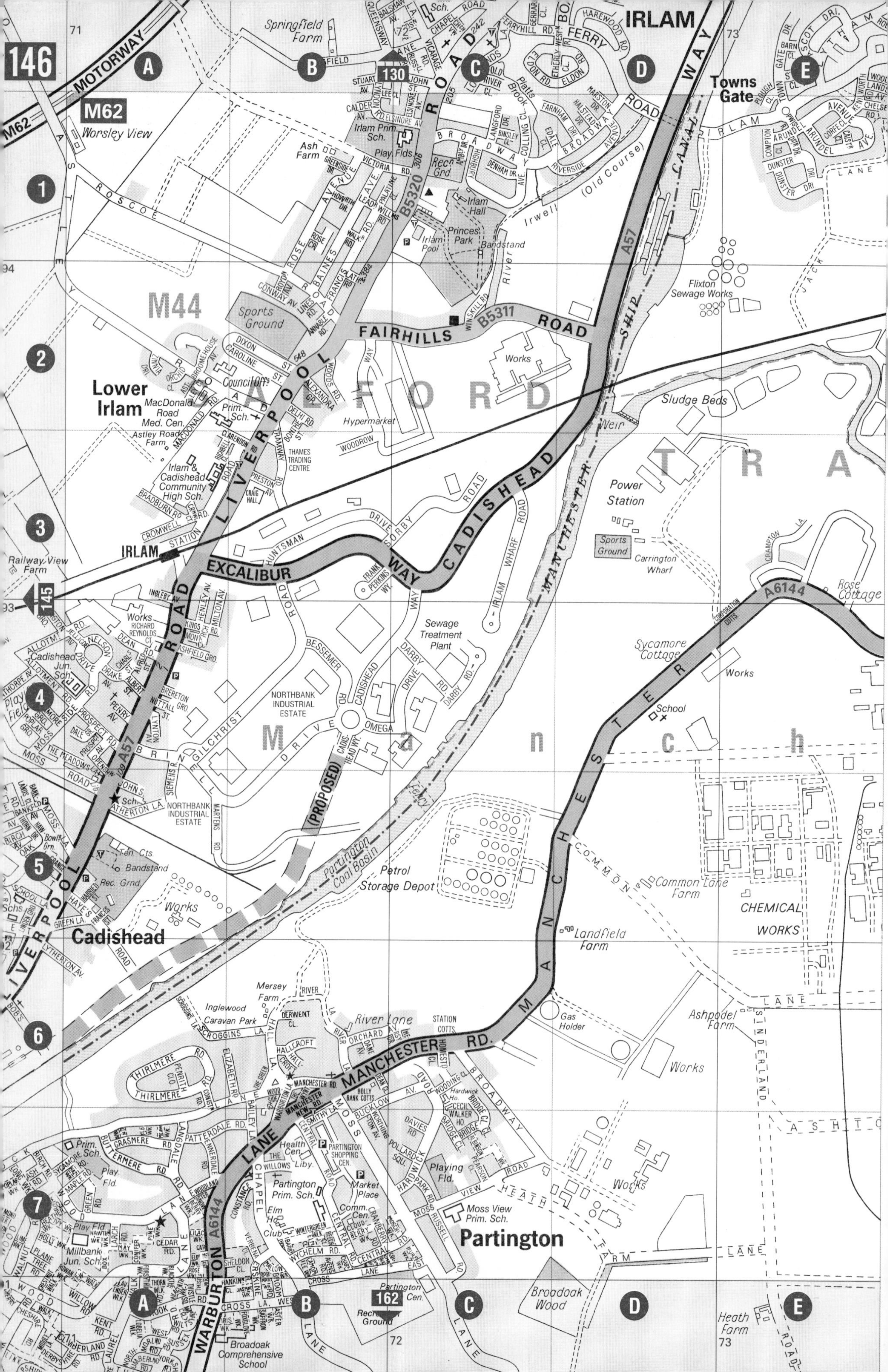

IRLAM
Towns Gate
Springfield Farm
Worsley View
M62
MOTORWAY
130
Ash Farm
Irlam Prim. Sch.
Play Flds.
Rec. Grd
Irlam Hall
Irlam Pool
Princes Park
Bandstand
B5320
Platts Brook
River Irwell (Old Course)
CANAL
A57
SHIP
MANCHESTER
Flixton Sewage Works
M44
Sports Ground
FAIRHILLS
B5311
ROAD
Works
S A L F O R D
T R A
Lower Irlam
MacDonald Road Med. Cen.
Astley Road Farm
Council Off.
Prim. Sch.
Hypermarket
Sludge Beds
Weir
THAMES TRADING CENTRE
Irlam & Cadishead Community High Sch.
LIVERPOOL ROAD
CADISHEAD WAY
EXCALIBUR WAY
HUNTSMAN DRIVE
IRLAM WHARF ROAD
Power Station
Sports Ground
Carrington Wharf
IRLAM
STATION
Railway View Farm
145
Rose Cottage
A6144
Sewage Treatment Plant
Sycamore Cottage
Works
School
NORTHBANK INDUSTRIAL ESTATE
M a n c h
Cadishead Jun. Sch.
Play Field
(PROPOSED)
Ten. Cts.
Bandstand
Rec. Grnd.
Partington Coal Basin
Ferry
Petrol Storage Depot
Common Lane Farm
CHEMICAL WORKS
Works
Cadishead
Landfield Farm
Mersey Farm
Inglewood Caravan Park
River Lane
STATION COTTS.
Gas Holder
Ashpodel Farm
Works
MANCHESTER RD.
SINDERLAND
Prim. Sch.
Play Fld.
Health Cen.
Liby.
PARTINGTON SHOPPING CEN.
Market Place
Partington Prim. Sch.
Comm. Cen.
Playing Fld.
Moss View Prim. Sch.
Partington
Millbank Jun. Sch.
Elm Ho. Club
WARBURTON LANE
A6144
Partington Cen.
162
Recreation Ground
Broadoak Wood
Broadoak Comprehensive School
Heath Farm
A B C D E
1 2 3 4 5 6 7
71 72 73

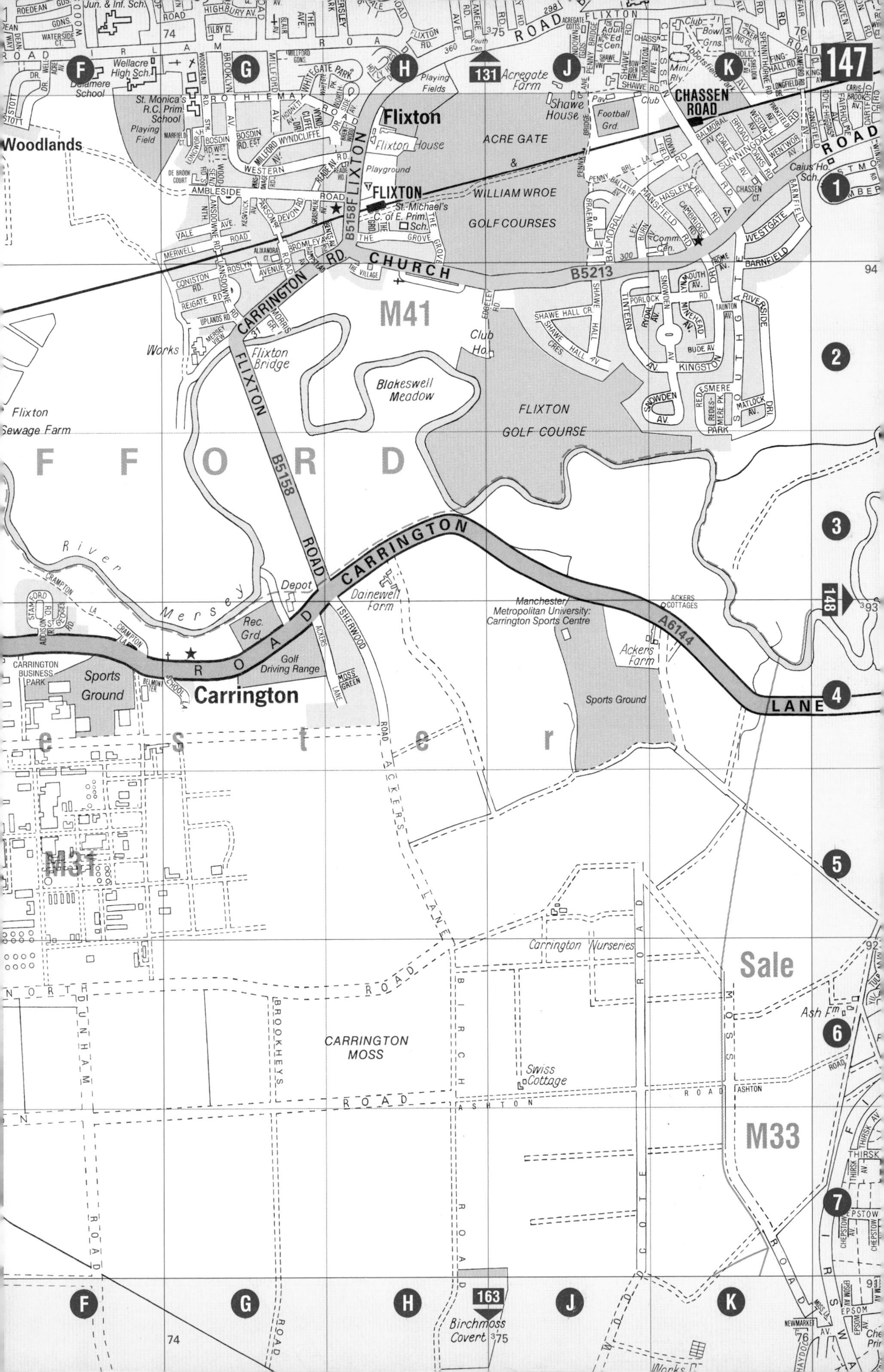
Woodlands
Flixton
FLIXTON
ACRE GATE & WILLIAM WROE GOLF COURSES
CHASSEN ROAD
Flixton House
St. Michael's C. of E. Prim. Sch.
Wellacre High Sch.
Delamere School
St. Monica's R.C. Prim. School
Playing Field
Playing Fields
Acregate Farm
Shawe House
Football Grd.
CHURCH RD.
B5213
CARRINGTON RD.
M41
Flixton Bridge
Blakeswell Meadow
FLIXTON GOLF COURSE
Club Ho.
Works
Flixton Sewage Farm
FFORD
River Mersey
B5158
CARRINGTON ROAD
Depot
Dainewell Farm
Rec. Grd.
Golf Driving Range
Manchester Metropolitan University: Carrington Sports Centre
Ackers Farm
ACKERS COTTAGES
A6144
LANE
Sports Ground
CARRINGTON BUSINESS PARK
Carrington
M31
Carrington Nurseries
CARRINGTON MOSS
Swiss Cottage
Sale
M33
Ash Fm
ASHTON ROAD
NORTH ROAD
DUNHAM ROAD
BROOKHEYS ROAD
BIRCH ROAD
WOODCOTE ROAD
MOSS ROAD
ACKERS LANE
Birchmoss Covert
Works
131
148
163
F G H J K
1 2 3 4 5 6 7
74 75 76
91 92 93 94

URMSTON
Junction 8
ASHTON-ON-MERSEY GOLF COURSE
Ashton upon Mersey
A6144 (M)
M60
132
147
164

149
STRETFORD
SALE
Chorlton-cum-Hardy
MANCHESTER
M21
M32
Brooklands
VICTORIA PARK
LONGFORD PARK
Longford Park Sch.
Stretford
Stretford Grammar Sch.
Playing Fields
STRETFORD CEMETERY
Cut Hole Bridge
Turn Moss
Ivy Green
NATURE RESERVE
Chorlton Ees
SALE WATER PARK
Junction 7
Junction 6
M60 MOTORWAY
M60
Recreation Ground
Crossford Bridge Sports Centre
Track
Mersey
Overflow River Channel
Eye Platt Bri.
Eye Platt New Bri.
Crossford Bri.
Barfoot Bri.
Manor Industrial Estate
St. Matthews C. of E. Prim. Sch.
Cricket Grd.
Arndale Shopping Centre
KINGSWAY
EDGE LANE
A5145
A56
A5181
B5213
B5397
B5166
A6144
Barrow Brook
Stepping Stones
Football Ground
Priory Gardens
Dane Rd.
Dane Road Industrial Est.
Tennis Courts
Cricket Ground
Recreation Ground
Rec. Grd.
Bowling Grns.
WORTHINGTON PARK
Moorlands Junior Sch.
Templemoor Inf. Sch.
Holy Family R.C. Prim. Sch.
St. Anne's C. of E. Prim. Sch.
Sale Grammar School
Sale Leisure Cen.
Playing Fld.
Bowls
Rugby Ground
Sports Ground
Bowling Grn.
Conway Road Hlth. Cen.
Playing Field
Lime Tree Prim. Sch.
Ckt. Grd.
Jeff Joseph Sale Moor
Sale Lodge (Club Ho.)
NORTHENDEN ROAD
MARSLAND ROAD
OLD HALL ROAD
WYTHENSHAWE ROAD
BROAD ROAD
DANE ROAD
CROSS STREET
CHESTER ROAD
RIFLE ROAD
FAIRY LANE
133
150
165

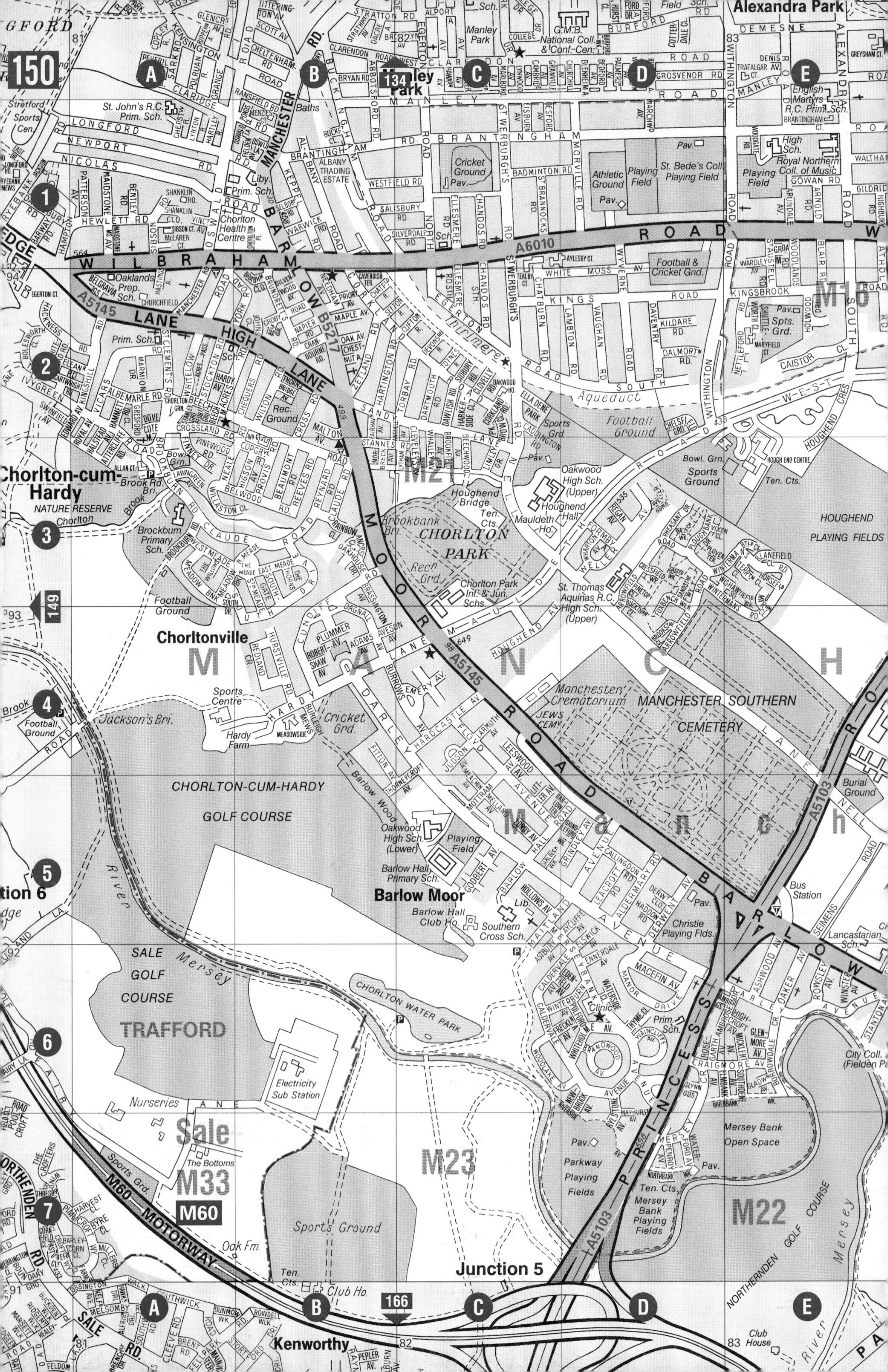
Alexandra Park
Manley Park
G.M.B. National Coll. & Conf. Cen.
134
Whalley Range
St. John's R.C. Prim. Sch.
Stretford Sports Cen.
Baths
Albany Trading Estate
Cricket Ground
Athletic Ground
Playing Field
St. Bede's Coll. Playing Field
High Sch.
Royal Northern Coll. of Music
English Martyrs R.C. Prim. Sch.
Chorlton Health Centre
WILBRAHAM
ROAD
A6010
Football & Cricket Gnd.
M16
Oaklands Prep. Sch.
A5145
HIGH LANE
B5217
Thirlmere
Aqueduct
Football Ground
Sports Ground
Hough End Centre
Houghend Playing Fields
Chorlton-cum-Hardy
Nature Reserve
Brockburn Primary Sch.
Chorlton Park
Oakwood High Sch. (Upper)
Houghend Hall
Mauldeth Ho.
St. Thomas Aquinas R.C. High Sch. (Upper)
Chorlton Park Inf. & Jun. Schs.
M21
149
Chorltonville
Football Ground
MANCHESTER
BARLOW MOOR ROAD
Manchester Crematorium
Jews Cemy.
Manchester Southern Cemetery
Burial Ground
A5103
Sports Centre
Hardy Farm
Jackson's Bri.
Cricket Grd.
Chorlton-cum-Hardy Golf Course
Barlow Wood
Oakwood High Sch. (Lower)
Playing Field
Barlow Hall Primary Sch.
Barlow Moor
Barlow Hall Club Ho.
Southern Cross Sch.
Christie Playing Flds.
Bus Station
Lancastrian Sch.
River Mersey
Sale Golf Course
TRAFFORD
Chorlton Water Park
Electricity Sub Station
Nurseries
Sale
The Bottoms
M33
M60
M60 MOTORWAY
Sports Grd.
Sports Ground
M23
Parkway Playing Fields
Princess Parkway
Mersey Bank Open Space
Mersey Bank Playing Fields
M22
Northenden Golf Course
City Coll.
Oak Fm.
Club Ho.
Junction 5
166
Kenworthy
Northenden
Club House
SALE RD.
A B C D E
1 2 3 4 5 6 7
81 82 83
92 93 94

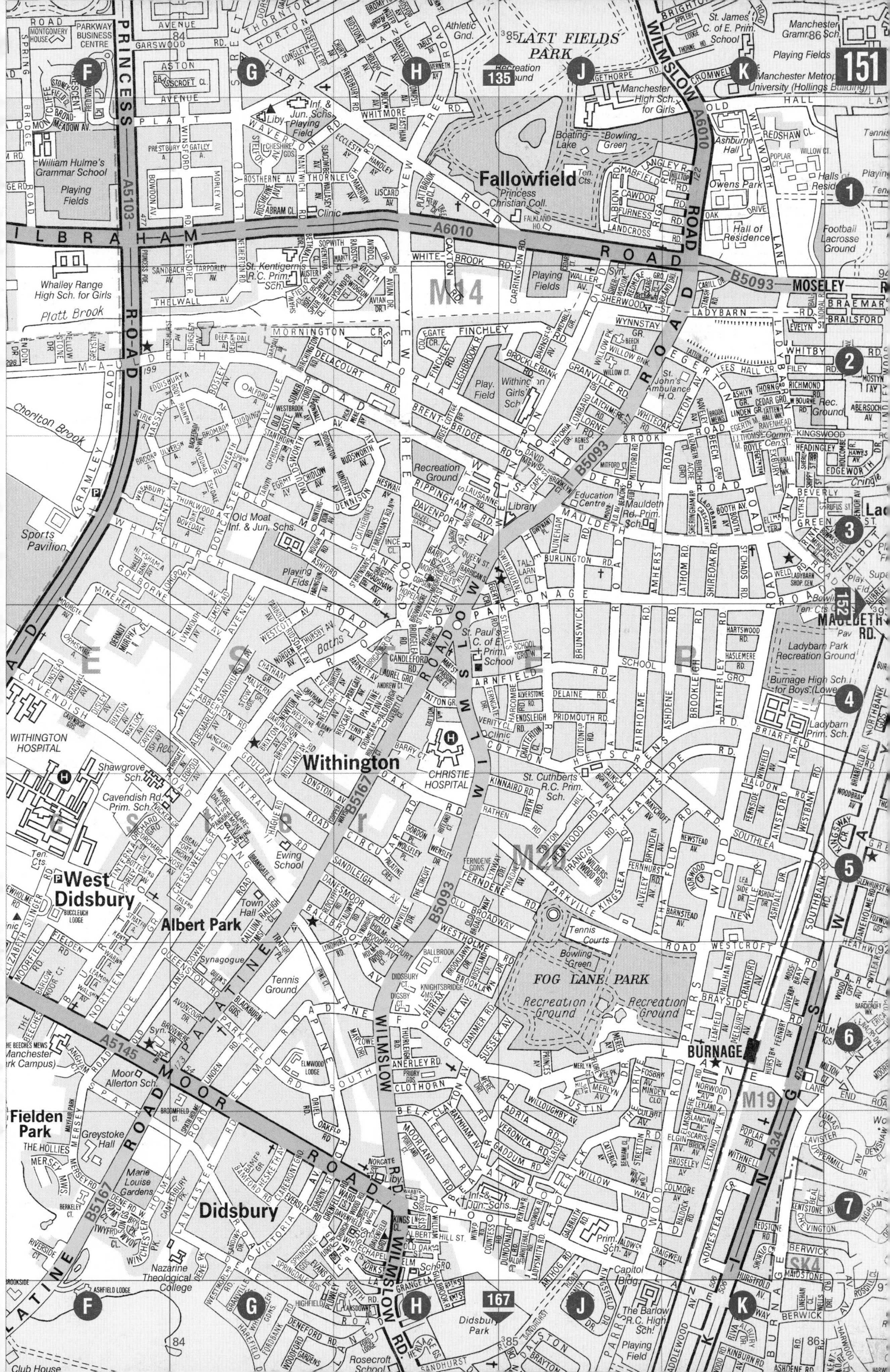

PLATT FIELDS PARK
135
Fallowfield
M14
Withington
M20
West Didsbury
Albert Park
Didsbury
Fielden Park
BURNAGE
M19
SK4
FOG LANE PARK
Recreation Ground
Tennis Courts
Bowling Green
Boating Lake
Manchester High Sch. for Girls
Manchester Gramr. Sch.
Manchester Metropolitan University (Hollings Building)
St. James C. of E. Prim. School
Ashburne Hall
Owens Park
Hall of Residence
Halls of Residence
Football Lacrosse Ground
Princess Christian Coll.
William Hulme's Grammar School
Playing Fields
Whalley Range High Sch. for Girls
PARKWAY BUSINESS CENTRE
MONTGOMERY HOUSE
Platt Brook
Chorlton Brook
Sports Pavilion
St. Kentigern's R.C. Prim. Sch.
Withington Girls' Sch.
St. John's Ambulance H.Q.
Old Moat Inf. & Jun. Schs.
Education Centre
Mauldeth Rd. Prim. Sch.
Library
St. Paul's C. of E. Prim. School
Baths
CHRISTIE HOSPITAL
WITHINGTON HOSPITAL
Shawgrove Sch.
Cavendish Rd. Prim. Sch.
Ewing School
Town Hall
Synagogue
Tennis Ground
St. Cuthberts R.C. Prim. Sch.
Ladybarn Park Recreation Ground
Burnage High Sch. for Boys (Lower)
Ladybarn Prim. Sch.
LADYBARN SHOP. CEN.
Moor Allerton Sch.
Manchester (Park Campus)
Greystoke Hall
Marie Louise Gardens
Nazarine Theological College
Capitol Bldg.
The Barlow R.C. High Sch.
Didsbury Park
Rosecroft School
Club House
ILBRAHAM ROAD
A6010
PRINCESS ROAD
A5103
WILMSLOW ROAD
B5093
B5167
A5145
MOOR ROAD
PALATINE ROAD
A34
MOSELEY RD.
B5093
MAULDETH RD.
152
167
F G H J K
1 2 3 4 5 6 7

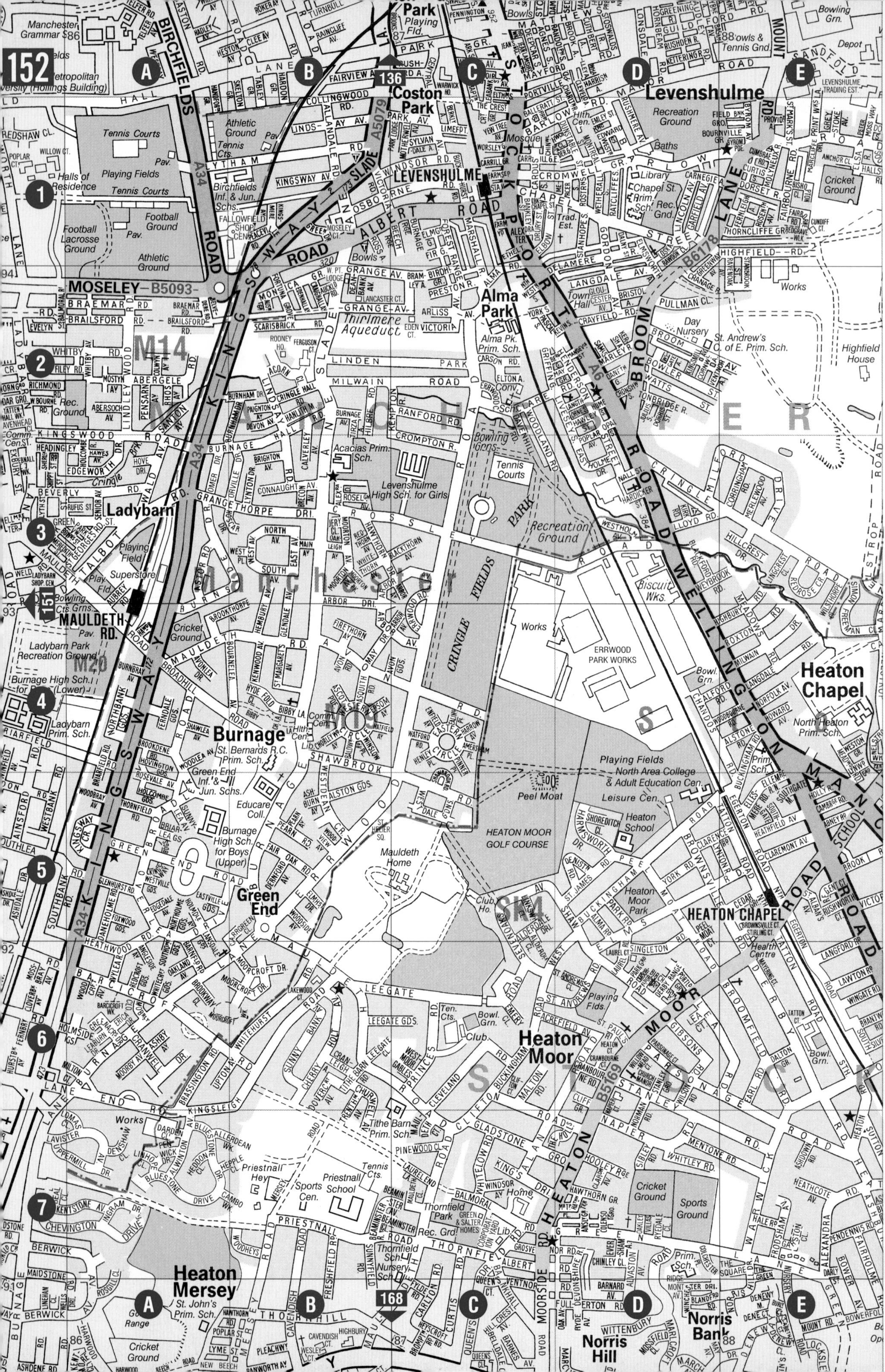
Levenshulme
Coston Park
LEVENSHULME
Alma Park
Ladybarn
MAULDETH RD.
Burnage
Green End
Heaton Chapel
HEATON CHAPEL
Heaton Moor
Heaton Mersey
Norris Hill
Norris Bank
MOSELEY
Manchester
CRINGLE FIELDS
ERRWOOD PARK WORKS
HEATON MOOR GOLF COURSE
Levenshulme High Sch. for Girls
Burnage High Sch. for Boys (Upper)
Priestnall School
Heaton School
Thirlmere Aqueduct
M14
M19
M20
SK4
136
151
168

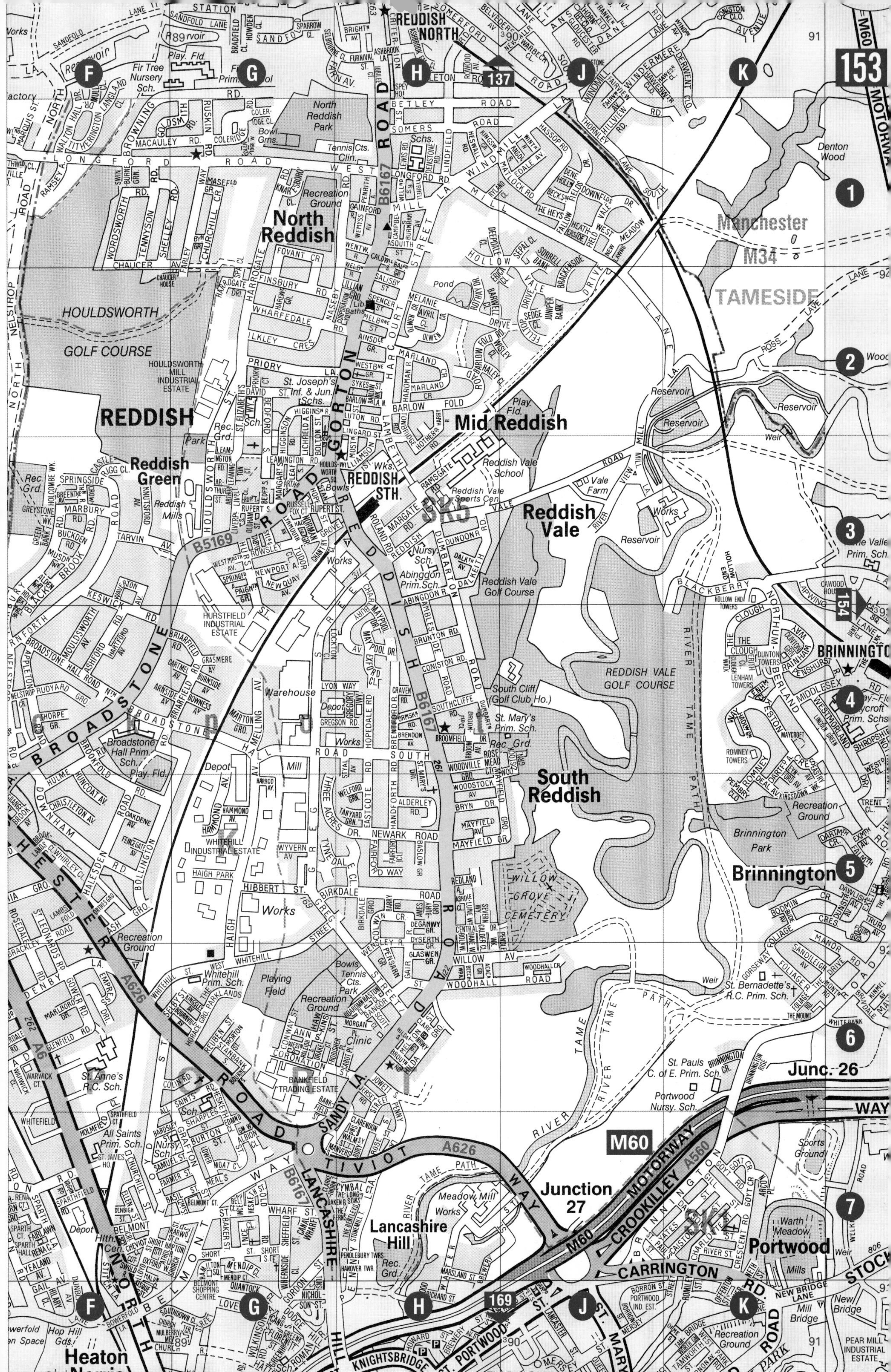

REDDISH NORTH
137
North Reddish Park
North Reddish
Recreation Ground
HOULDSWORTH
GOLF COURSE
HOULDSWORTH MILL INDUSTRIAL ESTATE
REDDISH
Reddish Green
Reddish Mills
St. Joseph's Inf. & Jun. Schs.
REDDISH STH.
Mid Reddish
Reddish Vale School
Reddish Vale Sports Cen.
Reddish Vale
Vale Farm
Reddish Vale Golf Course
Abingdon Prim.Sch.
HURSTFIELD INDUSTRIAL ESTATE
BROADSTONE
Broadstone Hall Prim. Sch.
REDDISH VALE GOLF COURSE
South Cliff (Golf Club Ho.)
St. Mary's Prim. Sch.
South Reddish
WHITEHILL INDUSTRIAL ESTATE
HAIGH PARK
WILLOW GROVE CEMETERY
Whitehill Prim. Sch.
Playing Field
Recreation Ground
St. Anne's R.C. Sch.
BANKFIELD TRADING ESTATE
All Saints Prim. Sch.
TIVIOT WAY
A626
B6167
B5169
LANCASHIRE HILL
Meadow Mill Works
Lancashire Hill
Junction 27
M60
MOTORWAY
CROOKILLEY WAY
A560
Portwood
Warth Meadow Mills
169
Heaton Norris
Hop Hill Gds.
Denton Wood
Manchester
M34
TAMESIDE
Reservoir
Brinnington
Brinnington Park
Recreation Ground
BRINNINGTON
154
St. Bernadette's R.C. Prim. Sch.
St. Pauls C. of E. Prim. Sch.
Portwood Nursy. Sch.
Junc. 26
Sports Ground
New Bridge
Mill Bridge
PEAR MILL INDUSTRIAL ESTATE
RIVER TAME
F
G
H
J
K
1
2
3
4
5
6
7
SK5
SK1
89
90
91
92

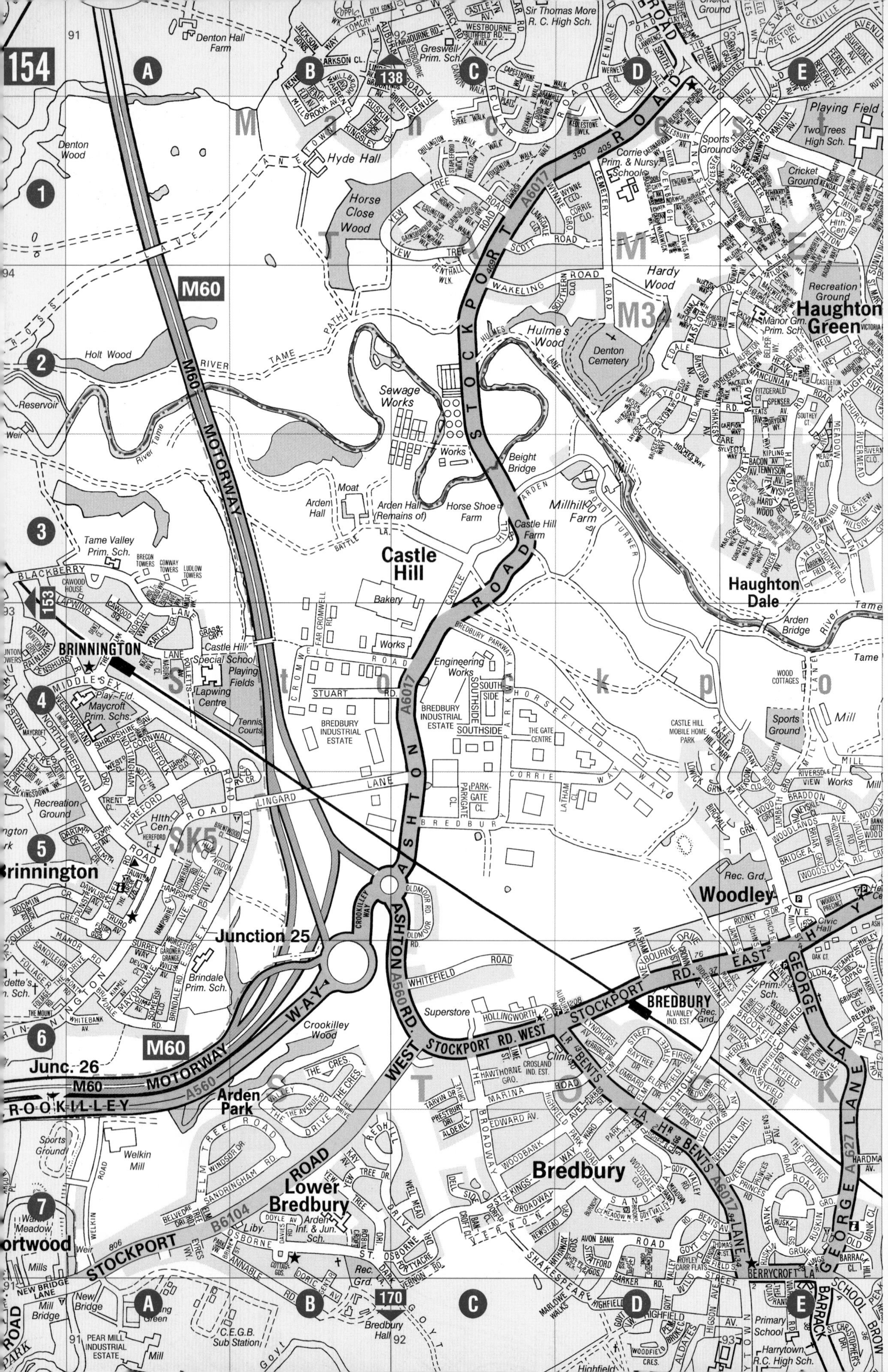

Denton Hall Farm
Greswell Prim. Sch.
Sir Thomas More R. C. High Sch.
Playing Field
Two Trees High Sch.
Denton Wood
Hyde Hall
Horse Close Wood
Corrie Prim. & Nursy. School
Sports Ground
Cricket Ground
Recreation Ground
Hardy Wood
Haughton Green
Manor Grn. Prim. Sch.
M60
Holt Wood
Reservoir
Weir
River Tame
Sewage Works
Works
Hulme's Wood
Denton Cemetery
Beight Bridge
Moat
Arden Hall
Arden Hall (Remains of)
Horse Shoe Farm
Millhill Farm
Castle Hill Farm
Castle Hill
Tame Valley Prim. Sch.
Haughton Dale
Arden Bridge
Bakery
Engineering Works
BREDBURY INDUSTRIAL ESTATE
BRINNINGTON
Castle Hill Special School
Playing Fields
Lapwing Centre
Tennis Courts
Play. Fld.
Maycroft Prim. Schs.
WOOD COTTAGES
Sports Ground
Mill
CASTLE HILL MOBILE HOME PARK
THE GATE CENTRE
Recreation Ground
Hlth. Cen.
SK5
Brinnington
Rec. Grd.
Woodley
Junction 25
Brindale Prim. Sch.
Superstore
BREDBURY
ALVANLEY IND. EST.
Civic Hall
Prim. Sch.
Crookilley Wood
M60
Junc. 26
ROOKILLEY
Arden Park
CROSLAND IND. EST.
Clinic
Sports Ground
Welkin Mill
Bredbury
Lower Bredbury
Arden Inf. & Jun. Sch.
Liby.
Rec. Grd.
Weir
Portwood
Mills
New Bridge
Mill Bridge
PEAR MILL INDUSTRIAL ESTATE
C.E.G.B. Sub Station
Bredbury Hall
Primary School
Harrytown R.C. High Sch.
STOCKPORT ROAD
ASHTON ROAD
STOCKPORT RD. EAST
STOCKPORT RD. WEST
GEORGE LANE
A6017
A560
B6104
A627
138
153
170
A B C D E
1 2 3 4 5 6 7

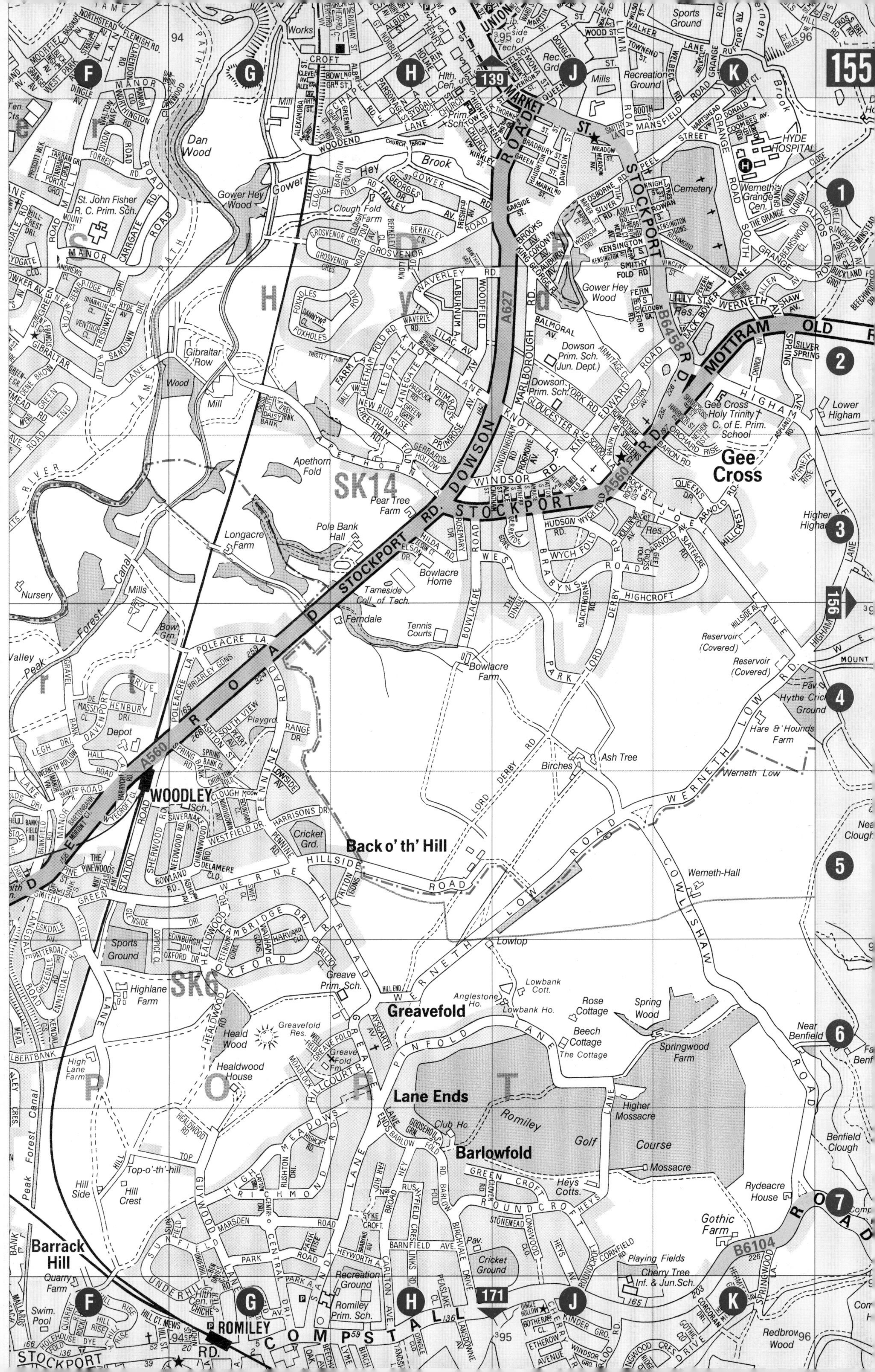

Hyde
Gee Cross
Woodley
Back o' th' Hill
Greavefold
Lane Ends
Barlowfold
Romiley
Barrack Hill
SK14
SK6
A560
A627
B6458
B6104
HYDE HOSPITAL
Cemetery
Dan Wood
Gower Hey Wood
Apethorn Fold
Pole Bank Hall
Longacre Farm
Tameside Coll. of Tech.
Bowlacre Home
Bowlacre Farm
Werneth Low
Werneth-Hall
Romiley Golf Course
Peak Forest Canal
River Tame

139
156
171

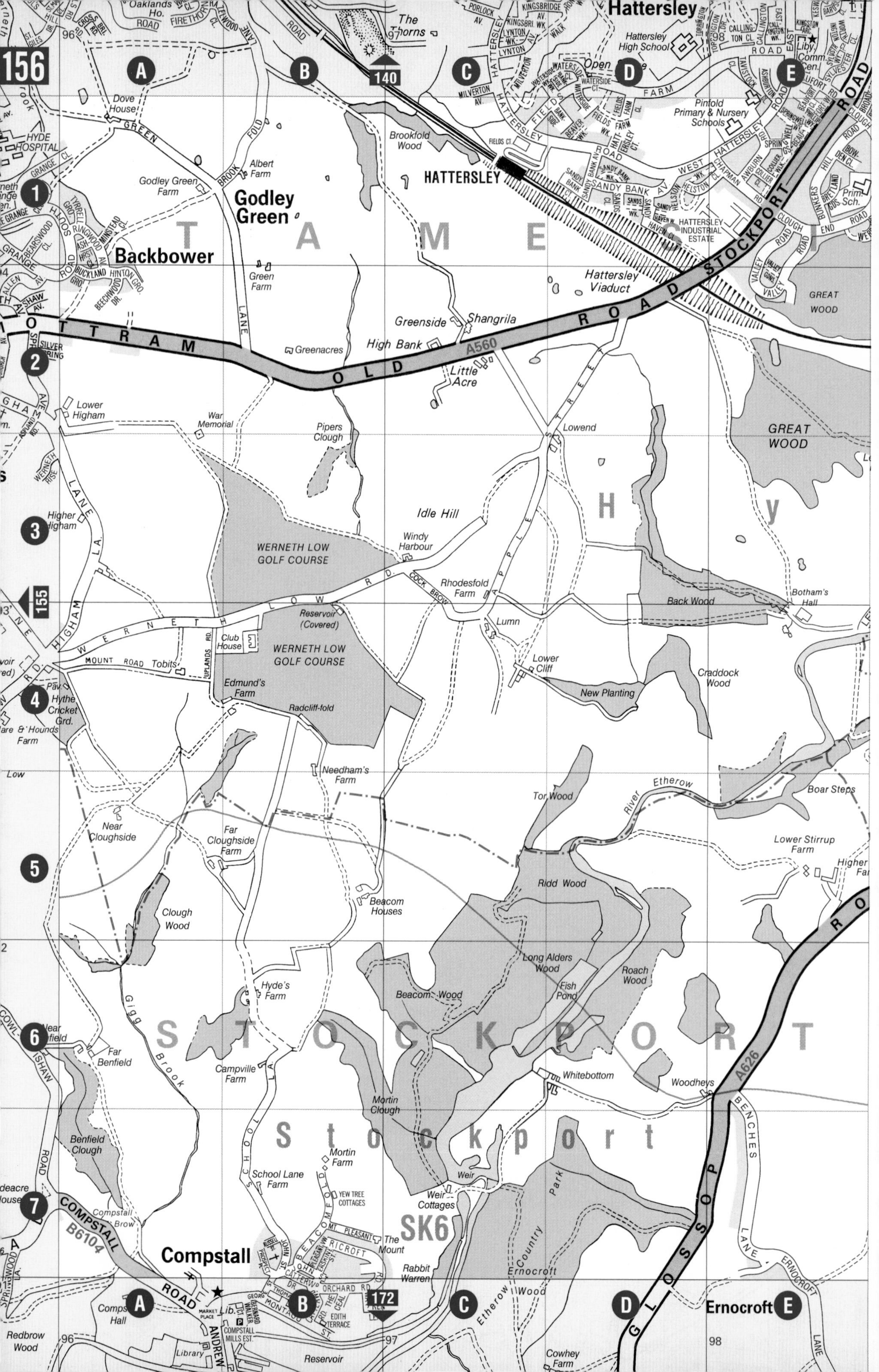

A
B
C
D
E
1
2
3
4
5
6
7
140
155
172
Hattersley
Hattersley High School
The Thorns
Oaklands Ho.
Dove House
HYDE HOSPITAL
Godley Green Farm
Godley Green
Albert Farm
Backbower
Green Farm
Brookfold Wood
HATTERSLEY
Pinfold Primary & Nursery Schools
HATTERSLEY INDUSTRIAL ESTATE
Hattersley Viaduct
GREAT WOOD
Greenside
Shangrila
High Bank
Greenacres
Little Acre
OLD ROAD
COTTRAM
STOCKPORT ROAD
A560
Lower Higham
War Memorial
Pipers Clough
Lowend
Higher Higham
Idle Hill
Windy Harbour
WERNETH LOW GOLF COURSE
Rhodesfold Farm
WERNETH LOW RD.
COCK BROW
Reservoir (Covered)
Club House
MOUNT ROAD
Tobits
UPLANDS RD.
Lumn
Lower Cliff
Back Wood
Botham's Hall
Craddock Wood
New Planting
Edmund's Farm
Radcliff-fold
Hythe Cricket Grd.
Hare & Hounds Farm
HIGHAM LA.
Needham's Farm
Tor Wood
River Etherow
Boar Steps
Near Cloughside
Far Cloughside Farm
Lower Stirrup Farm
Ridd Wood
Clough Wood
Beacom Houses
Long Alders Wood
Roach Wood
Fish Pond
Hyde's Farm
Beacom Wood
TAMESIDE
STOCKPORT
Stockport
Gigg Brook
Near Benfield
Far Benfield
Campville Farm
Whitebottom
Woodheys
A626
BENCHES
Mortin Clough
Benfield Clough
Mortin Farm
School Lane Farm
SCHOOL LA.
YEW TREE COTTAGES
Weir
Weir Cottages
SK6
Etherow Country Park
COMPSTALL ROAD
B6104
Compstall Brow
Compstall
The Mount
Rabbit Warren
Ernocroft Wood
GLOSSOP ROAD
LANE
ERNOCROFT
Ernocroft
Compstall Hall
MARKET PLACE
Lib.
COMPSTALL MILLS EST.
EDITH TERRACE
ANDREW
Redbrow Wood
Library
Reservoir
Cowhey Farm
96
97
98

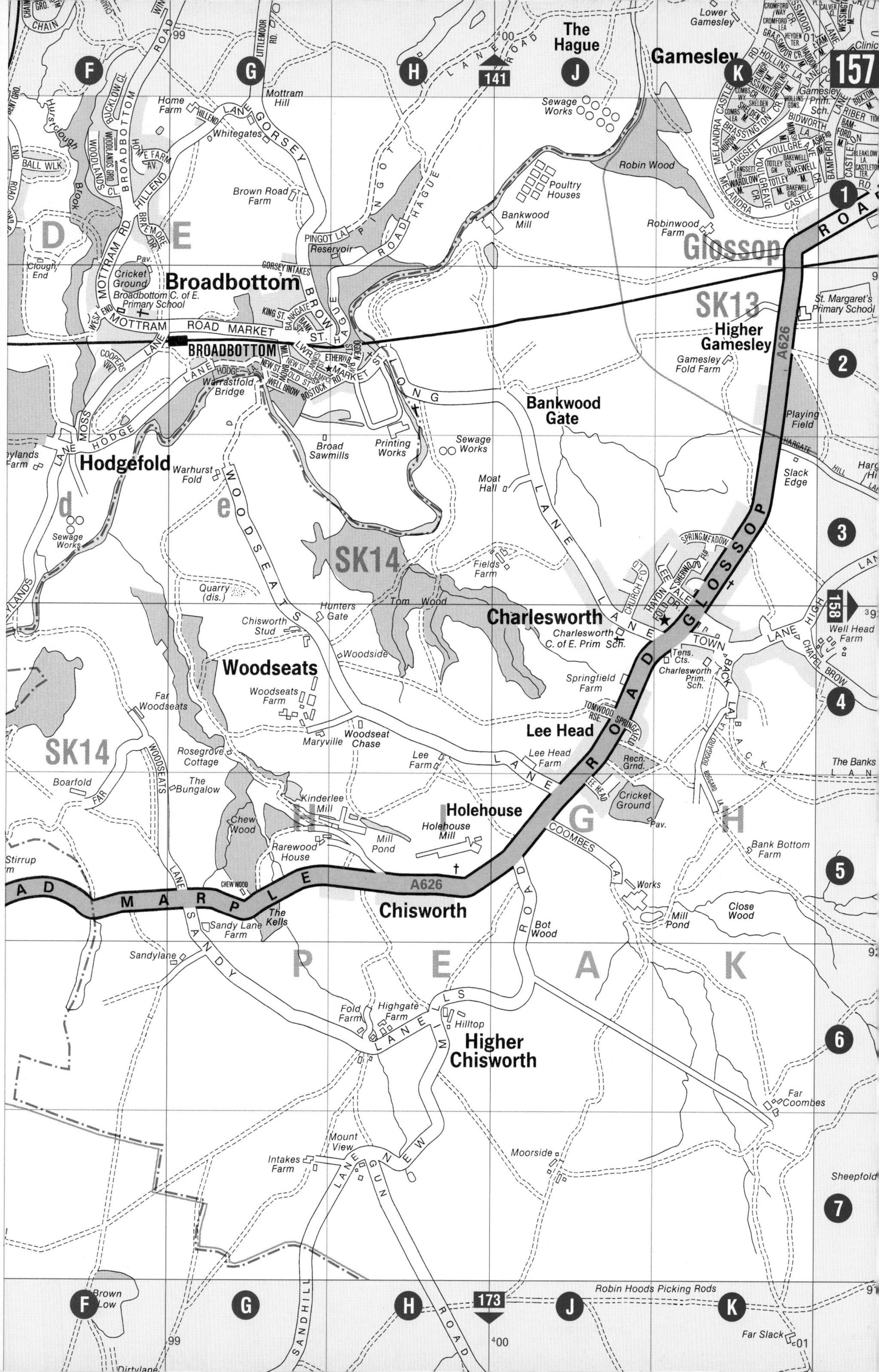

Broadbottom
BROADBOTTOM
Hodgefold
Woodseats
Charlesworth
Lee Head
Holehouse
Chisworth
Higher Chisworth
Glossop
Higher Gamesley
Gamesley
The Hague
Bankwood Gate
Mottram Hill
Home Farm
Whitegates
Brown Road Farm
Poultry Houses
Bankwood Mill
Robin Wood
Robinwood Farm
Sewage Works
Reservoir
Cricket Ground
Broadbottom C. of E. Primary School
Warrastfold Bridge
Broad Sawmills
Printing Works
Moat Hall
Warhurst Fold
Quarry (dis.)
Hunters Gate
Chisworth Stud
Woodside
Woodseats Farm
Maryville
Woodseat Chase
Fields Farm
Tom Wood
Charlesworth C. of E. Prim. Sch.
Springfield Farm
Charlesworth Prim. Sch.
Lee Farm
Lee Head Farm
Far Woodseats
Rosegrove Cottage
The Bungalow
Boarfold
Kinderlee Mill
Chew Wood
Rarewood House
Mill Pond
Holehouse Mill
Sandy Lane Farm
The Kells
Sandylane
Bot Wood
Fold Farm
Highgate Farm
Hilltop
Mount View
Intakes Farm
Moorside
Far Coombes
Close Wood
Bank Bottom Farm
Works
Recn. Grnd.
Playing Field
Slack Edge
Gamesley Fold Farm
St. Margaret's Primary School
Well Head Farm
The Banks
Sheepfold
Robin Hoods Picking Rods
Far Slack
Brown Low
Dirtylane
Hodgefold
SK13
SK14
A626
MARPLE ROAD
GLOSSOP ROAD
MOTTRAM ROAD
MARKET ST.
WOODSEATS LANE
SANDY LANE
MILLS LANE
GUN LANE
NEW ROAD
SANDHILL
COOMBES LA.
LONG LANE
GORSEY LANE
PINGOT LA.
HAGUE ROAD
141
158
173
F G H J K
1 2 3 4 5 6 7
99
400

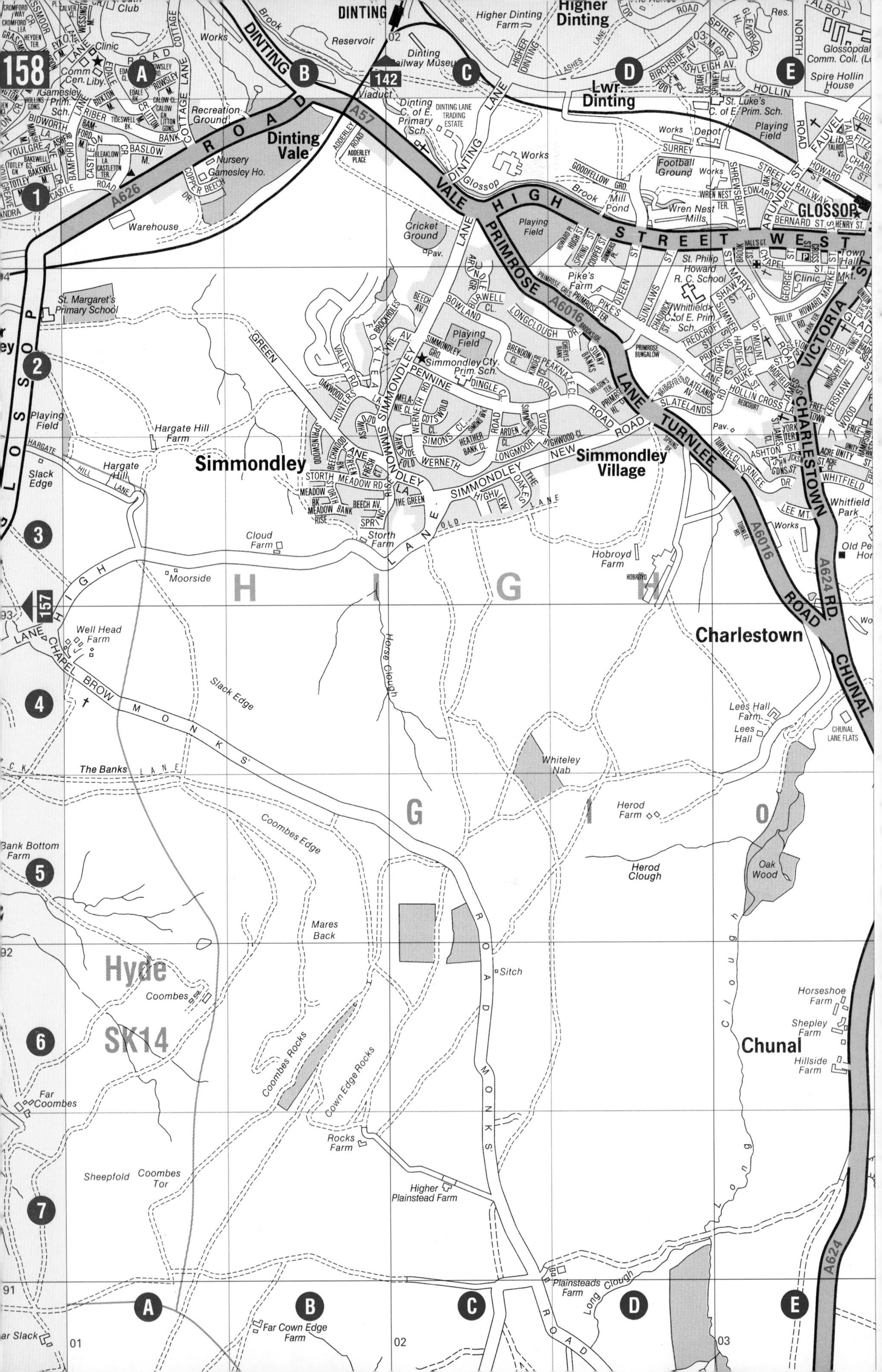
DINTING
Higher Dinting
Higher Dinting Farm
Reservoir
Dinting Railway Museum
Viaduct
142
DINTING ROAD
Dinting Vale
Recreation Ground
Nursery
Gamesley Ho.
Warehouse
Gamesley Prim. Sch.
Comm. Cen. Liby.
Clinic
Lwr. Dinting
St. Luke's C. of E. Prim. Sch.
Playing Field
Spire Hollin House
Glossopdale Comm. Coll.
Dinting C. of E. Primary Sch.
DINTING LANE TRADING ESTATE
Works
Depot
Football Ground
Mill Pond
Wren Nest Mills
GLOSSOP
HIGH STREET WEST
VALE
A57
A626
A6016
A624
Cricket Ground
Pav.
Playing Field
Pike's Farm
St. Philip Howard R. C. School
Whitfield C. of E. Prim. Sch.
Clinic
Town Hall
Mkt.
VICTORIA ST.
CHARLESTOWN RD.
Simmondley Cty. Prim. Sch.
Playing Field
St. Margaret's Primary School
GLOSSOP ROAD
Playing Field
Hargate Hill Farm
Hargate Hill
Slack Edge
Simmondley
Simmondley Village
TURNLEE LANE
SIMMONDLEY NEW ROAD
Cloud Farm
Storth Farm
Moorside
HIGH LANE
Hobroyd Farm
Charlestown
CHUNAL ROAD
Whitfield Park
Old Pel Ho.
157
Well Head Farm
CHAPEL BROW
MONKS' LANE
Slack Edge
Horse Clough
Lees Hall Farm
Lees Hall
CHUNAL LANE FLATS
The Banks
Whiteley Nab
Herod Farm
HIGH
Coombes Edge
Herod Clough
Oak Wood
Bank Bottom Farm
Mares Back
Sitch
MONKS' ROAD
Hyde
SK14
Coombes
Horseshoe Farm
Shepley Farm
Chunal
Hillside Farm
Coombes Rocks
Cown Edge Rocks
Far Coombes
Long Clough
Rocks Farm
Sheepfold
Coombes Tor
Higher Plainstead Farm
Plainsteads Farm
Far Cown Edge Farm
Far Slack
01
02
03
91
92
93
94
A
B
C
D
E
1
2
3
4
5
6
7

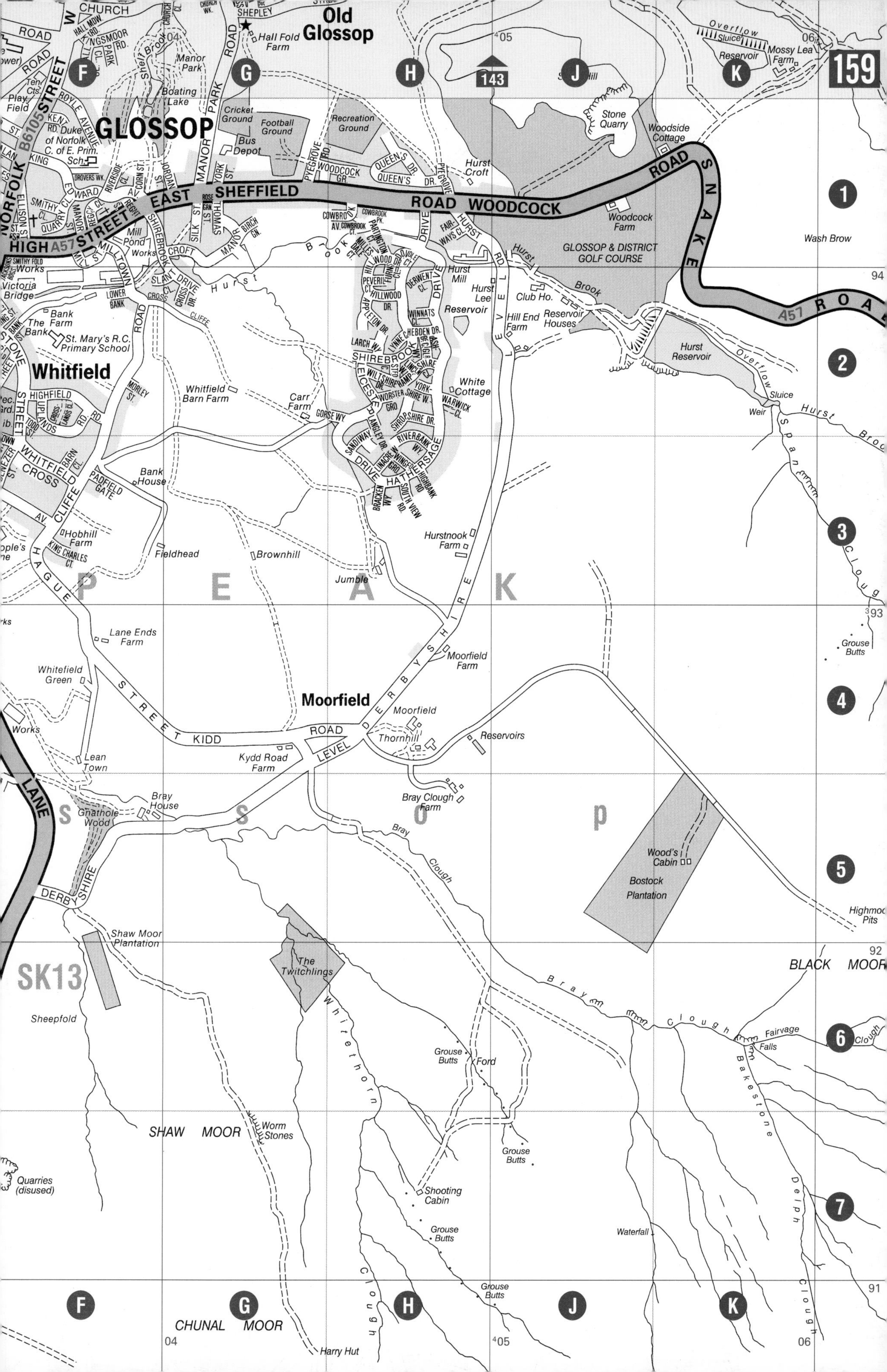

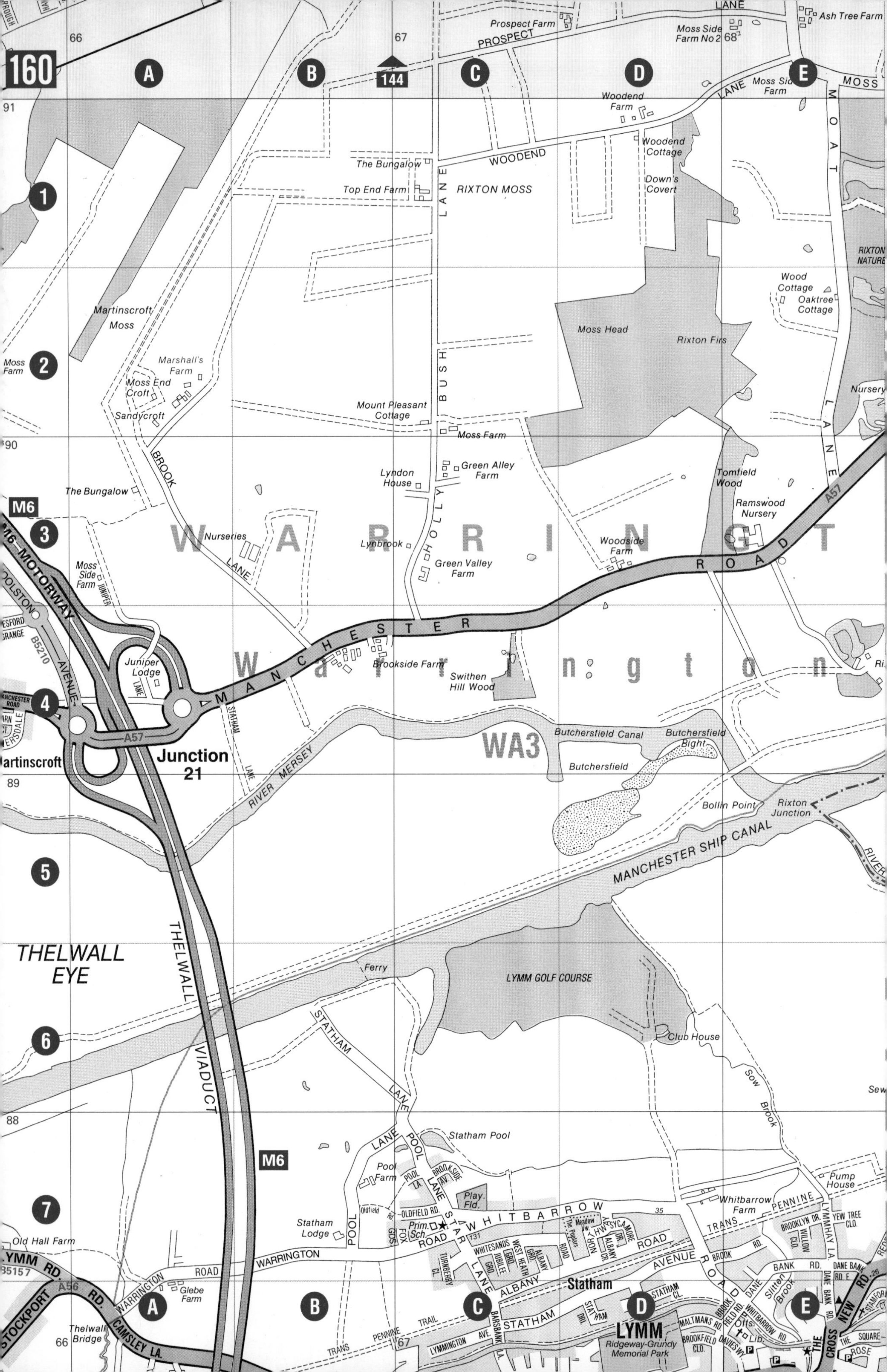

144
Prospect Farm
PROSPECT
LANE
Moss Side Farm No 2
Ash Tree Farm
MOSS
Moss Side Farm
Woodend Farm
Woodend Cottage
WOODEND
The Bungalow
Top End Farm
RIXTON MOSS
Down's Covert
Martinscroft Moss
Moss Farm
Marshall's Farm
Moss End Croft
Sandycroft
Mount Pleasant Cottage
BUSH LANE
Moss Farm
Moss Head
Rixton Firs
Wood Cottage
Oaktree Cottage
RIXTON NATURE
Nursery
MOAT LANE
BROOK LANE
The Bungalow
Lyndon House
Green Alley Farm
HOLLY
Tomfield Wood
Ramswood Nursery
Nurseries
WARRINGTON
Lynbrook
Green Valley Farm
Woodside Farm
M6
M6 MOTORWAY
Moss Side Farm
JUNIPER
MANCHESTER ROAD
A57
Juniper Lodge
Brookside Farm
Swithen Hill Wood
Warrington
B5210
AVENUE
Junction 21
STATHAM LANE
RIVER MERSEY
WA3
Butchersfield Canal
Butchersfield Bight
Butchersfield
Bollin Point
Rixton Junction
Martinscroft
MANCHESTER SHIP CANAL
THELWALL EYE
THELWALL VIADUCT
Ferry
LYMM GOLF COURSE
STATHAM LANE
Club House
Sow Brook
Statham Pool
POOL LANE
Pool Farm
BROOKSIDE AV.
Play. Fld.
Whitbarrow Farm
Pump House
PENNINE
TRANS
OLDFIELD RD.
WHITBARROW ROAD
Prim. Sch.
STAR LANE
Statham Lodge
Old Hall Farm
LYMM RD.
B5157
WARRINGTON ROAD
STOCKPORT RD.
A56
Glebe Farm
Thelwall Bridge
CAMSLEY LA.
ALBANY
Statham
AVENUE
STATHAM
LYMM
Ridgeway-Grundy Memorial Park
TRANS PENNINE TRAIL
LYMMINGTON AVE
BARSBANK LA.
BROOKFIELD CLO.
MALTMANS RD.
BANK RD.
DANE BANK RD.
THE CROSS
NEW RD.
THE SQUARE
ROSE
YEW TREE CLO.
BROOKLYN DR.
LYMMHAY LA.
WILLOW CLO.
TURNBERRY CL.
WHITESANDS
JUBILEE GRO.
WEST HEATH GRO.
ALBANY GRO.
SYCAMORE DR.
ALBANY CR.
The Poplars
Meadow Vw.
Lib.
Slitten Brook
66
67
68
91
90
89
88
35
131

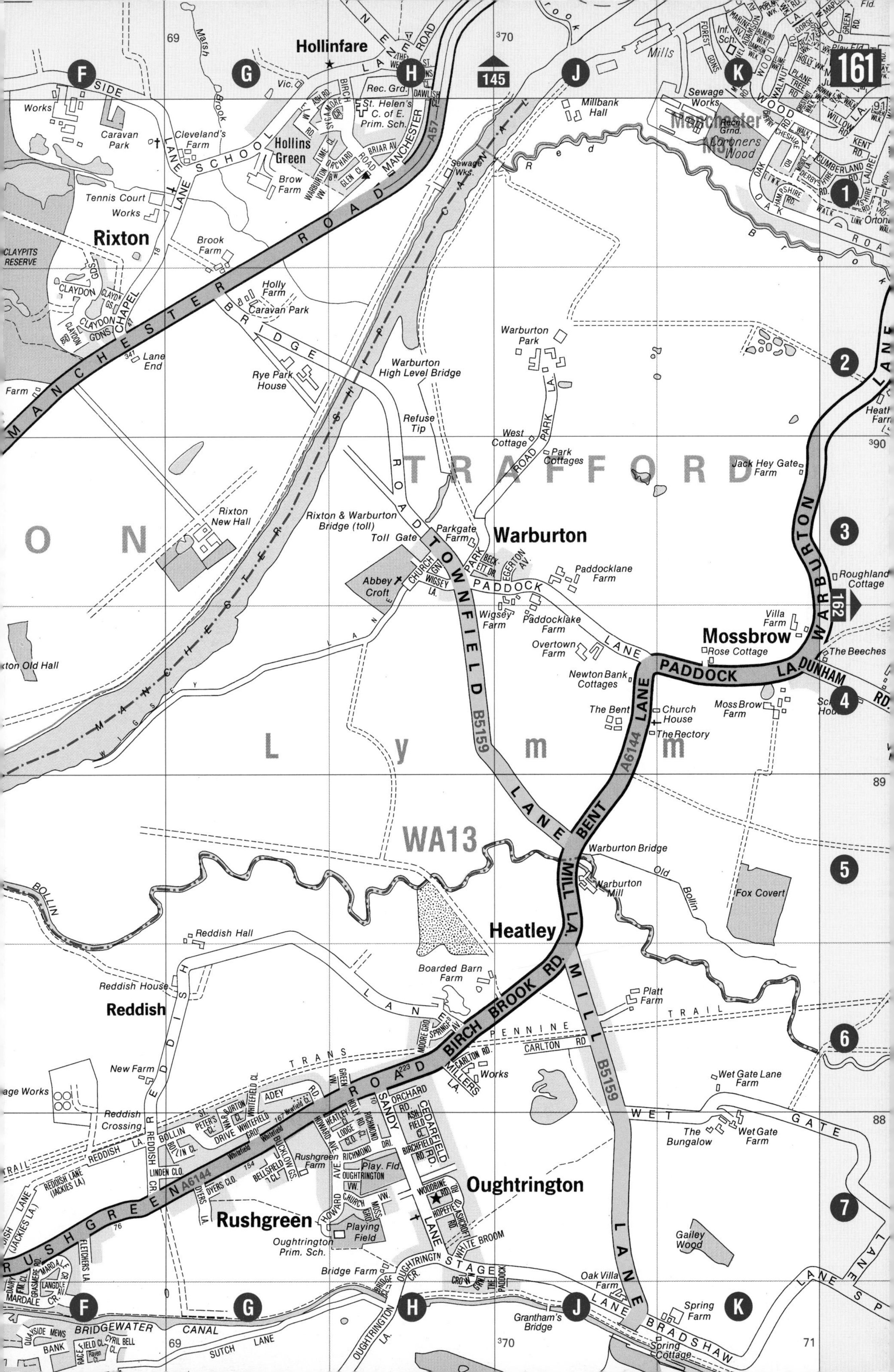

Hollinfare
145
Hollins Green
Rixton
CLAYPITS RESERVE
MANCHESTER ROAD
A57
SCHOOL LANE
CHAPEL LANE
BRIDGE LANE
Caravan Park
Cleveland's Farm
Tennis Court
Works
Brook Farm
Holly Farm
Rye Park House
Lane End
St. Helen's C. of E. Prim. Sch.
Brow Farm
Rec. Grd.
Sewage Wks.
Millbank Hall
Mills
Sewage Works
Manchester
Coroners Wood
Red Brook
MANCHESTER SHIP CANAL
Warburton High Level Bridge
Refuse Tip
Warburton Park
PARK LA.
West Cottage
Park Cottages
TRAFFORD
Jack Hey Gate Farm
Rixton New Hall
Rixton & Warburton Bridge (toll)
Toll Gate
Parkgate Farm
Warburton
Abbey Croft
TOWNFIELD
B5159
PADDOCK LANE
Paddocklane Farm
Wigsey Farm
Paddocklake Farm
Overtown Farm
Newton Bank Cottages
The Bent
Church House
The Rectory
Mossbrow
Rose Cottage
Mossbrow Farm
Villa Farm
Roughland Cottage
162
WARBURTON LANE
The Beeches
DUNHAM RD.
Heath Farm
WIGSEY LANE
Rixton Old Hall
Lymm
A6144
BENT LANE
WA13
Warburton Bridge
Warburton Mill
Old Bollin
Fox Covert
BOLLIN
MILL LA.
MILL LANE
Heatley
Reddish Hall
Reddish House
Reddish
REDDISH LANE
Boarded Barn Farm
Platt Farm
TRANS PENNINE TRAIL
BIRCH BROOK RD.
CARLTON RD.
Works
New Farm
Wet Gate Lane Farm
WET GATE LANE
The Bungalow
Wet Gate Farm
Reddish Crossing
RUSHGREEN ROAD
Rushgreen Farm
Play. Fld.
Oughtrington
Rushgreen
Playing Field
Oughtrington Prim. Sch.
Gailey Wood
Bridge Farm
STAGE LANE
Oak Villa Farm
BRIDGEWATER CANAL
SUTCH LANE
Grantham's Bridge
Spring Farm
Spring Cottage
BRADSHAW LANE
OUGHTRINGTON LA.
F G H J K
1 2 3 4 5 6 7
69 370 71
90 89 88

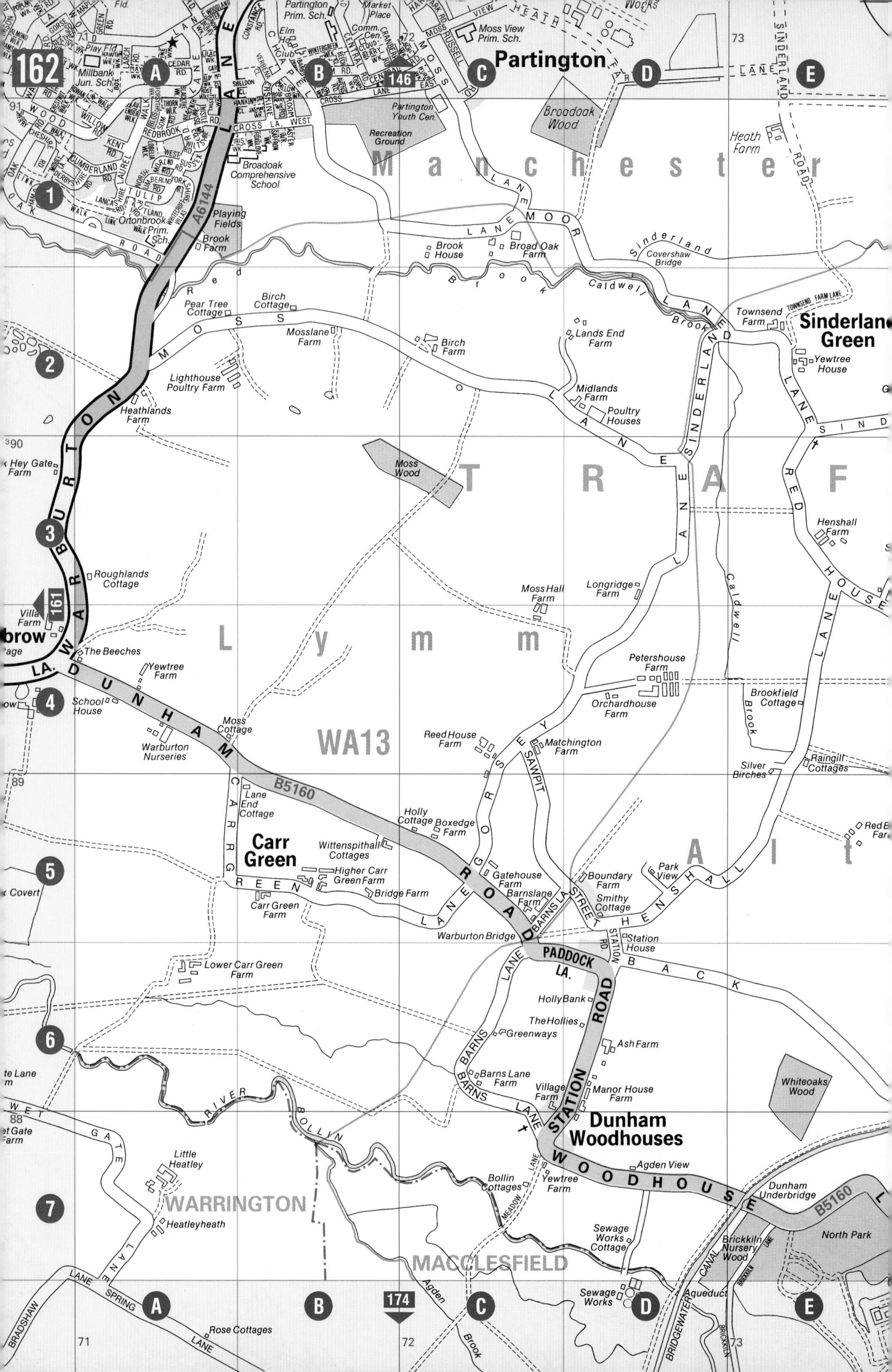
Partington
Manchester
TRAFF
ALT
Lymm
WA13
WARRINGTON
MACCLESFIELD
Carr Green
Dunham Woodhouses
Sinderland Green
Partington Prim. Sch.
Moss View Prim. Sch.
Millbank Jun. Sch.
Broadoak Comprehensive School
Ortonbrook Prim. Sch.
Partington Youth Cen.
Recreation Ground
Broadoak Wood
Heath Farm
Playing Fields
Brook Farm
Brook House
Broad Oak Farm
Covershaw Bridge
Pear Tree Cottage
Birch Cottage
Mosslane Farm
Birch Farm
Lands End Farm
Townsend Farm
Yewtree House
Lighthouse Poultry Farm
Heathlands Farm
Midlands Farm
Poultry Houses
Moss Wood
Hey Gate Farm
Henshall Farm
Roughlands Cottage
Moss Hall Farm
Longridge Farm
Villa Farm
The Beeches
Yewtree Farm
Petershouse Farm
Orchardhouse Farm
Brookfield Cottage
School House
Moss Cottage
Warburton Nurseries
Reed House Farm
Matchington Farm
Silver Birches
Raingill Cottages
Lane End Cottage
Holly Cottage
Boxedge Farm
Wittenspithall Cottages
Higher Carr Green Farm
Bridge Farm
Carr Green Farm
Gatehouse Farm
Barnslane Farm
Boundary Farm
Smithy Cottage
Park View
Warburton Bridge
Station House
Lower Carr Green Farm
Holly Bank
The Hollies
Greenways
Ash Farm
Barns Lane Farm
Village Farm
Manor House Farm
Whiteoaks Wood
Little Heatley
Heatleyheath
Bollin Cottages
Yewtree Farm
Agden View
Dunham Underbridge
North Park
Brickkiln Nursery Wood
Sewage Works Cottage
Sewage Works
Aqueduct
Rose Cottages
A6144
B5160
WARBURTON LANE
DUNHAM ROAD
MOSS LANE
SINDERLAND LANE
SINDERLAND ROAD
RED HOUSE LANE
HENSHALL LANE
GORSEY LANE
SAWPIT STREET
BARNS LANE
CARR GREEN LANE
PADDOCK LA.
STATION ROAD
STATION RD.
BACK LANE
WOODHOUSE LANE
MOOR LANE
CROSS LA. WEST
CROSS LANE
HEATH FARM LANE
WEST GATE LANE
SPRING LANE
BRADSHAW LANE
MEADOW LANE
RIVER BOLLIN
BRIDGEWATER CANAL
Red Brook
Sinderland Brook
Caldwell Brook
Agden Brook
146
161
174
1 2 3 4 5 6 7
A B C D E
71 72 73
88 89 90 91

M31
Birchmoss Covert
Brookheys Farm
Brookheys Covert
Hogswood Covert
Birchhouse Farm
Woodcote Farm
Works
Woodhouses
Sale
M33
Sinderland Brook
SINDERLAND LANE
F O R D
Cemetery
Whitehouse Farm
Red House Farm
Pear Tree Farm
Blackbrow Farm
Black Moss Farm
BLACK MOSS ROAD
Brook Cottage
Black Moss Covert
Dairyhouse Farm
DAIRYHOUSE LANE
LYON INDUSTRIAL ESTATE
OCEAN STREET TRADING EST.
STAG INDUSTRIAL ESTATE
CENTURY PARK INDUSTRIAL ESTATE
Bridgewater Canal
Seamons Moss Bri.
r i n c h a m
Grovehouse Farm
WA14
Oldfield Brow Primary Sch.
Oldfield Brow
Back Tree Cotts.
Dunhamtown Bridge
Dunham Town
DUNHAM FOREST GOLF COURSE
DUNHAM NEW PARK
Forest Edge
Reservoir (covered)
Fish Pond
Dunham Massey National Trust
Altrincham Grammar School for Girls
Sports Ground
War Mem.
A56
147
164
175

148
176
163
A
B
C
D
E
1
2
3
4
5
6
7
91
90
89
88
76
77
78
Woodhouses
Broadheath
ALTRINCHAM
Hale Moss
Timperley
NAVIGATION ROAD
ALTRINCHAM
WA14
WA15
Football Ground
Southfields Sch.
Walton Sports Centre
Miniature Railway
Walton Road Park
St. Margaret R.C. Prim. Sch.
Cherry Manor Prim. Sch.
Woodheys Primary Sch.
Health Centre
Woodheys Park
Tyntesfield Primary School
Sports Ground
Woodheys Clough
Sinderland Brook
Baguley Brook
Sidall's Bri.
Newton Pk.
Park Rd. Prim. Sch.
South Trafford Coll. of Further Education
Broadheath Primary Sch.
Playing Field
Smith's Bridge
Gibson Ho.
PEERGLOW PARK EST.
ROSCOE PARK EST.
ATTENBURY'S PK. EST.
Timperley Bri.
St. Hugh's R.C. Prim. Sch.
Playing Fld.
Pond
Timperley Brook
Sports Ground
CROWN IND. EST.
Works
BLUE CHIP BUSINESS PARK
LYON INDUSTRIAL ESTATE
ATLANTIC BUSINESS CEN.
TAG INDUSTRIAL ESTATE
Altrincham Bri.
The Mansion House
Canal
Bridgewater
Brentwood School
Rec. Grd.
Navigation Prim. Sch.
Roberts
Harcourt Ho.
Public Open Space
Rec. Grd.
Bowling Grn.
Play. Fld.
Willows Primary Sch.
Playing Fields
The New Wellington Sch.
Playing Fields
Tennis Cts.
Ice Rink
Sports Ground
JOHN LEIGH PARK
Clinic
Altrincham C.E. Primary Sch.
Adult Education Cen.
Nth. Cestrian Grammar Sch.
Loreto Convent Prep. & Grammar Schs.
Council Offs.
Shopping Precinct
Lib.
Market
Hosp.
Sports Cen.
St. Vincent R.C. Inf. Sch.
St. Vincent R.C. Jun. Sch.
Play. Fields
Rec. Grd.
Club Ho.
Moat
Recreation Ground
ALTRINCHAM MUNICIPAL GOLF COURSE
King George V Pool
Blessed Thomas Holford Catholic High Sch.
Playing Fields
Timperley Brook
STAMFORD PARK
Altrincham F.C. Ground
Stamford Pk. Inf. & Jun. Schs.
Hospital
Grammar for Girls
Culcheth Hall
War Mem.
GROVE PARK
WASHWAY ROAD
MANCHESTER ROAD
A56
A560
B5165
B5164
A538
DUNHAM ROAD
STOCKPORT RD.
WOODLANDS RD.
BARRINGTON
CHURCH ST.
STAMFORD NEW RD.
ASHLEY RD.
LLOYD ST.
OLDFIELD
WOODHOUSE LANE
CHERRY LANE
BRAEMAR
CHESTNUT DRIVE
WOODHEYS DRIVE
AVONLEA ROAD
CLOUGH AVENUE
LANGDALE
MANLEY
EASTWAY
GRANARY WAY
CRESCENT
SYLVAN GROVE
PARK ROAD
SINDERLAND ROAD
LINDSELL
PRINCESS
PEVERIL
CRAVEN ROAD
STREET
NAVIGATION
BRIDGEWATER
WHARF
DEANSGATE
MOSS GROVE
WELLINGTON
ROBY ROAD
BENTINCK
HIGHGATE RD.
REGENT ROAD
NEW STREET
MOSS LANE
PARK ROAD
MOSS
HALE
CAVENDISH
WOODLANDS

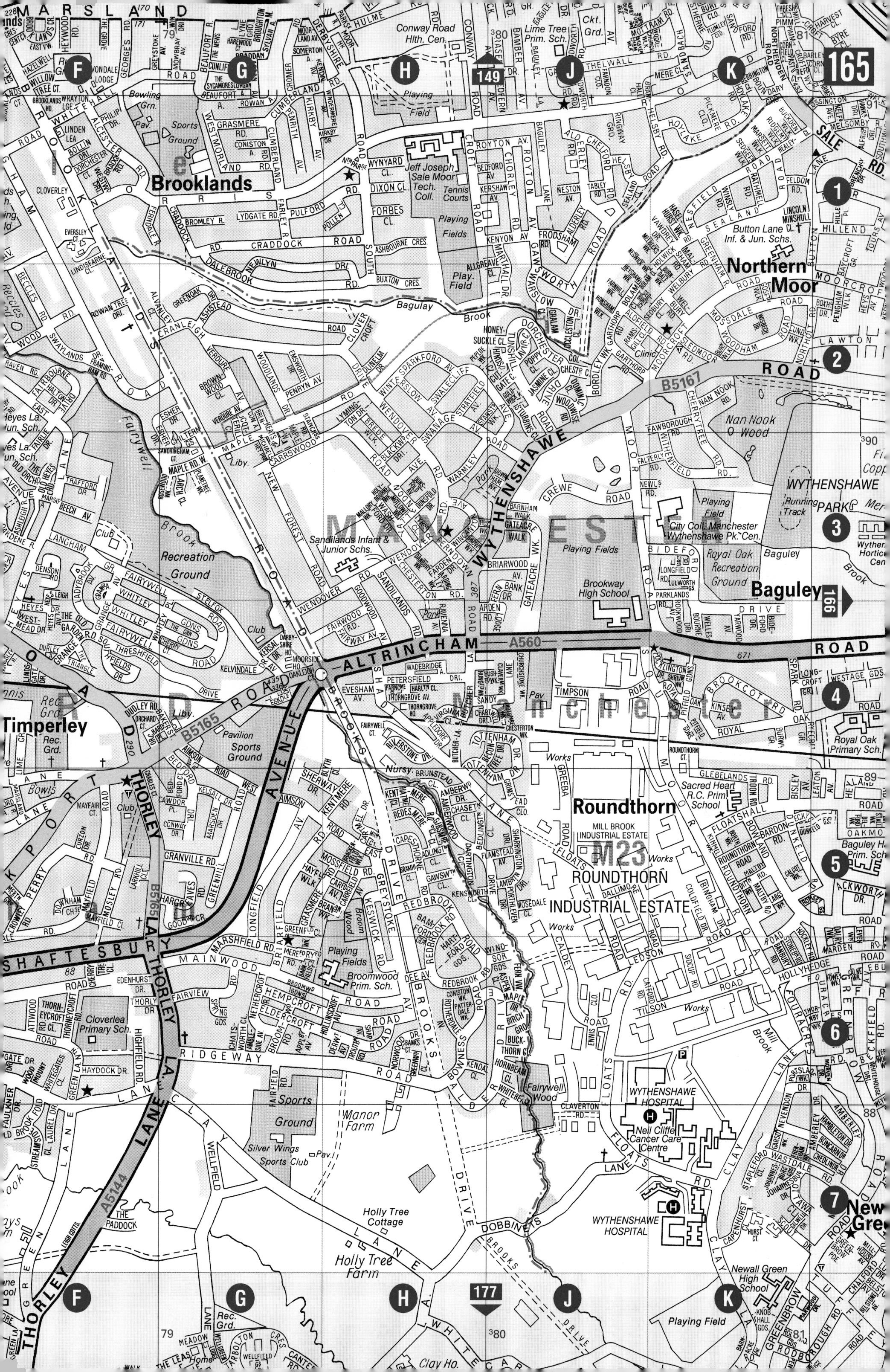
Brooklands
Northern Moor
MANCHESTER
Roundthorn
ROUNDTHORN INDUSTRIAL ESTATE
Timperley
Baguley
WYTHENSHAWE PARK
WYTHENSHAWE HOSPITAL
Newall Green High School
Playing Field
Holly Tree Farm
Manor Farm
Fairywell Wood
Recreation Ground
Sports Ground
Brookway High School
Sandilands Infant & Junior Schs.
Jeff Joseph Sale Moor Tech. Coll.
Button Lane Inf. & Jun. Schs.
City Coll. Manchester Wythenshawe Pk. Cen.
Royal Oak Recreation Ground
Royal Oak Primary Sch.
Sacred Heart R.C. Prim. School
Broomwood Prim. Sch.
Cloverlea Primary Sch.
Silver Wings Sports Club
Holly Tree Cottage
Nan Nook Wood
Neil Cliffe Cancer Care Centre
Conway Road Hlth. Cen.
Lime Tree Prim. Sch.
Baguley Hall Prim. Sch.
ALTRINCHAM ROAD
WYTHENSHAWE ROAD
SHAFTESBURY AV.
THORLEY LANE
149
166
177

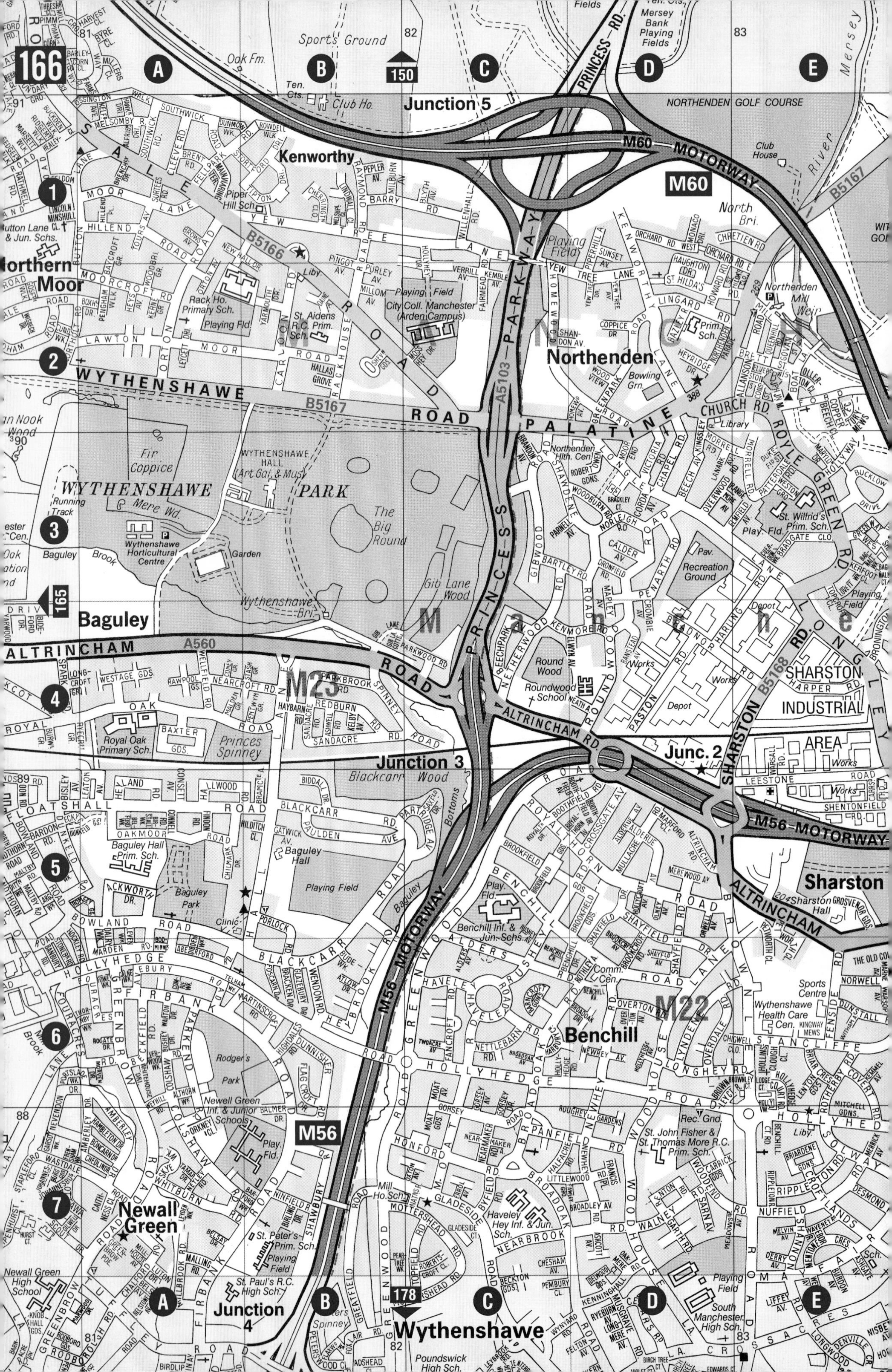
A
B
C
D
E
1
2
3
4
5
6
7
81
82
83
88
89
90
91
150
165
178
Sports Ground
Oak Fm.
Ten. Cts.
Club Ho.
Junction 5
Mersey Bank Playing Fields
PRINCESS RD.
NORTHENDEN GOLF COURSE
M60
M60 MOTORWAY
Club House
River Mersey
B5167
Kenworthy
SALE ROAD
MOOR LANE
YEW TREE LANE
B5166
Piper Hill Sch.
Liby.
Rack Ho. Primary Sch.
Playing Fld.
St. Aidens R.C. Prim. Sch.
Playing Field
City Coll. Manchester (Arden Campus)
PRINCESS PARKWAY
A5103
Northenden
North Bri.
Northenden Mill
Weir
Prim. Sch.
Bowling Grn.
Library
Buttton Lane & Jun. Schs.
Northern Moor
LAWTON MOOR ROAD
WYTHENSHAWE ROAD
PALATINE ROAD
CHURCH RD.
ROYLE GREEN RD.
Nook Wood
Fir Coppice
WYTHENSHAWE HALL (Art Gal. & Mus)
WYTHENSHAWE PARK
Running Track
Mere Wd.
Wythenshawe Horticultural Centre
Garden
The Big Round
Gib Lane Wood
Wythenshawe Bri.
Baguley Brook
Northenden Hlth. Cen.
Recreation Ground
Pav.
St. Wilfrid's Prim. Sch.
Play. Fld.
Playing Field
Baguley
ALTRINCHAM ROAD
A560
M23
Round Wood
Roundwood School
Works
Depot
SHARSTON INDUSTRIAL AREA
B5168
SHARSTON RD.
LONGLEY LANE
Royal Oak Primary Sch.
Princes Spinney
Junction 3
Blackcarr Wood
Junc. 2
M56 MOTORWAY
Sharston
Sharston Hall
Baguley Hall Prim. Sch.
Baguley Hall
Playing Field
Baguley Park
Clinic
Benchill Inf. & Jun. Schs.
Play. Fld.
Comm. Cen.
M22
Benchill
Sports Centre
Wythenshawe Health Care Cen.
Rodger's Park
Newell Green Inf. & Junior Schools
Play. Fld.
M56
Rec. Gnd.
St. John Fisher & St. Thomas More R.C. Prim. Sch.
Liby.
Newall Green
Mill Ho. Sch.
St. Peter's Prim. Sch.
Playing Field
Haveley Hey Inf. & Jun. Sch.
Newall Green High School
St. Paul's R.C. High Sch.
Junction 4
Wythenshawe
Poundswick High Sch.
South Manchester High Sch.
Playing Field

Didsbury
East Didsbury
EAST DIDSBURY
Gatley
GATLEY
CHEADLE
Didsbury Park
Nazarine Theological College
Rosecroft School
Clinic
Manchester Met. Univ. (Didsbury Campus)
Broomhurst Hall of Residence
Simon Playing Field
Fletcher Moss Museum
Fletcher Moss Playing Fields
Sports Grd.
Club House
DIDSBURY GOLF COURSE
Stenner Farm
Millgate Farm
Underbank House Play. Fields
Bowls
Tennis Cts
Cricket Grd.
THE TOWERS BUSINESS PARK
Francis House Children's Hospice
Superstore
The Barlow R.C. High Sch.
Playing Field
Capitol Bldg.
Prim. Sch.
Parr's Wood High Sch.
Parr's Wood Ho. Hall of Residence
Royal Ford Hall of Residence
Recreation Ground
RIVER MERSEY
Cheadle Bridge
Cheadlewood
Broad Oak Prim. Sch.
Weir
Lake
Bridge Farm
Junction 4
Junction 1 (M56)
Junction 3
M60 MOTORWAY
M60
M56
Refuse Treatment Plant
BARNES HOSPITAL
Cheadle Bleach Works
THE ALEXANDRA HOSPITAL
Sports Centre
Reservoir
Fish Pond
Abney Hall
Abney Hall Park
Recreation Ground
Playground
Hollyhedge Park
Gatley Hill Bri. Liby.
Gatley Prim. Sch.
Athletic Grnd.
SCHOLES PARK
Sports Ground
Play. Fields
The Kingsway Lower School
Tennis Cts.
The Kingsway Upper School Playing Flds.
Dark La. Bridge
Crossacres Inf. & Jun. Schs.
Woodside School
GATLEY GOLF COURSE
Highfield House
South View
Lady Barn House School & Bethesada School
BRUNTWOOD PARK
Brookfields Park
Brookfield Ho.
Downs Bridge
KINGSWAY
PARRS WOOD ROAD
MANCHESTER ROAD
DIDSBURY ROAD
PARRS WOOD LANE
WILMSLOW ROAD
STENNER LANE
MILLGATE LANE
NORTHENDEN RD.
GATLEY ROAD
STOCKPORT ROAD
HIGH ST.
STYAL RD.
PARK ROAD
BROADWAY
A5145
A34
A560
B5095
B5166
A5149
SK4
SK8
F G H J K
1 2 3 4 5 6 7
151
168
179

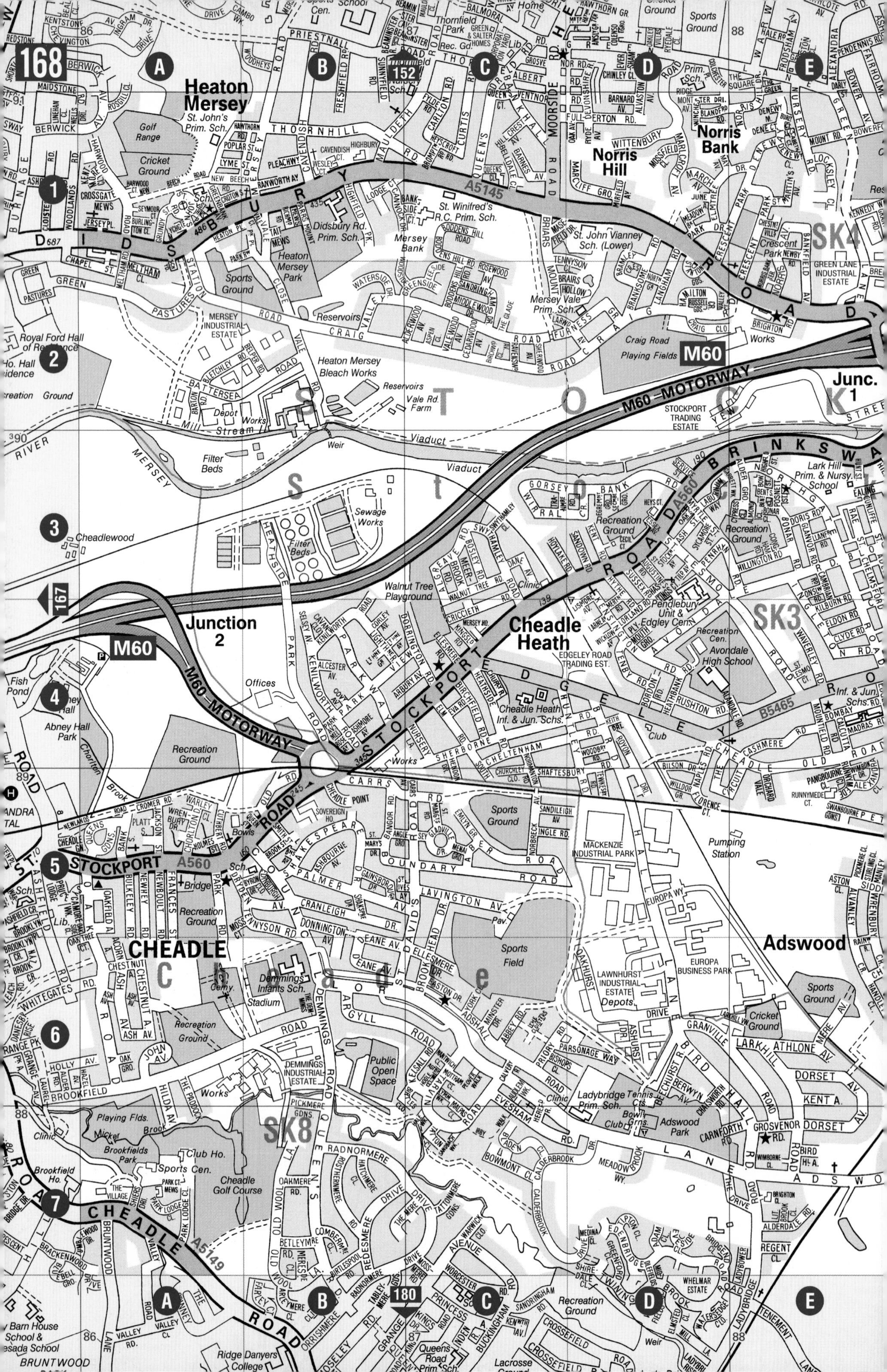

A
B
C
D
E
1
2
3
4
5
6
7
152
167
180
86
87
88
89
90
Heaton Mersey
St. John's Prim. Sch.
Golf Range
Cricket Ground
Thornfield Park
Rec. Gd.
Sports Ground
Norris Hill
Norris Bank
SK4
Green Lane Industrial Estate
Crescent Park
St. Winifred's R.C. Prim. Sch.
Mersey Bank
Didsbury Rd. Prim. Sch.
Heaton Mersey Park
St. John Vianney Sch. (Lower)
Mersey Vale Prim. Sch.
Reservoirs
Mersey Industrial Estate
Craig Road Playing Fields
M60
Junc. 1
Royal Ford Hall of Residence
Heaton Mersey Bleach Works
Vale Rd. Farm
Stockport Trading Estate
M60 MOTORWAY
Depot
Works
Mill Stream
Weir
Viaduct
RIVER MERSEY
Filter Beds
Sewage Works
Cheadlewood
Lark Hill Prim. & Nursy. School
Recreation Ground
Walnut Tree Playground
Junction 2
Cheadle Heath
Pendlebury Unit & Edgley Cen.
Recreation Cen.
Avondale High School
SK3
Edgeley Road Trading Est.
Cheadle Heath Inf. & Jun. Schs.
Inf. & Jun. Schs.
Fish Pond
Abney Hall
Abney Hall Park
Offices
Chorlton Brook
STOCKPORT ROAD
A560
A5145
A5149
B5465
Mackenzie Industrial Park
Pumping Station
Bowls
Bridge
CHEADLE
Recreation Ground
Demmings Infants Sch.
Cemy.
Stadium
Sports Field
Lawnhurst Industrial Estate
Depots
Europa Business Park
Adswood
Sports Ground
Cricket Ground
Demmings Industrial Estate
Public Open Space
Ladybridge Prim. Sch.
Tennis Cts.
Bowl Club
Bowl Grns.
Adswood Park
SK8
Playing Flds.
Micker Brook
Brookfields Park
Club Ho.
Sports Cen.
Cheadle Golf Course
Brookfield Ho.
Recreation Ground
Whelmar Estate
Weir
Ridge Danyers College
Queens Road Prim. Sch.
Lacrosse Ground
BRUNTWOOD
CHEADLE ROAD

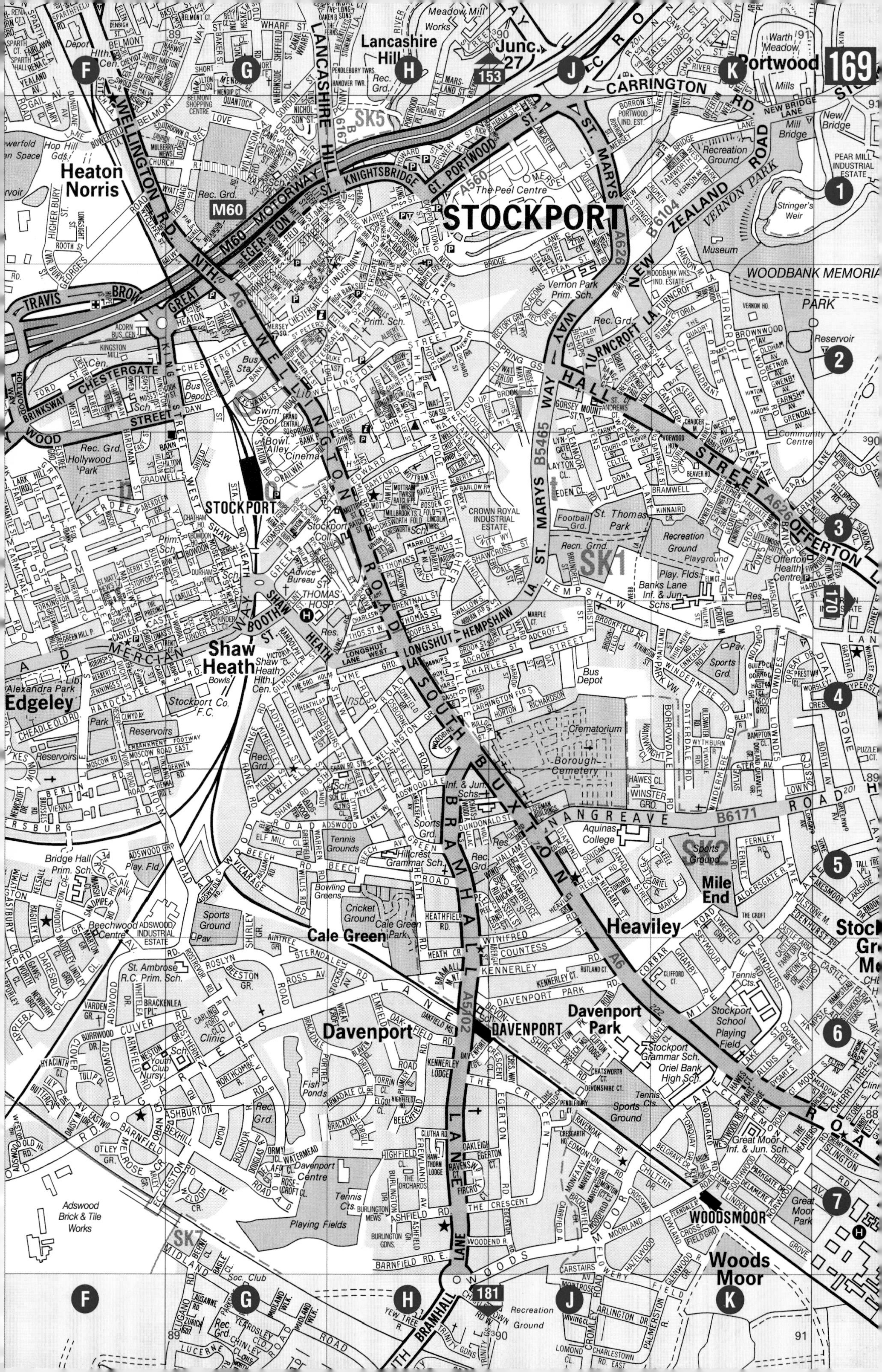

STOCKPORT
Heaton Norris
Portwood
Lancashire Hill
Edgeley
Shaw Heath
Heaviley
Mile End
Cale Green
Davenport
Davenport Park
Woods Moor
Junc. 27
M60
153
170
181

Lower Bredbury
STOCKPORT ROAD
Bredbury Hall
River Goyt
Sports Ground
WOODBANK MEMORIAL PARK
Woodbank
Reservoir
King George's Field
Stockport Little Moor
Middle Farm
Goyt Hall Farm
Goyt Hall
GOYT VALLEY
Highfield Cemetery
Werneth School
Playing Fields
Bredbury Green
Harrytown R.C. High Sch.
Bredbury Green Prim. Sch.
Overdale Sch.
Bunkers Hill Recreation Ground
Cricket Ground
Swimming Pool
Woodlands Court
Woodlands Park
Bridge Special School
Offerton High School
Fairway Prim. Sch.
Lower Waterside
Sewage Works
Waterside Farm
OFFERTON LANE
MARPLE RD.
Offerton House L.D.R.C.
Halliday Farm
Foggbrook
Offerton Green
Warren Wood
Wood Cottage
HILLCREST RD.
Sports Ground
St. Philip's R.C. Prim. Sch.
Offerton Hall
Offerton Hall Prim. Sch.
Lisburne Sch.
The Dialstone Centre
Stockport Great Moor
CHERRY TREE HOSPITAL
Playing Field
Offerton
Brooklands Farm
Shadyoak Fm.
Warren Wood Primary School
SK1
SK2
SK7
Dial Park Prim. School
St. Stephen's C. of E. Prim. Sch.
Stepping Hill
Open Space
Reservoir
STEPPING HILL HOSPITAL
BUXTON ROAD
LONDON ROAD
OFFERTON
Playing Fields
154
169
182

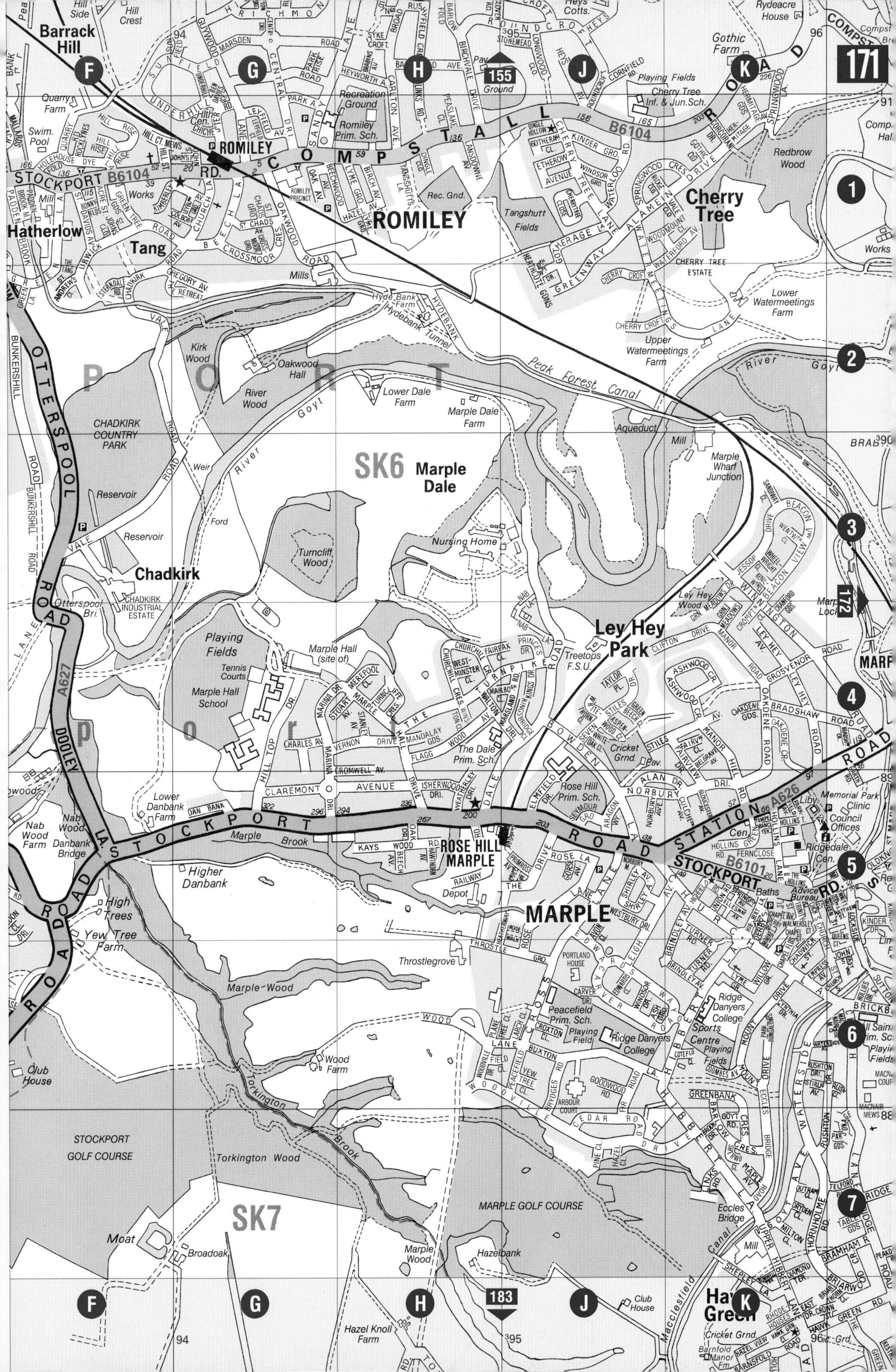

Barrack Hill
ROMILEY
COMPSTALL ROAD
B6104
Cherry Tree
Hatherlow
Tang
Redbrow Wood
Peak Forest Canal
River Goyt
SK6
Marple Dale
Chadkirk
CHADKIRK COUNTRY PARK
OTTERSPOOL ROAD
A627
Ley Hey Park
Marple Hall School
ROSE HILL MARPLE
STOCKPORT ROAD
A626
MARPLE
B6101
STOCKPORT GOLF COURSE
Torkington Wood
Marple Wood
SK7
MARPLE GOLF COURSE
Haw Green
Macclesfield Canal
155
172
183

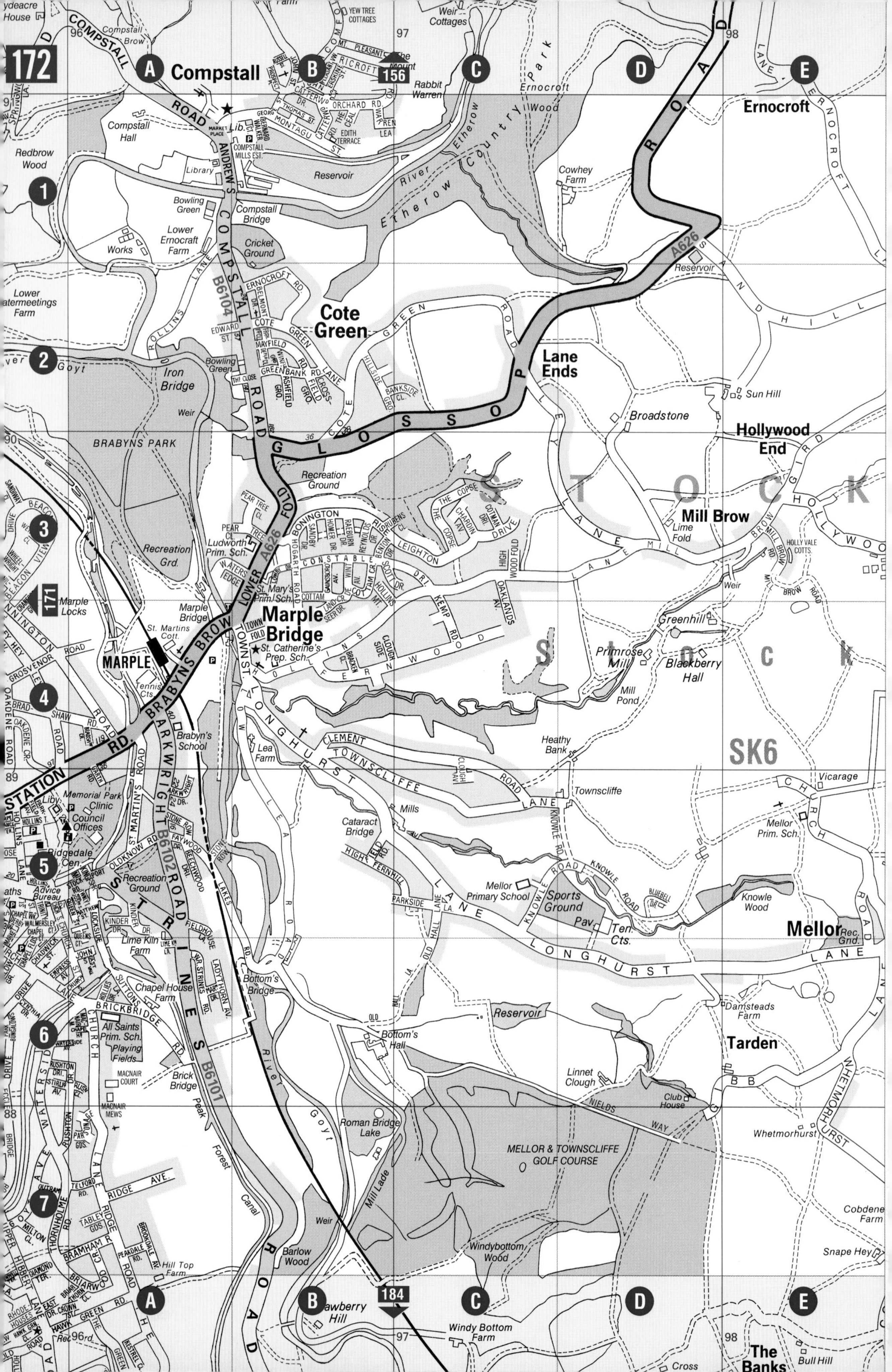
Compstall
Compstall Road
Compstall Brow
Yew Tree Cottages
Weir Cottages
The Mount
156
Rabbit Warren
Mt Pleasant
Ricroft
Orchard Rd
Montagu St.
Edith Terrace
Compstall Hall
Market Place
Lib.
Compstall Mills Est.
Redbrow Wood
Library
Reservoir
River Etherow
Etherow Country Park
Ernocroft Wood
Ernocroft
Ernocroft Lane
Cowhey Farm
Bowling Green
Compstall Bridge
Lower Ernocroft Farm
Works
Cricket Ground
Andrews
Compstall Road
B6104
A626
Sandhill Lane
Lower Watermeetings Farm
Rollins Lane
Ernocroft Rd.
Belmont Dr.
Cote Green
Cote Green Lane
Cote Green Road
Edward St.
Mayfield
Greenbank Rd.
Hillside Gro.
Bankside Cl.
Lane Ends
Glossop Road
Iron Bridge
Weir
River Goyt
Sun Hill
Broadstone
Hollywood End
Brabyns Park
Recreation Ground
Pear Tree Cl.
Bonington
Sandby Av.
Homer Dr.
Raeburn Dr.
Reynolds Dr.
Rubens Cl.
The Copse
Chardin Av.
Cotman Dri.
Stock
Mill Brow
Lime Fold
Holly Vale Cotts.
Hollywood
Pear Cl.
Ludworth Prim. Sch.
Recreation Grd.
Hogarth Road
Constable
Leighton
High Wood Fold
Lane Mill
Waters Edge
St. Mary's Prim. Sch.
Gainsborough Av.
Cottam
Landseer Dr.
Scott Dr.
Hollins Mt.
Lower Fold
Kemp Rd.
Oaklands Av.
Brow Road
Weir
Greenhill
171
Marple Locks
Marple Bridge
Marple Bridge
Town Fold
St. Catherine's Prep. Sch.
Fernwood
Clough Side
Bracken Cl.
Primrose Mill
Blackberry Hall
St. Martins Cott.
Marple
Brabyns Brow
Grosvenor Road
Tennis Cts.
Townst.
Mill Pond
Bradshaw
Oakdene Road
Oakdene Cr.
Brabyn's School
Lea Farm
Clement
Townscliffe
Heathy Bank
SK6
Station Rd.
Memorial Park
Clinic
Liby.
Council Offices
St. Martin's Road
Arkwright Road
Stone Row
Faywood Dr.
Longhurst
Townscliffe Lane
Clough Av.
Road
Townscliffe
Vicarage
Church
Mellor Prim. Sch.
Ridgedale Cen.
Oldknow Rd.
B6102
Beechwood Dri.
Mills
Cataract Bridge
High Fernhill
Knowle Rd.
Knowle Road
Hollins Lane
Advice Bureau
Recreation Ground
Strines Road
Lakes
Mellor Primary School
Sports Ground
Pav.
Ten. Cts.
Bluebell Dr.
Knowle Wood
Mellor
Rec. Gnd.
Parkside
Hall Lane
Old Hall La.
Longhurst Lane
Kinder Dr.
Lime Kiln Farm
Fieldhouse Cl.
Ladythorn Av.
Lea Road
Bottom's Bridge
Chapel House Farm
Suttons Lane
Brickbridge
Reservoir
Damsteads Farm
All Saints Prim. Sch.
Playing Fields
Church Lane
Old Bottom's Hall
Tarden
Waterside
Rushton Dri.
Macnair Court
Brick Bridge
B6101
Linnet Clough
Club House
Nields Way
Gibb Lane
Whetmorhurst Lane
Macnair Mews
Peak Forest Canal
River Goyt
Roman Bridge Lake
Mellor & Townscliffe Golf Course
Whetmorhurst
Mill Lade
Ridge Ave.
Telford Rd.
Thornholme
Tabley Gds.
Weir
Cobdene Farm
Windybottom Wood
Bramham R.
Peakdale Rd.
Brookdale Av.
Barlow Wood
Snape Hey
Hill Top Farm
Hibbert Lane
Briarwood
Rhode Houses
East Bank
Hawk Green Rd.
Strawberry Hill
184
Windy Bottom Farm
The Banks
Bull Hill
Cross

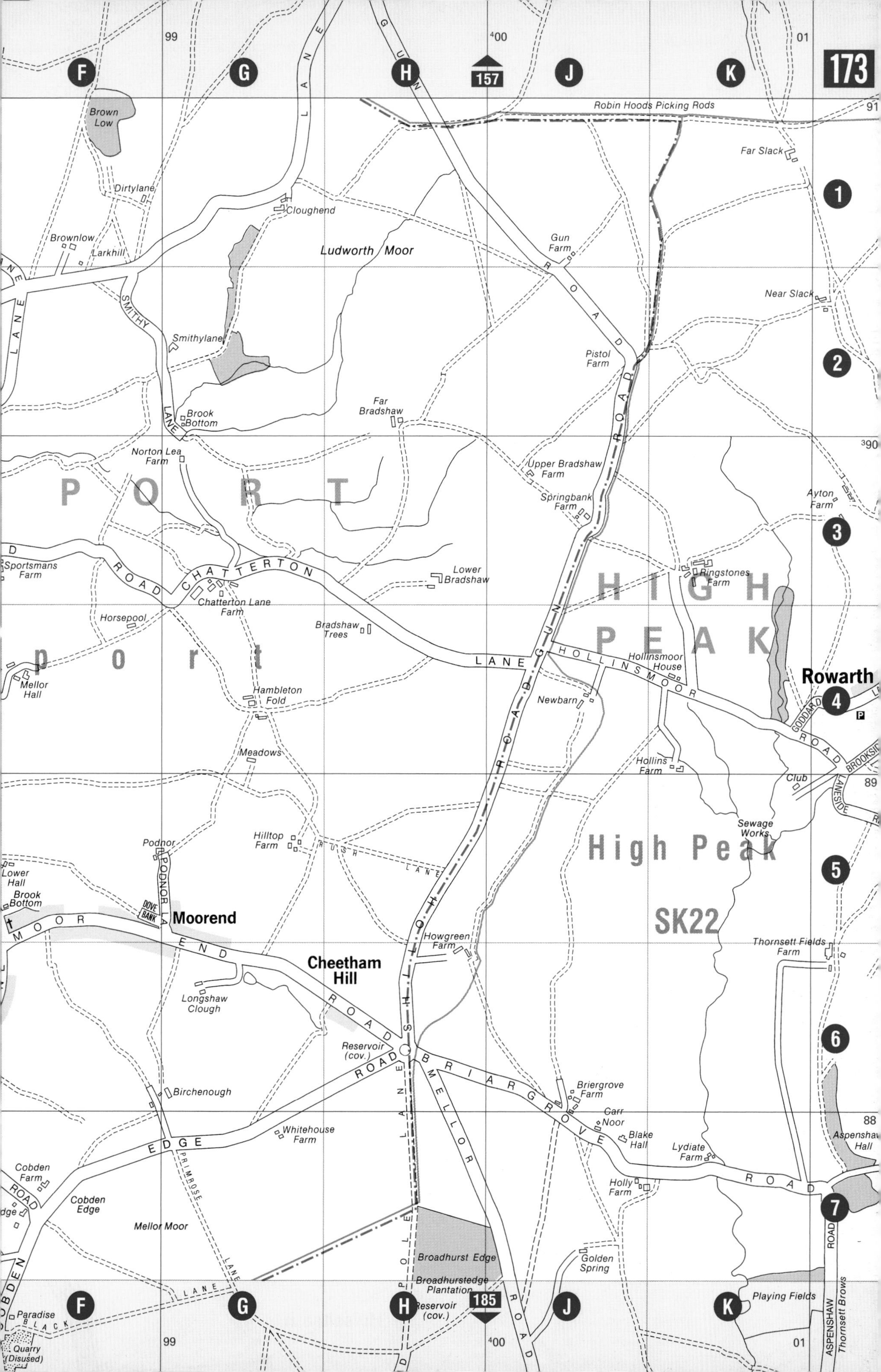

99   400   01

Robin Hoods Picking Rods

91

Brown Low

Far Slack

1

Dirtylane

Brownlow
Larkhill

Cloughend

Gun
Farm

Ludworth Moor

Near Slack

2

SMITHY LANE

Smithylane

Pistol
Farm

390

Brook
Bottom

Far
Bradshaw

LANE

Upper Bradshaw
Farm

Ayton
Farm

3

P O R T

Norton Lea
Farm

Springbank
Farm

H I G H

Ringstones
Farm

Sportsmans
Farm

ROAD

CHATTERTON

Lower
Bradshaw

Horsepool

Chatterton Lane
Farm

Bradshaw
Trees

GUN

P E A K

p o r t

LANE

HOLLINSMOOR

Hollinsmoor
House

Rowarth

ROAD

4

Mellor
Hall

Hambleton
Fold

Newbarn

GODDARD

P

Meadows

Hollins
Farm

Club

LANESIDE

89

BROOKSIDE

Podnor

Hilltop
Farm

RUSH LANE

High Peak

5

PODNOR

Lower
Hall

Brook
Bottom

DOVE
BANK

Moorend

SK22

Thornsett Fields
Farm

MOOR

END

LANE

Howgreen
Farm

6

**Cheetham
Hill**

Longshaw
Clough

ROAD

Briergrove
Farm

Birchenough

Reservoir
(cov.)

BRIARGROVE

Carr
Noor

88

Blake
Hall

Aspenshaw
Hall

EDGE

PRIMROSE

Whitehouse
Farm

MELLOR

Lydiate
Farm

ROAD

Cobden
Farm

Holly
Farm

7

ROAD

Cobden
Edge

Mellor Moor

LANE

Golden
Spring

Broadhurst Edge

ASPENSHAW

Thornsett Brows

Paradise

BLACK

Quarry
(Disused)

Broadhurstedge
Plantation

Reservoir
(cov.)

Playing Fields

99   400   01

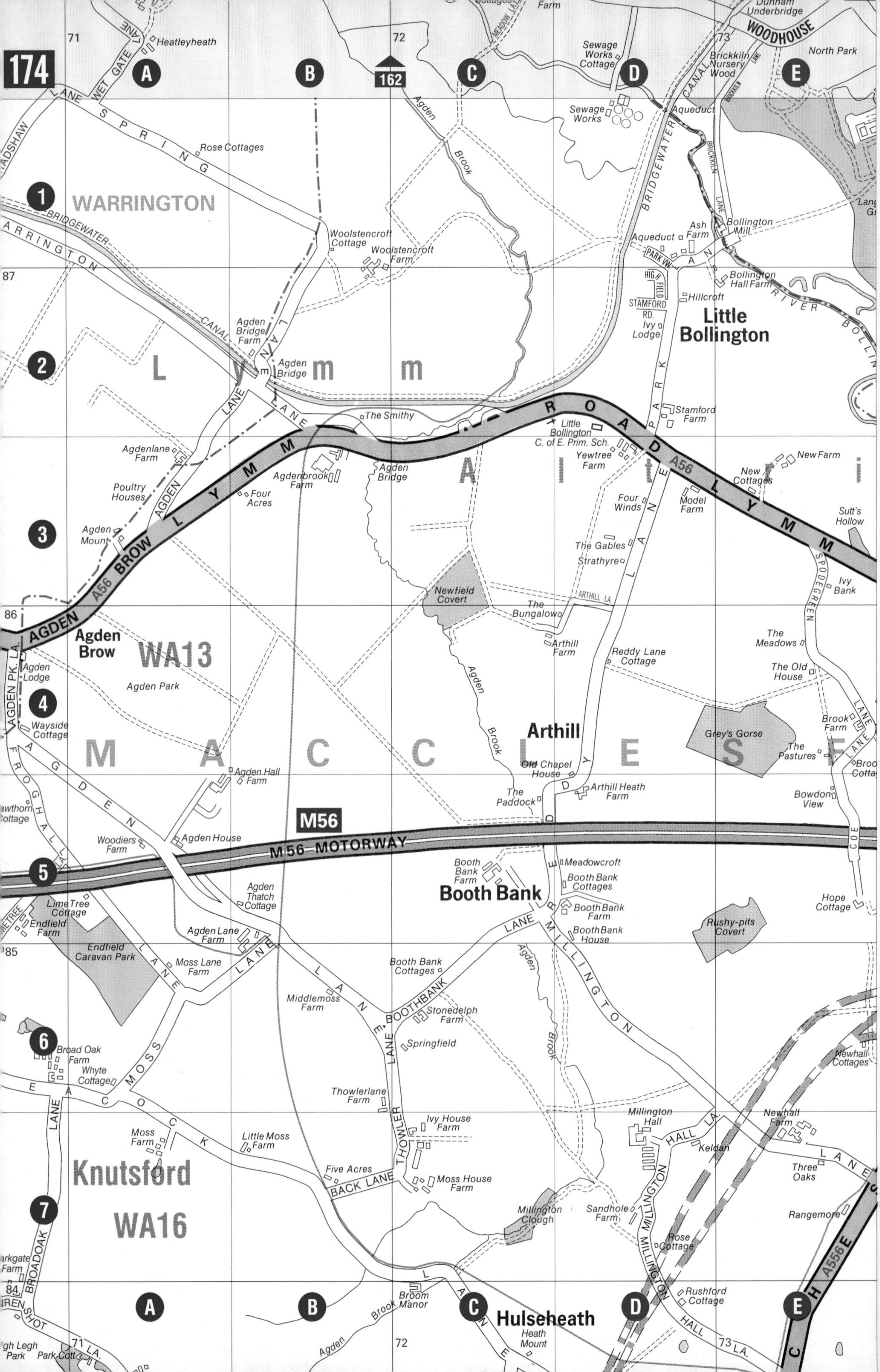

174

A 71 B 72 C D 73 WOODHOUSE E

1 WARRINGTON

Heatleyheath
WET GATE LANE
SPRING LANE
BRADSHAW LANE
Rose Cottages
BRIDGEWATER
CANAL
WARRINGTON

Sewage Works Cottage
Brickkiln Nursery Wood
North Park
Dunham Underbridge
BRIDGEWATER
AQUEDUCT
BRICKKILN LANE
Sewage Works
Aqueduct

87

2 Woolstencroft Cottage
Woolstencroft Farm
Agden Bridge Farm
Agden Bridge
LYMM
L
m
m

CANAL
Ash Farm
Bollington Mill
Aqueduct
PARK LW.
HIGH FIELD
STAMFORD RD.
Ivy Lodge
Hillcroft
Bollington Hall Farm
Little Bollington
RIVER BOLLIN
Lang G.

3
Agdenlane Farm
Poultry Houses
Agden Mount
Four Acres
Agdenbrook Farm
Agden Bridge
AGDEN BROW
LYMM
A56
ROAD A56 LYMM
The Smithy
Little Bollington
C. of E. Prim. Sch.
Yewtree Farm
Four Winds
Model Farm
The Gables
Strathyre
Newfield Covert
PARK LANE
New Cottages
New Farm
Sutt's Hollow
SPODEGREEN
Ivy Bank
i

86
Agden Brow
WA13
Agden Lodge
Agden Park
AGDEN PK. LA.
FROGHALL LA.
Wayside Cottage
The Bungalow
Arthill Farm
ARTHILL LA.
Reddy Lane Cottage
The Meadows
The Old House
Grey's Gorse
The Pastures
Brook Farm
Brook Cott

4
M
A
C
C
L
E
S
F
Agden Hall Farm
Hawthorn Cottage
Woodiers Farm
Agden House
Arthill
Agden Brook
Old Chapel House
The Paddock
Arthill Heath Farm
Bowdon View
Brook LANE
COE LANE

M56
5
M56 — MOTORWAY
Agden Thatch Cottage
Lime Tree Cottage
Endfield Farm
LIMETREE
Agden Lane Farm
Booth Bank
Booth Bank Farm
Meadowcroft
Booth Bank Cottages
Booth Bank Farm
Booth Bank House
Rushy-pits Covert
Hope Cottage
MILLINGTON LANE

385
Endfield Caravan Park
Moss Lane Farm
MOSS LANE
LANE
BOOTHBANK LANE
Booth Bank Cottages
Middlemoss Farm
Stonedelph Farm
Springfield
Agden Brook
Newhall Cottages

6
Broad Oak Farm
Whyte Cottage
Thowlerlane Farm
THOWLER LANE
Ivy House Farm
Millington Hall
MILLINGTON HALL LA.
Keldan
Newhall Farm
LANE
S

Moss Farm
COCK LANE
Little Moss Farm
Five Acres
BACK LANE
Moss House Farm
Millington Clough
Sandhole Farm
Rose Cottage
MILLINGTON HALL LANE
Three Oaks
Rangemore

Knutsford
WA16

7
Markgate Farm
Park Cott.
High Legh Park
WIREN SHOT
BROADOAK LANE

84
71 LA.
Broom Manor
Agden 72
Broom Brook
Hulseheath
Heath Mount
Rushford Cottage
73 LA.
A556 E
MILLINGTON HALL LANE

A B C D E

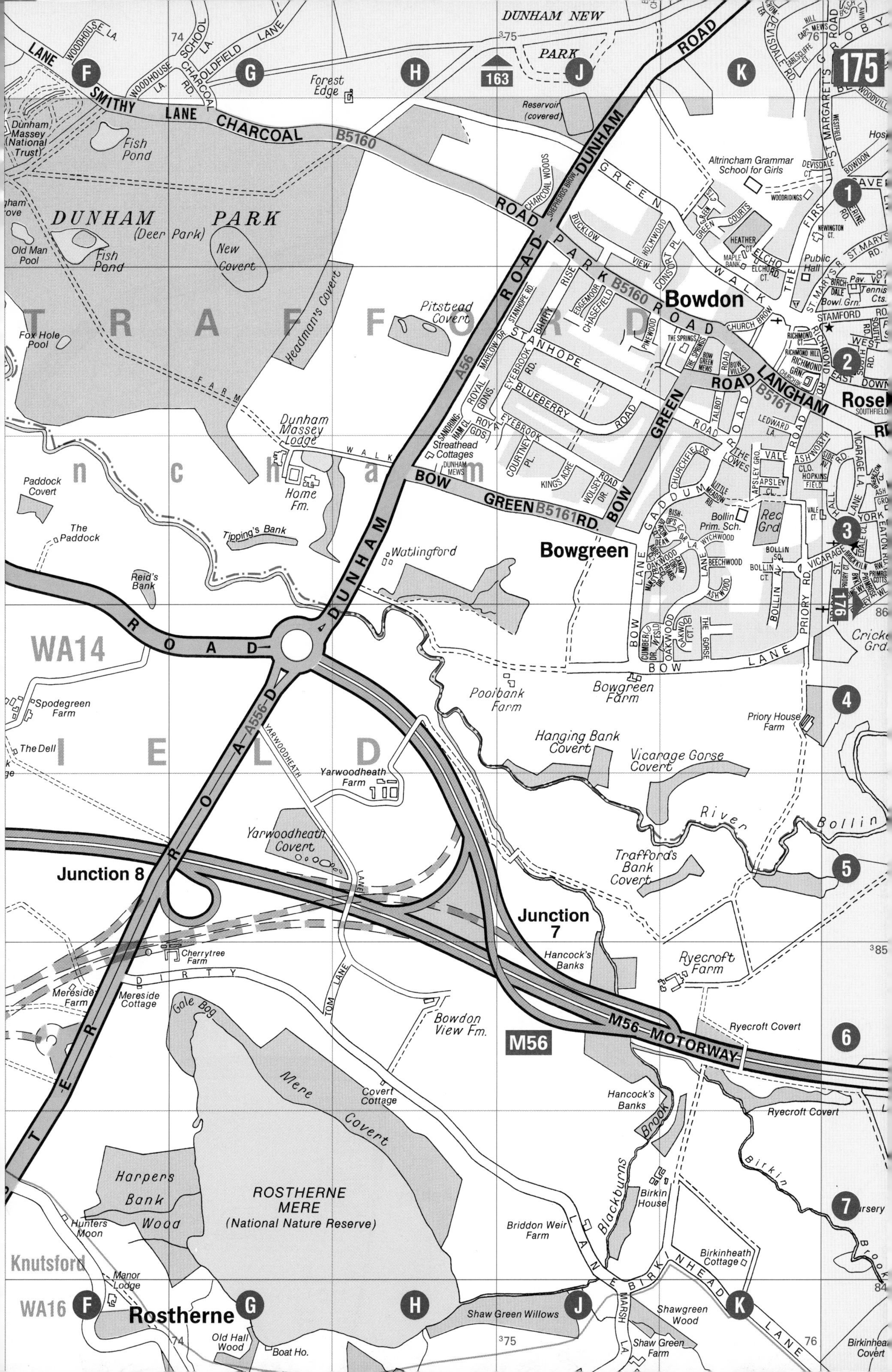
DUNHAM NEW PARK
163
Forest Edge
Reservoir (covered)
SMITHY LANE CHARCOAL B5160
Dunham Massey (National Trust)
Fish Pond
DUNHAM PARK (Deer Park)
New Covert
Old Man Pool
Fox Hole Pool
Headman's Covert
Pitstead Covert
TRAFFORD
Altrincham
Dunham Massey Lodge
Home Fm.
Paddock Covert
The Paddock
Tipping's Bank
Reid's Bank
Watlingford
WA14
Spodegreen Farm
The Dell
Yarwoodheath Farm
Yarwoodheath Covert
Junction 8
Junction 7
Cherrytree Farm
DIRTY
Mereside Farm
Mereside Cottage
Gale Bog
Mere Covert
Covert Cottage
Bowdon View Fm.
M56
M56 MOTORWAY
Harpers Bank Wood
ROSTHERNE MERE (National Nature Reserve)
Hunters Moon
Knutsford
Manor Lodge
WA16
Rostherne
Old Hall Wood
Boat Ho.
Shaw Green Willows
Bowdon
Bowgreen
Altrincham Grammar School for Girls
Public Hall
Bollin Prim. Sch.
Rec Grd
Poolbank Farm
Bowgreen Farm
Hanging Bank Covert
Vicarage Gorse Covert
River Bollin
Trafford's Bank Covert
Priory House Farm
Hancock's Banks
Ryecroft Farm
Ryecroft Covert
Brook
Blackburns
Birkin House
Briddon Weir Farm
Birkinheath Cottage
Birkin Brook
Shawgreen Wood
Shaw Green Farm
Birkinheath Covert
BIRKINHEAD LANE
MARSH LA.
TOM LANE
YARWOODHEATH
DUNHAM ROAD
A56
A556
BOW GREEN B5161 RD.
PARK B5160 ROAD
LANGHAM ROAD B5161
STANHOPE ROAD
BLUEBERRY ROAD
BOW LANE
GADDUM RD
VICARAGE RD.
PRIORY RD.
176
Streathead Cottages
Rose

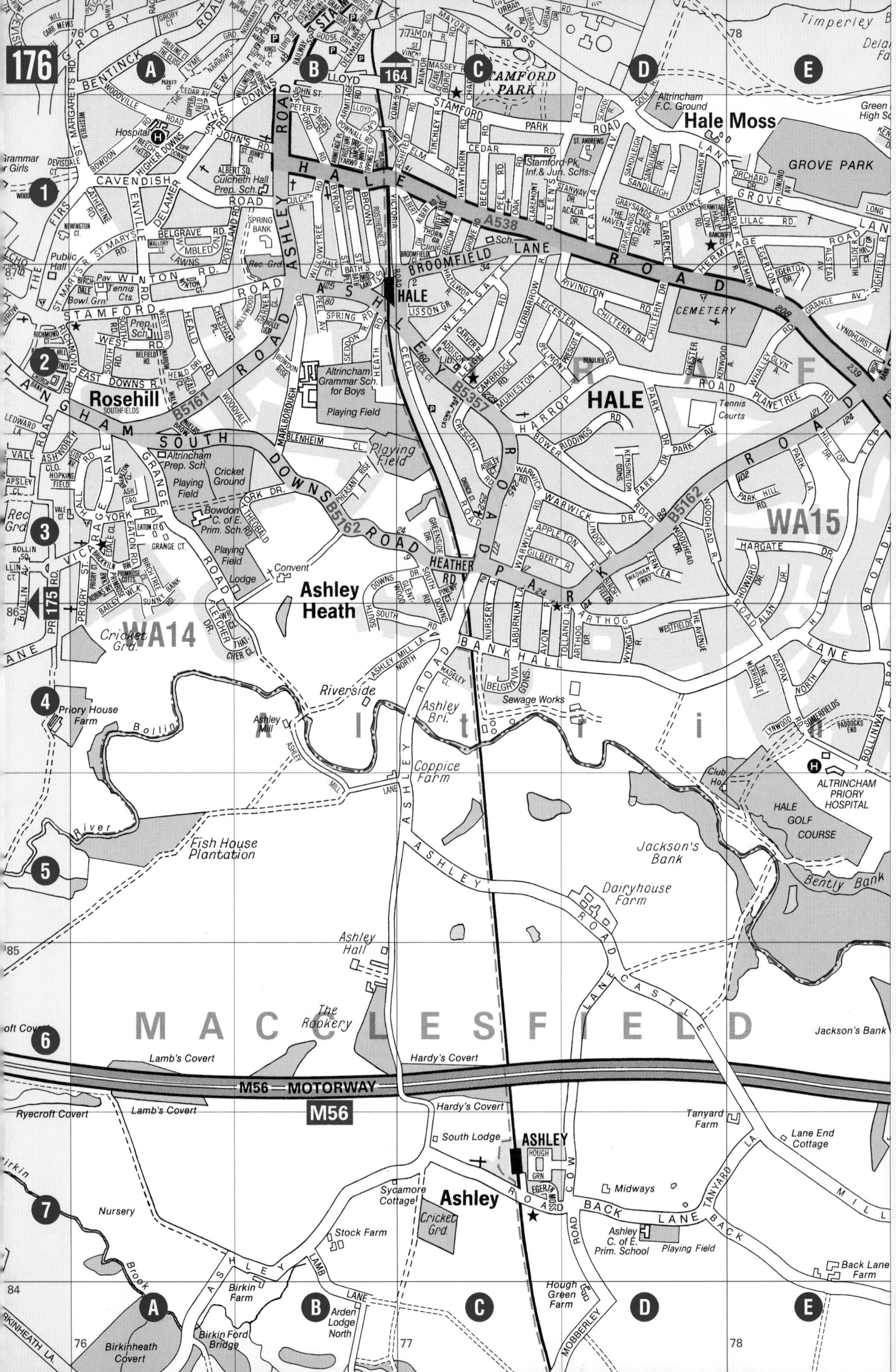

A
B
C
D
E
1
2
3
4
5
6
7
76
77
78
84
85
86
87
164
175
Timperley
Hale Moss
Altrincham F.C. Ground
GROVE PARK
STAMFORD PARK
Stamford-Pk. Inf.& Jun. Schs.
Hospital
Grammar Girls
Culcheth Hall Prep. Sch.
SPRING BANK
Public Hall
Rec. Grd.
Pav.
Tennis Cts.
Bowl. Grn.
Prep. Sch.
Rosehill
SOUTHFIELDS
Altrincham Grammar Sch. for Boys
Playing Field
HALE
CEMETERY
Tennis Courts
WA15
Altrincham Prep. Sch.
Cricket Ground
Bowdon C. of E. Prim. Sch.
Lodge
Convent
Ashley Heath
WA14
Cricket Grd.
Priory House Farm
Riverside
Ashley Mill
Ashley Bri.
Sewage Works
Coppice Farm
Club Ho.
ALTRINCHAM PRIORY HOSPITAL
HALE GOLF COURSE
Jackson's Bank
Bently Bank
Dairyhouse Farm
Fish House Plantation
River Bollin
Ashley Hall
The Rookery
MACCLESFIELD
Jackson's Bank
Lamb's Covert
Hardy's Covert
M56 MOTORWAY
M56
Ryecroft Covert
Lamb's Covert
Hardy's Covert
South Lodge
ASHLEY
Tanyard Farm
Lane End Cottage
Midways
Sycamore Cottage
Ashley
Cricket Grd.
Nursery
Stock Farm
Ashley C. of E. Prim. School
Playing Field
Back Lane Farm
Birkin Farm
Arden Lodge North
Hough Green Farm
Birkin Brook
Birkinheath Covert
Birkin Ford Bridge
BIRKINHEATH LA.
HALE ROAD
A538
ASHLEY ROAD
B5357
B5161
B5162
SOUTH DOWNS ROAD
PARK ROAD
HALE ROAD
STAMFORD PARK ROAD
BROOMFIELD LANE
HARROP ROAD
CHESTER ROAD
HEATHER RD.
BANKHALL LANE
ASHLEY ROAD
CASTLE LANE
BACK LANE
MOBBERLEY ROAD
ASHLEY ROAD
LAMB LANE
MILL LANE
ARTHOG RD.
HILL TOP

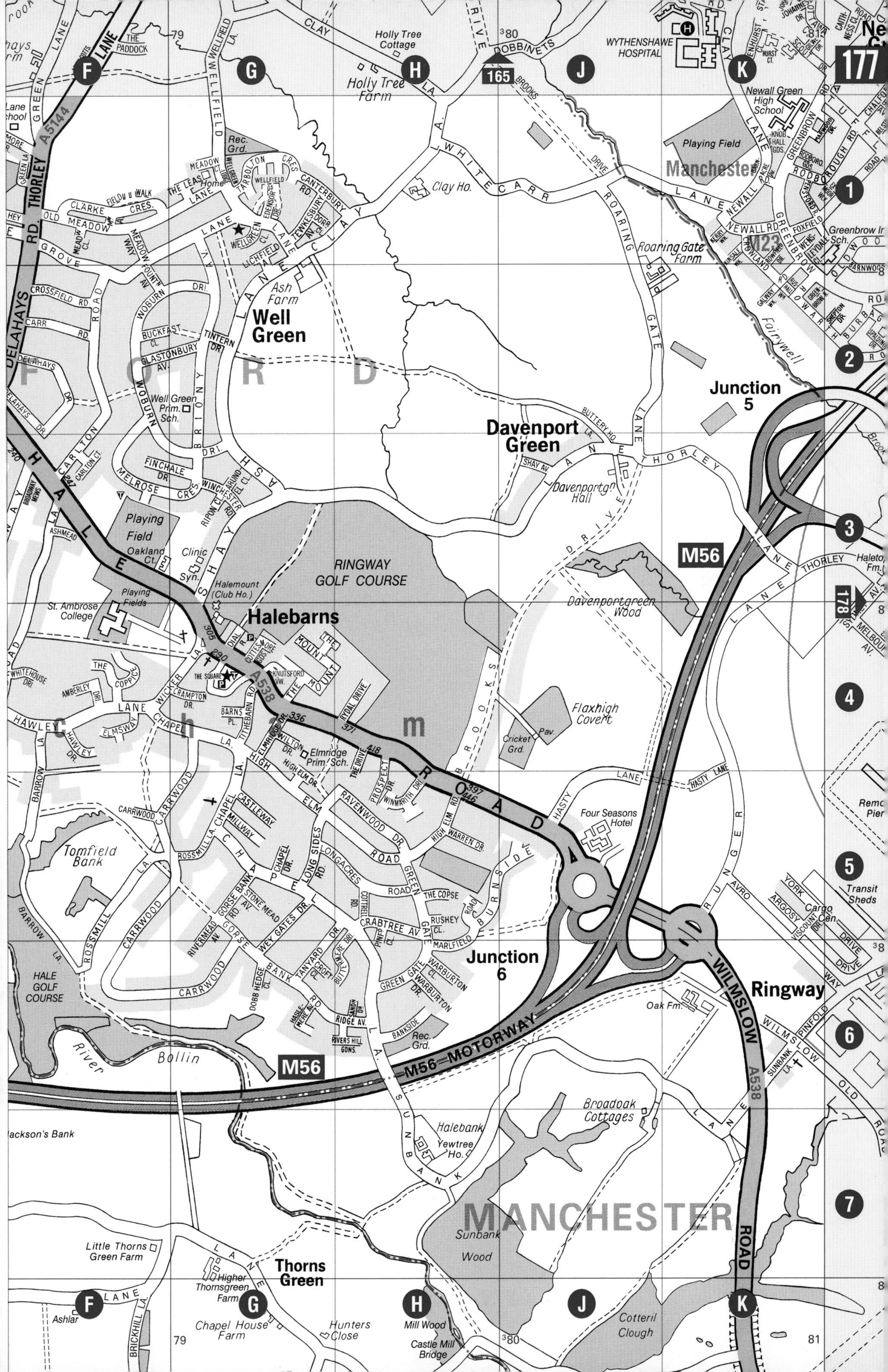
Well Green
Halebarns
Davenport Green
Junction 5
Junction 6
Ringway
Thorns Green
MANCHESTER
RINGWAY GOLF COURSE
HALE GOLF COURSE
Wythenshawe Hospital
Newall Green High School
Playing Field
Manchester
Roaring Gate Farm
Davenportgreen Wood
Flaxhigh Covert
Four Seasons Hotel
Broadoak Cottages
Sunbank Wood
Cotteril Clough
Tomfield Bank
River Bollin
M56 MOTORWAY
HALE ROAD
WILMSLOW ROAD
Holly Tree Cottage
Holly Tree Farm
Clay Ho.
Ash Farm
Well Green Prim. Sch.
St. Ambrose College
Elmridge Prim. Sch.
Davenportgreen Hall
Oak Fm.
Halebank
Yewtree Ho.
Little Thorns Green Farm
Higher Thornsgreen Farm
Chapel House Farm
Hunters Close
Mill Wood
Castle Mill Bridge
Jackson's Bank
Transit Sheds
Cargo Cen.
165
178

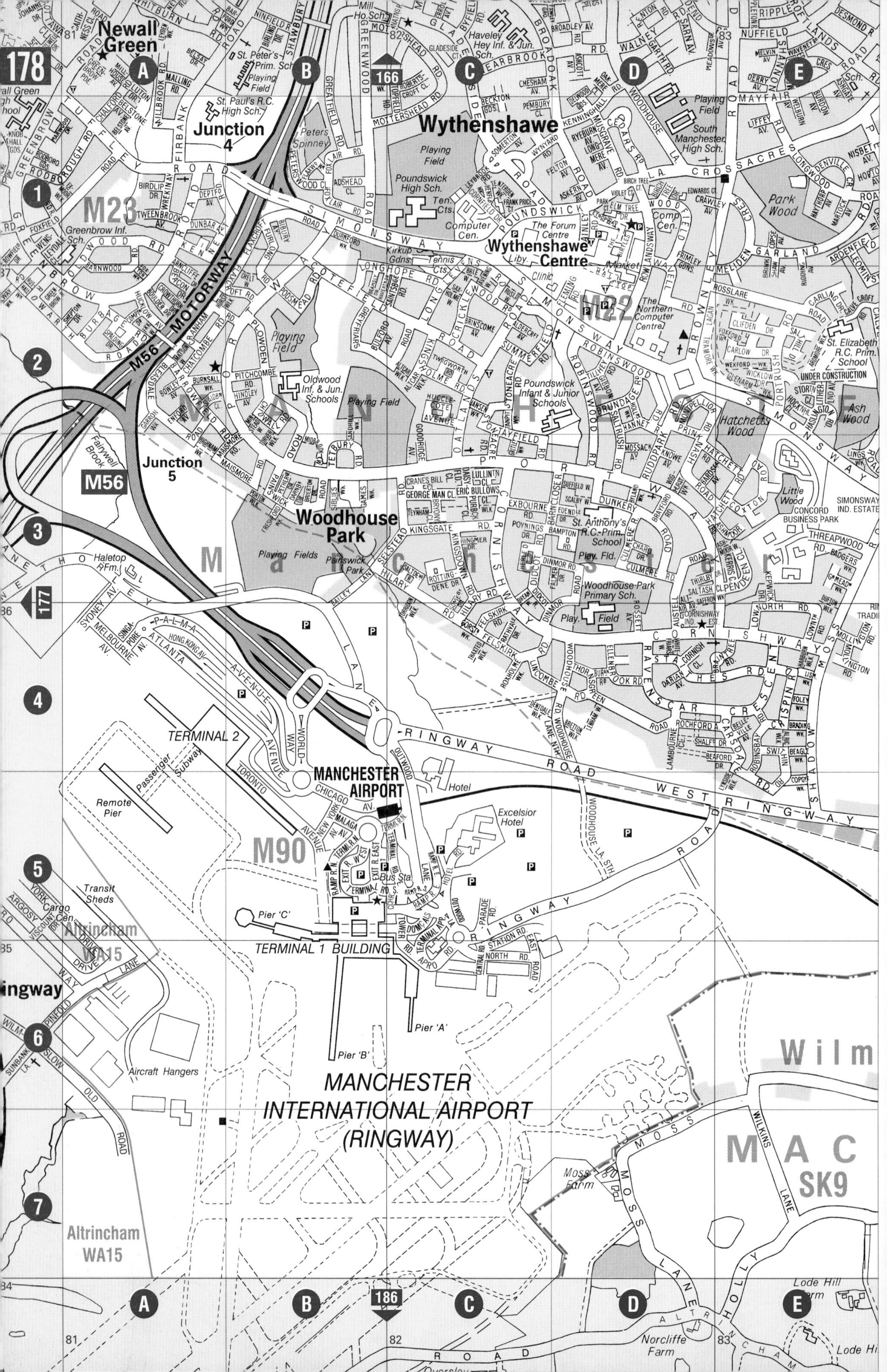

Newall Green
Junction 4
Wythenshawe
Wythenshawe Centre
M23
M22
M56 MOTORWAY
Junction 5
M56
Woodhouse Park
MANCHESTER AIRPORT
TERMINAL 2
TERMINAL 1 BUILDING
M90
Altrincham WA15
Ringway
MANCHESTER INTERNATIONAL AIRPORT (RINGWAY)
Wilm
MAC SK9
SIMONSWAY
RINGWAY ROAD
WEST RINGWAY
Poundswick High Sch.
Park Wood
Hatchetts Wood
Ash Wood
Little Wood
Moss Farm
Norcliffe Farm
Lode Hill Farm
Excelsior Hotel
Hotel
Pier 'A'
Pier 'B'
Pier 'C'
Remote Pier
Aircraft Hangers
Transit Sheds
Cargo Cen.
166
177
186

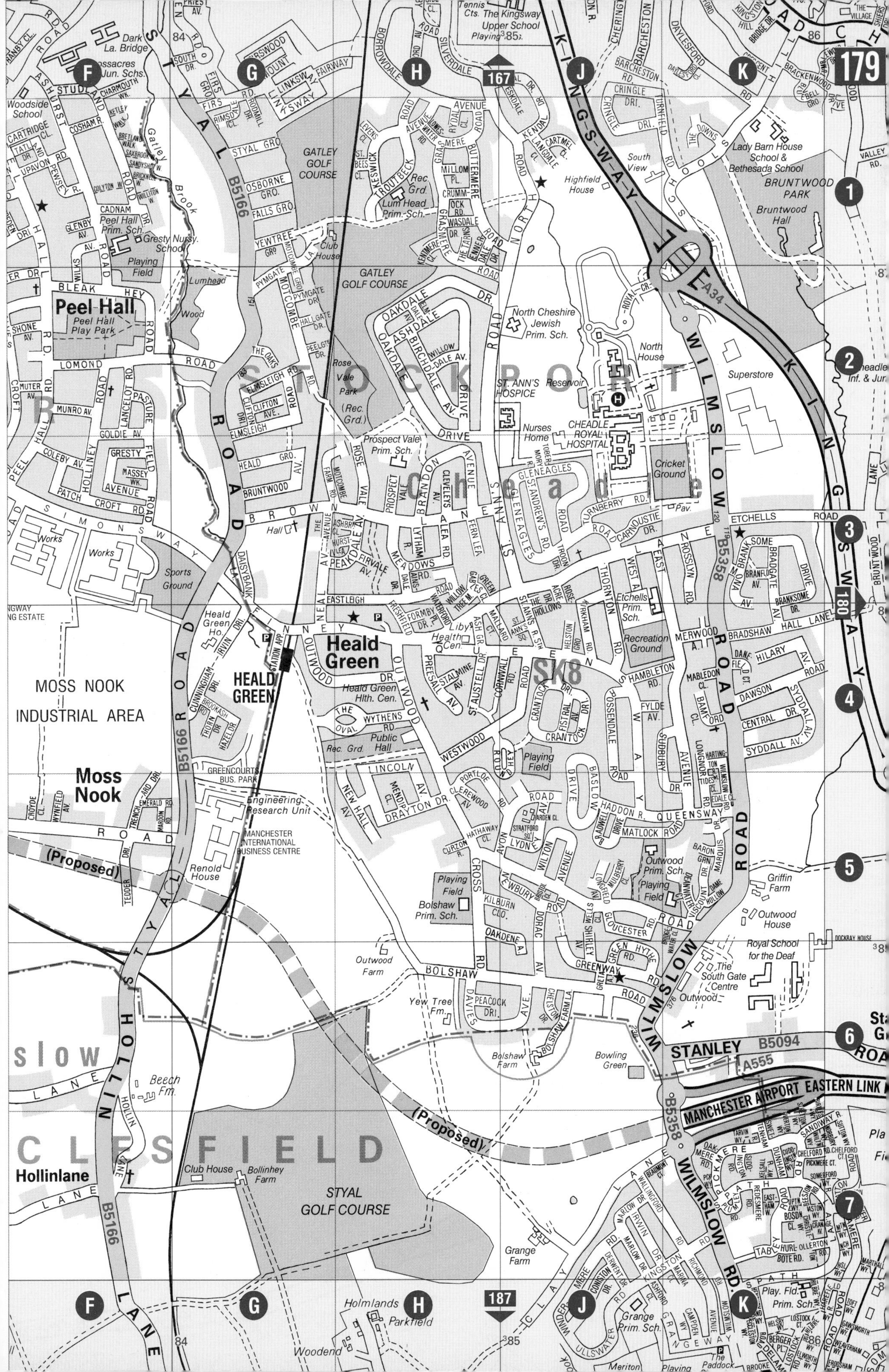

STOCKPORT
Cheadle
Heald Green
HEALD GREEN
SK8
Peel Hall
Moss Nook
MOSS NOOK INDUSTRIAL AREA
Hollinlane
GATLEY GOLF COURSE
STYAL GOLF COURSE
BRUNTWOOD PARK
Bruntwood Hall
Lady Barn House School & Bethesada School
North Cheshire Jewish Prim. Sch.
ST. ANN'S HOSPICE
CHEADLE ROYAL HOSPITAL
North House
Superstore
Cricket Ground
Recreation Ground
Etchells Prim. Sch.
Prospect Vale Prim. Sch.
Heald Green Hlth. Cen.
Public Hall
Outwood Prim. Sch.
Bolshaw Prim. Sch.
Royal School for the Deaf
The South Gate Centre
Griffin Farm
Outwood House
Outwood Farm
Yew Tree Fm.
Bolshaw Farm
Bowling Green
Grange Farm
Grange Prim. Sch.
Holmlands
Parkfield
Woodend
Beech Fm.
Club House
Bollinhey Farm
Engineering Research Unit
MANCHESTER INTERNATIONAL BUSINESS CENTRE
Renold House
GREENCOURTS BUS. PARK
Sports Ground
Works
Peel Hall Prim. Sch.
Peel Hall Play Park
Gresty Nursy. School
Woodside School
Rossacres Jun. Schs.
Lum Head Prim. Sch.
Highfield House
South View
Reservoir
Nurses Home
Lumhead Wood
Rose Vale Park (Rec. Grd.)
Dark La. Bridge
Gatley Brook
KINGSWAY
WILMSLOW ROAD
STYAL ROAD
HOLLIN LANE
FINNEY LANE
SIMONSWAY
ETCHELLS ROAD
BRADSHAW HALL LANE
BOLSHAW ROAD
QUEENSWAY
STANLEY ROAD
MANCHESTER AIRPORT EASTERN LINK
(Proposed)
A34
A555
B5166
B5358
B5094
167
187
180
F G H J K
1 2 3 4 5 6 7

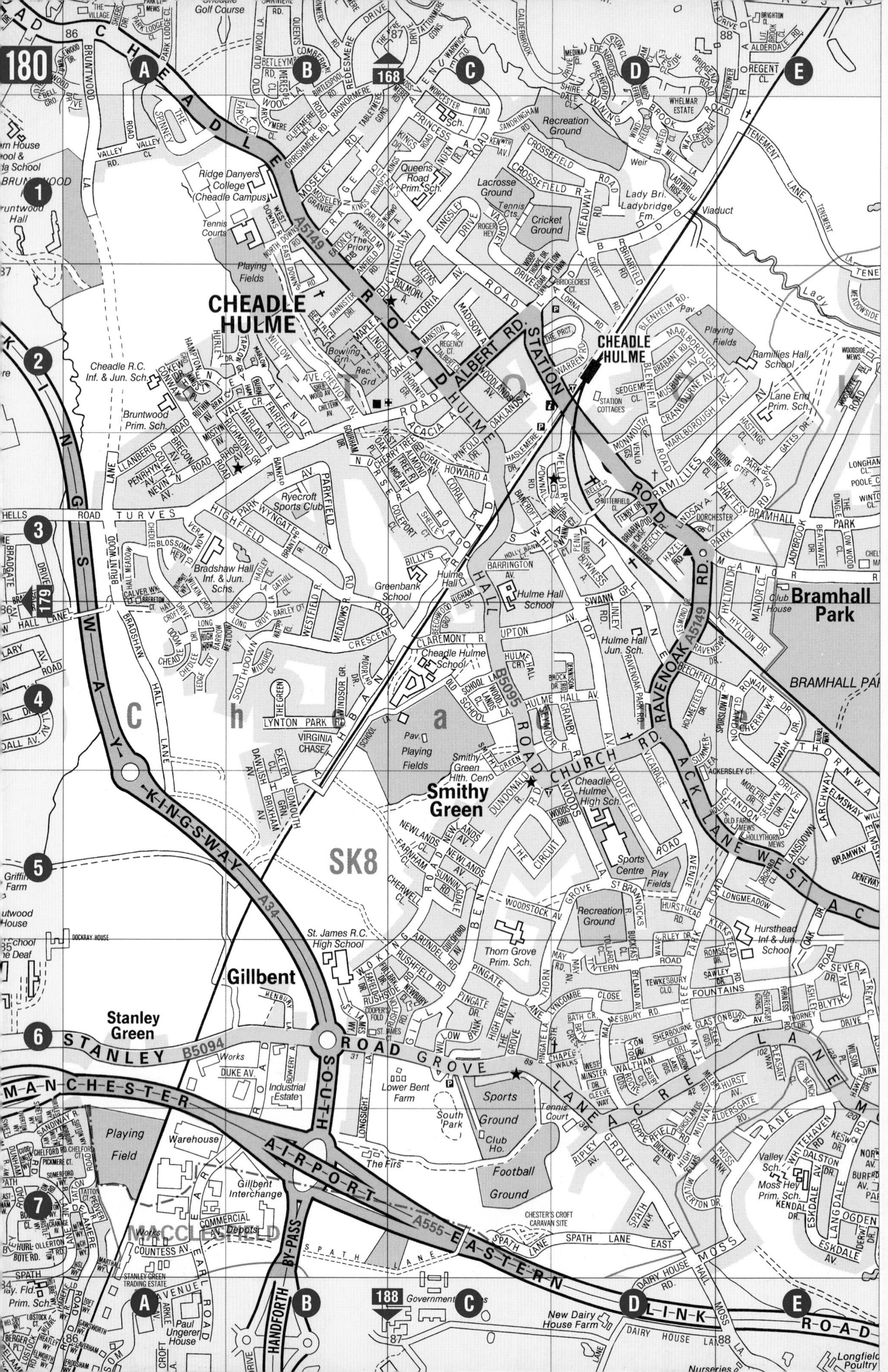
CHEADLE HULME
CHEADLE HULME
Smithy Green
Gillbent
Stanley Green
Bramhall Park
BRAMHALL PARK
SK8
168
179
188
A
B
C
D
E
1
2
3
4
5
6
7
A5149
B5095
B5094
A34
A555
KINGSWAY
STANLEY ROAD
GROVE LANE
ACRE LANE
MANCHESTER AIRPORT EASTERN LINK ROAD
HANDFORTH BY-PASS
SOUTH OAK LANE
STATION ROAD
RAVENOAK RD.
ALBERT RD.
HULME HALL ROAD
CHURCH RD.
TURVES ROAD
ACACIA AVENUE
STANLEY ROAD
RAMILLIES AVENUE
LADYBRIDGE ROAD
SPATH LANE EAST
MOSS LANE
Ridge Danyers College (Cheadle Campus)
Tennis Courts
Playing Fields
Cheadle R.C. Inf. & Jun. Sch.
Bruntwood Prim. Sch.
Queens Road Prim. Sch.
Lacrosse Ground
Recreation Ground
Cricket Ground
Lady Bri. Ladybridge Fm.
Viaduct
Weir
WHELMAR ESTATE
Ramillies Hall School
Lane End Prim. Sch.
Ryecroft Sports Club
Bradshaw Hall Inf. & Jun. Schs.
Greenbank School
Hulme Hall
Hulme Hall School
Hulme Hall Jun. Sch.
Cheadle Hulme School
Smithy Green Hlth. Cen.
Cheadle Hulme High Sch.
Sports Centre
Play Fields
Thorn Grove Prim. Sch.
Hursthead Inf & Jun. School
St. James R.C. High School
Industrial Estate
Lower Bent Farm
South Park
Sports Ground
Club Ho.
Football Ground
Tennis Court
CHESTER'S CROFT CARAVAN SITE
Warehouse
Gillbent Interchange
Depots
Works
Playing Field
MACCLESFIELD
STANLEY GREEN TRADING ESTATE
Paul Ungerer House
Government Offices
New Dairy House Farm
Valley Sch.
Moss Hey Prim. Sch.
Bowling Grn.
Rec. Grd
The Priory
STATION COTTAGES
Club House
The Firs
Nurseries
Longfield Poultry
DOCKRAY HOUSE
Griffin Farm
Bruntwood Hall
Cheadle Golf Course

Adswood Brick & Tile Works
WOODSMOOR
Woods Moor
SK3
SK2
Recreation Ground
Playing Fields
Playing Field
BRAMHALL MOOR INDUSTRIAL ESTATE
Works
Bramhall Green
Bramhall Bridge
Bramhall Park Tennis Club
Bramhall Hall
Nevill Road Inf. & Prim. School
SOUTH BRIDGE
A5143
LANE
JACKSONS
Womanscroft Bri.
Davenport Rugby Club & Ground
Wallbank
Lady Brook
SK7
Carr Wood Park
Great Reddish Wood
Bramhall High Sch. & Sports Centre
Norbury House Farm
Hazel Grove High Sch.
Ladybarn Manor
Bramhall Lane Tennis Club
Further Dairyground
Pownall Green
Pownall Green Prim. Sch.
BRAMHALL
Kitt's Moss
Bramhall Precinct
Health Cen.
BRAMHALL GOLF COURSE
Club House
SK12
Recreation Ground
Syddal Park Prep School
Bowls Cricket Ground
Tennis Cts.
Queensgate Prim. Sch.
Recreation Ground
Depot
Playing Field
A5102
A5149
B5094
WOODFORD ROAD
CHESTER
169
182
189

Stepping Hill
STEPPING HILL HOSPITAL
HAZEL GROVE
Torkington
Norbury Moor
POYNTON
Poynton Lake
Poynton Park
Serpentine Wood
Long Plantation
Park Pit Plantation
Black Hole
Millhill Farm
Park House Fm.
Towers Farm
Sewage Works
Recreation Ground
Sports Ground
Moorfield Inf. & Jun. Sch.
Hazel Grove High Sch.
Norbury Hall Prim. Sch.
St. Peter's R.C. Prim. Sch.
Torkington Primary School
BRAMHALL MOOR INDUSTRIAL ESTATE
SCHOOL STREET INDUSTRIAL ESTATE
LONDON ROAD
BUXTON RD.
TORKINGTON RD.
OFFERTON ROAD
JACKSONS LANE
DEAN LANE
NORTH MACCLESFIELD ROAD
MOOR LANE
CHESTER ROAD
A6
A627
A523
A5143
SK2
SK7
SK12
170
181
190

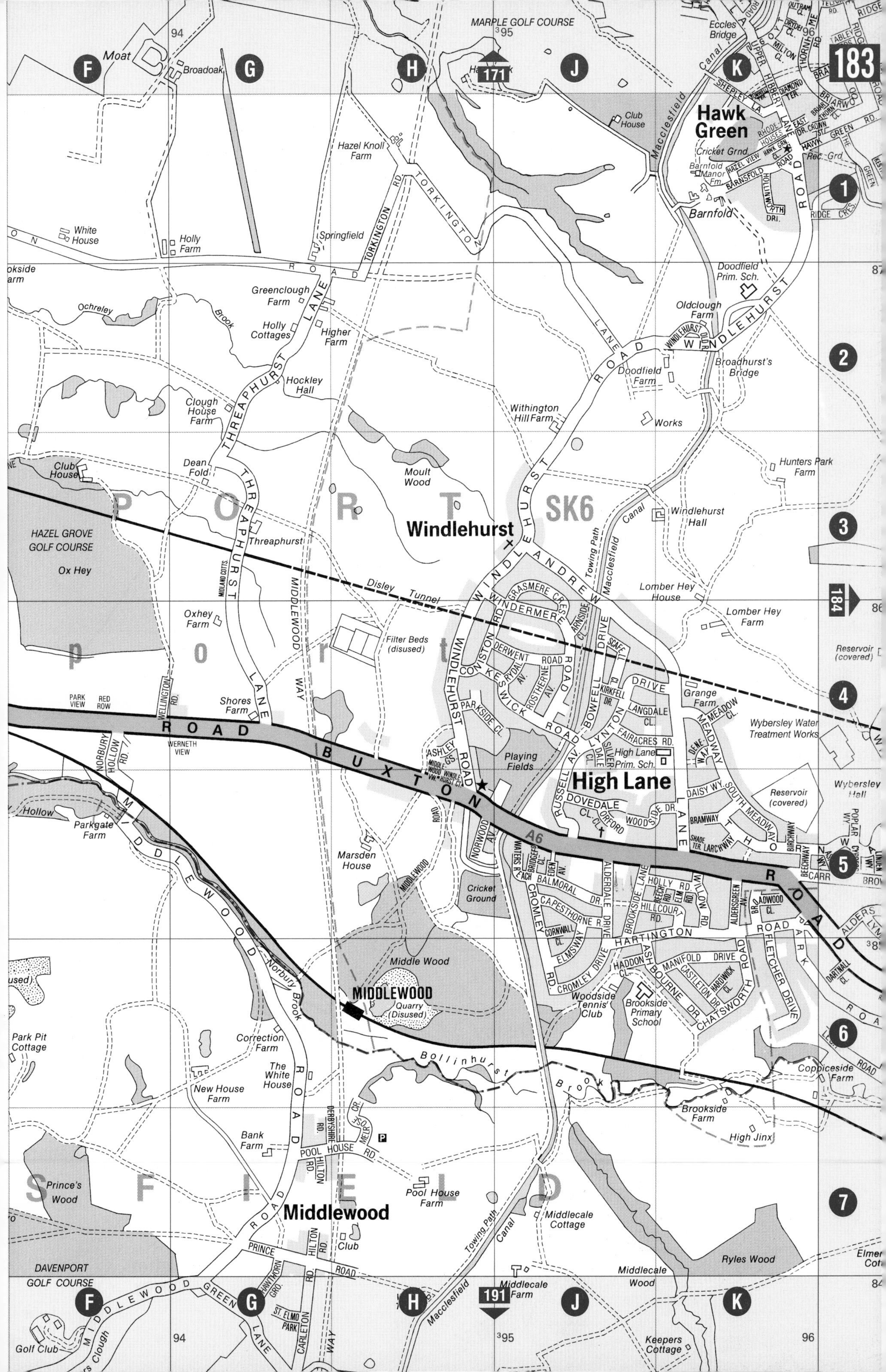
MARPLE GOLF COURSE
171
Hawk Green
Eccles Bridge
Macclesfield Canal
Club House
Hazel Knoll Farm
Torkington Road
Torkington Lane
Broadoak
Moat
White House
Holly Farm
Springfield
Greenclough Farm
Ochreley Brook
Holly Cottages
Higher Farm
Hockley Hall
Clough House Farm
Threaphurst Lane
Dean Fold
Club House
Hazel Grove Golf Course
Ox Hey
Threaphurst
Oxhey Farm
Shores Farm
Filter Beds (disused)
Disley Tunnel
Moult Wood
Windlehurst
SK6
Windlehurst Road
Andrew Lane
Withington Hill Farm
Doodfield Farm
Doodfield Prim. Sch.
Oldclough Farm
Broadhurst's Bridge
Works
Hunters Park Farm
Windlehurst Hall
Lomber Hey House
Lomber Hey Farm
184
Reservoir (covered)
Grange Farm
Wybersley Water Treatment Works
Wybersley Hall
High Lane
High Lane Prim. Sch.
Playing Fields
Buxton Road
A6
Cricket Ground
Middlewood Way
Marsden House
Parkgate Farm
Middle Wood
MIDDLEWOOD
Quarry (Disused)
Norbury Brook
Correction Farm
The White House
New House Farm
Park Pit Cottage
Bollinhurst Brook
Woodside Tennis Club
Brookside Primary School
Coppiceside Farm
Brookside Farm
High Jinx
Bank Farm
Pool House Rd.
Pool House Farm
Middlewood
Middlecale Cottage
Prince's Wood
Davenport Golf Course
Golf Club
Club
Prince Road
Middlewood Green Lane
Middlecale Farm
Middlecale Wood
Ryles Wood
Keepers Cottage
Towing Path
191
STOCKPORT

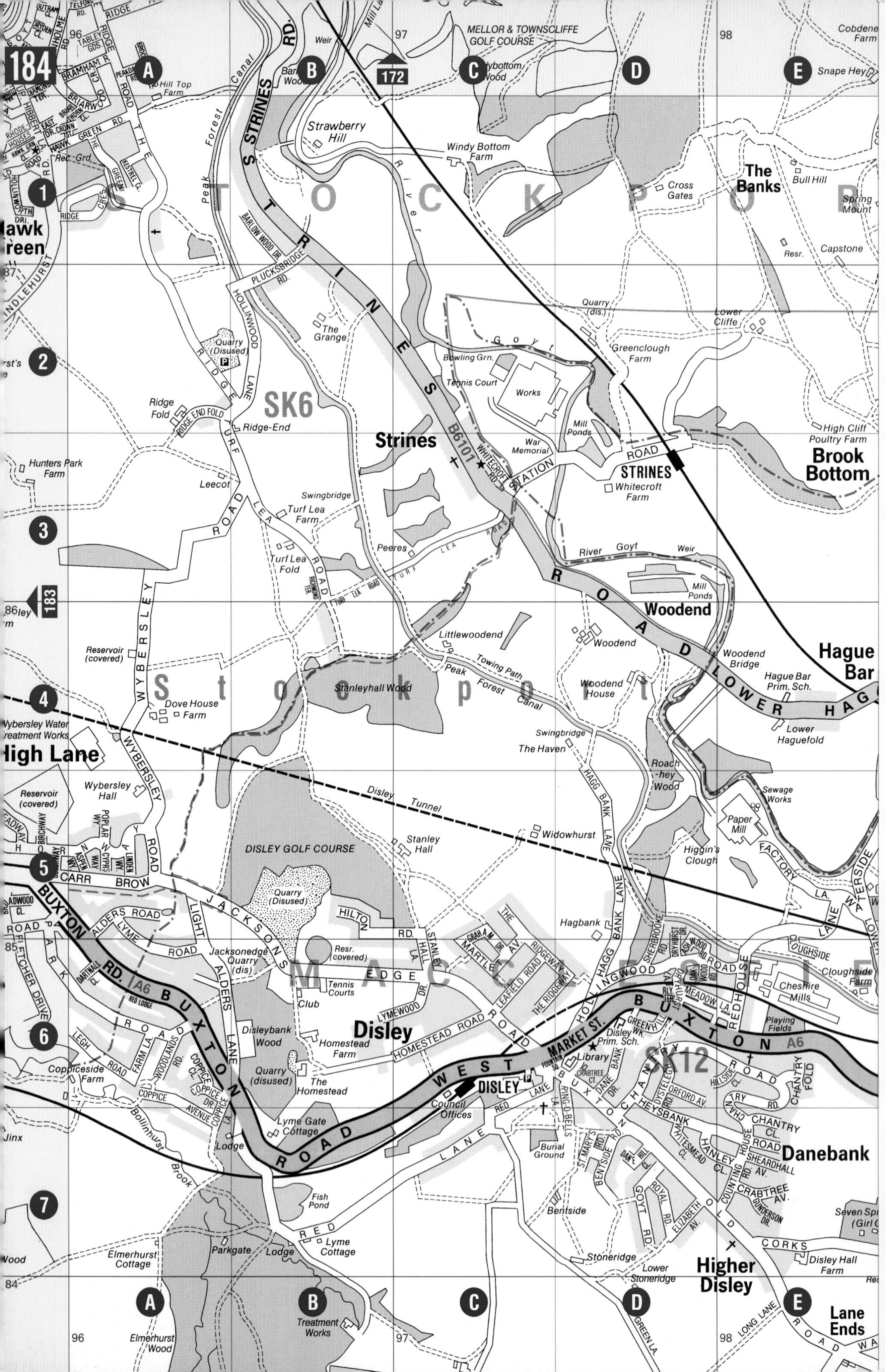

MELLOR & TOWNSCLIFFE GOLF COURSE
Strawberry Hill
Windy Bottom Farm
The Banks
Cross Gates
Bull Hill
Spring Mount
Capstone
Hawk Green
Hill Top Farm
STRINES RD.
Peak Forest Canal
SK6
Strines
STRINES
Brook Bottom
Woodend
Hague Bar
High Lane
Stanleyhall Wood
DISLEY GOLF COURSE
Disley Tunnel
Disley
DISLEY
SK12
Danebank
Higher Disley
Lane Ends
BUXTON ROAD A6
HIGH LANE
Wybersley Water Treatment Works
Hunters Park Farm
Ridge-End
Leecot
Turf Lea Farm
Dove House Farm
Wybersley Hall
Stanley Hall
Widowhurst
Paper Mill
Lower Haguefold
Greenclough Farm
Lower Cliffe
High Cliff Poultry Farm
Whitecroft Farm
Littlewoodend
Woodend House
The Haven
Roach-hey Wood
Hagbank
Disleybank Wood
Homestead Farm
The Homestead
Lyme Gate Cottage
Council Offices
Library
Burial Ground
Bentside
Stoneridge
Lower Stoneridge
Fish Pond
Lyme Cottage
Parkgate
Lodge
Elmerhurst Cottage
Elmerhurst Wood
Treatment Works
Coppiceside Farm
Cheshire Mills
Cloughside Farm
Disley Hall Farm
Snape Hey
Cobdene Farm

172
183

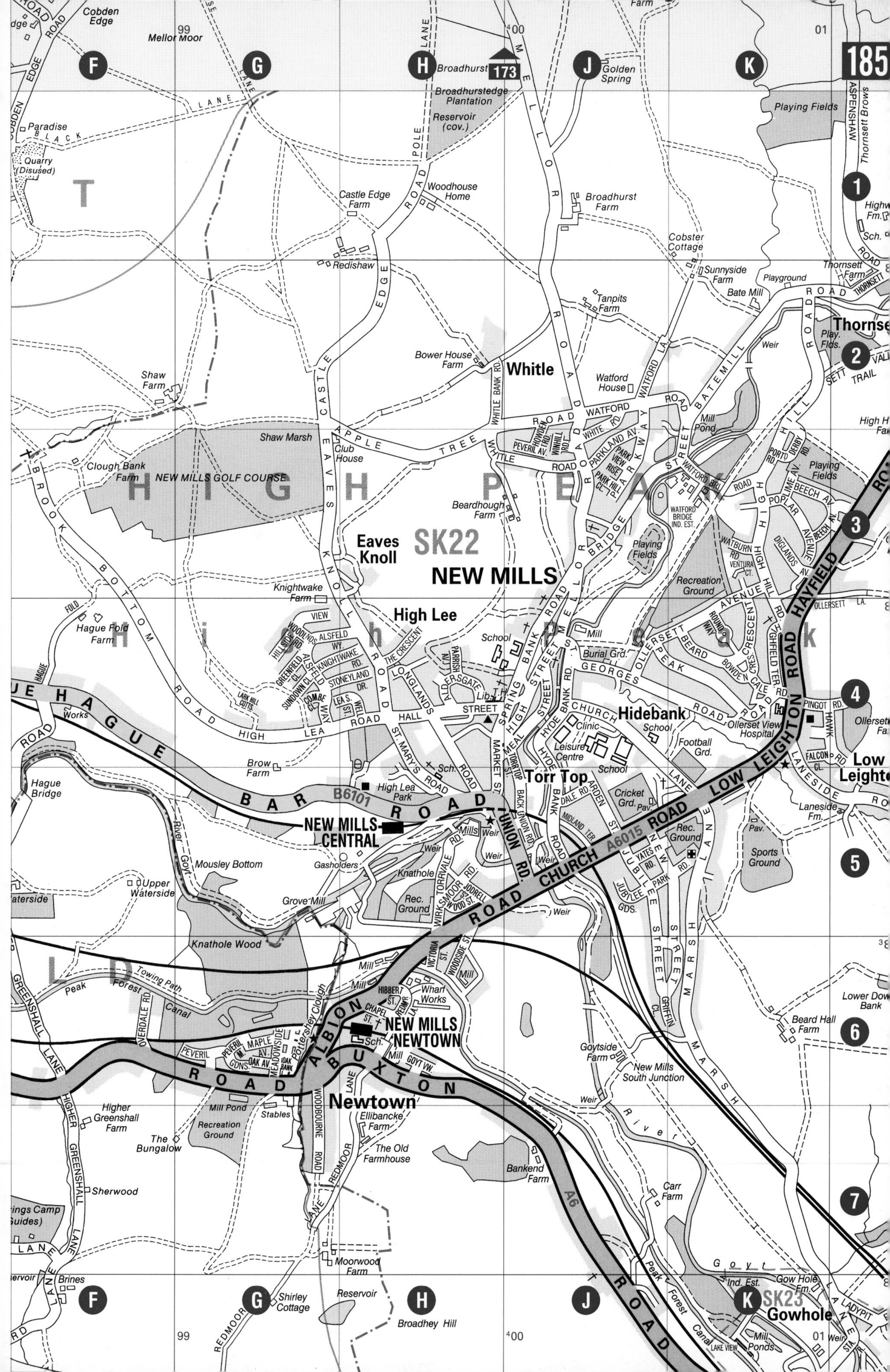
NEW MILLS
SK22
New Mills Central
New Mills Newtown
Newtown
Whitle
Eaves Knoll
High Lee
Hidebank
Torr Top
Low Leighton
Thornsett
Gowhole
NEW MILLS GOLF COURSE
HAGUE BAR ROAD
B6101
CHURCH ROAD
A6015
LOW LEIGHTON ROAD
HAYFIELD ROAD
BUXTON ROAD
ALBION ROAD
A6
MELLOR ROAD
Peak Forest Canal
River Goyt
Broadhurst
173
SK23

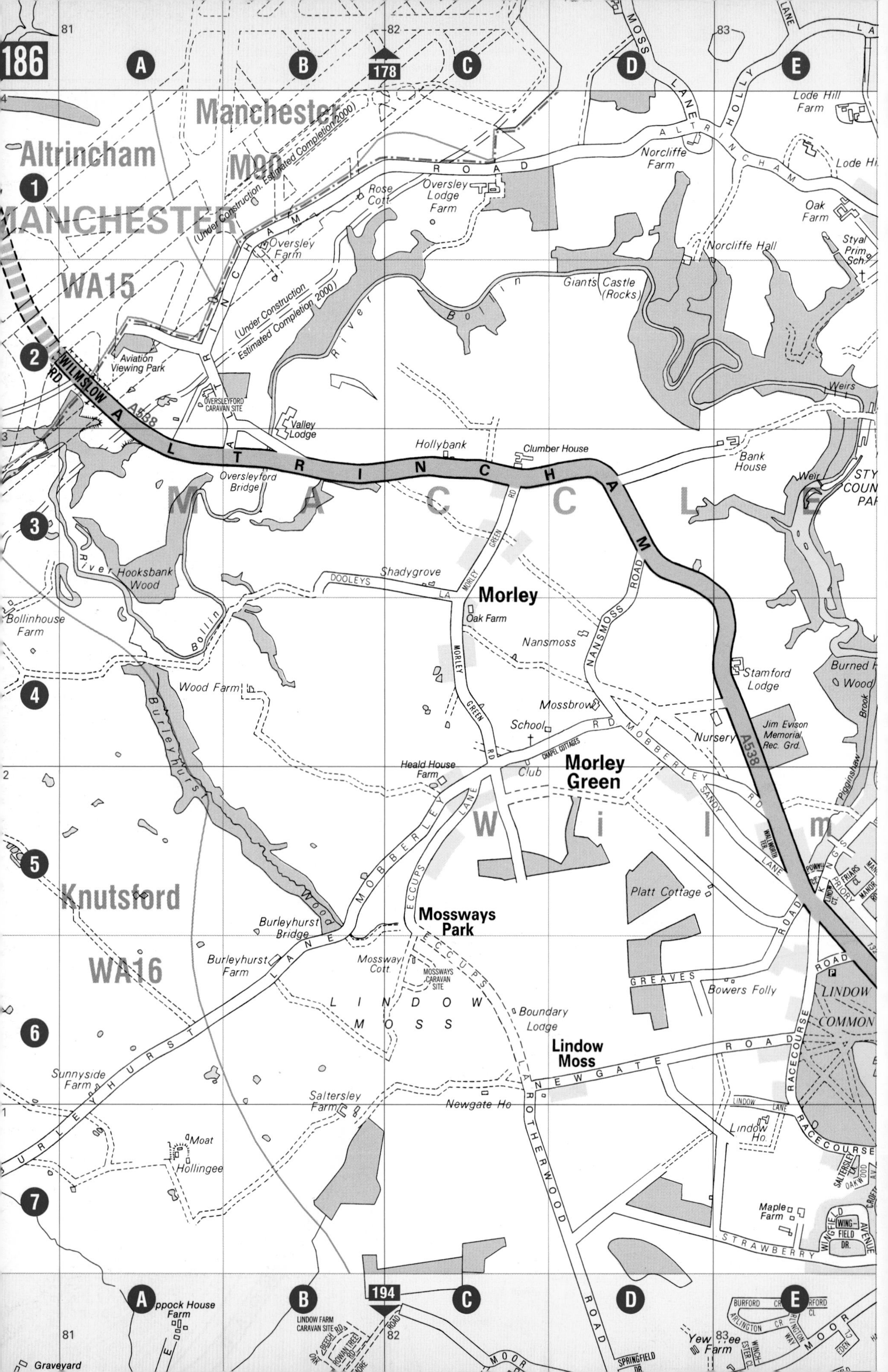

Manchester

Altrincham

M90

MANCHESTER

WA15

Rose Cott

Oversley Lodge Farm

Norcliffe Farm

Lode Hill Farm

Lode Hill

(Under Construction. Estimated Completion 2000)

Oversley Farm

Norcliffe Hall

Oak Farm

Styal Prim. Sch.

(Under Construction - Estimated Completion 2000)

RIVER

Bollin

Giants Castle (Rocks)

Aviation Viewing Park

WILMSLOW RD

A538

OVERSLEYFORD CARAVAN SITE

Valley Lodge

Hollybank

Clumber House

Bank House

Weirs

Weir

STYAL COUNTRY PARK

M · A · C · C · L · E · S

Oversleyford Bridge

River Bollin

Hooksbank Wood

DOOLEYS LA

Shadygrove

MORLEY GREEN RD

Morley

Oak Farm

Nansmoss

NANSMOSS ROAD

Stamford Lodge

Burned Wood

Bollinhouse Farm

Wood Farm

Nansmoss

Mossbrow

School

Jim Evison Memorial Rec. Grd.

Nursery

A538

Burleyhurst Wood

MORLEY GREEN RD

Heald House Farm

CHAPEL COTTAGES

Club

Morley Green

MOBBERLEY RD

SANDY LA

WALTHAM TER LANE

W · i · l · m

Knutsford

ECCUPS LANE

Platt Cottage

KINGS RD

POWNALL

FRIARS CL

PRIORY

MANOR

WA16

Burleyhurst Bridge

Mossways Park

Bowers Folly

LINDOW COMMON

Burleyhurst Farm

Mossway Cott

MOSSWAYS CARAVAN SITE

GREAVES LA

RACECOURSE ROAD

P

Sunnyside Farm

L · I · N · D · O · W

M · O · S · S

Boundary Lodge

Lindow Moss

LINDOW LANE

Lindow Ho.

SALTERSLEY LA

OAKWOOD

Saltersley Farm

Newgate Ho

NEWGATE

ROTHERWOOD ROAD

CROFT AV

Moat

Hollingee

BURLEY HURST LANE

Maple Farm

WINGFIELD DR

STRAWBERRY LA

BURFORD CR

BURFORD CL

KILLINGTON CR

PLUMPTON CR

WINCHESTER CL

Yew Tree Farm

MOOR

ppock House Farm

LINDOW FARM CARAVAN SITE

MOOR RD

BEECH RD

ROWAN TREE RD

SPRINGFIELD DR

Graveyard

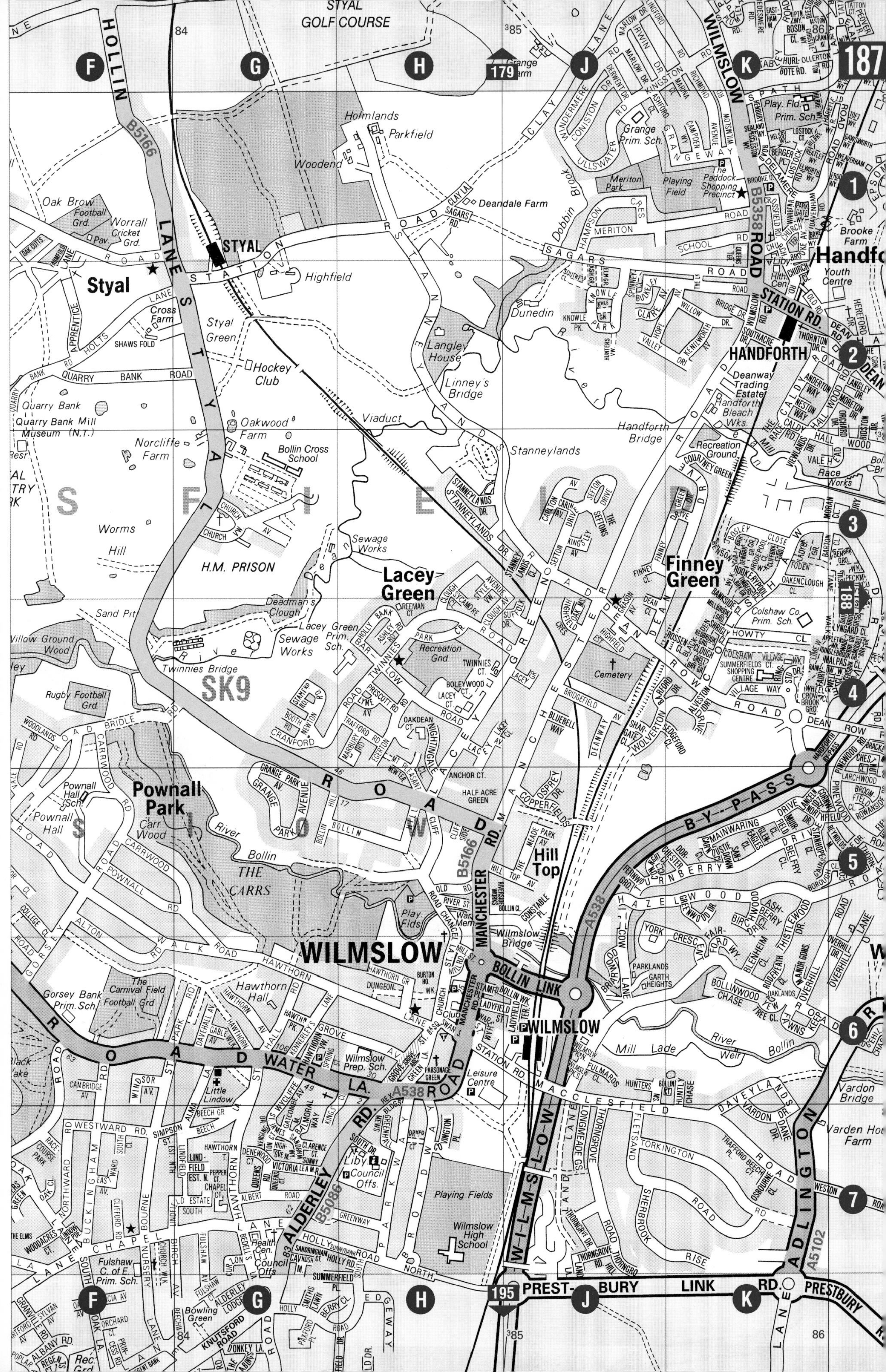
STYAL GOLF COURSE
Styal
STYAL
Quarry Bank Mill Museum (N.T.)
Oak Brow
Worrall Cricket Grd.
Cross Farm
Styal Green
Hockey Club
Norcliffe Farm
Oakwood Farm
Bollin Cross School
Worms Hill
H.M. PRISON
Holmlands
Parkfield
Woodend
Deandale Farm
Highfield
Langley House
Linney's Bridge
Viaduct
Stanneylands
Sewage Works
Lacey Green
Deadman's Clough
Lacey Green Prim. Sch.
Recreation Gnd.
Twinnies Bridge
SK9
Rugby Football Grd.
Pownall Park
Pownall Hall
Carr Wood
River Bollin
THE CARRS
WILMSLOW
Hawthorn Hall
The Carnival Field Football Grd
Gorsey Bank Prim. Sch.
Little Lindow
Wilmslow Prep. Sch.
Council Offs.
Playing Fields
Wilmslow High School
Fulshaw C. of E. Prim. Sch.
Bowling Green
Hill Top
Wilmslow Bridge
Leisure Centre
Half Acre Green
Grange Prim. Sch.
Meriton Park
Playing Field
The Paddock Shopping Precinct
Handforth
HANDFORTH
Youth Centre
Brooke Farm
Dunedin
Deanway Trading Estate
Handforth Bleach Wks.
Handforth Bridge
Recreation Ground
Finney Green
Colshaw Co. Prim. Sch.
Cemetery
Colshaw Shopping Centre
Race Works
Mill Lade
Weir
Vardon Bridge
Varden Ho. Farm
HOLLIN LANE
STYAL ROAD
STATION ROAD
QUARRY BANK ROAD
SAGARS ROAD
STANNEYLANDS ROAD
MANCHESTER RD.
WATER LA.
ALDERLEY RD.
ALTRINCHAM ROAD
WILMSLOW ROAD
STATION RD.
DEAN ROW ROAD
BY-PASS
MACCLESFIELD ROAD
PRESTBURY LINK RD.
ADLINGTON
B5166
B5358
B5086
A538
A5102
179
188
195
84
85
86
F G H J K
1 2 3 4 5 6 7

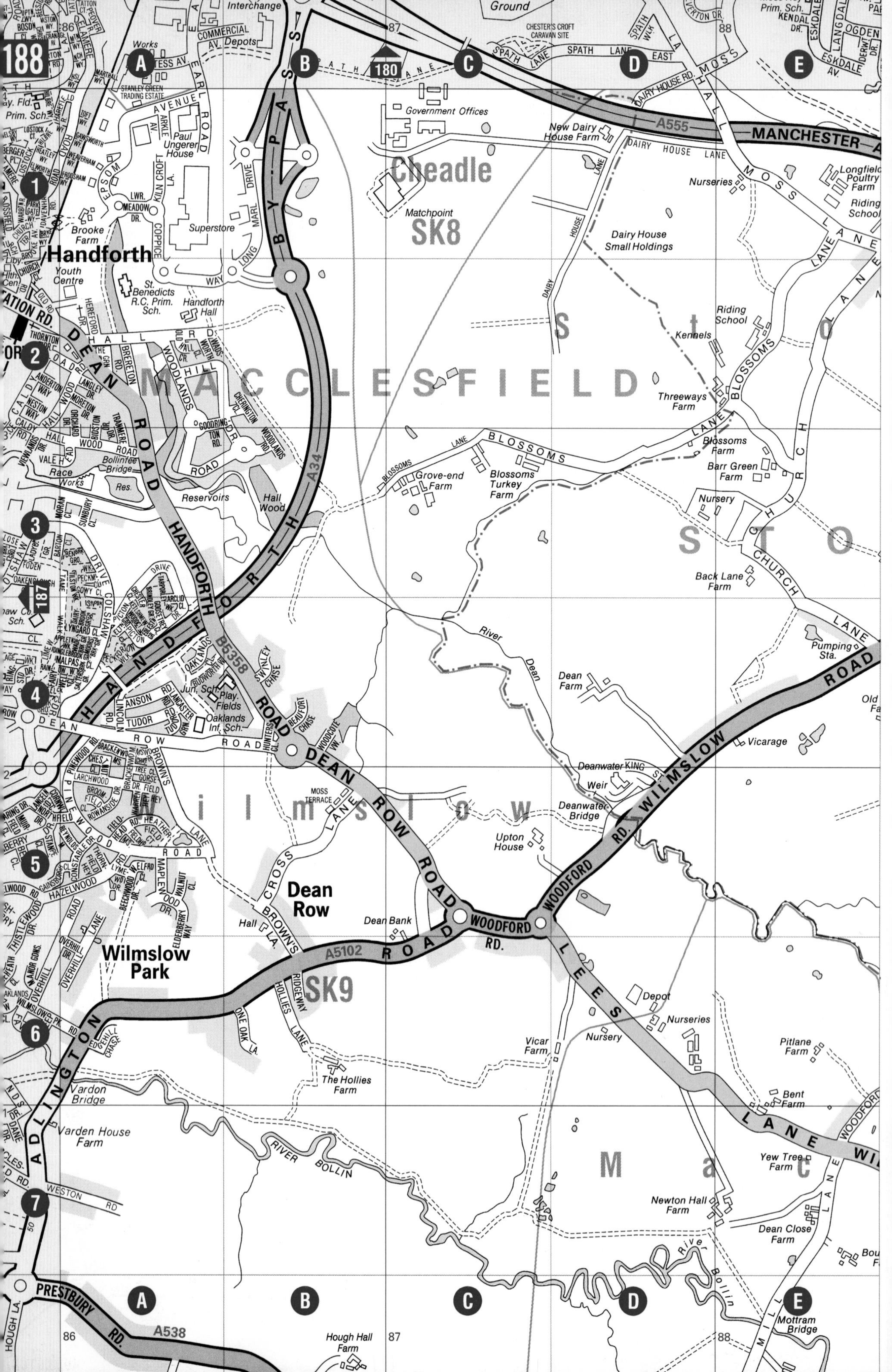
Handforth
Cheadle
SK8
Matchpoint
MACCLESFIELD
Dean Row
Wilmslow Park
SK9
Government Offices
New Dairy House Farm
Dairy House Small Holdings
Nurseries
Longfield Poultry Farm
Riding School
Kennels
Threeways Farm
Blossoms Farm
Barr Green Farm
Grove-end Farm
Blossoms Turkey Farm
Nursery
Back Lane Farm
Pumping Sta.
Dean Farm
Vicarage
Deanwater Weir
Deanwater Bridge
Upton House
Dean Bank
Depot
Vicar Farm
Pitlane Farm
Bent Farm
Yew Tree Farm
Newton Hall Farm
Dean Close Farm
Mottram Bridge
Hough Hall Farm
The Hollies Farm
Vardon Bridge
Varden House Farm
River Bollin
River Dean
Brooke Farm
Youth Centre
St. Benedicts R.C. Prim. Sch.
Handforth Hall
Paul Ungerer House
Superstore
Reservoirs
Hall Wood
Bollinfee Bridge
Race Works
Res.
Jun. Sch.
Play. Fields
Oaklands Inf. Sch.
Stanley Green Trading Estate
Works
Commercial Av. Depots
Interchange
Chester's Croft Caravan Site
Ground
MANCHESTER
A555
A34
B5358
A5102
A538
HANDFORTH BYPASS
DEAN ROAD
HANDFORTH ROAD
DEAN ROW ROAD
WILMSLOW ROAD
WOODFORD RD.
LEES LANE
ADLINGTON ROAD
PRESTBURY RD.
CHURCH LANE
MOSS LANE
BLOSSOMS LANE
DAIRY HOUSE LANE
SPATH LANE EAST
CROSS LANE
HOLLIES LANE
WESTON RD
MILL LANE
180
187
86
87
88
A
B
C
D
E
1
2
3
4
5
6
7

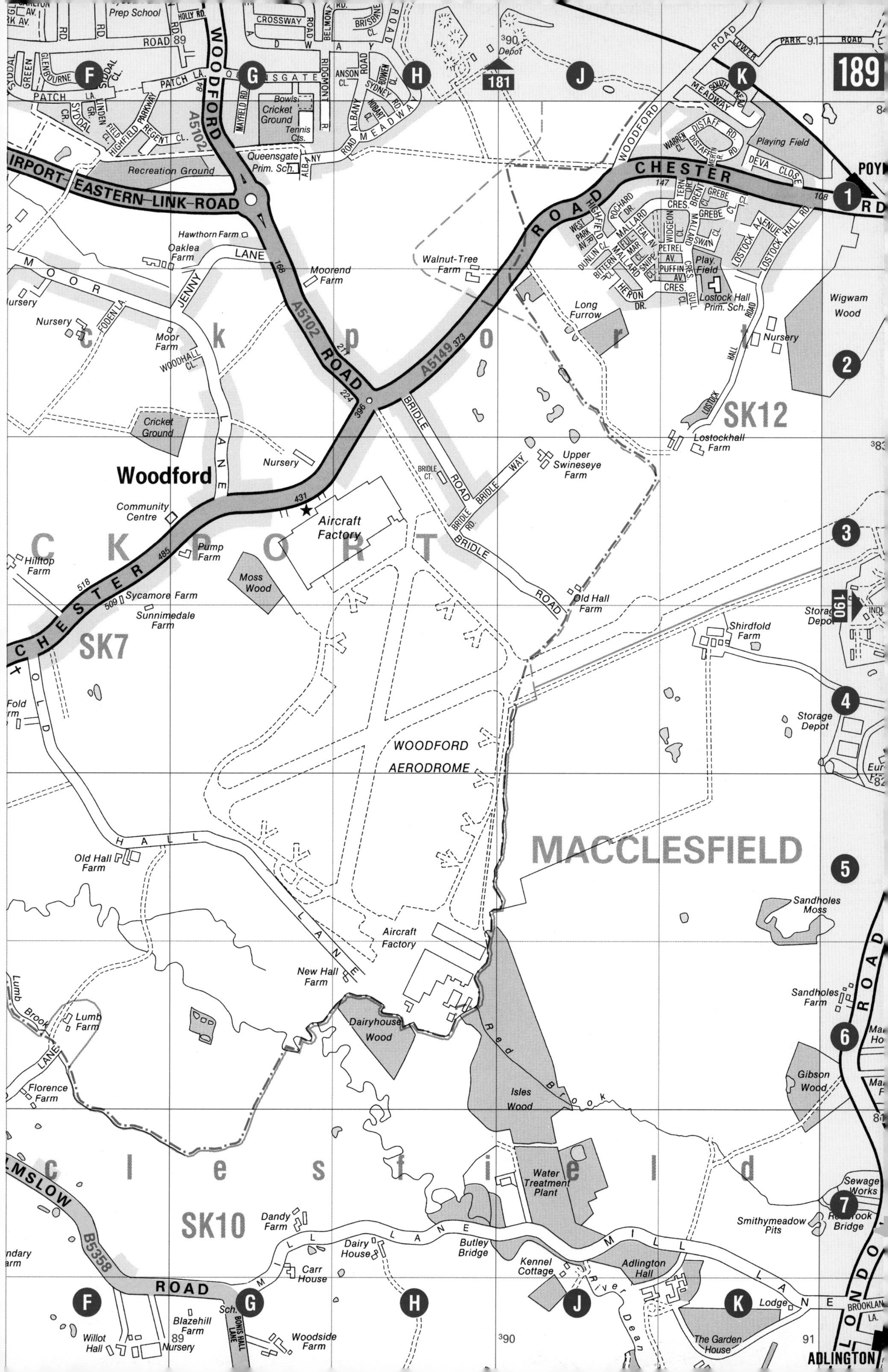

F **G** **H** **J** **K**

181

POY

CHESTER ROAD

Prep School

HOLLY RD.
CHARLTON AV.
GLENBOURNE RD.
PATCH LA.
GREEN PATCH
SYDDAL GR.
SYDDAL
LINDEN GR.
HIGHFIELD PARKWAY
REGENT CL.
FIELD CL.
WOODFORD

CROSSWAY
RIDGMONT DR.
ANSON CL.
RIDGWAY
ALBANY ROAD
SYDNEY ROAD
BOWEN CL.
HOBART CL.
MEADWAY

BRISBANE CL.

TOWER ROAD
PARK 91
ROAD
LOWER MEADWAY
SOUTH MEADWAY

84

Bowls Cricket Ground
Tennis Cts.
Queensgate Prim. Sch.
A5102
A5102
WOODFORD
GREENSGATE RD.
WAYFIELD RD.

DISTAFF RD.
WARREN CL.
MARTIN CL.
DISTAFF RD.
DEVA CLOSE
Playing Field

AIRPORT-EASTERN-LINK-ROAD
Recreation Ground

WOODFORD ROAD
CHESTER ROAD
147
108

1

Hawthorn Farm
Oaklea Farm
Moorend Farm
Walnut-Tree Farm
WEST PARK AV.
HIGHFIELD AV.
POCHARD DR.
MALLARD CRES.
TEAL AV.
MALLARD
SNIPE CL.
HERON DR.
DUNLIN CL.
BITTERN CL.
TERN CL.
MALLARD
WIDGEON CL.
GREBE CL.
GREBE CL.
BRENT CL.
SWAN CL.
PETREL AV.
PUFFIN AV.
CRES.
GULL CL.
LOSTOCK HALL ROAD
LOSTOCK AVENUE
LOSTOCK HALL RD.
Play. Field
Lostock Hall Prim. Sch.
Wigwam Wood
Nursery

c MOOR LANE **k** JENNY LANE **p** A5102 ROAD 166 271 **o** A5149 373 **r** **t**

Nursery
Nursery
Moor Farm
WOODHALL CL.
224
396
Long Furrow
LOSTOCK
SK12
Lostockhall Farm
383

2

Cricket Ground
Nursery
BRIDLE CT.
BRIDLE WAY
BRIDLE ROAD
Upper Swineseye Farm

Woodford

431
485

C CHESTER K ROAD L **3**

Hilltop Farm
Community Centre
Pump Farm
★ Aircraft Factory
Moss Wood
BRIDLE ROAD
Old Hall Farm
Shirdfold Farm
Storage Depot
190
INDL.

3

518
Sycamore Farm
509
Sunnimedale Farm

SK7

O **R** **T**
BRIDLE ROAD

4

Fold Farm
Storage Depot
Eur
82

4

Old Hall Farm
HALL LANE
WOODFORD AERODROME
MACCLESFIELD
Sandholes Moss

5

ROAD

New Hall Farm
Aircraft Factory
Sandholes Farm

6

Lumb Brook
Lumb Farm
LANE
Dairyhouse Wood
Red Brook
Gibson Wood
Ma Ho

6

Florence Farm
Isles Wood
Water Treatment Plant
Ma

c WILMSLOW **l** **e** **s** **f** **i** **e** **l** **d**

Sewage Works
Red Brook Bridge

7

Dandy Farm
Dairy House
Butley Bridge
Kennel Cottage
Smithymeadow Pits
Adlington Hall
MILL LANE
River Dean
LONDON ROAD
BROOKLAN LA.

B5358
SK10
ndary arm
Carr House
Sch.
Woodside Farm
390
The Garden House
91
ADLINGTON

F ROAD **G** BONIS HALL LANE **H** **J** **K** Lodge

Blazehill Farm 89
Willot Hall
Nursery

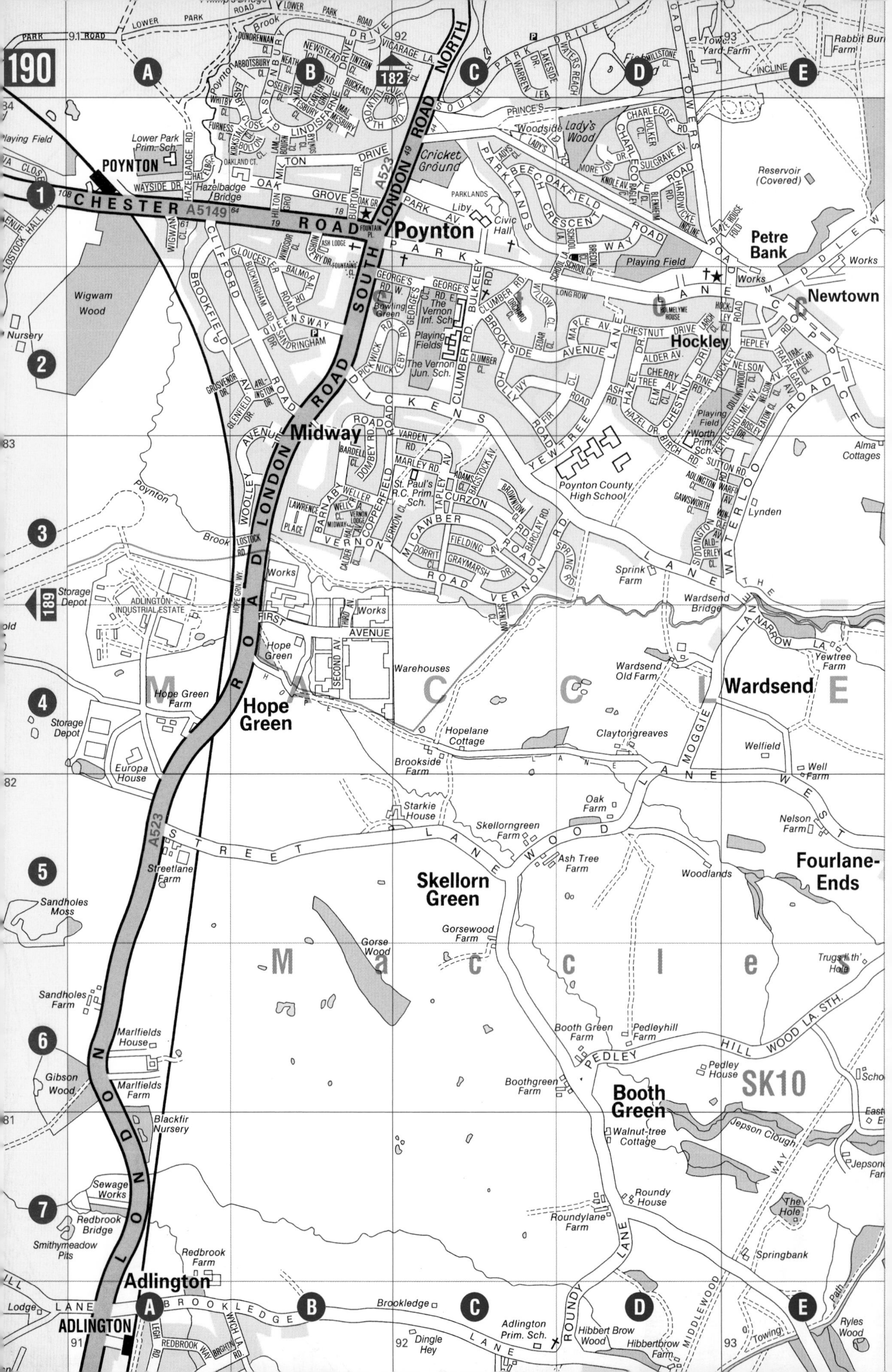
Poynton
Chester Road
A5149
London Road North
London Road South
A523
Midway
Hope Green
Adlington
Adlington Industrial Estate
Skellorn Green
Booth Green
Fourlane-Ends
Wardsend
Hockley
Newtown
Petre Bank
Lady's Wood
Wigwam Wood
Gorse Wood
Gibson Wood
Poynton County High School
Cricket Ground
Street Lane
Wood Lane
Pedley Hill
Moggie Lane
Waterloo Road
Dickens Lane
Brookledge Lane
Roundy Lane
Middlewood Way
Sandholes Moss
Sewage Works
Redbrook Bridge
Smithymeadow Pits
SK10
Macclesfield

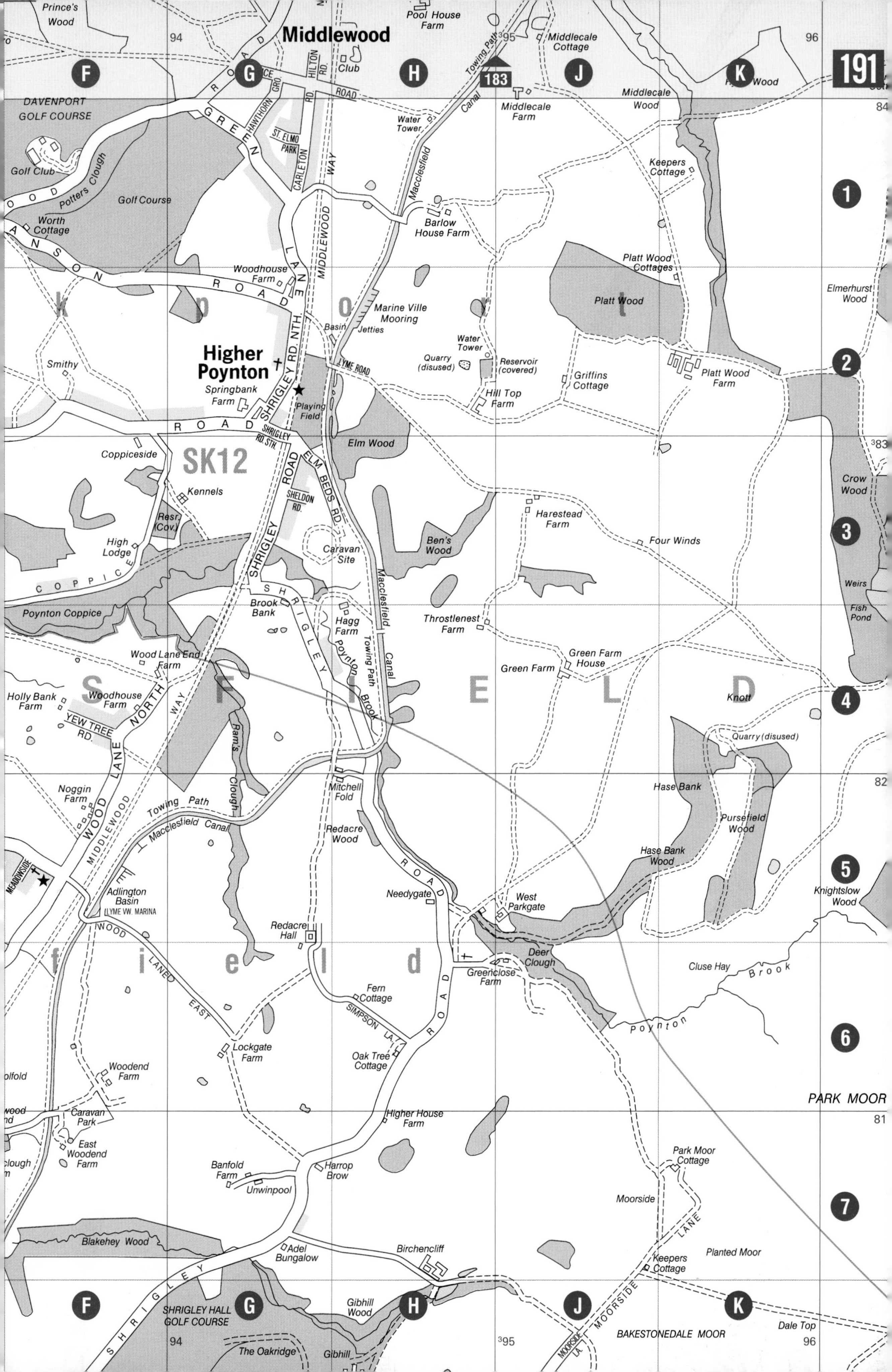

Middlewood
Higher Poynton
Prince's Wood
Pool House Farm
Middlecale Cottage
Club
183
Middlecale Wood
Middlecale Farm
DAVENPORT GOLF COURSE
Golf Club
Golf Course
Potters Clough
Worth Cottage
Water Tower
Keepers Cottage
Barlow House Farm
Platt Wood Cottages
Platt Wood
Elmerhurst Wood
Woodhouse Farm
Marine Ville Mooring
Basin
Jetties
Water Tower
Quarry (disused)
Reservoir (covered)
Griffins Cottage
Platt Wood Farm
Smithy
Springbank Farm
Playing Field
Hill Top Farm
Elm Wood
SK12
Coppiceside
Kennels
Crow Wood
Harestead Farm
Ben's Wood
Caravan Site
Four Winds
High Lodge
Resr. (Cov.)
Weirs
Fish Pond
Poynton Coppice
Brook Bank
Hagg Farm
Throstlenest Farm
Green Farm House
Green Farm
Wood Lane End Farm
Holly Bank Farm
Woodhouse Farm
Knott
Quarry (disused)
Ram's Clough
Noggin Farm
Mitchell Fold
Hase Bank
Pursefield Wood
Redacre Wood
Hase Bank Wood
Adlington Basin
(LYME VW. MARINA)
Needygate
West Parkgate
Knightslow Wood
Redacre Hall
Deer Clough
Greenclose Farm
Cluse Hay
Poynton Brook
Fern Cottage
Lockgate Farm
Oak Tree Cottage
Woodend Farm
PARK MOOR
Caravan Park
Higher House Farm
East Woodend Farm
Park Moor Cottage
Banfold Farm
Harrop Brow
Unwinpool
Moorside
Blakehey Wood
Adel Bungalow
Birchencliff
Planted Moor
Keepers Cottage
SHRIGLEY HALL GOLF COURSE
Gibhill Wood
BAKESTONEDALE MOOR
Dale Top
The Oakridge
Gibhill
MIDDLEWOOD WAY
SHRIGLEY RD. NTH.
SHRIGLEY ROAD
ELM BEDS RD.
SHELDON RD.
LYME ROAD
ANSON ROAD
COPPICE ROAD
GREEN LANE
WOOD LANE NORTH
WOOD LANE EAST
YEW TREE RD.
SIMPSON LA.
MOORSIDE LANE
Macclesfield Canal
Towing Path
F G H J K
1 2 3 4 5 6 7
94 95 96
84 83 82 81

MANCHESTER ROAD
A50
Mereheath Plantation
Squirrel Cottage
Boundary Wood
Moss Plantation
Beech Avenue
KNUTSFORD DRIVE
Jetty
TATTON MERE
Nursery
Cottons Hotel
Roebuck Farm
Moss Farm
MOSS LANE
Bull Ring
KNUTSFORD GOLF COURSE
Bluebell Farm
Tatton Mere Covert
Tabley Hill Cemetery
Tennis Courts
Boys Club
Playing Fields
Water Works
Approach Clump
TATTON PARK
Higmere Plantation
Dog Wood
Football Ground
Cricket Ground
Pav.
Lodge
Club Ho.
Tabley-hill
TABLEY HILL LANE
Tabley Hill Farm
Tabley Hill
GARDEN RD.
The Heath
The Moor
KING ST.
Cross Town
MOBBERLEY ROAD
B5085
Kilrie Childrens Cen.
NORTHWICH ROAD
A5033
STANLEY ROAD
B5083
Egerton Primary Sch.
Coach Sta.
Civic Hall
KNUTSFORD
ADAMS HILL
BROOK STREET
Playground
Lib.
Works
Bowling Green
Knutsford Service Area
Sudlow Farm
SUDLOW LANE
School
Knutsford Leisure Centre
Knutsford High School
HOSP.
Sudlow Lodge
Sudlow Cottages
Knutsford
TOFT ROAD
Sanctuary Moor
WA16
PARKFIELD
The Hill
Blackhill Farm
BLACKHILL
Top Willowbed Wood
M6 MOTORWAY
M6
Air Training Corps HQ.
Bexton Primary Sch.
BEXTON LANE
Bexton House
Whitehouse Farm
BEGGARMAN'S LANE
LEYCESTER ROAD
Yewtree Bungalow
Yewtree Farm
Toft Dairy Farm
Sandfield Wood
Bexton Hall
GOUGHS LANE
A
B
C
D
E
1
2
3
4
5
6
7
74
³75
80
79
78
77

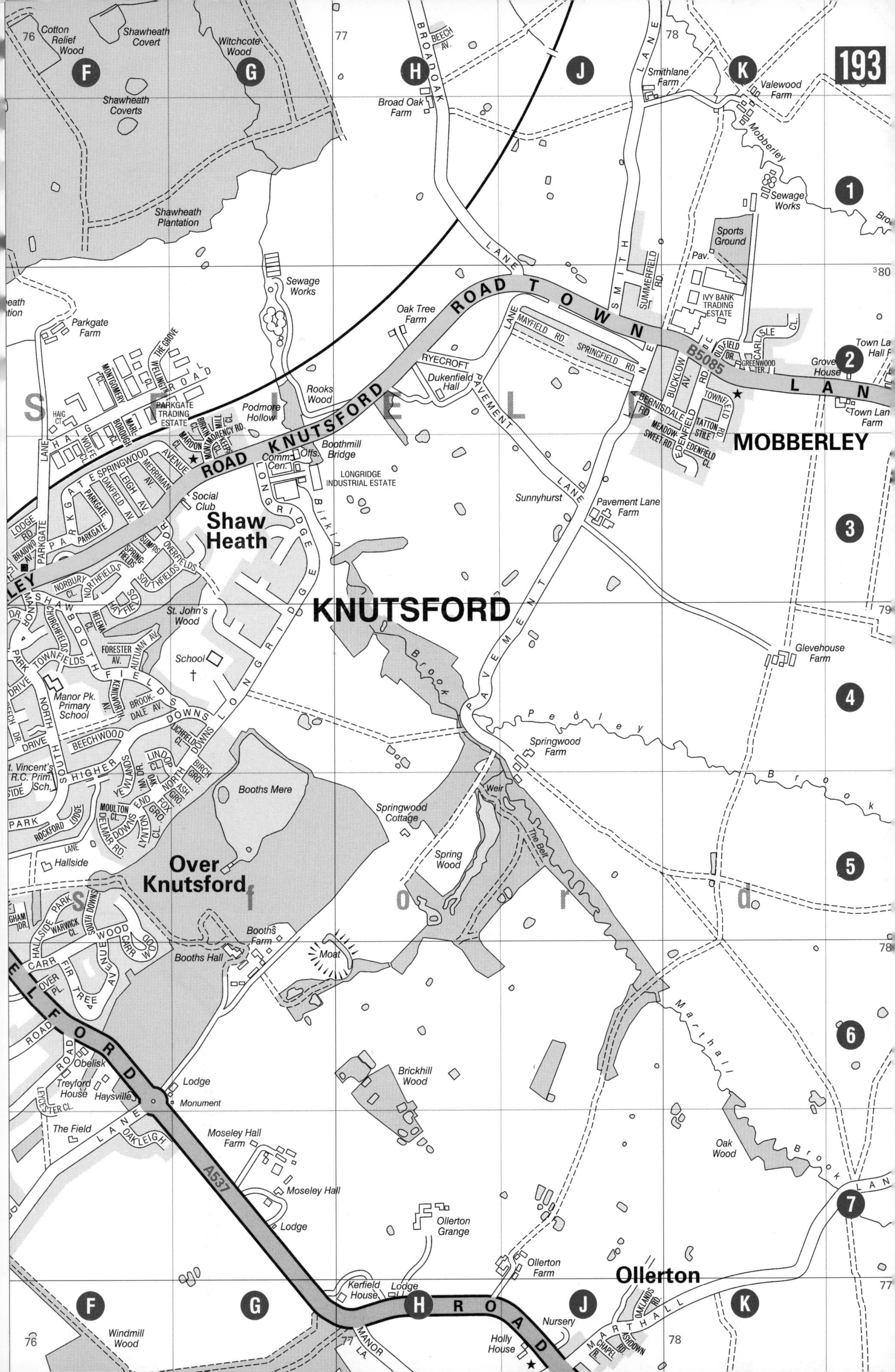
KNUTSFORD
MOBBERLEY
Shaw Heath
Over Knutsford
Ollerton
KNUTSFORD ROAD
TOWN LANE
B5085
A537
Cotton Relief Wood
Shawheath Covert
Witchcote Wood
Shawheath Coverts
Shawheath Plantation
Parkgate Farm
Sewage Works
Oak Tree Farm
Broad Oak Farm
Smithlane Farm
Valewood Farm
Sports Ground
IVY BANK TRADING ESTATE
Rooks Wood
Podmore Hollow
Dukenfield Hall
Boothmill Bridge
LONGRIDGE INDUSTRIAL ESTATE
Social Club
Sunnyhurst
Pavement Lane Farm
Glevehouse Farm
St. John's Wood
School
Manor Pk. Primary School
St. Vincent's R.C. Prim. Sch.
Booths Mere
Springwood Farm
Springwood Cottage
Spring Wood
Weir
The Belt
Pedley Brook
Booths Farm
Booths Hall
Moat
Hallside
Brickhill Wood
Lodge
Monument
Obelisk
Treyford House
Haysville
The Field
Moseley Hall Farm
Moseley Hall
Ollerton Grange
Ollerton Farm
Marthall Brook
Oak Wood
Kerfield House
Nursery
Holly House
Windmill Wood
Town Lane Farm
Grove House

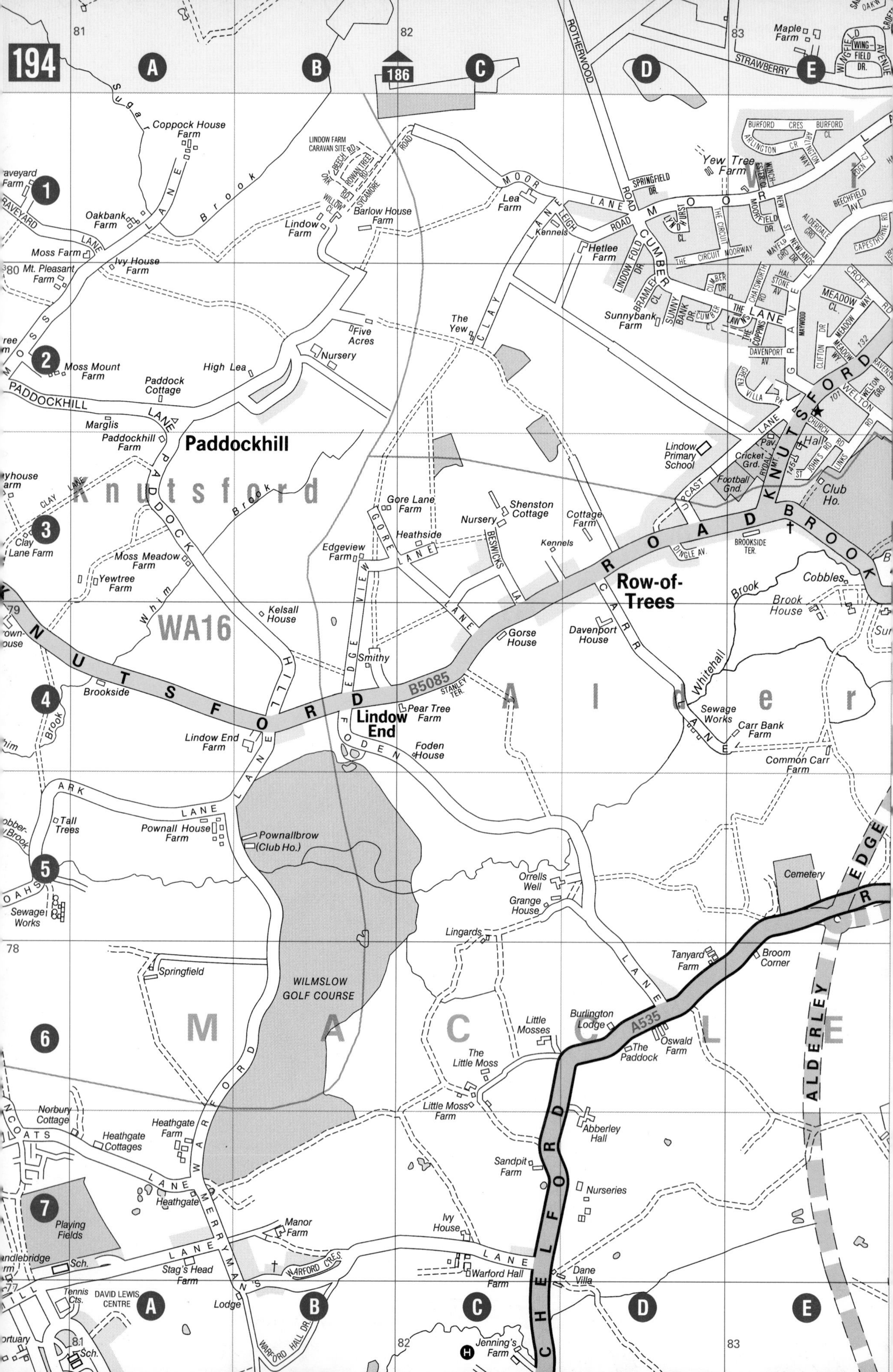

Paddockhill
Knutsford
WA16
Row-of-Trees
Lindow End
Alder
MACCLE
WILMSLOW GOLF COURSE
KNUTSFORD ROAD
B5085
CHELFORD ROAD
A535
ALDERLEY EDGE
186

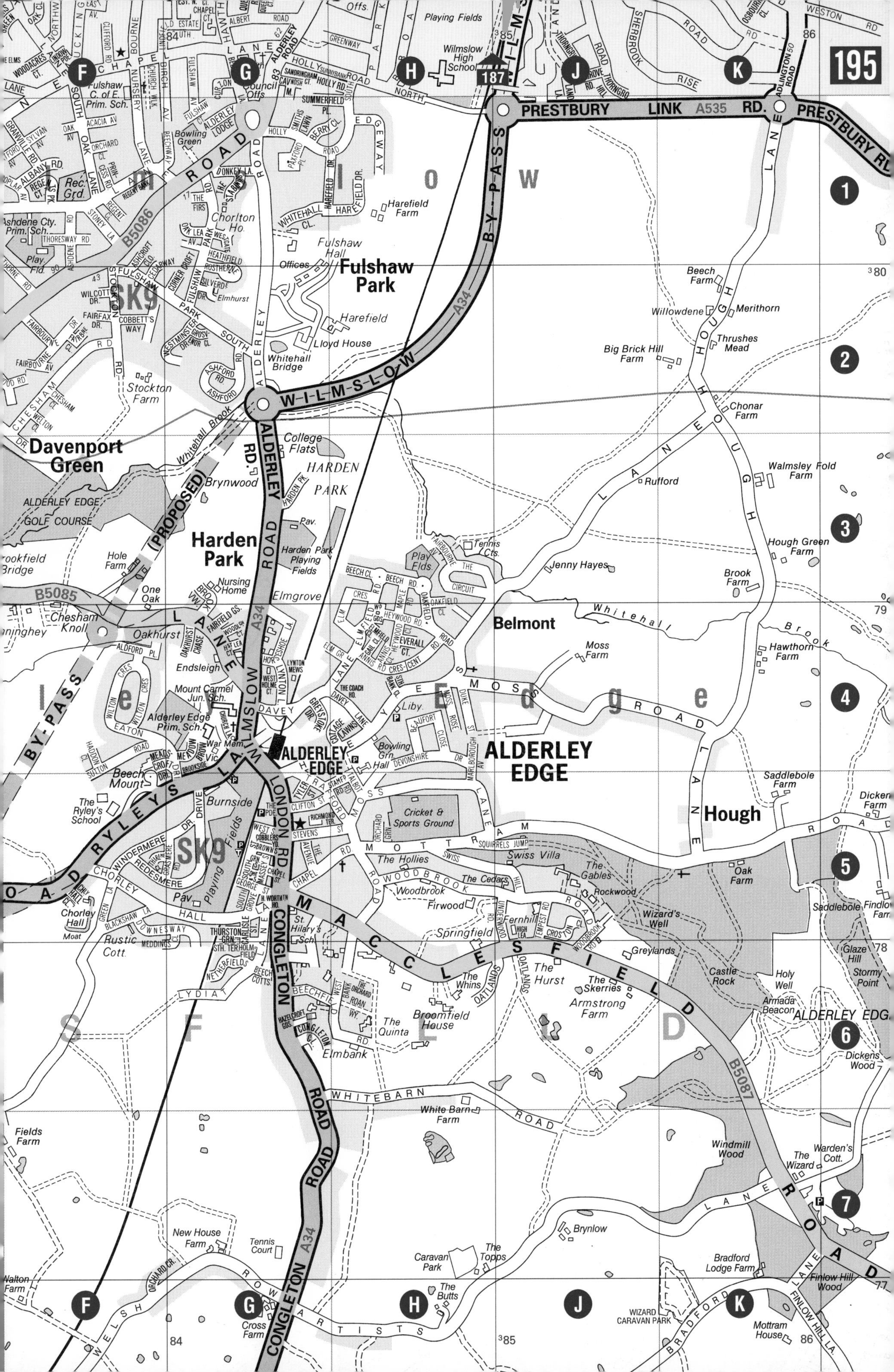
PRESTBURY LINK A535 RD.
PRESTBURY RD.
WILMSLOW BY-PASS A34
187
Wilmslow High School
Playing Fields
Fulshaw C. of E. Prim. Sch.
Council Offs.
Fulshaw Park
Fulshaw Hall
Harefield Farm
Lloyd House
Whitehall Bridge
Stockton Farm
Davenport Green
ALDERLEY EDGE GOLF COURSE
Harden Park
HARDEN PARK
College Flats
Brynwood
Hole Farm
One Oak
Chesham Knoll
Oakhurst
Nursing Home
Harden Park Playing Fields
Elmgrove
Endsleigh
Mount Carmel Jun. Sch.
Alderley Edge Prim. Sch.
War Mem.
Beech Mount
The Ryley's School
Burnside
Playing Fields
Chorley Hall
Moat
Rustic Cott.
ALDERLEY EDGE
Cricket & Sports Ground
Belmont
Jenny Hayes
Moss Farm
Rufford
Walmsley Fold Farm
Hough Green Farm
Brook Farm
Hawthorn Farm
Beech Farm
Willowdene
Merithorn
Thrushes Mead
Big Brick Hill Farm
Chonar Farm
Saddlebole Farm
Hough
Oak Farm
Swiss Villa
The Gables
Rockwood
Wizard's Well
The Hollies
The Cedars
Woodbrook
Firwood
Fernhill
Springfield
Greylands
Castle Rock
Holy Well
Armada Beacon
ALDERLEY EDGE
Stormy Point
Glaze Hill
Saddlebole
Dickens Wood
The Whins
The Hurst
The Skerries
Armstrong Farm
Broomfield House
The Quinta
Elmbank
St. Hilary's Sch.
White Barn Farm
Windmill Wood
The Wizard
Warden's Cott.
Brynlow
The Topps
Caravan Park
The Butts
Bradford Lodge Farm
Finlow Hill Wood
Mottram House
WIZARD CARAVAN PARK
New House Farm
Tennis Court
Cross Farm
Fields Farm
Walton Farm
CONGLETON ROAD A34
MACCLESFIELD ROAD B5087
RYLEYS LANE
WHITEBARN ROAD
ARTISTS LANE
WELSH ROW
MOTTRAM ROAD
MOSS LANE
HOUGH LANE
WHITEHALL BROOK
BY-PASS (PROPOSED)
B5085
B5086
SK9
F G H J K
1 2 3 4 5 6 7
84 385 86
380 79 78 77

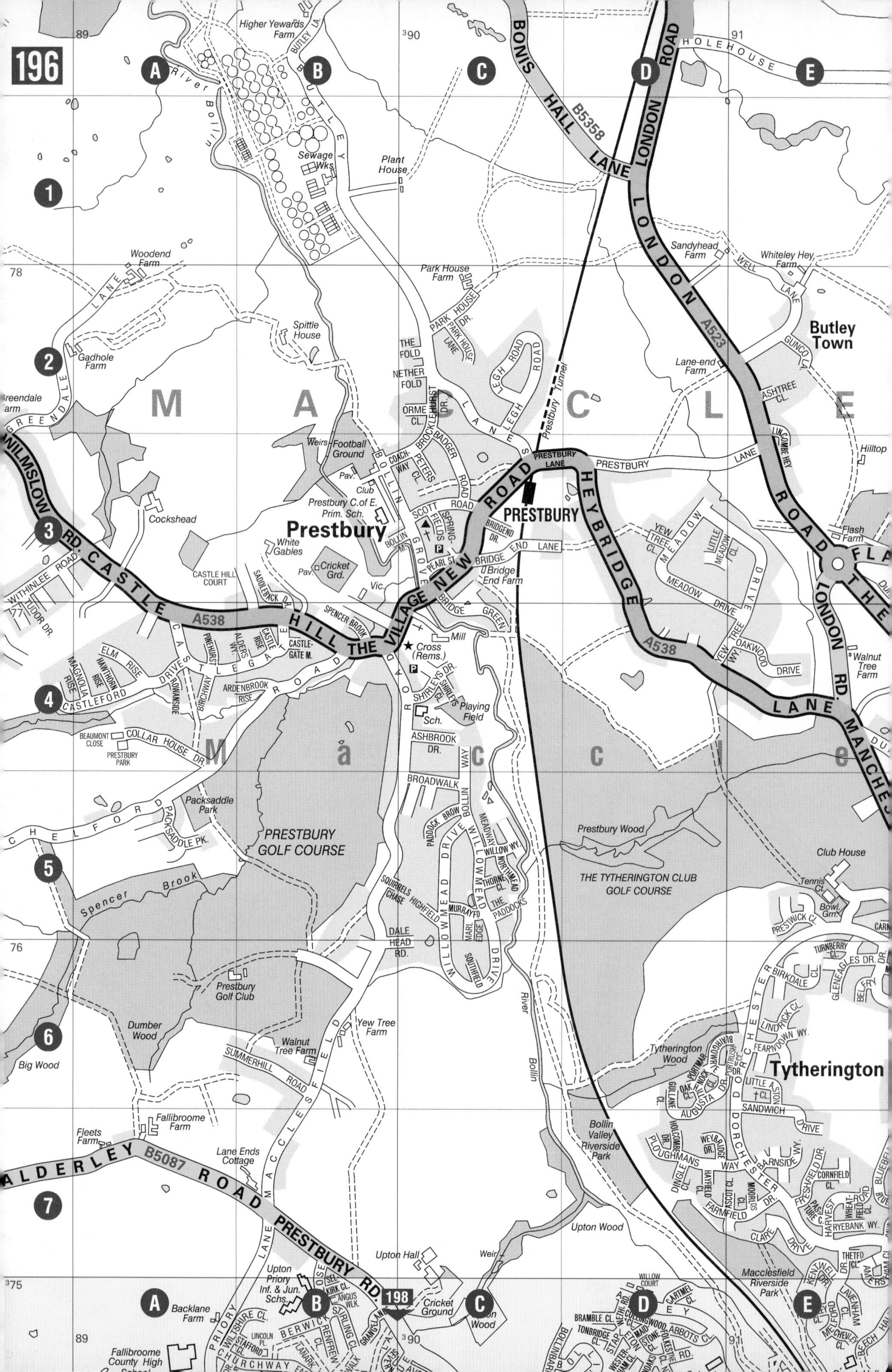

Higher Yewards Farm
River Bollin
Sewage Wks.
Plant House
BONIS HALL LANE B5358
LONDON ROAD
HOLEHOUSE
Woodend Farm
Sandyhead Farm
Whiteley Hey Farm
Park House Farm
PARK HOUSE DR.
Spittle House
Gadhole Farm
Butley Town
Lane-end Farm
A523
LEGH ROAD
Prestbury Tunnel
M A C C L E
Football Ground
Weirs
Prestbury C.of E. Prim. Sch.
Cockshead
Prestbury
PRESTBURY
PRESTBURY LANE
HEYBRIDGE
White Gables
Cricket Grd.
CASTLE HILL COURT
Bridge End Farm
BRIDGE END LANE
MEADOW DRIVE
Flash Farm
Hilltop
WILMSLOW RD.
CASTLE HILL
A538
THE VILLAGE
NEW ROAD
Mill
Cross (Rems.)
Playing Field
Sch.
Walnut Tree Farm
CASTLEFORD
COLLAR HOUSE DR.
PRESTBURY PARK
BEAUMONT CLOSE
M a c c l e
Packsaddle Park
PRESTBURY GOLF COURSE
Prestbury Wood
THE TYTHERINGTON CLUB GOLF COURSE
Club House
CHELFORD
Spencer Brook
Prestbury Golf Club
Dumber Wood
Big Wood
Walnut Tree Farm
Yew Tree Farm
SUMMERHILL ROAD
River Bollin
Tytherington Wood
Tytherington
Fallibroome Farm
Fleets Farm
Lane Ends Cottage
ALDERLEY B5087 ROAD
PRESTBURY RD.
MACCLESFIELD LANE
Bollin Valley Riverside Park
Upton Wood
Upton Hall
Weir
Upton Priory Inf. & Jun. Schs.
Backlane Farm
Cricket Ground
Upton Wood
Macclesfield Riverside Park
Fallibroome County High School
198

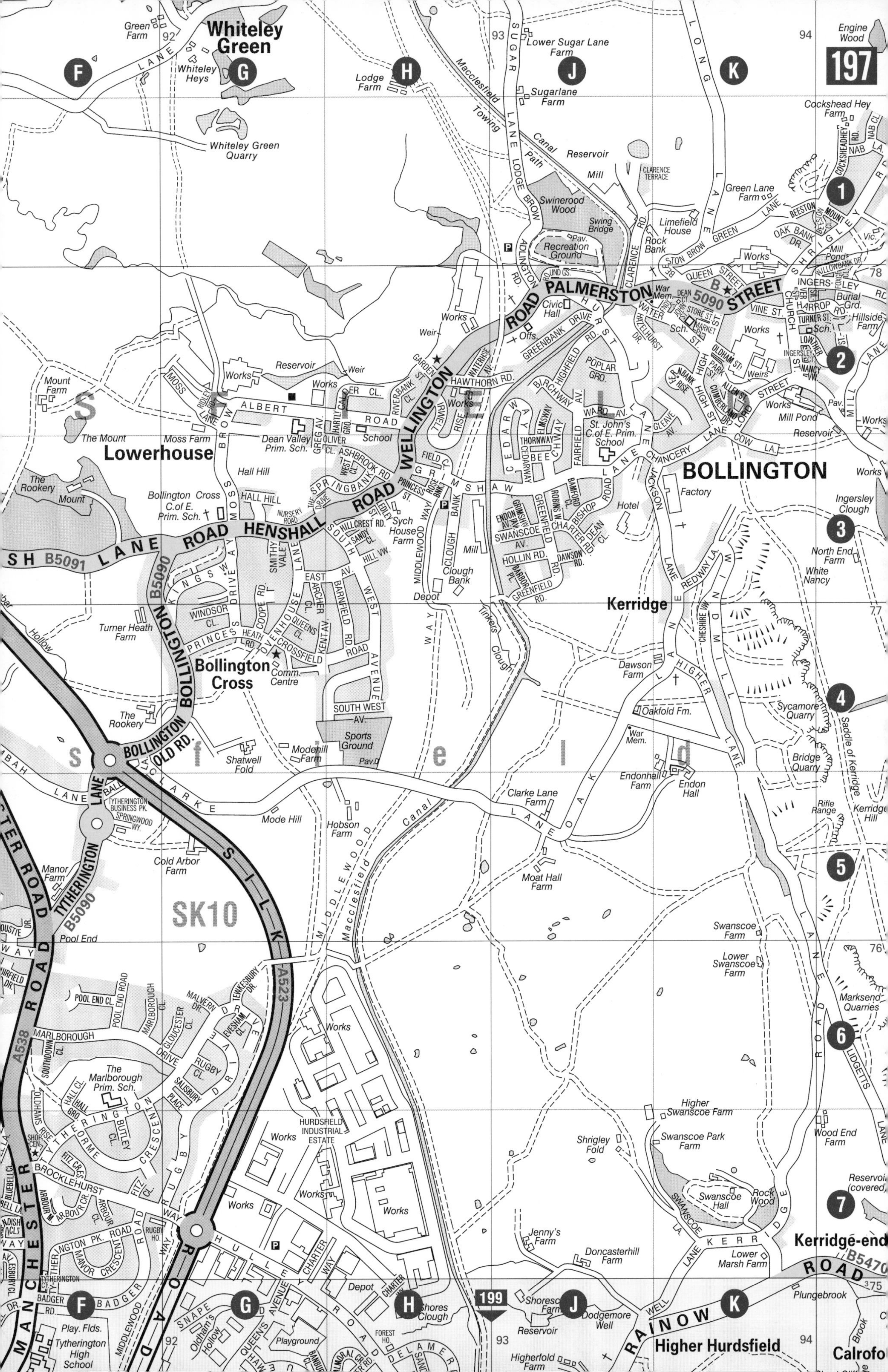

Whiteley Green
Green Farm
Whiteley Heys
Whiteley Green Quarry
Lodge Farm
Lower Sugar Lane Farm
Sugarlane Farm
Macclesfield Canal Towing Path
Reservoir
Mill
Swinerood Wood
Swing Bridge
Recreation Ground
Limefield House
Rock Bank
Green Lane Farm
Cockshead Hey Farm
Engine Wood
BOLLINGTON
Lowerhouse
The Mount
Mount Farm
Moss Farm
Dean Valley Prim. Sch.
School
Hall Hill
The Rookery
Bollington Cross C.of E. Prim. Sch.
Sych House Farm
Clough Bank
Depot
St. John's C.of E. Prim. School
Factory
Hotel
Ingersley Clough
North End Farm
White Nancy
Kerridge
Dawson Farm
Oakfold Fm.
Sycamore Quarry
Bridge Quarry
Saddle of Kerridge
Kerridge Hill
Rifle Range
Endonhall Farm
Endon Hall
Clarke Lane Farm
Moat Hall Farm
Turner Heath Farm
Bollington Cross
Comm. Centre
Sports Ground
Modehill Farm
Shatwell Fold
Mode Hill
Hobson Farm
Cold Arbor Farm
Manor Farm
Pool End
SK10
Swanscoe Farm
Lower Swanscoe Farm
Marksend Quarries
Higher Swanscoe Farm
Wood End Farm
Shrigley Fold
Swanscoe Park Farm
Swanscoe Hall
Rock Wood
Reservoir (covered)
Kerridge-end
Jenny's Farm
Doncasterhill Farm
Lower Marsh Farm
Plungebrook
Hurdsfield Industrial Estate
Works
The Marlborough Prim. Sch.
Tytherington High School
Play. Flds.
Shores Clough
Shorescl Farm
Dodgemore Well
Higherfold Farm
Higher Hurdsfield
Calrofo
PALMERSTON STREET
WELLINGTON ROAD
HENSHALL ROAD
BOLLINGTON ROAD
SILK ROAD
MANCHESTER ROAD
RAINOW ROAD
LIDGETTS LANE
B5090
B5091
A523
A538
B5470
199

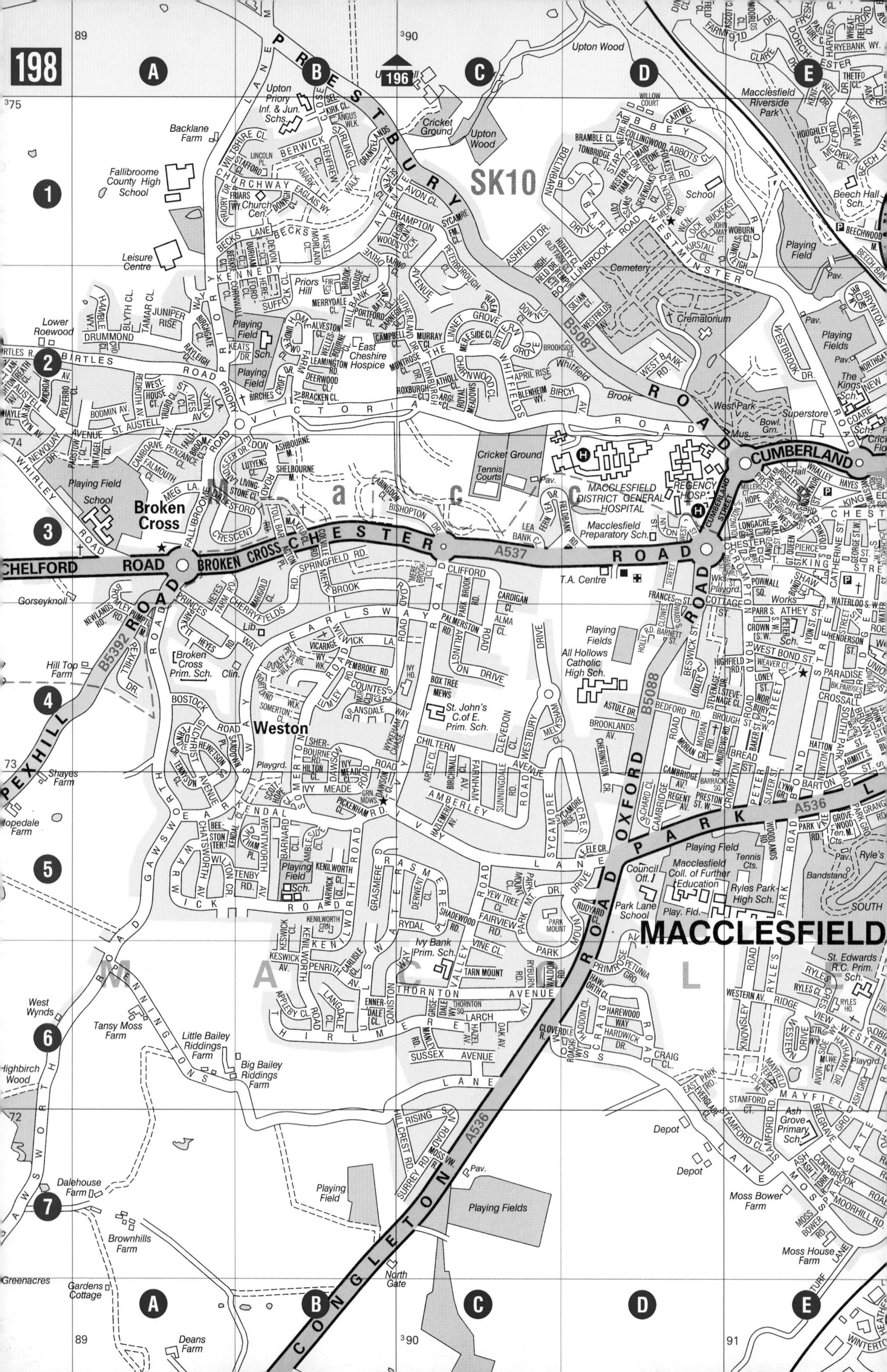

198
A
B
C
D
E
1
2
3
4
5
6
7
89
390
91
375
74
73
72
196
Upton Wood
Upton Priory Inf. & Jun. Schs.
Backlane Farm
Fallibroome County High School
Leisure Centre
Cricket Ground
SK10
Macclesfield Riverside Park
PRESTBURY
ROAD
B5087
Cemetery
Crematorium
School
Beech Hall Sch.
Playing Field
Playing Fields
The Kings Sch.
Superstore
West Park Mus.
Bowl. Grn.
CUMBERLAND
Lower Roewood
BIRTLES ROAD
VICTORIA ROAD
Priors Hill
Church Cen.
East Cheshire Hospice
Whitfield Brook
Cricket Ground
Tennis Courts
MACCLESFIELD DISTRICT GENERAL HOSPITAL
REGENCY HOSP.
Macclesfield Preparatory Sch.
Playing Field
School
Broken Cross
CHELFORD ROAD
BROKEN CROSS
CHESTER ROAD
A537
T.A. Centre
Gorseyknoll
B5392
Broken Cross Prim. Sch.
Clin.
Lib.
Hill Top Farm
St. John's C.of E. Prim. Sch.
Weston
Playing Fields
All Hollows Catholic High Sch.
B5088
OXFORD ROAD
PEXHILL
Shayes Farm
Hopedale Farm
Playgrd.
PARK LANE
A536
Council Off.
Macclesfield Coll. of Further Education
Park Lane School
Ryles Park High Sch.
Tennis Cts.
Bandstand
MACCLESFIELD
Ivy Bank Prim. Sch.
St. Edwards R.C. Prim. Sch.
West Wynds
Tansy Moss Farm
Little Bailey Riddings Farm
Big Bailey Riddings Farm
Highbirch Wood
PENNINGTONS LANE
GAWSWORTH ROAD
Ash Grove Primary Sch.
Depot
Depot
Moss Bower Farm
Moss House Farm
Dalehouse Farm
Brownhills Farm
Playing Field
Playing Fields
CONGLETON ROAD
A536
North Gate
Greenacres
Gardens Cottage
Deans Farm

Higher Hurdsfield
Calrofold
Hurdsfield
Higherfence
Commonside
MACCLESFIELD
MACCLESFIELD COMMON
MACCLESFIELD GOLF COURSE
Gurnett
Langley
SK11
197

POSTCODE MAP
PR4
PR5
Croston
Wheelton
DARWEN
BB3
CHORLEY
PR6
Belmont
BL7
Rufford
Mawdesley
PR7
Coppull
Adlington
Horwich
BL6
BL1
Egerton
BL8
Tottington
L40
Burscough Bridge
Burscough
Newburgh
WN8
Appley Bridge
Standish
WN6
Shevington
Blackrod
BL2
BOLTON
WN1
Aspull
BL3
SKELMERSDALE
WN8
Orrell
WN5
WIGAN
Ince in Makerfield
WN2
Westhoughton
BL5
Farnworth
BL4
M26
M38
L39
Hindley
Atherton
M46
WN3
Tyldesley
Abram
Worsley
M28
Swinton
Rainford
WN5
Billinge
Ashton-In-Makerfield
WN4
LEIGH
WN7
M29
Eccles
L33
WA11
Haydock
Golborne
M30
ST. HELENS
WA10
WA12
NEWTON-LE-WILLOWS
Culcheth
WA3
M44
Urmston
L34
WA9
Irlam
M41
PRESCOT
WA2
Huyton-with-Roby
L36
L35
M31
M33
WA5
WA1
WARRINGTON
WA13
L27
LIVERPOOL
Cronton
WA8
LYMM
ALTRINCHAM
WA14
L25
L26
Grappenhall
WA4
City Centre
M3
M4
Appleton Thorn
High Legh
L24
M3
M5
M3
M2
M1
WA16
KNUTSFORD
Pickmere
CW9
CH2
Lostock Gralam
NORTHWICH
M12
Weaverham
M15
M13
Lower Peover
Mouldsworth
WA6
CW8
Mickle Trafford
CH3
CW6
CW10
Puddinglake
Goostrey
CW4

BL0
Ramsbottom

Whitworth
OL12
OL13

OL14

HX7

HX4

HX5

M62 24

Ripponden

HUDDERSFIELD

OL15
LITTLEBOROUGH

HX6

HD3

M62

OL11
ROCHDALE

M66

OL16

Milnrow

HD4

Slaithwaite

BL9
BURY

HEYWOOD
OL10

Meltham

Marsden

Crompton

OL2

HD7

Holmfirth

Radcliffe

M24

Royton

Middleton

OL1

OL3

Uppermill

M62 S

Whitefield
M45

Chadderton

OL9

OL4

Prestwich

M60

OL1

M25

M9

OL8

OLDHAM

OL5

27

M8

M40

M35

OL6

ASHTON-
UNDER-LYNE

SK15

Failsworth

M6

Droylsden
M43

OL7

SALFORD

MANCHESTER

M11

M5

SK14

STALYBRIDGE

SK16
DUKINFIELD

Hadfield

M17

M15

M13

M12

M18

M34

HYDE

M67

Stretford
M32

M16

M14

GLOSSOP
SK13

S30

M21

M19

Denton

SK5

SALE

M20

SK4

SK6

SK22

M23

M60

SK1

Romiley

Marple

M56

STOCKPORT

SK3

SK2

New
Mills

Hale
A15

Gatley

Cheadle
Hulme

SK8

Hazel
Grove

M22

SK7
Bramhall

HIGH PEAK

SK12

M90
Manchester
Airport
(Ringway)

Handforth

Woodford

Whaley
Bridge

SK23

SK9

WILMSLOW

Chapel-
en-le-Frith

ALDERLEY
EDGE

SK9

Prestbury

Bollington

SK10

Nether
Alderley

Henbury

Jodrell
Bank

SK11
MACCLESFIELD

BUXTON

SK17

Chelmorton

CHEADLE

Posttown Boundary ——————
Postcode Boundary – – – – –

INDEX TO PLACES & AREAS

Names in this index shown in CAPITAL LETTERS, followed by their Postcode District(s), are Posttowns.

Index to Places & Areas

INDEX TO STREETS

HOW TO USE THIS INDEX

1. Each street name is followed by its Postal District (or, if outside the Manchester Postal District, by its Posttown or Postal Locality), and then by its map reference; e.g. Abberton Rd. *M20* —4G **151** is in the Manchester 20 Postal District and is to be found in square 4G on page **151**. The page number being shown in bold type.
A strict alphabetical order is followed in which Av., Rd., St., etc. (though abbreviated) are read in full and as part of the street name;
e.g. Abbotsford appears after Abbot's Fold Rd. but before Abbotsford Clo.

2. Streets and a selection of Subsidiary names not shown on the Maps, appear in the index in *Italics* with the thoroughfare to which it is connected shown in brackets;
e.g. *Abbeydale. Roch —4G **31** (off Spotland Rd.)*

3. Railway stations appear in the index in CAPITALS and are referenced to the actual building and not to the station name. The abbreviations *BR* and *M* after the station name indicates whether it is a British Rail or Metro station; e.g. ADLINGTON STATION. *BR* —7A **190** (Cheshire)

4. The page references shown in brackets indicate those streets that appear on the large scale map pages 4 & 5; e.g. Adelphi St. *Salf* —6D **114** (4C **4**) appears in square 6D on page **114** and also appears in the enlarged section in square 4C on page **4**.

5. With the now general usage of Postcodes for addressing mail, it is not recommended that this index is used for such a purpose.

GENERAL ABBREVIATIONS

All : Alley
App : Approach
Arc : Arcade
Av : Avenue
Bk : Back
Boulevd : Boulevard
Bri : Bridge
B'way : Broadway
Bldgs : Buildings
Bus : Business
Cvn : Caravan
Cen : Centre
Chu : Church
Chyd : Churchyard
Circ : Circle
Cir : Circus
Clo : Close
Comn : Common
Cotts : Cottages
Ct : Court
Cres : Crescent
Dri : Drive
E : East
Embkmt : Embankment
Est : Estate
Gdns : Gardens
Ga : Gate
Gt : Great
Grn : Green
Gro : Grove
Ho : House
Ind : Industrial
Junct : Junction
La : Lane
Lit : Little
Lwr : Lower
Mnr : Manor
Mans : Mansions
Mkt : Market
M : Mews
Mt : Mount
N : North
Pal : Palace
Pde : Parade
Pk : Park
Pas : Passage
Pl : Place
Quad : Quadrant
Rd : Road
S : South
Sq : Square
Sta : Station
St : Street
Ter : Terrace
Trad : Trading
Up : Upper
Vs : Villas
Wlk : Walk
W : West
Yd : Yard

POSTTOWN AND POSTAL LOCALITY ABBREVIATIONS

Abb H : Abbey Hey
Abr : Abram
A'ton : Adlington (Cheshire)
Adl : Adlington (Lancashire)
Aff : Affetside
Agd : Agden
Ain : Ainsworth
Ald E : Alderley Edge
Alt : Altrincham
And : Anderton
App B : Appley Bridge
Ard : Ardwick
Ash : Ashley
Ash L : Ashton-under-Lyne
Ash M : Ashton-in-Makerfield
Asp : Aspull
Ast : Astley
Ath : Atherton
Aud : Audenshaw
Aus : Austerlands
Bag : Baguley
Bam : Bamfurlong
Bar : Bardsley
Bel : Belmont
Bick : Bickershaw
Bil : Billinge
Bch V : Birch Vale
Bchwd : Birchwood
Blac : Blackrod
Boll : Bollington
Bolt : Bolton
Boot : Boothstown
Bow : Bowdon
Brad F : Bradley Fold
Brad T : Bradley Fold Trad. Est.
Brad : Bradshaw
Bram : Bramhall
Bred : Bredbury
Bred P : Bredbury Park Ind. Est.
Brei : Breightmet
B'btm : Broadbottom
B'hth : Broadheath
Brom X : Bromley Cross
Brook : Brooklands
Burn : Burnage
B'edg : Burnedge
Bury : Bury
But : Butley
But T : Butley Town
Cad : Cadishead
C'brk : Carrbrook
Car : Carrington
Chad : Chadderton
Charl : Charlesworth
Char R : Charnock Richard
Chea : Cheadle
Chea H : Cheadle Hulme
Cheq : Chequerbent
Chis : Chisworth
Chor : Chorley
Chor H : Chorlton cum Hardy
Civ C : Civic Centre
Clay : Clayton
Clif : Clifton
Col : Collyhurst
Comp : Compstall
Cop : Coppull
Crank : Crank
Croft : Croft
Crum : Crumpsall
Cul : Culcheth
Dal : Dalton
Del : Delph
Dem I : Demmings Ind. Est.
Dens : Denshaw
Dent : Denton
Did : Didsbury
Dig : Diggle
Dis : Disley
Dob : Dobcross
Droy : Droylsden
Duk : Dukinfield
Dun M : Dunham Massey
Dun T : Dunham Town
Ecc : Eccles
Eden : Edenfield
Eger : Egerton
Elt : Elton
Fail : Failsworth
Fall : Fallowfield
Farn : Farnworth
Firg : Firgrove
Firs : Firswood
Fish I : Fishbrook Ind. Est.
Gam : Gamesley
Gat : Gatley
Gaw : Gawsworth
Gee X : Gee Cross
G'brk : Glazebrook
G'bry : Glazebury
Glos : Glossop
Golb : Golborne
Golb D : Golborne Dale
G Grn : Goose Green
Gort : Gorton
Gras : Grasscroft
G'fld : Greenfield
G'mnt : Greenmount
Grim V : Grimeford Village
Grot : Grotton
Gt H : Great Howarth
Had : Hadfield
Haig : Haigh
Hale : Hale
Haleb : Halebarns
Hand : Handforth
Harp : Harpurhey
Harw : Harwood
Hawk : Hawkshaw
Hawk I : Hawksley Ind. Est.
Hayd : Haydock
Hayd I : Haydock Ind. Est.
Haz G : Hazel Grove
H Grn : Heald Green
Heal : Healey
Heap : Heap
H Bri : Heap Bridge
Hth C : Heath Charnock
Heat C : Heaton Chapel
Heat M : Heaton Mersey
Heyr : Heyrod
Heyw : Heywood
Heyw D : Heywood Distribution Park
Hig : Higginshaw
H Lane : High Lane
H Legh : High Legh
H Peak : High Peak
Hind : Hindley
Hind I : Hindley Ind. Est.
Holc : Holcombe
Holl : Hollingworth
Hope C : Hope Carr
Hor : Horwich
Hulme : Hulme
Hur : Hurstead
Hyde : Hyde
Ince : Ince
Irl : Irlam
Kear : Kearsley
Ken : Kenyon
Ker : Kerridge
King M : Kings Moss
Knut : Knutsford
Lady : Ladybarn
Land : Landside
Lang : Langley
Lees : Lees
Leigh : Leigh
Lev : Levenshulme
L'boro : Littleborough
L Bol : Little Bollington
L Hul : Little Hulton
L Lev : Little Lever
L Pad : Little Padfield
Long : Longsight
Los : Lostock
Low C : Low Common
Lwtn : Lowton
Lud : Ludworth
Lyd : Lydgate
Lym Pk : Lyme Green Bus. Pk.
Lymm : Lymm
Mac : Macclesfield
Man : Manchester
Man A : Manchester Airport
Man S : Manchester Science Park
Marp : Marple
Marp B : Marple Bridge
Mars : Marsden
Mat : Matley
Mell : Mellor
Mid : Middleton
Mile P : Miles Platting
Millb : Millbrook
M'ton : Millington
Miln : Milnrow
Miry L : Miry Lane Ind. Est.
Mob : Mobberley
Mos C : Mosley Common
Moss : Mossley
Mos S : Moss Side
Most : Moston
Mot : Mottram
Mot A : Mottram St. Andrew
Nan : Nangreaves
Neth A : Nether Alderley
N Mills : New Mills
N Mos : New Moston
Newt : Newton
Newt H : Newton Heath
Newt W : Newton-le-Willows
Newt M : Newton Moor Ind. Est.
Nwtwn : Newtown
N'den : Northenden
Old B : Old Boston Trad. Est.
Oldh : Oldham
Old T : Old Trafford
Oll : Ollerton
Open : Openshaw
Orr : Orrell
Over H : Over Hulton
Over P : Over Peover
Over T : Over Tabley
Pad : Padfield
Park I : Parkgate Ind. Est.
Part : Partington
Pem : Pemberton
Pen : Pendlebury
Plat B : Platt Bridge
Pot S : Pott Shrigley
Poy : Poynton
Poy I : Poynton Ind. Est.
P'bry : Prestbury
P'wch : Prestwich
Rad : Radcliffe
Rain : Rainow
Ram : Ramsbottom
Redd : Reddish
Redf I : Redfern Ind. Est.
Ring : Ringway
Rix : Rixton
Rob M : Roby Mill
Roch : Rochdale
Rom : Romiley
Ros : Rostherne
Rnd I : Roundthorn Ind. Est.
Row : Rowarth
Roy O : Royal Oak Ind. Est.
Rush : Rusholme
Rytn : Royton
St H : St. Helens
St P : St. Pauls Trad. Est.
Sale : Sale
Salf : Salford
Scho : Scholes
Scout : Scouthead
Shar I : Sharston Ind. Area
Shaw : Shaw
Shev : Shevington
Shore : Shore
Shut : Shuttleworth
Skel : Skelmersdale
Smal : Smallbridge
S'bri : Smithybridge
S Lan : South Lancashire Ind. Est.
Sow B : Sowerby Bridge
Spring : Springhead
Stal : Stalybridge
Stand : Standish
Stand L : Standish Lower Ground
Stan G : Stanley Green Trad. Est.
Stoc : Stockport
Stone : Stoneclough
Stret : Stretford
Strin : Strines
S'dale : Strinesdale
Styal : Styal
S'seat : Summerseat
Sum : Summit
Sut : Sutton
Sut E : Sutton Lane Ends
Swinl : Swinley
Swint : Swinton
Tay B : Taylor Bus. Pk.
Tim : Timperley
Tin : Tintwistle
Tot : Tottington
Traf P : Trafford Park
Tur : Turton
Tyl : Tyldesley
Tyth B : Tytherington Bus. Pk.
Uns : Unsworth
Uph : Upholland
Upperm : Uppermill
Urm : Urmston
Walm : Walmersley
Wals : Walshaw
Ward : Wardle
Warf : Warford
Warr : Warrington
Waterh : Waterhead
Wdly : Wardley
W'houg : Westhoughton
W Tim : West Timperley
Whal R : Whalley Range
W'fld : Whitefield
Whitw : Whitworth
Wig : Wigan
Wilm : Wilmslow
Wind : Windle
Wing I : Wingates Ind. Est.
Wins : Winstanley
Wthtn : Withington
Woodf : Woodford
Woodl : Woodley
Wool : Woolston
Wor : Worsley
Wor M : Worsley Mesnes
Wrigh : Wrightington
Wyth : Wythenshawe

INDEX TO STREETS

Abberley Dri. *M40* —5F **95**
Abberley Way. *Wig* —3H **81**
Abberton Rd. *M20* —4G **151**
Abbey Clo. *Bow* —3J **175**
Abbey Clo. *Rad* —1C **68**
Abbey Clo. *Stret* —6D **132**
Abbey Clo. *Uph* —7C **58**
Abbey Ct. *M18* —3G **137**
Abbey Ct. *Rad* —2C **68**
Abbey Ct. *Stoc* —3K **169**
Abbey Ct. *Wig* —4A **60**
Abbey Cres. *Heyw* —1H **49**
Abbey Dale. *App B* —6D **36**
*Abbeydale. Roch —4G **31** (off Spotland Rd.)*
Abbeydale Clo. *Ash L* —2J **119**
Abbeydale Gdns. *Wor* —4E **88**
Abbey Dri. *Bury* —4E **46**
Abbey Dri. *L'boro* —1D **32**
Abbey Dri. *Orr* —1E **80**
Abbey Dri. *Swint* —6C **90**
Abbeyfields. *Wig* —4A **60**
*Abbeyfield Sq. Open —1D **136** (off Herne St.)*
Abbey Gdns. *Mot* —6F **141**
Abbey Gro. *Adl* —5J **19**
Abbey Gro. *Chad* —2J **95**
Abbey Gro. *Ecc* —6C **112**
Abbey Gro. *Mot* —6F **141**
Abbey Gro. *Stoc* —3K **169**
Abbey Hey La. *Abb H* —4G **137**
Abbey Hey La. *Open* —2G **137**
Abbey Hills Rd. *Oldh* —2F **97**
Abbey La. *Leigh* —6H **85**
Abbey Lawn. *M16* —6B **134**
Abbey Rd. *Ast* —1H **109**
Abbey Rd. *Chea* —6C **168**
Abbey Rd. *Del* —1E **76**
Abbey Rd. *Droy* —5H **117**
Abbey Rd. *Fail* —7K **95**
Abbey Rd. *Hayd* —2A **124**
Abbey Rd. *Lwtn* —1G **127**
Abbey Rd. *Mac* —1D **198**
Abbey Rd. *Mid* —2B **72**
Abbey Rd. *Sale* —4E **148**
Abbey Sq. *Leigh* —6H **85**
Abbey St. *Leigh* —2K **107**
Abbeyville Wlk. *M15* —4E **134**
Abbeyway N. *Hayd* —2C **124**
Abbeyway S. *Hayd* —2C **124**
Abbeywood Av. *M18* —5G **137** (in two parts)
Abbingdon Way. *Leigh* —6H **85**
Abbot Croft. *W'houg* —1K **85**
Abbotsbury Clo. *M12* —3C **136**
Abbotsbury Clo. *Poy* —7B **182**
Abbots Clo. *Mac* —1D **198**
Abbots Clo. *Sale* —5H **149**
Abbots Ct. *Sale* —5H **149**
Abbotsfield Clo. *Urm* —6F **131**
Abbot's Fold Rd. *Wor* —1D **110**
*Abbotsford. Whitw —1F **13** (off Millfold)*
Abbotsford Clo. *Lwtn* —7B **106**
Abbotsford Dri. *Mid* —2K **71**
Abbotsford Gro. *Tim* —3C **164**
Abbotsford Rd. *M21* —7B **134**
Abbotsford Rd. *Bolt* —4G **43**
Abbotsford Rd. *Chad* —6G **73**
Abbotsford Rd. *Oldh* —5F **75**
Abbotside Clo. *M16* —6D **134**
Abbotsleigh Dri. *Bram* —2H **181**
Abbot St. *Bolt* —1A **66**
Abbots Way. *Bil* —5D **102**
Abbotts Grn. *Ast* —4G **109**
Abbott St. *Hind* —1A **84**
Abbott St. *Hor* —1F **41**
Abbott St. *Oldh* —1C **96**
Abbott St. *Roch* —2D **50**
Abden St. *Rad* —3E **68**
Abels La. *Upperm* —6J **77**
Aber Av. *Stoc* —7A **170**
Abercarn Clo. *M8* —1G **115**
Abercorn Rd. *Bolt* —1H **43**
Abercorn St. *Oldh* —1H **97**
*Aberdare Wlk. M9 —2A **94** (off Brockford Dri.)*
Aberdaron Wlk. *M13* —2H **135** (10M **5**)
*Aberdeen. Ecc —6C **112** (off Monton La.)*
Aberdeen Cres. *Stoc* —3F **169**
Aberdeen Gdns. *Roch* —7F **13**
Aberdeen Gro. *Stoc* —3F **169**
Aberdeen Ho. *M15* —4H **135**
Aberdeen St. *M15* —4H **135**
Aberford Rd. *M23* —6A **166**
Abergale St. *Stoc* —6J **169**
Abergele Rd. *M14* —2A **152**
Abergele St. *Stoc* —6J **169**
Abernant Clo. *M11* —7B **116**
Abernethy St. *Hor* —3H **41**
Aber Rd. *Chea* —5C **168**
Abersoch Av. *M14* —2A **152**
Abingdon Av. *W'fld* —4K **69**
Abingdon Clo. *Chad* —3K **95**
Abingdon Clo. *Mac* —3B **198**
Abingdon Clo. *Roch* —7G **31**
Abingdon Clo. *W'fld* —4K **69**
Abingdon Dri. *Plat B* —6J **83**
Abingdon Rd. *Bolt* —5E **44**
Abingdon Rd. *Bram* —2G **181**
Abingdon Rd. *Stoc* —3H **153**
Abingdon Rd. *Urm* —6C **132**
Abingdon St. *M1* —1G **135** (7J **5**)
Abingdon St. *Ash L* —6H **119**
Abinger Rd. *Ash M* —4K **103**
Abinger Wlk. *M40* —4F **117**
Abington Rd. *Sale* —7F **149**
Abney Rd. *Moss* —7C **98**
Abney Rd. *Stoc* —5E **152**
Aboukir St. *Roch* —4K **31**
Abraham St. *Hor* —1F **41**
Abraham St. *Oldh* —5G **75**
Abram Clo. *M14* —1G **151**
Abram St. *Salf* —2K **113**
Absalom Dri. *M8* —7F **93**
Abson St. *Chad* —5A **74**
Acacia Av. *Chea H* —2C **180**
Acacia Av. *Dent* —6E **138**
Acacia Av. *Hale* —1D **176**
Acacia Av. *Knut* —5B **192**
Acacia Av. *Swint* —2C **112**
Acacia Av. *Wilm* —1F **195**
Acacia Cres. *Wig* —3B **60**
Acacia Dri. *Hale* —1D **176**
Acacia Dri. *Salf* —5F **113**
Acacia Gro. *Stoc* —6H **153**
Acacia Rd. *Oldh* —6B **96**
Acacia St. *Newt W* —5B **124**
Academy Wlk. *M15* —4E **134**
Acer Clo. *Hyde* —7A **140**
Acer Clo. *Roch* —3K **29**
Acer Gro. *Salf* —1D **114**
Acheson St. *M18* —4F **137**
Ackers La. *Car* —4G **147** (in two parts)

Ackersley Ct.—Alexandra St.

Ackersley Ct. Chea H —4D 180
Ackers St. M13 —4H 135
Acker St. Roch —4H 31
Ackhurst La. Orr —4F 59
Ack La. E. Bram —5E 180
Ack La. W. Chea H —4D 180
Ackroyd Av. M18 —3H 137
Ackroyd St. M11 —2G 137
(in two parts)
Ackworth Dri. M23 —5A 166
Ackworth Rd. Swint —6C 90
Acme Dri. Pen —7F 91
Acomb St. M14 —6H 135
Acomb St. M15 —4H 135
Acorn Av. Chea —6A 168
Acorn Av. Hyde —2J 155
Acorn Bus. Cen. Stoc —2F 169
Acorn Cen., The. Oldh —6F 75
Acorn Clo. M19 —2B 152
Acorn Clo. Leigh —5K 107
Acorn Clo. W'fld —1K 91
Acorn St. Lees —1J 97
Acorn St. Newt W —6E 124
Acorn Way. Oldh —7C 74
Acott Ct. Ram —6F 9
A Court. Ash M —6D 104
Acre Barn. Shaw —5C 52
Acre Clo. Ram —1H 9
Acre Ct. Glos —3E 158
Acre Field. Bolt —1F 45
Acre Field. Sale —7E 148
Acrefield Av. Stoc —6C 152
Acrefield Av. Urm —1D 148
Acregate. Urm —7J 131
Acre La. Chea H —7D 180
Acre La. Oldh —5E 74
Acresbrook Av. Tot —7D 26
Acresbrook Wlk. Tot —7D 26
Acresdale. Los —6C 42
Acres Dri. S. Whitw —2F 13
Acresfield. Adl —6H 19
Acresfield. Ast —1J 109
Acresfield Av. Aud —7A 118
Acresfield Clo. Blac —2A 40
Acresfield Clo. Swint —2E 112
Acresfield Mall. Ram —6B 44
(off Arndale Cen.)
Acresfield Rd. Hyde —4K 139
Acresfield Rd. L Hul —3D 88
Acresfield Rd. Mid —3D 72
Acresfield Rd. Salf —3H 113
Acresfield Rd. Tim —3E 164
Acres La. Stal —7B 120
Acres Pass. M21 —2A 150
Acres Rd. M21 —2A 150
Acres Rd. Gat —6G 167
Acres St. Tot —7D 26
Acre St. Chad —5K 95
Acre St. Dent —6C 138
Acre St. Glos —3E 158
Acre St. Rad —3C 68
Acre St. Rom —1F 171
Acre St. Whitw —2F 13
Acreswood Clo. Cop —4A 18
Acre Top Rd. M9 —2H 93
Acre View. Eden —1H 9
Acreville Gro. G'bry —2C 128
Acre Wood. Los —3B 64
Acton Av. M40 —4D 116
Acton Ho. Wig —6F 61
Acton Pl. Mac —3B 198
Acton Sq. Salf —6B 114
Acton St. Roch —3J 31
Acton St. Wig —5E 60
Acton's Wlk. Wig —7E 60
Actons Wlk. Trad. Cen. Wig —7E 60
Acton Ter. Wig —5E 60
Adair St. M1 —1J 135 (7P 5)
Adair St. Roch —3D 50
Adam Clo. Chea H —7D 168
Adams Av. M21 —4B 150
Adams Clo. Newt W —7F 125
Adams Clo. Poy —3C 190
Adams Dri. L'boro —6F 15
Adams Dri. Wig —2B 82
Adams Hill. Knut —5D 192
Adamson Gdns. M20 —7F 151
Adamson Ho. M15 —3B 134
Adamson Rd. Ecc —1A 132
Adamson St. Ash M —5C 104
Adamson St. Duk —3G 139
Adamson Wlk. M14 —6H 135
Adam St. Ash L —5G 119
Adam St. Bolt —1B 66
Adam St. Oldh —5D 96
Ada St. M9 —6K 93
Ada St. Oldh —1E 96
Ada St. Ram —6F 9
Ada St. Roch —2J 31
Adcroft St. Stoc —4H 169
Adderley Pl. Glos —1B 158
Adderley Rd. Glos —1B 158
Addingham Clo. M9 —2H 93
Addington Rd. Bolt —3F 65
Addington St. M4 —6H 115 (3L 5)
Addison Av. Ash L —5H 119
Addison Clo. M13 —3J 135
Addison Cres. M16 —5B 134
Addison Dri. Mid —4E 72
Addison Grange. Sale —7G 149
Addison Rd. Hale —2C 176
Addison Rd. Irl —5E 130
Addison Rd. Part —4F 147
Addison Rd. Stret —6F 133
Addison Rd. Urm —1B 148
Addison St. Wig —7D 60
Addison Ter. M13 —5K 135
Adelaide Ct. Roch —7F 31
(off Manchester Rd.)
Adelaide Rd. Bram —6H 181
Adelaide Rd. Stoc —3E 168
Adelaide St. M8 —2F 115
Adelaide St. Adl —4J 19
Adelaide St. Bolt —2K 65
Adelaide St. Ecc —7B 112
Adelaide St. Heyw —3K 49
Adelaide St. Mac —2G 199
Adelaide St. Mid —6C 72
Adelaide St. Ram —7E 8
Adelaide St. Swint —1B 112
Adelaide St. E. Heyw —3A 50
Adelphi Ct. Salf —5D 114 (2C 4)
Adelphi Dri. L Hul —2D 88
Adelphi Gro. L Hul —2D 88
Adelphi St. Rad —1D 68
Adelphi St. Salf —6D 114 (4C 4)
Adelphi St. Stand —3A 38
Adelphi Ter. Salf —6C 114 (4B 4)
Aden Clo. M12 —1K 135
Aden St. Oldh —2H 97
Aden St. Roch —3J 31
Adey Rd. Lymm —6G 161
Adisham Dri. Bolt —4B 44
Adlington Clo. Bury —4E 46
Adlington Clo. Poy —3D 190
Adlington Clo. Tim —5H 165
Adlington Ct. Bchwd —4A 144
Adlington Dri. Stret —5K 133
Adlington Ind. Est. A'ton —4A 190
Adlington Rd. Boll —1J 197
Adlington Rd. Wilm —7K 187
ADLINGTON STATION. BR (Cheshire) —7A 190
ADLINGTON STATION. BR (Lancashire) —5J 19
Adlington St. M12 —1K 135
Adlington St. Bolt —2K 65
Adlington St. Mac —3E 198
Adlington St. Oldh —5H 75
Adlington Wlk. Stoc —2G 169
Adlington Way. Dent —1E 154
Admel Sq. M15 —3G 135
Admirals Rd. Bchwd —6A 144
Admirals Sq. Bchwd —7A 144
Adrian Gro. Stoc —3H 169
Adrian Rd. Bolt —3J 43
Adrian St. M40 —1C 116
Adrian Ter. Roch —6A 32
Adria Rd. M20 —7J 151
Adscombe St. M16 —5E 134
Adshall Rd. Chea —6C 168
Adshead Clo. M22 —1B 178
Adstock Wlk. M40 —5J 115 (2P 5)
Adstone Clo. M4 —7K 115
Adswood Clo. Oldh —5H 75
Adswood Gro. Stoc —5F 169
Adswood Ind. Est. Stoc —5F 169
Adswood La. E. Stoc —5H 169
Adswood La. W. Stoc —5H 169
Adswood Old Hall Rd. Chea H —7F 169
Adswood Old Rd. Stoc —5G 169
Adswood Rd. Chea H & Stoc —7E 168
Adswood St. M40 —6A 116
Adswood Ter. Stoc —5G 169
Adwell Clo. Lwtn —1E 126
Aegean Gdns. Salf —3C 114
Aegean Rd. B'hth —5J 163
Affetside Dri. Bury —3C 46
Affleck Av. Rad —6J 67
Afghan St. Oldh —6F 75
Agden Brow. Lymm —4A 174
Agden La. Lymm & Agd —4A 174
(in two parts)
Agden Pk. La. Lymm —4A 174
Age Croft. Oldh —4G 97
Agecroft Rd. Pen —1G 113
Agecroft Rd. Rom —2E 170
Agecroft Rd. E. P'wch —5A 92
Agecroft Rd. W. P'wch —5K 91
Agecroft Trad. Est. Pen —1J 113
Agincourt St. Heyw —3H 49
Agnes Clo. Oldh —3A 96
Agnes Ct. M14 —3J 151
Agnes St. M19 —7C 136
Agnes St. Bolt —1F 67
Agnes St. Chad —1K 95
Agnes St. Roch —6J 31
Agnes St. Salf —1F 115
Agnew Pl. Salf —4A 114
Agnew Rd. M18 —4E 136
Aigburth Gro. Stoc —7G 137
Ailsa Clo. M40 —3K 115
Aimson Pl. Tim —4G 165
Aimson Rd. E. Tim —5G 165
Aimson Rd. W. Tim —4G 165
Aines St. M12 —2C 136
Ainley Rd. M22 —1D 178
Ainley Wood. Del —1E 76
Ainley Wood. Duk —2H 139
Ainsbrook Av. Del —2F 77
Ainsbrook Ter. Dig —1K 77
(off Harrop Ct. Rd.)
Ainscoughs Ct. Leigh —4J 107
Ainscow Av. Los —5K 41
Ainscow St. Bolt —6C 84
Ainscow St. Ince —2G 83
(in two parts)
Ainsdale Av. Ath —3C 86
Ainsdale Av. Bury —3F 47
Ainsdale Av. Salf —6D 92
Ainsdale Av. Tur —5G 7
Ainsdale Clo. Bram —5H 181
Ainsdale Clo. Oldh —3B 96
Ainsdale Ct. Bolt —3B 66
Ainsdale Cres. Rytn —4C 74
Ainsdale Dri. H Grn —3H 179
Ainsdale Dri. Sale —1C 164
Ainsdale Dri. Whitw —4F 13
Ainsdale Gro. Stoc —2H 153
Ainsdale Rd. Bolt —4A 66
(in two parts)
Ainsdale Rd. Stoc —1J 153
Ainsdale St. M12 —3B 136
Ainse Rd. Blac —2K 39
Ainsford Rd. M20 —5K 151
Ainsley Gro. Wor —5F 89
Ainsley La. Mars —1F 57
Ainsley St. M40 —3E 116
Ainslie Rd. Bolt —4G 43
Ainsty Rd. M14 —5G 135
Ainsworth Av. Hor —4J 41
Ainsworth Clo. Dent —6K 137
Ainsworth Clo. Shaw —2D 74
Ainsworth Ct. Bolt —6E 44
Ainsworth Hall Rd. Ain —6K 45
Ainsworth La. Bolt —4D 44
Ainsworth Rd. Bury —4D 46
Ainsworth Rd. L Lev —3J 67
Ainsworth Rd. Rad —7D 46
Ainsworth St. Bolt —3J 43
Ainsworth St. Rad —2H 69
Ainsworth St. Roch —6J 31
Ainthorpe Wlk. M40 —3F 117
Aintree Av. Sale —7A 148
Aintree Clo. Haz G —2D 182
Aintree Dri. Roch —4A 30
Aintree Gro. Stoc —6G 169
Aintree Rd. L Lev —4J 67
Aintree St. M11 —7D 116
Aintree Wlk. Chad —7A 74
Airedale Clo. Gat —5J 167
Airedale Ct. Alt —6C 164
Aire Dri. Bolt —7D 24
Aireworth St. W'houg —3J 63
Air Hill Ter. Roch —3E 30
Airley St. Ince —3G 83
Airton Clo. M40 —5J 115 (1P 5)
Airton Pl. Wig —4D 82
Aitken Clo. Ram —6F 9
Aitken St. M19 —1E 152
Ajax Dri. Bury —3K 69
Ajax St. Ram —6F 9
Ajax St. Roch —2D 50
Aked Clo. M12 —3K 135
Akesmoor Dri. Stoc —5A 170
Alamein Dri. Rom —1J 171
Alan Av. Fail —3H 117
Alandale Av. Aud —2C 138
Alandale Dri. Rytn —1A 74
Alandale Rd. Stoc —4E 168
Alan Dri. Hale —4E 176
Alan Dri. Marp —5J 171
Alan Rd. M20 —4J 151
Alan Rd. Stoc —7C 152
Alan St. Ram —2K 43
Alan Turing Way. M11 —5B 116
Alban St. Salf —3D 114
Albany Av. M11 —2H 137
Albany Clo. L Hul —1D 88
Albany Ct. Manx —4G 151
Albany Ct. Urm —6K 131
Albany Cres. Lymm —7D 160
Albany Dri. Bury —6K 47
Albany Gro. Ast —7K 87
Albany Gro. Lymm —7C 160
Albany Rd. M21 —1B 150
Albany Rd. Bram —1G 189
Albany Rd. Ecc —5K 111
Albany Rd. Lymm —7C 160
Albany Rd. Wilm —1F 195
Albany St. Mid —7D 72
Albany St. Oldh —5H 75
Albany St. Roch —7J 31
Albany Trad. Est. M21 —1B 150
Albany Way. Hyde —7E 140
Albany Way. Salf —5A 114
Alba St. Holc —5E 8
Alba Way. Stret —4E 132
Albemarle Av. M20 —4G 151
Albemarle Rd. M21 —2A 150
Albemarle Rd. Swint —1C 112
Albemarle St. M14 —5G 135
Albemarle Ter. Ash L —5G 119
Albermarle St. Ash L —5G 119
Alberta St. Bolt —1J 65
Alberta St. Stoc —3H 169
Albert Av. M18 —5H 137
Albert Av. Duk —3G 139
Albert Av. P'wch —6C 92
Albert Av. Shaw —1E 74
Albert Av. Urm —7C 132
Albert Av. Wor —2E 88
Albert Clo. Chea H —2C 180
Albert Clo. W'fld —6A 70
Albert Clo. Trad. Est. W'fld —6A 70
Albert Ct. Alt —7B 164
Albert Fildes Wlk. M8 —1F 115
Albert Gdns. M40 —3F 117
Albert Gro. M12 —5C 136
(in two parts)
Albert Gro. Farn —6F 67
Albert Hill St. M20 —7H 151
Albert M. W'houg —5J 63
Albert Mt. Oldh —5F 75
Alberton Clo. Asp —7A 40
Albert Pk. Rd. Salf —3C 114
Albert Pl. M13 —6B 136
Albert Pl. Alt —6B 164
Albert Pl. Lees —1J 97
Albert Pl. W'fld —5B 70
Albert Rd. M19 —1B 152
Albert Rd. Boll —2G 197
Albert Rd. Bolt —5H 43
(Bolton)
Albert Rd. Bolt —4F 43
(Markland Hill)
Albert Rd. Chea H —2C 180
Albert Rd. Ecc —5D 112
Albert Rd. Farn —6E 66
Albert Rd. Hale —1C 176
Albert Rd. Hyde —7H 139
Albert Rd. Sale —6G 149
Albert Rd. Stoc —7C 152
Albert Rd. W'fld —5A 70
Albert Rd. Wilm —7G 187
Albert Rd. E. Hale —1C 176
Albert Rd. W. Bolt —5F 43
Albert Royds St. Roch —2K 31
Albert Sq. M2 —7F 115 (6H 5)
(in two parts)
Albert Sq. Bow —1A 176
Albert Sq. Stal —7K 119
Albert St. M11 —7B 116
Albert St. Ash M —5D 104
Albert St. Bury —3A 48
Albert St. Cad —4A 146
Albert St. Chad —4K 95
Albert St. Dent —6D 138
Albert St. Droy —7K 117
Albert St. Ecc —6D 112
Albert St. Eger —1K 23
Albert St. Farn —7F 67
Albert St. Had —4C 142
Albert St. Haz G —1B 182
Albert St. Heyw —3H 49
Albert St. Hind —2B 84
Albert St. Hor —1F 41
Albert St. Hyde —6K 139
Albert St. Kear —6G 67
Albert St. Knut —4C 192
Albert St. Lees —2J 97
Albert St. L'boro —6F 15
Albert St. L Lev —3K 67
Albert St. Mac —3E 198
Albert St. Mid —6C 72
Albert St. Miln —7E 32
Albert St. Oldh —6K 95
Albert St. P'wch —2C 92
Albert St. Rad —3F 69
Albert St. Ram —5F 9
Albert St. Rytn —2B 74
Albert St. Shaw —6E 52
Albert St. Stoc —2F 169
Albert St. Whitw —3E 12
Albert St. Wig —1B 82
Albert St. W. Fail —2F 117
Albert Ter. Stoc —2H 169
Albine St. M40 —7B 94
Albinson Wlk. Part —7C 146
Albion Clo. Stoc —7G 153
Albion Ct. Bury —3H 47
Albion Dri. Asp —4K 61
Albion Dri. Droy —6J 117
Albion Fold. Droy —6J 117
Albion Gdns. Stal —6B 120
Albion Gro. Ecc —1K 131
Albion Gro. Sale —6E 148
Albion Pl. Haz G —1B 182
Albion Pl. P'wch —3A 92
Albion Pl. Salf —3C 114
(Charlestown)
Albion Pl. Salf —6C 114 (4A 4)
(New Windsor)
Albion Rd. M14 —1J 151
Albion Rd. N Mills —6G 185
Albion Rd. Roch —6F 31
Albion Rd. Ind. Est. Roch —6F 31
Albion St. M1 —2F 135 (9G 4)
Albion St. Ash L —5G 119
(in two parts)
Albion St. Bolt —1B 66
Albion St. Bury —3H 47
Albion St. Chad —7J 73
Albion St. Fail —1G 117
Albion St. Hyde —7H 139
Albion St. Kear —7J 67
Albion St. Leigh —3K 107
Albion St. L'boro —6E 14
Albion St. Oldh —7D 74
(in two parts)
Albion St. Old T —5D 134
Albion St. Pen —7E 90
Albion St. Plat B —5J 83
Albion St. Rad —5F 69
Albion St. Roch —4E 50
Albion St. Sale —6F 149
Albion St. Stal —6B 120
Albion St. W'houg —3K 63
Albion Ter. Bolt —2H 43
Albion Towers. Salf —6B 114
Albion Trad. Est. Ash L —5H 119
Albion Way. Salf —7A 114
Albury Dri. M19 —1K 167
Albury Dri. Roch —2B 30
Albury Way. Wig —4H 61
Albyns Av. M8 —1G 115
Alcester Av. Stoc —4B 168
Alcester Clo. Bury —2F 47
Alcester Clo. Mid —1D 94
Alcester Rd. Gat —7H 167
Alcester Rd. Sale —1F 165
Alcester St. Chad —4J 95
Alcester Wlk. M9 —2J 93
Alconbury Wlk. M9 —1H 93
Aldborough Clo. M20 —4H 151
Aldbourne Clo. M40 —3K 115
Aldbury Ter. Bolt —4K 43
Aldcliffe. Lwtn —1D 126
Aldcroft St. M18 —3H 137
Alden Clo. W'fld —6A 70
Alden Wlk. Stoc —3F 153
Alder Av. Ash M —3B 104
Alder Av. Bil —3D 102
Alder Av. Bury —2C 48
Alder Av. Orr —1K 81
Alder Av. Poy —2D 190
Alderbank. Hor —2D 40
Alderbank. Ward —4A 14
Alderbank Clo. Kear —1H 89
Alder Clo. Ash L —1F 119
Alder Clo. Duk —2A 140
Alder Clo. Leigh —6K 107
Aldercroft Av. M22 —2C 178
Aldercroft Av. Bolt —4F 45
Alderdale Clo. Stoc —5C 152
Alderdale Dri. Droy —6F 117
Alderdale Dri. H Lane —5J 183
Alderdale Dri. Stoc —5C 152
Alderdale Gro. Wilm —1E 194
Alderdale Rd. Chea H —7E 168
Alder Dri. Char R —1A 18
Alder Dri. Tim —6H 165
Alder Dri. Wdly —6A 90
Alder Edge. M21 —1K 149
Alderfield Ho. M21 —1K 149
Alderfield Rd. M21 —1K 149
Alderfold St. Ath —4D 86
Alderford Pde. M8 —2F 115
Alder Forest Av. Ecc —4J 111
Aldergate Ct. Swint —1A 112
Aldergate Gro. Ash L —3K 119
Alderglen Rd. M8 —2F 115
Alder Gro. Brom X —6E 24
Alder Gro. Cop —3B 18
Alder Gro. Dent —6E 138
Alder Gro. Stoc —3E 168
Alder Gro. Stret —7J 133
Alder Ho. Ath —4D 86
Alder La. Crank —4A 102
Alder La. Hind —2E 84
Alder La. Oldh —5B 96
Alder Lee Clo. Wins —6K 81
Alderley Av. Bolt —7A 24
Alderley Av. Lwtn —2B 126
Alderley Clo. Haz G —4D 182
Alderley Clo. Poy —3D 190
Alderley Dri. Bred —7C 154
ALDERLEY EDGE STATION. BR —4G 195
Alderley La. Leigh —5B 108
Alderley Lodge. Wilm —1G 195
Alderley Rd. Hind —2E 84
Alderley Rd. Mac —7A 196
Alderley Rd. Sale —1J 165
Alderley Rd. Stoc —5H 153
Alderley Rd. Urm —7J 131
Alderley Rd. Wilm —1G 195
Alderley St. Ash L —3H 119
Alderley Ter. Duk —7F 119
Alderman Foley Dri. Roch —3C 30
Alderman Sq. M12 —1A 136
Aldermary Rd. M21 —5D 150
Aldermaston Gro. M9 —1H 93
Alder Meadow Clo. Roch —3C 30
Aldermere Cres. Urm —7G 131
Alderminster Av. L Hul —2C 88
Aldermoor Clo. M11 —1F 137
Alderney Dri. Wig —4C 82
Alderney Wlk. M40 —5K 115
Alder Rd. Chea —6K 167
Alder Rd. Fail —3H 117
Alder Rd. Lwtn —1D 126
Alder Rd. Mid —4E 72
Alder Rd. Roch —3F 51
Alders Av. M22 —6C 166
Alders Ct. Oldh —7E 96
Aldersgate. N Mills —4H 185
Aldersgate Rd. Chea H —7E 180
Aldersgate Rd. Stoc —5K 169
Aldersgreen Av. H Lane —5K 183
Alders Grn. Rd. Hind —2E 84
Aldershot Wlk. M11 —7B 116
Alderside Rd. M9 —7K 93
Aldersley Av. M9 —2H 93
Alderson St. Oldh —7C 74
Alderson St. Salf —4A 114
Alders Rd. M22 —6C 166
Alders Rd. Dis —5A 184
Alders, The. Stand L —2K 59
Alder St. Ath —4D 86
Alder St. Bolt —3B 66
Alder St. Ecc —4J 111
Alder St. Newt W —7E 124
Alder St. Salf —6K 113
Alders Way. P'bry —4B 196
Aldersyde St. Bolt —3K 65
Alderton Dri. Ash M —5B 104
Alderton Dri. W'houg —1J 85
Alderue Av. M22 —5D 166
Alderway. Ram —2G 9
Alderwood Av. Stoc —2C 168
Alderwood Fold. Lees —2K 97
Alderwood Wlk. M8 —2F 115
Aldewood Clo. Bchwd —4A 144
Aldfield Rd. M23 —2J 165
Aldford Clo. M20 —7J 151
Aldford Dri. Ath —2E 86
Aldford Gro. Brad F —1K 67
Aldford Pl. Ald E —2K 195
Aldford Way. Stand —5A 38
Aldham Av. M40 —4E 116
Aldington Rd. Wilm —7K 187
Aldred Clo. M8 —2H 115
Aldred St. Bolt —3H 65
Aldred St. Ecc —7A 112
Aldred St. Fail —1G 117
Aldred St. Hind —3B 84
Aldred St. Leigh —7J 85
Aldred St. Salf —6B 114
Aldridge Clo. Wig —4D 82
Aldridge Wlk. M11 —1B 136
Aldsworth Dri. M40 —2A 116
Aldsworth Dri. Bolt —2A 66
Aldwick Av. M20 —7J 151
Aldwinians Clo. Aud —4C 138
Aldworth Gro. Sale —7B 148
Aldwych. Roch —2H 51
Aldwych Av. M14 —6H 135
Aldwyn Clo. Aud —4C 138
Aldwyn Cres. Haz G —2A 182
Aldwyn Pk. Rd. Aud —1A 138
Alexander Av. Fail —7J 95
Alexander Briant Ct. Farn —7E 66
Alexander Dri. Bury —4A 70
Alexander Dri. Miln —6C 32
Alexander Dri. Tim —5E 164
Alexander Gdns. Salf —4D 114
Alexander Ho. M16 —5A 134
Alexander Rd. Bolt —4E 44
Alexander St. Roch —3D 50
Alexander St. Salf —6J 113
Alexander St. Tyl —7G 87
Alexandra Av. M14 —7F 135
Alexandra Av. Hyde —7G 139
Alexandra Av. W'fld —6A 70
Alexandra Cen. Retail Pk. Oldh —1D 96
Alexandra Clo. Stoc —5E 168
Alexandra Cres. Oldh —5F 75
Alexandra Cres. Wig —1A 82
Alexandra Dri. M19 —3B 152
Alexandra Gro. Irl —2B 146
Alexandra Ho. Oldh —6F 75
Alexandra Ind. Est. Dent —5E 138
Alexandra M. Oldh —2E 96
Alexandra Rd. M16 —6E 134
Alexandra Rd. Ash M —4D 104
Alexandra Rd. Ash L —5F 119
Alexandra Rd. Dent —5E 138
Alexandra Rd. Ecc —7K 111
Alexandra Rd. Kear —7J 67
Alexandra Rd. Los —5J 41
Alexandra Rd. Oldh —3E 96
Alexandra Rd. Rad —6J 67
Alexandra Rd. Sale —6G 149
Alexandra Rd. Stoc —7E 152
Alexandra Rd. Wor —2E 88
Alexandra Rd. S. M16 —6E 134
Alexandra St. Abr —7K 83
Alexandra St. Ash L —4H 119
Alexandra St. Farn —7F 67
Alexandra St. Heyw —5A 50
Alexandra St. Hyde —1G 155

A-Z Greater Manchester 205

Alexandra St.—Arden Av.

Alexandra St. Oldh —2E 96
Alexandra St. Salf —5D 114 (1D 4)
Alexandra St. Wig —7B 60
Alexandra Ter. M19 —1C 152
Alexandra Ter. Oldh —3H 75
Alexandra Ter. Sale —4E 148
Alexandria Dri. W'houg —6B 64
Alford Av. M20 —2G 151
Alford Clo. Bolt —7H 45
Alford Rd. Stoc —4D 152
Alford St. Oldh —5K 95
Alfred Av. Wor —1J 111
Alfred James Clo. M40 —5J 115 (2P 5)
Alfred Rd. Hayd —2B 124
Alfred Rd. Lwtn —1E 126
Alfred St. M9 —7K 93
Alfred St. Ash L —4H 119
Alfred St. Bolt —2D 66
Alfred St. Bury —5A 48
Alfred St. Cad —4A 146
Alfred St. Ecc —5B 112
Alfred St. Eger —1K 23
Alfred St. Fail —7H 95
Alfred St. Farn —4F 67
Alfred St. Hyde —6G 139
Alfred St. Ince —1F 83
Alfred St. Kear —6H 67
Alfred St. L'boro —5E 14
Alfred St. Newt W —6G 125
Alfred St. Oldh —1A 96 (Oldham)
Alfred St. Oldh —4J 95 (White Gate)
Alfred St. Plat B —4J 83
Alfred St. Ram —6F 9
Alfred St. Shaw —6E 52
Alfred St. Tyl —6F 87
Alfred St. Whitw —1F 13
Alfred St. Wig —4D 60
Alfred St. Wor —4F 89
Alfreton Av. Dent —2E 154
Alfreton Rd. Stoc —5B 170
Alfreton Wlk. M40 —2C 116 (off Thorpebrook Rd.)
Alfriston Dri. M23 —1A 166
Algernon Rd. Wor —3E 88
Algernon St. Ash L —6H 119
Algernon St. Ecc —5B 112
Algernon St. Farn —4F 67
Algernon St. Hind —2B 84
Algernon St. Swint —7B 90
Algernon St. Wig —3C 82
Alger St. Ash L —4H 119
Algreave Rd. Stoc —3C 168
Alice Ingham Ct. Roch —3D 30
Alice St. Bolt —1J 65
Alice St. Droy —1J 137
Alice St. Hyde —3J 155
Alice St. Roch —3K 31
Alice St. Sale —6H 149
Alice St. Swint —7F 91
Alicia Ct. Roch —3G 31
Alicia Dri. Roch —3G 31
Alicia St. Bolt —1F 67
Alick's Fold. W'houg —5J 63
Alison Dri. Mac —2H 199
Alison St. M14 —6F 135
Alison St. Shaw —5E 52
Alixandra Ct. Urm —1G 147
Alker Rd. M40 —5K 115
Alker St. Wig —1B 82
Alkrington Clo. Bury —4A 70
Alkrington Ct. Mid —2D 94
Alkrington Grn. Mid —1B 94
Alkrington Hall Rd. N. Mid —7B 72
Alkrington Hall Rd. S. Mid —1A 94
Alkrington Pk. Rd. Mid —7A 72
Allanbrooke Wlk. M15 —4E 134
Allan Ct. M21 —3A 150
Allandale. Alt —7K 163
Allandale Ct. Salf —6E 92
Allandale Rd. M19 —1B 152
Allan Roberts Clo. M9 —6K 93
Allanson Rd. M22 —2E 166
Allan St. Tyl —7F 87
Alldis St. Stoc —6K 169
Allen Av. Cul —5C 128
Allen Av. Hyde —2K 155
Allenby Gro. W'houg —7H 63
Allenby Rd. Cad —6K 145
Allenby Rd. Swint —2A 112
Allenby St. Ath —5B 86
Allenby St. Shaw —6E 52
Allenby Wlk. M40 —3J 115
Allen Clo. Shaw —7E 52
Allendale Dri. Bury —3A 70
Allendale Gdns. Bolt —3A 44
Allendale Wlk. Salf —6D 114 (3C 4)
Allen Rd. Urm —7D 132
Allen St. Boll —2K 197
Allen St. Bury —2G 47
Allen St. L Lev —3J 67
Allen St. Mac —4H 199
Allen St. Rad —3C 68 (in two parts)
Allen St. Roch —6J 31
Allerby Way. Lwtn —1C 126
Allerdean Wlk. Stoc —7A 152
Allerford St. M16 —5E 134
Allerton Clo. W'houg —5A 64
Allerton Ho. Ram —5A 44 (off Duke St. N.)
Allerton Wlk. M13 —3H 135
Allesley Clo. W'houg —5A 64
Alley St. Oldh —2G 97
Allgreave Clo. Sale —1J 165
Alliance St. Wig —6F 61
Allingham St. M13 —5A 136
Allington. Roch —6G 31
Allington Dri. Ecc —4C 112
Alliott Wlk. M15 —4E 134
Allison Gro. Ecc —7K 111
Allison St. M8 —3F 115
Allonby Wlk. Mid —4J 71
Allotment Rd. Cad —4K 145
Alloway Wlk. M40 —2C 116
All Saint's Clo. Rytn —1B 74
All Saints Ct. Stret —7F 133
All Saints Gro. Hind —2C 84
All Saints' Rd. Stoc —6G 153
All Saints St. M40 —3E 116
All Saints St. Bolt —5B 44
All Saints Ter. Roch —2K 31
Allscott Way. Ash M —5E 104
Allwood St. Salf —7D 114 (6C 4)
Alma Clo. Mac —4C 198
Alma Clo. Uph —7C 58
Alma Ct. Uph —7C 58
Alma Grn. Uph —7B 58
Alma Gro. Wig —5A 82
Alma Hill. Uph —7B 58
Alma Ind. Est. Roch —3H 31
Alma La. Wilm —7G 187
Alma Pde. Uph —7C 58
Alma Rd. M19 —2C 152
Alma Rd. Haz G —4E 182
Alma Rd. Sale —1C 164
Alma Rd. Stoc —5D 152
Alma Rd. Uph —7C 58
Alma Rd. W'houg —6K 63
Alma St. Ath —4C 86
Alma St. Bolt —2J 65
Alma St. Ecc —7D 112
Alma St. Hyde —6G 139
Alma St. Kear —2K 89
Alma St. Leigh —7J 85
Alma St. L Lev —3K 67
Alma St. Rad —1D 68
Alma St. Roch —3H 31
Alma St. Stal —6B 120
Alma St. Tyl —7F 87
Alma Wlk. Uph —7C 58
Alminstone Clo. M40 —4F 117
Almond Av. Bury —2C 48
Almond Brook Rd. Stand —4H 37
Almond Clo. Fail —2H 117
Almond Clo. L'boro —5D 14
Almond Clo. Salf —5A 114
Almond Clo. Stoc —3E 168
Almond Ct. Duk —7G 119
Almond Cres. Stand —6B 38
Almond Dri. Sale —4D 148
Almond Gro. Bolt —2B 44
Almond Gro. Wig —1A 82
Almond Rd. Oldh —5H 75
Almond St. M40 —4H 115
Almond St. Bolt —1B 44
Almond St. Farn —6E 66
Almond Tree Rd. Chea H —3C 180
Almond Wlk. Part —7K 145
Almond Way. Hyde —7A 140
Alms Hill Rd. M8 —2G 115
Almshouses. Sale —6J 149
Alness Rd. M16 —6E 134
Alnwick Clo. Asp —1B 62
Alnwick Dri. Bury —1A 70
Alnwick Rd. M9 —2K 93
Alperton Wlk. M40 —4F 117
Alpha Ct. Aud —6A 138
Alpha Pl. M15 —2E 134 (9F 4)
Alpha Rd. Stret —7G 133
Alpha St. Open —2G 137
Alpha St. Rad —2D 68
Alpha St. Salf —5K 113
Alpha St. W. Salf —5J 113
Alphin Clo. G'fld —2H 99
Alphin Clo. Moss —4E 98
Alphin Sq. Moss —6D 98
Alphonsus St. M16 —5C 134
Alpine Dri. Leigh —7G 85
Alpine Dri. Miln —5E 32
Alpine Dri. Rytn —3A 74
Alpine Dri. Ward —5A 14
Alpine Rd. Stoc —1J 169
Alpine St. M11 —5D 116
Alpine St. Newt W —6C 124
Alpine Ter. Farn —6G 67
Alpington Wlk. M40 —5E 94
Alport Av. M16 —7C 134
Alport Gro. Glos —7A 142 (off Melandra Castle Rd.)
Alport Lea. Glos —7A 142 (off Hathersage Cres.)
Alport Way. Glos —7A 142 (off Melandra Castle Rd.)
Alresford Rd. Mid —2B 94
Alresford Rd. Salf —3H 113
Alric Wlk. M22 —4E 178
Alsfeld Way. N Mills —4G 185
Alsham Wlk. M8 —2G 115
Alsop Av. Salf —1B 114
Alstead Av. Hale —1E 176
Alston Av. Sale —7D 148
Alston Av. Shaw —5F 53
Alston Av. Stret —6F 133
Alston Clo. Haz G —3J 181
Alstone Dri. Alt —5J 163
Alstone Rd. Stoc —4E 152
Alston Gdns. M19 —5B 152
Alston Lea. Ath —3E 86
Alston Rd. M18 —4G 137
Alston Rd. Wig —4H 61
Alston St. Bolt —3A 66
Alston St. Bury —1G 47
Alston Wlk. Mid —4J 71
Altair Av. M22 —3D 178
Altair Pl. Salf —4C 114
Altcar Gro. Stoc —7G 137
Altcar Wlk. M22 —2C 178 (in two parts)
Alt Clo. Leigh —2H 107
Alt Fold Dri. Oldh —4H 97
Alt Gro. Ash L —2F 119
Altham Clo. Bury —6H 47
Altham Wlk. M40 —2C 116 (off Craiglands Av.)
Alt Hill La. Ash L —7G 97
Alt Hill Rd. Ash L —6G 97
Althorn Wlk. M23 —6A 166
Althorpe Wlk. M40 —4F 117
Alt La. Oldh —5G 97
Alton Av. Urm —6F 131
Alton Clo. Ash M —4C 104
Alton Clo. Ash L —1G 119
Alton Clo. Bury —1A 70
Alton Dri. Mac —1H 199
Alton Rd. Wilm —5F 187
Alton Sq. Open —2G 137
Alton St. M9 —2K 115
Alton St. Oldh —4D 96
Altrincham Rd. M22 & Gat —4C 166
Altrincham Rd. M23 —4H 165
Altrincham Rd. Styal —2A 186
ALTRINCHAM STATION. BR & M —7C 164
Altrincham St. M1 (in two parts) —1H 135 (8L 5)
Altrincham St. Oldh —6B 74
Alt Rd. Ash L —2F 119
Alt Wlk. W'fld —4C 70
Alum Cres. Bury —3A 70
Alvanley Clo. Sale —2F 165
Alvanley Clo. Wig —5J 59
Alvanley Cres. Stoc —5E 168
Alvanley Ind. Est. Bred —6D 154
Alvanley St. Bred —6E 154
Alvan Sq. M11 —2G 137
Alva Rd. Oldh —4H 75
Alvaston Av. Stoc —7D 152
Alvaston Rd. M18 —5G 137
Alveley Av. M20 —5J 151
Alverstone Rd. M20 —4J 151
Alveston Clo. Mac —2B 198
Alveston Dri. Wilm —4K 187
Alvington Gro. Haz G —3J 181
Alvon Ct. Hyde —7A 140
Alwin Rd. Shaw —5E 52
Alwinton Av. Stoc —7A 152
Alworth Rd. M9 —2K 93
Alwyn Clo. Leigh —7K 107
Alwyn Dri. M13 —5A 136
Alwyn St. Wig —5F 61
Alwyn Ter. Wig —5F 61
Amar St. Ince —7H 61
Ambassador Pl. Alt —6C 164
Amber Gdns. Duk —1F 139
Amber Gdns. Hind —3C 84
Amber Gro. W'houg —4K 63
Amberhill Way. Wor —3B 110 (in two parts)
Amberidge Wlk. M15 —4G 135 (off Duxbury Sq.)
Amberley Clo. Bolt —1F 65
Amberley Clo. Wig —4H 61
Amberley Dri. M23 —7A 166
Amberley Dri. Haleb —4F 177
Amberley Dri. Irl —1C 146
Amberley Rd. Mac —5C 198
Amberley Rd. Sale —5C 148
Amberley Wlk. Chad —7A 74
Amber St. M4 —6G 115 (3K 5)
Amberswood. Hind —1B 84
Amberswood Clo. Ince —7K 61
Amberwood. Chad —6G 73
Amberwood Dri. M23 —5H 165
Amblecote Dri. E. L Hul —1C 88
Amblecote Dri. W. L Hul —1C 88
Ambleside. Ince —6K 61
Ambleside. Stal —5A 120
Ambleside. Wig —7J 59
Ambleside Av. Ash L —4D 118
Ambleside Av. Tim —6G 165
Ambleside Clo. Bolt —1H 45
Ambleside Clo. Mac —5B 198
Ambleside Clo. Mid —5A 72
Ambleside Pl. St H —7B 102
Ambleside Rd. Stoc —3H 153
Ambleside Rd. Urm —1G 147
Ambleside Way. M9 —5C 94
Ambrose Av. Leigh —6J 85
Ambrose Cres. Dig —3H 77
Ambrose Dri. M20 —6D 150
Ambrose Gdns. M20 —6D 150
Ambrose St. M12 —2C 136
Ambrose St. Hyde —3J 155
Ambrose St. Roch —7H 31
Ambush St. M11 —2H 137
Amelia St. Hyde —7J 139
Amelia St. W. Dent —5D 138
Amersham Clo. Mac —7E 196
Amersham Clo. Urm —4K 131
Amersham Pl. M19 —4C 152
Amersham St. Salf —7K 113
Amesbury Dri. Wig —5J 81
Amesbury Gro. Stoc —5H 153
Amesbury Rd. M9 —3A 94
Amethyst Clo. Asp —3J 61
Amherst Rd. M20 & M14 —3J 151
Amis Gro. Lwtn —1C 126
Amlwch Av. Stoc —5B 170
Ammon's Way. Del —1F 77
Ammon Wrigley Clo. Oldh —7D 74
Amory St. M12 —1J 135 (8N 5)
Amos Av. M40 —4E 116
Amos St. M9 —1A 116
Amos St. Salf —6J 113
Ampleforth Gdns. Rad —1C 68
Ampney Clo. Ecc —7K 111
Amport Wlk. M40 —5E 94
Amwell St. M8 —1H 115
Amy St. Mid —5D 72
Amy St. Roch —3D 30
Anaconda Dri. Salf —5E 114 (2E 4)
Ancaster Wlk. M40 —5E 94
Anchorage Quay. Salf —1A 134
Anchorage Rd. Urm —1E 148
Anchorage Wlk. M18 —3E 136
Anchor Clo. M19 —1E 152
Anchor Ct. M8 —6F 93
Anchor Ct. Wilm —5H 187
Anchor La. Farn & Wor —6B 66
Anchorside Clo. M21 —3B 150
Anchor St. Oldh —6D 74
Ancoats Gro. M4 —7K 115
Ancoats Gro. N. M4 —7K 115
Ancoats Rd. Warf —7A 194
Ancoats St. Lees —1J 97
Ancroft Gdns. Bolt —3J 65
Anderson St. Mac —3E 198
Anderton Clo. Bury —4D 46
Anderton Gro. Ash L —3J 119
Anderton La. Blac —2C 40 (in two parts)
Anderton Pl. Salf —3D 114
Anderton St. Adl —5J 19
Anderton St. Ince —7H 61
Anderton Way. Asp —4K 61
Anderton Way. Hand —2K 187
Andoc Av. Ecc —6E 112
Andover Av. Mid —2D 94
Andover Cres. Wig —5J 81
Andover St. Ecc —7A 112
Andover Wlk. M8 —6G 93
Andre St. M11 —6E 116
Andrew Av. Bil —3F 103
Andrew Clo. G'mnt —3D 26
Andrew Clo. Rad —5G 69
Andrew Ct. Manx —4H 151
Andrew Gro. Duk —1H 139
Andrew Gro. Mac —4J 199
Andrew La. Bolt —6B 24
Andrew La. H Lane —3J 183
Andrew Rd. M9 —5K 93
Andrews Av. Urm —6G 131
Andrew's Brow. M40 —4F 117
Andrews Clo. Dent —2F 155
Andrews La. M4 —7G 115 (5K 5)
Andrew's Ter. W'houg —5J 63
Andrew St. M9 —2K 115
Andrew St. Ash L —3H 119
Andrew St. Bury —3A 48
Andrew St. Chad —6K 73
Andrew St. Comp —1A 172
Andrew St. Droy —4A 118
Andrew St. Fail —7G 95
Andrew St. Hyde —6K 139
Andrew St. Mid —7E 72
Andrew St. Moss —7C 98
Andrew St. Stoc —1F 169
Andrew St. Wig —6D 60
Andy Nicholson Wlk. M9 —7B 94
Anerley Rd. M20 —6H 151
Anfield Clo. Bury —3B 70
Anfield M. Chea H —1B 180
Anfield Rd. M40 —6F 95
Anfield Rd. Bolt —3A 66
Anfield Rd. Chea H —1B 180
Anfield Rd. Sale —5G 149
Angela Av. Rytn —4C 74
Angela St. M15 —2D 134 (10D 4)
Angel Clo. Duk —2F 139
Angelico Rise. Oldh —3H 75
Angelo St. Ram —2K 43 (in two parts)
Angel St. M4 —5G 115 (2K 5)
Angel St. Dent —5E 138
Angel St. Haz G —1B 182
Angier Gro. Dent —6D 138
Anglesea Av. M9 —7K 93
Anglesea Av. Stoc —5H 169
Anglesey Clo. Ash L —2E 118
Anglesey Dri. Poy —6C 182
Anglesey Gro. Chea —5B 168
Anglesey Rd. Ash L —2D 118
Anglesey Water. Poy —6C 182
Angleside Av. M19 —6A 152
Angle St. Bolt —4D 44
Anglezarke Rd. Adl —5J 19
Anglia Gro. Bolt —2J 65
Angora Dri. Salf —5D 114 (2C 4)
Angouleme Way. Bury —3J 47
Angus Av. Heyw —4G 49
Angus Av. Leigh —2G 107
Angus Wlk. Mac —1B 198
Aniline St. M11 —7D 116
Anita St. M4 —6H 115 (3M 5)
Anjou Boulevd. Orr —6A 60
Annable Rd. M18 —3G 137
Annable Rd. Bred —7B 154
Annable Rd. Droy —7K 117
Annable Rd. Irl —2B 146
Annald Sq. Droy —1J 137
Annandale Gdns. Skel —7A 58
Annan Gro. Ash M —3G 105
Annan St. Dent —5D 138
Annecy Clo. Bury —1F 47
Anne Line Clo. Roch —7J 31 (off Wellfield St.)
Annersley Av. Shaw —7E 52
Annesley Cres. Wig —4B 82
Annesley Gdns. M18 —3F 137
Annesley Rd. M40 —6G 95
Anne St. Duk —1H 139
Annette Av. Newt W —4C 124
Annie Darby Ct. M9 —1K 115
Annie St. Ram —7E 8
Annie St. Salf —6J 113
Annis Clo. Ald E —4H 195
Annisdale Clo. Ecc —6K 111
Annisfield Av. G'fld —2H 99
Annis Rd. Ald E —4H 195
Annis Rd. Bolt —2H 65
Ann La. Ast —3J 109
Ann Sq. Oldh —6H 75
Ann St. Ash L —1D 138
Ann St. Dent —6C 138
Ann St. Heyw —2K 49
Ann St. Hyde —6G 139
Ann St. Kear —7G 67
Ann St. Leigh —7J 85
Ann St. Roch —6H 31
Ann St. Stoc —6G 153
Anscombe Clo. M40 —5K 115
Anscombe Wlk. M40 —5K 115
Ansdell Av. M21 —2C 150
Ansdell Dri. Droy —6G 117
Ansdell Rd. Hor —1G 41
Ansdell Rd. Roch —1K 51
Ansdell Rd. Stoc —1J 153
Ansdell Rd. Wig —2K 81
Ansdell St. M8 —1G 115
Ansell Clo. M18 —3F 137
Anselms Ct. Oldh —3A 96
Ansford Wlk. M9 —2J 115 (off Westmere Dri.)
Ansleigh Av. M8 —6G 93
Ansley Gro. Stoc —7D 152
Anslow Clo. M40 —3K 115
Anson Av. Swint —2C 112
Anson Clo. Bram —7H 181
Anson Pl. Wig —6J 59
Anson Rd. M14 —5K 135
Anson Rd. Dent —7J 137
Anson Rd. Poy —1F 191
Anson Rd. Swint —2C 112
Anson Rd. Wilm —4A 188
Anson St. Bolt —2B 44
Anson St. Ecc —5K 111
Anson St. Wig —7B 60
Anson View. M14 —6K 135
Answell Av. M8 —5G 93
Antares Av. Salf —5D 114 (1C 4)
Anthistle Ct. Salf —6H 113
Anthony Clo. M12 —2A 136
Anthony St. Bolt —3B 66
Anthony St. Moss —6B 98
Anthorn Rd. Wig —4A 82
Antilles Clo. M12 —5C 136
Antler Ct. Ash M —2D 104
Anton Wlk. M9 —1K 115
Antrim Clo. M19 —2K 167
Antrim Clo. Wig —5J 81
Anvil St. M1 —2F 135 (9H 5)
Anvil St. Farn —7F 67
Anvil Way. Oldh —7C 74
Apethorn La. Hyde —3H 155
Apfel La. Chad —7K 73
Apollo Av. Bury —3K 69
Apollo Wlk. M12 —3C 136
Appelthwaite. Ince —6K 61
Apperley Grange. Ecc —4C 112
Appian Way. Salf & M8 —2E 114
Appleby Av. M12 —6C 136
Appleby Av. Hyde —4G 139
Appleby Av. Tim —6G 165
Appleby Clo. Bury —3D 46
Appleby Clo. Mac —6B 198
Appleby Clo. Stoc —6F 169
Appleby Gdns. Bolt —4C 44
Appleby Lodge. M14 —7K 135
Appleby Rd. Gat —7H 167
Appleby Wlk. Rytn —2C 74
Apple Clo. Oldh —4G 97
Applecross Clo. Bchwd —4A 144
Applecross Wlk. Open —1E 136
Apple Dell Av. Lwtn —7A 106
Appledore Dri. M23 —4H 165
Appledore Dri. Bolt —2H 45
Appledore Wlk. Chad —1K 95
Appleford Dri. M8 —2H 115
Apple St. Hyde —3C 156
Apple Ter. Ram —3K 43
Appleton Ct. Sale —6F 149
Appleton Dri. Glos —2H 159
Appleton Gro. Sale —1C 164
Appleton Rd. Hale —3C 176
Appleton Rd. Stoc —4F 153
Appleton St. Wig —6D 60
Appleton Wlk. Wilm —4A 188
Apple Tree Ct. Salf —6A 114
Apple Tree Rd. N Mills —3H 185
Apple Tree Wlk. Sale —5A 148
Applewood. Chad —7G 73
APPLEY BRIDGE STATION. BR —6C 36
Appley Clo. App B —3C 36
Appley La. N. App B —3C 36
Appley La. S. Rob M & App B —7C 36
Apprentice Ct. M9 —7A 94
Apprentice La. Wilm —2F 187
April Clo. Oldh —3G 97
April Rise. Mac —2C 198
Apron Rd. Man A —6C 178
Apsley Clo. Bow —3K 175
Apsley Gro. M12 —3J 135
Apsley Gro. Bow —3K 175
Apsley Pl. Ash L —6E 118
Apsley Rd. Dent —5D 138
Apsley Side. Moss —7C 98
Apsley St. Stoc —2H 169
Aquarius La. Salf —4C 114
Aquarius St. M15 —4G 135
Aqueduct Rd. Bolt —2E 66
Aragon Dri. Heyw —3J 49
Aragon Way. Marp —5J 171
Arbor Av. M19 —3B 152
Arbor Dri. M19 —3B 152
Arbor Gro. Droy —5J 117
Arbor Gro. L Hul —3A 88
Arbory Av. M40 —7D 94
Arbory Clo. Leigh —3C 108
Arbour Clo. Bury —6J 27
Arbour Clo. Mac —7F 197
Arbour Clo. Salf —5K 113
Arbour Ct. Marp —6J 171
Arbour Cres. Mac —7F 197
Arbour La. Stand —4H 37
Arbour M. Mac —7F 197
Arbour Rd. Oldh —3J 97
Arbroath St. M11 —7F 117
Arbury Av. Roch —7G 31
Arbury Av. Stoc —4B 168
Arcades Shopping Cen. Ash L —5F 119
Arcade St. Wig —6E 60
Arcade, The. Stal —1K 139
Arcade, The. Stoc —5A 154
Arcadia Av. Sale —2E 164
Archer Av. Bolt —5E 44
Archer Clo. Boll —3G 197
Archer Gro. Bolt —5E 44
Archer Pk. Mid —6A 72
Archer Pl. Urm —6D 132
Archer St. M11 —6C 116
Archer St. Leigh —6B 108
Archer St. Moss —5C 98
Archer St. Stoc —6A 170
Archer St. Wor —1A 110
Archie St. Salf —2A 134
Arch La. Ash M —5G 103
Arch St. Bolt —4C 44
Arclid Clo. Wilm —4A 188
Arcon Clo. Roch —6C 32
Arcon Dri. M16 —6E 134
Arcon Pl. Alt —5J 163
Arcon Pl. Stoc —7K 153
Arcon Rd. Cop —3A 18
Ardale Av. M40 —5E 94
Ardcombe Av. M9 —2J 93
Ardeen Wlk. M13 —3J 135
Arden Av. Mid —2D 94

Ardenbrook Rise—Ashton Hill La.

Ardenbrook Rise. P'bry —4B 196
Arden Clo. Ash L —2K 119
Arden Clo. Bchwd —4B 144
Arden Clo. Bury —5J 47
Arden Clo. Glos —2C 158
Arden Clo. H Grn —5J 179
Arden Ct. Bram —3F 181
Ardenfield. Dent —3E 154
Ardenfield Dri. M22 —1E 178
Arden Gro. M40 —6E 94
Arden Ho. Rytn —2C 74
Arden Lodge Rd. M23 —4H 165
Arden Rd. Bred —3C 154
Ardens Clo. Swint —5B 90
Arden St. Chad —4J 95
Arden St. N Mills —5J 185
Ardent Way. P'wch —6B 92
Arden Wlk. Sale —5A 148
Arderne Rd. Tim —3E 164
Ardern Field St. Stoc —4H 169
Ardern Gro. Stoc —3H 169
Ardern Rd. M8 —5F 93
Ardern Wlk. Stoc —2G 169
Ardingley Wlk. M23 —3H 165
Ardley Rd. Hor —1G 41
Ardmore Wlk. M22 —2E 178
Ardwick Grn. N. M12 —2J 135 (9N 5)
Ardwick Grn. S. M13 —2J 135 (10N 5)
ARDWICK STATION. BR —2K 135
Argo St. Bolt —2K 65
Argosy Dri. Ecc —2H 131
Argosy Dri. Tim —5K 177
Argus St. Oldh —6A 96
Argyle Av. M14 —5A 136
Argyle Av. W'fld —6A 70
Argyle Av. Wor —2E 88
Argyle Cres. Heyw —4H 49
Argyle Pde. Heyw —4G 49
Argyle St. M18 —3F 137
Argyle St. Ath —5C 86
Argyle St. Bury —7K 27
Argyle St. Droy —7J 117
Argyle St. Haz G —2C 182
Argyle St. Heyw —4F 49
Argyle St. Hind —2B 84
Argyle St. Moss —6C 98
Argyle St. Oldh —6F 75
Argyle St. Roch —1J 51
Argyle St. Swint —1C 112
Argyll Av. Stret —7F 133
Argyll Clo. Ash M —4J 103
Argyll Clo. Fail —1K 117
Argyll Clo. Mac —2C 198
Argyll Pk. Rd. Fail —1K 117
Argyll Rd. Chad —4H 95
Argyll Rd. Chea —6B 168
Argyll St. Ash L —5J 119
Argyll St. Wig —1B 82
Ariel Wlk. Lwtn —1D 126
Arkendale Clo. Fail —1A 118
Arkholme. Wor —7C 88
Arkholme Wlk. M40 —1D 116
Arkle Av. Stan G —1A 188
Arkley Wlk. M13 —3H 135
Ark St. M19 —7C 136
Arkwright Clo. Bolt —4J 43
Arkwright Dri. Marp —5A 172
Arkwright Rd. Marp —4A 172
Arkwright St. Hor —3G 41
Arkwright St. Oldh —1A 96
Arkwright Way. M4 —6G 115 (4J 5) (off Arndale Shopping Cen.)
Arkwright Way. Roch —3J 51
Arlen Ct. Bolt —1D 66
Arlen Rd. Bolt —1D 66
Arlen Way. Heyw —3H 49
Arley Av. M20 —5F 151
Arley Av. Bury —6J 27
Arley Clo. Asp —4K 61
Arley Clo. Duk —3H 139
Arley Clo. Mac —4C 198
Arley Clo. W Tim —3B 164
Arley Dri. Sale —1E 164
Arley Dri. Shaw —5G 53
Arley Gro. Stoc —7F 169
Arley Ho. Salf —1D 114
Arley La. Haig —4F 39
Arleymere Clo. Chea H —1B 180
Arley Moss Wlk. M13 —2H 135 (10M 5)
Arley St. Hyde —6G 139
Arley St. Ince —3G 83
Arley St. Rad —5F 69
Arley Way. Ath —5E 86
Arley Way. Dent —1E 154
Arlies Clo. Stal —4A 120
Arlies La. Stal —4A 120
Arlies St. Ash L —4H 119
Arlington Av. Dent —7E 138
Arlington Av. P'wch —5C 92
Arlington Av. Swint —2B 112
Arlington Clo. Bury —2G 27
Arlington Cres. Wilm —1E 194
Arlington Dri. Leigh —1G 127
Arlington Dri. Mac —4C 198
Arlington Dri. Poy —2B 190
Arlington Dri. Stoc —1J 181
Arlington Rd. Chea —7J 167
Arlington Rd. Stret —7F 133
Arlington St. M8 —7F 93
Arlington St. Ash L —5G 119
Arlington St. Bolt —3B 66
Arlington St. Salf —5D 114 (3D 4)
Arlington Way. Wilm —1E 194
Arliss Av. M19 —2C 152
Armadale Av. M9 —3C 94
Armadale Clo. Stoc —6H 169
Armadale Ct. Bolt —1E 64
Armadale Rd. Bolt —7E 42
Armadale Rd. Duk —1G 139
Armdale Rise. Oldh —5J 75
Armentieres Sq. Stal —7A 120
Armhope Ter. Stoc —3G 169
Armitage Av. L Hul —3B 88
Armitage Clo. Hyde —2J 155
Armitage Clo. Mid —7K 71
Armitage Clo. Oldh —4A 96
Armitage Gro. L Hul —3B 88
Armitage Ho. Salf —5G 113
Armitage Owen Wlk. M40 —1C 116
Armitage Pl. Bow —1B 176
Armitage Rd. Alt —1B 176
Armitage St. Ecc —7A 112
Armit Rd. G'fld —3E 98
Armitstead St. Hind —3B 84
Armitt St. Mac —4E 198
Armour Pl. M9 —5J 93
Armoury Bank. Ash M —5D 104
Armoury Ct. M. Mac —5D 198 (off Barracks Sq.)
Armoury Towers. Mac —4D 198 (off Barracks Sq.)
Arm Rd. L'boro —7C 14
Armstrong Hurst Clo. Roch —1K 31
Armstrong St. Asp —3J 61
Armstrong St. Hor —3G 41
Arncliffe Clo. Farn —5F 67
Arncliffe Dri. M23 —1A 178
Arncliffe Rise. Oldh —2K 75
Arncot Rd. Ram —7B 24
Arncott Clo. Rytn —2E 74
Arndale Shopping Cen. M4 & M2 —6G 115 (4J 5)
Arndale Shopping Cen. Mid —6B 72
Arndale Shopping Cen. Stret —1G 149
Arne Clo. Stoc —6E 170
Arnesby Av. Sale —5J 149
Arnesby Gro. Bolt —5D 44
Arne St. Chad —2J 95
Arnfield Dri. Wor —2D 110
Arnfield La. Tin —1B 142
Arnfield Rd. M20 —4H 151
Arnfield Rd. Aud —2D 138
Arnfield Rd. Stoc —6F 169
Arnold Av. Heyw —6A 50
Arnold Av. Hyde —3K 155
Arnold Clo. Duk —2A 140
Arnold Dri. Droy —7J 117
Arnold Dri. Mid —3E 72
Arnold Rd. M16 —1E 150
Arnold Rd. Eger —4B 24
Arnold Rd. Hyde —3K 155
Arnold St. Bolt —3J 43
Arnold St. Oldh —6E 74
Arnold St. Stoc —4G 169
Arnold Wlk. Dent —3E 154
Arnott Cres. M15 —4F 135
Arnside Av. Chad —1J 95
Arnside Av. Haz G —2A 182
Arnside Av. Ince —7J 61
Arnside Av. Stoc —4F 153
Arnside Clo. Gat —7H 167
Arnside Clo. H Lane —4J 183
Arnside Clo. Shaw —6H 53
Arnside Dri. Hyde —5G 139
Arnside Dri. Roch —7A 30
Arnside Dri. Salf —5F 113
Arnside Gro. Bolt —5G 45
Arnside Gro. Sale —4F 149
Arnside Rd. Hind —2E 84
Arnside Rd. Orr —6H 59
Arnside St. M14 —6H 135
Arran Av. Oldh —4D 96
Arran Av. Sale —7G 149
Arran Av. Stret —7K 132
Arran Clo. Bolt —7E 42
Arrandale Ct. Urm —6B 132
Arran Gdns. Urm —4A 132 (in three parts)
Arran Gro. Rad —1C 68
Arran Rd. Duk —2G 139
Arran St. M40 —7B 94
Arran St. Salf —2D 114
Arran Wlk. Heyw —4G 49
Arras Gro. Dent —6H 137
Arreton Sq. M14 —6K 135
Arrowfield Rd. M21 —4D 150
Arrowhill Rd. Rad —5D 46
Arrowscroft Way. Holl —4K 141
Arrowsmith Ct. Hor —4J 41
Arrowsmith Rd. Hayd —2B 124
Arrowsmith Wlk. M11 —7B 116 (off Redfield Clo.)
Arrow St. Leigh —5B 108
Arrow St. Ram —5A 44
Arrow St. Salf —3D 114
Arrow Trad. Est. Aud —4B 138
Arthill La. Alt —4C 174
Arthington St. Roch —4K 31
Arthog Dri. Hale —4D 176
Arthog Rd. M20 —7J 151
Arthog Rd. Hale —4D 176
Arthur Av. Wor —2E 88
Arthur La. Ain —2J 45
Arthur Millwood Ct. Salf —7D 114 (5D 4)
Arthur Pits. Roch —5B 30
Arthur Rd. M16 —6C 134
Arthurs & Alice Kenyon Ind. Est. Oldh —1H 97
Arthurs La. G'fld —1H 99
Arthur St. Bury —3G 47
Arthur St. Ecc —7A 112
Arthur St. Farn —6F 67
Arthur St. Heyw —3K 49
Arthur St. Hind —2C 84
Arthur St. Hyde —1G 155
Arthur St. Leigh —4J 107
Arthur St. L Lev —3K 67
Arthur St. P'wch —2K 91
Arthur St. Roch —4F 31
Arthur St. Shaw —6E 52
Arthur St. Stoc —3G 153
Arthur St. Swint —1B 112 (in two parts)
Arthur St. Wor —5H 89 (Walkden)
Arthur St. Wor —6G 89 (Worsley)
Arthur Ter. Stoc —3G 153
Artillery Pl. M22 —7F 167
Artillery St. M3 —1E 134 (7F 4)
Artillery St. Bolt —1B 66
Artists La. Ald E —7G 195
Artists La. Neth A —7J 195
Arundale. W'houg —4K 63
Arundale Av. M16 —1E 150
Arundale Clo. Mot —6F 141
Arundale Gro. Mot —6F 141
Arundel Av. Haz G —4B 182
Arundel Av. Roch —1G 51
Arundel Av. Urm —1E 146
Arundel Av. W'fld —7B 70
Arundel Clo. Bury —6G 27
Arundel Clo. C'brk —2F 121
Arundel Clo. Hale —3G 177
Arundel Clo. Knut —6D 192
Arundel Clo. Mac —1H 199
Arundel Ct. M9 —2G 93
Arundel Dri. Leigh —2K 107
Arundel Grange. Glos —2C 158
Arundel Gro. Stoc —7K 169
Arundel Rd. Chea H —6C 180
Arundel St. M15 —2D 134 (9D 4)
Arundel St. Ash L —6J 119
Arundel St. Bolt —7A 24
Arundel St. Glos —1E 158
Arundel St. Hind —2C 84
Arundel St. Moss —6B 98
Arundel St. Nwtwn —1B 82
Arundel St. Oldh —7G 75
Arundel St. Roch —1G 51
Arundel St. Wdly —6A 90
Arundel Wlk. Chad —1J 95
Asbury Ct. Ecc —5A 112
Asby Clo. Mid —4K 71
Ascension Rd. Salf —4D 114
Ascot Av. Sale —7A 148
Ascot Av. Stret —6K 133
Ascot Clo. Chad —7A 74
Ascot Clo. Mac —7E 196
Ascot Clo. Roch —4A 30
Ascot Ct. Sale —7B 148
Ascot Dri. Ath —3E 86
Ascot Dri. Haz G —2E 182
Ascot Dri. Urm —7E 130
Ascot Gro. Stoc —4K 169
Ascot Ho. Sale —7A 148
Ascot Meadow. Bury —5J 47
Ascot M. Salf —2D 114
Ascot Pde. M19 —4B 152
Ascot Rd. M40 —4D 116
Ascot Rd. L Lev —3H 67
Ascot Wlk. Salf —3A 114
Ascroft Av. Wig —3A 60
Ascroft Ct. Oldh —1D 96
Ascroft St. Oldh —1D 96
Ascroft St. Wig —7G 61
Asdwood Clo. Oldh —5H 75
Asgard Dri. Salf —1C 134 (7B 4)
Asgard Gro. Salf —1C 134 (8B 4)
Ash Av. Alt —6J 163
Ash Av. Cad —5K 145
Ash Av. Chea —6A 168
Ash Av. Newt W —7E 124
Ashawe Clo. L Hul —4A 88
Ashawe Gro. L Hul —4A 88
Ashawe Ter. L Hul —4A 88
Ashbank Av. Bolt —7E 42
Ashbee St. Bolt —2A 44
Ashberry Clo. Wilm —5K 187
Ashborne Dri. Bury —2H 27
Ashbourne Av. Bolt —7D 44
Ashbourne Av. Chea —5B 168
Ashbourne Av. Hind —2D 84
Ashbourne Av. Mid —3E 72
Ashbourne Av. Urm —7G 131
Ashbourne Av. Wig —4H 61
Ashbourne Clo. Leigh —6H 85
Ashbourne Clo. Ward —5B 14
Ashbourne Ct. Glos —2H 159
Ashbourne Cres. Sale —1H 165
Ashbourne Dri. Ash L —2K 119
Ashbourne Dri. H Lane —6J 183
Ashbourne Gdns. Hind —2D 84
Ashbourne Gro. Salf —1E 114
Ashbourne Gro. W'fld —5H 69
Ashbourne Gro. Wor —7G 89
Ashbourne Ho. M14 —5K 135
Ashbourne M. Mac —3B 198
Ashbourne Rd. Dent —7C 138
Ashbourne Rd. Ecc —7C 112
Ashbourne Rd. Haz G —4D 182
Ashbourne Rd. Salf —3G 113
Ashbourne Rd. Stret —5E 132
Ashbourne Sq. Oldh —2C 96
Ashbourne St. Roch —3A 30
Ashbridge Rd. Fail —2K 117
Ashbrook Av. Dent —6K 137
Ashbrook Clo. Dent —6K 137
Ashbrook Clo. H Grn —3H 179
Ashbrook Clo. W'fld —6B 70
Ashbrook Cres. Roch —1A 32
Ashbrook Dri. P'bry —4C 196
Ashbrook Farm Clo. Stoc —7H 137
Ashbrook Hey La. Roch —7A 14
Ashbrook La. Stoc —7H 137
Ashbrook Rd. Bolt —3H 197
Ashbrook St. Open —2J 137
Ashburn Av. M19 —5B 152
Ashburner St. Bolt —7A 44
Ashburn Flats. Heyw —3J 49 (off School St.)
Ashburn Gro. Stoc —7E 152
Ashburn Rd. Stoc —7E 152
Ashburton Clo. Hyde —7E 140
Ashburton Rd. Stoc —7G 169
Ashburton Rd. Traf P —2F 133
Ashburton Rd. E. Traf P —3F 133
Ashburton Rd. W. Urm & Traf P —2B 132
Ashbury Clo. Bolt —1A 66
Ashbury Pl. M40 —4A 116
ASHBURYS STATION. BR —2C 136
Ashby Av. M19 —6A 152
Ashby Clo. Farn —3E 66
Ashby Gro. Leigh —7G 85
Ashby Gro. W'fld —7B 70
Ashby Rd. Wig —4D 82
Ash Clo. App B —6D 36
Ash Clo. Ash L —3H 119
Ash Clo. Mot —5G 141
Ash Clo. Roch —7A 14
Ashcombe Dri. Bolt —7J 45
Ashcombe Dri. Rad —1B 68
Ashcombe Wlk. M11 —7B 116 (off Aldershot Wlk.)
Ashcott Av. M22 —7D 166
Ashcott Clo. Los —1E 64
Ash Ct. Woodl —5E 154
Ashcroft. Roch —7B 14
Ashcroft Av. Salf —4J 113
Ashcroft Clo. Wilm —1F 195
Ashcroft Rd. Lymm —7H 161
Ashcroft St. Chad —2J 95
Ashcroft St. Hind —3C 84
Ashdale Av. Bolt —1E 64
Ashdale Clo. Stoc —5H 153
Ashdale Cres. Droy —7H 117
Ashdale Dri. M20 —5K 151
Ashdale Dri. H Grn —2H 179
Ashdale Rd. Hind —2D 84
Ashdale Rd. Wig —5C 82
Ashdene. Ash L —6H 119
Ashdene. Roch —7F 13
Ashdene Clo. Chad —5A 74
Ashdene Clo. Spring —7K 75
Ashdene Cres. Bolt —7F 25
Ashdene Rise. Oldh —2H 75
Ashdene Rd. M20 —4K 151
Ashdene Rd. Stoc —1K 167
Ashdene Rd. Wilm —1F 195
Ashdown Av. M9 —3K 93
Ashdown Av. Woodl —5G 155
Ashdown Dri. Bolt —2E 44
Ashdown Dri. Swint —2E 112
Ashdown Dri. Wor —1C 110
Ashdown Gro. M9 —3K 93
Ashdown La. Bchwd —5A 144
Ashdown Rd. Oll —7J 193
Ashdown Rd. Stoc —7E 152
Ashdown Ter. M9 —3K 93
Ashdown Way. Shaw —5C 52
Ash Dri. Wdly —6A 90
Ashenhurst Ct. M9 —4G 93
Asher St. Bolt —4J 65
Ashes Clo. Stal —1C 140
Ashes Dri. Bolt —5H 45
Ashes La. Glos —7D 142
Ashes La. Miln —5C 32
Ashes La. Spring —1K 97
Ashes La. Stal —1C 140
Ashfell Ct. M21 —1K 149
Ash Field. Dent —4E 138
Ashfield Av. Ath —3C 86
Ashfield Av. Hind —3D 84
Ashfield Av. Roch —7H 31
Ashfield Clo. Lymm —7H 161
Ashfield Clo. Salf —5J 113
Ashfield Cres. Bil —3E 102
Ashfield Cres. Chea —5K 167
Ashfield Cres. Spring —1K 97
Ashfield Dri. M40 —4F 117
Ashfield Dri. Asp —1A 62
Ashfield Dri. Mac —1C 198
Ashfield Gro. M18 —5H 137
Ashfield Gro. Bolt —6C 24
Ashfield Gro. Irl —4A 146
Ashfield Gro. Marp B —2B 172
Ashfield Gro. Stoc —7H 169
Ashfield Ho. Roch —7H 31
Ashfield La. Miln —1D 52
Ashfield Lodge. Manx —1F 167
Ashfield Pk. Dri. Stand —5B 38
Ashfield Rd. M13 —6A 136
Ashfield Rd. Alt —1C 176
Ashfield Rd. And —4K 19
Ashfield Rd. Chea —5K 167
Ashfield Rd. Had —6B 142
Ashfield Rd. Roch —1G 51
Ashfield Rd. Sale —5F 149
Ashfield Rd. Stoc —7H 169
Ashfield Rd. Urm —7B 132
Ashfield Sq. Droy —6H 117
Ashfield St. Oldh —4A 96
Ashfield Ter. App B —5C 36
Ashford. Sale —6A 148
Ashford Av. Ecc —1A 132
Ashford Av. Stoc —7H 137
Ashford Av. Swint —2A 112
Ashford Av. Wor —2B 110
Ashford Clo. Bolt —1G 45
Ashford Clo. Bury —4F 47
Ashford Clo. Hand —1J 187
Ashford Ct. Oldh —5H 75
Ashford Grn. Glos —1A 158 (off Ashford M.)
Ashford Gro. Wor —7H 89
Ashford M. Glos —1A 158
Ashford Rise. Wig —2D 60
Ashford Rd. M20 —3G 151
Ashford Rd. Stoc —4F 153
Ashford Rd. Wilm —2G 195
Ashford St. Heyw —3F 49
Ashford Wlk. Bolt —4A 44
Ashford Wlk. Chad —1K 95
Ashgate Av. M22 —7E 166
Ashgill Wlk. M9 —1A 116 (off Fernclough Rd.)
Ash Gro. M14 —5A 136
Ash Gro. Bolt —5H 43
Ash Gro. Bow —3A 176
Ash Gro. Droy —1J 137
Ash Gro. Golb —1K 125
Ash Gro. Hand —2J 187
Ash Gro. Harw —2H 45
Ash Gro. H Grn —4H 179
Ash Gro. Hor —5J 41
Ash Gro. Knut —5G 193
Ash Gro. L'boro —6D 14
Ash Gro. Mac —7E 198
Ash Gro. Marp —6J 171
Ash Gro. Miln —2E 52
Ash Gro. Orr —1F 81
Ash Gro. P'wch —1A 92
Ash Gro. Ram —1D 26
Ash Gro. Roch —4K 51
Ash Gro. Rytn —7B 52
Ash Gro. Spring —7A 76 (in two parts)
Ash Gro. Stal —5K 119
Ash Gro. Stand —5B 38
Ash Gro. Stoc —5F 153
Ash Gro. Stret —2G 149
Ash Gro. Swint —3B 112
Ash Gro. Tim —4D 164
Ash Gro. Tot —7E 26
Ash Gro. W'houg —7J 63
Ash Gro. Wor —6F 89
Ash Gro. Cres. Bil —2D 102
Ash Hill Dri. Moss —7E 98
Ashia Clo. Roch —6K 31
Ashill Wlk. M3 —1E 134 (7F 4)
Ashington Clo. Bolt —2H 43
Ashington Dri. Bury —4D 46
Ashkirk St. M18 —4F 137
Ashland Av. Ash M —4C 104
Ashland Av. Wig —4E 60
Ashlands. Sale —5E 148
Ashlands Av. M40 —6E 94
Ashlands Av. Swint —2A 112
Ashlands Av. Wor —1C 110
Ashlands Clo. Ram —1H 9 (off Water La.)
Ashlands Dri. Aud —3C 138
Ashlands Rd. Tim —2E 164
Ash La. Asp —4J 61
Ash La. Hale —3G 177
Ashlar Dri. M12 —1K 135
Ashlea Gro. Grot —1B 98
Ashleigh Av. Glos —7D 142
Ashleigh Clo. Rytn —4C 74
Ashleigh Dri. Bolt —5E 42
Ashleigh Rd. Tim —3F 165
Ashley Av. M16 —5D 134
Ashley Av. Bolt —5F 45
Ashley Av. Swint —2B 112
Ashley Av. Urm —7G 131
Ashley Clo. Roch —1E 50
Ashley Ct. M40 —6H 95
Ashley Ct. Hale —3C 176
Ashley Ct. Swint —5D 90
Ashley Ct. Whitw —1F 13
Ashley Ct. Dri. M40 —6H 95
Ashley Cres. Swint —1B 112
Ashley Dri. Bram —6E 180
Ashley Dri. Leigh —7G 85
Ashley Dri. Sale —1C 164
Ashley Dri. Swint —2B 112
Ashley Gdns. H Lane —4H 183
Ashley Gdns. Hyde —1J 155
Ashley Gro. Farn —6E 66
Ashley La. M9 —7B 94
Ashley M. W'fld —7B 70
Ashley Mill La. Ash —4B 176
Ashley Mill La. N. Hale —4B 176
Ashley Rd. Droy —6G 117
Ashley Rd. Hale & Ash —1B 176
Ashley Rd. Hind —4F 85
Ashley Rd. Stoc —3A 170
Ashley Rd. Wilm —4H 187
ASHLEY STATION. BR —7C 176
Ashley St. M4 —5H 115 (2L 5)
Ashley St. Hyde —5J 139
Ashley St. Oldh —6A 74
Ashley St. Salf —6J 113
Ashling Ct. Tyl —6J 87
Ash Lodge. Poy —1B 190
Ashlor St. Bury —4J 47
Ashlyn Gro. M14 —2K 151
Ashmead. Hale —3F 177
Ashmill Wlk. M9 —2J 115
Ashmond. Spring —1K 97
Ashmont St. M3 —4F 115
Ashmoor Rd. M22 —3E 178
Ashmoor Wlk. M22 —3E 178
Ashmore Av. Stoc —4B 168
Ashmore Clo. Bchwd —7A 144
Ashmore St. Tyl —7K 87
Ashmount Dri. Roch —2H 31
Ashness Clo. Hor —2D 40
Ashness Dri. Bolt —4G 45
Ashness Dri. Bram —4G 181
Ashness Dri. Mid —3K 71
Ashness Gro. Bolt —4G 45
Ashness Pl. Bolt —4G 45
Ashop Wlk. M15 —2E 134 (10F 4)
Ashover Av. M12 —3B 136
Ashover Clo. Bolt —6B 24
Ashover St. Stret —6J 133
Ashridge Clo. Los —7C 42
Ashridge Dri. Duk —2F 139
Ashridge Dri. Ecc —1A 132
Ashridge Way. Orr —5H 59
Ash Rd. Cop —4A 18
Ash Rd. Dent —6H 137
Ash Rd. Droy —6H 117
Ash Rd. Hayd —2A 124
Ash Rd. Kear —2H 89
Ash Rd. Part —7K 145
Ash Rd. Poy —2D 190
Ash Rd. Rix —1G 161
Ash Sq. Oldh —6H 75
Ashstead Rd. Sale —2G 165
Ash St. Aud —2B 138
Ash St. Bolt —7C 44
Ash St. Bury —3A 48
Ash St. Fail —7G 95
Ash St. Golb —6K 105
Ash St. Harp —1K 115
Ash St. Haz G —1B 182
Ash St. Heyw —2H 49
Ash St. Mid —5E 72
Ash St. Oldh —1F 97
Ash St. Roch —3E 50
Ash St. Salf —6K 113
Ash St. Stoc —3D 168
Ash St. Tyl —6G 87
Ash Ter. Mac —7E 198
Ashton Av. Alt —5C 164
Ashton Av. Mac —2A 198
Ashton Ct. Aud —3D 138
Ashton Ct. Sale —6C 148
Ashton Cres. Chad —4J 95
Ashton Field Dri. Wor —3E 88
Ashton Gallery. Wig —6E 60 (off Galleries, The)
Ashton Gdns. Glos —3E 158
Ashton Gdns. Roch —7G 31
Ashton Heath. Ash M —6E 104
Ashton Hill La. Droy —1J 137

Ashton Ho.—Bk. Ivy Rd.

Ashton Ho. Ash L —5F 119
Ashton La. Mid —6D 72
Ashton La. Sale —5C 148
Ashton New Rd. M11 —7A 116
Ashton Northern By-Pass. Dent & Ash L —7B 118
Ashton Old Rd. M12 & M11 —1A 136
Ashton Rd. M9 —2K 93
Ashton Rd. Bil —7H 81
Ashton Rd. Bred P —5C 154
Ashton Rd. Dent —4C 138
Ashton Rd. Droy —7J 117
Ashton Rd. Fail —2A 118
Ashton Rd. Golb —6H 105
Ashton Rd. Hyde —3H 139
Ashton Rd. Newt W —3E 124
Ashton Rd. Oldh —2C 96
Ashton Rd. Part & Sale —7E 146
Ashton Rd. E. Fail —7H 95
Ashton Rd. W. Fail —1G 117
Ashton's Pl. Stal —7K 119
Ashton St. Bolt —2H 65
Ashton St. Chad —4J 95
Ashton St. Duk —3E 138
Ashton St. Glos —3E 158
Ashton St. Heyw —3J 49
Ashton St. L Lev —3K 67
Ashton St. Roch —7G 31
Ashton St. Stal —7K 119
Ashton St. Wig —6H 61
Ashton St. Woodl —4G 155
ASHTON-UNDER-LYNE STATION. BR —5F 119
Ash Tree Av. Droy —6H 117
Ashtree Clo. P'bry —2E 196
Ash Tree Dri. Duk —2K 139
Ash Tree Gro. Droy —5H 117
Ash Tree Rd. M8 —6G 93
Ashtree Rd. Hyde —4B 140
Ashurst Av. M11 —6D 116
Ashurst Clo. Bolt —2H 45
Ashurst Clo. Hyde —1A 156
Ashurst Dri. Stoc —6D 168
Ashurst Gdns. Ash L —3F 119
Ashurst Rd. M22 —7F 167
Ashurst Rd. Stand —3H 37
Ashville Ter. M40 —6B 94
Ash Wlk. Chad —6K 73
Ash Wlk. Mid —1B 94
Ash Wlk. Sale —5B 148
Ashwater Wlk. M9 —2A 94 (off Brockford Dri.)
Ashway Clough N. Stoc —6B 170
Ashway Clough S. Stoc —6C 170
Ashwell Av. Lwtn —7B 106
Ashwell M. Bolt —2E 44
Ashwell Rd. M23 —4B 166
Ashwell St. Bolt —2D 44
Ashwin Wlk. M8 —2F 115
Ashwood. Bow —3K 175
Ashwood. Chad —7G 73
Ashwood. Glos —2B 158
Ashwood. Rad —7K 67
Ashwood Av. M20 —6E 150
Ashwood Av. Abr —1A 106
Ashwood Av. Ash M —6C 104
Ashwood Av. Dent —6J 137
Ashwood Av. Lwtn —1B 126
Ashwood Av. Ram —4H 9
Ashwood Av. Sale —7C 148
Ashwood Av. Wor —2E 88
Ashwood Ct. Lwtn —2B 126
Ashwood Cres. Marp —4K 171
Ashwood Dri. Bury —6F 27
Ashwood Dri. L'boro —6D 14
Ashwood Dri. Rytn —1A 74
Ashwood Rd. Dis —6D 184
Ashworth Av. Aud —2C 138
Ashworth Av. L Lev —3A 68
Ashworth Av. Urm —7G 131
Ashworth Clo. Bow —3K 175
Ashworth Clo. Chad —3K 95
Ashworth Clo. L'boro —4E 14
Ashworth La. Bolt —7B 24
Ashworth La. Mot —7F 141
Ashworth Pk. Knut —6C 192
Ashworth Rd. Roch & Heyw —1E 28
Ashworth St. Asp —2C 62
Ashworth St. Bury —2G 47 (in two parts)
Ashworth St. Dent —5C 138
Ashworth St. Fail —2F 117
Ashworth St. Farn —6E 66
Ashworth St. Heyw —5K 49
Ashworth St. Oldh —1D 96
Ashworth St. Rad —2H 69
Ashworth St. Roch —4F 31
Ashworth St. Shaw —7F 53
Ashworth Ter. Bolt —1G 45
Ashworth View. Salf —2B 134 (off Ordsall Dri.)
Ashworth Way. Mot —7F 141
Ashwy Clough S. Stoc —6C 170
Asia St. Bolt —3C 66
Askern Av. M22 —1D 178
Askett Clo. M40 —2F 117
Askett St. M40 —2B 117
Askrigg Wlk. M13 —5B 136
Askwith Rd. Hind —4D 84
Aspen Clo. Stoc —2C 168
Aspen Clo. Tim —6J 165
Aspen Clo. W'houg —4K 63
Aspen Gdns. Roch —3C 30
Aspen Grn. Dent —7E 138
Aspenshaw Rd. Bch V —7K 173
Aspens, The. Gat —5G 167
Aspen Way. H Lane —5A 184
Aspenwood. Ash M —6C 104
Aspen Wood. Hyde —6K 139
Aspenwood Clo. Marp —4J 171
Aspenwood Dri. Chad —7G 73
Aspenwood Dri. Sale —6A 148
Aspinall Clo. Wor —4B 88
Aspinall Ct. Hor —3G 41
Aspinall Cres. Wor —4B 88
Aspinall Gro. Wor —4B 88
Aspinall Rd. Stand —4H 37
Aspinall St. Heyw —3A 50
Aspinall St. Hor —5G 41
Aspinall St. Mid —7E 72
Aspinall St. Plat B —5J 83
Aspinal St. M14 —6J 135
Aspin La. M4 —5G 115 (2K 5)
Aspland Rd. Hyde —2K 155
Aspull Arc. Wig —6E 60 (off Galleries, The)
Aspull Comn. Leigh —7G 107
Aspull St. Oldh —2G 97
Aspull Wlk. M13 —3J 135
Asquith Av. Duk —3G 139
Asquith Rd. M19 —4B 152
Asquith St. Stoc —1H 153
Asshawes, The. Hth C —3H 19
Assheton Av. Aud —7A 118
Assheton Clo. Ash L —5F 119
Assheton Cres. M40 —4F 117
Assheton Ho. Ash L —5F 119
Assheton Rd. M40 —4F 117
Assheton Rd. Shaw —6D 52
Assheton St. Mid —4C 72
Assheton Way. Mid —6C 72
Assisi Gdns. M12 —3D 136
Astan Av. Droy —5F 117
Astbury Av. M21 —6C 150
Astbury Av. Aud —7B 118
Astbury Clo. Alt —5C 164
Astbury Clo. Lwtn —1F 127
Astbury Clo. Spring —1K 97
Astbury Cres. Stoc —5F 169
Astbury St. Rad —5F 69
Astbury Wlk. Chea —6C 168
Aster Av. Farn —5C 66
Aster Ho. Oldh —5C 74
Aster Rd. Hayd —2B 124
Aster St. Oldh —5C 74
Aster Wlk. Part —1B 162
Astley Clo. Shaw —6D 52
Astley Ct. Irl —2A 146
Astley Gdns. Duk —1F 139
Astley Gro. Stal —5K 119
Astley La. Ram —2A 44
Astley M. Duk —7F 119
Astley Rd. Bolt —7G 25
Astley Rd. Irl —4J 129
Astley Rd. Stal —6K 119
Astley St. M11 —7E 116
Astley St. Bolt —3A 44
Astley St. Duk —2E 138
Astley St. Hyde —5G 139
Astley St. Leigh —4B 108
Astley St. Stal —1A 140
Astley St. Stoc —2G 169
Astley St. Tyl —7G 87
Astley Ter. Duk —7G 119
Aston Av. M14 —7F 135
Aston Clo. Stoc —5E 168
Aston Ct. Oldh —6C 74
Aston Gdns. Farn —5F 67
Aston Gro. Tyl —6J 87
Aston Way. Hand —7K 179
Astor Rd. M19 —3A 152
Astor Rd. Salf —7F 113
Astra Bus. Pk. Traf P —1D 132
Astral M. M14 —6K 135
Astule Dri. Mac —4D 198
Atcham Gro. M9 —1H 93
Athenian Gdns. Salf —3C 114
Athens Dri. Wor —5E 88
Athens St. Stoc —2J 169
Atherfield. Bolt —1G 45
Atherfield Clo. M18 —3H 137
Atherleigh Gro. Leigh —1K 107
Atherleigh Way. Ath —5A 86
Atherleigh Way. Leigh & Ast —6H 107
Atherley Gro. M40 & Chad —5H 95
Atherstone. Roch —4G 31 (off Spotland Rd.)
Atherstone Av. M8 —5F 93
Atherstone Clo. Bury —1G 47
Atherton Av. Mot —5G 141
Atherton Clo. Fail —3K 117
Atherton Gro. Ecc —7A 112
Atherton Gro. Mot —5G 141
Atherton Ho. Ath —3D 86
Atherton La. Cad —5A 146
Atherton Rd. Hind —2B 84
Atherton Sq. Wig —6E 60 (off Galleries, The)
ATHERTON STATION. BR —3E 86
Atherton St. M3 —7E 114 (6E 4)
Atherton St. Adl —6J 19
Atherton St. Bick —7C 84
Atherton St. Ecc —7K 111
Atherton St. Lees —2J 97 (Lees)
Atherton St. Lees —1K 97 (Springhead)
Atherton St. Orr —1B 82
Atherton St. Stoc —3F 169
Atherton Way. Ecc —7K 111
Athey St. Mac —4E 198
Athlone Av. M40 —7C 94
Athlone Av. Bolt —7J 23
Athlone Av. Bury —1K 47
Athlone Av. Chea H —6E 168
Athol Clo. Newt W —5B 124
Athol Cres. Hind —3F 85
Athole St. Salf —7K 113
Atholl Av. Stret —7E 132
Atholl Clo. Bolt —7F 43
Atholl Clo. Mac —2C 198
Atholl Dri. Heyw —4G 49
Atholl Gro. Wig —4C 82
Athol Rd. M16 —1E 150
Athol Rd. Bram —7F 181
Athol St. M18 —6G 137
Athol St. Ash L —5G 119
Athol St. Ecc —7K 111
Athol St. Roch —3K 31
Athol St. Stoc —7F 153
Athos Wlk. M40 —5E 94
Athur La. Bolt —2J 45
Atkinson Av. Bolt —3D 66
Atkinson Rd. Sale —4E 148
Atkinson Rd. Urm —7B 132
Atkinson St. M3 —7E 114 (6F 4)
Atkinson St. Abr —7K 83
Atkinson St. Oldh —6B 74
Atkinson St. Roch —3E 50
Atkinson St. Stoc —4J 169
Atkin St. Wor —5F 89
Atlanta Av. Man A —4A 178
Atlantic Bus. Cen. B'hth —4A 164
Atlantic St. B'hth —5J 163
Atlantic Wlk. M11 —7B 116 (off Yeoman Wlk.)
Atlas Ho. Ram —5B 44
Atlas St. Ash L —3E 118
Atlas St. Duk —1H 139
Atlas St. Oldh —1C 96
Atlee Way. M12 —7A 116
Atlow Dri. M23 —6B 166
Attenburys La. Tim —3C 164
Attenbury's Pk. Est. Tim —3C 164
Attercliffe Rd. M21 —3A 150
Attewell St. Open —1C 136
Attingham Wlk. Dent —1C 154
Attingham Wlk. Wig —2C 82
Attleboro Rd. M40 —1C 116
Attlee Av. Cul —5B 128
Attwood Rd. Tim —6F 165
Attwood St. M12 —6C 136
Atwood Rd. M20 —7H 151
Atwood St. M1 —1G 135 (8J 5)
Atworth Gdns. Salf —1B 114
Auberson Rd. Bolt —3K 65
Aubrey Rd. Manx —3A 152
Aubrey St. Roch —7H 31
Aubrey St. Salf —1A 134
Auburn Av. Bred —6D 154
Auburn Av. Hyde —1J 155
Auburn Dri. Urm —1C 148
Auburn Rd. M16 —5B 134
Auburn Rd. Dent —7B 138
Auburn St. M1 —7H 115 (7L 5)
Auburn St. Bolt —2K 65
Auckland Dri. Salf —3A 114
Auckland Rd. M19 —2B 152
Audax Wlk. M40 —4D 116
Auden Clo. M11 —7F 117
Audenshaw Hall Gro. Aud —2K 137
Audenshaw Rd. Aud —2K 137 (in two parts)
Audlem Wlk. M40 —6K 115
Audlem Wlk. Chea —6C 168
Audley Av. Stret —5D 132
Audley Rd. M19 —7D 136
Audley St. Ash L —6J 119
Audley St. Moss —6D 98 (in two parts)
Audley Wlk. M40 —6K 115
Audlum Ct. Bury —3A 48
Audrey Av. M18 —4G 137
Audrey St. M9 —7B 94
Aughton Clo. Bil —4E 102
Aughton St. Hind —3B 84
Augusta Clo. Roch —2G 31
Augusta Dri. Mac —7D 196
Augusta St. Roch —2G 31
Augustine Webster Clo. M9 —7A 94
Augustus St. M3 —4G 115
Augustus St. Bolt —2C 66
Augustus Way. M15 —5D 134
Austell Rd. M22 —4D 178
Austen Av. Bury —7K 47
Austen Rd. Ecc —7B 112
Austen Wlk. Oldh —2J 75
Auster Clo. M14 —2G 151
Austin Av. Ash M —4A 104
Austin Dri. M20 —6J 151
Austin Gro. M19 —2B 152
Austin's La. Los —5K 41
Austin St. Bury —7J 27
Austin St. Leigh —3H 107
Austonley Wlk. M15 —2E 134 (10F 4)
Autumn Av. Knut —4F 193
Avallon Clo. Tot —5D 26
Avalon Dri. M20 —3J 167
Avebury Clo. Hor —4K 41
Avebury Clo. Lwtn —1C 126
Avebury Clo. Salf —2F 115
Avebury Rd. M23 —6A 166
Avenham Clo. M15 —4E 134
Avening Wlk. M22 —2C 178
Avens Rd. Part —7B 146
Avenue St. Bolt —5K 43
Avenue St. Stoc —1H 169
Avenue, The. Adl —4A 19
Avenue, The. Ald E —5G 195
Avenue, The. Bil —4D 80
Avenue, The. Bolt —6D 44
Avenue, The. Bred —7B 154
Avenue, The. Bury —7K 27
Avenue, The. Ecc —7B 112
Avenue, The. Had —5C 142
Avenue, The. Hale —4D 176
Avenue, The. H Grn —3G 179
Avenue, The. Leigh —3K 107
Avenue, The. Newt W —5F 125
Avenue, The. Sale —7B 148
Avenue, The. Salf —3C 114
Avenue, The. Shaw —7E 52
Avenue, The. Stand L —2A 60
Avenue, The. Urm —7G 131
Avenue, The. W'houg —5K 63
Avenue, The. Wig —4F 61
Avenue, The. Wor —5D 110
Averham Clo. Ash M —7D 104
Averhill. Wor —7D 88
Averill St. M40 —3F 117
Averon Rise. Oldh —2H 75
Aveson Av. M21 —4B 150
Avian Clo. Ecc —2G 131
Avian Dri. M14 —2H 151
Aviary Rd. Wor —2H 111
Aviemore Clo. Ash M —4K 103
Aviemore Wlk. M11 —1E 136
Avis St. Shaw —6F 53
Avocet Clo. Leigh —2A 108
Avocet Clo. Newt W —5E 124
Avocet Dri. B'hth —3K 163
Avocet Dri. Irl —5C 130
Avon Bank. Bred —7D 154
Avonbrook Dri. M40 —5H 95
Avoncliffe Clo. Bolt —2K 43
Avon Clo. Mac —1C 198
Avon Clo. Marp —5J 171
Avon Clo. Miln —6E 32
Avon Clo. Wor —5C 88
Avon Ct. M15 —3D 134
Avoncourt Dri. M20 —6G 151
Avondale. Clif —5E 90
Avondale Av. Bury —1J 47
Avondale Av. Haz G —2D 182
Avondale Ct. Roch —6F 51
Avondale Cres. Urm —6A 132
Avondale Dri. Ast —2J 109
Avondale Dri. Ram —2D 26
Avondale Dri. Salf —3F 113
Avondale Lodge. Sale —7F 149
Avondale Rd. Farn —6B 66
Avondale Rd. Haz G —1D 182
Avondale Rd. Stoc —4D 168
Avondale Rd. Stret —5J 133
Avondale Rd. W'fld —5J 69
Avondale Rd. Wig —4E 60
Avondale St. M8 —1G 115
Avondale St. Bolt —4J 43
Avondale St. Stand —4K 37
Avon Dri. Bury —4K 27
Avon Flats. Heyw —3J 49 (off Kay St.)
Avon Gdns. M19 —4C 152
Avonhead Clo. Hor —2D 40
Avonlea Dri. M19 —4A 152
Avonlea Rd. Droy —6G 117
Avonlea Rd. Sale —2B 164
Avonmore Wlk. M9 —4J 93
Avon Rd. M19 —4B 152
Avon Rd. Ash M —3G 105
Avon Rd. Ast —1J 109
Avon Rd. Bil —5D 102
Avon Rd. Chad —6H 73
Avon Rd. Cul —7A 128
Avon Rd. Hale —4C 176
Avon Rd. H Grn —5J 179
Avon Rd. Heyw —3G 49
Avon Rd. Kear —2K 89
Avon Rd. Orr —7J 59
Avon Rd. Shaw —5F 53
Avonside Way. Mac —6E 198
Avon St. Bolt —2C 66
Avon St. Leigh —4B 108
Avon St. Oldh —3D 96
Avon St. Ram —4H 43
Avon St. Stoc —4G 169
Avril Clo. Stoc —2H 153
Avril Ct. Ince —3G 83
Avro Clo. M14 —1H 151
Avroe Rd. Ecc —2H 131
Avro Way. Tim —5K 177
Awburn Rd. Hyde —1E 156
Axbridge Wlk. M40 —6K 115
Axford Clo. Salf —2F 115
Axminster Wlk. Bram —5G 181
Axon Sq. M16 —5F 135
Aycliffe Av. Chor H —5D 150
Aye Bri. Rd. Abr —3K 105
Aylcliffe Gro. Long —6A 136
Aylesbury Av. Dent —1D 154
Aylesbury Av. Urm —5C 132
Aylesbury Clo. Mac —7F 197
Aylesbury Clo. Salf —7A 114
Aylesbury Cres. Hind —5G 85
Aylesbury Gro. Mid —4E 72
Aylesby Av. M18 —5D 136
Aylesby Clo. Knut —5E 192
Aylesby Ct. M21 —1D 150
Aylesford Rd. M14 —6K 135
Aylesford Wlk. Bolt —4A 44
Aylestone Wlk. M40 —1C 116
Aylsham Clo. Bred —5D 154
Aylsham M. Swint —3B 112
Aylwin Dri. Sale —7G 149
Ayr Av. Oldh —4D 96
Ayr Clo. Haz G —2E 182
Ayrefield Gro. Shev —7D 36
Ayrefield La. Rob M —2C 58
Ayres Rd. M16 —5A 134
Ayr Gro. Heyw —4G 49
Ayrshire Rd. Salf —2B 114
Ayr St. Bolt —1E 44
Ayrton Gro. L Hul —1C 88
Aysgarth. Roch —3K 31
Aysgarth Av. M18 —4G 137
Aysgarth Av. Gat —5J 167
Aysgarth Av. Rom —6H 155
Aysgarth Clo. Sale —7B 148
Ayshford Clo. Alt —5K 163
Ayton Ct. M16 —5D 134
Ayton Gro. M14 —5A 136
Aytoun St. M1 —7G 115 (6K 5)
Azalea Av. M18 —3F 137

Babbacombe Gro. M9 —2H 93
Babbacombe Rd. Stoc —5A 170
Baber Wlk. Bolt —1A 44
Babylon La. And —4K 19
Bk. Acton St. M1 —1H 135 (7L 5)
Bk. Albany St. Roch —7J 31
Bk. Albion Pl. Bury —1K 47
Bk. All Saints St. Ram —5B 44 (off Bark St.)
Bk. Apple Ter. Bolt —3K 43
Bk. Argyle St. Bury —7K 27
Bk. Ashley St. M4 —5H 115 (2L 5)
Bk. Ashworth St. Bury —2G 47
Bk. Astley St. Ram —3A 44
Bk. Avondale St. Ram —4J 43
Bk. Baldwin St. N. Bolt —1A 66
Bk. Balloon St. M4 —6G 115 (3J 5)
Bk. Bank St. M8 —4G 115
Bk. Belfast St. Ram —3A 44
Bk. Bennett's La. Ram —3J 43
Bk. Birch St. Bury —2K 47 (in two parts)
Bk. Bolton Rd. S. Bury —3G 47
Bk. Bower La. Hyde —2K 155
Bk. Bowness Rd. Bolt —2K 65
Bk. Bradshaw St. Roch —4J 31
Bk. Bridge St. M3 —7F 115 (5G 4)
Bk. Bridge St. Newt W —6D 124
Bk. Bridge St. Ram —5G 9
Bk. Brierley Rd. Bury —5J 47
Bk. Brook St. N. Bury —1A 48 (in two parts)
Bk. Broom St. Bolt —6C 44
Back Brow. Uph —7C 58
Bk. Burgess Ter. M12 —2K 135
Bk. Burnley Rd. Bury —4J 27
Bk. Burton St. M12 —2J 135 (9P 5)
Bk. Bury Rd. S. Bolt —6G 45 (in two parts)
Bk. Byrom St. S. Bury —1F 47
Bk. Cambridge St. Ash L —7D 118
Bk. Cambridge St. Ram —4A 44
Bk. Camp St. Salf —3D 114
Bk. Canada St. Hor —2F 41
Bk. Canning St. Bury —1K 47
Bk. Cateaton St. Bury —1K 47
Bk. Chapel St. M19 —1C 152
Bk. Chapel St. Ecc —6D 112
Bk. Chapel St. Haz G —1C 182
Bk. Chapel St. Hor —2G 41
Bk. Chapel St. Tot —5D 26
Bk. Chapel St. Ward —4A 14
Bk. Cheapside. Bolt —6B 44
Bk. Chesham Rd. N. Bury (off Chesham Rd.) —7A 28
Bk. Chesham Rd. S. Bury —1A 48
Bk. China La. M1 —7H 115 (5L 5)
Bk. Chorley Old Rd. S. Ram —4G 43
Bk. Church Rd. N. Ram —3H 43
Bk. Church St. Had —5C 142
Bk. Clay St. E. Brom X —5C 24
Bk. Clifton St. Bury —1K 47
Bk. College Land. Salf —6F 115 (5G 4) (off Parsonage)
Bk. Common St. W'houg —7F 63
Bk. Cowm La. Whitw —1E 12
Back Cowm La. Whitw —1E 12
Bk. Cross La. Newt W —5D 124
Bk. Crostons Rd. Bury —2H 47
Bk. Crown St. Hor —1E 40
Bk. Dale St. Miln —7D 32
Bk. Darwen Rd. N. Eger —3A 24
Bk. Dashwood Rd. P'wch —2A 92
Bk. Deacon's Dri. Salf —2H 113
Bk. Deane Chu. La. Bolt —2H 65
Bk. Delamere St. S. Bury (off Delamere St.) —7A 28
Bk. Denton St. Bury —1K 47
Bk. Devonshire Rd. Ram —4G 43
Bk. Devon St. N. Bury —5J 47
Bk. Devon St. S. Bury —5K 47
Bk. Deyne Av. P'wch —3B 92
Bk. Drake St. Roch —6G 31
Bk. Dumers La. Rad —1J 69
Bk. Duncan St. Hor —2G 41
Bk. Duncan St. Salf —1C 114
Bk. East St. Bury —4K 47
Bk. Eddisbury Rd. Mac —4K 199
Bk. Edenfield Rd. Roch —2J 29
Bk. Eden St. Ram —1A 44
Bk. Eldon St. Bury —1K 47
Bk. Elsworth St. M3 —5G 115
Bk. Emmett St. Hor —2F 41
Bk. Everton St. N. Ram —3B 44
Bk. Fairhaven Rd. Ram —2B 44
Bk. Fern St. E. Bolt —7J 43
Bk. Fletcher St. Rad —6K 67
Backford Wlk. M20 —3G 151
Bk. Garden St. M4 —6G 115 (4J 5) (off Dantzic St.)
Bk. Garden St. Salf —6E 114 (4F 4)
Bk. George St. M1 (in two parts) —1G 135 (7J 5)
Bk. Georgiana St. Bury —3K 47
Bk. Gigg La. Bury —5K 47
Bk. Gladstone St. Oldh —1F 97
Bk. Gorton St. Bolt —7C 44
Bk. Grafton St. Alt —7B 164
Bk. Grantham Clo. Ram —4A 44
Bk. Grosvenor St. Bury —5K 47
Bk. Hamel St. Hyde —4K 139
Bk. Hamilton St. Salf —1D 114
Bk. Hanover St. M4 —6G 115 (3J 5)
Bk. Hanson St. Bury —1K 47
Bk. Hart St. W'houg —7F 63
Bk. Harvey St. Bury —2G 47
Bk. Harvey St. Ram —2K 43
Bk. Haslam St. Bury —1A 48
Bk. Hatfield Rd. Ram —4J 43
Bk. Haymarket St. Bury —3J 47
Bk. Heywood St. Bury —4A 48
Bk. Higher Swan La. W. Bolt —3K 65
Bk. High St. Tur —7E 6
Bk. Hilton St. Bury —1K 47
Bk. Hilton St. Salf —1D 114
Bk. Holland St. Ram —1B 44
Bk. Hope St. Oldh —7F 75
Bk. Hope St. Salf —1D 114
Bk. Hornby St. Bury —1K 47
Bk. Horne St. N. Bury —5J 47
Bk. Horne St. S. Bury —5J 47
Bk. Hotel St. Ram —6B 44
Bk. Howe St. Salf —1C 114
Bk. Hulme St. Salf —7C 114 (5B 4)
Bk. Hulton La. S. Bolt —4G 65
Bk. Huntley Mt. Rd. Bury —1B 48
Bk. Ingham St. Bury —4A 48
Bk. Ivanhoe St. Bolt —4E 66
Bk. Ivy Bank Rd. Ram —7A 24
Bk. Ivy Rd. Ram —4J 43

Barcicroft Rd. M19 & Stoc —6A 152
Barcicroft Wlk. M19 —6A 152
Barclay Dri. Ecc —5C 112
Barclay Rd. Poy —3C 190
Barclays Av. Salf —5J 113
Barclay St. M3 —7E 114 (6F 4)
Barcliffe Av. M40 —5E 94
Barclyde St. Roch —7G 31
Barcombe Clo. Oldh —4H 75
Barcombe Clo. Urm —6D 132
Barcombe Wlk. M9 —1K 115
(in two parts)
Barcroft Rd. Bolt —3H 43
Barcroft St. Bury —2K 47
Bardale Gro. Ash M —5C 104
Bardell Clo. Poy —3B 190
Bardney Av. Golb —6H 105
Bardon Clo. Bolt —4K 43
Bardon Rd. M23 —5K 165
Bardsea Av. M22 —3D 178
Bardsley Av. Fail —1H 117
Bardsley Clo. Bolt —7F 25
Bardsley Clo. Hyde —7E 140
Bardsley Clo. Uph —7A 58
Bardsley Ga. Av. Stal —3E 140
Bardsley St. M40 —3F 117
Bardsley St. Chad —4H 95
Bardsley St. Lees —2J 97
Bardsley St. Mid —5C 72
Bardsley St. Oldh —5J 75
Bardsley St. Stoc —7F 153
Bardsley Vale Av. Oldh —7E 96
Barehill St. L'boro —5F 15
Bare St. Ram —5C 44
Barff Rd. Salf —6G 113
Barfold Clo. Stoc —6E 170
Barfold Wlk. M15 —3E 134
Barford Clo. Skel —7A 58
Barford Dri. Lwtn —1E 126
Barford Dri. Wilm —4J 187
Barford Gro. Los —4K 41
Barford Wlk. M23 —7B 166
Bar Gap Rd. Oldh —6D 74
Baric Clo. Ecc —7D 112
Baring St. M1 —1H 135 (8M 5)
Barkan Way. Pen —7F 91
Barker Rd. Bred —7D 154
Barkers La. Sale —5D 148
Barker St. M3 —4F 115 (1G 4)
Barker St. Bury —4J 47
Barker St. Heyw —4H 49
Barker St. Leigh —3G 107
Barker St. Oldh —7C 74
Barke St. L'boro —1C 32
Barking St. M40 —5A 116
Bark St. Bolt —6A 44
(in two parts)
Bark St. E. Bolt —5B 44
Bark Wlk. M15 —3F 135
Barkway Rd. Stret —7E 132
Barkwell La. Moss —6B 98
Barkworth Wlk. M40 —2D 116
Bar La. Bolt —7A 24
Barlborough Rd. Wig —2K 81
Barlby Wlk. M40 —2D 116
Barlea Av. M40 —6F 95
Barley Brook Meadow. Bolt —6B 24
Barley Brook St. Wig —5C 60
Barleycorn Clo. Sale —7K 149
Barley Ct. Had —5B 142
Barley Croft. Chea H —4B 180
Barleycroft Clo. M16 —5F 135
Barley Croft Rd. Hyde —3J 139
Barley Dri. Bram —5G 181
Barleyfield Wlk. Mid —5B 72
Barley Hall St. Heyw —2A 50
Barleywood Wlk. Stal —2D 140
Barlow Ct. Tur —6G 7
Barlow Cres. Marp —6K 171
Barlow Fold. Bury —1K 69
Barlow Fold. Rom —7H 155
Barlow Fold. Stoc —2H 153
Barlow Fold Clo. Bury —1K 69
Barlow Fold Rd. Rom —7H 155
Barlow Fold Rd. Stoc —2H 153
Barlow Hall Rd. M21 —5C 150
Barlow Ho. Oldh —2D 96
Barlow La. Ecc —6A 112
Barlow La. N. Stoc —2H 153
Barlow Moor Clo. Roch —2A 30
Barlow Moor Ct. Manx —6F 151
Barlow Moor Rd. M21 & M20 —1B 150
Barlow Pk. Av. Bolt —7K 23
Barlow Pl. M13 —2J 135 (10N 5)
Barlow Rd. B'hth —3K 163
Barlow Rd. Duk —1H 139
Barlow Rd. Lev —1C 152
Barlow Rd. Stret —5K 133
Barlow Rd. Wilm —4H 187
Barlow's Croft. Salf —6E 114 (4F 4)
Barlow's La. S. Haz G —1A 182
Barlows Rd. Salf —7C 114 (6A 4)
Barlow St. Bury —2K 47
Barlow St. Ecc —7B 112
Barlow St. Heyw —5A 50
Barlow St. Hor —3G 41
Barlow St. Oldh —1E 96
Barlow St. Rad —3F 69
Barlow St. Ram —6C 44
Barlow St. Roch —5J 31
Barlow St. Wor —3F 89
Barlow Ter. M13 —2J 135 (10M 5)
Barlow Ter. M21 —2J 135
Barlow Wlk. Stoc —2H 153
Barlow Wood Dri. Marp —1B 184
Barmeadow. Dob —4F 77
Barmhouse Clo. Hyde —6A 140
Barmhouse La. Hyde —6A 140
Barmhouse M. Hyde —6A 140
Barmouth St. M11 —1B 136
Barmouth Wlk. Oldh —5K 95
Barnaby Rd. Poy —3B 190
Barnabys Rd. W'houg —3H 63
Barn Acre. Blac —4C 40
Barnacre Av. M23 —1K 177
Barnacre Av. Bolt —6H 45
Barnard Av. Stoc —1D 168
Barnard Av. W'fld —7B 70
Barnard Clo. Ash L —3D 118
Barnard Clo. Mac —5B 198
Barnard Rd. M18 —6D 136
Barnard St. Bolt —5E 44
Barnbrook St. Bury —2A 48
Barnby St. M12 —6C 136
Barn Clo. Glos —3F 159
Barn Clo. Urm —7E 130
Barnclose Rd. M22 —3D 178
Barncroft Clo. Bred —7C 154
Barncroft Dri. Hor —2K 41
Barncroft Gdns. M22 —6C 166
Barncroft Rd. Farn —6F 67
Barnes Av. Stoc —1C 168
Barnes Clo. Farn —6G 67
Barnes Clo. Ram —1E 26
Barnes Meadows. L'boro —2G 15
Barnes Pas. Ath —4E 86
Barnes St. Farn —5D 66
Barnes St. Oldh —6J 75
Barnes Ter. Kear —7J 67
Barnet Rd. Ram —3J 43
Barnett Av. M20 —4H 151
Barnett Av. Newt W —6A 124
Barnett Ct. Heyw —3J 49
Barnett Dri. Salf —6D 114 (3D 4)
Barnett St. Mac —4D 198
Barnfield. L'boro —5H 15
Barnfield. Urm —1K 147
Barnfield Av. Rom —7H 155
Barnfield Clo. Eger —2A 24
Barnfield Clo. Rad —3C 68
Barnfield Clo. Salf —7K 113
Barnfield Clo. Tyl —6F 87
Barnfield Cres. Sale —4D 148
Barnfield Dri. W'houg —5A 64
Barnfield Dri. Wor —2D 110
Barn Field La. Ward —4J 13
Barnfield Rise. Shaw —4E 52
Barnfield Rd. M19 —6A 152
Barnfield Rd. Boll —3H 197
Barnfield Rd. Hyde —4A 140
Barnfield Rd. Wdly —5B 90
Barnfield Rd. E. Stoc —7H 169
Barnfield Rd. W. Stoc —7F 169
Barnfield St. Dent —5B 138
Barnfield St. Heyw —3A 50
Barnfield St. Roch —2H 31
Barnfield Wlk. Tim —6G 165
(in two parts)
Barn Fold. Lees —2J 97
Barngate Dri. Moss —7C 98
Barngate Rd. Gat —5G 167
Barngill Gro. Wig —4A 82
Barn Gro. Aud —2C 138
Barnham Clo. Golb —1J 125
Barnham Wlk. M23 —3J 165
Barn Hill. W'houg —5J 63
Barnhill Av. P'wch —5B 92
Barnhill Dri. P'wch —5B 92
Barnhill Rd. P'wch —4A 92
Barnhill St. M14 —5F 135
Barn Hill Ter. W'houg —5J 63
Barn La. Golb —2H 125
Barnley Clo. Irl —6D 130
Barn Meadow. Tur —5F 7
Barnsdale Clo. Ain —5A 46
Barnsdale Dri. M8 —2G 115
Barnsfold Av. M14 —2J 151
Barnsfold Rd. Marp —1K 183
Barnside. Whitw —3E 12
Barnside Av. Wor —5G 89
Barnside Clo. Bury —4J 27
Barnside Way. Fail —1A 118
Barnside Way. Mac —7E 196
Barns La. Dun M —6C 162
Barnsley St. Stoc —3J 169
Barnsley St. Wig —3C 60
Barns Pl. Haleb —4G 177
Barnstaple Dri. M40 —2J 115
Barnstead Av. M20 —5K 151
Barnston Av. M14 —7H 135
Barnston Clo. Bolt —1B 44
Barn St. Oldh —1C 96
Barn St. Ram —6A 44
Barn St. W'fld —7K 69
Barnswell St. M40 —3E 116
Barnton Clo. Lwtn —2A 126
Barn Wlk. Open —2G 137
Barn Way. Newt W —6C 124
Barnway Wlk. M40 —5E 94
Barnwell Av. Cul —5H 127
Barnwell Clo. Aud —4C 138
Barnwood Clo. Bolt —4A 44
(off Barnwood Dri.)
Barnwood Dri. Ram —4A 44
Barnwood Rd. M23 —1A 178
Barnwood Ter. Bolt —4A 44
(off Barnwood Dri.)
Baroness Gro. Salf —4C 114
Baron Fold. L Hul —2C 88
Baron Fold Cres. L Hul —2B 88
Baron Fold Gro. L Hul —2B 88
Baron Fold Rd. L Hul —2B 88
Baron Grn. H Grn —5K 179
Baron Rd. Hyde —3K 155
Barons Ct. Fail —2F 117
Baron St. Bury —4H 47
(in three parts)
Baron St. Oldh —2F 97
Baron St. Roch —5H 31
Baron Wlk. L Lev —3A 68
Barrack Hill. Rom —1E 170
Barrack Hill Clo. Bred —7E 154
Barracks La. Mac —3H 199
Barracks La. Sale —4B 148
Barracks Rd. Abr —6B 84
Barracks Sq. Mac —5D 198
Barracks Sq. Wig —6E 60
(off Library St.)
Barrack St. M15 —2D 134 (10C 4)
Barrack St. Bolt —7A 44
Barracks Yd. Wig —6E 60
Barra Dri. Urm —4B 132
Barrass St. M11 —2F 137
Barratt Gdns. Mid —2K 71
Barrett Av. Kear —7H 67
Barrett Ct. Bury —3A 48
Barrett St. Oldh —2F 97
Barrfield Rd. Salf —4J 113
Barr Hill Av. Salf —3J 113
Barrhill Clo. M15 —3E 134
Barrie St. Leigh —7H 85
Barrie Way. Bolt —1D 44
Barrington Av. Chea H —3C 180
Barrington Av. Droy —7H 117
Barrington Clo. Alt —5B 164
Barrington Rd. Alt —5B 164
Barrington St. M11 —6E 116
Barrisdale Clo. Bolt —1F 65
Barron Meadow. Leigh —1H 107
Barrow Bri. Rd. Bolt —1F 43
Barrow Brook. Sale —4K 149
Barrowdale Rd. Golb —1K 125
Barrowfield Rd. M22 —2A 178
Barrowfields. Mid —4C 72
Barrow Hill Rd. M8 —3F 115
Barrow La. Golb —7K 125
Barrow La. Hale —5F 177
Barrow Meadow. Chea H —4A 180
Barrows Ct. Ram —7B 44
Barrowshaw Clo. Wor —5E 88
Barrow St. Ash M —3F 105
Barrow St. Salf —7D 114 (5C 4)
Barrs Fold Clo. Wing I —3H 63
Barrs Fold Rd. Wing I —4H 63
Barr St. Kear —2K 89
Barrule Av. Haz G —3C 182
Barry Ct. Manx —4H 151
Barry Cres. Wor —4C 88
Barry Dri. Ast —7H 87
Barry Lawson Clo. M8 —1F 115
Barry Rise. Bow —2J 175
Barry Rd. M23 —1B 166
Barry Rd. Stoc —5H 153
Barry St. Oldh —6F 75
Barsbank La. Lymm —7C 160
Barsham Dri. Bolt —1K 65
Bar St. Plat B —6J 83
Bar Ter. Whitw —4E 12
Bartlam Pl. Oldh —7D 74
Bartlemore St. Oldh —5E 74
Bartlett Clo. Stand —4A 38
Bartlett Rd. Shaw —7E 52
Bartlett St. M11 —2D 136
Bartley Rd. M22 —3C 166
Barton Arc. M3 —6F 115 (5H 5)
(off Deansgate)
Barton Av. Urm —7K 131
Barton Av. Wig —4D 60
Bartonbank Ct. Woodl —5F 155
Barton Bus. Pk. Ecc —7A 112
Barton Clo. Wilm —3K 187
Barton Clough. Bil —3E 102
Barton Dock Rd. Urm & Stret —3C 132
Barton Fold. Hyde —1H 155
Barton Hall Av. Ecc —7J 111
Barton Ho. Salf —4G 113
Barton La. Ecc —1B 132
Barton Moss Rd. Ecc —1E 130
Barton Rd. Ecc —7A 112
Barton Rd. Farn —7D 66
Barton Rd. Mid —6B 72
Barton Rd. Stoc —2A 168
Barton Rd. Stret —5D 132
Barton Rd. Swint —2E 112
Barton Rd. Urm —5A 132
Barton Rd. Wor —3H 111
Barton Sq. M2 —7F 115 (5G 4)
Barton St. M3 —1E 134 (8F 4)
(in two parts)
Barton St. Golb —7J 105
Barton St. Kear —7G 67
Barton St. Mac —5E 198
Barton St. Oldh —6B 74
Barton St. Pem —2H 81
Barton St. Plat B —4K 83
Barton St. Swint —5D 90
Barton St. Tyl —6F 87
Barton Ter. Irl —6E 130
Barton Wlk. Farn —7D 66
Barway Rd. M21 —1K 149
Barwell Clo. Stoc —2H 153
Barwell Rd. Sale —5C 148
Barwell Sq. Farn —4D 66
Barwick Pl. Sale —6E 148
Bascow Av. Hind —4D 84
Basford Rd. M16 —6B 134
Bashall St. Bolt —5J 43
Basil Ct. Roch —6K 31
Basildon Clo. M13 —4K 135
Basil St. M14 —6J 135
Basil St. Bolt —1A 66
Basil St. Roch —6K 31
Basil St. Stoc —7F 153
Basle Clo. Bram —7G 169
Baslow Av. M19 —7D 136
Baslow Clo. Glos —1A 158
(off Baslow M.)
Baslow Dri. Haz G —4D 182
Baslow Dri. H Grn —5J 179
Baslow Fold. Glos —1A 158
(off Castleton Cres.)
Baslow Grn. Glos —1A 158
(off Castleton Cres.)
Baslow Gro. Stoc —5H 153
Baslow M. Glos —1A 158
Baslow Rd. M32 —6A 132
Baslow Rd. Dent —2D 154
Baslow Rd. Droy —5G 117
Baslow Rd. Stret —6E 132
Baslow St. M11 —6B 116
Baslow Way. Glos —1A 158
(off Castleton Cres.)
Basset Av. Salf —3C 114
Bassett Clo. Roch —1G 31
Bassett Gdns. Roch —1G 31
Bassett Gro. Wig —5J 81
Bassett Way. Roch —2G 31
Bassey Wlk. M16 —5E 134
Bass La. Bury —1H 27
Bass St. Bolt —6E 44
Bass St. Duk —1F 139
Basswood Grn. Hind —4E 84
Basten Dri. Salf —2E 114
Batchelor Clo. M21 —3E 150
Bateman St. Hor —3H 41
Batemill Clo. Mac —2B 198
Batemill Rd. N Mills —2K 185
Bates Clo. Roch —4F 51
Bateson Dri. Spring —1K 97
Bateson St. Stoc —1J 169
Bateson Way. Oldh —2D 96
Bates St. M13 —5B 136
Bates St. Duk —1G 139
Bath Clo. Haz G —2E 182
Bath Cres. M16 —4C 134
Bath Cres. Chea H —6D 180
Batheaston Gro. Leigh —7H 85
Bath Pl. Hale —2B 176
Bath St. Alt —1B 176
Bath St. Ath —4A 86
Bath St. Bolt —5B 44
Bath St. Ince —4H 61
Bath St. Oldh —7K 73
(Chadderton)
Bath St. Oldh —2A 96
(Oldham)
Bath St. Roch —3J 31
Batley St. M9 —7A 94
Batley St. Moss —6B 98
Batridge Rd. Tur —4C 6
Batsmans Dri. Clif —3C 90
Battenberg Rd. Bolt —5J 43
Battersbay Gro. Haz G —2C 182
Battersby Ct. Stoc —5C 170
Battersby St. M11 —2G 137
Battersby St. Bury —2D 48
Battersby St. Ince —6K 61
Battersby St. Leigh —4B 108
Battersby St. Roch —6D 30
Battersea Rd. Stoc —2A 168
Battle La. Stoc —3B 154
Batty St. M8 —3J 115
Baucher Rd. Wig —2B 82
Baum, The. Roch —4H 31
Baxendale St. Bolt —1A 44
Baxter Gdns. M23 —4A 166
Baxter Rd. Sale —6F 149
Baxter St. Oldh —5K 95
Baxter St. Stand —4B 38
Baybutt St. Rad —3G 69
Baycliffe Clo. Hind —4D 84
Baycliffe Wlk. M8 —2F 115
Baycroft Gro. M23 —2A 166
Baydon Av. Salf —2F 115
Bayfield Gro. M40 —6C 94
Bayley Ind. Est. Stal —7K 119
Bayley St. Ram —5K 43
Bayley St. Stal —6J 119
Baynard Wlk. M9 —3H 93
Baynham Av. Manx —7H 151
Baysdale Av. Bolt —2F 65
Baysdale Dri. Rytn —1A 74
Baysdale Wlk. M11 —7B 116
Bayston Wlk. M12 —3B 136
(off Gortonvilla Wlk.)
Bay St. Heyw —2H 49
Bay St. Oldh —7B 74
Bay St. Roch —3J 31
Bay St. Stoc —3H 169
Bayswater Av. M40 —4D 116
Bayswater St. Bolt —4J 65
Bayswell Ho. Wig —6F 61
Baythorpe St. Bolt —2B 44
Baytree Av. Chad —6G 73
Bay Tree Av. Wor —3J 111
Baytree Dri. Bred —6D 154
Baytree Gro. Ram —2F 27
Baytree La. Mid —5F 73
Baytree Rd. Wig —4B 60
Baytree Wlk. Whitw —2E 12
Baywood St. M9 —7K 93
Bazaar St. Salf —4A 114
Bazley Rd. M22 —2D 166
Bazley St. Bolt —1F 43
Beacomfold. Rom —7B 156
Beacon Clo. Ath —5A 86
Beacon Dri. M23 —2A 178
Beaconfield Av. Hyde —7J 139
Beacon Heights. Uph —6A 58
Beacon La. Dal —3A 58
Beacon Rd. Bick —7E 84
Beacon Rd. Bil —1D 102
Beacon Rd. Rom —2D 170
Beacon Rd. Stand —3H 37
Beacon Rd. Traf P —2C 132
Beaconsfield. M14 —3J 151
Beaconsfield Rd. Alt —4B 164
Beaconsfield St. Bolt —7K 43
Beaconsfield St. Wig —4G 61
Beaconsfield Ter. Moss —6B 98
Beacons, The. Shev —6D 36
Beacon View. App B —5C 36
Beacon View. Marp —3K 171
Beacon View Dri. Uph —7B 58
Beadham Dri. M9 —2G 93
Beaford Clo. Wig —2H 81
Beaford Dri. M22 —4E 178
Beagle Wlk. M22 —4E 178
Beal Clo. Stoc —7K 151
Beal Cres. Roch —3A 32
Bealcroft Clo. Miln —5C 32
Bealcroft Wlk. Miln —5C 32
Beal Dri. Plat B —5J 83
Beale Gro. M21 —2B 150
Bealey Av. Rad —1J 69
Bealey Clo. M18 —3D 136
Bealey Clo. Rad —2H 69
Bealey Dri. Bury —6H 47
Bealey Ind. Est. Rad —2H 69
Bealey Row. Rad —2G 69
Beal La. Shaw —7G 53
Beal Ter. Miln —6D 32
Beal View. Shaw —6H 53
Beal Wlk. W'fld —6C 70
Beaminster Av. Stoc —7C 152
Beaminster Clo. Stoc —7C 152
Beaminster Ct. Stoc —7C 152
(off Beaminster Clo.)
Beaminster Rd. Stoc —7B 152
Beaminster Wlk. M13 —4J 135
Beamish Clo. M13 —3J 135
Beamsley Dri. M22 —2B 178
Beanfields. Wor —3H 111
Beanfield Ter. Wor —3H 111
Bean Leach Av. Stoc —5D 170
Bean Leach Dri. Stoc —5D 170
Bean Leach Rd. Haz G & Stoc —7C 170
Beard Cres. N Mills —4K 185
Beard Rd. M18 —5E 136
Beardsmore Dri. Lwtn —1C 126
Beard St. Droy —7H 117
Beard St. Rytn —3C 74
Beardwood Rd. M9 —3K 93
Bearswood Clo. Hyde —1K 155
Beathwaite Dri. Bram —3E 180
Beatrice Av. M18 —5H 137
Beatrice Av. Chea H —2B 180
Beatrice M. Hor —1F 41
Beatrice Rd. Bolt —5J 43
Beatrice Rd. Wor —1K 111
Beatrice St. Dent —6C 138
Beatrice St. Farn —6D 66
Beatrice St. Roch —5F 31
Beatrice St. Swint —6B 90
Beatrice Wignall St. Droy —1J 137
Beatrix Dri. Had —6A 142
Beatson Wlk. M4 —7J 115 (5P 5)
(off Caroline Dri.)
Beattock Clo. M15 —2D 134 (10D 4)
Beatty Dri. W'houg —5J 63
Beauchamp St. Ash L —4G 119
Beaufont Dri. Oldh —2G 97
Beaufort Av. M20 —5G 151
Beaufort Av. Sale —7G 149
Beaufort Av. Swint —1B 112
Beaufort Chase. Wilm —4B 188
Beaufort Clo. Ald E —4H 195
Beaufort Clo. Hyde —1E 156
Beaufort Rd. Ash L —5H 119
Beaufort Rd. Hyde —7E 140
Beaufort Rd. Sale —7G 149
Beaufort Rd. Stoc —7B 170
Beaufort St. M3 —1E 134 (8E 4)
Beaufort St. Ecc —5K 111
Beaufort St. Hind —2B 84
Beaufort St. P'wch —3C 92
Beaufort St. Roch —3E 30
Beaufort St. Wig —1A 82
Beaufort Wlk. Hyde —1E 156
Beaulieu. Hale —2D 176
Beaumaris Clo. M12 —3B 136
Beaumaris Clo. Leigh —3G 107
Beaumaris Cres. Haz G —4A 182
Beaumaris Rd. Hind —4E 84
Beaumonds Way. Roch —6C 30
Beaumont Av. Hor —1G 41
Beaumont Chase. Bolt —3F 65
Beaumont Clo. L'boro —6D 14
Beaumont Clo. P'bry —4A 196
Beaumont Ct. Bolt —5D 42
Beaumont Ct. Hand —7J 179
Beaumont Dri. Bolt —1E 64
Beaumont Gro. Orr —6H 59
Beaumont Rd. M21 —3B 150
Beaumont Rd. Bolt & Los —6D 42
Beaumont Rd. Hor —1G 41
Beaumont St. Ash L —5G 119
Beauvale Av. Stoc —4A 170
Beaverbrook Av. Cul —5B 128
Beaver Ct. Ash M —2E 104
Beaver Dri. Bury —2B 70
Beaver Ho. Stoc —3K 169
Beaver Rd. M20 —7H 151
Beaver St. M1 —1G 135 (8J 5)
Beaver Wlk. Hyde —1D 156
Bebbington Clo. Sale —7K 149
Bebbington St. M11 —7E 116
Beccles Rd. Sale —2F 165
Beckenham Clo. Bury —4F 47
Beckenham Rd. M8 —1G 115
Becket Av. Salf —2E 114
Becket Meadows. Oldh —1F 97
Becket Meadow St. Oldh —1F 97
Beckett Dri. Lymm —3H 161
Beckett St. M18 —5E 136
Beckett St. Lees —7J 75
Beckfield Rd. M23 —4A 166
Beckfoot Dri. M13 —6A 136
Beckford St. M40 —3A 116
Beck Gro. Shaw —5H 53
Beck Gro. St H —7B 102
Beck Gro. Wor —6G 89
Beckhampton Clo. M13 —4J 135
Beckley Av. P'wch —5A 92
Beckley Clo. Rytn —1E 74
Beckside. Stoc —1J 153
Beckside. Tyl —7E 86
Becks La. Mac —1A 198
(in two parts)
Beck St. M11 —2G 137
Beck St. Salf —6E 114 (4E 4)
Beckton Gdns. M22 —1C 178
Beckwith. Plat B —4K 83
Becontree Av. Dent —5E 138
Becontree Dri. M23 —4J 165
Bedells La. Wilm —7G 187
Bede St. Ram —3J 43
Bedfont Wlk. M9 —6A 94
(off Polworth Rd.)
Bedford Av. M16 —7D 134
Bedford Av. Hyde —6J 139
Bedford Av. Sale —1H 165
Bedford Av. Shaw —6D 52
Bedford Av. Swint —1C 112
Bedford Av. Wor —6E 88
Bedford Ct. Salf —6D 92
Bedford Ct. Tim —5G 165
Bedford Dri. Ath —6A 86
Bedford Dri. Tim —4G 165
Bedford Gdns. Hind —1D 84
Bedford Gro. Cad —4H 145
Bedford Pl. Ash M —3C 104
Bedford Rd. M16 —6A 134
Bedford Rd. Ecc —5C 112
Bedford Rd. Mac —4D 198
Bedford Rd. Urm —5A 132
Bedford Sq. Leigh —4A 108
Bedford St. Ash L —6G 119
Bedford St. Bolt —5K 43
Bedford St. Bury —1A 48

Bedford St. Eger —2K 23
Bedford St. Heyw —3A 50
Bedford St. Leigh —3A 108
Bedford St. Pem —2J 81
Bedford St. P'wch —2C 92
Bedford St. Stoc —2G 153
Bedford St. Wig —5G 61
Bedford Wlk. Dent —1D 154
Bedlam Grn. Bury —3K 47
Bedlington Clo. M23 —5H 165
Bednal Av. M40 —4A 116
Bedwell Clo. M16 —6F 135
Bedworth Clo. Bolt —1D 66
Beechacre. Ram —6H 9
Beech Av. M22 —3D 166
Beech Av. And —4K 19
Beech Av. Ath —4E 86
Beech Av. Chad —4J 73
Beech Av. Cul —6A 128
Beech Av. Dent —5B 138
Beech Av. Droy —7H 117
Beech Av. Farn —6C 66
Beech Av. Gat —6H 167
Beech Av. Glos —2C 158
Beech Av. G'fld —1H 99
Beech Av. Hayd —2B 124
Beech Av. Haz G —2C 182
Beech Av. Hor —4J 41
Beech Av. Irl —6E 130
Beech Av. Kear —2K 89
Beech Av. L Lev —4K 67
Beech Av. Lwtn —2D 126
Beech Av. Marp —5H 171
Beech Av. Mob —1H 193
Beech Av. N Mills —3K 185
Beech Av. Oldh —6H 75
Beech Av. Rad —6D 68
Beech Av. Salf —4J 113
Beech Av. Stoc —5H 169
Beech Av. Stret —1J 149
Beech Av. Tim —3F 165
Beech Av. Urm —7A 132
Beech Av. W'fld —7K 69
Beech Av. Wor —2C 110
Beech Bank. Mac —1E 198
Beech Clo. Ald E —3H 195
Beech Clo. Bolt —6E 24
Beech Clo. Part —7B 146
Beech Clo. P'wch —4C 92
Beech Clo. Whitw —2E 12
Beech Cotts. Ald E —6G 195
Beech Ct. M8 —6F 93
Beech Ct. M14 —2J 151
Beech Ct. M21 —1K 149
Beech Ct. Bury —7F 27
Beech Ct. Sale —6D 148
Beech Ct. Salf —5A 114
Beech Ct. Wilm —7K 187
Beech Cres. Leigh —5J 107
Beech Cres. Poy —1C 190
Beech Cres. Stand —5A 38
Beechcroft. P'wch —4C 92
Beechcroft Av. Bolt —7G 45
Beechcroft Clo. M40 —5K 115
Beechcroft Gro. Bolt —7G 45
Beechdale Clo. M40 —7E 94
Beech Dri. Knut —4F 193
Beech Dri. Leigh —6K 107
Beecher Wlk. M9 —2K 115
(off Kelvington Dri.)
Beeches M., The. M20 —6F 151
Beeches, The. M20 —6F 151
Beeches, The. Ath —4D 86
(off George St.)
Beeches, The. Bolt —6K 23
Beeches, The. Chea H —3D 180
Beeches, The. Ecc —5D 112
Beeches, The. Heyw —3J 49
Beeches, The. Moss —6E 98
Beeches, The. Whitw —2E 12
Beechey Sq. Oldh —6E 74
Beech Farm Dri. Mac —1F 199
Beechfield. Bow —1A 176
Beechfield. Gras —1D 98
Beechfield. Roch —6A 30
Beechfield. Sale —1D 164
Beechfield Av. Hind —3E 84
Beechfield Av. L Hul —2C 88
Beechfield Av. Rad —5G 69
Beechfield Av. Urm —6J 131
Beechfield Av. Wilm —1E 194
Beechfield Clo. Lees —1K 97
Beechfield Clo. Roch —6A 30
Beechfield Ct. Bury —6J 47
Beechfield Dri. Bury —6J 47
Beechfield Dri. Leigh —5K 107
Beechfield M. Hyde —6A 140
Beechfield Rd. Ald E —6G 195
Beechfield Rd. Bolt —3H 43
Beechfield Rd. Chea H —4D 180
Beechfield Rd. Had —6A 142
Beechfield Rd. Miln —7C 32
Beechfield Rd. Stoc —7H 169
Beechfield Rd. Swint —3B 112
Beechfield St. M8 —2G 115
Beech Gro. M14 —3K 151
Beech Gro. Abr —1A 106
Beech Gro. Ash L —7D 118
Beech Gro. G'mnt —3E 26
Beech Gro. Leigh —6J 107
Beech Gro. L Hul —2A 88
Beech Gro. Mac —6G 199
Beech Gro. Sale —6D 148
Beech Gro. Salf —4J 113
Beech Gro. Stal —1K 139
Beech Gro. Wig —3A 60
Beech Gro. Wilm —7G 187
Beech Gro. Clo. Bury —1B 48
Beech Hall Dri. Mac —1E 198
Beech Hall St. Wig —4C 60
Beech Hill Av. Wig —3B 60
Beech Hill La. Wig —4A 60
Beech Hill Rd. Gras —1D 98
Beech Holme Gro. Stoc —3A 170
Beech Ho. Ecc —7K 111
Beech Ho. Shaw —1F 75
Beech Hurst Clo. M16 —7D 134
Beech La. Gras —2D 98
Beech La. Mac —2F 199
Beech La. Rom —1G 171
Beech La. Wilm —7G 187
Beech Lawn. Alt —7A 164
Beech M. M21 —3B 150
Beech M. Stoc —6J 169
Beechmill Dri. Cul —6J 127
Beech Mt. M9 —7K 93
Beech Mt. Ash L —2E 118
Beechpark Av. M22 —4C 166
Beech Range. M19 —1C 152
Beech Rd. M21 —2A 150
Beech Rd. Ald E —3H 195
Beech Rd. Chea H —3D 180
Beech Rd. Golb —7J 105
Beech Rd. Hale —1C 176
Beech Rd. H Lane —5K 183
Beech Rd. Mob —1B 194
Beech Rd. Sale —6H 149
Beech Rd. Stoc —5H 169
Beech St. Ash M —2C 104
Beech St. Ath —4E 86
Beech St. Bolt —3B 44
Beech St. Bury —3B 48
Beech St. Chad —4K 95
Beech St. Ecc —7K 111
Beech St. Fail —7G 95
Beech St. Hyde —6H 139
Beech St. Ince —1H 105
Beech St. Mid —6B 72
Beech St. Miln —1E 52
Beech St. Oldh —7E 74
Beech St. Rad —5G 69
Beech St. Roch —6F 31
Beech St. Shaw —6F 53
Beech St. S'seat —1G 27
Beech St. Swint —1D 112
Beech St. Tur —6F 7
Beech Tree Av. App B —5D 36
Beech Tree Bank. P'wch —3A 92
Beechurst Rd. Chea H —6D 168
Beech View. Hyde —7A 140
Beech Vs. Sale —6H 149
Beechville. Los —6B 42
Beech Wlk. Leigh —6J 107
Beech Wlk. Mid —1B 94
Beech Wlk. Stret —1G 149
Beech Walks. Stand —5K 37
Beechway. Boll —3J 197
Beechway. H Lane —5K 183
Beechway. Wilm —1G 195
Beech Wlks. Wig —5J 81
Beechwood. Bow —3K 175
Beechwood. Glos —3B 158
Beechwood. Knut —4F 193
Beechwood. Shaw —5H 53
Beechwood Av. M21 —2C 150
Beechwood Av. Ash M —6C 104
Beechwood Av. L'boro —1E 32
Beechwood Av. Newt W —5F 125
Beechwood Av. Ram —5H 9
Beechwood Av. Rom —1G 171
Beechwood Av. Shev —1F 59
Beechwood Av. Stal —4C 120
Beechwood Av. Stoc —6H 153
Beechwood Av. Urm —6G 131
Beechwood Cres. Ast —2G 109
Beechwood Cres. Orr —1E 80
Beechwood Dri. Hyde —2A 156
Beechwood Dri. Marp —5A 172
Beechwood Dri. Moss —5C 98
Beechwood Dri. Rytn —7A 52
Beechwood Dri. Sale —6A 148
Beechwood Dri. Wilm —5A 188
Beechwood Dri. Wor —2K 111
Beechwood Gro. M9 —1A 116
Beechwood Gro. Chea H —4C 180
Beechwood La. Cul —5H 127
Beechwood La. Stal —4C 120
Beechwood M. Mac —1E 198
Beechwood Rd. Oldh —5D 96
Beechwood Rd. P'wch —4D 92
Beechwood St. Bolt —3B 66
Beede St. Open —1D 136
Beedon Av. L Lev —2J 67
Bee Fold La. Ath —5B 86
(in three parts)
Beehive Grn. W'houg —5B 64
Bee Hive Ind. Est. Los —5K 41
Beehive St. Oldh —4D 96
Beeley St. Hyde —7J 139
Beeley St. Salf —3B 114
Beenham Clo. Sale —7A 148
Beeston Av. Salf —2B 114
Beeston Av. Tim —5D 164
Beeston Brow. Boll —2K 197
Beeston Clo. Boll —1K 197
Beeston Clo. Bolt —6C 24
Beeston Dri. Knut —6D 192
Beeston Gro. Leigh —1D 108
Beeston Gro. Stoc —6G 169
Beeston Gro. W'fld —7B 70
Beeston Mt. Boll —1K 197
Beeston Rd. Hand —7K 179
Beeston Rd. Sale —6C 148
Beeston St. M9 —7A 94
Beeston Ter. Mac —5A 198
Beeth St. M11 —2F 137
Beeton Gro. M13 —5A 136
Beetoon Wlk. M4 —7J 115 (5N 5)
(off Cardroom Rd.)
Beever St. M16 —4C 134
Beever St. Oldh —7E 74
Beggarman's La. Knut —7D 192
Beggar's Wlk. Wig —3D 60
Begley Clo. Rom —2D 170
Begonia Av. Farn —5D 66
Begonia Wlk. M12 —3B 136
Beightons Wlk. Roch —7F 13
Belayse Clo. Bolt —2H 43
Belbeck St. Bury —3G 47
Belcroft Dri. L Hul —1A 88
Belcroft Gro. L Hul —2A 88
Belding Av. M40 —6H 95
Beldon Rd. M9 —3H 93
Belfairs Clo. Ash L —1F 119
Belfield Clo. Roch —4A 32
Belfield Ho. Bow —2A 176
Belfield La. L'boro —5B 32
Belfield La. Roch —5A 32
(in two parts)
Belfield Lawn. Roch —4B 32
Belfield Mill La. Roch —4A 32
Belfield Old Rd. Roch —4A 32
Belfield Rd. M20 —6H 151
Belfield Rd. P'wch —4E 92
Belfield Rd. Roch —4K 31
Belfield Rd. Stoc —6H 137
Belfield Trad. Est. Miln —4B 32
Belford Av. Dent —6J 137
Belford Dri. Bolt —2A 66
Belford Rd. Stret —6H 133
Belford Wlk. M23 —5A 166
Belfort Dri. Salf —1B 134
Belfry Clo. Wilm —5K 187
Belfry Cres. Stand —3B 38
Belfry Dri. Mac —6E 196
Belgate Clo. M12 —5C 136
Belgian Ter. Rytn —2D 74
Belgium St. Roch —5A 30
Belgrave Av. M14 —6A 136
Belgrave Av. Fail —7K 95
Belgrave Av. Marp —4K 171
Belgrave Av. Oldh —3E 96
Belgrave Av. Urm —6G 131
Belgrave Clo. Leigh —1G 127
Belgrave Clo. Rad —2E 68
Belgrave Clo. Wig —4K 81
Belgrave Ct. Aud —5B 138
Belgrave Ct. Oldh —2D 96
Belgrave Cres. Ecc —5D 112
Belgrave Cres. Hor —2H 41
Belgrave Cres. Stoc —7K 169
Belgrave Dri. Rad —2E 68
Belgrave Gdns. Bolt —3A 44
Belgrave Rd. M40 —6G 95
Belgrave Rd. Bow —1A 176
Belgrave Rd. Cad —5K 145
Belgrave Rd. Mac —7E 198
Belgrave Rd. Oldh —3D 96
Belgrave Rd. Sale —6E 148
Belgrave St. Ath —5A 86
Belgrave St. Dent —5B 138
Belgrave St. Heyw —4J 49
(in two parts)
Belgrave St. Rad —2D 68
Belgrave St. Ram —4A 44
(in two parts)
Belgrave St. Roch —3F 31
Belgrave St. S. Bolt —4A 44
Belgrave Ter. M40 —2A 116
Belgravia Gdns. M21 —2A 150
Belgravia Gdns. Hale —4C 176
Belgravia M. Shaw —6G 53
Belhaven Rd. M8 —5F 93
Bellairs St. Bolt —3J 65
Bellamy Ct. M18 —4G 137
Bella St. Bolt —2J 65
Bell Clough Rd. Droy —5K 117
Bell Cres. M11 —1A 136
Belldale Clo. Stoc —1C 168
Belldean. Ince —6K 61
Belle Grn. La. Ince —7J 61
Belle Isle Av. Roch —5E 12
Bellerby Clo. W'fld —6J 69
Belleville Av. M22 —4E 178
Belle Vue Av. M12 —4B 136
BELLE VUE STATION. BR —4E 136
Belle Vue St. M12 —3C 136
Belle Vue St. Wig —2K 81
Belle Vue Ter. Bury —4J 47
Bellew St. M11 —1A 136
Bellfield Av. Chea H —3D 180
Bellfield Av. Oldh —5D 96
Bellingham Av. Wig —4F 61
Bellingham Clo. Bury —3D 46
Bellingham Clo. Shaw —5F 53
Bellingham Dri. Wig —4F 61
Bellingham Mt. Wig —3F 61
Bellis Clo. M12 —7A 116
Bell La. Bury —2A 48
Bell La. Orr —7H 59
Bell Meadow Dri. Roch —7B 30
Bellott St. M8 —2G 115
Bellott Wlk. Oldh —6C 74
Bellpit Clo. Wor —1E 110
Bellscroft Av. M40 —1D 116
Bellshill Cres. Roch —4A 32
Bell St. Bolt —7C 44
Bell St. Droy —6K 117
Bell St. Hind —1C 84
Bell St. Leigh —6H 85
Bell St. Oldh —7E 74
Bell St. Roch —4H 31
Bell Ter. Ecc —1A 132
Bellwood. W'houg —1G 85
Belmont Av. Ath —3F 87
Belmont Av. Bick —6D 84
Belmont Av. Bil —4D 80
Belmont Av. Clif —2B 90
Belmont Av. Dent —5B 138
Belmont Av. Lwtn —7A 106
Belmont Av. Salf —5E 112
Belmont Av. Spring —7K 75
Belmont Clo. Stoc —7G 153
Belmont Dri. Asp —1A 62
Belmont Dri. Bury —4E 46
Belmont Dri. Marp B —1B 172
Belmont Rd. Adl —5J 19
Belmont Rd. Bel —1D 22
Belmont Rd. Bram —7G 181
Belmont Rd. Eger & Bolt —2G 23
Belmont Rd. Gat —5H 167
Belmont Rd. Hale —2C 176
Belmont Rd. Hind —1D 84
Belmont Rd. Hor —3G 21
Belmont Rd. Rad —5E 68
Belmont Rd. Sale —4E 148
Belmont Shopping Cen. Stoc —1G 169
Belmont St. M16 —4D 134
Belmont St. Ecc —5B 112
Belmont St. Lees —2J 97
Belmont St. Oldh —6C 74
Belmont St. Orr —1H 81
Belmont St. Salf —7H 113
Belmont St. Stoc —7F 153
Belmont Ter. Part —4F 147
Belmont View. Bolt —1H 45
Belmont Wlk. M13 —3J 135
Belmont Way. Chad —6A 74
Belmont Way. Roch —2G 31
Belmont Way. Stoc —1F 169
Belmore Av. M8 —6F 93
Belper Rd. Ecc —1K 131
Belper Rd. Stoc —2B 168
Belper St. Ash L —4F 119
Belper St. Bolt —1E 66
Belper Wlk. M18 —3E 136
Belper Way. Dent —2E 154
(in two parts)
Belsay Clo. Ash L —3D 118
Belsay Dri. M23 —7A 166
Belstone Av. M23 —1A 178
Belstone Clo. Bram —2H 181
Belsyde Wlk. M9 —1A 116
(off Norbet Wlk.)
Belthorne Av. M9 —5C 94
Belton Av. Roch —3A 32
Beltone Clo. Stret —1F 149
Belton Wlk. M8 —2G 115
Belton Wlk. Oldh —1B 96
Belvedere Av. Ath —3F 87
Belvedere Av. G'mnt —3E 26
Belvedere Av. Stoc —7H 137
Belvedere Clo. Leigh —1D 108
Belvedere Ct. P'wch —4A 92
Belvedere Dri. Bred —7A 154
Belvedere Dri. Duk —7J 119
Belvedere Pl. Wig —2B 82
Belvedere Rise. Oldh —3H 75
Belvedere Rd. M14 —2A 152
Belvedere Rd. And —4K 19
Belvedere Rd. Ash M —4E 104
Belvedere Rd. Newt W —5D 124
Belvedere Rd. Salf —5A 114
Belvedere St. Salf —5B 114
Belvoir Av. M19 —7C 136
Belvoir Av. Haz G —4C 182
Belvoir Meadows. Roch —7C 14
Belvoir St. Bolt —6E 44
Belvoir St. Roch —3E 30
Belvoir St. Wig —6G 61
Belvor Av. Aud —2C 138
Belwood Rd. M21 —3A 150
Bembridge Clo. M14 —6J 135
Bembridge Dri. Bolt —1F 67
Bembridge Rd. Dent —2F 155
Bempton Clo. Stoc —6E 170
Bemrose Av. B'hth —5A 164
Bemsley Pl. Salf —1A 134
Benbecula Way. Urm —4A 132
Benbow Av. M12 —4B 136
Benbow St. Sale —5F 149
Ben Brierley Way. Oldh —7D 74
Benbrook Gro. Wilm —3A 188
Bench Carr. Roch —3G 31
Benches La. Rom —7E 156
Benchill Av. M22 —6D 166
Benchill Ct. Rd. M22 —7E 166
Benchill Cres. M22 —6C 166
Benchill Dri. M22 —6C 166
Benchill Rd. M22 —5C 166
Bendall St. Open —1G 137
Ben Davies Ct. Rom —7G 155
Bendemeer. Urm —6A 132
Bendix St. M4 —6H 115 (3L 5)
(in two parts)
Benedict Clo. Salf —3C 114
Benedict Dri. Duk —3H 139
Benfield Av. M40 —5E 94
Benfield St. Heyw —3K 49
Benfield Wlk. Mid —3K 71
Benfleet Clo. M12 —3C 136
Bengairn Clo. Wig —5H 61
Bengal La. Ash L —4G 119
Bengal Sq. Ash L —4G 119
Bengal St. M4 —6H 115 (3M 5)
Bengal St. Leigh —3K 107
Bengal St. Stoc —3G 169
Benhale Wlk. M8 —2G 115
(off Tamerton Dri.)
Benham Clo. M20 —7J 151
Benin Wlk. M40 —3E 116
Benja Fold. Bram —6F 181
Benjamin Fold. Ash M —3D 104
Benjamin Wilson Ct. Salf —4D 114
(off Fitzwilliam St.)
Benmore Clo. Heyw —3G 49
Benmore Rd. M9 —3B 94
Bennett Clo. Stoc —3E 168
Bennett Dri. Salf —2E 114
Bennett Rd. M8 —6F 93
Bennett's La. Bolt —2J 43
Bennett St. M12 —3A 136
Bennett St. Ash L —7D 118
Bennett St. Hyde —4G 139
Bennett St. Rad —2B 68
Bennett St. Roch —7J 31
Bennett St. Stal —7A 120
Bennett St. Stoc —3E 168
Bennett St. Stret —1G 149
Benny La. Droy —5A 118
Benson Clo. Salf —3E 114
Benson St. Bury —4A 48
Benson St. Tur —6F 7
Benson Wlk. Wilm —3K 187
Ben St. M11 —6D 116
Bentcliffe Way. Ecc —7D 112
Bentfield Cres. Miln —1E 52
Bentfold Dri. Bury —4A 70
Bentgate Clo. Miln —1E 52
Bentgate St. Miln —2E 52
Benthall Wlk. Dent —2C 154
Bentham Clo. Bury —2C 46
Bentham Clo. Farn —5F 67
Bentham Pl. Stand —3B 38
Bentham Rd. Cul —7A 128
Bentham Rd. Stand —4A 38
Bentham St. Cop —3A 18
Bent Hill S. Bolt —2G 65
Bentinck Ho. Ash L —6E 118
Bentinck Rd. Alt —7A 164
Bentinck St. M15 —2D 134 (9C 4)
Bentinck St. Ash L —5E 118
(in two parts)
Bentinck St. Bolt —4H 43
Bentinck St. Farn —5E 66
Bentinck St. Oldh —3D 96
Bentinck St. Roch —3E 30
Bentinck St. Wig —3A 82
Bentinck Ter. Ash L —6E 118
Bent La. M8 —1F 115
Bent La. Cul —7A 128
Bent La. Lymm —5J 161
Bent La. P'wch —3C 92
Bent Lanes. Urm —4H 131
Bentley Av. Mid —1F 73
Bentley Clo. Rad —2H 69
Bentley Ct. Farn —5F 67
Bentley Ct. Salf —7E 92
Bentley Hall Rd. Bury —1A 46
Bentley La. Bury —3K 27
Bentley Rd. M21 —1A 150
Bentley Rd. Dent —6D 138
Bentley Rd. Salf —7E 92
Bentleys, The. Stoc —7H 153
Bentley St. Bolt —1E 66
Bentley St. Chad —7K 73
Bentley St. Farn —5F 67
Bentley St. Oldh —6F 75
Bentley St. Roch —2F 31
Bentmeadows. Roch —3G 31
Benton Dri. Marp B —3B 172
Benton St. M9 —1B 116
Bents Av. Bred —7D 154
Bents Av. Urm —1H 147
Bentside Rd. Dis —7D 184
Bents La. Bred —7D 154
Bent Spur Rd. Kear —2J 89
Bent St. M8 —4G 115
Bent St. Kear —7G 67
Bent Ter. Urm —5A 132
Bentworth Wlk. M9 —1A 116
Benville Wlk. M40 —2D 116
(off Troydale Dri.)
Benwick Ter. Bolt —3A 44
Benyon St. Lees —1J 97
Berberis Wlk. Sale —4A 148
Beresford Av. Bolt —1J 65
Beresford Cres. Oldh —6H 75
Beresford Cres. Stoc —6G 137
Beresford Rd. M13 —6B 136
Beresford Rd. Stret —5J 133
Beresford St. M14 —6F 135
Beresford St. Fail —1G 117
Beresford St. Miln —1F 53
Beresford St. Oldh —6H 75
Beresford St. Wig —5C 60
Berger Gro. Bolt —6B 44
Berger St. M40 —3F 117
Bergman Wlk. M40 —2D 116
(off Harmer Clo.)
Berigan Clo. M12 —4A 136
Berisford Clo. Tim —4C 164
Berkeley Av. M14 —5A 136
Berkeley Av. Chad —4H 95
Berkeley Av. Stret —5E 132
Berkeley Av. Wig —5K 81
Berkeley Clo. Hyde —1H 155
Berkeley Clo. Leigh —1G 127
Berkeley Clo. Stoc —3A 170
Berkeley Ct. M8 —6E 92
Berkeley Ct. Manx —7F 151
Berkeley Cres. Hyde —1H 155
Berkeley Cres. Rad —1A 68
Berkeley Dri. Roch —1K 51
Berkeley Dri. Rytn —4B 74
Berkeley Rd. Bolt —1A 44
Berkeley Rd. Haz G —1D 182
Berkeley St. Ash L —5E 118
Berkeley St. Rytn —1B 74
Berkley Av. M19 —1C 152
Berkley Wlk. L'boro —6D 14
Berkshire Clo. Chad —2K 95
Berkshire Clo. Mac —2A 198
Berkshire Ct. Bury —5K 47
Berkshire Dri. Cad —5J 145
Berkshire Pl. Oldh —2A 96
Berkshire Rd. M40 —6K 115
Berlin Rd. Stoc —5F 169
Berlin St. Bolt —7J 43
Bermondsay St. Salf —1B 134
Bernard Gro. Bolt —3J 43
Bernard St. M9 —7K 93
Bernard St. Glos —1E 158
Bernard St. Roch —1G 31
Bernard Walker Ct. Comp —1B 172
Berne Av. Hor —2E 40
Berne Clo. Bram —7G 169
Berne Clo. Chad —1A 96
Bernice Av. Chad —1E 95
Bernice St. Bolt —3J 43
Bernisdale Rd. Mob —2J 193
Berrie Gro. M19 —2D 152
Berrington Gro. Ash M —5C 104
Berrington Wlk. Bolt —4C 44
Berry Brow. M40 —4F 117
Berry Clo. Wilm —1G 195
Berrycroft La. Rom —7E 154
Berryfold Way. Ast —7H 87
Berry St. M1 —1H 135 (8M 5)
Berry St. Ecc —1K 131
Berry St. G'fld —2H 99
Berry St. Pen —5D 90
Berry St. Stal —1C 140
Bertha Rd. Roch —5A 32
Bertha St. M11 —1D 136
Bertha St. Bolt —3K 43
Bertha St. Shaw —1F 75
Bertie St. Roch —1F 51
Bertram St. M12 —3C 136
Bertram St. Newt W —6C 124
Bertram St. Sale —6J 149
Bertrand Rd. Bolt —6J 43
Bert St. Bolt —3H 65
Berwick Av. Stoc —7K 151
Berwick Av. Urm —7E 132
Berwick Av. W'fld —7A 70
Berwick Clo. Heyw —4G 49
Berwick Clo. Mac —1B 198
Berwick Clo. Wor —1B 110
Berwick Pl. Wig —5G 61
Berwick St. Roch —6K 31
Berwyn Av. M9 —2H 93
Berwyn Av. Chea H —6D 168
Berwyn Av. Mid —6E 72
Berwyn Clo. Hor —7G 21
Beryl Av. Tot —5D 26
Beryl St. Ram —2B 44
Besom La. Millb —5D 120

Bessemer Rd.—Blenheim Rd.

Bessemer Rd. Irl —4B 146
Bessemer St. M11 —2E 136
Bessemer Way. Oldh —7C 74
BESSES O'TH' BARN STATION. M —7A 70
Bessie's Well Pl. Stand —5B 38
Bessybrook Clo. Los —7C 42
Beswick Dri. Fail —2J 117
Beswicke Royds St. Roch —3K 31
Beswicke St. L'boro —6G 15
Beswicke St. Roch —4G 31
Beswick Row. M4 —5G 115 (2K 5)
Beswicks La. Ald E —3C 194
Beswick St. M4 —6K 115
Beswick St. Droy —7K 117
Beswick St. Mac —4D 198
Beswick St. Rytn —4C 74
Beta Av. Stret —1G 149
Beta St. Ram —5A 44
Bethany La. Miln —1G 53
Bethel Av. Fail —1G 117
Bethel Grn. L'boro —2G 15 (off Calderbrook Rd.)
Bethel St. M11 —7D 116
Bethel St. Heyw —3J 49
Bethersden Rd. Wig —1D 60
Bethesda Ho. M8 —7E 92
Bethesda St. Oldh —3D 96
Bethnall Dri. M14 —1G 151
Betjeman Pl. Shaw —5H 53
Betleymere Rd. Chea H —7B 168
Betley Rd. Stoc —1H 153
Betley St. M1 —1J 135 (7P 5)
Betley St. Heyw —4J 49
Betley St. Rad —2G 69
Betnor Av. Stoc —2K 169
Betony Clo. Roch —1F 31
Bettison Av. Leigh —5C 108
Bettwood Dri. M8 —5E 92
Betty Nuppy's La. Roch —7A 32
Betula Gro. Salf —2D 114
Betula M. Roch —3K 29
Beulah Av. Bil —4D 102
Beulah St. M11 —2E 136
Bevan Clo. M12 —7A 116
Bevendon Sq. Salf —2E 114
Beverdale Clo. M11 —1C 136
Beveridge St. M14 —6G 135
Beverley Av. Bil —6E 80
Beverley Av. Dent —7E 138
Beverley Av. Leigh —2A 108
Beverley Av. Urm —5C 132
Beverley Clo. Ash L —2F 119
Beverley Clo. W'fld —5B 70
Beverley Flats. Heyw —3J 49 (off Wilton St.)
Beverley Pl. Roch —4J 31
Beverley Rd. Bolt —5H 43
Beverley Rd. L Lev —3H 67
Beverley Rd. Pen —1G 113
Beverley Rd. Stoc —3A 170
Beverley Rd. Wig —6H 59
Beverley St. M9 —6A 94
Beverley Wlk. Oldh —2C 96
Beverley Wlk. Rom —2E 170
Beverly Rd. M14 —3K 151
Beverston. Roch —6G 31
Beverston Dri. Salf —2E 114
Bevill Sq. Salf —6E 114 (3E 4)
Bevin Av. Cul —5B 128
Bevington St. Ash M —3B 104
Bevis Grn. Bury —4K 27
Bewerley Clo. Wig —1D 82
Bewick St. Bolt —2D 44
Bewley Gro. Leigh —2A 108
Bewley St. Oldh —5B 96
Bewley Wlk. M40 —2C 116
Bexhill Av. Tim —5D 164
Bexhill Clo. L Lev —3A 68
Bexhill Dri. M13 —6A 136
Bexhill Dri. Leigh —5G 85
Bexhill Rd. Stoc —7G 169
Bexhill Wlk. Chad —1K 95
Bexington Rd. M16 —6E 134
Bexley Clo. Glos —6E 142
Bexley Clo. Urm —5K 131
Bexley Dri. Bury —4F 47
Bexley Dri. L Hul —3E 88
Bexley Sq. Salf —6D 114 (4D 4)
Bexley St. Hind —4F 85
Bexley St. Oldh —2A 96
Bexley Wlk. M40 —2D 116 (off John Foran Clo.)
Bexton La. Knut —7C 192
Bexton Rd. Knut —6C 192
Beyer Clo. M18 —4E 136
Bibby La. M19 —4B 152
Bibby's La. Mac —2J 199
Bibby St. Bury —1K 69
Bibby St. Hyde —4H 139
Bibury Av. M22 —1B 178
Bickerdike Av. M12 —6C 136
Bickershaw Dri. Wor —5E 88 (in two parts)
Bickershaw La. Bick —6K 83
Bickershaw St. Leigh —4E 106
Bickerstaffe Clo. Shaw —7E 52
Bickerton Ct. Chad —4A 96
Bickerton Dri. Haz G —3J 181
Bickerton Rd. Alt —6K 163
Bickley Gro. Ast —2J 109
Bickley Wlk. M16 —5F 135
Biddall Dri. M23 —5B 166
Biddisham Wlk. M40 —3K 115
Biddulph Av. Stoc —6A 170
Bideford Dri. M23 —3K 165
Bideford Dri. Bolt —7J 45
Bideford Rd. Roch —2D 50
Bideford Rd. Stoc —2A 170
Bidford Clo. Tyl —6J 87
Bidston Av. M14 —7H 135
Bidston Clo. Bury —3E 46
Bidston Clo. Shaw —7H 53
Bidston Dri. Hand —2A 188
Bidworth La. Glos —1K 157
Bigginwood Wlk. M40 —1C 116 (off Halliford Rd.)
Bignor St. M8 —2G 115
Bilbao St. Ram —5J 43
Bilberry St. Roch —6J 31
Bilbrook St. M4 —5H 115 (1M 5)
Billing Av. M12 —2J 135 (9N 5)
Billinge Arc. Wig —6E 60 (off Galleries, The)
Billinge Clo. Bolt —5B 44
Billinge Rd. Ash M —3H 103
Billinge Rd. Wig & Ash M —3J 81
Billington Av. Newt W —3D 124
Billington Rd. Pen —7J 91
Bill La. W'fld —6K 69
Bill Williams Clo. M11 —1E 136
Billy La. Clif —5D 90
Billy Meredith Clo. M14 —6G 135
Billy's La. Chea H —3C 180
Billy Whelan Wlk. M40 —3D 116
Bilsland Wlk. M40 —3E 116
Bilson Dri. Stoc —4D 168
Bilson Sq. Miln —7E 32
Bilton Wlk. M8 —7K 93
Binbrook Wlk. Bolt —2B 66
Bincombe Wlk. M13 —4J 135
Bindloss Av. Ecc —5E 112
Bindon Wlk. M9 —1K 115 (off Carisbrook St.)
Bingham Dri. M23 —5K 165
Bingham St. Swint —7D 90
Bingley Clo. M11 —1B 136
Bingley Dri. Urm —5H 131
Bingley Rd. Roch —5A 32
Bingley Sq. Roch —5A 32
Bingley Ter. Roch —5A 32
Bingley Wlk. Salf —7K 91
Binn La. Mars —3J 57
Binn Rd. Mars —2H 57
Binns Nook Rd. Roch —2J 31
Binns Pl. M4 —7H 115 (5M 5)
Binns St. Stal —7J 119
Binn's Ter. L'boro —5F 15 (off Barehill St.)
Binsley Clo. Irl —1C 146
Binstead Clo. M14 —6A 136
Birbeck St. Stal —7K 119
Birchacre Gro. M14 —3K 151
Birchall Av. Cul —5H 127
Birchall Clo. Duk —3H 139
Birchall Grn. Woodl —5D 154
Birch Av. M16 —5A 134
Birch Av. Cad —5K 145
Birch Av. Chad —4J 73
Birch Av. Fail —2H 117
Birch Av. Mac —2C 198
Birch Av. Mid —7C 72
Birch Av. Oldh —5B 96
Birch Av. Roch —7B 14
Birch Av. Rom —1H 171
Birch Av. Sale —7F 149
Birch Av. Salf —3J 113
Birch Av. Stand —5B 38
Birch Av. Stoc —6D 152
Birch Av. Tot —7E 26
Birch Av. W'houg —7K 63
Birch Av. W'fld —1K 91
Birch Av. Wilm —7G 187
Birchbrook Rd. Lymm —6H 161
Birch Clo. Whitw —5E 12
Birch Ct. M13 —6A 136
Birch Ct. Duk —1H 139
Birch Cres. Miln —2E 52
Birch Cres. Newt W —5B 124
Birchdale. Bow —2A 176
Birchdale Av. H Grn —2H 179
Birch Dri. Haz G —2A 182
Birch Dri. Lees —2K 97
Birch Dri. Pen —7F 91
Birchenall St. M40 —7B 94
Birchen Bower Dri. Tot —7D 26
Birchen Bower Wlk. Tot —7D 26
Birchenlea St. Chad —4J 95
Birches Croft Dri. Mac —2B 198
Birches Rd. Tur —7F 7
Birches, The. Moss —6B 98
Birches, The. Sale —5C 148
Birchfield. Bolt —6G 25
Birchfield Av. Ath —3B 86
Birchfield Av. Bury —4E 48
Birchfield Dri. Roch —7E 30
Birchfield Dri. Wor —1C 110
Birchfield Gro. Bolt —2E 64
Birchfield M. Hyde —7H 139
Birchfield Rd. Lymm —7H 161
Birchfield Rd. Stoc —4C 168
Birchfields. Hale —3D 176
Birchfields Av. M13 —6A 136
Birchfields Rd. M13 & M14 —6A 136
Birchfold. L Hul —3D 88
Birchfold Clo. L Hul —3D 88
Birchgate Clo. Mac —2A 198
Birchgate Wlk. Bolt —2A 66
Birch Grn. Glos —1G 159
Birch Gro. M14 —6K 135
Birch Gro. Ash M —3J 103
Birch Gro. Aud —3D 138
Birch Gro. Dent —6C 138
Birch Gro. Knut —4G 193
Birch Gro. P'wch —1A 92
Birch Gro. Ram —1E 26
Birch Gro. Tim —6J 165
Birchgrove Clo. Bolt —4G 65
Birch Hall Clo. Oldh —3J 97
Birch Hall La. M13 —7A 136
Birch Hey Clo. Roch —7A 14
Birch Hill Cres. Roch —7B 14
Birch Hill La. Ward —5B 14
Birch Hill Wlk. L'boro —6D 14
Birch Ho. W'houg —7K 63
Birchinall Clo. Mac —4C 198
Birch Ind. Est. Heyw —1G 71
Birchington Rd. M14 —2G 151
Birchin La. M4 —7G 115 (5K 5)
Birchinlee Av. Rytn —3K 73
Birch La. M13 —6A 136
Birch La. Duk —1H 139 (in two parts)
Birch Lea Clo. Bury —6K 47
Birchleaf Gro. Salf —6G 113
Birchley Av. Bil —5C 102
Birchley Rd. Bil —5B 102
Birchley View. St H —6B 102
Birch Mt. Roch —7B 14
Birch Polygon. M14 —6K 135
Birch Rd. M8 —6H 93
Birch Rd. Abr —1K 105
Birch Rd. Ath —4E 86
Birch Rd. Cop —3A 18
Birch Rd. Gat —6G 167
Birch Rd. Hayd —2A 124
Birch Rd. Kear —1H 89
Birch Rd. Leigh —1J 107
Birch Rd. Mid —4E 72
Birch Rd. Part —6H 147 (Carrington)
Birch Rd. Part —7K 145 (Partington)
Birch Rd. Poy —3D 190
Birch Rd. Rix —7H 145
Birch Rd. Swint —3B 112
Birch Rd. Upperm —7J 77
Birch Rd. Ward —5A 14
Birch Rd. Wor —6F 89
Birchside Av. Glos —7D 142
Birch St. M12 —3C 136
Birch St. Ash L —7C 118
Birch St. Bolt —7C 44
Birch St. Bury —1K 47
Birch St. Droy —7K 117
Birch St. Heyw —4K 49
Birch St. Hind —2B 84
Birch St. Rad —1J 69
Birch St. Roch —5A 14
Birch St. Stal —4C 120
Birch St. Tyl —6G 87
Birch St. Wig —5C 60
Birch Tree Av. Haz G —3E 182
Birch Tree Clo. Bow —3A 176
Birch Tree Ct. M22 —1D 178
Birch Tree Dri. M22 —1D 178
Birch Tree Rd. Lwtn —1D 126
Birch Tree Way. Hor —4J 41
Birchvale Clo. M15 —2E 134 (10E 4)
Birchvale Dri. Rom —7H 155
Birch Vs. Whitw —6E 12
Birchway. Boll —2J 197
Birchway. Bram —5F 181
Birchway. H Lane —5K 183
Birchway. P'bry —4A 196
Birchwood. Chad —7G 73
Birchwood Clo. Leigh —5K 107
Birchwood Clo. Stoc —2C 168
Birchwood Clo. Wins —6K 81
Birchwood Dri. Cop —1A 18
Birchwood Dri. Wilm —5K 187
Birchwood Rd. Mid —6E 72
Birchwood Way. Bchwd —5A 144
Birchwood Way. Duk —3H 139
Birdcage Cotts. Hayd —2A 124 (off Church Rd.)
Bird Hall Av. Chea H —7E 168
Birdhall Gro. M19 —2C 152
Bird Hall La. Stoc —4D 168
Bird Hall Rd. Chea H —6D 168
Birdlip Dri. M23 —1A 178
Bird St. Ince —7H 61
Birkacre Brow. Cop —2B 18
Birkacre Rd. Chor —1B 18
Birkby Dri. Mid —4A 72
Birkdale Av. Ath —2C 86
Birkdale Av. Rytn —4C 74
Birkdale Av. W'fld —1H 91
Birkdale Clo. Bram —5H 181
Birkdale Clo. Heyw —5K 49
Birkdale Clo. Hyde —4J 139
Birkdale Clo. Mac —6E 196
Birkdale Dri. Bury —3F 47
Birkdale Dri. Sale —1C 164
Birkdale Gdns. Bolt —1K 65
Birkdale Gro. Ecc —6D 112
Birkdale Gro. Stoc —5H 153
Birkdale Rd. Roch —1A 52
Birkdale Rd. Stoc —5G 153
Birkdale St. M8 —1G 115
Birkenhills Dri. Bolt —1E 64
Birkett Bank. Wig —6G 61
Birkett Bank Ter. Wig —6G 61
Birkett Clo. Bolt —6K 23
Birkett Dri. Bolt —6K 23
Birkett St. Wig —6G 61
Birkinbrook Clo. W'fld —5A 70
Birkin Clo. Knut —2G 193
Birkinheath La. Ash —7J 175
Birkleigh Wlk. Bolt —7G 45
Birks Av. Lees —6K 75
Birks Dri. Bury —6F 27
Birkside Clo. Wig —6C 82
Birkworth Ct. Stoc —5B 170
Birley Clo. App B —5F 37
Birley Clo. Tim —4D 164
Birley Ct. Salf —6A 114
Birley Pk. M20 —7F 151
Birley St. Bolt —1A 44
Birley St. Bury —7K 27
Birley St. Leigh —2A 108
Birley St. Newt W —5F 125
Birley St. Roch —3J 31
Birling Dri. M23 —7B 166
Birnam Gro. Heyw —4G 49
Birstall Wlk. M23 —5A 166
Birtenshaw Cres. Brom X —5D 24
Birtle Dri. Ast —1J 109
Birtle Rd. Bury —5E 28
Birtles Av. Stoc —6H 137
Birtles Clo. Chea —6C 168
Birtles Clo. Duk —3H 139
Birtlespool Rd. Chea H —7B 168
Birtles Rd. Mac —2A 198
Birtles, The. Civ C —1D 178
Birtles Way. Hand —6K 179
Birtley Wlk. M40 —5J 115 (2P 5)
Birt St. M40 —4K 115
Birwood Rd. M8 —5H 93
Biscay Clo. M11 —7B 116
Bishop Clo. Ash L —3E 118
Bishopdale Clo. Rytn —1B 74
Bishopgate. Wig —6E 60
Bishop Marshall Clo. M40 —3K 115
Bishop Marshall Way. Mid —2K 71
Bishop Reeves Rd. Hayd —2A 124
Bishop Rd. Boll —3J 197
Bishop Rd. Salf —4F 113
Bishop Rd. Urm —7F 131
Bishopsbridge Clo. Bolt —2B 66
Bishop's Clo. Bolt —4C 66
Bishops Clo. Bow —3K 175
Bishops Clo. Chea —6C 168
Bishopscourt. Salf —7C 92
Bishopsgate. M2 —1F 135 (7H 5)
Bishopsgate Cen. M2 —1F 135
Bishops Ga. St. Chad —1J 95
Bishops M. Sale —4C 148
Bishop's Rd. Bolt —4C 66
Bishops Rd. P'wch —4C 92
Bishops St. Stoc —2J 169
Bishop St. Mid —7F 73
Bishop St. Roch —3K 31
Bishops Wlk. Ash L —7E 118
Bishopton Clo. M19 —1E 152
Bishopton Dri. Mac —3B 198
Bisley Av. M23 —5K 165
Bisley St. Oldh —1B 96
Bismark St. Oldh —2E 96
Bispham Av. Bolt —6H 45
Bispham Av. Stoc —7H 137
Bispham Clo. Bury —4D 46
Bispham Dri. Ash M —3B 104
Bispham Gro. Salf —1E 114
Bispham Hall Bus. Pk. Orr —5C 80
Bispham St. Bolt —5E 44
Bittern Clo. Poy —1J 189
Bittern Clo. Roch —5B 30
Bittern Dri. Droy —5A 118
Bittern Gro. Mac —2C 198
Blackbank St. Bolt —3B 44
Blackberry Clo. B'hth —3K 163
Blackberry La. Stoc —3K 153
Black Brook Rd. Stoc —3F 153
Blackburn Clo. Lwtn —1C 126
Blackburn Gdns. M20 —6G 151
Blackburn Old Rd. Eger —1J 23
Blackburn Pl. Salf —7C 114 (6A 4)
Blackburn Rd. Bolt & Tur —1A 44
Blackburn Rd. Eger —1K 23
Blackburn Rd. Tur —1C 6
Blackburn St. M16 —4C 134
Blackburn St. P'wch —3C 92
Blackburn St. Rad —3E 68
Blackburn St. Salf —5D 114 (2C 4)
Blackcap Clo. Wor —1D 110
Blackcarr Rd. M23 —6B 166
Blackcroft Clo. Swint —7C 90
Black Dad La. Roch —4G 29
Blackden Wlk. Wilm —4K 187
Blackett St. M12 —1K 135
Blackfield La. Salf —7C 92
Blackfields. Salf —7C 92
Blackford Av. Bury —2K 69
Blackford Rd. Stoc —3D 152
Blackford Wlk. M40 —5K 115
Blackfriar Ct. Salf (off Ford St.) —5D 114 (2D 4)
Blackfriars Rd. Salf —5E 114 (2D 4)
Blackfriars St. Salf —6F 115 (4G 4)
Blackhill Clo. M13 —2H 135 (9M 5)
Blackhill La. Knut —6C 192
Blackhorse Av. Blac —3A 40
Blackhorse Clo. Blac —2A 40
Black Horse St. Blac —2A 40
Black Horse St. Bolt —6A 44
Black Horse St. Farn —7G 67
Black La. Leigh —3D 108
Black La. Mac —2G 199
Black La. Ram —3A 10
Black La. Rom & Dis —1F 185
Black Leach. Spring —7A 76
Blackleach Dri. Wor —2F 89
Blackledge St. Bolt —2J 65
Blackley Clo. Bury —4A 70
Blackley Ct. M9 —4G 93
Blackleyhurst Av. Bil —3E 102
Blackley New Rd. M9 —4F 93
Blackley Pk. Rd. M9 —6K 93
Blackley St. M16 —4C 134
Blackley St. Mid —7H 71
Blacklock St. M8 —4F 115
Blackmoor. Mot —5G 141
Blackmoor Av. Ast —3H 109
Black Moss Clo. Rad —3B 68
Black Moss Rd. Dun M —4G 163
Blackpits Rd. Roch —3K 29
Blackpool St. M11 —6E 116 (in two parts)
Black Rd. Mac —5G 199
Blackrock Cotts. Moss —2C 120
Blackrock St. M11 —7B 116
Blackrod Brow. Hor —1K 39
Blackrod By-Pass Rd. Hor —1A 40
Blackrod Dri. Bury —4D 46
BLACKROD STATION. BR —3C 40
Black Sail Wlk. Oldh —5E 74
Blackshaw Ho. Bolt —7J 43
Blackshaw La. Ald E —5F 195
Blackshaw La. Bolt —7J 43
Blackshaw La. Rytn —2D 74
Blackshaw Rd. Glos —7G 143
Blackshaw Row. Bolt —1J 65
Blackshaw St. Mac —4E 198
Blackshaw St. Stoc —3G 169
Blacksmith La. Roch —1D 50
Blackstock St. M13 —5J 135
Blackstone Av. Roch —4A 32
Blackstone Edge Ct. L'boro —5G 15
Blackstone Edge Old Rd. L'boro —5G 15
Blackstone Rd. Stoc —6B 170
Blackstone Wlk. M9 —2K 115
Black St. Mac —5G 199
Blackthorn Av. M19 —3C 152
Blackthorn Av. Wig —3B 60
Blackthorn Clo. Roch —2G 31
Blackthorne Clo. Bolt —4G 43
Blackthorne Dri. Sale —1B 164
Blackthorne Rd. Hyde —4J 155
Blackthorn Rd. Oldh —7A 96
Blackthorn Wlk. Part —1A 162
Blackwell Wlk. M4 —6J 115 (4P 5) (off Cardroom Rd.)
Blackwin St. M12 —3C 136
Blackwood Dri. M23 —3H 165
Blackwood Edge Rd. Sow B —5J 17
Blackwood St. Bolt —2C 66
Bladen Clo. Chea H —7C 168
Blainscough Rd. Cop —4A 18
Blair Av. Hind —4F 85
Blair Av. L Hul —3D 88
Blair Av. Urm —7G 131
Blair Clo. Haz G —4A 182
Blair Clo. Sale —2A 164
Blair Clo. Shaw —6F 53
Blairgowrie Dri. Mac —6D 196
Blairhall Av. M40 —1C 116
Blair La. Bolt —4F 45
Blairmore Dri. Bolt —1E 64
Blair Rd. M16 —1E 150
Blair St. M16 —4D 134
Blair St. Brom X —4B 24
Blair St. Kear —1K 89
Blair St. Roch —3F 31
Blake Av. Ath —2D 86
Blakeborough Ho. Ath —4D 86 (off Elizabeth St.)
Blake Clo. Wig —2C 82
Blakedown Wlk. M12 —4A 136 (off Cochrane Av.)
Blake Dri. Stoc —4C 170
Blakefield Dri. Wor —6G 89
Blake Gdns. Bolt —3K 43
Blake Lee La. Mars —1D 56
Blakelock St. Shaw —6E 52
Blakelow Bank. Mac —5H 199
Blakelow Gdns. Mac —5H 199
Blakelow Rd. Mac —5H 199
Blakemere Av. Sale —7J 149
Blakemore Wlk. M12 —7A 116
Blake St. Brom X —5C 24
Blake St. Ram —3K 43
Blake St. Roch —4J 31
Blakeswell Clo. Urm —6F 131
Blakey Clo. Bolt —2F 65
Blakey St. M12 —5C 136
Blanche St. Roch —2J 31
Blanche Wlk. Oldh —6E 74
Bland Clo. Fail —1G 117
Blandford Av. Wor —7H 89
Blandford Clo. Bury —7H 27
Blandford Clo. Tyl —6G 87
Blandford Ct. Stal —6A 120
Blandford Dri. M40 —5F 95
Blandford Rise. Los —4K 41
Blandford Rd. Ecc —6K 111
Blandford Rd. Salf —3B 114
Blandford Rd. Stoc —1D 168
Blandford St. Ash L —5E 118
Blandford St. Stal —6A 120
Bland Rd. P'wch —5B 92
Bland St. M16 —5E 134
Bland St. Bury —2K 47
Blanefield Clo. M21 —3E 150
Blantyre Av. Wor —5G 89
Blantyre Rd. Swint —2F 113
Blantyre St. M15 —2D 134 (9D 4)
Blantyre St. Ecc —5J 111
Blantyre St. Hind —1C 84
Blantyre St. Swint —7B 90
Blanwood Dri. M8 —1H 115
Blaven Clo. Stoc —6H 169
Blaydon Clo. Asp —1B 62
Blaydon St. M1 —1H 135 (7L 5)
Blazemoss Bank. Stoc —6B 170
Bleach St. Hind —3A 84
Bleackley St. Bury —1G 47
Bleak Hey Rd. M22 —2F 179
Bleakholt Rd. Ram —2K 9
Bleakledge Gro. Hind —1C 84
Bleakledge St. Hind —7D 62
Bleaklow Clo. Wig —5D 82
Bleaklow Fold. Glos —1A 158 (off Castleton Cres.)
Bleaklow Gdns. Glos —1A 158 (off Castleton Cres.)
Bleaklow La. Glos —1A 158
Bleaklow Wlk. Glos —1A 158 (off Castleton Cres.)
Bleak St. Bolt —3D 44
Bleasby St. Oldh —7G 75
Bleasdale Clo. Bury —3A 70
Bleasdale Clo. Los —5K 41
Bleasdale Rd. M22 —2A 178
Bleasdale Rd. Bolt —3F 43
Bleasdale Rd. Hind —2E 84
Bleasdale St. Rytn —1B 74
Bleasefell Chase. Wor —3C 110
Bleatarn Rd. Stoc —4K 169
Bledlow Clo. Ecc —5C 112
Blencarn Wlk. M9 —1K 115
Blendworth Clo. M8 —1F 115
Blenheim Av. M16 —7D 134
Blenheim Av. Oldh —3H 75
Blenheim Clo. Bury —1K 69
Blenheim Clo. Had —4C 142
Blenheim Clo. Hale —2B 176
Blenheim Clo. Heyw —3A 50
Blenheim Clo. Poy —1D 190
Blenheim Clo. Wilm —6K 187
Blenheim Ct. M9 —2G 93 (off Deanswood Dri.)
Blenheim Dri. Leigh —1E 108
Blenheim Rd. Ash M —6F 105
Blenheim Rd. Bolt —6F 45

Blenheim Rd.—Bow St.

Blenheim Rd. *Chea H* —2D **180**
Blenheim Rd. *Old T* —6A **134**
Blenheim Rd. *Wig* —6J **59**
Blenheim Rd. Est. *Bolt* —7H **45**
Blenheim St. *Roch* —3E **30**
Blenheim St. *Tyl* —6F **87**
Blenheim Way. *Mac* —2C **198**
Blenmar Clo. *Rad* —1G **69**
Bleriot St. *Bolt* —3K **65**
Bletchley Clo. *M13* —4K **135**
Bletchley Rd. *Stoc* —2A **168**
Blethyn Clo. *Bolt* —4H **65**
Blewberry Clo. *Leigh* —1K **107**
Bligh Rd. *W'houg* —5J **63**
Blinco Rd. *Urm* —1D **148**
Blind La. *M12* —2K **135**
Blindsill Rd. *Farn* —7D **66**
Blissford Clo. *Hind* —3B **84**
Blisworth Av. *Ecc* —1C **132**
Blisworth Clo. *M4* —7K **115**
Blithfield Wlk. *Dent* —7C **138**
Block La. *Chad* —3K **95**
Blocksage St. *Duk* —2H **139**
Blodwell St. *Salf* —6K **113**
Blofield Ct. *Farn* —7F **67**
Blomley St. *Roch* —3E **50**
Bloomfield Dri. *Bury* —3B **70**
Bloomfield Dri. *Wor* —1C **110**
Bloomfield Rd. *Farn* —1F **89**
Bloomfield St. *Bolt* —2A **44**
Bloomsbury Gro. *Tim* —5E **164**
Bloomsbury La. *Tim* —5E **164**
Bloom St. *M1* —1G **135** (7J **5**) (in two parts)
Bloom St. *Oldh* —1C **96**
Bloom St. *Ram* —7E **8**
Bloom St. *Salf* —6E **114** (4E **4**)
Bloom St. *Stoc* —3E **168**
Blossom Pl. *Roch* —4H **31**
Blossom Rd. *Part* —1A **162**
Blossoms Hey. *Chea H* —3A **180**
Blossoms Hey Wlk. *Chea H* —3A **180**
Blossoms La. *Woodf* —3C **188**
Blossom St. *M4* —6H **115** (4M **5**)
Blossom St. *Salf* —6E **114** (3E **4**)
Blossom St. *Tyl* —6G **87**
Bloxham Wlk. *M9* —3B **94**
Blucher St. *M12* —3A **136**
Blucher St. *Ash L* —2E **118**
Blucher St. *Salf* —7C **114** (6A **4**)
Blue Ball Rd. *Sow B* —1J **17**
Blue Bell Av. *M40* —6C **94**
Bluebell Av. *Hayd* —2A **124**
Bluebell Av. *Wig* —2B **60**
Blue Bell Clo. *Hyde* —4K **139**
Bluebell Clo. *Mac* —7F **197**
Bluebell Dri. *Marp B* —5D **172**
Bluebell Dri. *Roch* —2D **50**
Bluebell Gro. *Chea* —7K **167**
Bluebell La. *Mac* —7E **196**
Bluebell M. Mac —7F **197** *(off Cavendish Clo.)*
Bluebell Way. *Wilm* —4J **187**
Blueberry Dri. *Shaw* —6H **53**
Blueberry Rd. *Bow* —2J **175**
Blue Chip Bus. Pk. *B'hth* —4A **164**
Bluefields. *Shaw* —5H **53**
Blue Ribbon Wlk. *Swint* —6E **90**
Bluestone Dri. *Stoc* —7A **152**
Bluestone Rd. *M40* —7C **94**
Bluestone Rd. *Dent* —7J **137**
Bluestone Ter. *Dent* —7J **137**
Blundell Clo. *Bury* —3B **70**
Blundell La. *Blac* —3J **39**
Blundell M. *Wig* —3K **81**
Blundell St. *Ram* —6A **44**
Blundering La. *Stal* —3D **140**
Blunn St. *Oldh* —3D **96**
Blyborough Clo. *Salf* —4J **113**
Blyth Av. *M23* —1C **166**
Blyth Av. *L'boro* —1D **32**
Blyth Clo. *Mac* —2A **198**
Blyth Clo. *Tim* —5G **165**
Blythe Av. *Bram* —6E **180**
Blyton St. *M15* —4H **135**
Blyton Way. *Dent* —2D **154**
Boad St. *M1* —1H **135** (7M **5**)
Boardale Dri. *Mid* —5A **72**
Boardman Clo. *Ram* —3A **44**
Boardman Clo. *Stoc* —6H **153**
Boardman Fold Clo. *Mid* —2C **94**
Boardman Fold Rd. *Mid* —2B **94**
Boardman La. *Mid* —6H **71**
Boardman Rd. *M8* —5F **93**
Boardman St. *Blac* —3B **40**
Boardman St. *Ecc* —7C **112**
Boardman St. *Hyde* —7H **139**
Boardman St. *Ram* —3A **44**
Board St. *Ash L* —4H **119**
Board St. *Bolt* —7K **43**
Boar Grn. Clo. *M40* —1E **116**
Boarshaw Clough. *Mid* —4D **72**
Boarshaw Cres. *Mid* —4E **72**
Boarshaw La. *Mid* —3F **73**
Boarshaw Rd. *Mid* —5C **72**
Boars Head Av. *Stand* —6C **38**
Boarshurst La. *G'fld* —2H **99**
Boat La. *M22* —2E **166**
Boat La. *Dig* —1K **77**
Boat La. *Irl* —7D **130**
Boatmans Row. *Ast* —4J **109**
Boat Stage. Lymm —7E **160** *(off Legh St.)*
Bobbin Wlk. M4 —7J **115** *(5P* **5***) (off Cardroom Rd.)*
Bobbin Wlk. *Oldh* —1E **96**
Bob Massey Clo. *Open* —7E **116**
Bob's La. *Cad* —6K **145**
Boddens Hill Rd. *Stoc* —2C **168**
Bodden St. *Lwtn* —7E **106**
Boddington Rd. *Ecc* —7J **111**
Boden St. *Mac* —4F **199**
Bodiam Rd. *G'mnt* —3D **26**
Bodley St. *M11* —6E **116**
Bodmin Av. *Mac* —2A **198**
Bodmin Clo. *Rytn* —3E **74**
Bodmin Cres. *Stoc* —5K **153**
Bodmin Dri. *Bram* —5G **181**
Bodmin Dri. *Plat B* —6J **83**
Bodmin Rd. *Ast* —7H **87**
Bodmin Rd. *Sale* —5B **148**
Bodmin Wlk. *M23* —6A **166**
Bodney Wlk. *M9* —4H **93**
Bogart Ct. *Salf* —4J **113**
Bogburn La. *Cop* —6A **18**
Boggard La. *Charl* —4K **157**
Bognor Rd. *Stoc* —7G **169**
Bolam Clo. *M23* —2J **165**
Boland Dri. *M14* —2J **151**
Bolderrod Pl. *Oldh* —6E **74**
Bolderstone Pl. *Stoc* —7C **170**
Bolderwood Dri. *Hind* —3B **84**
Bold Row. *Swint* —1D **112**
Bold St. *Alt* —1B **176**
Bold St. *Bolt* —6B **44**
Bold St. *Bury* —2A **48**
Bold St. *Clif* —5D **90**
Bold St. *Hulme* —4E **134**
Bold St. *Leigh* —2K **107** (in two parts)
Bold St. *Mos S* —5E **134**
Bold St. *Wig* —2K **81**
Bolesworth Clo. *M21* —2K **149**
Boleyn Ct. *Heyw* —4J **49**
Boleywood Ct. *Wilm* —4H **187**
Bolholt Ind. Pk. *Bury* —1E **46**
Bolholt Ter. *Bury* —1F **47**
Bolivia St. *Salf* —6G **113**
Bollin Av. *Bow* —4K **175**
Bollinbarn. *Mac* —1D **198**
Bollinbarn Dri. *Mac* —1C **198**
Bollinbrook Rd. *Mac* —2D **198**
Bollin Clo. *M15* —3D **134**
Bollin Clo. *Cul* —7A **128**
Bollin Clo. *Kear* —1J **89**
Bollin Clo. *Lymm* —7G **161**
Bollin Clo. *Wilm* —5J **187**
Bollin Ct. *M15* —3D **134**
Bollin Ct. *Bow* —3K **175**
Bollin Ct. *Wilm* —6J **187**
Bollin Dri. *Lymm* —7G **161**
Bollin Dri. *Sale* —1F **165**
Bollin Dri. *Tim* —3C **164**
Bollin Gro. *P'bry* —3B **196**
Bollings Yd. *Bolt* —7B **44**
Bollington Clo. *Ash L* —7E **118**
Bollington Old Rd. *Boll* —4F **197**
Bollington Rd. *M40* —6K **115**
Bollington Rd. *Boll* —4G **197**
Bollington Rd. *Stoc* —5F **153**
Bollington St. *Ash L* —7E **118**
Bollin Hill. *Wilm* —5G **187**
Bollin M. *P'bry* —3B **196**
Bollin Sq. *Bow* —3K **175**
Bollin Wlk. *Stoc* —5H **153**
Bollin Wlk. *W'fld* —4C **70**
Bollin Wlk. *Wilm* —6H **187**
Bollinway. *Hale* —4E **176**
Bollin Way. *P'bry* —5C **196**
Bollin Way. *W'fld* —4C **70**
Bollinwood Chase. *Wilm* —6K **187**
Bolney St. *Asp* —3J **61**
Bolney Wlk. *M40* —4K **115**
Bolshaw Farm La. *H Grn* —6J **179**
Bolshaw Rd. *H Grn* —6H **179**
Boltmeadow. *G'fld* —3G **99**
Bolton Av. *M19* —1K **167**
Bolton Av. *Chea H* —6D **180**
Bolton Clo. *Lwtn* —1F **127**
Bolton Clo. *Poy* —1B **190**
Bolton Clo. *P'wch* —5K **91**
Bolton Ho. Rd. *Bick* —1D **106**
Bolton Old Rd. *Ath* —4D **86**
Bolton Rd. *And & Hor* —4K **19**
Bolton Rd. *Ash M & Bam* —5D **104**
Bolton Rd. *Asp* —1A **62** (in two parts)
Bolton Rd. *Ath* —4D **86**
Bolton Rd. *Brad* —7E **24**
Bolton Rd. *Bury* —5E **46**
Bolton Rd. *Farn* —4F **67**
Bolton Rd. *Hawk* —1K **25**
Bolton Rd. *Hth C* —1G **19**
Bolton Rd. *Kear* —7G **67**
Bolton Rd. *Pen* —5D **90**
Bolton Rd. *Rad* —2B **68**
Bolton Rd. *Roch* —1C **50**
Bolton Rd. *Salf* —2H **113**
Bolton Rd. *Tur* —7F **7**
Bolton Rd. *W'houg & Bolt* —6K **63**
Bolton Rd. *Wor* —3F **89**
Bolton Rd. N. *Ram* —3G **9**
Bolton Rd. W. *Ram* —1D **26**
Bolton Sq. *Wig* —5G **61**
BOLTON STATION. *BR* —7B **44**
Bolton St. *Ash M* —3K **103**
Bolton St. *Bolt* —3B **44**
Bolton St. *Bury* —3H **47**
Bolton St. *Oldh* —1F **97** (in two parts)
Bolton St. *Rad* —3D **68**
Bolton St. *Ram* —6F **9**
Bolton St. *Salf* —6E **114** (5E **4**)
Bolton St. *Stoc* —3G **153**
Bolton Yd. *Upperm* —6H **77**
Bombay Rd. *Stoc* —4E **168**
Bombay Rd. *Wig* —6J **59**
Bombay Sq. M1 —1G **135** *(8K* **5***) (off Whitworth St.)*
Bombay St. *M1* —1G **135** (8K **5**)
Bombay St. *Ash L* —4H **119**
Bonar Clo. *Stoc* —3E **168**
Bonar Rd. *Stoc* —3E **168**
Boncarn Dri. *M23* —7A **166**
Bonchurch Wlk. *M18* —3D **136**
Bond Clo. *Hor* —2G **41**
Bondmark Rd. *M18* —3E **136**
Bond's La. *Adl* —5H **19**
Bond Sq. *Salf* —2E **114**
Bond St. *M12* —2J **135** (8N **5**)
Bond St. *Ath* —6F **87**
Bond St. *Bury* —3A **48**
Bond St. *Dent* —6D **138**
Bond St. *Eden* —1J **9**
Bond St. *Leigh* —3K **107**
Bond St. *Mac* —5E **198**
Bond St. *Roch* —2J **31**
Bond St. *Stal* —5A **120**
Bond Ter. *Bury* —3A **48**
Bongs Rd. *Stoc* —5D **170** (in two parts)
Bonhill Wlk. *M11* —6D **116**
Bonington Rise. *Marp B* —3B **172**
Bonis Cres. *Stoc* —7A **170**
Bonis Hall La. *Mac* —7G **189**
Bonny Brow St. *Mid* —7H **71**
Bonnyfields. *Rom* —1F **171**
Bonnywell Rd. *Leigh* —5J **107**
Bonsall Bank. Glos —7A **142** *(off Melandra Castle Rd.)*
Bonsall Clo. Glos —7A **142** *(off Melandra Castle Rd.)*
Bonsall Fold. Glos —7A **142** *(off Melandra Castle Rd.)*
Bonsall St. *M15* —3F **135**
Bonscale Cres. *Mid* —3A **72**
Bonthe St. *Irl* —2B **146**
Bonville Chase. *Alt* —7J **163**
Bonville Rd. *Alt* —6J **163**
Boodle St. *Ash L* —5F **119**
Bookham Wlk. *M9* —7A **94**
Boond St. *M4* —7K **115**
Boond St. *Salf* —6E **114** (3F **4**)
Boonfields. *Brom X* —4C **24**
Booth Av. *M14* —3K **151**
Boothbank La. *Agd* —6C **174**
Booth Bri. Clo. *Mid* —7J **71**
Boothby Ct. *Swint* —6B **90**
Boothby Rd. *Swint* —6C **90**
Boothby St. *Mac* —3E **198**
Boothby St. *Stoc* —7A **170**
Booth Clo. *Stal* —7K **119**
Boothcote. *Aud* —3B **138**
Booth Ct. *Farn* —6F **67**
Booth Dri. *Urm* —4H **131**
Boothfield. *Ecc* —5J **111**
Boothfield Av. *M22* —5D **166**
Boothfield Dri. *M22* —5D **166**
Boothfield Rd. *M22* —5C **166**
Boothfields. *Bury* —2G **47**
Boothfields. *Knut* —4F **193**
Booth Hall Dri. *Tot* —7D **26**
Booth Hall Rd. *M9* —4C **94**
Booth Hill La. *Oldh & Rytn* —5C **74**
Booth Ho. Trad. Est. *Oldh* —1A **96**
Booth La. *M9* —3G **93**
Booth Rd. *M16* —6C **134**
Booth Rd. *Alt* —7A **164**
Booth Rd. *Aud* —2J **137**
Booth Rd. *L Lev* —4K **67**
Booth Rd. *Sale* —4F **149**
Booth Rd. *Wilm* —4G **187**
Boothroyden Clo. *Mid* —7H **71** (in two parts)
Boothroyden Rd. *Mid & M9* (in two parts) —7J **71**
Boothroyden Ter. *M9* —1J **93**
Boothsbank Av. *Wor* —2D **110**
Booth's Brow Rd. *Ash M* —2K **103**
Booth's Hall Gro. *Wor* —2D **110**
Booths Hall Paddock. *Wor* —3D **110**
Booth's Hall Rd. *Wor* —2D **110**
Booth's Hall Way. *Wor* —2D **110**
Boothstown Dri. *Wor* —3C **110**
Booth St. *M2* —7F **115** (6H **5**)
Booth St. *Ash L* —6F **119**
Booth St. *Bolt* —2J **43**
Booth St. *Dent* —4D **138**
Booth St. *Fail* —1G **117**
Booth St. *Holl* —4J **141**
Booth St. *Hyde* —1J **155**
Booth St. *Lees* —1J **97**
Booth St. *Mid* —1F **95**
Booth St. *Newt W* —6C **124**
Booth St. *Oldh* —1C **96**
Booth St. *Salf* —6F **115** (4G **4**)
Booth St. *Stal* —1J **139**
Booth St. *Stoc* —4G **169**
Booth St. *Tot* —6D **26**
Booth St. E. *M13* —3H **135**
Booth St. W. *M15* —3G **135**
Boothway. *Ecc* —6D **112**
Booth Way. *Tot* —7C **26**
Boot La. *Bolt* —4D **42**
Bootle St. *M2* —7F **115** (6G **4**)
Bor Av. *Wig* —3D **82**
Bordale Av. *M9* —1B **116**
Bordan St. *M11* —1B **136**
Borden Clo. *Wig* —4H **61**
Borden Way. *Bury* —7B **48**
Border Brook La. *Wor* —2C **110**
Bordesley Av. *L Hul* —1C **88**
Bordley Wlk. *M23* —2J **165**
Bordon Rd. *Stoc* —4D **168**
Bores Hill. *Wig* —2E **38**
Boringdon Clo. *M40* —2D **116**
Borland Av. *M40* —6F **95**
Borough Arc. *Hyde* —6H **139**
Borough Av. *Pen* —6E **90**
Borough Av. *Rad* —1H **69**
Borough Rd. *Alt* —7C **164**
Borough Rd. *Salf* —7H **113**
Borough St. *Stal* —7A **120**
Borrans, The. *Wor* —3B **110**
Borron Rd. *Newt W* —5D **124**
Borron St. *Stoc* —1J **169**
Borrowdale Av. *Bolt* —5G **43**
Borrowdale Av. *Gat* —7H **167**
Borrowdale Clo. *Rytn* —7B **52**
Borrowdale Cres. *M20* —6E **150**
Borrowdale Cres. *Ash L* —3D **118**
Borrowdale Dri. *Bury* —3A **70**
Borrowdale Dri. *Roch* —1D **50**
Borrowdale Rd. *Mid* —4K **71**
Borrowdale Rd. *Stoc* —4K **169**
Borrowdale Rd. *Wig* —7J **59**
Borrowdale Ter. *Stal* —4A **120**
Borsdane Av. *Hind* —3C **84**
Borsden St. *Swint* —5B **90**
Borth Av. *Stoc* —4K **169**
Borth Wlk. *M23* —5K **165**
Borwell St. *M18* —3F **137**
Boscobel Rd. *Bolt* —4D **66**
Boscombe Av. *Ecc* —1A **132**
Boscombe Dri. *Haz G* —2A **182**
Boscombe St. *M14* —7H **135**
Boscombe St. *Stoc* —7H **137**
Boscow Rd. *L Lev* —4J **67**
Bosden Av. *Haz G* —1C **182**
Bosden Clo. *Hand* —7K **179**
Bosden Clo. Stoc —3H **169** *(off Bosden Fold)*
Bosden Fold. *Stoc* —3H **169**
Bosdenfold Rd. *Haz G* —1C **182**
Bosden Hall Rd. *Haz G* —1C **182**
Bosdin Rd. E. *Urm* —1G **147**
Bosdin Rd. W. *Urm* —1G **147**
Bosley Av. *M20* —2G **151**
Bosley Clo. *Wilm* —3K **187**
Bosley Dri. *Poy* —2E **190**
Bosley Rd. *Stoc* —3C **168**
Bossall Av. *M9* —3A **94**
Bossington Clo. *Stoc* —3A **170**
Bostock Rd. *B'btm* —2G **157**
Bostock Rd. *Mac* —4A **198**
Bostock Wlk. *M13* —2H **135** (10M **5**)
Boston Clo. *Bram* —5F **181**
Boston Clo. *Cul* —5K **127**
Boston Clo. *Fail* —6H **95**
Boston Ct. *Salf* —1J **133**
Boston Gro. *Leigh* —7J **85**
Boston St. *Bolt* —3A **44**
Boston St. *Hyde* —6J **139**
Boston St. *Oldh* —3D **96**
Boston Wlk. *Dent* —1E **154**
Boswell Av. *Aud* —7B **118**
Boswell Pl. *Wig* —3B **82**
Boswell Way. *Mid* —2G **73**
Bosworth Clo. *W'fld* —6C **70**
Bosworth Sq. *Roch* —1F **51**
Bosworth St. *M11* —1C **136**
Bosworth St. *Hor* —1F **41**
Bosworth St. *Roch* —1F **51**
Botanical Av. *M16* —4A **134**
Botanical Ho. *M16* —4A **134**
Botany Clo. *Asp* —4K **61**
Botany Clo. *Heyw* —2H **49**
Botany La. *Ash L* —4G **119**
Botany Rd. *Ecc* —4J **111**
Botany Rd. *Woodl* —4E **154**
Botha Clo. *M11* —2F **137**
Botham Clo. *M15* —4G **135**
Botham Ct. *Ecc* —5K **111**
Bothwell Rd. *M40* —5J **115** (2P **5**)
Bottesford Av. *M20* —5F **151**
Bottomfield Clo. *Oldh* —5E **74**
Bottomley Side. *M9* —5J **93**
Bottom o' th' Moor. *Brad* —3F **45**
Bottom o' th' Moor. *Hor* —2K **41**
Bottom o' th' Moor. *Oldh* —7F **75**
Bottom St. *Hyde* —6K **139**
Boughey St. *Leigh* —3J **107**
Boulder Dri. *M23* —2A **178**
Boulderstone Rd. *Stal* —4A **120**
Bouldon Dri. *Bury* —7G **27**
Boulevard, The. *Haz G* —2C **182**
Boulevard, The. *Holl* —4K **141**
Bouley Wlk. *M12* —3C **136**
Boulton St. *Salf* —6E **114** (4E **4**)
Boundary Clo. *Moss* —2C **120** (in two parts)
Boundary Clo. *Woodl* —5G **155**
Boundary Ct. *Chea* —6J **167**
Boundary Dri. *Brad F* —1J **67**
Boundary Gdns. *Bolt* —3K **43**
Boundary Gdns. *Oldh* —5C **74**
Boundary Grn. *Dent* —4C **138**
Boundary Gro. *Sale* —7K **149**
Boundary Ind. Est. *Bolt* —6J **45**
Boundary La. *M15* —3G **135**
Boundary La. *Wrigh* —2G **37**
Boundary Pk. Rd. *Oldh* —5A **74**
Boundary Rd. *Chea* —5B **168**
Boundary Rd. *Irl* —6D **130**
Boundary Rd. *Swint* —6D **90**
Boundary St. *M12* —4C **136**
Boundary St. *Bolt* —3K **43**
Boundary St. *Bury* —2K **47**
Boundary St. *Leigh* —4B **108**
Boundary St. *L'boro* —5E **14**
Boundary St. *Roch* —6G **31**
Boundary St. *Tyl* —6G **87**
Boundary St. *Wig* —7F **61**
Boundary St. E. *M13* —2G **135** (10K **5**)
Boundary St. W. *M15* —3G **135**
Boundary, The. *Clif* —3C **90**
Boundary Wlk. *Roch* —7G **31**
Bourdon St. *M40* —5K **115**
Bourget St. *M8* —7F **93**
Bournbrook Av. *L Hul* —1C **88**
Bourne Av. *Lwtn* —1B **126**
Bourne Av. *Swint* —1D **112**
Bourne Dri. *M40* —6D **94**
Bourne Ho. *Salf* —6K **113**
Bournelea Av. *M19* —4B **152**
Bourne Rd. *Shaw* —5E **52**
Bourne St. *Chad* —5K **95**
Bourne St. *Stoc* —6G **153**
Bourne St. *Wilm* —7F **187**
Bourne Wlk. *Bolt* —4B **44**
Bournville Av. *Stoc* —6G **153**
Bournville Dri. *Bury* —3D **46**
Bournville Gro. *M19* —1D **152**
Bourton Clo. *Bury* —2F **47**
Bourton Ct. *Tyl* —6K **87**
Bourton Dri. *M18* —5D **136**
Bowden Clo. *Cul* —5K **127**
Bowden Clo. *Hyde* —1E **156**
Bowden Clo. *Leigh* —6B **108**
Bowden Clo. *Roch* —5F **51**
Bowden Cres. *N Mills* —4K **185**
Bowden La. *Marp* —4J **171**
Bowden Rd. *Glos* —6E **142**
Bowden Rd. *Swint* —1E **112**
Bowden St. *Asp* —2D **62**
Bowden St. *Bolt* —7K **43**
Bowden St. *Dent* —6C **138**
Bowden St. *Haz G* —1C **182**
Bowden St. *Hyde* —4H **139**
Bowden St. *Ram* —4H **43**
Bowden View. *Urm* —7K **131**
Bowdon Av. *M14* —1F **151**
Bowdon Ho. *Stoc* —3G **169**
Bowdon Rise. *Bow* —2B **176**
Bowdon Rd. *Alt* —1A **176**
Bowdon St. *Stoc* —3G **169** (in two parts)
Bowen Clo. *Bram* —7H **181**
Bowen St. *Bolt* —4H **43**
Bower Av. *Haz G* —3B **182**
Bower Av. *Roch* —7B **14**
Bower Av. *Stoc* —7E **152**
Bower Ct. *Hyde* —4A **140**
Bowerfield Av. *Haz G* —4B **182**
Bowerfield Cres. *Haz G* —4B **182**
Bowerfold La. *Stoc* —1E **168**
Bower Gro. *Stal* —6C **120**
Bower La. *Chad* —5J **95**
Bower Rd. *Hale* —3C **176**
Bowers Av. *Urm* —5K **131**
Bower St. *Bury* —2C **48**
Bower St. *Newt H* —3B **116**
Bower St. *Oldh* —7E **74**
Bower St. *Salf* —1E **114**
Bower St. *Stoc* —7H **137**
Bower Ter. *Droy* —5A **118**
Bowery Av. *Chea H* —6B **180**
Bowes Clo. *Bury* —7F **27**
Bowes St. *M14* —6F **135**
Bowfell Circ. *Urm* —6K **131**
Bowfell Dri. *H Lane* —4J **183**
Bowfell Gro. *M9* —3H **93**
Bowfell Rd. *Urm* —7J **131**
Bowfield Wlk. *M40* —3E **116**
Bowgreave Av. *Bolt* —6H **45**
Bow Grn. M. *Bow* —2K **175**
Bow Grn. Rd. *Bow* —3H **175**
Bowgreen Wlk. *M15* —3D **134**
Bowker Av. *Dent* —2F **155**
Bowker Av. *Urm* —6H **131**
Bowker Bank Av. *M8* —5F **93**
Bowker Clo. *Roch* —3A **30**
Bowker Ct. *Salf* —2D **114**
Bowkers Row. *Ram* —6B **44**
Bowker St. *Hyde* —6J **139**
Bowker St. *Rad* —3E **68**
Bowker St. *Salf* —2D **114**
Bowker St. *Wor* —4D **88**
Bowker Vale Gdns. *M9* —4F **93**
BOWKER VALE STATION. *M* —4F **93**
Bowlacre Rd. *Hyde* —4H **155**
Bowland Av. *M18* —5J **137**
Bowland Av. *Ash M* —4D **104**
Bowland Av. *Lwtn* —7A **106**
Bowland Clo. *Ash L* —1G **119**
Bowland Clo. *Bchwd* —5B **144**
Bowland Clo. *Bury* —2C **46**
Bowland Clo. *Shaw* —5C **52**
Bowland Clo. *Stoc* —6C **170**
Bowland Ct. *Sale* —6F **149**
Bowland Dri. *Bolt* —3E **42**
Bowland Gro. *Miln* —1D **52**
Bowland Rd. *M23* —5K **165**
Bowland Rd. *Dent* —6K **137**
Bowland Rd. *Glos* —2C **158**
Bowland Rd. *Woodl* —5F **155**
Bow La. *M2* —7F **115** (6H **5**)
Bow La. *Bow* —4J **175**
Bow La. *Heyw* —3K **49**
Bowlee Clo. *Bury* —4A **70**
Bowler St. *Lev* —2D **152**
Bowler St. *Shaw* —6F **53**
Bowlers Wlk. *Roch* —2H **31**
Bowley Av. *M22* —2A **178**
Bowling Grn. Ct. *M16* —5D **134**
Bowling Grn. La. *Ath* —6B **86**
Bowling Grn. St. *Heyw* —3K **49**
Bowling Grn. St. *Hyde* —7H **139**
Bowling Grn. St. *Ram* —4H **9** (in two parts)
Bowling Grn. Way. *Roch* —5B **30**
Bowling Rd. *M18* —6G **137**
Bowlings, The. *Wig* —4C **60**
Bowling St. *Chad* —5K **95**
Bowman Cres. *Ash L* —5H **119**
Bowmeadow Grange. *M12* —5B **136**
Bowmead Wlk. *M8* —2F **115**
Bowmont Clo. *Chea H* —7C **168**
Bowness Av. *Cad* —6K **145**
Bowness Av. *Chea H* —3D **180**
Bowness Av. *Roch* —3E **30**
Bowness Av. *St H* —7B **102**
Bowness Av. *Stoc* —4G **153**
Bowness Ct. *Mid* —4K **71**
Bowness Dri. *Sale* —5D **148**
Bowness Pl. *Ince* —6K **61**
Bowness Rd. *Ash L* —4D **118**
Bowness Rd. *Bolt* —2K **65**
Bowness Rd. *L Lev* —2H **67**
Bowness Rd. *Mid* —4J **71**
Bowness Rd. *Tim* —6H **165**
Bowness St. *M11* —2H **137**
Bowness St. *Stret* —6H **133**
Bowness Wlk. Rytn —2C **74** *(off Shaw St.)*
Bow Rd. *Leigh* —5B **108**
Bowscale Clo. *M13* —5B **136**
Bowstone Hill Rd. *Bolt* —7K **25**
Bow St. *M2* —7F **115** (6G **4**)
Bow St. Ash L —6G **119** *(off Nelson St.)*
Bow St. Ash L —5F **119** *(off Warrington St.)*
Bow St. *Bolt* —6B **44**
Bow St. *Oldh* —7D **74**

Bow St.—Bridgehall Dri.

Bow St. Roch —2F 51
Bow St. Stoc —3E 168
Bow Vs. Bow —2K 175
Bowyers St. Lady —3A 152
Boxgrove Rd. Sale —5C 148
Boxgrove Wlk. M8 —2F 115
Boxhill Dri. M23 —2A 166
Box St. L'boro —6E 14
Box St. Ram —5H 9
Boxtree Av. M18 —5F 137
Box Tree M. Mac —4C 198
Box Wlk. Part —7A 146
Boyd Clo. Stand —4B 38
Boydell St. Leigh —2K 107
Boyd St. M12 —2C 136
Boyd's Wlk. Duk —2G 139
Boyer St. M16 —4B 134
Boyle St. M8 —2H 115
Boyle St. Ram —4G 43
Boysnope Cotts. Ecc —4F 131
Boysnope Cres. Ecc —5E 130
Brabant Rd. Chea H —2D 180
Brabazon Pl. Wig —6J 59
Brabham Clo. M21 —2B 150
Brabyns Av. Rom —7H 155
Brabyns Brow. Marp —4A 172
Brabyns Rd. Hyde —3J 155
Bracadale Dri. Stoc —7H 169
Bracdale Dri. Stoc —6G 169
Bracewell Clo. M12 —4C 136
Bracken Av. Wor —4G 89
Brackenbury Wlk. M15 —4G 135
Bracken Clo. Bolt —6K 23
Bracken Clo. Droy —6A 118
Bracken Clo. Heyw —5K 49
Bracken Clo. Holl —3K 141
Bracken Clo. Mac —2B 198
Bracken Clo. Marp B —4B 172
Bracken Clo. Sale —5A 148
Bracken Clo. Spring —1K 97
Bracken Dri. M23 —6B 166
Brackenfield Wlk. Tim —5H 165
Brackenhall Ct. Heyw —3G 49
Brackenhill Ter. Dent —3E 154 (off Wordsworth Rd.)
Brackenhurst Av. Moss —6E 98
Bracken Lea. W'houg —2K 85
Brackenlea Fold. Roch —2D 30
Brackenlea Pl. Stoc —6F 169
Bracken Lodge. Rytn —5C 74
Bracken Rd. Ath —5D 86
Bracken Rd. Leigh —3F 107
Brackenside. Stoc —2J 153
Bracken Way. Glos —3H 159
Bracken Way. Knut —6D 192
Brackenwood Dri. Chea —7K 167
Brackenwood M. Wilm —5A 188
Brackley Av. M15 —2D 134 (10C 4)
Brackley Av. Cad —4K 145
Brackley Ct. M22 —3D 166
Brackley Dri. Mid —2C 94
Brackley Lodge. Ecc —5D 112
Brackley Rd. Bolt —6G 65
Brackley Rd. Ecc —4B 112
Brackley Rd. Stoc —6E 152
Brackley Sq. Oldh —6E 74
Brackley St. Farn —6F 67 (in two parts)
Brackley St. Oldh —6E 74
Brackley St. Wor —3E 88
Bracknell Dri. M9 —4G 93
Bracondale Av. Bolt —3H 43
Bradbourne Clo. Bolt —1A 66
Bradburn Av. Ecc —7B 112
Bradburn Clo. Ecc —6B 112
Bradburn Gro. Ecc —7B 112
Bradburn Rd. Irl —3A 146
Bradburn St. Ecc —7B 112
Bradburn Wlk. M8 —2H 115 (off Moordown Clo.)
Bradbury Av. Alt —6J 163
Bradbury's La. G'fld —3J 99
Bradbury St. Ash L —4E 118
Bradbury St. Bury —1A 70
Bradbury St. Redf I —1J 155
Bradbury Wlk. Rytn —2C 74 (off Shaw St.)
Bradda Mt. Bram —2J 181
Braddan Av. Sale —7G 149
Bradden Clo. Salf —7A 114
Braddocks Clo. Roch —7B 14
Braddon Av. Urm —7B 132
Braddon Rd. Woodl —5E 154
Braddon St. M11 —7E 116
Braddyll Rd. Bolt —6F 65
Brade Clo. M11 —1E 136
Bradfield Av. Salf —6G 113
Bradfield Clo. Stoc —7G 137
Bradfield Rd. Urm & Stret —7D 132
Bradfield St. M4 —7J 115 (6P 5)
Bradford Av. Bolt —3D 66
Bradford Ct. M40 —6E 94
Bradford Cres. Bolt —2C 66
Bradford La. Ash —7K 195
Bradford Pk. Dri. Bolt —7D 44
Bradford Rd. M40 —6K 115
Bradford Rd. Ecc —3C 112
Bradford Rd. Farn & Bolt —5C 66
Bradford St. Bolt —7C 44
Bradford St. Farn —7F 67
Bradford St. Oldh —6C 74
Bradford Ter. Bury —4H 47
Bradgate Av. H Grn —3K 179
Bradgate Clo. M22 —3E 166
Bradgate Rd. Alt —6J 163
Bradgate Rd. Sale —1F 165
Bradgate St. Ash L —7E 118
Bradgreen Rd. Ecc —5A 112
Brading Wlk. M22 —4E 178
Bradlegh Rd. Newt W —7D 124
Bradley Av. Salf —1B 114
Bradley Clo. Aud —2C 138
Bradley Clo. Tim —4C 164
Bradley Dri. Bury —4B 70
Bradley Fold. Stal —6B 120
Bradley Fold Rd. Brad T & Ain —7K 45
Bradley Grn. Rd. Hyde —3K 139
Bradley Hall Trad. Est. Stand —3C 38
Bradley Ho. Oldh —2D 96
Bradley La. Bolt —1K 67
Bradley La. Miln —1F 53
Bradley La. Newt W —7B 124
Bradley La. Stand —3B 38
Bradley La. Stret —3F 149
Bradley's Ct. M1 —7H 115 (5L 5)
Bradley St. M1 —6H 115 (4M 5)
Bradley St. Duk —2E 138
Bradley St. Mac —5G 199
Bradley St. Miln —1F 53
Bradney Clo. M9 —3H 93
Bradnor Rd. Shar I —4D 166
Bradshaw Av. M20 —3H 151
Bradshaw Av. Fail —3G 117
Bradshaw Av. W'fld —4J 69
Bradshaw Brow. Bolt —1E 44
Bradshaw Cres. Marp —4A 172
Bradshaw Fold Av. M40 —4F 95
Bradshawgate. Bolt —6B 44
Bradshawgate. Leigh —3K 107
Bradshaw Ga. Wig —6F 61
Bradshaw Hall Dri. Bolt —6E 24
Bradshaw Hall La. H Grn (in two parts) —4K 179
Bradshaw La. Adl —4H 19
Bradshaw La. Hth C —4H 19
Bradshaw La. Lymm —7K 161
Bradshaw La. Stret —1H 149
Bradshaw Meadows. Bolt —6F 25
Bradshaw Rd. Bolt & Tur —7F 25
Bradshaw Rd. Marp —4K 171
Bradshaw Rd. Tot —6A 26
Bradshaw St. M4 —6G 115 (3J 5)
Bradshaw St. Ath —4D 86
Bradshaw St. Bolt —7B 44
Bradshaw St. Heyw —3A 50 (in two parts)
Bradshaw St. Mid —7E 72
Bradshaw St. Oldh —7D 74
Bradshaw St. Orr —1G 81
Bradshaw St. Rad —3D 68
Bradshaw St. Roch —4J 31
Bradshaw St. Salf —2E 114
Bradshaw St. Wig —4F 61
Bradshaw St. N. Salf —1D 114
Bradshaw Trad. Est. Mid —1E 94
Bradstock Clo. M16 —6E 134
Bradstock Rd. M16 —6E 134
Bradstone Rd. M8 —3F 115
Bradwell Av. M20 —4F 151
Bradwell Av. Stret —6E 132
Bradwell Dri. H Grn —5J 179
Bradwell Fold. Glos —1A 158 (off Buxton M.)
Bradwell Lea. Glos —7A 142 (off Buxton M.)
Bradwell Pl. Bolt —4D 44
Bradwell Rd. Haz G —4C 182
Bradwell Rd. Lwtn —2C 126
Bradwell Ter. Glos —1A 158 (off Buxton M.)
Bradwell Wlk. Urm —6F 131
Bradwen Av. M8 —6G 93
Bradwen Clo. Dent —1E 154
Brady St. Hor —1E 40
Braeburn Ct. Leigh —3H 107
Braemar Av. Stret —7E 132
Braemar Av. Urm —1J 147
Braemar Ct. M9 —2G 93
Braemar Dri. Bury —3D 48
Braemar Dri. Sale —1A 164
Braemar Gdns. Bolt —1E 64
Braemar Gro. Heyw —4G 49
Braemar La. Wor —2D 110
Braemar Rd. M14 —2A 152
Braemar Rd. Haz G —1D 182
Braemar Wlk. Asp —1B 62
Braemar Wlk. Bolt —1E 64
Braemore Clo. Shaw —5C 52
Braemore Clo. Wig —5J 81
Braemore Dri. B'btm —1F 157
Brae Side. Oldh —5C 96
Braeside. Stret —1E 148
Braeside Clo. Mac —5H 199
Braeside Clo. Stoc —5D 170
Braeside Cres. Bil —3D 102
Braeside Gro. Bolt —1E 64
Braewood Clo. Bury —2C 48
Bragenham St. M18 —4E 136
Braidhaven. Shev —6D 36
Braidwood Av. Knut —3F 193
Brailsford Av. Glos —7A 142
Brailsford Clo. Glos —7A 142 (off Hathersage Cres.)
Brailsford Gdns. Glos —7A 142 (off Hathersage Cres.)
Brailsford Grn. Glos —7A 142 (off Melandra Castle Rd.)
Brailsford M. Glos —7A 142
Brailsford Rd. M14 —2A 152
Brailsford Rd. Bolt —2E 44
Braintree Rd. M22 —4E 178
Braithwaite. Shev —7G 37
Braithwaite Rd. Lwtn —7B 106
Braithwaite Rd. Mid —2K 71
Brakehouse Clo. Miln —6C 32
Brakesmere Gro. Wor —3B 88
Braley St. M12 —2H 135 (9M 5)
Bramall Clo. Bury —4B 70
Bramall Ct. Salf —5D 114 (2D 4)
Bramall Mt. Stoc —6H 169
Bramber Way. Chad —1K 95
Bramble Av. Oldh —5H 75
Bramble Av. Salf —2C 134 (9A 4)
Bramble Clo. L'boro —6D 14
Bramble Clo. Mac —1D 198
Bramble Gro. Wig —7A 60
Bramble Meadow. Salf (off W. Park St.) —2B 134
Brambles, The. Cop —2B 18
Bramble Wlk. M22 —2C 178
Bramble Wlk. Sale —5A 148
Bramblewood. Chad —6G 73
Brambling Clo. Aud —6A 118
Brambling Clo. Stoc —6E 170
Brambling Dri. W'houg —1H 85
Brambling Way. Lwtn —1C 126
Bramcote Av. M23 —5B 166
Bramcote Av. Bolt —1D 66
Bramdean Av. Bolt —7G 25
Bramfield Wlk. M15 —2D 134 (10D 4)
Bramford Clo. W'houg —1J 85
Bramhall Av. Bolt —1J 45
Bramhall Clo. Duk —3H 139
Bramhall Clo. Miln —6C 32
Bramhall Clo. Sale —7J 149
Bramhall Clo. Tim —5H 165
Bramhall La. Bram —2G 181
Bramhall La. Stoc —5H 169
Bramhall La. S. Bram —6G 181
Bramhall Moor Ind. Est. Haz G —2K 181
Bramhall Moor La. Haz G —3J 181
Bramhall Pk. Rd. Bram —3F 181
Bramhall Rd. Bram —3E 180
BRAMHALL STATION. BR —6G 181
Bramhall St. M18 —4G 137
Bramhall St. Bolt —3D 66
Bramhall St. Hyde —5H 139
Bramhall Wlk. Dent —7C 138
Bramham Rd. Marp —7A 172
Bramhope Wlk. M9 —1K 115
Bramley Av. M19 —2C 152
Bramley Av. Stret —7F 133
Bramley Clo. Bram —6G 181
Bramley Clo. Swint —2A 112
Bramley Clo. Wilm —2D 194
Bramley Cres. Stoc —2D 168
Bramley Dri. Bram —6G 181
Bramley Dri. Bury —6G 27
Bramley Meade. Salf —1D 114
Bramley Rd. Bolt —6B 24
Bramley Rd. Bram —6G 181
Bramley Rd. Roch —4A 30
Bramley St. Salf —4E 114
Brammall La. Stoc —1H 181
Brammay Dri. Tot —6C 26
Brampton Av. Mac —1C 198
Brampton Av. St H —7B 102
Brampton Clo. Plat B —6H 83
Brampton Rd. Bolt —3G 65
Brampton Rd. Bram —2H 181
Brampton St. Ath —4D 86
Brampton Wlk. M40 —2D 116
Bramshill Clo. Bchwd —4A 144
Bramway. Bram —5E 180
Bramway. H Lane —5K 183
Bramwell Dri. M13 —3J 135
Bramwell St. Stoc —3K 169
Bramwood Ct. Bram —6G 181
Bramworth Av. Ram —5F 9
Brancaster Rd. M1 —2G 135 (9K 5)
Branch Clo. Bury —2H 47
Branch Rd. L'boro —2C 32
Branch St. Ince —7J 61
Brancker St. W'houg —5C 64
Branden Dri. Knut —5E 192
Brandish Clo. M13 —4K 135
Brandle Av. Bury —1G 47
Brandlehow Dri. Mid —4J 71
Brandlesholme Rd. G'mnt —3D 26
Brandon Av. M22 —3C 166
Brandon Av. Dent —6H 137
Brandon Av. Ecc —3E 112
Brandon Av. H Grn —3H 179
Brandon Brow. Oldh —6C 74
Brandon Clo. Bury —7H 27
Brandon Clo. Uph —7A 58
Brandon Cres. Shaw —5E 52
Brandon Rd. Salf —3F 113
Brandon St. Bolt —2K 65
Brandon St. Miln —6C 32 (off Nall St.)
Brandram Rd. P'wch —3C 92
Brandreth Pl. Stand —4B 38
Brandsby Gdns. Salf —1A 134
Brandwood. Chad —5G 73
Brandwood Av. M21 —6D 150
Brandwood Clo. Wor —7C 88
Brandwood Fold. Tur —6G 7
Brandwood St. Bolt —2J 65
Branfield Av. H Grn —3K 179
Brankgate Ct. Manx —5G 151
Branksome Av. P'wch —3A 92
Branksome Dri. M9 —2H 93
Branksome Dri. H Grn —3K 179
Branksome Dri. Salf —3E 112
Branksome Rd. Stoc —2D 168
Bransby Av. M9 —3A 94
Branscombe Dri. Sale —5A 148
Branscombe Gdns. Bolt —1F 67
Bransdale Av. Rytn —2A 74
Bransdale Clo. Bolt —2F 65
Bransdale Way. Mac —4B 198
Bransford Clo. Ash M —6E 104
Bransford Rd. M11 —1G 137
Bransford Rd. Urm —5A 132
Branson St. M40 —6K 115
Branson Wlk. Tim —5H 165
Branston Rd. M40 —5F 95
Brantfell Gro. Bolt —5H 45
Branthwaite. Ince —5K 61
Brantingham Ct. M16 —1E 150
Brantingham Rd. Chor H & Whal R —1B 150
Brantwood Clo. Rytn —1A 74
Brantwood Ct. Salf —7D 92
Brantwood Dri. Bolt —5H 45
Brantwood Rd. Chea H —3B 180
Brantwood Rd. Salf —7D 92
Brantwood Rd. Stoc —6E 152
Brantwood Ter. M9 —1B 116
Brassey St. Ash L —4F 119
Brassey St. Mid —5C 72
Brassington Av. M21 —3B 150
Brassington Av. Salf —1B 134
Brassington Cres. Glos —7K 141
Brassington Rd. Stoc —6A 152
Brathay Clo. Bolt —3H 45
Bratton Clo. Wig —6J 81
Bratton Wlk. M13 —3K 135
Brattray Dri. Mid —3A 72
Braunston Clo. Ecc —1C 132
Braxton Wlk. M9 —7A 94
Bray Av. Ecc —5K 111
Braybrook Dri. Bolt —6D 42
Bray Clo. Chea H —2A 180
Brayford Rd. M22 —3D 178
Brayshaw Clo. Heyw —4J 49
Brayside Rd. M20 & M19 —6K 151
Brayston Gdns. Gat —5H 167
Brayton Av. M20 —1J 167
Brayton Av. Sale —4B 148
Brayton Ct. Hind —1B 84
Brazennose St. M2 —7F 115 (6G 4)
Brazil Pl. M1 —1G 135 (8K 5)
Brazil St. M1 —1G 135 (7K 5)
Brazley Av. Bolt —3C 66
Brazley Av. Hor —4J 41
Breadsmore Dri. Lwtn —1C 126
Bread St. M18 —3G 137
Bread St. Mac —4E 198
Breaktemper. W'houg —5J 63
Breamore Cres. Salf —1B 114
Brean Wlk. M22 —3C 178
Breaston Av. Leigh —5B 108
Brechin Wlk. Open —7E 116
Brechin Way. Heyw —4G 49
Breckland Clo. Stal —6D 120
Breckland Dri. Bolt —5D 42
Breckles Pl. Bolt —1K 65 (off Kershaw St.)
Breck Rd. Ecc —6K 111
Brecon Av. M19 —3B 152
Brecon Av. Chea H —3A 180
Brecon Av. Dent —1D 154
Brecon Av. Urm —6F 131
Brecon Clo. Plat B —5K 83
Brecon Clo. Poy —1D 190
Brecon Clo. Rytn —7A 52
Brecon Cres. Ash L —2F 119
Brecon Dri. Bury —6J 47
Brecon Dri. Hind —4E 84
Brecon Towers. Stoc —3A 154
Brecon Wlk. Oldh —5K 95
Bredbury Dri. Farn —6G 67
Bredbury Grn. Rom —2E 170
Bredbury Ind. Est. Rom —4C 154
Bredbury Parkway. Bred P —4C 154
Bredbury Rd. M14 —7H 135
BREDBURY STATION. BR —6D 154
Bredbury St. Chad —1K 95
Bredbury St. Hyde —4H 139
Brede Wlk. M23 —2H 165
Breeze Hill. Shaw —1F 75
Breeze Hill. Stand —6D 38
Breeze Hill Rd. Ath —2F 87
Breeze Hill Rd. Oldh —2H 97
Breeze Mt. P'wch —5B 92
Breightmet Dri. Bolt —6G 45
Breightmet Fold La. Bolt —5H 45
Breightmet Ind. Est. Bolt —6H 45
Breightmet St. Bolt —7B 44
Brellafield Dri. Shaw —4D 52
Brenbar Cres. Whitw —2F 13
Brenchley Dri. M23 —1A 166
Brencon Av. M23 —2G 165
Brendall Clo. Stoc —6E 170
Brendon Av. M40 —1C 116
Brendon Av. Stoc —4H 153
Brendon Clo. Glos —2C 158
Brendon Dri. Aud —7B 118
Brendon Hills. Rytn —3B 74
Brenley Wlk. M9 —7K 93 (off Alderside Rd.)
Brennan Clo. M15 —4G 135
Brennan Ct. Oldh —5A 96
Brennock Clo. M11 —1B 136
Brentbridge Rd. M14 —2H 151
Brent Clo. Brad F —1K 67
Brent Clo. Poy —1K 189
Brentfield Av. M8 —2F 115
Brentford Av. Bolt —3H 43
Brentford Rd. Stoc —4H 153
Brentford St. M9 —1A 116
Brent Moor Rd. Bram —1J 181
Brentnall St. Stoc —3H 169
Brentnor Rd. M40 —5E 94
Brenton Av. Sale —6E 148
Brent Rd. M23 —1A 166
Brent Rd. Stoc —2E 168
Brentwood. Sale —6E 148
Brentwood. Salf —4J 113
Brentwood. Urm —1H 147
Brentwood. Wig —2K 81
Brentwood Av. Cad —4K 145
Brentwood Av. Tim —4C 164
Brentwood Av. Urm —7B 132
Brentwood Av. Wor —2K 111
Brentwood Clo. M16 —6F 135
Brentwood Clo. L'boro —1D 32
Brentwood Clo. Stal —6C 120
Brentwood Clo. Stoc —5A 154
Brentwood Ct. P'wch —4K 91
Brentwood Cres. Alt —5C 164
Brentwood Dri. Ecc —4B 112
Brentwood Dri. Farn —4E 66
Brentwood Dri. Gat —6H 167
Brentwood Rd. And —4K 19
Brentwood Rd. Swint —2B 112
Brereton Clo. Bow —3A 176
Brereton Ct. Chea H —3A 180
Brereton Dri. Wor —1H 111
Brereton Gro. Irl —4A 146
Brereton Rd. Ecc —7H 111
Brereton Rd. Hand —2A 188
Breslyn St. M3 —5F 115 (2G 4)
Brethertons Row. Wig —6E 60 (off Wallgate)
Bretherton St. Hind —1A 84
Brethren's St. Droy —1J 137
Bretland Gdns. Hyde —1E 156
Bretland Wlk. M22 —1F 179
Brettargh St. Salf —4A 114
Bretton Wlk. M22 —4D 178
Brett Rd. Wor —2C 110
Brett St. M22 —2E 166
Brewers Grn. Haz G —1B 182
Brewer St. M1 —7H 115 (5L 5)
Brewerton Rd. Oldh —2G 97
Brewery La. Leigh —4A 108
Brewery St. M3 —5F 115 (2H 5)
Brewery St. Alt —7B 164
Brewery St. Stoc —7H 153
Brewster St. M9 —7K 93
Brewster St. Mid —4C 72
Brian Av. Droy —5A 118
Brian Farrell Dri. Duk —3J 139
Brian Rd. Farn —4C 66
Brian St. Roch —3D 50
Briar Av. Haz G —2C 182
Briar Av. Oldh —5H 75
Briar Av. Rix —1H 161
Briar Clo. Ash M —4C 104
Briar Clo. Hind —3F 85
Briar Clo. Knut —3D 192
Briar Clo. Roch —3C 30
Briar Clo. Sale —6A 148
Briar Clo. Urm —6J 131
Briar Cres. M22 —6E 166
Briarcroft Dri. Ath —6A 86
Briardene. Dent —4E 138
Briardene Gdns. M22 —7E 166
Briarfield. Eger —2K 23
Briarfield Rd. M20 & M19 —4K 151
Briarfield Rd. Chea H —1D 180
Briarfield Rd. Dob —4G 77
Briarfield Rd. Farn —5C 66
Briarfield Rd. Stoc —4G 153
Briarfield Rd. Tim —6G 165
Briarfield Rd. Wor —1G 111
Briar Gro. Chad —5K 73
Briar Gro. Leigh —7J 85
Briar Gro. Woodl —5E 154
Briargrove Rd. N Mills —6H 173
Briar Hill Av. L Hul —3A 88
Briar Hill Clo. L Hul —3A 88
Briar Hill Ct. Salf —5A 114 (off Briar Hill Way)
Briar Hill Gro. L Hul —3A 88
Briar Hill Way. Salf —5A 114
Briarlands Av. Sale —1D 164
Briarlands Clo. Bram —6F 181
Briar Lea Clo. Bolt —2A 66
Briarlea Gdns. M19 —5A 152
Briarley Gdns. Woodl —4G 155
Briarly. Stand —6C 38
Briarmere Wlk. Chad —7A 74
Briar Rd. Golb —1K 125
Briar Rd. Wig —7K 59
Briars Hollow. Stoc —2C 168
Briars Mt. Stoc —2C 168
Briarstead Clo. Bram —5F 181
Briar St. Roch —6F 31
Briarthorn Clo. Marp —1A 184
Briar Wlk. Golb —1K 125
Briarwood. Wilm —6J 187
Briarwood Av. M23 —3J 165
Briarwood Av. Droy —5G 117
Briarwood Av. Mac —6F 199
Briarwood Chase. Chea H —3D 180
Briarwood Cres. Marp —1A 184
Briary Dri. Ast —7H 87
Brice St. Duk —1F 139
Brickbridge Rd. Marp —6A 172
Brickcroft. Wig —1H 81
Brickfield St. Pad —4D 142
Brickfield St. Roch —2K 31
Brick Ground. Roch —2J 29
Brickhill La. Ash —7F 177
Brick Kiln La. Wig —5E 60
Brickkiln Row. Bow —3A 176
Brickley St. M3 —5G 115 (1J 5)
Bricknell Wlk. M22 —1F 179
Brick St. M4 —6G 115 (4K 5)
Brick St. Bury —2A 48
Brick St. Newt W —6B 124
Bridcam St. M8 —3G 115
Briddon St. M3 —5F 115 (1H 5) (in two parts)
Brideoake St. Leigh —4B 108
Brideoak St. M8 —1G 115
Brideoak St. Oldh —6J 75
Bridestowe Av. Hyde —6C 140
Bridestowe Wlk. Hyde —6C 140
Bride St. Bolt —3A 44 (in two parts)
Bridge Av. Woodl —5E 154
Bridge Bank Rd. L'boro —1D 32
Bridge Clo. Lymm —7H 161
Bridge Clo. Part —7C 146
Bridge Clo. Rad —4D 68
Bridgecroft St. Hind —1C 84
Bridge Dri. Chea —7K 167
Bridge Dri. Hand —2K 187
Bridge End. Del —2F 77
Bridge End. Wig —6D 60
Bridge End La. P'bry —3C 196
Bridgefield. Glos —2D 158
Bridgefield Av. Wilm —4J 187
Bridgefield Clo. H Lane —5J 183
Bridgefield Cres. Spring —1K 97
Bridgefield Dri. Bury —3C 48
Bridgefield St. Rad —3F 69
Bridgefield St. Roch —5F 31
Bridgefield St. Stoc —1G 169
Bridgefield Wlk. Rad —3F 69
Bridgefold Rd. Roch —5E 30
Bridgefoot Clo. Wor —3C 110
Bridgeford St. M15 —3G 135
Bridge Grn. P'bry —4C 196
Bridge Gro. Tim —4D 164
Bridge Hall Dri. Bury —2C 48
Bridgehall Dri. Uph —7B 58

Bridge Hall Fold—Brookland Av.

Bridge Hall Fold. Bury —3C 48
Bridge Hall Ind. Est. H Bri —3C 48
Bridge Hall La. Bury —3C 48
Bridge La. Bram —3H 181
Bridgelea Rd. M20 —4H 151
Bridgeman Pl. Bolt —7C 44
Bridgeman St. Bolt —2K 65
Bridgeman St. Farn —5F 67
Bridgeman Ter. Wig —5E 60
Bridgemere Clo. Rad —1D 68
Bridgend Clo. M12 —3C 136
Bridgend Clo. Chea H —7D 168
Bridgend Dri. P'bry —3C 196
Bridgenorth Av. Urm —7D 132
Bridgenorth Dri. L'boro —1D 32
Bridge Rd. Bury —4H 47
Bridge Rd. Golb & Lymm —2G 161
Bridge Rd. Lymm —2H 161
Bridges Av. Bury —7K 47
Bridges Ct. Bolt —7B 44 (off Soho St.)
Bridge's St. Ath —5B 86
Bridge St. M3 —7F 115 (5G 4)
Bridge St. Aud —2D 138
Bridge St. Bolt —5B 44
Bridge St. Bury —1A 48
Bridge St. Droy —1G 137
Bridge St. Duk —3E 138
Bridge St. Farn —5G 67
Bridge St. Golb —2J 125
Bridge St. Heyw —3J 49
Bridge St. Hind —1B 84 (Hindley)
Bridge St. Hind —3J 61 (Wigan)
Bridge St. Hor —1G 41
Bridge St. Mac —4E 198
Bridge St. Mid —6C 72
Bridge St. Miln —6D 32
Bridge St. N Mills —3J 185
Bridge St. Newt W —6D 124
Bridge St. Oldh —1E 96
Bridge St. Pen —7E 90
Bridge St. Rad —6K 67
Bridge St. Ram —5G 9
Bridge St. Roch —4E 50
Bridge St. Salf —7E 114 (5F 4)
Bridge St. Shaw —5G 53
Bridge St. Spring —1K 97
Bridge St. Stal —7K 119
Bridge St. Stoc —1H 169
Bridge St. Upperm —7H 77
Bridge St. Whitw —1A 32 (Rochdale)
Bridge St. Whitw —2E 12 (Whitworth)
Bridge St. Wig —7F 61 (Ince)
Bridge St. Wig —7E 60 (Wallgate)
Bridge St. Brow. Stoc —1H 169
Bridge St. W. Salf —7E 114 (5E 4)
Bridges Way. Dent —3D 154
Bridgewater Cen., The. Urm —2C 132
Bridgewater Clo. H Grn —5K 179
Bridgewater Hall. M1 —1F 135 (off Gt. Bridgewater St.)
Bridgewater Pl. M4 —7G 115 (5K 5)
Bridgewater Rd. Alt —4B 164
Bridgewater Rd. Mos C —1B 110
Bridgewater Rd. Pen —1F 113
Bridgewater Rd. Wor —5E 88
Bridgewater St. M3 —1E 134 (8F 4)
Bridgewater St. Bolt —7K 43
Bridgewater St. Ecc —6K 111
Bridgewater St. Farn —6F 67
Bridgewater St. Hind —2C 84
Bridgewater St. L Hul —3D 88
Bridgewater St. Nwtwn —1B 82 (off Harrison St.)
Bridgewater St. Oldh —6E 74
Bridgewater St. Sale —5F 149
Bridgewater St. Salf —5E 114 (1E 4)
Bridgewater St. Stret —7J 133
Bridgewater St. Wig —7D 60
Bridgewater Viaduct. M15 —2E 134 (9E 4)
Bridgewater Wlk. Wor —4F 89 (off Victoria Sq.)
Bridgeway. Marp —5J 171
Bridgewood Lodge. Heyw —3H 49
Bridgnorth Rd. M9 —4G 93
Bridle Clo. Droy —5A 118
Bridle Clo. Urm —7G 131
Bridle Ct. Woodf —3H 189
Bridle Fold. Rad —2E 68
Bridle Rd. P'wch —7C 70
Bridle Rd. Wilm —4F 187
Bridle Rd. Woodf —2H 189
Bridle Way. Woodf —3H 189
Bridlington Av. Salf —5G 113
Bridlington Clo. M40 —2E 116
Bridlington Sq. Roch —6H 31
Bridport Av. M40 —7F 95
Bridson La. Bolt —3F 45
Bridson St. Oldh —7G 75
Bridson St. Salf —7J 113
Brief St. Bolt —4E 44
Brien Av. Alt —4B 164
Briercliffe Clo. M18 —3F 137
Briercliffe Rd. Bolt —1J 65
Brierfield Av. Ath —3C 86
Brierfield Dri. Bury —4J 27
Brierholme Av. Eger —3A 24
Brierley Av. Fail —1H 117
Brierley Av. W'fld —4J 69
Brierley Clo. Ash L —2A 120
Brierley Clo. Dent —1C 154
Brierley Dri. Mid —7C 72
Brierley Rd. E. Swint —6C 90
Brierley Rd. W. Swint —6C 90
Brierleys Pl. L'boro —5E 14
Brierley St. Bury —5J 47
Brierley St. Chad —6A 74
Brierley St. Duk —7H 119
Brierley St. Heyw —3K 49
Brierley St. Oldh —4D 96
Brierley St. Stal —7B 120
Brierley Wlk. Chad —6A 74
Brierton Dri. M22 —3B 178
Brierwood Clo. Oldh —5C 74
Briery Av. Bolt —6F 25
Brigade St. Bolt —6J 43
Brigadier Clo. M20 —4H 151
Brigantine Clo. Salf —1A 134
Briggs Clo. Sale —2A 164
Briggs Fold Clo. Eger —2A 24
Briggs Fold Rd. Eger —2A 24
Briggs Rd. Stret —5K 133
Briggs St. Leigh —1J 107
Briggs St. Salf —5D 114 (2D 4)
Brigham St. M11 —1E 136
Brightman St. M18 —3F 137
Brighton Av. M19 —3B 152
Brighton Av. Bolt —4G 43
Brighton Av. Salf —2E 114
Brighton Av. Stoc —7H 137
Brighton Av. Urm —6G 131
Brighton Clo. Chea H —7E 168
Brighton Cres. Lang —7K 199
Brighton Gro. M14 —7K 135
Brighton Gro. Hyde —1J 155
Brighton Gro. Sale —5E 148
Brighton Gro. Urm —7G 131
Brighton Pl. M13 —3H 135
Brighton Range. M18 —5H 137
Brighton Rd. Scout —5A 76
Brighton Rd. Stoc —2E 168
Brighton St. M4 —5G 115 (1K 5)
Brighton St. Bury —2B 48
Bright Rd. Ecc —6C 112
Brightstone Wlk. M13 —5A 136
Bright St. Ash L —6H 119
Bright St. Aud —5C 138
Bright St. Bury —2A 48
Bright St. Chad —3J 95
Bright St. Droy —7K 117
Bright St. Eger —2K 23
Bright St. Leigh —1J 107 (in two parts)
Bright St. Oldh —2B 96
Bright St. Rad —2G 69
Bright St. Roch —6J 31
Brightwater Clo. W'fld —6A 70
Brightwell Wlk. M4 —6H 115 (4L 5) (off Tib St.)
Brignall Gro. Lwtn —7B 106
Brigsteer Wlk. M40 —3K 115 (off Thornton St. N.)
Brigstock Av. M18 —4E 136
Briksdal Way. Los —6C 42
Brimelow St. Bred —7A 154
Brimfield Av. Tyl —6J 87
Brimfield Wlk. M40 —2E 116
Brimmy Croft La. Dens —2C 54
Brimpton Wlk. M8 —2F 115 (off Kenford Wlk.)
Brimrod La. Roch —7F 31
Brindale Rd. Stoc —6A 154
Brindfale Rd. Stoc —6A 154
Brindle Clo. Salf —4K 113
Brindle Heath Rd. Salf —4K 113
Brindlehurst Dri. Ast —1J 109
Brindle Mt. Salf —4K 113
Brindle Pl. M15 —3G 135
Brindle Rise. Salf —4K 113
Brindle St. Hind —7D 62
Brindle St. Tyl —6G 87
Brindle Way. Shaw —6H 53
Brindley Av. M9 —2H 93
Brindley Av. Marp —6K 171
Brindley Av. Sale —4G 149
Brindley Clo. Ath —6A 86
Brindley Clo. Ecc —2B 132
Brindley Clo. Farn —6D 66
Brindley Dri. Wor —2C 110
Brindley Gro. Wilm —4A 188
Brindley Lodge. Swint —2C 112
Brindley Rd. M16 —4B 134
Brindley St. Bolt —1B 44
Brindley St. Ecc —5K 111
Brindley St. Hor —3G 41
Brindley St. Pen —5D 90
Brindley St. Wig —2J 81
Brindley St. Wor —2B 110 (Boothstown)
Brindley St. Wor —5F 89 (Worsley)
Brinell Dri. Irl —4A 146
Brinkburn Rd. Haz G —1E 182
Brinklow Clo. M11 —2G 137
Brinkshaw Av. M22 —1E 178
Brink's Row. Hor —7H 21
Brinksway. Bolt —6C 42
Brinksway. Stoc —3D 168
Brinksworth Clo. Bolt —5J 45
Brinnington Cres. Stoc —6K 153
Brinnington Rise. Stoc —6K 153
Brinnington Rd. Stoc —7J 153
BRINNINGTON STATION. BR —4A 154
Brinscome Av. M22 —2C 178
Brinsop Hall La. W'houg —1E 62
Brinsop Sq. M12 —3D 136
Brinsop St. Asp —2D 62
Brinston Wlk. M40 —1C 116
Brinsworth Dri. M8 —2G 115
Briony Av. Hale —2G 177
Briony Clo. Rytn —4C 74
Brisbane Clo. Bram —7H 181
Brisbane Rd. Bram —7H 181
Brisbane St. M15 —4H 135
Briscoe La. M40 —5B 116
Briscoe St. Oldh —6D 74
Briscoe Wlk. Mid —4J 71
Bristle Hall Way. W'houg —4K 63
Bristol Av. M19 —2D 152
Bristol Av. Ash L —1F 119
Bristol Av. Bolt —4E 44
Bristol Clo. H Grn —5J 179
Bristol Ct. Salf —6E 92
Bristol St. Salf —1E 114
Bristowe St. M11 —5F 117
Britain St. Bury —7J 47
Britannia Av. Shaw —7G 53
Britannia Rd. Sale —5F 149
Britannia Rd. Wig —6H 59
Britannia St. Ash L —1D 138
Britannia St. Heyw —3H 49
Britannia St. Salf —2A 114
Britnall Av. M12 —4A 136
Briton St. Roch —4J 31
Briton St. Rytn —4C 74
Brittannia St. Oldh —7E 74
Brittannia Way. Bolt —3C 44
Britton St. Oldh —7A 74
Britwell Wlk. M8 —7J 93 (off Mawdsley Dri.)
Brixham Av. Chea H —5B 180
Brixham Dri. Sale —4B 148
Brixham Rd. M16 —5B 134
Brixham Wlk. M13 —4J 135
Brixham Wlk. Bram —5G 181
Brixton Av. M20 —4G 151
Brixworth Wlk. M9 —4A 94 (off Greendale Dri.)
Broach St. Bolt —2A 66
Broad Acre. Roch —2A 30
Broadacre. Stal —2E 140
Broadacre. Stand —3G 37
Broadacre Rd. M18 —6G 137
Broadbent. Shaw —1E 74
Broadbent Av. Ash L —2G 119
Broadbent Av. Duk —1H 139
Broadbent Clo. Rytn —1E 74
Broadbent Clo. Stal —2E 120
Broadbent Dri. Bury —1E 48
Broadbent Gro. Hyde —1E 156
Broadbent Rd. Oldh —4G 75
Broadbent St. Hyde —5H 139
Broadbent St. Swint —1B 112
Broadbottom Rd. Mot —1F 157
BROADBOTTOM STATION. BR —2G 157
Broadcarr La. Moss —5A 98
Broadcar Rd. Mac —5K 199
Broadfield Clo. Dent —7E 138
Broadfield Dri. L'boro —1D 32
Broadfield Gro. Stoc —6G 137
Broadfield Rd. M14 —5G 135
Broadfield Rd. Stoc —6G 137
Broadfield Stile. Roch —6G 31
Broadfield St. Heyw —4H 49
Broadfield St. Roch —6H 31
Broadford Ct. Heyw —4F 49
Broadford Rd. Bolt —1F 65
Broadgate. Bolt —1F 65
Broadgate. Dob —5E 76
Broadgate. Mid & Chad —1F 95
Broadgate Ho. Bolt —1F 65
Broadgate Meadow. Swint —1D 112
Broadgate Wlk. M9 —7A 94 (off Roundham Wlk.)
Broadgreen Gdns. Farn —4F 67
Broadhalgh Av. Roch —5C 30
Broadhalgh Rd. Roch —6C 30
Broadhaven Rd. M40 —4K 115
Broadhead Rd. Tur —5G 7
Broadhead Wlk. W'fld —5B 70
Broadheath Clo. W'houg —5A 64
Broad Hey. Rom —7H 155
Broad Hey La. App B —1A 36
Broadhill Clo. Bram —2J 181
Broadhill Rd. M19 —4A 152
Broadhill Rd. Stal —3A 120
Broadhurst. Dent —4E 138
Broadhurst Av. Clif —4D 90
Broadhurst Av. Cul —7K 127
Broadhurst Av. Oldh —5A 74
Broadhurst Ct. Bolt —2K 65
Broadhurst Gro. Ash L —2G 119
Broadhurst St. Bolt —2K 65
Broadhurst St. Rad —1D 68
Broadhurst St. Stoc —4G 169
Broad Ing. Roch —3E 30
Broadlands. Shev —7H 37
Broadlands Av. Heyw D —5E 48
Broadlands Cres. Hewy D —5E 48
Broadlands Rd. Wor —2A 112
Broadlands Wlk. M40 —2C 116
Broadlands Way. Heyw D —5E 48
Broad La. B'edg —2K 51
Broad La. Del —6E 54
Broad La. Hale —4E 176
Broad La. St H —6B 102
Broad La. Whitw —3B 12
Broadlea. Urm —6A 132
Broadlea Gro. Roch —2E 30
Broadlea Rd. M19 —5A 152
Broadley Av. M22 —7D 166
Broadley Av. Lwtn —2A 126
Broadley View. Whitw —6E 12
Broad Meadow. Brom X —4D 24
Broadmeadow Av. M16 —1F 151
Broadmoss Dri. M9 —4C 94
Broadoak Av. M22 —6C 166
Broadoak Av. Wor —1B 110
Broadoak Clo. Adl —4J 19
Broadoak Ct. M8 —2H 115
Broadoak Cres. Ash L —3F 119
Broadoak Cres. Oldh —5E 96
Broadoak Dri. M22 —6D 166
Broad Oak Ind. Est. & Bus. Pk. Traf P —2D 132
Broad Oak La. M20 —3H 167 (in two parts)
Broad Oak La. Bury —2C 48
Broadoak La. H Legh —7A 174
Broadoak La. Knut —1H 193
Broad Oak Pk. Ecc —4B 112
Broadoak Rd. M22 —7C 166
Broadoak Rd. Ash L —3F 119
Broadoak Rd. Bolt —4C 66
Broadoak Rd. Bram —2G 181
Broadoak Rd. Roch —6A 30
Broad Oak Rd. Wor —2K 111
Broadoaks. Bury —2D 48
Broadoaks Rd. Sale —6E 148
Broadoaks Rd. Urm —1K 147
Broad Oak Ter. Bury —2E 48
Broad o' th' La. Bolt —1A 44
Broad o' th' La. Shev —7G 37
Broadriding Rd. Shev —7E 36
Broad Rd. Sale —5G 149
Broad Shaw La. Miln —3B 52 (in two parts)
Broadstone Av. Oldh —2K 75
Broadstone Clo. P'wch —4A 92
Broadstone Clo. Roch —3C 30
Broadstone Hall Rd. N. Stoc —4F 153
Broadstone Hall Rd. S. Stoc —4F 153
Broadstone Rd. Bolt —7F 25
Broadstone Rd. Stoc —4F 153
Broad St. Bury —3J 47
Broad St. Mid —7J 71
Broad St. Salf —3H 113 (in two parts)
Broadwalk. P'bry —5C 196
Broad Wlk. Salf —5A 114
Broad Wlk. W'houg —7J 63
Broad Wlk. Wilm —5F 187
Broadway. M40 & Chad —6F 95
Broadway. Ath —2F 87
Broadway. Bram —2G 181
Broadway. Chea —7J 167
Broadway. Droy —1J 137
Broadway. Duk & Hyde —3F 139
Broadway. Fail —1F 117
Broadway. Farn —5C 66
Broadway. Hale —3E 176
Broadway. Hind —2D 84
Broadway. Hor —2H 41
Broadway. Irl —1C 146
Broadway. Part —6C 146
Broadway. Rytn —4A 74
Broadway. Sale —5E 148
Broadway. Salf —1J 133
Broadway. Stoc —4A 170
Broadway. Urm —5J 131
Broadway. Wilm —7H 187
Broadway. Wor —6F 89
Broadway Av. Chea —6J 167
Broadway Clo. Urm —4A 132
Broadway Ind. Est. Duk —3F 139
Broadway Ind. Est. Salf —1B 134
Broadway M. Alt —3F 177
Broadway N. Droy —1J 137
Broadway St. Oldh —3D 96
Broadway, The. Bred —6C 154
Broadwell Dri. M9 —1A 116
Broadwell Dri. Leigh —7J 107
Broadwood. Los —6C 42
Broadwood Clo. Dis —5K 183
Brocade Clo. Salf —5D 114 (2C 4)
Broche Clo. Roch —2D 50
Brock Av. Bolt —6H 45
Brock Clo. M11 —2F 137
Brock Dri. Chea H —4D 180
Brockenhurst Dri. Bolt —2H 45
Brockford Dri. M9 —2A 94
Brockholes. Glos —2B 158
Brockhurst Wlk. Wig —2C 82
Brocklebank Rd. M14 —2J 151
Brocklebank Rd. Roch —5B 32
Brocklehurst Av. Bury —4K 47
Brocklehurst Av. Mac —2G 199
Brocklehurst Ct. Mac —7F 197 (off Tytherington Dri.)
Brocklehurst Dri. P'bry —3C 196
Brocklehurst St. M9 —7C 94
Brocklehurst Way. Mac —7F 197
Brockley Av. M14 —7H 135
Brock Mill La. Wig —2E 60
Brock Pl. Plat B —5H 83
Brock St. M1 —7H 115 (5M 5)
Brock St. Mac —2F 199 (in two parts)
Brock St. Wig —6G 61
Brockton Wlk. M8 —7G 93
Brockway. Roch —2A 52
Brocstedes Av. Ash M —2A 104
Brocstedes Rd. Ash M —1K 103
Brocton Ct. Salf —6D 92
Brodick Dri. Bolt —7H 45
Brodick St. M40 —7B 94
Brodie Clo. Ecc —6K 111
Brogan St. M18 —4F 137
Brogden Av. Cul —5J 127
Brogden Dri. Gat —6H 167
Brogden Gro. Sale —7E 148
Brogden Ter. Sale —6E 148
Broken Cross. Mac —3A 198
Bromborough Av. M20 —2G 151
Bromfield. Roch —4G 31 (off Spotland Rd.)
Bromfield Av. M9 —6K 93
Bromleigh Av. Gat —5H 167
Bromley Av. Lwtn —2B 126
Bromley Av. Rytn —7A 52
Bromley Av. Urm —1G 147
Bromley Clo. Wig —4J 61
Bromley Cres. Ash L —2F 119
Bromley Cross Rd. Brom X —5D 24
BROMLEY CROSS STATION. BR —5D 24
Bromley Dri. Leigh —7H 85
Bromley Rd. Mac —3A 198
Bromley Rd. Sale —1G 165
Bromley St. M4 —5H 115 (1L 5)
Bromley St. Chad —4J 95
Bromley St. Dent —5D 138
Bromlow St. M11 —7E 116
Brompton Av. Fail —7K 95
Brompton Rd. M14 —7H 135
Brompton Rd. Stoc —1C 168
Brompton Rd. Stret —6D 132
Brompton St. Oldh —2E 96
Brompton Ter. Duk —7F 119 (off Astley St.)
Bromsgrove Av. Ecc —6A 112
Bromshill Dri. Salf —2E 114
Bromwich Dri. M9 —1K 115
Bromwich St. Bolt —7C 44
Bronington Clo. M22 —4E 166
Bronte Av. Bury —7K 47
Bronte Clo. Bolt —4K 43
Bronte Clo. Oldh —2H 75
Bronte Clo. Roch —3C 30
Bronte Clo. Wor M —2C 82
Bronte St. M15 —4G 135
Bronville Clo. Chad —5A 74
Brookash Rd. M22 —4G 179
Brook Av. M19 —7D 136
Brook Av. Droy —7G 117
Brook Av. Shaw —5G 53
Brook Av. Stoc —5F 153
Brook Av. Swint —1D 112
Brook Av. Tim —5C 164
Brook Av. Upperm —6J 77
Brook Bank. Bolt —2E 44
Brookbank Clo. Mid —7D 72
Brookbottom. Bolt —6G 25
Brook Bottom Rd. N Mills —3F 185
Brook Bottom Rd. Rad —7D 46
Brookburn Rd. M21 —2A 150
Brook Clo. Hth C —3H 19
Brook Clo. Tim —5C 164
Brook Clo. W'fld —6B 70
Brookcot Rd. M23 —4K 165
Brook Ct. Salf —6C 92
Brookcroft Av. M22 —5D 166
Brookcroft Rd. M22 —6D 166
Brookdale. Ath —1F 87
Brookdale. Hth C —3J 19
Brookdale. Roch —1G 31
Brookdale Av. M40 —3F 117
Brookdale Av. Aud —2B 138
Brookdale Av. Dent —7F 139
Brookdale Av. Knut —4F 193
Brookdale Av. Marp —7A 172
Brookdale Clo. Bolt —3B 44
Brookdale Clo. Stoc —5D 170
Brookdale Cotts. Stoc —5D 170
Brookdale Ct. Leigh —5K 107
Brookdale Rise. Bram —3H 181
Brookdale Rd. Bram —3H 181
Brookdale Rd. Gat —6F 167
Brookdale Rd. Hind —2D 84
Brookdale St. Fail —1G 117
Brookdean Clo. Bolt —2J 43
Brookdene Rd. M19 —4A 152
Brookdene Rd. Bury —5A 70
Brook Dri. Ast —2J 109
Brook Dri. Marp —7K 171
Brook Dri. W'fld —6B 70
Brooke Av. Hand —1K 187
Brooke Dri. Hand —1K 187
Brookes St. Mid —4D 72
Brooke Way. Hand —1K 187
Brookfield. P'wch —3B 92
Brookfield. Shaw —4E 52
Brookfield. Wig —6A 60
Brookfield Av. M21 —2C 150
Brookfield Av. Bolt —4A 46 (in two parts)
Brookfield Av. Bred —6E 154
Brookfield Av. Poy —2A 190
Brookfield Av. Rytn —3B 74
Brookfield Av. Salf —5G 113
Brookfield Av. Stoc —4J 169
Brookfield Av. Tim —3D 164
Brookfield Av. Urm —7J 131
Brookfield Clo. Lymm —7D 160
Brookfield Clo. P'wch —3B 92
Brookfield Clo. Stoc —4J 169
Brookfield Cres. Chea —7K 167
Brookfield Dri. L'boro —5C 14
Brookfield Dri. Swint —6C 90
Brookfield Dri. Tim —4E 164
Brookfield Dri. Wor —2B 110
Brookfield Gdns. M22 —5C 166
Brookfield Gro. M18 —5F 137
Brookfield Gro. Ash L —6H 119
Brookfield Ind. Est. Glos —6A 142
Brookfield La. Mac —4H 199
Brookfield Rd. M8 —6G 93
Brookfield Rd. Bury —4J 27
Brookfield Rd. Cul —5H 127
Brookfield Rd. Dem I —6K 167
Brookfield Rd. Ecc —4K 111
Brookfield Rd. Lymm —7D 160
Brookfield Rd. Stand —3H 37
Brookfield Rd. Uph —7B 58
Brookfields. Moss —5C 98
Brookfield St. Aud —2A 138
Brookfield St. Bolt —6D 44
Brookfield St. Leigh —2A 108
Brookfield St. Newt W —6D 124
Brookfield St. Oldh —2D 96
Brookfield Ter. Haz G —7D 170
Brookfield Ter. Stal —6C 120
Brookfold. Fail —7G 95
Brookfold La. Bolt —1H 45
Brook Fold La. Hyde —1B 156
Brookfold Rd. Stoc —4F 153
Brook Gdns. Bolt —1G 45
Brook Gdns. Heyw —3J 49
Brook Grn. La. M18 —6H 137
Brook Gro. Irl —7C 130
Brookhead Av. M20 —3F 151
Brookhead Dri. Chea —6C 168
Brookhey Av. Bolt —3B 66
Brook Hey Clo. Roch —7B 14
Brookheys Rd. Part —6G 147
Brookhill Clo. Dig —1J 77
Brookhill St. M40 —5A 116
Brook Ho. Wig —7F 61
Brookhouse Av. Ecc —7J 111
Brookhouse Av. Farn —1E 88
Brook Ho. Clo. Bolt —2G 45
Brook Ho. Clo. G'mnt —4C 26
Brookhouse Clo. Mac —2B 198
Brookhouse St. Wig —7F 61
Brookhouse Ter. Wig —7F 61
Brookhurst La. L Hul —1A 88
Brookhurst Rd. M18 —5F 137
Brookland Av. Farn —7E 66

Burbage Bank.—Cambridge Rd.

Burbage Bank. Glos —7A 142 (off Edale Cres.)
Burbage Gro. Glos —7A 142 (off Edale Cres.)
Burbage Rd. M23 —2A 178
Burbage Way. Glos —7A 142 (off Edale Cres.)
Burbridge Clo. M11 —7A 116
Burchall Field. Roch —5K 31
Burcot Wlk. M8 —3E 114
Burdale Dri. Salf —4F 113
Burder St. Oldh —5A 96
Burdett Av. Roch —3B 30
Burdett Way. M12 —4A 136
Burdith Av. M14 —7G 135
Burdon Av. M22 —1E 178
Burford Av. M16 —7D 134
Burford Av. Bram —7E 180
Burford Av. Urm —5C 132
Burford Clo. Wilm —1E 194
Burford Cres. Wilm —1E 194
Burford Dri. M16 —7D 134
Burford Dri. Bolt —1A 66
Burford Dri. Swint —5C 90
Burford Gro. Sale —2C 164
Burford Rd. M16 —7D 134
Burford Wlk. M16 —7D 134
Burgate Wlk. Salf —2F 115
Burgess Av. Ash L —3G 119
Burgess Dri. Fail —1H 117
Burgess St. Ince —2G 83
Burgess St. Mac —3H 199
Burgh Hall Rd. Chor —1C 18
Burgh La. Chor —1E 18
Burgh La. S. Cop —2D 18
Burghley Clo. Rad —1K 67
Burghley Dri. Rad —1K 67
Burghley Way. Ince —2H 83
Burgin Wlk. M40 —3J 115
Burgundy Dri. Tot —5D 26
Burke St. Bolt —3K 43
Burkhardt Dri. Newt W —6G 125
Burkitt St. Hyde —7J 139
Burland Clo. Salf —3E 114
Burland St. Wig —7B 60
Burleigh Clo. Haz G —3J 181
Burleigh Ct. Stret —5J 133
Burleigh Ho. M15 —4H 135
Burleigh M. M21 —4B 150
Burleigh Rd. Stret —6J 133
Burleigh St. M15 —4H 135
Burlescombe Clo. Alt —5K 163
Burley Av. Lwtn —7B 106
Burley Ct. Stoc —1E 168
Burley Cres. Wig —5J 81
Burleyhurst La. Mob & Wilm —7A 186
Burlin Ct. M16 —6D 134
Burlington Av. Oldh —3C 96
Burlington Clo. Stoc —1A 168
Burlington Ct. Alt —6B 164
Burlington Dri. Stoc —7H 169
Burlington Gdns. Stoc —7H 169
Burlington M. Stoc —7H 169
Burlington Rd. M20 —3J 151
Burlington Rd. Alt —6B 164
Burlington Rd. Ecc —4C 112
Burlington St. M15 —4G 135
Burlington St. Ash L —6D 118
Burlington St. Hind —2B 84 (in two parts)
Burlington St. E. M15 —4G 135
Burlton Gro. Asp —4J 61
Burman St. M11 & Droy —2H 137
Burnaby St. Bolt —1K 65
Burnaby St. Oldh —2B 96
Burnaby St. Roch —1E 50
Burnage Av. M19 —2B 152
Burnage Hall Rd. M19 —3A 152
Burnage La. M19 —1K 167
Burnage Range. M19 —1C 152
BURNAGE STATION. BR —6K 151
Burnaston Gro. Wig —2K 81
Burn Bank. G'fld —2F 99
Burnbray Av. M19 —4A 152
Burnby Wlk. M23 —2K 165
Burndale Dri. Bury —3A 70
Burndale Wlk. M23 —2K 165
Burnden Rd. Bolt —1D 66
Burnedge Clo. Whitw —1F 13
Burnedge Fold Rd. Gras —1D 98
Burnedge La. Gras —1C 98
Burnedge M. Oldh —1D 98
Burnell Clo. M40 —5K 115
Burnell Ct. Heyw —6K 49
Burnett Av. Salf —1B 134
Burnett Clo. M40 —3K 115
Burnfell. Lwtn —2C 126
Burnfield Rd. M18 —6F 137
Burnfield Rd. Stoc —6G 137
Burnham Av. Bolt —4G 43
Burnham Av. Stoc —1H 153
Burnham Clo. Chea H —2B 180
Burnham Clo. Cul —5J 127
Burnham Dri. M19 —2B 152
Burnham Dri. Urm —6A 132
Burnham Gro. Wig —4H 61
Burnham Wlk. Farn —5F 67
Burnhill Ct. Stand —5A 38
Burnleigh Ct. Bolt —6F 65
Burnley La. Chad —4J 73
Burnley Rd. Bury —4J 27 (in two parts)
Burnley St. Chad —7K 73
Burnley St. Fail —7J 95
Burnmoor Rd. Bolt —5H 45
Burnsall Av. Lwtn —1D 126
Burnsall Av. W'fld —6J 69
Burnsall Gro. Rytn —2B 74
Burnsall Wlk. M22 —2A 178
Burns Av. Ath —2D 86
Burns Av. Bury —7K 47
Burns Av. Chea —5B 168
Burns Av. Leigh —7G 85
Burns Av. Swint —6B 90
Burns Clo. M11 —7A 116
Burns Clo. Ash M —1B 104
Burns Clo. Bil —6D 80
Burns Clo. Oldh —1J 75
Burns Clo. Wig —3C 82
Burns Cres. Stoc —4C 170
Burns Fold. Duk —2A 140
Burns Gdns. P'wch —4K 91
Burns Gro. Droy —6J 117
Burnside. Had —5B 142
Burnside. Haleb —5H 177
Burnside. Ram —1H 9
Burnside. Shaw —5H 53
Burnside. Stal —2D 140
Burnside Av. Salf —3F 113
Burnside Av. Stoc —4G 153
Burnside Clo. Ast —1H 109
Burnside Clo. Bred —7D 154
Burnside Clo. Heyw —4K 49
Burnside Clo. Rad —6D 46
Burnside Clo. Stal —2D 140
Burnside Cres. Mid —3A 72
Burnside Dri. M19 —3A 152
Burnside Rd. Bolt —3H 43
Burnside Rd. Gat —6G 167
Burnside Rd. Roch —6A 32
Burns Rd. Abr —6K 83
Burns Rd. Dent —3E 154
Burns Rd. L Hul —2D 88
Burns St. Bolt —7B 44
Burns St. Heyw —4K 49
Burnt Edge La. Hor —6B 22
Burnthorpe Av. M9 —4H 93
Burnthorpe Clo. Roch —6A 30
Burntwood Wlk. M9 —7A 94 (off Naunton Wlk.)
Burnvale. Wig —5K 81
Burran Rd. M22 —4D 178
Burrell St. M13 —2H 135 (10M 5) (off Hanworth Clo.)
Burrington Dri. Leigh —1H 107
Burrough Clo. Bchwd —7A 144
Burrows Av. M21 —4B 150
Burrswood Av. Bury —6K 27
Burrwood Dri. Stoc —6F 169
Burslem Av. M20 —2G 151
Burstead St. M18 —2G 137
Burstock St. M4 —5H 115 (1M 5)
Burston St. M18 —3E 136
Burtinshaw St. M18 —4F 137
Burton Av. M20 —4G 151
Burton Av. Stret —1F 149
Burton Av. Tim —2E 164
Burton Av. Tot —1D 46
Burton Clo. Cul —6K 127
Burton Dri. Poy —1B 190
Burton Gro. Wor —7A 90
Burton Ho. Wilm —6H 187
Burton Rd. M20 —6F 151
Burton St. M40 —4H 115
Burton St. Lees —1J 97
Burton St. Mid —6B 72
Burton St. Stoc —7G 153
Burton Wlk. Salf —6D 114 (3D 4)
Burton Wlk. Stoc —7G 153 (off Heskith St.)
Burtonwood Ct. Mid —5B 72
Burtree St. M12 —3C 136
Burwell Clo. Glos —2C 158
Burwell Clo. Roch —1F 31
Burwell Gro. M23 —4K 165
Bury Av. M16 —7C 134
Bury & Bolton Rd. Rad —6A 46
BURY BOLTON STREET STATION. ELR —3J 47
Bury Ind. Est. Bolt —6H 45
Bury New Rd. Bolt —6C 44
Bury New Rd. Brei —6J 45
Bury New Rd. Bury & Heyw —3C 48
Bury New Rd. Ram —5H 9
Bury New Rd. Salf & M8 —7C 92
Bury New Rd. W'fld & P'wch —5J 69
Bury Old Rd. Ain —4J 45
Bury Old Rd. Bolt —6C 44 (in two parts)
Bury Old Rd. Heap & Heyw —4E 48
Bury Old Rd. P'wch & M8 —4D 92
Bury Old Rd. Ram —1K 9
Bury Old Rd. Walm —6K 9
Bury Old Rd. W'fld & P'wch —7K 69
Bury Pl. M11 —6E 116
Bury Rd. Bolt —6D 44
Bury Rd. Rad —2F 69
Bury Rd. Ram —1H 9
Bury Rd. Roch —7A 30
Bury Rd. Tot —6D 26
Bury Rd. Tur —1H 25
Bury & Rochdale Old Rd. Bury & Heyw —1F 49
BURY STATION. M —3J 47
Bury St. Heyw —3H 49
Bury St. Moss —7C 98
Bury St. Rad —2G 69
Bury St. Ram —6C 44
Bury St. Salf —6E 114 (3F 4)
Bury St. Stoc —7H 153
Bushell St. Bolt —2H 65
Bushey Dri. M23 —6A 166
Busheyfield Clo. Hyde —4H 139
Bushfield Wlk. M23 —4J 165
Bushgrove Wlk. M9 —2K 93 (off Claygate Dri.)
Bushmoor Wlk. M13 —4K 135
Bushnell Wlk. M9 —2K 93 (off Eastlands Rd.)
Bush St. M40 —3A 116
Bushton Wlk. M40 —3J 115
Bushway Wlk. M8 —2H 115 (off Geneva Wlk.)
Busk Rd. Chad —6A 74
Busk Wlk. Chad —6A 74
Butcher La. M23 —4H 165 (in two parts)
Butcher La. Bury —3K 47
Butcher La. Rytn —1A 74
Butchers La. Ash M —6D 104
Bute Av. Oldh —4D 96
Bute St. M40 —7B 94
Bute St. Bolt —4H 43
Bute St. Ecc —1K 131
Bute St. Glos —7G 143
Bute St. Salf —7H 113
Butler Ct. M40 —5J 115 (2P 5)
Butler Ct. Stret —1H 149
Butler Grn. Chad —3J 95
Butler La. M4 —5J 115 (2P 5)
Butler St. M4 —5J 115 (2P 5)
Butler St. Ram —7E 8
Butler St. Wig —6F 61
Butley Clo. Mac —7F 197
Butley Lanes. P'bry —1B 196
Butley St. Haz G —7C 170
Butman St. M18 —3H 137
Buttercup Av. Wor —4B 88
Buttercup Clo. Ath —2D 86
Buttercup Dri. Roch —2D 50
Buttercup Dri. Stoc —7F 169
Butterfield Clo. Chea H —3D 180
Butterfield Rd. Bolt —6F 65
Butterhouse La. Dob —4J 77
Butter La. M3 —7F 115 (5G 4)
Butterley Clo. Duk —2K 139
Buttermere Av. Ash M —3D 104
Buttermere Av. Heyw —5K 49
Buttermere Av. Swint —2D 112
Buttermere Clo. L Lev —2H 67
Buttermere Clo. Stret —6G 133
Buttermere Dri. Haleb —6H 177
Buttermere Dri. Mid —4A 72
Buttermere Dri. Ram —4F 9
Buttermere Gro. Rytn —6B 52
Buttermere Rd. Ash L —4E 118
Buttermere Rd. Farn —6A 66
Buttermere Rd. Gat —1H 179
Buttermere Rd. Oldh —6H 75
Buttermere Rd. Part —7A 146
Buttermere Rd. Wig —7J 59
Buttermere Ter. Stal —5A 120
Butterstile La. P'wch —6K 91
Butterwick Clo. M12 —6D 136
Butterworth Hall. Miln —7E 32
Butterworth La. Chad —4G 95
Butterworth Pl. Shore —5E 14
Butterworth St. M11 —1C 136
Butterworth St. Chad —6K 73
Butterworth St. L'boro —6E 14
Butterworth St. Mid —7E 72
Butterworth St. Rad —2F 69
Butterworth St. Shaw —3E 74
Butterworth Way. G'fld —2H 99
Buttery Ho. La. Hale —2J 177
Butt Hill Av. P'wch —4B 92
Butt Hill Ct. P'wch —4B 92
Butt Hill Dri. P'wch —4B 92
Butt Hill Rd. P'wch —4B 92
Butt La. Moss —3B 98
Button Hole. Shaw —6H 53
Button La. M23 —1A 166
Buttress St. M18 —3E 136
Butts Av. Leigh —5C 108
Butts La. Del —2C 76
Butts St. Leigh —5B 108
Butts, The. Roch —5H 31
Buxted Rd. Oldh —5F 75
Buxton Av. M20 —4F 151
Buxton Av. Ash L —2K 119
Buxton Clo. Ath —3E 86
Buxton Clo. Glos —7A 142 (off Buxton M.)
Buxton Cres. Roch —1K 51
Buxton Cres. Sale —2H 165
Buxton La. Droy —7G 117
Buxton La. Marp —6J 171
Buxton M. Glos —7A 142
Buxton Old Rd. Dis —6D 184
Buxton Old Rd. Mac —4J 199
Buxton Pl. Oldh —2C 96
Buxton Rd. Dis —6D 184
Buxton Rd. Haz G & H Lane —3D 182
Buxton Rd. Mac & Bos —3G 199
Buxton Rd. N Mills —6H 185
Buxton Rd. Stoc —5J 169
Buxton Rd. Stret —6E 132
Buxton Rd. W. Dis —6A 184
Buxton St. M1 —1H 135 (8M 5)
Buxton St. Bury —3G 47
Buxton St. Gat —6G 167
Buxton St. Haz G —1B 182
Buxton St. Heyw —4K 49
Buxton Ter. Holl —3K 141
Buxton Wlk. Glos —1A 158 (off Buxton M.)
Buxton Way. Dent —2D 154
Bycroft Wlk. M40 —4F 117
Byer Clo. Sale —7A 150
Bye Rd. Ram —4J 9
Bye St. Aud —2D 138
Byfield Rd. M22 —7C 166
Byfleet Clo. Wig —6J 81
Byland Av. Chea H —2D 180
Byland Av. Oldh —3H 97
Byland Clo. Bolt —3A 44
Byland Gdns. Rad —2C 68
Bylands Clo. Poy —1B 190
Bylands Fold. Duk —3H 139
Byland Wlk. M22 —3D 178
Byley Rise. Stand —5A 38
Byng Av. Cad —6K 145
Byng St. Farn —6F 67
Byng St. Heyw —5A 50
Byng St. W'houg —7F 63
Byng St. E. Bolt —7B 44
Byre Clo. Sale —7A 150
Byrness Clo. Ath —3E 86
Byrom Av. M19 —1E 152
Byrom Ct. Droy —7H 117
Byrom La. Lwtn —6D 106
Byrom Pde. M19 —1E 152
Byrom Pl. M3 —7E 114 (6F 4)
Byrom St. M3 —1E 134 (7F 4)
Byrom St. Alt —1B 176
Byrom St. Bury —1F 47
Byrom St. Old T —5D 134
Byrom St. Salf —1A 134
Byrom St. Stal —7K 119
Byron Av. Droy —6J 117
Byron Av. Hind —2B 84
Byron Av. P'wch —4K 91
Byron Av. Rad —2B 68
Byron Av. Swint —7C 90
Byron Clo. Abr —6K 83
Byron Clo. Orr —7F 59
Byron Clo. Stand L —3A 60
Byron Cres. Cop —3B 18
Byron Dri. Chea —5B 168
Byron Gro. Ath —2D 86
Byron Gro. Leigh —1K 107
Byron Gro. Stoc —1G 153
Byron Rd. Dent —2D 154
Byron Rd. G'mnt —2D 26
Byron Rd. Mid —4D 72
Byron Rd. Stret —6J 133
Byrons Dri. Tim —5E 164
Byron's La. Mac —6G 199
Byrons St. Mac —5F 199
Byron St. Ecc —6B 112
Byron St. Leigh —2K 107
Byron St. Oldh —5K 95
Byron St. Rytn —2C 74
Byron Wlk. Farn —7D 66
Byron Wlk. Rytn —2C 74 (off Shaw St.)
Byrth Rd. Oldh —7D 96
Bywell Wlk. M8 —1F 115 (off Levenhurst Rd.)
Bywood Wlk. M8 —3E 114
Cabin La. Oldh —3K 75
Cablestead Wlk. M11 —1B 136 (off Cotteridge Wlk.)
Cable St. M4 —6H 115 (3L 5)
Cable St. Bolt —5B 44
Cable St. Salf —6E 114 (3F 4)
Cabot Pl. Stoc —6H 153
Cabot St. M13 —3H 135
Caddington Rd. M21 —2C 150
Cadishead Way. Irl —3C 146
Cadleigh Wlk. M40 —1C 116
Cadman Gro. Hind —3B 84
Cadman St. M12 —2K 135
Cadmium Wlk. M18 —5E 136
Cadnam Dri. M22 —1F 179
Cadogan Dri. Wig —5K 81
Cadogan Pl. Salf —6E 92
Cadogan St. M14 —5G 135
Cadum Wlk. M13 —3J 135
Caen Av. M40 —4E 94
Caernarvon Clo. G'mnt —3D 26
Caernarvon Dri. Haz G —3A 182
Caernarvon Rd. Hind —4E 84
Caernarvon Way. Dent —1D 154
Caesar St. Roch —3J 51
Cairn Dri. Roch —6A 30
Cairn Dri. Salf —3C 114
Cairngorm Dri. Bolt —1E 64
Cairns Pl. Ash L —3H 119
Cairn Wlk. M11 —7B 116
Caister Av. W'fld —7A 70
Caister Clo. Urm —1E 146
Caistor Clo. M16 —2E 150
Caistor St. Stoc —7K 153
Caistor Wlk. Oldh —7D 74
Caithness Clo. M23 —7A 166
Caithness Dri. Bolt —7E 42
Caithness Rd. Roch —7A 30
Cajetan Ho. Mid —2B 94
Cakebread St. M12 —2J 135 (9N 5)
Calamine St. Mac —5G 199
Calbourne Cres. M12 —6D 136
Calcot Wlk. M23 —5K 165
Calcutta Rd. Stoc —4E 168
Caldbeck Av. Bolt —4F 43
Caldbeck Av. Sale —5J 149
Caldbeck Clo. Ash M —4D 104
Caldbeck Clo. Plat B —5K 83
Caldbeck Dri. Farn —7A 66
Caldbeck Dri. Mid —5A 72
Caldbeck Gro. St H —7C 102
Caldecott Rd. M9 —2G 93
Calder Av. M22 —3D 166
Calder Av. Hind —4G 85
Calder Av. Irl —1B 146
Calder Av. L'boro —4E 14
Calderbank. Orr —1G 81
Calderbank Av. Urm —5G 131
Calderbank St. Wig —2A 82
Calderbrook Dri. Chea H —7C 168
Calderbrook Rd. L'boro —5E 14
Calderbrook Ter. L'boro —3G 15
Calderbrook Wlk. M9 —1K 115
Calderbrook Way. Oldh —2F 97
Calder Clo. Boll —2H 197
Calder Clo. Bury —4A 28
Calder Clo. Poy —3B 190
Calder Clo. Stoc —5H 153
Caldercourt. Urm —5G 131
Calder Cres. W'fld —4B 70
Calder Dri. Kear —2K 89
Calder Dri. Plat B —5J 83
Calder Dri. Swint —6C 90
Calder Dri. Wor —5C 88
Calder Flats. Heyw —3J 49 (off Wilton St.)
Calder Gro. Shaw —5E 52
Calder Pl. Wig —7J 59
Calder Rd. Bolt —3A 66
Caldershaw La. Roch —2C 30
Caldershaw Rd. Roch —3C 30
Calder St. Roch —2K 31
Calder St. Salf —1D 134 (8C 4)
Caldervale Av. M21 —6C 150
Calder Wlk. Mid —4J 71
Calder Wlk. W'fld —4B 70
Calder Way. W'fld —4B 70
Calderwood Clo. Tot —6D 26
Caldey Rd. Rnd I —6J 165
Caldford Clo. Asp —7A 40
Caldon Clo. Ecc —1B 132
Caldwell Av. Ast —4G 109
Caldwell Clo. Ast —3H 109
Caldwell St. Stoc —1H 153
Caldwell St. W'houg —2K 85
Caldy Dri. Ram —1E 26
Caldy Rd. Hand —2K 187
Caldy Rd. Salf —3H 113
Caleb Clo. Tyl —6F 87
Caledon Av. M40 —7C 94
Caledonian Dri. Ecc —1C 132
Caledonia St. Bolt —1J 65
Caledonia St. Rad —2G 69 (in two parts)
Caledonia Way. Stret —4E 132
Cale Grn. Stoc —5H 169
Cale La. Asp —4J 61
Cale Rd. N Mills —4K 185
Cale St. Stoc —4H 169
Caley St. M1 —2G 135 (9J 5)
Caley St. Bolt —3F 43
Calf Hey. L'boro —5D 14
Calf Hey. Roch —4A 14
Calf Hey Clo. Rad —3B 68
Calf Hey La. Whitw —3F 13
Calf Hey N. Roch —1J 51
Calf Hey Rd. Shaw —5H 53
Calf Hey S. Roch —1J 51
Calgarth Dri. Mid —3K 71
Calico Clo. Salf —5D 114 (2C 4)
Calico Wood Av. Shev —7F 37
Calland Av. Hyde —6K 139
Callander Ct. Wig —6A 60
Callander Sq. Heyw —4F 49
Callender St. Ram —5F 9
Calliards La. L'boro —7C 14
Calliard's Rd. Roch —7C 14
Callingdon Rd. M21 —5D 150
Callington Clo. Hyde —7E 140
Callington Dri. Hyde —7E 140 (in two parts)
Callington Wlk. Hyde —7E 140
Callis Rd. Bolt —7J 43
Callum Wlk. M13 —3J 135
Calluna M. M20 —5G 151
Calne Wlk. M23 —6A 166
Calow Clo. Glos —7A 142
Calow Dri. Leigh —5C 108
Calow Grn. Glos —1A 158
Calrofold La. Mac —2K 199
Calshot Wlk. Salf —2F 115
Caltha St. Ram —5F 9
Calthorpe Av. M9 —1J 115
Calton Av. Salf —1A 114
Calve Croft Rd. M22 —2E 178
Calveley Wlk. Stand —5A 38
Calver Av. Ecc —1A 132
Calver Bank. Glos —7A 142 (off Eyam La.)
Calver Clo. Glos —7A 142
Calver Clo. Urm —6F 131
Calver Fold. Glos —7K 141 (off Eyam La.)
Calverhall Wlk. M12 —3B 136
Calverhall Way. Ash M —5C 104
Calver Hey Clo. W'houg —4C 64
Calverleigh Clo. Bolt —4G 65
Calverley Av. M19 —3B 152
Calverley Rd. Chea —6C 168
Calverley Way. Roch —7G 13
Calver M. Glos —7K 141
Calver Pl. Glos —7K 141
Calverton Dri. M40 —1E 116
Calvert Rd. Bolt —3A 66
Calvert St. Salf —6H 113
Calver Wlk. M40 —5J 115 (2P 5)
Calver Wlk. Chea H —3A 180
Calver Wlk. Dent —2E 154
Calvine Wlk. M40 —5J 115 (1P 5)
Calvin St. Bolt —4B 44
Cambeck Clo. W'fld —5B 70
Cambeck Wlk. W'fld —5A 70
Cambell Rd. Ecc —6K 111
Camberley Clo. Bram —5J 181
Camberley Dri. Roch —6B 30
Cambert La. M18 —4F 137 (Gorton)
Cambert La. M18 —4E 136 (Manchester)
Camberwell Cres. Wig —4H 61
Camberwell Dri. Ash L —2E 118
Camberwell St. M8 —4G 115
Camberwell St. Oldh —3C 96
Camberwell Way. Rytn —2A 74
Camborne Av. Mac —3A 198
Camborne St. M14 —6H 135
Cambourne Dri. Bolt —1G 65
Cambourne Dri. Hind —5G 85
Cambourne Rd. Hyde —6E 140
Cambo Wlk. Stoc —7A 152
Cambrai Cres. Ecc —4J 111
Cambrian Cres. Wig —5J 81
Cambrian Dri. Miln —6E 32
Cambrian Dri. Rytn —3A 74
Cambrian Rd. Stoc —3E 168
Cambrian St. M40 & M11 —6A 116
Cambria Sq. Bolt —1J 65 (off Cambria St.)
Cambria St. Bolt —1J 65
Cambria St. Oldh —7H 75
Cambridge Av. M16 —7C 134
Cambridge Av. Mac —4D 198
Cambridge Av. Roch —6C 30
Cambridge Av. Wilm —6F 187
Cambridge Clo. Farn —5B 66
Cambridge Clo. Sale —7B 148
Cambridge Dri. Dent —6J 137
Cambridge Dri. L Lev —2K 67
Cambridge Dri. Woodl —5G 155
Cambridge Gro. Ecc —6D 112
Cambridge Gro. W'fld —6A 70
Cambridge Ind. Area. Salf (in two parts) —5E 114 (1E 4)
Cambridge Rd. M9 —6K 93
Cambridge Rd. Droy —5H 117
Cambridge Rd. Fail —3H 117
Cambridge Rd. Gat —5H 167
Cambridge Rd. Hale —2C 176
Cambridge Rd. Los —5K 41
Cambridge Rd. Mac —5D 198
Cambridge Rd. Orr —6F 59
Cambridge Rd. Stoc —5E 152

A-Z Greater Manchester 217

Cambridge Rd.—Castle Pk. Ind. Est.

Cambridge Rd. Urm —1K 147
Cambridge St. M1 & M15 (in two parts) —2F 135 (9H 5)
Cambridge St. Ash L —7D 118
Cambridge St. Ath —5C 86
Cambridge St. Duk —7G 119
Cambridge St. Oldh —2A 96
Cambridge St. Salf —4E 114
Cambridge St. Stal —6A 120
Cambridge St. Stoc —5J 169
Cambridge St. Wig —7G 61
Cambridge Ter. Millb —4D 120
Cambridge Ter. Stoc —5J 169 (off Russell St.)
Cambridge Way. Wig —6F 61
Camdale Wlk. M8 —2F 115 (off Ermington Dri.)
Camden Av. M40 —4E 116
Camden Clo. Ain —4A 46
Camelford Clo. M15 —3G 135
Camelia Rd. M9 —1J 115
Camellia Clo. Bolt —6H 43
Camelot Clo. Newt W —5B 124
Cameron Ct. Rytn —7B 52
Cameron Pl. Wig —6A 60
Cameron St. M1 —1F 135 (8G 4)
Cameron St. Bolt —7K 23
Cameron St. Bury —3G 47
Cameron St. Leigh —1H 107
Camley Wlk. M8 —2H 115 (off Appleford Dri.)
Camm St. Abr —7K 83
Camomile Wlk. Part —7B 146
Campania St. Rytn —4C 74
Campanula Wlk. M8 —2G 115 (off Magnolia Dri.)
Campbell Clo. Mac —2C 198
Campbell Ct. Farn —4E 66
Campbell Ho. Farn —5D 66
Campbell Rd. M13 —7B 136
Campbell Rd. Bolt —4G 65
Campbell Rd. Sale —7D 148
Campbell Rd. Swint —2C 112
Campbell St. Droy —7J 117
Campbell St. Farn —4D 66
Campbell St. Roch —2G 31
Campbell St. Stoc —1H 153
Campbell St. Wig —2K 81
Campbell Wlk. Farn —4E 66
Campbell Way. Wor —4E 88 (in two parts)
Campden St. Moss —4D 98
Campden Way. Hand —1K 187
Campfield Av. M3 —8F 4
Campfield Av. Arc. M3 (off Camp St.) —1E 134 (7F 4)
Campion Gro. Ash M —4B 104
Campion Wlk. M11 —7B 116
Campion Way. Dent —2E 154
Campion Way. Roch —1E 30
Camponia Gdns. Salf —3D 114
Camp Rd. Ash M —5A 104
Camp St. M3 —1E 134 (7F 4)
Camp St. Ash L —5F 119
Camp St. Bury —2G 47
Camp St. Salf —3C 114
Camrose Gdns. Bolt —4A 44
Camrose Wlk. M13 —4K 135
Cams Acre Clo. Rad —3C 68
Cams La. Rad —4C 68
Camsley La. Lymm —7A 160
Canaan. Lwtn & Leigh —1G 127
Canada St. M40 —4A 116
Canada St. Bolt —3J 43
Canada St. Hor —2F 41
Canada St. Stoc —5J 169
Canal Bank. App B —6C 36
Canal Bank. Ecc —5A 112
Canal Bank. Lymm —7F 161
Canal Cotts. Wig —7D 60
Canal Rd. Tim —4C 164
Canal Row. Wig —5F 39
Canal Side. Ecc —5A 112
Canal Side. Mac —4H 199
Canalside Ind. Est. Roch —7K 31
Canal St. M1 —1G 135 (7K 5)
Canal St. Adl —6J 19
Canal St. Chad —4K 95
Canal St. Droy —7J 117
Canal St. Heyw —5A 50
Canal St. Hyde —6G 139
Canal St. Ince —4K 61 (Aspull)
Canal St. Ince —1H 83 (Ince)
Canal St. Leigh —4J 107
Canal St. L'boro —6F 15
Canal St. Mac —3G 199
Canal St. Roch —7J 31
Canal St. Salf —7C 114 (5B 4)
Canal St. Stal —7A 120
Canal St. Stoc —2H 169
Canal St. Wig —5B 60
Canal Wharf. Stoc —7G 153
Canberra Rd. Bram —7G 181
Canberra Rd. Wig —6J 59
Canberra St. M11 —6E 116
Candahar St. Bolt —3C 66
Candleford Pl. Stoc —7C 170
Candleford Rd. M20 —4H 151
Candlestick Ct. Bury —1D 48
Canfield Wlk. M8 —2F 115 (off Ermington Dri.)
Canley Clo. Stoc —3H 169
Canmore Clo. Bolt —3G 65
Cannel Fold. Wor —1D 110
Canning Dri. Bolt —3A 44
Canning St. Bolt —3A 44
Canning St. Bury —1K 47
Canning St. Stoc —1G 169
Cannock Dri. Stoc —1B 168
Cannon Ct. Salf —6F 115 (4H 5) (off Cateaton St.)
Cannon Gro. Bolt —7K 43
Cannon St. M4 —6F 115 (4H 5)
Cannon St. Ath —4D 86
Cannon St. Bolt —1K 65
Cannon St. Ecc —6C 112
Cannon St. Holl —4J 141
Cannon St. Oldh —7C 74
Cannon St. Rad —1D 68
Cannon St. Ram —7E 8
Cannon St. Salf —6D 114 (3C 4)
Cannon St. N. Bolt —7K 43
Cannon Wlk. Dent —7C 138
Cann St. Tot —4B 26
Canon Clo. Stand —3B 38
Canon Dri. Bow —3K 175
Canon Flynn Ct. Roch —5A 32
Canon Grn. Dri. Salf —5E 114 (2E 4)
Canon Hussey Ct. Salf —7D 114 (5C 4) (off Islington Way)
Canons Clo. Bolt —3H 43
Canons Gro. M40 —3A 116
Canonsleigh Clo. M8 —3E 114
Canon St. Bury —1A 48
Canon St. Roch —2K 31
Canonsway. Swint —7C 90
Canon Tighe Ct. Chad —7J 73
Canon Wilson Clo. Hayd —3A 124
Cansfield Gro. Ash M —4C 104
Canterbury Av. Lwtn —7B 106
Canterbury Clo. Ath —3E 86
Canterbury Clo. Duk —3H 139
Canterbury Clo. Roch —5C 30
Canterbury Ct. Mac —3G 199 (off King St.)
Canterbury Cres. Mid —4F 73
Canterbury Dri. Bury —1H 47
Canterbury Dri. P'wch —5C 92
Canterbury Gdns. Salf —6E 112
Canterbury Gro. Bolt —3K 65
Canterbury Pk. M20 —7F 151
Canterbury Rd. Hale —1G 177
Canterbury Rd. Stoc —2K 169
Canterbury Rd. Urm —6A 132
Canterbury St. Ash L —4G 119
Canterfield Clo. Droy —6B 118
Canton St. Mac —5F 199
Canton Walks. Mac —5F 199
Cantrell St. M11 —7D 116
Canute Ct. Stret —6J 133
Canute Pl. Knut —4D 192
Canute Rd. Stret —6J 133
Canute St. Bolt —4E 44
Canute St. Rad —3C 68
Canute St. Salf —6B 114
Capella Wlk. Salf —4C 114
Capenhurst Clo. M23 —7K 165
Capesthorne Clo. Haz G —4D 182
Capesthorne Dri. Shaw —6D 52
Capesthorne Rd. Duk —3H 139
Capesthorne Rd. Haz G —4D 182
Capesthorne Rd. H Lane —5J 183
Capesthorne Rd. Tim —5H 165
Capesthorne Rd. Wilm —1E 194
Capesthorne Wlk. Dent —7C 138
Capesthorne Way. Mac —4H 199
Cape St. M20 —3J 151
Capital Ho. Salf —2A 134
Capital Quays. Salf —2A 134
Capital Rd. M11 —2G 137
Capitol Clo. Bolt —2G 43
Cappadocia Way. W'houg —1H 85
Capricorn Way. Salf —4C 114
Capstan St. M9 —7A 94
Captain Clarke Rd. Hyde —4F 139
Captain Fold. Heyw —3A 50
Captain Fold Rd. L Hul —2A 88
Captain Lees Gdns. W'houg —6A 64
Captain Lees Rd. W'houg —5A 64
Captain's Clough Rd. Bolt —3G 43
Captain's La. Ash M —5E 104 (in two parts)
Captain St. Hor —1F 41
Capton Clo. Bram —2J 181
Caradoc Av. M8 —2H 115
Carawood Clo. Shev —6D 36
Car Bank Av. Ath —3D 86
Car Bank Cres. Ath —3D 86
Car Bank Sq. Ath —3D 86
Car Bank St. Ath —3B 86 (in four parts)
Carberry Rd. M18 —4F 137
Carbis Wlk. M8 —3E 114
Cardale Wlk. M9 —1K 115 (off Middlewood Wlk.)
Carden Av. Swint —1B 112
Carden Av. Urm —7G 131
Cardenbrook Gro. Wilm —3K 187
Carder Clo. Swint —1C 112
Carders Clo. Leigh —4J 107
Carders Ct. Roch —2D 50
Cardew Av. M22 —7E 166
Cardiff Clo. Oldh —5K 95
Cardiff St. Salf —1E 114
Cardiff Wlk. Dent —1D 154
Cardigan Clo. Mac —3C 198
Cardigan Dri. Bury —6J 47
Cardigan Rd. Oldh —5K 95
Cardigan St. Rad —7D 46
Cardigan St. Roch —1G 31
Cardigan St. Rytn —2C 74
Cardigan St. Salf —6J 113
Cardigan Ter. M14 —5F 135
Cardinal M. Mid —4K 71
Cardinal St. M8 —2H 115
Cardinal St. Oldh —7E 74
Carding Gro. Salf —5E 114 (2E 4)
Cardroom Rd. M4 —7J 115 (5N 5)
Cardus St. M19 —1C 152
Cardwell Gdns. Bolt —3A 44
Cardwell Rd. Ecc —7J 111
Cardwell St. Oldh —4D 96
Careless La. Ince —7H 61
Carey Clo. Salf —4D 114
Carey Clo. Wig —5K 81
Carey Wlk. M15 —4F 135 (off Arnott Cres.)
Carfax Fold. Roch —2D 30
Carfax St. M18 —4F 137
Carforth Av. Chad —1J 95
Cargate Wlk. M8 —2F 115
Carib St. M15 —4F 135
Carill Av. M9 & M40 —6C 94
Carill Dri. M14 —2K 151
Carina Pl. Salf —4C 114
Cariocca Enterprise Pk. M12 —3K 135
Carisbrook Av. Mac —1G 199
Carisbrook Av. Urm —7A 132
Carisbrook Av. W'fld —7A 70
Carisbrook Dri. Swint —2E 112
Carisbrooke Av. Haz G —3B 182
Carisbrooke Dri. Bolt —2B 44
Carisbrooke Rd. Leigh —2D 108
Carisbrook St. M9 —2K 115
Carlburn St. M11 —6F 117
Carleton Clo. Wor —6E 88
Carleton Rd. Poy —1G 191
Carley Gro. M9 —3H 93
Carlford Gro. P'wch —4K 91
Carlin Ga. Tim —5E 164
Carling Dri. M22 —2E 178
Carlingford Clo. Stoc —6G 169
Carlisle Clo. L Lev —4J 67
Carlisle Clo. Mac —6B 198
Carlisle Clo. Mob —2J 193
Carlisle Clo. Rom —2E 170
Carlisle Clo. W'fld —7B 70
Carlisle Cres. Ash L —1G 119
Carlisle Dri. Irl —7C 130
Carlisle Dri. Tim —3C 164
Carlisle Pl. Adl —4J 19
Carlisle St. Ald E —5G 195
Carlisle St. Brom X —4C 24
Carlisle St. Hind —1C 84
Carlisle St. Oldh —3A 96 (in two parts)
Carlisle St. Pen —5D 90
Carlisle St. Roch —1G 31
Carlisle St. Stoc —3G 169
Carlisle St. Wig —1K 81
Carlisle Way. Asp —1B 62
Carlisle Way. Dent —1D 154
Carloon Rd. M23 —2B 166
Carlow Dri. M22 —2E 178
Carl St. Bolt —3K 43
Carlton Av. Bolt —2G 65
Carlton Av. Bram —7F 181
Carlton Av. Chea H —1B 180
Carlton Av. Fall —6H 135
Carlton Av. Firs —5B 134
Carlton Av. Oldh —5H 75
Carlton Av. P'wch —5E 92
Carlton Av. Rom —7H 155
Carlton Av. Uph —7A 58
Carlton Av. W'fld —5H 69
Carlton Av. Wilm —3J 187
Carlton Clo. Ash M —3C 104
Carlton Clo. Blac —3B 40
Carlton Clo. Bolt —2G 45
Carlton Ct. Hale —3F 177
Carlton Ct. P'wch —6A 92
Carlton Cres. Stoc —1J 169
Carlton Cres. Urm —1B 148
Carlton Dri. Gat —5G 167
Carlton Dri. P'wch —5E 92
Carlton Flats. Heyw —3J 49 (off Brunswick St.)
Carlton Gdns. Farn —5F 67
Carlton Gro. Hind —4D 84
Carlton Gro. Hor —4H 41
Carlton Mans. M16 —6D 134
Carlton Pl. Farn —5G 67
Carlton Pl. Haz G —3D 182
Carlton Range. M18 —5H 137
Carlton Rd. M16 —6D 134
Carlton Rd. Ash L —3G 119
Carlton Rd. Bolt —5G 43
Carlton Rd. Hale —3F 177
Carlton Rd. Hyde —6A 140
Carlton Rd. Lwtn —7B 106
Carlton Rd. Lymm —6H 161 (in two parts)
Carlton Rd. Sale —4E 148
Carlton Rd. Salf —4J 113
Carlton Rd. Stoc —1C 168
Carlton Rd. Urm —1B 148
Carlton Rd. Wor —6E 88
Carlton St. M16 —5C 134
Carlton St. Bolt —7B 44
Carlton St. Bury —5K 47
Carlton St. Ecc —5B 112
Carlton St. Farn —5F 67
Carlton St. Wig —1D 82
Carlton Way. G'brk —5J 145
Carlton Way. Rytn —4B 74
Carlyle Clo. M8 —2G 115
Carlyle Gro. Leigh —7G 85
Carlyle St. Bury —2J 47
Carlyn Av. Sale —6H 149
Carmel Av. Salf —1C 134 (8A 4)
Carmel Clo. Salf —1C 134 (8A 4)
Carmel Ct. M8 —5F 93
Carmena Dri. Bram —5H 181
Carmichael Clo. Part —7A 146
Carmichael St. Stoc —3F 169
Car Mill Cres. Bil —4E 102
Carmine Fold. Mid —4B 72
Carmona Dri. P'wch —3A 92
Carmona Gdns. Salf —6C 92
Carmoor Rd. M13 —4J 135
Carnaby St. M9 —6B 94
Carna Rd. Stoc —7G 137
Carnarvon St. M3 —4F 115
Carnarvon St. Oldh —5K 95
Carnarvon St. Salf —1E 114
Carnarvon St. Stoc —2J 169
Carnation Rd. Farn —5C 66
Carnation Rd. Oldh —3J 97
Carnation St. M3 —5F 115 (1H 5)
Carnegie Av. M19 —1D 152
Carnegie Clo. Mac —2B 198
Carnegie Clo. Salf —7B 148
Carnegie Dri. Ash M —3C 104
Carnforth Av. Hind —2E 84
Carnforth Av. Roch —6F 51
Carnforth Dri. G'mnt —2E 26
Carnforth Dri. Sale —7E 148
Carnforth Rd. Chea H —7D 168
Carnforth Rd. Stoc —4E 152
Carnforth Sq. Roch —6F 51
Carnforth St. M14 —6H 135
Carnoustie Clo. M40 —1E 116
Carnoustie Clo. Wilm —5K 187
Carnoustie Dri. H Grn —3J 179
Carnoustie Dri. Mac —5E 196
Carnoustie Dri. Ram —6F 9
Carnwood Clo. M40 —4F 117
Carolina Ho. Salf —5E 114 (2E 4)
Caroline Dri. M4 —7J 115 (5N 5)
Caroline St. Ash L —5G 119
Caroline St. Bolt —2K 65
Caroline St. Ince —6G 61
Caroline St. Irl —2B 146
Caroline St. Salf —4E 114
Caroline St. Stal —7A 120
Caroline St. Stoc —4F 169
Caroline St. Wig —7E 60
Carpenters La. M4 —6G 115 (4K 5)
Carpenters Wlk. Droy —7H 117
Carpenters Way. Roch —1K 51
Carradale Dri. Sale —5A 148
Carradale Wlk. M40 —2C 116
Carradon Dri. Stand —4A 38
Carr Av. P'wch —5K 91
Carr Bank Av. M9 —4F 93
Carr Bank Av. Ram —4F 9
Carr Bank Dri. Ram —4F 9
Carr Bank Rd. Ram —4F 9
Carrbrook Clo. C'brk —2E 120
Carrbrook Cres. C'brk —2E 120
Carr Brook Dri. Ath —3E 86
Carrbrook Dri. Rytn —5C 74
Carrbrook Ind. Est. C'brk —2G 121
Carrbrook Rd. C'brk —1F 121 (in two parts)
Carrbrook Ter. Rad —2F 69
Carr Brow. H Lane —5A 184
Carr Clo. Stoc —3K 169
Carr Comn. Rd. Hind —4G 85
Carrfield Av. L Hul —3A 88
Carrfield Av. Stoc —7J 169
Carrfield Av. Tim —5H 165
Carrfield Clo. L Hul —3A 88
Carrfield Gro. L Hul —3A 88
Carrgate Rd. Dent —1F 155
Carrgreen Clo. M19 —5B 152
Carrgreen La. Lymm —5A 162
Carr Gro. Miln —6E 32
Carr Head. Dig —7J 55
Carrhill Quarry Clo. Moss —5C 98
Carrhill Rd. Moss —5C 98
Carrhouse La. Holl —5J 141
Carr Ho. Rd. Spring —7K 75
Carriage Dri. L'boro —4G 15
Carriage Dri., The. Had —5B 142
Carriages, The. Alt —7A 164
Carriage St. M16 —4D 134
Carrick Gdns. M22 —7D 166
Carrick Gdns. Mid —2B 72
Carrie St. Ram —5H 43
Carrill Gro. M19 —1C 152
Carrill Gro. E. M19 —1C 152
Carrington Bus. Pk. Car —4F 147
Carrington Clo. Roch —1B 32
Carrington Dri. Bolt —1B 66
Carrington Field St. Stoc —4H 169
Carrington Gro. Leigh —1K 107
Carrington La. Car & Sale —3H 147
Carrington Rd. M14 —2J 151
Carrington Rd. Adl —5H 19
Carrington Rd. Stoc —7J 153
Carrington Rd. Urm —2G 147
Carrington Spur. Sale & Part —4A 148
Carrington St. Chad —4K 95
Carrington St. Leigh —1K 107
Carrington St. Pen —6F 91
Carr La. Ald E —3D 194
Carr La. Dig —1J 77
Carr La. G'fld —1H 99
Carr La. Leigh —1J 127
Carr La. Lwtn —2E 126
Carr La. Miln —6G 33
Carr La. Wig —4C 82
Carrmel Ct. Del —3F 77
Carr Mill Rd. St H —7C 102
Carrock Wlk. Mid —5H 71
Carron Av. M9 —6B 94
Carron Gro. Bolt —6H 45
Carroway St. M40 —3A 116
Carr Rise. C'brk —1F 121
Carr Rd. Hale —2F 177
Carr Rd. Hor —7F 21
Carr Rd. Irl —7D 130
Carrs Av. Chea —5C 168
Carrsfield Rd. M22 —5E 166
Carrslea Clo. Rad —1C 68
Carrs Rd. Chea —5B 168
Carrs Rd. Mars —2H 57
Carrs St. Mars —1J 57
Carr St. Ash L —3H 119
Carr St. Hind —1B 84
Carr St. Leigh —3G 107
Carr St. Ram —4F 9
Carr St. Swint —1B 112
Carrsvale Av. Urm —6K 131
Carrswood Rd. M23 —3G 165
Carruthers Clo. Heyw —2B 50
Carruthers St. M4 —6K 115
Carrwood. Haleb —5F 177
Carr Wood. Knut —6F 193
Carr Wood Av. Bram —4G 181
Carrwood Hey. Ram —7E 8
Carr Wood Rd. Bram —3F 181
Carrwood Rd. Wilm —4F 187
Carsdale Rd. M22 —4E 178
Carslake Av. Bolt —5J 43
Carslake Rd. M40 —3K 115
Carson Rd. M19 —2C 152
Carstairs Av. Stoc —7J 169
Carstairs Clo. M8 —1F 115
Car St. Oldh —7E 74
Car St. Plat B —6J 83
Carswell Clo. Tyl —6J 87
Carter Bldgs. Heyw —3A 50
Carter Clo. Dent —7D 138
Carter Pl. Hyde —4H 139
Carter St. Bolt —2C 66
Carter St. Hyde —4H 139
Carter St. Ince —1G 83
Carter St. Kear —7G 67
Carter St. Moss —7C 98
Carter St. Salf —3D 114 (Lower Broughton)
Carter St. Salf —7G 113 (Weaste)
Carter St. Stal —6A 120
Carthage St. Oldh —3D 96
Carthorpe Arch. Salf —7K 113
Cartleach Gro. Wor —5C 88
Cartleach La. Wor —5B 88
Cartledge St. M1 —1H 135 (8M 5)
Cartmel. Roch —4G 31 (off Spotland Rd.)
Cartmel Av. Miln —1D 52
Cartmel Av. Stoc —4G 153
Cartmel Av. Wig —3D 60
Cartmel Clo. Bolt —4D 64
Cartmel Clo. Bury —3A 70
Cartmel Clo. Gat —1J 179
Cartmel Clo. Haz G —1A 182
Cartmel Clo. Mac —1D 198
Cartmel Clo. Oldh —4B 96
Cartmel Cres. Bolt —3E 44
Cartmel Cres. Chad —5H 95
Cartmel Dri. Tim —5H 165
Cartmel Gro. Wor —1K 111
Cartmell Ct. M9 —3C 94
Cartmel Wlk. M9 —1K 115
Cartmel Wlk. Mid —4A 72
Cartridge Clo. M22 —7F 167
Cartridge St. Heyw —3J 49
Cartwright Gro. Leigh —6H 85
Cartwright Rd. M21 —2K 149
Cartwright St. Aud —3D 138
Cartwright St. Hyde —4A 140
Cartwright St. Oldh —1F 97
Carver Av. P'wch —2C 92
Carver Clo. M16 —4B 134
Carver Dri. Marp —6J 171
Carver Rd. Hale —2C 176
Carver Rd. Marp —6J 171
Carver St. M16 —4B 134
Carver Wlk. M15 —4F 135 (off Arnott Cres.)
Carwood Dell. Bram —5G 181
Carwood Gro. Hor —4H 41
Case Rd. Hayd —3A 124
Cashmere Rd. Stoc —4E 168
Cashmoor Wlk. M12 —3A 136
Cashmore Dri. Hind —3B 84
Caspian Rd. B'hth —5J 163
Cassandra Ct. Salf —1C 134 (8B 4)
Cass Av. Salf —1A 134
Cassidy Clo. M4 —6H 115 (3M 5)
Cassidy Ct. Salf —1J 133
Cassidy Gdns. Mid —2K 71
Casson Ga. Roch —3G 31
Casson St. Fail —1H 117
Casterton Way. Wor —3C 110
Castle Av. Dent —7C 138
Castle Av. Roch —6G 31
Castlebrook Clo. Bury —2B 70
Castle Clo. Droy —6K 117
Castle Ct. Ash L —1F 119
Castle Cres. Hor —7G 21
Castle Croft. Bolt —2F 45
Castlecroft Av. Blac —3B 40
Castlecroft Rd. Bury —3J 47
Castledene Av. Salf —5J 113
Castle Dri. Adl —6G 19
Castle Edge Rd. N Mills —2G 185
Castle Farm Dri. Stoc —6K 169
Castle Farm La. Stoc —5K 169
Castlefield Av. Salf —7E 92
Castleford Clo. Bolt —5K 43
Castleford Dri. P'bry —4A 196
Castleford St. Chad —5A 74
Castleford Wlk. M21 —3D 150
Castlegate. P'bry —4A 196
Castlegate M. P'bry —4B 196
Castle Gro. Leigh —2D 108
Castle Gro. Ram —2E 26
Castle Hall Clo. Stal —7A 120
Castle Hall Ct. Stal —7A 120
Castle Hall View. Stal —7A 120
Castle Hill. Bred —3C 154
Castle Hill. Glos —6G 143
Castle Hill. Newt W —5G 125
Castle Hill. P'bry —3A 196
Castle Hill. Roch —6G 31
Castle Hill Ct. P'bry —3A 196
Castle Hill Cres. Roch —6G 31
Castle Hill Mobile Home Pk. Woodl —4D 154
Castle Hill Pk. Hind —7D 62
Castle Hill Pk. Woodl —4D 154
Castle Hill Rd. Bury —4C 28
Castle Hill Rd. Hind —1C 84
Castle Hill Rd. P'wch —5D 92
Castle Hill St. Bolt —2D 44 (in two parts)
Castle Ho. La. Adl —6G 19
Castle La. C'brk —7E 98
Castlemere Dri. Shaw —5H 53
Castlemere Rd. M9 —4J 93
Castlemere St. Roch —6G 31
Castlemere Ter. Roch —6H 31
Castle M. Farn —7F 67
Castle Mill La. Ash —6D 176
Castle Mill St. Oldh —7F 75
Castlemoor Av. Salf —7B 92
Castle Pk. Ind. Est. Oldh —6F 75

Castle Quay. M15 —2E 134 (9E 4)
Castlerigg Clo. Heat C —3F 153
Castlerigg Dri. Mid —3J 71
Castlerigg Dri. Rytn —7A 52
Castle Rise. Hind —2C 84
(in three parts)
Castle Rise. P'bry —4B 196
Castle Rd. Bury —3C 70
Castleshaw Rd. Stoc —6B 170
Castle St. M3 —1E 134 (8E 4)
Castle St. Bolt —6C 44
Castle St. Bury —3J 47
Castle St. Ecc —6D 112
Castle St. Farn —7F 67
Castle St. Had —5C 142
(Hadfield)
Castle St. Had —6K 139
(Hyde)
Castle St. Hind —1C 84
Castle St. Mac —3F 199
Castle St. Mid —7F 73
Castle St. Stal —7A 120
Castle St. Stoc —4F 169
Castle St. S'seat —2H 27
Castle St. Tyl —6F 87
Castle Ter. C'brk —2F 121
Castleton Av. Stret —5F 133
Castleton Bank. Glos —1A 158
(off Castleton Cres.)
Castleton Ct. Dent —2E 154
Castleton Ct. Tyl —6F 87
(off Castle St.)
Castleton Cres. Glos —1A 158
Castleton Dri. H Lane —6K 183
Castleton Grn. Glos —1A 158
(off Castleton Cres.)
Castleton Gro. Ash L —2K 119
Castleton Gro. Glos —1A 158
(off Castleton Cres.)
Castleton Rd. Haz G —3C 182
Castleton Rd. Rytn —5A 52
Castleton Rd. Salf —6E 92
Castleton Rd. S. Roch —2F 51
CASTLETON STATION. BR —3E 50
Castleton St. Bolt —3D 44
Castleton St. B'thh —4A 164
Castleton St. Oldh —1A 96
Castleton Ter. Glos —1A 158
Castleton Wlk. M11 —7B 116
Castleton Way. Dent —2E 154
Castleton Way. Wig —5J 81
Castle Wlk. Ash L —1F 119
Castle Wlk. Stal —7A 120
Castle Way. Clif —5E 90
Castleway. Haleb —5G 177
Castle Way. Hind —2D 84
Castleway. Roch —4D 50
Castleway. Salf —4J 113
Castlewood Gdns. Stoc —6A 170
Castlewood Rd. Salf —7A 92
Castlewood Sq. Bolt —4E 44
Castle Yd. Stoc —1H 169
Caston Clo. M16 —5E 134
Catalan Sq. M3 —1E 134 (4E 4)
Catchdale Clo. M9 —2J 93
Catches Clo. Roch —4D 30
Catches La. Roch —4D 30
Cateaton St. M3 —6F 115 (4H 5)
Cateaton St. Bury —2K 47
Caterham Av. Bolt —4G 65
Caterham St. M4 —7K 115
Catesby Rd. M16 —6D 134
Catfield Wlk. M15 —2D 134 (10D 4)
Catford Rd. Rnd I —6J 165
Cathedral App. Salf —6F 115 (3G 4)
Cathedral Clo. Duk —3H 139
Cathedral Gates. M3 —6F 115 (4H 5)
Cathedral Rd. Chad —5H 73
Cathedral St. M4 —6F 115 (4H 5)
Cathedral Yd. Salf —6F 115 (4H 5)
Catherine Rd. M8 —6E 92
Catherine Rd. Bow —1A 176
Catherine Rd. Rom —2D 170
Catherine Rd. Swint —1A 112
Catherine St. M11 —2G 137
Catherine St. Aud —6B 138
Catherine St. Bolt —4H 65
Catherine St. Bury —7J 47
Catherine St. Ecc —5J 111
Catherine St. Haz G —1C 182
Catherine St. Hyde —6H 139
Catherine St. Lees —1J 97
Catherine St. Leigh —2K 107
Catherine St. Mac —3E 198
Catherine St. Wig —6G 61
Catherine St. E. Aud —6B 138
Catherine St. E. Hor —1F 41
Catherine St. W. Hor —7F 21
Catherine Ter. Wig —6G 61
Catherine Way. Newt W —7D 124
Catherston Rd. M16 —6E 134

Catlow La. M4 —6G 115 (4K 5)
Catlow St. Salf —4E 114
Caton Clo. Bury —5J 47
Caton St. Roch —6H 31
Cato St. Ram —7E 8
Catterall Cres. Bolt —6F 25
Catterick Av. M20 —7J 151
Catterick Av. Sale —1A 164
Catterick Dri. L Lev —3J 67
Catterick Rd. M20 —7J 151
Catterwood Dri. Comp —7B 156
Catterwood Rd. Marp B —1B 172
Cattlin Way. Oldh —5A 96
Caunce Av. Golb —2J 125
Caunce Av. Newt W —7E 124
Caunce Rd. Wig —6G 61
Caunce St. Wig —6G 61
Causeway, The. Alt —7B 164
Causewood Clo. Oldh —2J 75
Causey Dri. Mid —3K 71
Cavalier St. M40 —6K 115
Cavalry St. M4 —5G 115 (2K 5)
Cavanagh Clo. M13 —3K 135
Cavan Clo. Stoc —4B 168
Cavannah Ct. Oldh —3J 75
Cavell Way. Salf —7A 114
Cavendish Av. M20 —4F 151
Cavendish Av. Clif —4G 91
Cavendish Clo. Mac —7F 197
Cavendish Ct. M9 —2G 93
(off Deanswood Dri.)
Cavendish Ct. Salf —6D 92
Cavendish Ct. Stoc —1B 168
Cavendish Ct. Stret —5J 133
Cavendish Ct. Urm —7C 132
(off Cavendish Rd.)
Cavendish Dri. Wig —5K 81
Cavendish Gdns. M20 —4F 151
Cavendish Gdns. Bolt —3J 65
Cavendish Gro. Ecc —5C 112
Cavendish Ho. Ecc —4C 112
Cavendish Ind. Est. Ash L —5E 118
Cavendish M. Wilm —7G 187
Cavendish Pl. M11 —6C 116
Cavendish Pl. Pen —7E 90
Cavendish Rd. M20 —4F 151
Cavendish Rd. Bow —1A 176
Cavendish Rd. Ecc —5C 112
Cavendish Rd. Haz G —3B 182
Cavendish Rd. Roch —2G 51
Cavendish Rd. Salf —6C 92
Cavendish Rd. Stoc —1B 168
Cavendish Rd. Stret —5J 133
Cavendish Rd. Urm —7C 132
(in two parts)
Cavendish Rd. Wor —2K 111
Cavendish St. M15 —3G 135
(in two parts)
Cavendish St. Ash L —5E 118
Cavendish St. Leigh —1K 107
Cavendish St. Oldh —1C 96
Cavendish Ter. M21 —2B 150
Cavenham Gro. Bolt —5J 43
Cavenham Wlk. M9 —1J 115
(off Hendham Vale)
Caversham Dri. M9 —7A 94
Cawdor Av. Farn —4D 66
Cawdor Ct. Farn —4E 66
Cawdor Ho. Ecc —1B 132
(off Enfield Clo.)
Cawdor Pl. Tim —5G 165
Cawdor Rd. M14 —1J 151
Cawdor St. M15 —2D 134 (10C 4)
Cawdor St. Ecc —7A 112
Cawdor St. Farn —4E 66
Cawdor St. Hind —2C 84
Cawdor St. Leigh —4K 107
Cawdor St. Swint —7B 90
Cawdor St. Wig —1B 82
Cawdor St. Wor —5G 89
Cawdor Wlk. Farn —4E 66
Cawley Av. Cul —5J 127
Cawley Av. P'wch —5K 91
Cawood Ho. Rom —3A 154
Cawood Sq. Stoc —3A 154
Cawston Wlk. M8 —2G 115
Cawthorne Ct. Wdly —6B 90
Caxton Clo. Wig —5B 82
Caxton Rd. M14 —1H 151
Caxton St. Heyw —3K 49
Caxton St. Roch —3E 50
Caygill St. Salf —6E 114 (3F 4)
Cayley St. Roch —5K 31
Caythorpe St. M14 —6G 135
Cayton St. M12 —6C 136
C Court. Ash M —6D 104
Ceal, The. Comp —1B 172
Cecil Av. Sale —7C 148
Cecil Av. Wig —4C 60
Cecil Ct. Hale —2C 176
Cecil Ct. Stoc —3D 168
Cecil Dri. Urm —7G 131
Cecil Gro. M18 —4F 137
Cecilia Ct. N. Bolt —2C 66
Cecilia Ct. S. Bolt —2C 66
Cecilia St. Bolt —2C 66
Cecil Rd. M9 —2K 93

Cecil Rd. Ecc —7C 112
Cecil Rd. Hale —2C 176
Cecil Rd. Stret —1G 149
Cecil St. M15 —4H 135
Cecil St. Ash L —7E 118
Cecil St. Bolt —6C 44
Cecil St. Bury —4K 47
Cecil St. Duk —1F 139
Cecil St. Ince —3G 83
Cecil St. Leigh —4A 108
Cecil St. L'boro —6D 14
Cecil St. Moss —7C 98
Cecil St. Oldh —2C 96
Cecil St. Roch —7H 31
Cecil St. Rytn —3A 74
Cecil St. Stal —7B 120
Cecil St. Stoc —4G 169
Cecil St. Wig —6G 61
Cecil St. Wor —4F 89
Cecil Wlk. Ash L —7D 118
Cecil Walker Ho. Part —6C 146
Cedar Av. Alt —7A 164
Cedar Av. Ash L —3H 119
Cedar Av. Ath —3B 86
Cedar Av. Haz G —2C 182
Cedar Av. Heyw —2J 49
Cedar Av. Hind —4D 84
Cedar Av. Hor —4J 41
Cedar Av. L Lev —4K 67
Cedar Av. Lwtn —2D 126
Cedar Av. Stand —5B 38
Cedar Av. W'fld —1K 91
Cedar Bank Clo. Firg —6B 32
Cedar Clo. M15 —3D 134
Cedar Clo. Glos —7D 142
Cedar Clo. Poy —2C 190
Cedar Ct. M14 —2J 151
Cedar Ct. Tay B —7K 127
Cedar Cres. Chad —6K 73
Cedar Cres. Newt W —7F 125
Cedar Cres. Ram —4G 9
Cedar Dri. Clif —3B 90
Cedar Dri. Droy —6A 118
Cedar Dri. Urm —1A 148
Cedar Dri. Wig —4F 61
Cedarfield. Lymm —7H 161
Cedarfield Rd. Lymm —7H 161
Cedar Gro. M14 —2K 151
Cedar Gro. Ash M —3K 103
Cedar Gro. Dent —6C 138
Cedar Gro. Duk —1K 139
Cedar Gro. Farn —6D 66
Cedar Gro. Hayd —2A 124
Cedar Gro. Mac —6F 199
Cedar Gro. Orr —1F 81
Cedar Gro. P'wch —1A 92
Cedar Gro. Rytn —7B 52
Cedar Gro. Shaw —7F 53
Cedar Gro. Stoc —5E 152
Cedar Gro. W'houg —7J 63
Cedar La. Gras —1D 98
Cedar La. Miln —2E 52
Cedar Lawn. Chea H —2C 180
Cedar Pl. Salf —4C 114
Cedar Rd. Fail —2H 117
Cedar Rd. Gat —6G 167
Cedar Rd. Hale —1C 176
Cedar Rd. Leigh —7J 85
Cedar Rd. Lwtn —2D 126
Cedar Rd. Marp —7J 171
Cedar Rd. Mid —6E 72
Cedar Rd. Part —7A 146
Cedar Rd. Sale —4B 148
Cedar Rd. Stoc —7K 169
Cedars M. Ash L —3F 119
Cedars Rd. M22 —1D 178
Cedars, The. Chor —1D 18
Cedar St. Ash L —4H 119
Cedar St. Bury —2B 48
Cedar St. Hyde —4J 139
Cedar St. Oldh —7G 75
(in two parts)
Cedar St. Roch —3H 31
Cedarway. Boll —3J 197
Cedarway. Wilm —2F 195
Cedarwood Av. Stoc —2C 168
Cedar Wood Ct. Bolt —6G 43
Cedric Rd. M8 —5E 92
Cedric Rd. Oldh —7G 75
Cedric St. Salf —6H 113
Celandine Clo. L'boro —5D 14
Celandine Wlk. Wig —3H 81
Celia St. M8 —7J 93
Cellini Sq. Bolt —4K 43
Celtic St. Stoc —3J 169
Cemetery La. Bury —5K 47
Cemetery Rd. Aud —3D 138
Cemetery Rd. Bolt —6D 44
Cemetery Rd. Dent —1D 154
Cemetery Rd. Droy —7H 117
Cemetery Rd. Fail —2H 117
Cemetery Rd. Farn —5H 67
Cemetery Rd. Glos —5E 142
Cemetery Rd. Ince —3G 83
Cemetery Rd. Moss —1D 120
Cemetery Rd. Rad —2D 68
Cemetery Rd. Ram —7E 8
Cemetery Rd. Rytn —1A 74
Cemetery Rd. Salf —7J 113
Cemetery Rd. N. Swint —5C 90
Cemetery Rd. S. Swint —6C 90

Cemetery St. Mid —5C 72
Cemetery St. W'houg —5J 63
Cemetery View. Adl —6H 19
Cennick Clo. Oldh —1H 97
Ceno St. Oldh —5E 74
Centaur Clo. Pen —5D 90
Centaur Way. M8 —1F 115
Centenary Ct. Bolt —2B 66
Centenary Way. Salf —7E 112
Centenary Way. Traf P —1F 133
Central Av. M19 —7C 136
Central Av. Ath —3E 86
Central Av. Bury —6H 47
Central Av. Clif —5H 91
Central Av. Eden —1H 9
Central Av. Farn —6C 66
Central Av. G'fld —2H 99
Central Av. Leigh —5C 108
Central Av. L'boro —5F 15
Central Av. Sale —2B 164
Central Av. Salf —2J 113
Central Av. Wor —2E 88
Central Dri. Bram —2F 181
Central Dri. Bury —4K 27
Central Dri. H Grn —4K 179
Central Dri. Rom —7G 155
Central Dri. Shev —7H 37
Central Dri. Stoc —5H 153
Central Dri. Swint —1F 113
Central Dri. Urm —7B 132
Central Dri. W'houg —5J 63
Central Ho. M9 —2A 94
Central Ind. Est. Mid —6B 72
Central Pk. Est. Traf P —3H 133
Central Pk. Way. Wig —5F 61
Central Retail Pk. M4 —7J 115 (5N 5)
Central Rd. M20 —5G 151
Central Rd. Man A —6C 178
Central Rd. Part —7B 146
Central St. M2 —7F 115 (6G 4)
Central St. Bolt —6A 44
Central St. Ram —5F 9
Central Way. Alt —7B 164
Central Way. Newt W —7G 125
Centre Ct. Leigh —7F 107
Centre Gdns. Bolt —4K 43
Centre Pk. Rd. Bolt —4K 43
Centrepoint. Traf P —4F 133
Centre, The. Leigh —2E 108
Centre Vale. L'boro —4G 15
Centre Vale Clo. L'boro —4G 15
Centurion Gro. Salf —2E 114
Century Gdns. Roch —4H 31
Century Lodge. Farn —6D 66
Century Mill Ind. Est. Farn —6D 66
Century Pk. Ind. Est. B'thh —5J 163
Century St. M1 —1E 134 (8F 4)
Cestrian St. Bolt —3B 66
Ceylon St. M40 —2C 116
Ceylon St. Oldh —2H 97
Chadderton Dri. Bury —4A 70
Chadderton Fold. Chad —4H 73
(in two parts)
Chadderton Hall Rd. Chad —5H 73
Chadderton Heights. Chad —3H 73
Chadderton Ind. Est. Mid —2E 94
Chadderton Pk. Rd. Chad —6H 73
Chadderton St. M4 —6H 115 (3L 5)
Chadderton Way. Oldh —4K 73
Chaddesley Wlk. M11 —1B 136
Chaddock La. Ast & Wor —2K 109
Chaddock Level, The. Wor —3C 110
Chadkirk Ind. Est. Rom —3F 171
Chadkirk Rd. Rom —2F 171
Chadvil Rd. Gat —6J 167
Chadwell Rd. Stoc —4C 170
Chadwick Clo. M14 —6H 135
Chadwick Clo. Miln —7E 32
Chadwick Fold. Bury —5K 27
Chadwick Hall Rd. Roch —6D 30
Chadwick La. Heyw & Roch —3B 50
Chadwick La. Roch —3A 52
Chadwick Rd. Ecc —6C 112
Chadwick Rd. Urm —7D 132
Chadwick St. Ash L —6J 119
Chadwick St. Bolt —7C 44
Chadwick St. Bury —1E 48
Chadwick St. Firg —5C 32
Chadwick St. Glos —2D 158
Chadwick St. Heyw —3B 50
Chadwick St. Hind —1B 84
Chadwick St. Hyde —6K 139
Chadwick St. Leigh —2K 107
Chadwick St. L Lev —3K 67
Chadwick St. Marp —6K 171
Chadwick St. Oldh —7B 74

Chadwick St. Roch —5F 31
Chadwick St. Stoc —3H 169
Chadwick St. Swint —7D 90
Chadwick St. Wig —1D 82
Chadwick Ter. Mac —2G 199
Chadwick Ter. Roch —7F 13
Chadwick Wlk. Swint —7D 90
Chaffinch Clo. M22 —6F 167
Chaffinch Clo. Bchwd —7A 144
Chaffinch Clo. Droy —5A 118
Chaffinch Clo. Oldh —3H 97
Chaffinch Dri. Bury —1C 48
Chain Bar La. Mot —7F 141
Chain Bar Way. Mot —7F 141
Chainhurst Wlk. M13 —3J 135
(off Ardeen Wlk.)
Chain Rd. M9 —2K 93
Chain St. M1 —7G 115 (6J 5)
Chain Wlk. M9 —2A 94
Chalbury Clo. Hind —3B 84
Chalcombe Grange. M12 —4B 136
Chale Clo. M40 —5K 115
Chale Dri. Mid —1E 94
Chale Grn. Bolt —2G 45
Chalfont Av. Urm —7C 132
Chalfont Clo. Oldh —3F 97
Chalfont Dri. M8 —1G 115
Chalfont Dri. Ast —7G 87
Chalfont Dri. Wor —7G 89
Chalfont Ho. Salf —6K 113
Chalfont St. Bolt —3B 44
(in two parts)
Chalford Rd. M23 —1A 178
Challenge Way. Wig —4J 59
Challenor Sq. M12 —3C 136
Challinor St. Ram —5H 43
Chalter Wlk. Salf —2F 115
Chamber Hall Clo. Oldh —3B 96
Chamberhall St. Bury —2J 47
Chamber Ho. Dri. Roch —1D 50
Chamberlain Rd. Heyr —3C 120
Chamberlain St. Bolt —7K 43
Chamber Rd. Oldh —4A 96
Chamber Rd. Shaw —6E 52
Chambers Ct. Mot —6G 141
Chambersfield Ct. Salf —7K 113
Champagnole Ct. Duk —7F 119
(off Astley St.)
Champneys Wlk. M9 —2K 115
Chancel Av. Salf —1C 134 (8A 4)
Chancel Clo. Duk —3G 139
Chancel La. Wilm —5H 187
Chancellor La. M12 —1K 135
Chancel Pl. M1 —7J 115 (6N 5)
Chancel Pl. Roch —5H 31
Chancery Clo. Ast —7H 87
Chancery La. M2 —7F 115 (6H 5)
Chancery La. Boll —3K 197
Chancery La. Bolt —6B 44
Chancery La. Dob —4G 77
Chancery La. Shaw —6G 53
Chancery Pl. M2 —7F 115 (6H 5)
Chancery St. Chad —6A 74
Chancery St. Oldh —1G 97
Chancery Wlk. Chad —6A 74
Chandler Pl. M12 —2J 135 (9P 5)
Chandlers Point. Salf —1K 133
Chandlers Row. Wor —3J 111
Chandler Way. Lwtn —1C 126
Chandley Ct. Stoc —4J 169
(off Ward St.)
Chandley St. Chea —5K 167
Chandos Gro. Salf —6H 113
Chandos Rd. M21 —1C 150
Chandos Rd. P'wch —5B 92
Chandos Rd. Stoc —4D 152
Chandos Rd. S. M21 —2C 150
Chandos St. Shaw —6G 53
Change Way. Salf —5E 114 (2E 4)
Channing Ct. Roch —6K 31
Channing Sq. Roch —6K 31
Channing St. Roch —6K 31
Chanters Av. Ath —5E 86
Chanters Ind. Est. Ath —5F 87
Chanters, The. Wor —1E 110
Chantler's Av. Bury —4E 46
Chantler's St. Bury —3E 46
Chantree Cres. Shaw —6F 53
Chantry Brow. Hor —2A 40
Chantry Clo. Dis —7E 184
Chantry Clo. Stoc —3G 153
Chantry Clo. W'houg —2K 85
Chantry Ct. Mac —6F 199
Chantry Fold. Dis —6E 184
Chantry Rd. Dis —6D 184
Chantry Wlk. Ash M —3B 104
Chapel All. Ram —6B 44
(off Deansgate)
Chapel Brow. Charl —4K 157
Chapel Brow. Tin —2C 142
Chapel Clo. Duk —1G 139
Chapel Clo. Ince —1F 83

Chapel Clo. Uns —2B 70
Chapel Cotts. Wilm —4D 186
Chapel Ct. Alt —7B 164
Chapel Ct. Hyde —1G 155
Chapel Ct. Marp —6K 171
Chapel Ct. Sale —4C 148
Chapel Ct. Wilm —7G 187
Chapel Croft. Rytn —2B 74
Chapel Dri. Haleb —5G 177
Chapelfield. Rad —5G 69
Chapelfield Clo. Millb —4D 120
Chapelfield Dri. Wor —4D 88
Chapelfield Rd. M12 —1J 135 (8P 5)
Chapelfield Rd. Dent —6D 138
Chapel Fields. Marp —6K 171
Chapel Fields. Tur —7E 6
Chapel Fields La. Hind —2C 84
Chapelfield St. Bolt —2A 44
Chapel Ga. Miln —6D 32
Chapel Grange. Tur —7E 6
Chapel Grn. Dent —6D 138
Chapel Grn. Rd. Hind —1C 84
Chapel Gro. Urm —7C 132
Chapel Hill. L'boro —5F 15
Chapelhill Dri. M9 —4J 93
Chapel Ho. Haz G —7A 170
Chapel Ho. Marp —6A 172
Chapel La. M9 —3H 93
Chapel La. Cop —2B 18
Chapel La. Had —4B 142
Chapel La. Haleb —4F 177
Chapel La. Holc —5E 8
Chapel La. Part & Lymm —7B 146
Chapel La. Rix —2F 161
Chapel La. Roch —4H 29
Chapel La. Rytn —2B 74
Chapel La. Sale —4C 148
Chapel La. Stret —1G 149
Chapel La. Wig —1E 82
Chapel La. Wilm —7F 187
Chapel La. Bus. Pk. Cop —3B 18
Chapel Meadow. Wor —1D 110
Chapel Pl. Ash M —5D 104
Chapel Pl. Bolt —1E 66
Chapel Pl. Urm —1B 132
Chapel Rd. M22 —3D 166
Chapel Rd. Ald E —5G 195
Chapel Rd. G'fld —1G 99
Chapel Rd. Irl —7C 130
Chapel Rd. Oldh —4A 96
Chapel Rd. Oll —7J 193
Chapel Rd. P'wch —6K 91
Chapel Rd. Sale —5F 149
Chapel Rd. Swint —1A 112
Chapelstead. W'houg —2K 85
Chapel St. Adl —6H 19
Chapel St. Ald E —5G 195
Chapel St. Ash M —5D 104
Chapel St. Ash L —5G 119
Chapel St. Ath —4D 86
Chapel St. Aud —3D 138
Chapel St. Bick —6C 84
Chapel St. Blac —3B 40
Chapel St. Bury —3K 47
Chapel St. Chea —6K 167
Chapel St. Cop —3A 18
Chapel St. Droy —7K 117
Chapel St. Duk —1F 139
Chapel St. Ecc —7A 112
Chapel St. Eger —1K 23
Chapel St. Farn —6G 67
Chapel St. Glos —1E 158
Chapel St. Hayd —3A 124
Chapel St. Haz G —1C 182
Chapel St. Heyw —3K 49
(in two parts)
Chapel St. Hind —2B 84
Chapel St. Hor —2G 41
Chapel St. Hyde —7H 139
Chapel St. Ince —1F 83
(Ince)
Chapel St. Ince —3J 61
(New Springs)
Chapel St. Lees —1J 97
Chapel St. Leigh —4A 108
(in two parts)
Chapel St. Lev —1C 152
Chapel St. L'boro —1H 15
Chapel St. L Lev —3K 67
Chapel St. Mac —5F 199
Chapel St. Mid —5B 72
(Middleton, in two parts)
Chapel St. Mid —7J 71
(Rhodes)
Chapel St. Moss —6C 98
Chapel St. N Mills —6H 185
Chapel St. Pem —1H 81
Chapel St. Pem —2H 81
Chapel St. Pen —6E 90
Chapel St. Plat B —5J 83
Chapel St. P'wch —3A 92
Chapel St. Rad —6K 67
Chapel St. Roch —1J 51
Chapel St. Rytn —2B 74
Chapel St. Salf —6D 114 (4C 4)
Chapel St. Shaw —6F 53
Chapel St. Stal —6A 120
Chapel St. Stoc —1K 167

Chapel St. *Tot* —5C **26**
Chapel St. *Tyl* —6G **87**
Chapel St. *Upperm* —6H **77** (in two parts)
Chapel St. *Ward* —4A **14**
Chapel St. *Whitw* —3E **12**
Chapel St. *Wig* —7E **60**
Chapel St. *Woodl* —5F **155**
Chapel St. *Wor* —2B **110**
Chapel Ter. *M20* —3H **151**
Chapel Ter. *Lwtn* —7F **107**
Chapeltown Rd. *Brom X* —5D **24**
Chapeltown Rd. *Rad* —6E **68**
Chapeltown St. *M1* —1H **135** (7M **5**)
Chapel View. *Duk* —1G **139**
Chapel Wlk. *Cop* —3A **18** (in two parts)
Chapel Wlk. *Ecc* —6D **112**
Chapel Wlk. *Had* —4B **142**
Chapel Wlk. *Lwtn* —7F **107**
Chapel Wlk. *Marp* —5K **171**
Chapel Wlk. *Mid* —7J **71**
Chapel Wlk. *P'wch* —7A **92**
Chapel Wlk. *Stal* —7B **120**
Chapel Wlk. *W'fld* —5B **70**
Chapel Walks. *M2* —7F **115** (5H **5**)
Chapel Walks. *Chea H* —6D **180**
Chapel Walks. *Sale* —5F **149**
Chapel Way. *Cop* —4B **18**
Chapelway Gdns. *Rytn* —7B **52**
Chapel Yd. *Cop* —2B **18**
Chaplin Clo. *Salf* —4J **113**
Chapman Ct. *Hyde* —7D **140**
Chapman M. *M18* —4F **137** (in two parts)
Chapman Rd. *Hyde* —1E **156**
Chapman St. *M18* —3F **137**
Chapman St. *Bolt* —4H **43**
Chappell Rd. *Droy* —6J **117**
Chapter St. *M40* —4B **116**
Charcoal Rd. *Bow* —7G **163**
Charcoal Woods. *Bow* —1J **175**
Charcon Wlk. *Rytn* —2C **74**
Chard Dri. *M22* —3D **178**
Chardin Av. *Marp B* —3C **172**
Chard St. *Rad* —3E **68**
Charfield St. *M40* —3F **117**
Charges St. *Ash L* —7D **118**
Chariot St. *Open* —1F **137**
Charity St. *Leigh* —3G **107**
Charlbury Av. *P'wch* —4E **92**
Charlbury Av. *Stoc* —3H **153**
Charlbury Way. *Rytn* —1E **74**
Charlecote Rd. *Poy* —1D **190**
Charles Av. *Aud* —2J **137**
Charles Av. *Marp* —4G **171**
Charles Barry Cres. *M15* —3E **134**
Charles Ct. *Bolt* —5B **44**
Charles Ct. *Tim* —5F **165** (in two parts)
Charles Craddock Dri. *Salf* —2F **115**
Charles Halle Rd. *M15* —4G **135**
Charles Holden St. *Bolt* —7K **43**
Charles Ho. *Ram* —5B **44**
Charles La. *Glos* —7G **143**
Charles La. *Miln* —7E **32**
Charles M. *Miln* —7E **32**
Charles Morris Clo. *Fail* —7K **95**
Charles Rupert St. *Ram* —3B **44**
Charles Shaw Clo. Oldh (off Adswood Clo.) —5H ***75***
Charles St. *M1* —2G **135** (9J **5**)
Charles St. *Ash L* —6F **119**
Charles St. *Bolt* —5B **44**
Charles St. *Bury* —2K **47**
Charles St. *Cad* —4A **146**
Charles St. *Dent* —4D **138**
Charles St. *Droy* —7G **117**
Charles St. *Duk* —1F **139**
Charles St. *Eger* —1K **23**
Charles St. *Glos* —1E **158**
Charles St. *Golb* —7J **105**
Charles St. *Haz G* —1B **182**
Charles St. *Heyw* —5A **50**
Charles St. *Hind* —7C **62**
Charles St. *Ince* —7J **61**
Charles St. *Kear* —7G **67**
Charles St. *Leigh* —3K **107** (in two parts)
Charles St. *L'boro* —6E **14**
Charles St. *Oldh* —1A **96**
Charles St. *Rytn* —2B **74**
Charles St. *Salf* —4K **113** (in two parts)
Charles St. *Stoc* —4H **169**
Charles St. *Swint* —6B **90**
Charles St. *Tyl* —6F **87**
Charles St. *W'fld* —7K **69**
Charles St. *Whitw* —1F **13**
Charles St. *Wig* —5E **60**
Charleston Ct. *Tyl* —6F **87**
Charleston Sq. *Urm* —6K **131**
Charleston St. *Oldh* —3D **96**
Charlestown Ind. Est. *Ash L* —4F **119**
Charlestown Rd. *M9* —5K **93**
Charlestown Rd. *Glos* —2E **158**
Charlestown Rd. E. *Stoc* —1J **181**
Charlestown Rd. W. *Stoc* —1H **181**
Charles Wlk. *W'fld* —7K **69**
Charles Whittaker St. *Roch* —3B **30**
Charlesworth Av. *Bolt* —3D **66**
Charlesworth Av. *Dent* —2D **154**
Charlesworth Av. *Hind* —3D **84**
Charlesworth St. *M11* —1B **136**
Charlesworth St. *Stoc* —4H **169**
Charley Av. *Salf* —4D **114**
Charlock Av. *W'houg* —1J **85**
Charlock Sq. *B'hth* —3K **163**
Charlock Wlk. *Part* —7B **146**
Charlotte La. *Gras* —2E **98**
Charlotte St. *M1* —7G **115** (6J **5**)
Charlotte St. *Bolt* —3A **44**
Charlotte St. *Chea* —6K **167**
Charlotte St. *Mac* —4F **199**
Charlotte St. *Ram* —6F **9**
Charlotte St. *Roch* —1K **51**
Charlotte St. *Stoc* —7K **153**
Charlotte St. *Tur* —7E **6**
Charlotte St. W. *Mac* —3E **198**
Charlton Av. *Ecc* —7B **112**
Charlton Av. *Hyde* —4A **140**
Charlton Av. *P'wch* —4B **92**
Charlton Ct. *P'wch* —4B **92**
Charlton Dri. *Sale* —6G **149**
Charlton Dri. *Wdly* —5B **90**
Charlton Pl. *Ard* —2H **135** (9M **5**)
Charlton Rd. *M19* —7D **136**
Charlton St. *Mac* —3E **198**
Charminster Dri. *M8* —7H **93**
Charmouth Wlk. *M22* —7F **167**
Charnley Clo. *M40* —5A **116**
Charnley St. *W'fld* —6K **69**
Charnley Wlk. *M40* —5A **116**
Charnock Av. *Newt W* —6B **124**
Charnock Bk. La. *Hth C* —1B **20**
Charnock Dri. *Bolt* —4A **44**
Charnock Rd. *Cul* —6K **127**
Charnock St. *Abr* —6K **83**
Charnville Rd. *Gat* —6F **167**
Charnwood Av. *Dent* —6K **137**
Charnwood Clo. *Ash L* —1G **119**
Charnwood Clo. *Ast* —7G **87**
Charnwood Clo. *Bchwd* —5B **144**
Charnwood Clo. *Mac* —2C **198**
Charnwood Clo. *Shaw* —5C **52**
Charnwood Clo. *Wor* —5E **88**
Charnwood Cres. *Haz G* —4B **182**
Charnwood Rd. *M9* —2K **93**
Charnwood Rd. *Woodl* —5G **155**
Charter. *Ecc* —7D **112**
Charter Av. *Rad* —4G **69**
Charter Clo. *Sale* —7B **148**
Charterhouse Rd. *Ince* —1F **83**
Charter Rd. *Alt* —7C **164**
Charter Rd. *Boll* —3J **197**
Charter St. *M3* —5F **115** (1H **5**)
Charter St. *Oldh* —6E **74**
Charter St. *Roch* —1J **51**
Charter Way. *Mac* —7G **197** (in two parts)
Chartwell Clo. *Salf* —6K **113**
Chartwell Dri. *M23* —4H **165**
Chasefield. *Bow* —2J **175**
Chaseley Rd. *Roch* —4G **31**
Chaseley Rd. *Salf* —4J **113**
Chase St. *M4* —5G **115** (1K **5**)
Chase, The. *Bolt* —6G **43**
Chase, The. *Wor* —3J **111**
Chasetown Clo. *M23* —5H **165**
Chassen Av. *Urm* —7J **131**
Chassen Ct. *Urm* —1K **147**
Chassen Rd. *Bolt* —6H **43**
Chassen Rd. *Urm* —7K **131**
CHASSEN ROAD STATION. *BR* —1K **147**
Chataway Rd. *M8* —7J **93**
Chatburn Av. *Lwtn* —7A **106**
Chatburn Av. *Roch* —6F **51**
Chatburn Ct. *Cul* —7K **127**
Chatburn Ct. *Shaw* —5F **53**
Chatburn Gdns. *Heyw* —3F **49**
Chatburn Rd. *M21* —2C **150**
Chatburn Rd. *Bolt* —2F **43**
Chatburn Sq. *Roch* —5F **51**
Chatcombe Rd. *M22* —2A **178**
Chatfield Rd. *M21* —2B **150**
Chatford Clo. *Salf* —4E **114**
Chatham Ct. *M20* —4G **151**
Chatham Gdns. *Bolt* —1K **65**
Chatham Gro. *M20* —4G **151**
Chatham Pl. *Bolt* —1K **65**
Chatham Rd. *Gort* —6G **137**
Chatham Rd. *Old T* —6B **134**
Chatham St. *M1* —7H **115** (6L **5**)
Chatham St. *Hyde* —3J **155**
Chatham St. *Ince* —6J **61**
Chatham St. *Leigh* —1K **107**
Chatham St. *Mac* —3F **199**
Chatham St. *Stoc* —3E **168**
Chatham St. *Wig* —7G **61**
Chatley Rd. *Ecc* —7H **111**
Chatley St. *M3* —4F **115**
Chat Moss. *Ast* —3G **129**
Chatswood Av. *Stoc* —5H **169**
Chatsworth Av. *Cul* —5K **127**
Chatsworth Av. *Ince* —3H **83**
Chatsworth Av. *Mac* —5A **198**
Chatsworth Av. *P'wch* —2B **92**
Chatsworth Clo. *Ash M* —4B **104**
Chatsworth Clo. *Bury* —1A **70**
Chatsworth Clo. *Shaw* —5H **53**
Chatsworth Clo. *Tim* —6G **165**
Chatsworth Clo. *Urm* —7C **132**
Chatsworth Ct. M9 —2G ***93*** *(off Deanswood Dri.)*
Chatsworth Ct. *Hth C* —3H **19**
Chatsworth Ct. *Stoc* —6J **169**
Chatsworth Cres. *Stret* —6D **132**
Chatsworth Dri. *Leigh* —1D **108** (in two parts)
Chatsworth Gro. *M16* —7D **134**
Chatsworth Gro. *L Lev* —2J **67**
Chatsworth Rd. *M18* —4E **136**
Chatsworth Rd. *Chea H* —7D **168**
Chatsworth Rd. *Droy* —5G **117**
Chatsworth Rd. *Ecc* —4D **112**
Chatsworth Rd. *Haz G* —3D **182**
Chatsworth Rd. *H Lane* —6K **183**
Chatsworth Rd. *Rad* —1B **68**
Chatsworth Rd. *Stret* —6E **132**
Chatsworth Rd. *Wilm* —2E **194**
Chatsworth Rd. *Wor & Swint* —2K **111**
Chatsworth St. *Oldh* —2G **97**
Chatsworth St. *Roch* —1G **31**
Chatsworth St. *Wig* —2J **81**
Chatteris Clo. *Hind* —3C **84**
Chatterton Clo. *M20* —4J **151**
Chatterton La. *Mell* —3G **173**
Chatterton Old La. *Ram* —1G **9**
Chatterton Rd. *Ram* —1G **9**
Chattock Clo. *M16* —6E **134**
Chatton Clo. *Bury* —3D **46**
Chatwell Ct. *Miln* —1G **53**
Chatwood Rd. *M40* —5F **95**
Chaucer Av. *Dent* —3E **154**
Chaucer Av. *Droy* —7J **117**
Chaucer Av. *Rad* —2C **68**
Chaucer Av. *Stoc* —1F **153**
Chaucer Gro. *Ath* —2D **86**
Chaucer Gro. *Leigh* —7G **85**
Chaucer Ho. *Stoc* —2F **153**
Chaucer M. *Stoc* —2K **169**
Chaucer Pl. *Abr* —6K **83**
Chaucer Pl. *Wig* —3E **60**
Chaucer Rise. *Duk* —2A **140**
Chaucer Rd. *Mid* —4D **72**
Chaucer St. *Bolt* —3K **43**
Chaucer St. *Oldh* —1C **96**
Chaucer St. *Roch* —3E **50**
Chaucer St. *Rytn* —1C **74**
Chaucer Wlk. *M13* —3J **135**
Chaumont Way. *Ash L* —5F **119**
Chaunce Rd. *Wig* —6G **61**
Chauncy Rd. *M40* —7G **95**
Chaytor Av. *M40* —1C **116**
Cheadle Av. *Salf* —1A **114**
Cheadle Grn. *Chea* —5K **167**
CHEADLE HULME STATION. *BR* —2D **180**
Cheadle Old Rd. *Stoc* —4D **168**
Cheadle Point. *Chea* —5B **168**
Cheadle Rd. *Chea* —7A **168**
Cheadle St. *M11* —1F **137**
Cheadle St. *Ram* —6A **44**
Cheadle Wood. *Chea H* —4A **180**
Cheam Clo. *M11* —2D **136**
Cheam Rd. *Tim* —3D **164**
Cheapside. *M2* —7F **115** (5H **5**)
Cheap Side. *Mid* —4C **72**
Cheapside. *Oldh* —7C **74**
Cheddar St. *M18* —4F **137**
Chedlee Dri. *Chea H* —3A **180**
Chedlin Dri. *M23* —7A **166**
Chedworth Cres. *L Hul* —1C **88**
Chedworth Gro. Bolt —1A ***66*** *(off Parrot St.)*
Cheeryble St. *M11 & Fail* —2H **137**
Cheesden Edge. *Roch* —6E **10**
Cheesden Wlk. *W'fld* —5C **70**
Cheetham Av. *Mid* —5D **72**
Cheetham Fold Rd. *Hyde* —2H **155**
Cheetham Gdns. *Stal* —7B **120**
Cheetham Gro. *Wig* —2B **82**
Cheetham Hill. *Shaw* —7F **53**
Cheetham Hill. *Whitw* —1F **13**
Cheetham Hill Rd. *M4 & M8* —5G **115** (1J **5**)
Cheetham Hill Rd. *M8* —7F **93**
Cheetham Hill Rd. *Duk & Stal* —3H **139**
Cheetham Pde. *M8* —7F **93**
Cheetham Rd. *Swint* —1E **112**
Cheethams Cres. *Rytn* —2E **74**
Cheethams, The. *Blac* —6C **40**
Cheetham St. *M40* —3A **116**
Cheetham St. *Fail* —7J **95** (in two parts)
Cheetham St. *Hyde* —4A **140**
Cheetham St. *Mid* —6B **72**
Cheetham St. *Oldh* —7F **75**
Cheetham St. *Rad* —3G **69**
Cheetham St. *Roch* —4H **31**
Cheetham St. *Shaw* —7G **53**
Cheetham Wlk. *Hyde* —6J **139**
Cheetwood Rd. *M8* —4F **115**
Cheetwood St. *M8* —4E **114**
Chelbourne Dri. *Oldh* —5K **95**
Chelburn Clo. *Bick* —6C **84**
Chelburne Clo. *Stoc* —6B **170**
Chelburn View. *L'boro* —2G **15**
Cheldon Wlk. *M40* —2E **116**
Chelford Av. *Bolt* —7A **24**
Chelford Av. *Lwtn* —2B **126**
Chelford Clo. *M13* —4K **135**
Chelford Clo. *Alt* —5C **164**
Chelford Clo. *Mid* —4E **72**
Chelford Clo. *Wig* —5B **82**
Chelford Ct. *Hand* —7A **180**
Chelford Dri. *Ast* —2J **109**
Chelford Dri. *Swint* —5C **90**
Chelford Gro. *Stoc* —6E **168**
Chelford Rd. *M16* —6C **134**
Chelford Rd. *Ald E* —7C **194**
Chelford Rd. *Hand* —7K **179**
Chelford Rd. *Knut* —6F **193**
Chelford Rd. *Mac* —3A **198**
Chelford Rd. *P'bry* —5A **196**
Chelford Rd. *Sale* —1J **165**
Chellow Dene. *Moss* —6B **98**
Chelmarsh Av. *Ash M* —5E **104**
Chelmer Clo. *W'houg* —5K **63**
Chelmer Gro. *Heyw* —2G **49**
Chelmorton Gro. *Wig* —5J **81**
Chelmsford Av. *M40* —4D **116**
Chelmsford Dri. *Wig* —3C **82**
Chelmsford M. *Wig* —4D **60**
Chelmsford Rd. *Stoc* —3E **168**
Chelmsford St. *Oldh* —2C **96**
Chelmsford Wlk. *Dent* —1E **154**
Chelsea Av. *Rad* —2B **68**
Chelsea Clo. *Shaw* —6F **53**
Chelsea Rd. *M40* —3D **116**
Chelsea Rd. *Bolt* —3K **65**
Chelsea Rd. *Urm* —1E **146**
Chelsea St. *Bury* —1K **69**
Chelsea St. *Roch* —7F **31**
Chelsfield Gro. *M21* —2D **150**
Chelston Av. *M40* —5F **95**
Chelston Dri. *H Grn* —6J **179**
Cheltenham Av. *Ince* —1F **83**
Cheltenham Cres. *Salf* —7E **92**
Cheltenham Dri. *Bil* —5D **80**
Cheltenham Dri. *Newt W* —4E **124**
Cheltenham Dri. *Sale* —6G **149**
Cheltenham Grn. *Mid* —1C **94**
Cheltenham Rd. *M21* —7B **134**
Cheltenham Rd. *Mid* —1C **94**
Cheltenham Rd. *Stoc* —4C **168**
Cheltenham St. *Oldh* —5F **75**
Cheltenham St. *Roch* —1F **51**
Cheltenham St. *Salf* —4A **114**
Cheltenham St. *Wig* —4H **61**
Chelt Wlk. *M22* —2B **178**
Chelwood Clo. *Bolt* —5K **23**
Chelworth Mnr. *Bram* —3E **180**
Chemical St. *Newt W* —6D **124**
Chemist St. *Ram* —4B **44**
Cheney Clo. *M11* —2F **137**
Chepstow Av. *Sale* —7A **148**
Chepstow Clo. *Roch* —4B **30**
Chepstow Dri. *Haz G* —2E **182**
Chepstow Dri. *Oldh* —5F **75**
Chepstow Gro. *Leigh* —1E **108**
Chepstow Rd. *M21* —1A **150**
Chepstow Rd. *Clif* —5E **90**
Chepstow St. *M1* —1F **135** (8H **5**)
Chepstow St. N. *M1* —1F **135** (8H **5**)
Chepstow St. S. *M1* —1F **135** (8H **5**)
Chequer Clo. *Uph* —2A **80**
Chequer La. *Uph* —1A **80**
Chequers Rd. *M21* —2B **150**
Chequers St. *Wig* —6D **60**
Cherington Clo. *Hand* —2B **188**
Cherington Cres. *Mac* —4D **198**
Cherington Dri. *Tyl* —6J **87**
Cherington Rd. *Chea* —7J **167**
Cheriton Av. *Sale* —5G **149**
Cheriton Clo. *Hyde* —7D **140**
Cheriton Dri. *Bolt* —7G **45**
Cheriton Gdns. *Hor* —6F **21**
Cheriton Rise. *Stoc* —5E **170**
Cheriton Rd. *Urm* —6F **131**
Cherrington Clo. *M23* —1B **166**
Cherrington Dri. *Roch* —5F **51**
Cherry Av. *Ash L* —2F **119**
Cherry Av. *Bury* —2C **48**
Cherry Av. *Oldh* —4G **97**
Cherry Clo. *Bury* —6A **48**
Cherry Clo. *Newt W* —5B **124**
Cherry Ct. *Sale* —6E **148**
Cherry Ct. *Tim* —4G **165**
Cherry Croft. *Rom* —2J **171** (in two parts)
Cherry Dri. *Swint* —7E **90**
Cherryfields Rd. *Mac* —4B **198**
Cherry Gro. *Leigh* —7K **85**
Cherry Gro. *Roch* —4C **30**
Cherry Gro. *Rytn* —7A **52**
Cherry Gro. *Stal* —1A **140**
Cherry Gro. *Wig* —3B **60**
Cherry Hall Dri. *Shaw* —6C **52**
Cherry Hinton. *Oldh* —6B **74**
Cherry Holt Av. *Stoc* —6B **152**
Cherry La. *Dens* —2B **54**
Cherry La. *Sale* —1A **164**
Cherry Orchard Clo. *Bram* —3F **181**
Cherry St. *P'wch* —2C **92**
Cherryton Wlk. *M13* —3J **135**
Cherry Tree Av. *Farn* —6B **66**
Cherry Tree Av. *Poy* —2D **190**
Cherrytree Clo. *Rom* —1J **171**
Cherry Tree Clo. *Tim* —6F **165**
Cherry Tree Clo. *Wilm* —4A **188**
Cherry Tree Ct. *Salf* —6A **114**
Cherry Tree Ct. *Stand* —3K **37**
Cherry Tree Ct. *Stoc* —7A **170**
Cherry Tree Dri. *Haz G* —4D **182**
Cherry Tree Est. *Rom* —1K **171**
Cherry Tree Gro. *Ath* —3C **86**
Cherry Tree Gro. *Leigh* —2H **107**
Cherry Tree La. *Bury* —4G **47**
Cherry Tree La. *Rom* —1J **171**
Cherry Tree La. *St H* —6A **102**
Cherry Tree La. *Stoc* —6A **170**
Cherrytree Rd. *M23* —2K **165**
Cherry Tree Rd. *Chea H* —3B **180**
Cherry Tree Rd. *Lwtn* —1D **126**
Cherry Tree Wlk. *Moss* —6B **98**
Cherry Tree Wlk. *Stret* —1G **149**
Cherry Tree Way. *Bolt* —1D **44**
Cherry Tree Way. *Hor* —4J **41**
Cherry Wlk. *Chea H* —4E **180**
Cherry Wlk. *Part* —1K **161**
Cherrywood. *Chad* —7F **73**
Cherrywood Av. *Bolt* —7G **65**
Cherrywood Clo. *Wor* —6D **88**
Chertsey Clo. *M18* —4G **137**
Chertsey Clo. *Shaw* —5F **53**
Chervil Wlk. *Wig* —3J **81**
Cherwell Av. *Heyw* —2G **49**
Cherwell Clo. *Asp* —7A **40**
Cherwell Clo. *Chea H* —5C **180**
Cherwell Clo. *Oldh* —6A **96**
Cherwell Clo. *W'fld* —6A **70**
Cherwell Rd. *W'houg* —5K **63**
Cheryls Bank. *Glos* —2D **158**
Chesford Grange. *Warr* —4A **160**
Chesham Av. *M22* —7C **166**
Chesham Av. *Bolt* —3A **44**
Chesham Av. *Roch* —6F **51**
Chesham Av. *Urm* —6G **131**
Chesham Clo. *Had* —4D **142**
Chesham Clo. *Wilm* —2F **195**
Chesham Cres. *Bury* —2A **48**
Chesham Fold Rd. *Bury* —2B **48**
Chesham Ho. *Salf* —6K **113**
Chesham Pl. *Bow* —2A **176**
Chesham Rd. *Bury* —1K **47**
Chesham Rd. *Ecc* —1A **132**
Chesham Rd. *Oldh* —1G **97**
Chesham Rd. *Wilm* —2F **195**
Chesham St. *Bolt* —4H **65**
Cheshire Clo. *Newt W* —6G **125**
Cheshire Clo. *Stret* —1F **149**
Cheshire Ct. *Ram* —5H **9**
Cheshire Gdns. *M14* —1G **151**
Cheshire Rd. *C'brk* —3E **120**
Cheshire Rd. *Part* —1K **161**
Cheshire Sq. *C'brk* —3E **120**
Cheshires, The. *Moss* —6D **98**
Cheshire St. *Moss* —7D **98**
Cheshire View. *Ker* —4K **197**
Chesney Av. *Chad* —5G **95**
Chesshyre Av. *M4* —7K **115**
Chessington Rise. *Clif* —4E **90**
Chester Av. *Chor* —1G **19**
Chester Av. *Duk* —2J **139**
Chester Av. *Hale* —2D **176**
Chester Av. *L Lev* —2K **67**
Chester Av. *Lwtn* —1B **126**
Chester Av. *Roch* —6C **30**
Chester Av. *Sale* —2K **163**
Chester Av. *Stal* —5D **120**
Chester Av. *Urm* —6C **132**
Chester Av. *W'fld* —7A **70**
Chester Clo. *Cad* —5K **145**
Chester Clo. *L Lev* —2K **67**
Chester Clo. *Wilm* —4A **188**
Chester Dri. *Ash M* —6F **105**
Chester Dri. *Ram* —7E **8**
Chesterfield Gro. *Ash L* —5H **119**
Chesterfield St. *Oldh* —1F **97**
Chesterfield Way. *Dent* —2D **154**
Chestergate. *Mac* —3E **198**
Chestergate. *Stoc* —2F **169**
Chester Pl. *Adl* —4J **19**
Chester Pl. *Rytn* —2B **74**
Chester Rd. *M16 & M15* —4C **134**
Chester Rd. *Haz G* —5B **182**
Chester Rd. *Knut & M'ton* —7E **174**
Chester Rd. *Mac* —3B **198**
Chester Rd. *Stret & M16* —3G **149**
Chester Rd. *Tyl* —7K **87**
Chester Rd. *Woodf & Poy* —4F **189**
Chesters Croft Cvn. Site. *Chea H* —7C **180**
Chester Sq. *Ash L* —6E **118**
Chester St. *M15 & M1* —2F **135** (10H **5**)
Chester St. *Ath* —5E **86**
Chester St. *Bury* —1A **48**
Chester St. *Dent* —7D **138**
Chester St. *Hind* —5F **85**
Chester St. *Oldh* —2A **96**
Chester St. *P'wch* —2A **92**
Chester St. *Ram* —4B **44**
Chester St. *Roch* —6J **31**
Chester St. *Stoc* —2F **169**
Chester St. *Swint* —1C **112**
Chesterton Clo. *Wig* —2C **82**
Chesterton Dri. *Bolt* —1E **64**
Chesterton Gro. *Droy* —6J **117**
Chesterton Rd. *M23* —3H **165**
Chesterton Rd. *Oldh* —4F **75**
Chesterton Wlk. *M23* —4J **165**
Chester Wlk. Bolt —3A ***44*** *(off Boardman St.)*
Chester Walks. *Rom* —2E **170**
Chestnut Av. *M21* —2B **150**
Chestnut Av. *Ath* —3C **86**
Chestnut Av. *Bury* —3B **48**
Chestnut Av. *Cad* —5K **145**
Chestnut Av. *Chea* —6A **168**
Chestnut Av. *Droy* —5G **117**
Chestnut Av. *Leigh* —5J **107**
Chestnut Av. *Mac* —1G **199**
Chestnut Av. *Tot* —7E **26**
Chestnut Av. *W'fld* —7K **69**
Chestnut Av. *Wor* —5F **89**
Chestnut Clo. *Bolt* —2H **65**
Chestnut Clo. *Oldh* —6H **75**
Chestnut Clo. *Stal* —1A **140**
Chestnut Clo. *Wilm* —4A **188**
Chestnut Ct. *Bram* —2F **181**
Chestnut Cres. *Oldh* —5E **96**
Chestnut Dri. *Leigh* —5K **107**
Chestnut Dri. *Poy* —2D **190**
Chestnut Dri. *Sale* —2B **164**
Chestnut Dri. *W'houg* —7K **63**
Chestnut Dri. S. *Leigh* —6K **107**
Chestnut Fold. *Rad* —2E **68**
Chestnut Gdns. *Dent* —7C **138**
Chestnut Gro. *Ash M* —4F **105**
Chestnut Gro. *Fail* —2H **117**
Chestnut Gro. *Hind* —3E **84**
Chestnut Gro. *Lwtn* —1D **126**
Chestnut Gro. *Rad* —6D **68**
Chestnut La. *Leigh* —6K **107**
Chestnut Pl. *Roch* —4K **31**
Chestnut Rd. *Ecc* —4J **111**
Chestnut Rd. *Wig* —4F **61**
Chestnuts, The. *Cop* —2B **18**
Chestnut St. *Chad* —4H **95**
Chestnut Vs. *Stoc* —1E **168**
Chestnut Wlk. *Part* —1K **161**
Chestnut Way. *L'boro* —5D **14**
Chesworth Clo. *Stoc* —3H **169**
Chesworth Ct. *Droy* —7H **117**
Chesworth Fold. *Stoc* —3H **169**
Chesworth Wlk. M15 —2E ***134*** *(10E* ***4****) (off Jackson Cres.)*
Chetham Clo. *Salf* —2B **134**
Chetwode Av. *Ash M* —7D **104**
Chetwyn Av. *Brom X* —5C **24**
Chetwyn Av. *Rytn* —2A **74**
Chetwynd Av. *Urm* —7A **132**
Chetwynd Clo. *Sale* —4C **148**
Chevassut St. *M15* —3E **134**
Cheveley Clo. *Mac* —1E **198**
Chevin Gdns. *Bram* —5J **181**
Chevington Dri. *M9* —2K **115**
Chevington Dri. *Stoc* —7K **151**
Chevington Gdns. *Bolt* —2A **44**
Cheviot Av. *Chea H* —2B **180**
Cheviot Av. *Oldh* —4C **96**
Cheviot Av. *Rytn* —3A **74**
Cheviot Clo. *Bolt* —7K **23**
Cheviot Clo. *Bury* —2E **46**

Cheviot Clo. Chad —2J 95
Cheviot Clo. Hor —7G 21
Cheviot Clo. Mid —6F 73
Cheviot Clo. Miln —6E 32
Cheviot Clo. Ram —7G 9
Cheviot Clo. Salf —5J 113
Cheviot Clo. Stoc —7F 153
Cheviot Clo. Wig —5J 81
Cheviot Ct. Oldh —3C 96
Cheviot Rd. Haz G —3K 181
Cheviots Rd. Shaw —5E 52
Cheviot St. M3 —5F 115 (1H 5)
Cheviot Wlk. Plat B —5K 83
Chevithorne Clo. Alt —5K 163
Chevril Clo. M15 —3G 135
Chevron Clo. Roch —2D 50
Chevron Clo. Salf —6B 114
Chevron Pl. Alt —4B 164
Chew Brook Dri. G'fld —2H 99
Chew Moor La. W'houg —4A 64
Chew Rd. G'fld —7D 100
Chew Vale. Duk —2K 139
Chew Vale. G'fld —2H 99
Chew Valley Rd. G'fld —1G 99
Chew Wood. Chis —5G 157
Chicago Av. Man A —5B 178
Chichester Av. Ath —5A 86
Chichester Clo. L'boro —1D 32
Chichester Clo. Sale —7B 148
Chichester Cres. Chad —5J 73
Chichester Rd. M15 —3F 135
Chichester Rd. Rom —1G 171
Chichester Rd. S. M15 —4E 134
Chichester St. Roch —5J 31
Chichester Way. Dent —1E 154
Chidlow Av. M20 —3G 151
Chidwall Rd. M22 —2B 178
Chief St. Oldh —1E 96
Chiffon Way. Salf —5D 114 (2C 4)
Chigwell Clo. M22 —6D 166
Chilcombe Wlk. M9 —2A 94 (off Brockford Dri.)
Chilcote Av. Sale —6B 148
Childwall Clo. Bolt —4A 66
Chilgrove Av. Blac —4B 40
Chilham Pl. Mac —5B 198
Chilham Rd. Ecc —4D 112
Chilham Rd. Wor —5G 89
Chilham St. Bolt —3H 65
Chilham St. Orr —1G 81
Chilham St. Swint —2C 112
Chillingham Dri. Leigh —4C 108
Chillington Wlk. Dent —1C 154
Chilmark Dri. M23 —5A 166
Chiltern Av. Ath —2F 87
Chiltern Av. Chea H —2B 180
Chiltern Av. Mac —4C 198
Chiltern Av. Urm —6G 131
Chiltern Clo. Ash M —6E 104
Chiltern Clo. Haz G —3K 181
Chiltern Clo. Hor —7G 21
Chiltern Clo. Ram —7G 9
Chiltern Clo. Shaw —5D 52
Chiltern Clo. Wor —7G 89
Chiltern Dri. Bolt —6D 44
Chiltern Dri. Bury —1F 47
Chiltern Dri. Hale —2D 176
Chiltern Dri. Rytn —2A 74
Chiltern Dri. Stoc —7J 169
Chiltern Dri. Swint —2D 112
Chiltern Dri. Wig —5K 81
Chiltern Gdns. Sale —3G 165
Chiltern Rd. Cul —5J 127
Chiltern Rd. Ram —7G 9
Chiltern Way. Ast —7H 87
Chilton Av. Chad —1J 95
Chilton Clo. Leigh —1K 107
Chilton Dri. Mid —7E 72
Chilworth St. M14 —7H 135
Chime Bank. M8 —1H 115
Chimes Rd. Ash M —2B 104
China La. M1 —7H 115 (5L 5)
China La. Bolt —5B 44
Chingford Wlk. M13 —5B 136 (off St John's Rd.)
Chinley Av. M40 —7C 94
Chinley Av. Stret —5E 132
Chinley Clo. Bram —1G 181
Chinley Clo. Sale —7H 149
Chinley Clo. Stoc —7D 152
Chinley St. Salf —3B 114
Chinnor Clo. Leigh —1K 107
Chinwell View. M19 —1C 152
Chip Hill Rd. Bolt —2F 65
Chippendale Pl. Ash L —3J 119
Chippenham Av. Stoc —4B 170
Chippenham Ct. M4 —6K 115
Chippenham Rd. M4 —6J 115 (4P 5)
Chipping Fold. Miln —7D 32
Chipping Rd. Bolt —3F 43
Chipping Sq. M12 —5C 136
Chipstead Wlk. M12 —4A 136
Chirmside St. Bury —4F 47
Chirton Wlk. M40 —1C 116
Chisacre Dri. Shev —6D 36
Chiseldon Clo. Bolt —1A 66 (off Bantry St.)
Chiselhurst St. M8 —7G 93
Chisholm Clo. Stand —2H 37
Chisholm Ct. Mid —5B 72
Chisholme Clo. G'mnt —2C 26
Chisholm St. Open —2F 137
Chisledon Av. Salf —2F 115
Chisledon Clo. Bolt —1A 66 (off Bantry St.)
Chislehurst Av. Urm —6A 132
Chislehurst Clo. Bury —4F 47
Chiswell St. Wig —2J 81
Chiswick Dri. Rad —1K 67
Chiswick Rd. M20 —7J 151
Chisworth Clo. Bram —1G 181
Chisworth Clo. Leigh —1J 107
Chisworth St. Bolt —2D 44
Chisworth Wlk. Dent —2E 154
Choir St. Salf —4E 114
Chokeberry Clo. B'hth —3K 163
Cholmondeley Av. Tim —2C 164
Cholmondeley Rd. Salf —4F 113
Cholmondeley St. Mac —5F 199
Chomlea. Alt —7K 163
Chomlea Mnr. Salf —4G 113
Choral Gro. Salf —3D 114
Chorley Clo. Bury —4D 46
Chorley Hall Clo. Ald E —5F 195
Chorley Hall La. Ald E —5F 195
Chorley New Rd. Hor & Bolt —1E 40
Chorley Old Rd. Hor & Bolt —1G 41
Chorley Rd. Blac —6J 19
Chorley Rd. Hth C —1H 19
Chorley Rd. Sale —1J 165
Chorley Rd. Stand —7D 38
Chorley Rd. Wdly —6C 90
Chorley Rd. W'houg —7E 40
Chorley St. Adl —4K 19
Chorley St. Bolt —5A 44
Chorley St. Ince —1G 83
Chorley St. Stret —5K 133
Chorley Wood Av. M19 —4B 152
Chorlton Dri. Chea —5A 168
Chorlton Fold. Ecc —3B 112 (in two parts)
Chorlton Fold. Woodl —5G 155
Chorlton Grn. M21 —2A 150
Chorlton Gro. Stoc —4K 169
Chorlton Pl. Chor H —1B 150
Chorlton Rd. M16 & M15 —5D 134 (10D 4)
Chorlton St. M1 —1G 135 (7K 5)
Chorlton St. M16 —4C 134
Chowbent Clo. Ath —4E 86
Chretien Rd. M22 —1D 166
Christ Chu. Av. Salf —6B 114
Christchurch Clo. Bolt —2H 45
Christchurch La. Bolt —2H 45
Christchurch Rd. Sale —5A 148
Christie Rd. Stret —6J 133
Christie St. Stoc —3J 169
Christine St. Shaw —6F 53 (in two parts)
Christleton. Shev —7H 37
Christleton Av. Stoc —5F 153
Christleton Way. Hand —7K 179
Christopher Acre. Roch —3A 30
Christopher St. M40 —4F 117
Christopher St. Ince —1G 83
Christopher St. Salf —7A 114
Chronnell Dri. Bolt —5G 45
Chudleigh Clo. Alt —5K 163
Chudleigh Clo. Bram —1J 181
Chudleigh Rd. M8 —5G 93
Chulsey Ga. La. Los —2A 64
Chulsey St. Bolt —2H 65
Chunal La. Glos —4E 158
Chunal La. Flats. Glos —4E 158
Church Av. M40 —3E 116
Church Av. Bick —7D 84
Church Av. Bolt —2J 65
Church Av. Dent —2E 154
Church Av. Hyde —2K 155
Church Av. Mid —7F 51
Church Av. Salf —6H 113
Church Av. Styal —3G 187
Church Bank. Bolt —6C 44
Church Bank. Bow —2K 175
Churchbank. Stal —5D 120
Church Brow. Bow —2K 175
Church Brow. Mid —5C 72
Church Brow. Mot —1H 155 (Hyde)
Church Brow. Mot —6G 141 (Mottram)
Church Clo. Aud —2D 138
Church Clo. Glos —7G 143
Church Clo. Hand —2K 187
Church Clo. Rad —6J 67
Church Ct. Bury —2A 48
Church Ct. Chad —2A 96
Church Ct. Duk —7F 119
Church Ct. Hale —3C 176
Church Croft. Bury —2B 70
Churchdale Rd. M9 —3H 93
Church Dri. Orr —2D 80
Church Dri. P'wch —3A 92
Churchfield. M21 —2A 150
Churchfield. Shev —7G 37
Churchfield Clo. Rad —5D 68
Churchfield Rd. Salf —3H 113
Churchfields. Aud —2C 138
Churchfields. Bow —3K 175
Churchfields. Dob —4G 77
Churchfields. Knut —4F 193
Churchfields. Part —4B 148
Churchfield Wlk. M11 —1C 136 (off Outrington Dri.)
Church Fold. Charl —3J 157
Church Fold. Char R —1A 18
Church Fold. Cop —4B 18
Churchgate. Bolt —6B 44
Churchgate. Stoc —2H 169
Churchgate. Urm —1C 148
Churchgate Bldgs. M1 —1J 135 (7N 5)
Church Grn. Lymm —3H 161
Church Grn. Rad —2H 69
Church Grn. Salf —5K 113
Church Gro. Ecc —7C 112
Church Gro. Haz G —2C 182
Church Gro. Wig —6G 61
Church Hill. Knut —4D 192
Churchill Av. M16 —7D 134
Churchill Av. Ain —4B 46
Churchill Av. Cul —5B 128
Churchill Clo. Heyw —5A 50
Churchill Ct. Salf —6K 113
Churchill Cres. Marp —4H 171
Churchill Cres. Stoc —1G 153
Churchill Dri. L Lev —3A 68
Churchill Pl. Ecc —4A 112
Churchill Rd. Alt —4B 164
Churchill St. Bolt —6E 44
Churchill St. Oldh —1E 96
Churchill St. Roch —3E 30 (in two parts)
Churchill St. Stoc —7F 153
Churchill St. E. Oldh —1E 96
Churchill Way. Mac —3F 199
Churchill Way. Salf —6A 114
Churchill Way. Traf P —2G 133
Churchlands La. Stand —3B 38
Church La. M9 —7K 93 (in two parts)
Church La. Ald E —4G 195
Church La. Burn —4B 152
Church La. Cul —6K 127
Church La. Marp —5K 171
Church La. Mars —1H 57
Church La. Moss —6D 98
Church La. N Mills —4J 185
Church La. Oldh —7D 74
Church La. P'wch —3A 92
Church La. Roch —5H 31
Church La. Rom —1G 171
Church La. Sale —3C 148
Church La. Salf —6C 92
Church La. Shev —7G 37
Church La. Upperm —5K 77
Church La. W'houg —3J 63
Church La. W'fld —6J 69
Church La. Woodf —3E 188
Churchley Clo. Stoc —5C 168
Churchley Rd. Stoc —4C 168
Church Mnr. Stoc —6D 152
Church Meadow. G'fld —2E 98
Church Meadow. Hyde —6G 139
Church Meadow. Uns —2B 70
Church Meadow Gdns. Hyde —6G 139
Church Meadows. Bolt —2H 45
Church M. Dent —6C 138
Church M. Knut —4E 192
Church Pl. Heyw —3K 49
Church Pl. Oldh —7D 74
Church Rd. M22 —2D 166
Church Rd. Ast —2H 109
Church Rd. Bolt —3G 43
Church Rd. Chea H —4D 180
Church Rd. Ecc —6D 112
Church Rd. Farn —6G 67
Church Rd. Gat —6G 167
Church Rd. G'fld —2E 98
Church Rd. Hand —1K 187
Church Rd. Hayd —3A 124
Church Rd. Holl —5K 141
Church Rd. Mell —5E 172
Church Rd. Mid —7F 73
Church Rd. N Mills —5J 185
Church Rd. Plat B —4K 83
Church Rd. Rad —6J 67
Church Rd. Ram —3J 9
Church Rd. Roch —6K 31
Church Rd. Sale —6H 149
Church Rd. Shaw —7F 53
Church Rd. Stoc —1F 169
Church Rd. Upperm —6H 77
Church Rd. Urm —1H 147
Church Rd. Wilm —2E 194
Church Rd. Wor —4F 89
Church Rd. E. Sale —6H 149
Church Rd. W. Sale —6G 149
Churchside. Farn —7D 66
Churchside. Mac —3F 199
Churchside Clo. M9 —5K 93
Church Stile. Roch —5H 31 (in two parts)
Churchstoke Wlk. M23 —4J 165
Church St. M4 —6G 115 (4J 5)
Church St. Adl —5J 19
Church St. Ain —4A 46
Church St. Alt —6B 164
Church St. Ash L —6F 119
Church St. Asp —7K 39
Church St. Ath —4D 86
Church St. Aud —2C 138
Church St. Blac —2A 40
Church St. Boll —2K 197
Church St. Brad —7F 25
Church St. Bury —2A 48
Church St. Chea —5K 167
Church St. Del —2E 76
Church St. Droy —7K 117
Church St. Duk —7F 119
Church St. Ecc —6C 112 (in three parts)
Church St. Fail —7H 95
Church St. Farn —6G 67
Church St. Glos —7F 143
Church St. Golb —7K 105
Church St. Had —5C 142
Church St. Heyw —3K 49
Church St. Hind —2B 84
Church St. Hor —1G 41
Church St. Hyde —1H 155
Church St. Ince —1H 83
Church St. Kear —7G 67
Church St. Lees —2J 97
Church St. Leigh —3K 107
Church St. L'boro —6E 14
Church St. L Lev —3H 67
Church St. Mac —3F 199
Church St. Marp —5K 171
Church St. Mid —4C 72
Church St. Miln —1F 53
Church St. Newt W —5G 125
Church St. Oldh —7D 74
Church St. Orr —2D 80 (Orrell)
Church St. Orr —1H 81 (Wigan)
Church St. Pen —7F 91 (Pendlebury)
Church St. Pen —7C 90 (Swinton)
Church St. Rad —3F 69
Church St. Roch —5G 31
Church St. Rytn —2B 74
Church St. Smal —1B 32
Church St. Stal —6A 120
Church St. Stand —4A 38
Church St. Stoc —7G 153 (in two parts)
Church St. Stret —1G 149
Church St. Tin —2B 142
Church St. Uph —7C 58
Church St. Wals —1D 46
Church St. W'houg —5J 63
Church St. Whitw —3E 12
Church St. Wig —6E 60
Church St. Wilm —6H 187
Church St. Woodl —5E 154
Church St. E. Oldh —6J 75
Church St. E. Rad —3G 69 (in two parts)
Church St. S. Glos —7G 143
Church St. W. Mac —3E 198
Church St. W. Rad —3F 69
Church Ter. Ash M —6D 104
Church Ter. Glos —7F 143
Church Ter. Hand —1K 187
Church Ter. Miln —7E 32
Church Ter. Oldh —7D 74
Church Ter. Sale —4E 148
Church Ter. Stoc —1F 169
Church Ter. Ward —4A 14
Churchtown Av. Bolt —6H 45
Church View. Droy —7K 117
Church View. Fail —7H 95
Church View. Hyde —1H 155
Church View. Irl —7C 130
Church View. Knut —4D 192
Church View. Lymm —7H 161
Church View. Mot —6G 141
Church View. Roch —2A 30
Church View. Styal —3G 187
Church Wlk. Alt —6B 164
Church Wlk. Clif —3D 90
Church Wlk. Farn —6E 66
Church Wlk. Glos —7G 143
Church Wlk. Knut —5D 192
Church Wlk. Rytn —2B 74
Church Wlk. Stal —6A 120 (in two parts)
Church Wlk. Wilm —7F 187
Churchward Sq. Hor —3G 41
Churchway. Mac —1A 198
Churchwood Rd. M20 —7H 151
Churnet St. M40 —3K 115
Churnett Clo. W'houg —4K 63
Churston Av. M9 —3A 94
Churston Av. Bram —2H 181
Churton Av. M14 —7H 135
Churton Av. Sale —7D 148
Churton Gro. Stand —3H 37
Churton Rd. M18 —6E 136
Churwell Av. Stoc —6B 152
Cicero St. M9 —7B 94
Cicero St. Oldh —5E 74
Cilder's Villa. Oldh —3B 98
Cinder Hill La. Chad —2J 73
Cinder St. M4 —6J 115 (3N 5)
Cinnabar Dri. Mid —5B 72
Cinnamon Av. Hind —3D 84
Cinnamon Clo. Roch —4F 31
Cinnamon Pl. Ath —5C 86
Cinnamon St. Roch —4F 31
Cipher St. M4 —5J 115 (2N 5)
Circle Ct. Stret —5D 132
Circle, The. Stret —5D 132
Circuit, The. M20 —5H 151
Circuit, The. Ald E —3H 195
Circuit, The. Chea H —5C 180
Circuit, The. Stoc —5D 168
Circuit, The. Wilm —1D 194
Circular Rd. M20 —5H 151
Circular Rd. Dent —7C 138
Circular Rd. P'wch —5B 92
Circus St. M1 —7H 115 (6L 5)
Cirencester Clo. L Hul —1C 88
Ciss La. Urm —7C 132
Citrus Way. Salf —6A 114
City Av. Dent —7C 138
City Course Trad. Est. Open —1C 136
City Ct. Ind. Est. M4 —6J 115 (3N 5)
City Gdns. Dent —7B 138
City Pk. Bus. Village. M16 —4B 134
City Pk. Cornbrook. M16 —4B 134
City Point. M16 —4K 133
City Rd. M15 —3C 134
City Rd. Wig —7H 59
City Rd. Wor —7C 88
City Rd. E. M15 —2F 135 (9G 4)
City View. St H —7A 102
City Wlk. Pen —7F 91
Civic Wlk. Heyw —3K 49
Clacton Wlk. M13 —3J 135 (off Ardeen Wlk.)
Clague St. M11 —6C 116
Claife Av. M40 —5D 94
Clammerclough Rd. Kear —6H 67
Clancutt La. Cop —1A 18
Clandon Av. Ecc —6K 111
Clanwood Clo. Wig —5A 82
Clapgate. Rom —2D 170
Clap Ga. La. Wig —4A 82
Clapgate Rd. Roch —3A 30
Clapham St. M40 —7E 94
Clara Gorton Ct. Roch —6K 31
Clara St. Oldh —3A 96
Clara St. Roch —7H 31
Clara St. Whitw —2F 13
Clare Av. Hand —2J 187
Clarebank. Bolt —6F 43
Clare Clo. Bury —7H 27
Clare Ct. Farn —5B 66
Clare Ct. Stoc —2J 169
Clare Dri. Mac —7E 196
Claremont Av. M20 —5G 151
Claremont Av. Hind —2D 84
Claremont Av. Marp —5G 171
Claremont Av. Stoc —5E 152
Claremont Av. W Tim —3B 164
Claremont Dri. L Hul —2D 88
Claremont Dri. W Tim —3B 164
Claremont Gro. M20 —7G 151
Claremont Gro. Hale —1C 176
Claremont Range. M18 —5H 137
Claremont Rd. M16 & M14 —6E 134
Claremont Rd. Bil —3E 102
Claremont Rd. Chea H —4C 180
Claremont Rd. Cul —5H 127
Claremont Rd. Miln —7C 32
Claremont Rd. Roch —5E 30
Claremont Rd. Sale —5F 149
Claremont Rd. Salf —2G 113
Claremont Rd. Stoc —6K 169
Claremont St. Ash L —4J 119 (in two parts)
Claremont St. Chad —5A 74
Claremont St. Fail —7H 95
Claremont St. Oldh —5D 96
Clarence Arc. Ash L —6F 119
Clarence Av. Oldh —3B 96
Clarence Av. Sale —7C 148
Clarence Av. Traf P —2D 132
Clarence Av. W'fld —7A 70
Clarence Ct. Bolt —5A 44
Clarence Ct. Wilm —7G 187
Clarence Gro. M15 —5E 134
Clarence Ho. Wig —6F 61
Clarence Rd. M13 —6A 136
Clarence Rd. Ash L —4G 119
Clarence Rd. Boll —2J 197
Clarence Rd. Hale —1D 176
Clarence Rd. Stoc —5D 152
Clarence Rd. Swint —1A 112
Clarence St. M2 —7F 115 (6H 5)
Clarence St. Ash M —3B 104
Clarence St. Ath —5E 86
Clarence St. Bolt —5B 44 (in two parts)
Clarence St. Farn —5G 67
Clarence St. Golb —7J 105
Clarence St. Hyde —5J 139
Clarence St. Ince —7J 61
Clarence St. Leigh —4B 108
Clarence St. Newt W —5B 124
Clarence St. Roch —2F 31
Clarence St. Rytn —3E 74
Clarence St. Salf —4C 114
Clarence St. Stal —7J 119
Clarence St. Wig —6F 61
Clarence Ter. Boll —1J 197
Clarence Yd. Wig —6E 60
Clarendon Av. Alt —6C 164
Clarendon Av. Stoc —7D 152
Clarendon Cres. Ecc —5D 112
Clarendon Cres. Sale —5H 149
Clarendon Dri. Mac —2J 199
Clarendon Gdns. Ecc —5D 112
Clarendon Gro. Bolt —7D 44
Clarendon Ind. Est. Hyde —6J 139
Clarendon Pl. Hyde —7J 139
Clarendon Rd. M16 —7C 134
Clarendon Rd. Aud —2J 137
Clarendon Rd. Bolt —6E 44
Clarendon Rd. Dent —7F 139
Clarendon Rd. Ecc —5D 112
Clarendon Rd. Haz G —1D 182
Clarendon Rd. Hyde —6H 139
Clarendon Rd. Irl —3B 146
Clarendon Rd. Sale —6H 149
Clarendon Rd. Swint —7D 90
Clarendon Rd. Urm —6G 131
Clarendon Rd. W. M21 —7B 134
Clarendon St. M15 —3F 135 (in two parts)
Clarendon St. Bolt —2A 66
Clarendon St. Bury —1A 48
Clarendon St. Duk —1E 138 (in two parts)
Clarendon St. Hyde —6H 139 (in two parts)
Clarendon St. Ince —2G 83
Clarendon St. Moss —7D 98
Clarendon St. Roch —1K 51
Clarendon St. Stoc —7H 153
Clarendon St. W'fld —6K 69
Clarendon Wlk. Salf —6A 114
Clare Rd. M19 —2C 152
Clare Rd. Stoc —6H 153
Clare St. M1 —2H 135 (9M 5)
Clare St. Dent —5C 138
Clare St. Salf —7C 114 (6B 4)
Clare St. Wig —7D 60
Claribel St. M11 —1A 136
Claridge Rd. M21 —7A 134
Clarington Gro. Wig —7G 61
Clarion St. M4 —5J 115 (2N 5)
Clark Av. M18 —4G 137
Clarke Av. Cul —5A 128
Clarke Av. Salf —2B 134
Clarke Brow. Mid —5C 72
Clarke Cres. Hale —1F 177
Clarke Cres. L Hul —1K 87
Clarke Ind. Est. Stret —4D 132
Clarke La. Boll —5G 197
Clarkes Croft. Bury —2C 48
Clarke's La. Roch —4F 31
Clarke St. M1 —2H 135 (9M 5)
Clarke St. Ash L —1D 138
Clarke St. Bolt —5J 43
Clarke St. B'hth —4B 164
Clarke St. Farn —7G 67
Clarke St. Heyw —3K 49
Clarke St. Leigh —4J 107
Clarke St. Roch —2K 31
Clarke Ter. Mac —5F 199
Clarkethorn Ter. Stoc —7G 153
Clarksfield Rd. Oldh —1G 97
Clarksfield St. Oldh —1G 97
Clark's Hill. P'wch —3A 92
Clarkson Clo. Dent —7B 138
Clarkson Clo. Mid —7J 71
Clark Vs. Wig —6F 61
Clark Way. Hyde —6G 139
Clarkwell Clo. Oldh —6C 74
Clatford Wlk. M9 —1K 115 (off Fernclough Rd.)
Claude Av. Swint —7B 90
Claude Rd. M21 —3A 150
Claude St. M8 —6G 93
Claude St. Ecc —5K 111
Claude St. Swint —7B 90
Claude St. Wig —1K 81
Claudia Sq. C'brk —3E 120
Claughton Av. Bolt —6H 45
Claughton Av. Wor —7E 88
Claughton Rd. Wals —7D 26

Clavendon Rd. Rad —6C 46
Claverham Wlk. M23 —4J 165
Claverton Rd. Rnd I —7J 165
Claxton Av. M9 —4K 93
Claybank Dri. Tot —5B 26
Clay Bank St. Heyw —2J 49
Clay Bank Ter. Moss —3E 98
Claybrook Wlk. M11 —7C 116
Clayburn Rd. M15 —3E 134
Claycourt Av. Ecc —4K 111
Clay Croft Ter. L'boro —4E 14
Claydon Dri. Ince —2H 83
Claydon Dri. Rad —1K 67
Claydon Gdns. Rix —2F 161
Clayfield Dri. Roch —4B 30
Claygate Dri. M9 —2K 93
Clayhill Wlk. M9 —6A 94
Clayland Clo. Holl —5K 141
Clay La. M23 —7K 165
Clay La. Hand —1H 187 (Handforth)
Clay La. Hand —2C 194 (Wilmslow)
Clay La. Roch —4K 29
Clay La. Tim —6G 165
Claymore St. M18 —3G 137
Claypool Rd. Hor —4J 41
Clay St. Brom X —5C 24
Clay St. L'boro —6D 14
Clay St. Oldh —3C 96
Claythorpe Wlk. M8 —5E 92
Clayton Av. M20 —6H 151
Clayton Av. Bolt —1E 66
Clayton Av. Lwtn —1C 126
Claytonbrook Rd. M11 —1E 136
Clayton Clo. M15 —4E 134
Clayton Clo. Bury —4D 46
Claytongate. Cop —2B 18
Clayton Hall Rd. M11 —6E 116
Clayton Ind. Est. M11 —7E 116
Clayton La. M11 —1D 136
Clayton La. S. M12 —2C 136
Clayton Rd. Bchwd —4A 144
Clayton's Clo. Spring —7K 75
Clayton St. M11 —5D 116 (in two parts)
Clayton St. Bolt —1E 66
Clayton St. Chad —4J 95
Clayton St. Dent —7D 138
Clayton St. Duk —1H 139
Clayton St. Fail —1H 117
Clayton St. Roch —2K 31
Clayton St. Wig —6D 60
Cleabarrow Dri. Wor —3C 110
Cleadon Av. M18 —5E 136
Cleadon Dri. S. Bury —7G 27
Cleaver M. Mac —6E 198
Cleavley St. Ecc —6K 111
Clee Av. M13 —7B 136
Cleethorpes Av. M9 —4H 93
Cleeve Av. Leigh —1H 107
Cleeve Rd. M23 —1A 166
Cleeve Rd. Oldh —1G 97
Cleeve Way. Chea H —6D 180
Clegg Hall Rd. Roch & L'boro —2B 32
Clegg Pl. Ash L —4H 119
Clegg's Av. Whitw —1E 12 (off Clegg St.)
Clegg's Bldgs. Bolt —6A 44
Clegg's Ct. Salf —6F 115 (4G 4)
Clegg's Ct. Whitw —1E 12 (off Clegg St.)
Clegg's La. L Hul —3C 88
Clegg St. Ast —2G 109 (Astley)
Clegg St. Ast —6F 87 (Tyldesley)
Clegg St. Bolt —6E 44
Clegg St. Bred —7D 154
Clegg St. Droy —7H 117
Clegg St. L'boro —4D 14
Clegg St. Miln —7E 32
Clegg St. Oldh & Spring (in two parts) —1D 96
Clegg St. Spring —1A 98
Clegg St. W'fld —7K 69
Clegg St. Whitw —1E 12
Cleggswood Av. L'boro —1E 32
Clelland St. Farn —7G 67
Clematis Wlk. Wdly —5C 90
Clement Ct. Roch —6K 31
Clementina St. Roch —3H 31
Clementine Clo. Salf —6B 114
Clement Pl. L'boro —6G 15
Clement Pl. Roch —4G 31
Clement Rd. Marp B —4B 172
Clement Royds St. Roch —4G 31
Clements Av. Ath —5A 86
Clements St. M11 —2G 137
Clement Stott Clo. M9 —3B 94
Clement St. Chad —4K 95
Clement St. Stoc —7G 153
Cleminson St. Salf —6D 114 (4C 4)
Clemshaw Clo. Heyw —4J 49
Clerewood Av. H Grn —5H 179
Clerke St. Bury —3K 47
Clerk's Ct. Salf —6F 113
Clevedon Av. Urm —7E 132
Clevedon Clo. Mac —4C 198
Clevedon Dri. Wig —3J 81
Clevedon Rd. Chad —5J 73
Clevedon St. M9 —1A 116
Cleveland Av. M19 —7D 136
Cleveland Av. Hyde —7G 139
Cleveland Av. Salf —5G 113
Cleveland Av. Wig —5J 81
Cleveland Clo. Clif —5E 90
Cleveland Clo. Ram —1G 27
Cleveland Dri. Lwtn —1B 126
Cleveland Dri. Miln —6E 32
Cleveland Gdns. Bolt —2H 65
Cleveland Gro. Rytn —3A 74
Cleveland Rd. M8 —6H 93
Cleveland Rd. Hale —1D 176
Cleveland Rd. Stoc —6C 152
Clevelands Clo. Shaw —5E 52
Cleveland St. Bolt —2H 65
Cleveland St. Cop —3A 18
Cleveleys Av. M21 —2C 150
Cleveleys Av. Bolt —5E 44
Cleveleys Av. Bury —5J 47
Cleveleys Av. H Grn —3H 179
Cleveleys Av. Roch —2K 51
Cleveleys Gro. Salf —1E 114
Cleves Ct. Heyw —4J 49
Cleworth Clo. Ast —4J 109
Cleworth Rd. Mid —4B 72
Cleworth St. M15 —2D 134 (10C 4)
Cleworth Wlk. M15 —2D 134 (10C 4)
Clibran St. M8 —2H 115
Clifden Dri. M22 —2E 178
Cliff Av. Bury —2G 27
Cliff Av. Salf —2C 114
Cliffbrook Gro. Wilm —3K 187
Cliff Cres. Salf —1D 114
Cliff Dale. Stal —1K 139
Cliffdale Dri. M8 —6G 93
Cliffe Rd. Glos —3F 159
Cliffe St. L'boro —1H 15
Cliff Grange. Salf —1D 114
Cliff Gro. Stoc —6D 152
Cliff Hill. Shaw —4H 53
Cliff Hill Rd. Shaw —4H 53
Cliff La. Mac —1J 199
Cliffmere Clo. Chea H —1B 180
Cliff Mt. Ram —4F 9
Clifford Av. Dent —4C 138
Clifford Av. Tim —5E 164
Clifford Ct. M15 —4E 134
Clifford Ct. Stoc —6K 169
Clifford Rd. Bolt —4G 65
Clifford Rd. Mac —3C 198
Clifford Rd. Poy —1A 190
Clifford Rd. Wilm —7F 187
Clifford St. M13 —3H 135
Clifford St. Ecc —7K 111
Clifford St. Leigh —4B 108
Clifford St. Roch —7H 31
Clifford St. Swint —7F 91
Cliff Rd. Bury —1K 69
Cliff Rd. Wilm —5H 187
Cliff Side. Wilm —5H 187
Cliff St. Roch —3K 31
Clifton Av. M14 —2K 151
Clifton Av. Alt —6C 164
Clifton Av. Ast —2J 109
Clifton Av. Cul —6H 127
Clifton Av. Ecc —5B 112
Clifton Av. H Grn —2G 179
Clifton Av. Oldh —2F 97
Clifton Clo. M16 —4D 134
Clifton Clo. Heyw —4J 49
Clifton Clo. Oldh —2F 97
Clifton Ct. Clif —3C 90
Clifton Ct. Farn —4D 66
Clifton Ct. Stoc —7D 152
Clifton Cres. Rytn —3E 74
Clifton Cres. Wig —4E 60
Clifton Dri. Blac —2K 39
Clifton Dri. Gat —6F 167
Clifton Dri. H Grn —2G 179
Clifton Dri. Marp —4K 171
Clifton Dri. Swint —6B 90
Clifton Dri. Wdly —5G 91
Clifton Dri. Wilm —2E 194
Clifton Gro. Old T —4D 134
Clifton Gro. Wdly —5A 90
Clifton Ho. Wig —2D 82
Clifton Ho. Rd. Clif —3C 90
Clifton Ind. Est. Clif —4G 91
Clifton Lodge. Stoc —6J 169
Cliftonmill Meadows. Golb —1H 125
Clifton Pk. Rd. Stoc —6J 169
Clifton Pl. P'wch —2A 92
Clifton Rd. M21 —2C 150
Clifton Rd. Ash M —3B 104
Clifton Rd. Bil —4D 102
Clifton Rd. Ecc —5B 112
Clifton Rd. Leigh —6J 107
Clifton Rd. Mid —7F 51
Clifton Rd. Sale —7F 149
Clifton Rd. Scho —6G 61
Clifton Rd. Stoc —7C 152
Clifton Rd. Urm —7J 131
Clifton Rd. W'fld & P'wch —3J 91
CLIFTON STATION. BR —5G 91
Clifton St. Ald E —5G 195
Clifton St. Ash L —5E 118
Clifton St. Ast —7A 88
Clifton St. Bury —1K 47
Clifton St. Fail —6J 95
Clifton St. Farn —4D 66
Clifton St. Kear —7H 67
Clifton St. Leigh —3H 107
Clifton St. Mile P —5B 116
Clifton St. Miln —6D 32
Clifton St. Old T —4D 134
Clifton St. Ram —5A 44
Clifton St. Wig —5E 60
Clifton St. Wor M —3C 82
Clifton View. Clif —3C 90
Clifton Vs. Fail —6J 95
Cliftonville Dri. Swint & Salf —2E 112
Cliftonville Rd. Roch —5A 52
Clifton Wlk. Mid —3K 71
Clinton Av. M14 —7F 135
Clinton Gdns. M14 —7G 135
Clinton Ho. Salf —7K 113
Clinton St. Ash L —4H 119
Clinton Wlk. Oldh —1E 96
Clippers Quay. Salf —3A 134
Clipsley Cres. Oldh —2K 75
Clipsley La. Hayd —3A 124
Cliston Wlk. Haz G —2J 181
Clitheroe Clo. Heyw —2K 49
Clitheroe Dri. Bury —3D 46
Clitheroe Rd. M13 —6B 136
Clito St. M9 —7B 94
Clive Av. W'fld —5J 69
Cliveley Wlk. P'wch —7F 91
Clively Av. Clif —6F 91
Clive Rd. Fail —1G 117
Clive Rd. W'houg —1J 85
Clive St. M4 —5H 115 (2L 5)
Clive St. Ash L —3E 118
Clive St. Bolt —6B 44
Clive St. Oldh —5B 96 (in two parts)
Clivewood Wlk. M12 —3A 136
Clivia Gro. Salf —2D 114
Cloak St. M1 —2G 135 (9K 5)
Clock Ho. Av. Droy —5G 117
Clockhouse M. Droy —5G 117
Clock Houses. Stal —6C 120
Clock St. Chad —5K 95
Clock Tower Clo. Wor —4B 88
Cloister Av. Leigh —6H 85
Cloister Clo. Duk —3G 139
Cloister Rd. Stoc —1K 167
Cloisters, The. Chea —6C 168
Cloisters, The. Roch —3K 31
Cloisters, The. Sale —6H 149
Cloisters, The. W'houg —2J 85
Cloister St. Bolt —3J 43
Clopton Wlk. M15 —3E 134 (in four parts)
Closebrook Rd. Wig —1K 81
Close La. Hind —4D 84 (in two parts)
Close St. Hind —1D 84
Close, The. Alt —6A 164 (Altrincham)
Close, The. Alt —7A 164 (Bowdon)
Close, The. Ath —2F 87
Close, The. Bolt —2D 44
Close, The. Bury —6G 27
Close, The. Dent —5B 138
Close, The. Marp B —2B 172
Close, The. Mid —3D 72
Close, The. Newt W —7G 125
Close, The. Stal —4K 119 (in two parts)
Clothorn Rd. M20 —6H 151
Cloudberry Wlk. Part —7B 146
Cloudstock Gro. L Hul —2A 88
Clough. Shaw —7H 53
Clough Av. Marp B —4C 172
Clough Av. Sale —2B 164
Clough Av. W'houg —6K 63
Clough Av. Wilm —3H 187
Clough Bank. M9 —5K 93
Clough Bank. Boll —3H 197
Clough Bank. L'boro —3E 14
Cloughbank. Rad —7A 68
Clough Clo. Oldh —1E 98
Clough Ct. Mid —4D 72
Clough Dri. P'wch —3K 91
Clough End Rd. Hyde —1E 156
Clough Field. L'boro —7E 14
Cloughfield Av. Salf —1B 134
Clough Flats. Heyw —3J 49 (off Brunswick St.)
Clough Fold Av. Hyde —1H 155
Clough Fold Rd. Hyde —1G 155
Clough Ga. Hyde —2J 155
Clough Ga. Oldh —5B 96
Clough Gro. Ash M —3C 104
Clough Gro. W'fld —4H 69
Clough Head. L'boro —1G 15 (off Higher Calderbrook Rd.)
Clough Ho. Dri. Leigh —3B 108
Clough La. Gras —1D 98
Clough La. Heyw —1J 49
Clough La. P'wch —3K 91
Clough Meadow. Bolt —7D 42
Clough Meadow. Woodl —5G 155
Clough Meadow Rd. Rad —3C 68
Clough Pk. Av. Gras —1E 98
Clough Rd. M9 —7B 94
Clough Rd. Droy —6J 117
Clough Rd. Fail —1J 117
Clough Rd. L'boro —3E 14
Clough Rd. Mid —4C 72
Clough Rd. Oldh —3H 75
Clough Rd. Shaw —7H 53
Cloughs Av. Chad —6F 73
Clough Side. M9 —6B 94
Cloughside. Dis —6E 184
Clough Side. Marp B —4B 172
Clough St. M40 —3E 116
Clough St. Kear —7H 67
Clough St. Mid —4D 72
Clough St. Rad —5G 69
Clough St. Ward —5A 14
Clough, The. Bolt —6E 42
Clough, The. Stoc —4K 153
Cloughton Wlk. M40 —3F 117
Clough Top Rd. M9 —5C 94
Clough Wlk. P'wch —3K 91
Clough Wlk. Stoc —4K 153
Cloughwood Cres. Shev —7D 36
Clovelly Av. Leigh —7K 85
Clovelly Av. Oldh —5A 96
Clovelly Rd. M21 —2C 150
Clovelly Rd. Stoc —3A 170
Clovelly Rd. Swint —1A 112
Clovelly St. M40 —3F 117
Clovelly St. Roch —2D 50
Clover Av. Stoc —6F 169
Cloverbank Av. M19 —6K 151
Clover Cres. Oldh —4H 97
Clover Croft. Sale —2H 165
Cloverdale Rd. Mac —6D 198
Cloverdale Sq. Bolt —4G 43
Cloverfield Wlk. Wor —4F 89 (off Bolton Rd.)
Clover Hall Cres. Roch —3A 32
Cloverley. Sale —1F 165
Cloverley Dri. Tim —7E 164
Clover Rd. Rom —7J 155
Clover Rd. Tim —6E 164
Clover St. Roch —4G 31
Clover St. Wig —4C 60
Clover View. Roch —4A 32
Clowes St. M12 —3B 136 (in two parts)
Clowes St. Chad —5K 95
Clowes St. Mac —4D 198
Clowes St. Salf —3D 114 (Lower Broughton)
Clowes St. Salf —6E 114 (4F 4) (Salford)
Club St. M11 —2H 137
Club St. St H —7A 102
Clumber Clo. Poy —2C 190
Clumber Rd. M18 —5H 137
Clumber Rd. Poy —2C 190
Clunton Av. Bolt —1H 65
Clutha Rd. Stoc —7H 169
Clwyd Av. Stoc —4F 169
Clyde Av. W'fld —1K 91
Clyde Ct. Roch —6K 31
Clyde Rd. M20 —6F 151
Clyde Rd. Ast —1J 109
Clyde Rd. Rad —1D 68
Clyde Rd. Stoc —4E 168
Clydesdale Gdns. M11 —7C 116
Clydesdale Rise. Dig —1K 77
Clydesdale St. Oldh —3C 96
Clyde St. Ash L —7D 118
Clyde St. Bolt —3A 44
Clyde St. Leigh —4B 108
Clyde St. Oldh —5G 75
Clyde Ter. Rad —1D 68
Clyne Ho. Stret —5K 133
Clyne St. Stret —4K 133
Clysbarton Ct. Bram —3F 181
Coach Ho. Dri. Shev —7H 37
Coach Ho., The. Ald E —4H 195
Coach La. Roch —7A 30
Coach Rd. Ast —2J 109
Coach Rd. Holl —4G 141
Coach Rd. Man A —5C 178
Coach St. Ath —4D 86
Coach St. Bolt —1C 66
Coach Way. P'bry —3C 196
Coalbrook Wlk. M12 —7A 116 (off Aden Clo.)
Coalburn St. M12 —3C 136
Coal Pit La. Ath —3B 86 (in two parts)
Coal Pit La. Hind —6F 85
Coalpit La. Lang —7K 199
Coal Pit La. Leigh —7J 85
Coal Pit La. Oldh —1A 118
Coal Pit Rd. Ram —5B 22
Coal Rd. Ram —3B 10
Coalshaw Grn. Rd. Chad —4J 95
Coare St. Mac —2E 198
Coatbridge St. M11 —6E 116
Cobalt Av. Urm —3D 132
Cobb Clo. M8 —4E 92
Cobbett's Way. Wilm —2F 195
Cobble Bank. M9 —4J 93
Cobblers Yd. Ald E —5G 195
Cobden Edge Rd. Mell —7F 173
Cobden Mill Ind. Est. Farn —5E 66
Cobden St. M9 —7A 94
Cobden St. Ash L —6H 119
Cobden St. Bolt —2K 43
Cobden St. Bury —2A 48
Cobden St. Chad —7K 73
Cobden St. Eger —2K 23
Cobden St. Heyw —4K 49
Cobden St. Newt W —5F 125
Cobden St. Oldh —6H 75
Cobden St. Rad —7D 46
Cobden St. Salf —4A 114
Cobden St. Tyl —6G 87
Coberley Av. Urm —5H 131
Cob Hall Rd. Stret —1G 149
Cobham Av. M40 —4E 94
Cobham Av. Bolt —3K 65
Coblers Hill. Del —1F 77
Cob Moor Av. Bil —6D 80
Cob Moor Rd. Bil —6D 80
Cobourg St. M1 —1H 135 (7L 5)
Coburg Av. Salf —4D 114
Cochrane Av. M12 —4A 136
Cochrane St. Bolt —1B 66
Cock Brow. Hyde —3C 156
Cock Clod St. Rad —3G 69
Cockcroft St. M9 —6K 93
Cocker Hill. Stal —6A 120
Cocker Mill La. Shaw —1D 74
Cockers La. Stal —1D 140
Cocker St. L Hul —3C 88
Cockey Moor Rd. Bolt & Bury —4B 46
Cock Hall La. Lang —7K 199
Cockhall La. Whitw —2E 12
Cock Hollow. Bury —1A 48
Cocklinstones. Bury —2F 47
Cockroft Rd. Salf —6B 114
Cocksheadhey Rd. Boll —1K 197
Coconut Gro. Salf —6B 114
Codale Dri. Bolt —4H 45
Coddington Av. Open —1G 137
Code La. W'houg —2F 63
Cody Ct. Salf —1J 133
Coe La. M'ton —5E 174
Coe St. Bolt —1B 66
Coffin La. Ince —2F 105
Coghlan Clo. M11 —6D 116
Cohen St. M40 —3A 116
Coke St. Salf —7F 93
Colborne Av. Ecc —6K 111
Colborne Av. Rom —1F 171
Colborne Av. Stoc —6H 137
Colborne Gro. Hyde —6E 140
Colborne Way. Hyde —6E 140
Colbourne Av. M8 —5F 93
Colburn Clo. Wig —5C 82
Colby Rd. Wig —4D 82
Colby Wlk. M40 —1C 116
Colchester Av. Bolt —5G 45
Colchester Av. P'wch —5C 92
Colchester Clo. M23 —2J 165
Colchester Dri. Farn —5B 66
Colchester Pl. Stoc —7D 152
Colchester St. M40 —4K 115
Colchester Wlk. Oldh —7D 74
Colclough Clo. M40 —2D 116
Coldalhurst La. Ast —2H 109
Coldfield Dri. Rnd I —5K 165
Cold Greave Clo. Miln —1G 53
Coldhurst Hollow Est. Oldh —5C 74
Coldhurst St. Oldh —6C 74
Coldstone Dri. Ash M —5K 103
Coldstream Av. M9 —3K 93
Coldwall St. Roch —4F 31
Cole Av. Newt W —5E 124
Colebrook Dri. M40 —2C 116
Colebrooke Clo. Bchwd —6A 144
Colebrook Rd. Tim —5E 164
Coleby Av. Old T —5C 134
Coleby Av. Wyth —3F 179
Coleclough Pl. Cul —5K 127
Coledale Dri. Mid —4J 71
Coleford Gro. Bolt —7A 44
Coleford Wlk. M16 —6E 134 (off Maclure Clo.)
Colegate Cres. M14 —2H 151
Colenso Ct. Bolt —6E 44
Colenso Gro. Stoc —7D 152
Colenso Rd. Bolt —6F 45
Colenso St. Oldh —4B 96
Coleport Clo. Chea H —3C 180
Coleridge Av. Mid —3E 72
Coleridge Av. Orr —1G 81
Coleridge Av. Rad —3C 68
Coleridge Clo. Stoc —1G 153
Coleridge Dri. L'boro —2D 32
Coleridge Pl. Wig —4B 82
Coleridge Rd. M16 —6C 134
Coleridge Rd. Bil —6D 80
Coleridge Rd. G'mnt —2D 26
Coleridge Rd. Oldh —2H 75
Coleridge Rd. Stoc —1G 153
Coleridge St. M40 —4E 116
Coleridge Way. Stoc —1G 153
Colerne Way. Wig —5K 81
Colesbourne Clo. L Hul —1C 88
Coleshill Rise. Wig —5J 81
Coleshill St. M40 —5A 116
Colesmere Wlk. M40 —6F 95
Cole St. M40 —7B 94
Colgate La. Salf —3A 134
Colgrove Av. M40 —5E 94
Colindale Av. M9 —3A 94
Colindale Clo. Bolt —1J 65
Colin Rd. Stoc —6F 153
Colin St. Wig —5F 61
Colinton Clo. Bolt —4K 43
Colinwood Clo. Bury —3K 69
Collard St. Ath —3B 86
Collar Ho. Dri. P'bry —4A 196
Coll Dri. Urm —4B 132
College Av. Droy —1H 137
College Av. Oldh —4B 96
College Av. Wig —6E 60
College Clo. Bolt —7A 44
College Clo. Stoc —5J 169
College Clo. Wilm —5F 187
College Croft. Ecc —6D 112
College Dri. M16 —7C 134
College Land. M3 —7F 115 (5G 4)
College Rd. M16 —6C 134
College Rd. Ecc —6E 112
College Rd. Oldh —3B 96
College Rd. Roch —5F 31
College Rd. Uph —5B 58
College St. Leigh —3A 108
College Way. Bolt —7K 43
Collen Cres. Bury —6F 27
Collett Clo. Wig —6G 61
Collett St. Oldh —6G 75
Colley St. Roch —3J 31
Colley St. Stret —4K 133
Collier Av. Salf —3C 114
Collier Av. Miln —5D 32
Collier Clo. Hyde —1E 156
Collier Hill. Oldh —4B 96
Collier Hill Av. Oldh —4A 96
Collier's Ct. Roch —4K 51
Colliers Row Rd. Bolt —7D 22
Collier St. Glos —2E 158
Collier St. Hind —1B 84
Collier St. Rad —3F 69
Collier St. Salf —2K 113
Collier St. Salf —1E 134 (8F 4) (Manchester)
Collier St. Salf —5E 114 (3F 4) (Salford)
Collier St. Swint —1C 112
Collier Wlk. Hyde —1E 156
Colliery La. Ath —3A 86
Colliery St. M11 —7C 116 (in two parts)
Collin Av. M18 —5E 136
Collingburn Av. Salf —2B 134
Collingburn Ct. Salf —2B 134
Colling Clo. Irl —1C 146
Collinge Av. Mid —6E 72
Collinge St. Bury —1F 47
Collinge St. Heyw —3J 49
Collinge St. Mid —7F 73
Collinge St. Plat B —5J 83
Collinge St. Shaw —6F 53
Collingham St. M8 —4G 115
Colling St. Ram —6F 9
Collington Clo. M12 —4C 136
Collingwood Av. Droy —5G 117
Collingwood Clo. Mac —1D 198
Collingwood Clo. Poy —2E 190
Collingwood Dri. Swint —1F 113
Collingwood Rd. M19 —1B 152
Collingwood Rd. Newt W —6D 124
Collingwood St. Roch —5E 50
Collingwood St. Stand —4A 38
Collingwood Way. Oldh —6D 74
Collingwood Way. W'houg —5J 63
Collins Av. Farn —6F 67
Collins La. W'houg —1K 85
Collins St. Wals —1D 46
Collisdene Rd. Orr —1D 80
Collop Dri. Heyw —6A 50
Coll's La. Del —2D 76
Collyhurst Av. Wor —5G 89
Collyhurst Rd. M40 —4H 115
Collyhurst St. M40 —4J 115
Colman Gdns. Salf —2B 134
Colmar Way. Hyde —7H 139
Colmore Av. Manx —7K 151
Colmore Dri. M9 —3C 94
Colmore Gro. Bolt —1D 44
Colmore St. Bolt —2D 44
Colnbrook. Stand —4H 37

Colne St.—Cotswold Av.

Colne St. Roch —4F 51
Colonel's La. Newt W —3H 125
Colonial Rd. Stoc —5J 169
Colshaw Clo. E. Rad —2D 68
Colshaw Clo. S. Rad —2D 68
Colshaw Dri. Wilm —4K 187
Colshaw Rd. M23 —7A 166
Colshaw Wlk. Wilm —4K 187
Colson Dri. Mid —7B 72
Colsterdale Clo. Rytn —1C 74
Colt Hill La. Upperm —6F 77
Coltness Wlk. M40 —3E 116
Colts Acre. Salf —2C 134 (9A 4) (off Bramble Av.)
Coltsfoot Dri. B'hth —3K 163
Columbia Av. M18 —5H 137
Columbia Rd. Bolt —5J 43
Columbia St. Oldh —3D 96
Columbine Clo. Roch —1E 30
Columbine St. Open —2F 137
Columbine Wlk. Part —7B 146
Columbus St. Ash M —3B 104 (off Priory Rd.)
Colville Dri. Bury —4F 47
Colville Gro. Sale —2C 164
Colville Gro. Tim —5E 164
Colville Rd. Mac —3B 198
Colville Rd. Oldh —5B 74
Colwell Av. Stret —7F 133
Colwell Wlk. M9 —2H 93
Colwick Av. Alt —5C 164
Colwith Av. Bolt —4G 45
Colwood Wlk. M8 —2F 115 (off Elizabeth St.)
Colwyn Av. M14 —2A 152
Colwyn Av. Mid —1C 94
Colwyn Cres. Stoc —5H 153
Colwyn Dri. Hind —5G 85
Colwyn Gro. Ath —2C 86
Colwyn Gro. Bolt —4K 43
Colwyn Rd. Bram —4G 181
Colwyn Rd. Chea H —3A 180
Colwyn Rd. Swint —1A 112
Colwyn St. Ash L —2E 118
Colwyn St. Oldh —7B 74
Colwyn St. Roch —3D 50
Colwyn St. Salf —5K 113
Colwyn Ter. Ash L —2E 118
Colyton Wlk. M22 —1F 179
Combe Clo. M11 —5D 116
Combe Clo. N Mills —4G 185
Combermere Av. M20 —3G 151
Combermere Clo. Chea H —7B 168
Combermere St. Duk —7G 119
Comber Way. Knut —6D 192
Combs Bank. Glos —1K 157 (off Melandra Castle Rd.)
Combs Fold. Glos —7K 141 (off Brassington Cres.)
Combs Gdns. Glos —1K 157 (off Brassington Cres.)
Combs Gro. Glos —7K 141 (off Brassington Cres.)
Combs Lea. Glos —1K 157
Combs M. Glos —7K 141 (off Brassington Cres.)
Combs Ter. Glos —1K 157 (off Melandra Castle Rd.)
Combs Way. Glos —7K 141
Comer Ter. Sale —6E 148
Comet Rd. Wig —6J 59
Comet St. M1 —7H 115 (6M 5)
Commercial Av. Stan G —7A 180
Commercial Brow. Hyde —5J 139
Commercial Rd. Haz G —1B 182
Commercial Rd. Mac —3F 199
Commercial Rd. Oldh —1D 96
Commercial St. M15 —2E 134 (9F 4)
Commercial St. Hyde —6J 139
Commercial St. Oldh —1A 96
Commodore Pl. Wig —5A 60
Common La. Car —5D 146
Common La. Cul —5H 127
Common La. Leigh —4F 107
Common La. Tyl —6G 87
Common Nook. Ince —1J 83
Common Rd. Newt W —7A 124
Common Side Rd. Wor —1B 110
Common St. Newt W —6A 124
Common St. W'houg —7F 63
Common, The. Adl —1G 39
Commonwealth Clo. Leigh —6B 108
Como Wlk. M18 —3D 136
Compass St. Open —2E 136
Compstall Av. M14 —7H 135
Compstall Gro. M18 —3G 137
Compstall Mills Est. Comp —1B 172
Compstall Rd. Rom —1G 171 (in two parts)
Compton Clo. Urm —1E 146
Compton Dri. M23 —2A 178
Compton Fold. Shaw —5G 53
Compton St. Stal —7B 120
Compton Way. Mid —7E 72
Comrie Wlk. M23 —6A 166
Comus St. Salf —1C 134 (7A 4)
Concastrian Ind. Est. M9 —1J 115
Concert La. M2 —7G 115 (6J 5)
Concil St. M15 —3G 135
Concord Bus. Pk. M22 —3E 178
Concorde Av. Wig —4D 82
Concord Pl. Salf —3A 114
Concord Way. Duk —1G 139 (in two parts)
Condor Clo. Droy —5A 118
Condor Pl. Salf —3A 114
Condor Wlk. M13 —3J 135 (off Glenbarry Clo.)
Conduit St. Ash L —6G 119
Conduit St. Oldh —3H 75
Conduit St. Tin —2B 142
Conewood Wlk. M13 —3J 135
Coney Gro. M23 —4A 166
Coneymead. Stal —4A 120
Congham Rd. Stoc —3E 168
Congleton Av. M14 —7G 135
Congleton Clo. Ald E —6G 195
Congleton Rd. Ald E —5G 195
Congleton Rd. Mac —7B 198
Congou St. M1 —7J 115 (7N 5)
Congreave St. Oldh —6C 74
Congresbury Rd. Leigh —1H 107
Conifer Wlk. Leigh —3F 107
Conifer Wlk. Part —7A 146
Coningsby Dri. M9 —7K 93
Conisber Clo. Eger —3A 24
Conisborough. Roch —6G 31
Conisborough Pl. W'fld —7B 70
Coniston Av. M9 —7K 93
Coniston Av. Adl —3K 19
Coniston Av. Ash M —4D 104
Coniston Av. Ath —2D 86
Coniston Av. Farn —6A 66
Coniston Av. Hyde —5G 139
Coniston Av. Ince —7K 61
Coniston Av. L Hul —2C 88
Coniston Av. Oldh —4B 96
Coniston Av. Orr —7F 59
Coniston Av. Sale —1G 165
Coniston Av. W'fld —6K 69
Coniston Av. Wig —3D 60
Coniston Clo. Chad —7J 73
Coniston Clo. Dent —7K 137
Coniston Clo. L Lev —2J 67
Coniston Clo. Ram —3G 9
Coniston Dri. Abr —7K 83
Coniston Dri. Bury —6J 47
Coniston Dri. Hand —1J 187
Coniston Dri. Mid —4A 72
Coniston Dri. Stal —4A 120
Coniston Gro. Ash L —4E 118
Coniston Gro. Heyw —5K 49
Coniston Gro. L Hul —3C 88
Coniston Gro. Rytn —7B 52
Coniston Pk. Dri. Stand —7C 38
Coniston Rd. Ast —1G 109
Coniston Rd. Blac —2B 40
Coniston Rd. Gat —5H 167
Coniston Rd. H Lane —4H 183
Coniston Rd. Hind —3C 84
Coniston Rd. Part —6A 146
Coniston Rd. Stoc —4H 153
Coniston Rd. Stret —6G 133
Coniston Rd. Swint —2D 112
Coniston Rd. Urm —2G 147
Coniston St. M40 —3E 116
Coniston St. Bolt —2B 44
Coniston St. Leigh —3J 107
Coniston St. Salf —4B 114
Coniston Wlk. Tim —6H 165
Coniston Way. Mac —6B 198
Conmere Sq. M15 —2F 135 (10H 5)
Connaught Av. M19 —3B 152
Connaught Av. Roch —2K 51
Connaught Av. W'fld —6A 70
Connaught Clo. Wilm —5J 187
Connaught Dri. Newt W —7E 124
Connaught Pl. Salf —6K 113
Connaught Sq. Bolt —3D 44
Connaught St. Bury —4F 47
Connaught St. Oldh —1C 96
Connel Clo. Bolt —7H 45
Connell Rd. M23 —5A 166
Connell Way. Heyw —2B 50
Connery Cres. Ash L —2H 119
Connie St. M11 —1E 136
Conningsbury Clo. Brom X —4B 24
Connington Av. M9 —6K 93
Connington Clo. Rytn —2A 74
Connor Way. Gat —7F 167
Conquest Clo. M12 —3B 136
Conrad Clo. Oldh —2J 75
Conrad Clo. Wig —2C 82
Conrad St. Ram —5A 44
Conran St. M9 —1K 115
Consett Av. M23 —5A 166
Consort Av. Rytn —7A 52
Consort Clo. Duk —3G 139
Consort Pl. Bow —2K 175
Constable Clo. Bolt —4K 43
Constable Dri. Marp B —3B 172
Constable Dri. W'houg —5J 63
Constable Dri. Wilm —5A 188
Constable St. M18 —3G 137
Constable Wlk. Dent —3E 154
Constance Gdns. Salf —7K 113
Constance Rd. Bolt —2J 65
Constance Rd. Part —7B 146
Constance St. M15 —2E 134 (9F 4)
Constantia St. Ince —3H 83
Constantine Rd. Roch —5H 31
Constantine St. Oldh —1H 97
Constellation Trad. Est. Rad —7D 46
Consul St. M22 —2E 166
Convamore Rd. Bram —5F 181
Convent St. Oldh —3G 97
Conway Av. Bolt —4G 43
Conway Av. Clif —4F 91
Conway Av. Irl —2B 146
Conway Av. W'fld —7K 69
Conway Clo. M16 —6B 134
Conway Clo. Bil —2E 102
Conway Clo. Heyw —2G 49
Conway Clo. Knut —6D 192
Conway Clo. Leigh —2E 108
Conway Clo. Mid —7C 72
Conway Clo. Ram —5F 9
Conway Clo. W'fld —7K 69
Conway Cres. G'mnt —2D 26
Conway Cres. Mac —2H 199
Conway Dri. Asp —1B 62
Conway Dri. Bil —3F 103
Conway Dri. Bury —3D 48
Conway Dri. Haz G —3A 182
Conway Dri. Newt W —6G 125
Conway Dri. Stal —5A 120
Conway Dri. Tim —5G 165
Conway Gro. Chad —5H 73
Conway Gro. Leigh —1E 108
Conway Rd. Ash M —3G 105
Conway Rd. Chea H —2A 180
Conway Rd. Hind —3D 84
Conway Rd. Sale —7H 149
Conway Rd. Urm —5B 132
Conway St. Farn —7F 67
Conway St. Stoc —6G 153
Conway St. Wig —2J 81
Conway Towers. Stoc —3A 154
Conyngham Rd. M14 —5K 135
Cook Av. Hayd —2A 124
Cooke St. Dent —6C 138
Cooke St. Fail —7H 95
Cooke St. Farn —7G 67
Cooke St. Haz G —1B 182
Cooke St. Hor —1H 41
Cooke St. Hyde —4K 139
Cooks Croft. Spring —7A 76
Cook St. Abr —6J 83
Cook St. Aud —3D 138
Cook St. Bury —3K 47
Cook St. Ecc —6A 112
Cook St. Leigh —3K 107
Cook St. Oldh —7G 75
Cook St. Roch —3K 31
Cook St. Salf —6E 114 (4F 4)
Cook St. Stoc —2G 169
Cook Ter. Duk —7F 119 (off Astley St.)
Cook Ter. Rad —3F 69
Cook Ter. Roch —3K 31
Cooling La. Ast —7E 86
Coomassie St. Heyw —3J 49
Coomassie St. Rad —3E 68
Coomassie St. Salf —5K 113
Coombe Clo. Ast —7H 87
Coombes Av. Hyde —1K 155
Coombes Av. Marp —6K 171
Coombes La. Charl —5J 157
Coombes St. Stoc —6K 169
Co-operation St. Fail —6H 95
Co-operative St. Haz G —1C 182
Co-operative St. Leigh —3H 107
Co-operative St. L Hul —2A 88
Co-operative St. Rad —2E 68
Co-operative St. Salf —6K 113
Co-operative St. Shaw —6F 53
Co-operative St. Spring —1K 97
Co-operative St. Upperm —6H 77
Cooper Av. Newt W —6B 124
Cooper Fold. Mid —2C 72
Cooper Ho. M15 —3G 135
Cooper La. M9 —2K 93
Cooper La. Mid —3B 72
Coope Rd. Boll —4G 197
Cooper Rd. Irl —3A 146
Coopers Fold. Chea H —6B 180
Coopers Glen. Ince —6J 61
Coopers Row. Ram —6B 44
Coopers Row. Wig —6E 60
Cooper St. M2 —7G 115 (6H 5)
Cooper St. Bury —3J 47
Cooper St. Duk —7F 119
Cooper St. Glos —1D 158
Cooper St. Haz G —1D 182
Cooper St. Hor —1F 41
Cooper St. Ram —4B 44
Cooper St. Roch —7B 14
Cooper St. Roy O —4H 169
Cooper St. Spring —7A 76
Cooper St. Stret —1H 149
Coopers View. B'btm —2F 157
Coopers Wlk. Roch —2A 32
Cooper Ter. Roch —4K 31
Coop St. M4 —6H 115 (3L 5)
Coop St. Bolt —1A 44
Coop St. Wig —5F 61
Coop Ter. Roch —5B 32
Copage Dri. Bred —6E 154
Cope Bank. Bolt —4J 43
Cope Bank E. Bolt —4J 43
Cope Bank W. Bolt —3H 43
Cope Clo. M11 —2G 137
Copeland Av. Clif —6G 91
Copeland Clo. Mid —5J 71
Copeland Dri. Stand —4B 38
Copeland M. Bolt —6G 43
Copeland St. Hyde —4H 139
Copeman Clo. M13 —3J 135
Copenhagen Sq. Roch —4J 31
Copenhagen St. Roch —4J 31
Copesthorne Clo. Asp —7A 40
Cope St. Ram —4J 43
Copgrove Rd. M21 —3B 150
Copgrove Wlk. M22 —5E 178
Copley Av. Stal —6C 120
Copley Pk. M. Stal —6C 120
Copley Rd. M21 —7A 134
Copley St. Shaw —5G 53
Copley St. Stal —6C 120
Coplow Dale. Hind —4C 84
Copperas Clo. Shev —6G 37
Copperas La. Droy —1G 137
Copperas La. Haig —7J 39 (Haigh)
Copperas La. Haig —4K 39 (Little Scotland)
Copperas St. M4 —6G 115 (4K 5)
Copperbeech Clo. M22 —2E 166
Copper Beech Dri. Glos —1A 158
Copperbeech Dri. Stand —7D 38
Copperfield. Wig —4E 60
Copperfield Ct. Alt —1A 176
Copperfield Rd. Chea H —7D 180
Copperfield Rd. Poy —3B 190
Copperfields. Los —2B 64
Copperfields. Wilm —5J 187
Copper La. P'wch —1E 90
Copper St. Mac —5G 199
Copperways. Manx —5H 151
Coppice Av. Dis —6A 184
Coppice Av. Sale —1B 164
Coppice Clo. Dis —6A 184
Coppice Clo. Woodl —5F 155
Coppice Dri. M22 —2D 166
Coppice Dri. Bil —5D 80
Coppice Dri. Dis —6A 184
Coppice Dri. Whitw —4E 12
Coppice Dri. Wig —4B 82
Coppice Gro. Knut —3D 192
Coppice Rise. Mac —6F 199
Coppice Rd. Poy —2E 190
Coppice St. Bury —2C 48
Coppice St. Oldh —2B 96 (in two parts)
Coppice, The. Bolt —7F 25
Coppice, The. Haleb —4F 177
Coppice, The. Mid —1D 94
Coppice, The. Poy —3E 190
Coppice, The. Ram —7E 8
Coppice, The. Swint —3A 112
Coppice, The. Wor —7H 89
Coppice Wlk. Dent —7B 138
Coppice Way. Hand —1A 188
Coppingford Clo. Roch —2C 30
Copping St. M12 —3B 136
Coppins, The. Wilm —2E 194
Coppleridge Dri. M8 —6G 93
Copplestone Ct. Wor —6A 90
Copplestone Dri. Sale —5A 148
Coppull Enterprise Cen. Cop —2A 18
Coppull Hall La. Cop —3C 18
Coppull La. Wig —4F 61
Coppull Moor La. Cop —6A 18
Coppull Rd. Chor —1B 18
Cop Rd. Oldh —2G 75
Copse Av. M22 —1E 178
Copse Dri. Bury —6K 27
Copse, The. Haleb —5H 177
Copse, The. Marp B —3C 172
Copse, The. Newt W —5D 124
Copse, The. Tur —2E 24
Copse Wlk. L'boro —6D 14
Copson St. M20 —3H 151
Copster Av. Oldh —4C 96
Copster Hill Rd. Oldh —4C 96
Copster Pl. Oldh —4C 96
Copthall La. M8 —7F 93
Copthorne Clo. Heyw —5K 49
Copthorne Cres. M13 —7A 136
Copthorne Dri. Bolt —7G 45
Copthorne Wlk. Tot —7D 26
Coptrod Head Clo. Roch —7G 13
Coral Av. Chea H —3C 180
Coral Gro. Leigh —4J 107
Coralin Way. Ash M —1B 104
Coral M. Rytn —3C 74
Coral Rd. Chea H —3C 180
Coral St. M13 —2J 135 (10N 5)
Coral St. Wig —3C 60
Coram St. M18 —3H 137
Corbar Rd. Stoc —6J 169
Corbett Ct. Hind —2C 84
Corbett St. M11 —6C 116 (in two parts)
Corbett St. Roch —4J 31
Corbridge Wlk. M8 —2H 115
Corbrook Rd. Chad —5G 73
Corby St. M12 —3C 136
Corcoran Clo. Heyw —2J 49
Corcoran Dri. Rom —1K 171
Corda Av. M22 —3D 166
Corday La. P'wch —6D 70
Cordingley Av. Droy —1H 137
Cordova Av. Dent —6H 137
Corelli St. M40 —4B 116
Corfe Clo. Asp —1B 62
Corfe Clo. Urm —1E 146
Corfe Cres. Haz G —3A 182
Corhampton Cres. Ath —2E 86
Corinthian Av. Salf —3C 114
Corinth Wlk. Wor —5F 89
Corkland Clo. Ash L —6H 119
Corkland Rd. M21 —2B 150
Corkland St. Ash L —6J 119
Corks La. Dis —7E 184
Cork St. M12 —1K 135
Cork St. Ash L —5G 119
Cork St. Bury —3A 48
Corless Fold. Ast —3J 109
Corley Av. Stoc —4B 168
Corley Wlk. M11 —7B 116
Cormallen Gro. Fail —1J 117
Cormorant Clo. Wor —4E 88
Cormorant Wlk. M12 —3C 136
Cornall St. Bury —2G 47
Cornbrook Arches. M15 —2C 134 (10B 4)
Cornbrook Clo. Ward —5A 14
Cornbrook Clo. W'houg —1H 85
Cornbrook Ct. M15 —3D 134
Cornbrook Gro. M16 —4D 134
Cornbrook Pk. Rd. M15 —3C 134
Cornbrook Rd. M15 —3C 134
Cornbrook Rd. Mac —7E 198
Cornbrook St. M16 & M15 —4D 134
Cornbrook Way. M16 —4D 134
Corn Clo. M13 —4J 135
Cornelian Gro. Ash M —3B 104
Cornell St. M4 —6H 115 (3M 5)
Corner Croft. Wilm —2G 195
Corner Ga. W'houg —2J 85
Corner La. Leigh —4H 85
Corner St. Ash L —6G 119
Cornerways. Had —4C 142 (off Albert St.)
Cornet St. Salf —2D 114
Corn Exchange. M4 —6F 115 (4H 5)
Cornfield. Stal —2E 140
Cornfield Clo. Bury —5K 27
Cornfield Clo. Mac —7E 196
Cornfield Clo. Sale —7K 149
Cornfield Dri. M22 —1C 178
Cornfield Rd. Rom —7J 155
Cornfield St. Miln —7D 32
Cornford Av. M18 —6D 136
Cornhey Rd. Sale —1A 164
Cornhill Av. Urm —6K 131
Corn Hill La. Aud —4J 137
Cornhill Rd. Urm —5K 131
Cornhill St. Oldh —4H 75
Cornish Clo. M22 —4D 178
Cornishway. M22 —3C 178
Cornish Way. Rytn —3D 74
Cornishway Ind. Est. M22 —4D 178
Cornlea Dri. Wor —1E 110
Corn Mill Clo. Roch —7A 14
Corn St. Fail —2E 116
Corn St. Glos —1F 159
Corn St. Leigh —3H 107
Corn St. Oldh —7E 74
Cornwall Av. M19 —2D 152
Cornwall Av. Bolt —6F 65
Cornwall Av. Tyl —4G 87
Cornwall Clo. Bury —5A 48
Cornwall Clo. H Lane —5J 183
Cornwall Clo. Mac —2A 198
Cornwall Cres. Dig —2H 77
Cornwall Cres. Stand —4D 38
Cornwall Cres. Stoc —4A 154
Cornwall Dri. Bury —5K 47
Cornwall Dri. Hind —1D 84
Cornwall Ho. Salf —7D 114 (5D 4)
Cornwallis Rd. Wig —2B 82
Cornwall Pl. Wig —1J 81
Cornwall Rd. Cad —5K 145
Cornwall Rd. Droy —5J 117
Cornwall Rd. H Grn —4H 179
Cornwall St. M11 —2F 137
Cornwall St. Ecc —7A 112
Cornwall St. Oldh —2K 95
Cornwell Clo. Wilm —5K 187
Cornwood Clo. M8 —1F 115
Corona Av. Hyde —6J 139
Corona Av. Oldh —4B 96
Coronation Av. Ath —2C 86
Coronation Av. Duk —3K 139
Coronation Av. G'bry —2C 128
Coronation Av. Heyw —5A 50
Coronation Av. Hyde —1J 155
Coronation Bldgs. M4 —4H 115
Coronation Dri. Hayd —2C 124
Coronation Dri. Leigh —2D 108
Coronation Dri. Newt W —7G 125
Coronation Gdns. Rad —1C 68
Coronation Rd. Ash L —2G 119
Coronation Rd. Droy —5H 117
Coronation Rd. Fail —2G 117
Coronation Rd. Rad —1C 68
Coronation Rd. Stand L —3K 59
Coronation Sq. M12 —1J 135 (8P 5)
Coronation Sq. Aud —2B 138
Coronation Sq. Knut —4D 192
Coronation Sq. L Lev —3K 67
Coronation St. M11 —1E 136
Coronation St. Ash M —2K 103
Coronation St. Dent —6A 138
Coronation St. Ince —4H 83
Coronation St. Mac —5F 199
Coronation St. Oldh —7E 74
Coronation St. Pen —6E 90
Coronation St. Ram —7B 44 (off Gt. Moor St.)
Coronation St. Salf —1B 134
Coronation St. Stoc —6G 153
Coronation St. Wig —1D 82
Coronation Vs. Whitw —1F 13
Coronation Wlk. Bil —4D 102
Coronation Wlk. Rad —1C 68
Corporation Cotts. Part —4E 146
Corporation Rd. Aud —4B 138
Corporation Rd. Ecc —6C 112
Corporation Rd. Roch —6F 31
Corporation St. M4 —6F 115 (4H 5)
Corporation St. Bolt —6B 44
Corporation St. Hyde —7H 139
Corporation St. Mid —6C 72
Corporation St. Stal —7A 120
Corporation St. Stoc —1H 169
Corporation St. Wig —1D 82
Corporation Yd. Redd —2H 153
Corporation Yd. Stoc —7C 152
Corran Clo. Ecc —6K 111
Corranstone. Hor —2F 41
Corrie Clo. Dent —1D 154
Corrie Cres. Kear —2B 90
Corrie Dri. Kear —3B 90
Corrie Rd. Clif —4E 90
Corrie St. L Hul —3C 88
Corrie Way. Bred P —5C 154
Corrigan St. M18 —3G 137
Corringham Rd. M19 —3E 152
Corring Way. Bolt —1D 44
Corrin Rd. Bolt —1D 66
Corris Av. M9 —2G 93
Corry St. Heyw —3A 50
Corsey Rd. Hind —3C 84
Corsock Dri. Wig —5G 61
Corson St. Bolt —4F 67 (in two parts)
Corston Gro. Blac —4B 40
Corston Wlk. M40 —2D 116
Corwen Clo. Oldh —5K 95
Corwen St. M9 —7A 94
Cosgrove Cres. Fail —3G 117
Cosgrove Rd. Fail —3G 117
Cosham Rd. M22 —1F 179
Costabeck Wlk. M40 —4F 117
Costessey Way. Wig —4J 81
Costobadie Clo. Mot —6F 141
Costobadie Way. Mot —6F 141
Cosworth Clo. Leigh —4B 108
Cotaline Clo. Roch —2D 50
Cotall Wlk. M8 —4E 114
Cotefield Av. Bolt —3B 66
Cotefield Clo. Marp —6K 171
Cotefield Rd. M22 —2B 178
Cote Grn. La. Marp B —2B 172
Cote Grn. Rd. Marp B —2B 172
Cote La. Dig —5H 55
Cote La. L'boro —5D 14
Cote La. Moss —4E 98
Cotford Rd. Ram —7B 24
Cotham St. M3 —4F 115
Cotman Dri. Marp B —3C 172
Cotswold Av. Chad —2J 95
Cotswold Av. Haz G —3K 181

Cotswold Av.—Crompton St.

Cotswold Av. Lwtn —3B 126
Cotswold Av. Shaw —5D 52
Cotswold Av. Urm —6H 131
Cotswold Av. Wig —2H 81
Cotswold Clo. Glos —2C 158
Cotswold Clo. Mac —2A 198
Cotswold Clo. P'wch —2C 92
Cotswold Clo. Ram —7G 9
Cotswold Cres. Bury —2E 46
Cotswold Cres. Miln —5E 32
Cotswold Dri. Hor —7G 21
Cotswold Dri. Rytn —3K 73
Cotswold Dri. Salf —5K 113
Cotswold Rd. Stoc —7F 153
Cottage Gdns. Bred —7B 154
Cottage La. Glos —1A 158
Cottage La. Mac —4H 199
Cottage Lawns. Ald E —4H 195
Cottage St. Mac —3D 198
Cottage, The. Heyw —2J 71
Cottage Wlk. Roch —7E 12
Cottam Cres. Marp B —3B 172
Cottam Gro. Swint —1E 112
Cottam St. Bury —2G 47
Cottam St. Oldh —6B 74
Cottenham La. Salf —4E 114
Cottenham St. M13 —3H 135
Cotterdale Clo. M16 —7D 134
Cotteridge Wlk. M11 —1B 136
Cotterill Clo. M23 —2G 165
Cotter St. M12 —2J 135 (9N 5)
Cottesmore Dri. M8 —7J 93
Cottesmore Gdns. Haleb —4G 177
Cottesmore Way. Golb —7K 105
Cottingham Dri. Ash L —4G 119
Cottingham Rd. M12 —3A 136
Cottonfield Rd. M20 —4J 151
Cotton Fold. Roch —6A 32
Cotton Hill. M20 —5J 151
Cotton La. M20 —4H 151
Cotton La. Roch —1E 50
Cotton St. M4 —6H 115 (4M 5)
Cotton St. Bolt —3K 43
Cotton St. Hyde —6J 139
Cotton St. Leigh —3H 107
Cotton St. E. Ash L —6E 118
Cotton St. W. Ash L —6E 118
Cotton Tree Clo. Oldh —6H 75
Cotton Tree St. Stoc —2G 169
Cottonwood Dri. Sale —5A 148
Cottrell Rd. Haleb —5H 177
Cottrill St. Salf —6B 114
Coucill Sq. Farn —6G 67
Coulsden Dri. M9 —4K 93
Coulthart St. Ash L —5F 119
Coulthurst St. Ram —5F 9
Coulton Clo. Oldh —6E 74
Coulton Wlk. Salf —6K 113
Coultshead Av. Bil —2E 102
Council Av. Ash M —5D 104
Councillor La. Chea —5B 168
Councillor St. M12 —7A 116
Countess Av. Stan G —7A 180
Countess Clo. Mac —4B 198
Countess Gro. Salf —3C 114
Countess La. Rad —1B 68
Countess Pl. P'wch —3C 92
Countess Rd. M20 —7H 151
Countess Rd. Mac —4B 198
Countess St. Ash L —6H 119
Countess St. Stoc —6H 169
Counthill Dri. M8 —5E 92
Counthill Rd. Oldh —5H 75
Counting Ho. Rd. Dis —7E 184
Count St. Roch —7J 31
County Av. Ash L —4J 119
County Police St. Ince —7H 61
County Rd. Wor —3C 88
County St. M2 —7F 115 (6H 5)
County St. Oldh —5A 96
Coupland Clo. Oldh —2K 75
Coupland Rd. Hind —3G 85
Couplands, The. Cop —4A 18
Coupland St. M15 —4G 135
Coupland St. Whitw —3E 12
Coupland St. E. M15 —3G 135
Courage Low La. Wrigh —1D 36
Courier Pl. Wig —5A 60
Courier St. M18 —2G 137
Course View. Oldh —4J 97
Court Dri. M40 —4G 117
Courtfield Av. M9 —3K 93
Courthill St. Stoc —3J 169
Court Ho. Way. Heyw —3K 49
(off Longford St.)
Courtney Grn. Wilm —3K 187
Courtney Pl. Bow —3J 175
Court St. Bolt —6C 44
Court St. Upperm —6H 77
Court, The. P'wch —3B 92
Courtyard Dri. Wor —4C 88
Courtyard, The. Holl —4K 141
Cousin Fields. Brom X —5E 24
Covall Wlk. M8 —2H 115
Covell Rd. Poy —7C 182
Covent Garden. Stoc —2H 169
Coventry Av. Stoc —4B 168
Coventry Gro. Chad —5J 73
Coventry Rd. Rad —1D 68
Coventry St. Roch —6H 31
Coverdale Av. Bolt —5G 43
Coverdale Av. Rytn —1A 74
Coverdale Clo. Heyw —4J 49
Coverdale Cres. M12 —3K 135
Coverdale Rd. W'houg —6H 63
Coverham Av. Oldh —3H 97
Coverhill Rd. Grot —2B 98
Covert Rd. M22 —6E 166
Covert Rd. Oldh —4H 97
Coverts, The. Wig —4B 60
Cove, The. Hale —1D 176
Covington Pl. Wilm —7H 187
Cowan St. M40 —6K 115
Cowbrook Av. Glos —1H 159
Cowbrook Ct. Glos —1H 159
Cowbrook Pk. Glos —1H 159
Cowburn St. M3 —5F 115 (1H 5)
Cowburn St. Heyw —4A 50
Cowburn St. Hind —7D 62
Cowburn St. Leigh —2H 107
Cow Clough La. Whitw —1D 12
Cowdals Rd. Los —2B 64
Cowesby St. M14 —6G 135
Cowhill La. Ash L —5G 119
Cowie St. Shaw —5F 53
Cow La. Alt —6G 163
Cow La. Ash —7D 176
Cow La. Boll —3K 197
Cow La. Bolt —4H 65
Cow La. Fail —1G 117
Cow La. Haz G —7B 170
Cow La. Mac —5F 199
Cow La. Oldh —7G 75
Cow La. Sale —4J 149
Cow La. Salf —7C 114 (6B 4)
Cow La. Wilm —6J 187
Cow Lees. W'houg —5A 64
Cowley Gro. Mot —6F 141
Cowley Rd. Ram —7B 24
Cowling Cotts. Char R —1A 18
Cowling St. Oldh —3D 96
Cowling St. Swint —7K 91
Cowling St. Wig —1D 82
Cowlishaw. Shaw —1E 74
Cowlishaw La. Shaw —1E 74
Cowlishaw Rd. Hyde —5K 155
Cowm Pk. Way N. Whitw —1E 12
Cowm Pk. Way S. Whitw —3E 12
Cowm Top La. Roch —4F 51
(in two parts)
Cowper Av. Ath —2D 86
Cowper St. Ash L —5G 119
Cowper St. Leigh —3H 107
Cowper St. Mid —6F 73
Cowper Wlk. M11 —7B 116
Coxfield. App B —6D 36
Cox Grn. Clo. Eger —1K 23
Cox Grn. Rd. Eger —1K 23
Coxton Rd. M22 —3E 178
Cox Way. Ath —4D 86
Coxwold Gro. Bolt —3J 65
Crabbe St. M4 —5G 115 (1K 5)
Crab La. M9 —3H 93
Crabtree Av. Dis —7E 184
Crabtree Av. Haleb —5H 177
Crabtree Ct. Dis —6D 184
Crabtree La. M11 —1F 137
(in two parts)
Crab Tree La. Ath —4D 86
Crabtree Rd. Oldh —6F 75
Crabtree Rd. Wig —7K 59
Crabtree St. Bury —2B 48
Craddock Rd. Sale —1G 165
Craddock St. Moss —6B 98
Cradley Av. M11 —1F 137
Crag Av. Bury —2H 27
Cragg Pl. L'boro —6F 15
Cragg Rd. Chad —4H 73
(in two parts)
Crag Gro. St H —7B 102
Crag La. Bury —2H 27
Craig Av. Bury —4F 47
Craig Av. Urm —6J 131
Craig Clo. Mac —6D 198
Craig Clo. Stoc —2D 168
Craigend Dri. M9 —1A 116
Craig Hall. Irl —3B 146
Craighall Av. M19 —2B 152
Craighall Rd. Bolt —6A 24
Craigie St. M8 —3F 115
Craiglands. Roch —3K 51
Craiglands Av. M40 —2C 116
Craigmore Av. M20 —6D 150
Craignair Ct. Pen —1G 113
Craig Rd. M18 —5E 136
Craig Rd. Mac —6D 198
Craig Rd. Stoc —2B 168
Craig Wlk. Oldh —2C 96
Craigweil Av. M20 —7J 151
Craigwell Rd. P'wch —5E 92
Craigwell Wlk. M13 —2H 135 (10L 5)
Crail Pl. Heyw —4F 49
Cramer St. M40 —3B 116
Crammond Clo. M40 —2F 117
Cramond Clo. Bolt —4K 43
Cramond Wlk. Bolt —4K 43
Crampton Dri. Haleb —4G 177
Crampton La. Car —3E 146
(in three parts)
Cranage Av. Hand —7K 179
Cranage Rd. M19 —2D 152
Cranark Clo. Bolt —6G 43
Cranberry Av. Wig —3B 60
Cranberry Clo. B'hth —3K 163
Cranberry Rd. Part —7B 146
Cranberry St. Oldh —1F 97
Cranborne Clo. Los —4K 41
Cranborne Clo. Stand —4K 37
Cranbourne Av. Chea H —2D 180
Cranbourne Clo. Ash L —4E 118
Cranbourne Ct. Stoc —6D 152
Cranbourne Rd. Ash L —4E 118
Cranbourne Rd. Chor H —2B 150
Cranbourne Rd. Old T —5C 134
Cranbourne Rd. Roch —6A 30
Cranbourne Rd. Stoc —6D 152
Cranbourne St. Salf —7C 114 (6A 4)
Cranbourne Ter. Ash L —3F 119
Cranbrook Av. Ash M —4C 104
Cranbrook Clo. Bolt —4B 44
(off Lindfield Dri.)
Cranbrook Dri. P'wch —5C 92
Cranbrook Gdns. Ash L —4F 119
Cranbrook Pl. Oldh —1G 97
Cranbrook Rd. M18 —6G 137
Cranbrook Rd. Ecc —4J 111
Cranbrook St. Ash L —4F 119
Cranbrook St. Oldh —1F 97
Cranbrook St. Rad —1G 69
Cranbrook Wlk. Chad —1J 95
Cranbrook Way. Wig —2D 60
Cranby St. Hind —2B 84
Crandon Ct. Clif —5E 90
Crandon Dri. M20 —3J 167
Cranes Bill Clo. M22 —3C 178
Crane St. M12 —1J 135 (8P 5)
Crane St. Bolt —3H 65
Crane St. Cop —6A 18
Cranfield Rd. Hor —6H 41
Cranfield Rd. Wig —4C 82
Cranfield Wlk. M40 —6A 116
Cranford Av. M20 —6K 151
Cranford Av. Knut —5C 192
Cranford Av. Mac —4H 199
Cranford Av. Sale —4G 149
Cranford Av. Stret —6K 133
Cranford Av. W'fld —4J 69
Cranford Clo. Swint —2F 113
Cranford Clo. W'fld —4J 69
Cranford Dri. Irl —6B 130
Cranford Gdns. Marp —4K 171
Cranford Gdns. Urm —6G 131
Cranford Rd. Urm —6G 131
Cranford Rd. Wilm —4G 187
Cranford St. Bolt —4J 65
Cranham Av. Lwtn —2C 126
Cranham Clo. Bury —2F 47
Cranham Clo. L Hul —1C 88
Cranham Rd. M22 —2A 178
Crank Rd. Bil —6D 80
Crank Rd. Crank —1A 102
Crankwood Rd. Abr & Leigh —2K 105
Cranleigh. Stand —5B 38
Cranleigh Av. Stoc —6B 152
Cranleigh Clo. Blac —4B 40
Cranleigh Clo. Oldh —5J 75
Cranleigh Dri. Ast —7H 87
Cranleigh Dri. Brook —2G 165
Cranleigh Dri. Chea —5B 168
Cranleigh Dri. Haz G —4E 182
Cranleigh Dri. Sale —5E 148
Cranleigh Dri. Wor —7G 89
Cranlington Dri. M8 —2F 115
Cranmer Ct. Heyw —4J 49
Cranmere Av. M19 —7E 136
Cranmere Dri. Sale —1B 164
Cranmer Rd. M20 —6H 151
Cranshaw St. Ast —7K 87
Cranstal Dri. Hind —2E 84
Cranston Dri. M20 —3H 167
Cranston Dri. Sale —7J 149
Cranston Gro. Gat —6F 167
Cranswick St. M14 —6G 135
Crantock Dri. H Grn —4J 179
Crantock Dri. Stal —5D 120
Crantock St. M12 —6D 136
Cranwell Av. Cul —5K 127
Cranwell Dri. M19 —6A 152
Cranworth Av. Ast —2G 109
Cranworth St. Stal —7B 120
Craston Rd. M13 —7A 136
Crathie Ct. Bolt —4H 43
Craven Av. Lwtn —2C 126
Craven Av. Salf —1B 134
Craven Clo. Salf —1B 134
Craven Ct. Hor —3H 41
Craven Dri. B'hth —3A 164
Craven Dri. Salf —3A 134
Craven Gdns. Roch —7G 31
Cravenhurst Av. M40 —4D 116
Craven Pl. M11 —6E 116
Craven Pl. Bolt —3E 42
Craven Rd. B'hth —4A 164
(in two parts)
Craven Rd. Stoc —4H 153
Craven St. Ash L —2H 119
Craven St. Bury —2B 48
Craven St. Droy —7J 117
Craven St. Oldh —5C 74
Craven St. Salf —2K 113
(Charlestown)
Craven St. Salf —7C 114 (6B 4)
(Salford)
Craven St. E. Hor —3H 41
Craven Ter. Sale —6G 149
Cravenwood Rd. M8 —7G 93
Crawford Av. Adl —7G 19
Crawford Av. Asp —1A 62
Crawford Av. Bolt —7D 44
Crawford Av. Tyl —5F 87
Crawford Av. Wor —7H 89
Crawford Clo. Asp —1A 62
Crawford Sq. Heyw —4G 49
Crawford St. M40 —3E 116
Crawford St. Ash L —6H 119
Crawford St. Asp —2A 62
Crawford St. Bolt —7D 44
Crawford St. Ecc —5B 112
Crawford St. Roch —7J 31
Crawford St. Wig —6E 60
Crawley Av. M22 —1D 178
Crawley Av. Ecc —5E 112
Crawley Clo. Tyl —6J 87
Crawley Gro. Stoc —4K 169
Crawley Ter. M9 —2G 93
Crawley Way. Chad —1J 95
Craydon St. Open —1D 136
Crayfield Rd. M19 —2D 152
Crayford Rd. M40 —4D 116
Cray, The. Miln —6C 32
(in two parts)
Cray Wlk. M13 —2H 135 (10L 5)
Creaton Way. Mid —2J 71
Creden Av. M22 —1F 179
Crediton Clo. M15 —4F 135
Crediton Clo. Alt —5K 163
Crediton Dri. Bolt —6J 45
Crediton Dri. Plat B —6J 83
Crediton Ho. Salf —5E 112
(off Devon Clo.)
Creel Clo. M9 —3H 93
Cresbury St. M12 —1K 135
Crescent. Salf —6B 114
Crescent Av. M8 —7G 93
Crescent Av. Ash M —4C 104
Crescent Av. Bolt —5K 43
Crescent Av. Farn —1E 88
Crescent Av. Over H —6G 65
Crescent Av. Pen —7G 91
Crescent Av. P'wch —5B 92
Crescent Clo. Duk —7G 119
Crescent Clo. Stoc —6H 169
Crescent Ct. M21 —1K 149
Crescent Ct. Sale —7F 149
Crescent Dri. L Hul —2D 88
Crescent Gro. M19 —1C 152
Crescent Gro. Chea —5J 167
Crescent Gro. P'wch —5B 92
Crescent Pk. Stoc —1D 168
Crescent Range. M14 —6J 135
Crescent Rd. M8 —7F 93
Crescent Rd. Ald E —4H 195
(in two parts)
Crescent Rd. Alt —5J 163
Crescent Rd. Bolt —2C 66
Crescent Rd. Chad —5G 95
Crescent Rd. Chea —5J 167
Crescent Rd. Duk —7G 119
Crescent Rd. Hale —2C 176
Crescent Rd. Kear —1H 89
Crescent Rd. Los —5J 41
Crescent Rd. Roch —1D 50
Crescent Rd. Stoc —7K 153
Crescent St. M8 —7J 93
Crescent, The. M19 —1C 152
Crescent, The. Alt —6J 163
Crescent, The. Bolt —1H 45
Crescent, The. Bred —6B 154
Crescent, The. Brom X —5C 24
Crescent, The. Chea —5K 167
Crescent, The. Droy —7H 117
Crescent, The. Duk —1G 139
Crescent, The. Hor —4J 41
Crescent, The. Ince —7K 61
Crescent, The. Irl —6D 130
Crescent, The. L Lev —4K 67
Crescent, The. Mid —6A 72
Crescent, The. Moss —6B 98
Crescent, The. N Mills —4H 185
Crescent, The. P'wch —3B 92
Crescent, The. Rad —1B 68
Crescent, The. Shaw —7E 52
Crescent, The. Stoc —7J 169
Crescent, The. Tim —4D 164
Crescent, The. Urm —7H 131
Crescent, The. W'houg —7J 63
Crescent, The. Whitw —3E 12
Crescent, The. Wig —1K 81
Crescent, The. Wor —3J 111
Crescent View. Duk —7G 119
(off Astley St.)
Crescent Way. Stoc —6J 169
Cresgarth Ho. Stoc —7J 169
Cressell Pk. Stand —3G 37
Cressfield Way. M21 —3D 150
Cressingham Rd. Bolt —2G 65
Cressingham Rd. Stret —7F 133
Cressington Clo. Salf —6J 113
Cresswell Gro. M20 —5G 151
Crestfield. Wor —3C 88
Crestfold. L Hul —3C 88
Crest Lodge. Bram —2H 181
Crest St. M3 —5G 115 (1H 5)
Crest, The. Droy —2J 137
Crestwood Av. Wig —4A 82
Crestwood Wlk. M40 —2J 115
Crete St. Oldh —3D 96
Crew Av. Mac —2G 199
Crewe Rd. M23 —3J 165
Crib Fold. Dob —4G 77
Crib La. Dob —4G 77
Criccieth Av. Asp —1B 62
Criccieth Rd. Stoc —4C 168
Criccieth Way. M16 —5F 135
Cricketfield La. Wor —4E 88
Crickets La. Ash L —5G 119
(in two parts)
Cricket St. Bolt —1K 65
Cricket St. Dent —5E 138
Cricket St. Wig —6D 60
Cricket View. Miln —7D 32
Cricklewood Rd. M22 —2C 178
Crimble La. Roch & Heyw —7A 30
Crimbles St. Oldh —6J 75
(in two parts)
Crimble St. Roch —5F 31
Crime La. Fail & Oldh —1B 118
Crime View Cotts. Fail —1B 118
Crimsworth Av. M16 —7B 134
Crinan Sq. Heyw —4F 49
Crinan Wlk. M40 —5K 115
Crinan Way. Bolt —7H 45
Cringlebarrow Clo. Wor —3C 110
Cringle Clo. Bolt —2E 64
Cringle Dri. Chea —1J 179
Cringleford Wlk. M12 —4A 136
Cringle Hall Rd. M19 —2B 152
Cringle Rd. M19 —3D 152
Crippen St. Ath —6A 86
Cripplegate. Shev —3F 37
Cripple Ga. La. Roch —4G 51
Crispin Rd. M22 —4E 178
Critchley Clo. Hyde —1K 155
Criterion St. Stoc —7H 137
Croal Av. Plat B —5J 83
Croal St. Ram —7K 43
Croal Wlk. W'fld —5B 70
Croasdale Dri. Rytn —1C 74
Croasdale St. Bolt —4B 44
(in two parts)
Crocker Wlk. M9 —1A 116
Crocus Dri. Rytn —1E 74
Crocus St. Bolt —1B 44
Crocus Wlk. Salf —2D 114
(off Hilton St. N.)
Croftacres. Ram —1H 9
Croft Av. Ath —5D 86
Croft Av. Golb —6H 105
Croft Av. Orr —2D 80
Croft Av. P'wch —6F 71
Croft Bank. M18 —4G 137
Croft Bank. Millb —4D 120
Croft Bank. Salf —3C 114
Croft Bank. Whitw —1F 13
Croft Brow. Oldh —5C 96
Croft Clo. Haleb —6G 177
Croft Dri. Tot —6C 26
Crofters Brook. Rad —2G 69
Crofters Grn. Wilm —7F 187
Crofters Hall Wlk. M40 —1D 116
Crofters, The. Sale —7K 149
Crofters Wlk. Bolt —6E 24
Croft Ga. Bolt —1G 45
Croft Gates Rd. Mid —7K 71
Croft Gro. L Hul —2B 88
Crofthead. L'boro —4F 15
Croft Head Dri. Miln —5D 32
Crofthill Ct. Roch —7B 14
Croft Hill Rd. M40 —6C 94
Croft Ind. Est. Bury —1A 70
Croftlands. Orr —3D 80
Croftlands. Ram —1E 26
Croftlands Rd. M22 —7E 166
Croft La. Bolt —1D 66
Croft La. Bury —1A 70
Croft La. Knut —6E 192
Croft La. Rad —2G 69
Croftleigh Clo. W'fld —4J 69
Croft Mnr. Glos —1G 159
Crofton Av. Tim —2E 164
Crofton Gdns. Cul —6J 127
Crofton St. M14 —6H 135
Crofton St. Oldh —4C 96
(in two parts)
Crofton St. Old T —5D 134
Croft Pl. Tyl —7F 87
Croft Rd. Chea H —1D 180
Croft Rd. Sale —1H 165
Croft Rd. Wilm —2E 194
Crofts Bank Rd. Urm —5A 132
Croft Side. Bolt —1G 67
Croftside Av. Wor —4G 89
Croftside Clo. Wor —4G 89
Croftside Gro. Wor —4G 89
Croft Sq. Roch —1A 32
Croft St. M11 —6D 116
Croft St. Bolt —2D 66
Croft St. Bury —3A 48
Croft St. Fail —6J 95
Croft St. Golb —1J 125
Croft St. Hyde —7G 139
Croft St. L Hul —2B 88
Croft St. Moss —7C 98
Croft St. Roch —1A 32
Croft St. Salf —3C 114
Croft St. Stal —6B 120
Croft St. W'houg —3K 63
Croft, The. Bil —3D 80
Croft, The. Bury —7A 48
Croft, The. Had —3C 142
Croft, The. Oldh —5C 96
Croft, The. Stoc —5K 169
Croftwood Sq. Wig —4J 59
Cromar Rd. Haz G —1D 182
Cromarty Av. Chad —4H 95
Cromarty Sq. Heyw —4G 49
Cromarty Wlk. M11 —7B 116
Crombie Av. M22 —4D 166
Crombouke Dri. Leigh —6J 85
Crombouke Fold. Wor —1D 110
Cromdale Av. Bolt —5H 43
Cromdale Av. Haz G —1D 182
Cromedale Cres. Stand —6C 38
Cromer Av. M20 —4H 151
Cromer Av. Bolt —4E 44
Cromer Av. Dent —6J 137
Cromer Dri. Ath —5K 85
Cromer Ind. Est. Mid —5D 72
Cromer Rd. Bury —7G 27
(in two parts)
Cromer Rd. Chea —5A 168
Cromer Rd. Sale —7G 149
Cromer Rd. Wig —4A 82
Cromer St. M11 —7F 117
Cromer St. Mid —5D 72
Cromer St. Roch —4G 31
Cromer St. Stoc —1K 169
Cromford Av. Stret —6F 133
Cromford Bank. Glos —7K 141
(off Grassmoor Cres.)
Cromford Clo. Bolt —4A 44
Cromford Clo. Glos —7K 141
(off Grassmoor Cres.)
Cromford Ct. M4 —6G 115 (4J 5)
(off Arndale Shopping Cen.)
Cromford Courts. M4 —6G 115 (4J 5)
Cromford Dri. Wig —2H 81
Cromford Fold. Glos —7K 141
(off Grassmoor Cres.)
Cromford Gdns. Bolt —3B 44
Cromford Grn. Glos —7K 141
(off Grassmoor Cres.)
Cromford Gro. Glos —7K 141
(off Grassmoor Cres.)
Cromford Lea. Glos —7K 141
Cromford Pl. Glos —7K 141
(off Grassmoor Cres.)
Cromford St. Oldh —6E 74
Cromford Way. Glos —7K 141
Cromhall Wlk. M8 —2G 115
Cromhurst St. M8 —6G 93
Cromley Dri. H Lane —6J 183
Cromley Rd. H Lane —5J 183
Cromley Rd. Stoc —1J 181
Crompton Av. Bolt —5G 45
Crompton Av. Roch —2K 51
Crompton Clo. Bolt —1C 44
Crompton Clo. Marp —4K 171
Crompton Clo. Rad —6F 69
Crompton Ho. Swint —7C 90
Crompton Ho. Wig —6F 61
Crompton Pl. Rad —3F 69
Crompton Rd. M19 —2C 152
Crompton Rd. Los —5K 41
Crompton Rd. Mac —3E 198
Crompton Rd. Rad —6J 67
Cromptons St. Rytn —3C 74
Crompton St. Ash L —4J 119
Crompton St. Bury —3J 47
Crompton St. Chad —7A 74
Crompton St. Farn —7G 67
Crompton St. Ince —4H 83
Crompton St. L Hul —2K 87
Crompton St. Oldh —6C 74
Crompton St. Plat B —3K 83
Crompton St. Ram —5C 44
Crompton St. Shaw —3C 74
(Royton)
Crompton St. Shaw —6F 53
(Shaw)
Crompton St. Swint —7C 90
Crompton St. Wig —6E 60
Crompton St. Wor —5H 89

Dale St.—Denbigh Rd.

Dale St. *Ash L* —2A **120**
Dale St. *B'hth* —4B **164**
Dale St. *Bury* —1G **47**
Dale St. *Ince* —4H **83**
Dale St. *Kear* —5G **67**
Dale St. *Leigh* —3G **107**
Dale St. *Mac* —3G **199**
Dale St. *Mid* —7D **72**
Dale St. *Miln* —6D **32**
Dale St. *Rad* —4E **68**
Dale St. *Ram* —3G **9**
Dale St. *Roch* —5A **32**
Dale St. *Shaw* —7F **53**
Dale St. *Stal* —7K **119**
Dale St. *Stoc* —5F **169**
Dale St. *Swint* —2C **112**
Dale St. *W'houg* —2K **85**
Dale St. *W'fld* —5J **69**
Dale St. E. *Hor* —3H **41**
Dale St. Ind. Est. *Rad* —4E **68**
Dale St. W. *Ash L* —6E **118**
Dale St. W. *Hor* —3H **41**
Daleswood Av. *W'fld* —5H **69**
Daleview. *Chor* —1E **18**
Dale View. *Dent* —3E **154**
Dale View. *Hyde* —2H **155**
Dale View. *L'boro* —2D **32**
Dalham Av. *M9* —5C **94**
Dalkeith Av. *Stoc* —3H **153**
Dalkeith Gro. *Bolt* —1F **65**
Dalkeith Rd. *Hind* —2E **84**
Dalkeith Rd. *Stoc* —3H **153**
Dalkeith Sq. *Heyw* —4G **49**
Dallas Ct. *Salf* —1J **133**
Dalley Av. *Salf* —4D **114**
Dallimore Rd. *Rnd I* —5J **165**
Dalmahoy Clo. *M40* —7E **94**
Dalmain Clo. *M8* —2F **115**
Dalmain Wlk. *M8* —2F **115**
Dalmeny Ter. *Roch* —1H **51**
Dalmorton Rd. *M21* —2D **150**
Dalny St. *M19* —1D **152**
Dalry Wlk. *M23* —5A **166**
Dalston Av. *Fail* —7K **95**
Dalston Dri. *M20* —1H **167**
Dalston Dri. *Bram* —7E **180**
Dalston Dri. *St H* —7B **102**
Dalston Gdns. Bolt —3A **44** *(off Gladstone St.)*
Dalston Gro. *Wig* —4K **81**
Dalton Av. *M14* —7G **135**
Dalton Av. *Clif* —4G **91**
Dalton Av. *Roch* —5B **32**
Dalton Av. *Stret* —5D **132**
Dalton Av. *W'fld* —7A **70**
Dalton Clo. *Orr* —7H **59**
Dalton Clo. *Ram* —7E **8**
Dalton Clo. *Roch* —5B **32**
Dalton Ct. *M40* —4H **115**
Dalton Dri. *Pen* —1H **113**
Dalton Dri. *Wig* —4A **82**
Dalton Fold. *W'houg* —6K **63**
Dalton Gdns. *Urm* —6K **131**
Dalton Gro. *Ash M* —3C **104**
Dalton Gro. *Stoc* —6E **152**
Dalton Rd. *M9* —2K **93**
Dalton Rd. *Mid* —7H **71**
Dalton St. *M4 & M40* —4H **115**
Dalton St. *Bury* —3G **47** (in two parts)
Dalton St. *Chad* —7K **73**
Dalton St. *Ecc* —5B **112**
Dalton St. *Fail* —7G **95**
Dalton St. *Oldh* —7F **75**
Dalton St. *Sale* —4G **149**
Daltrey St. *Oldh* —6E **74**
Dalveen Av. *Urm* —5A **132**
Dalveen Dri. *Tim* —4D **164**
Dalwood Clo. *Hind* —3D **84**
Dalymount Clo. *Bolt* —3D **44**
Damain Dri. *Newt W* —4C **124**
Damask Av. *Salf* —6D **114** (3C **4**)
Dame Hollow. *H Grn* —5K **179**
Dameral Clo. *M8* —2G **115**
Damery Ct. *Bram* —4G **181**
Damery Rd. *Bram* —4G **181**
Dame St. *Oldh* —6B **74**
Dam Head Dri. *M9* —4A **94**
Dam Head La. *G'brk & Rix* —6F **145**
Damien St. *M12* —7C **136**
Dam La. *Ash M* —5H **105**
Dam La. *Rix* —5E **144**
Dams Head Fold. *W'houg* —5K **63**
Damside. *Had* —3C **142**
Damson Wlk. *Part* —7K **145**
Dan Bank. *Marp* —5G **171**
Danbury Wlk. *M23* —3H **165**
Danby Clo. *Hyde* —5K **139**
Danby Ct. *Oldh* —6C **74**
Danby Pl. *Hyde* —5K **139**
Danby Rd. *Bolt* —3A **66**
Danby Rd. *Hyde* —5K **139**
Danby Wlk. M9 —6A **94** *(off Polworth Rd.)*
Dane Av. *Part* —6B **146**
Dane Av. *Stoc* —3C **168**
Danebank. *Dent* —7K **137**
Dane Bank Dri. *Dis* —6D **184**
Dane Bank Rd. *Lymm* —7E **160**
Dane Bank Rd. E. *Lymm* —7E **160**
Danebank Wlk. *M13* —2H **135** (10M **5**)
Danebridge Clo. *Farn* —6G **67**
Danebury Clo. *Hind* —3B **84**
Dane Clo. *Bram* —1F **181**
Danecroft Clo. *M13* —3K **135**
Dane Dri. *Wilm* —7K **187**
Danefield Ct. *H Grn* —4K **179**
Danefield Rd. *Sale* —4G **149**
Dane Hill Clo. *Dis* —7D **184**
Daneholme Rd. *M19* —5A **152**
Dane M. *Sale* —4F **149**
Dane Rd. *Dent* —7J **137**
Dane Rd. *Sale* —4F **149**
Dane Rd. Ind. Est. *Sale* —4G **149**
DANE ROAD STATION. *M* —4G **149**
Danes Av. *Hind* —1C **84**
Danes Brook Clo. *Hind* —1C **84**
Danesbury Clo. *Bil* —4E **102**
Danesbury Rise. *Chea* —6K **167**
Danesbury Rd. *Bolt* —1D **44**
Danes Grn. *Hind* —7C **62**
Daneshill. *P'wch* —1B **92**
Danes La. *Whitw* —2C **12**
Danesmoor Dri. *Bury* —1B **48**
Danesmoor Rd. *M20* —5G **151**
Danes Rd. *M14* —7K **135**
Danes Sq. *Mac* —6F **199**
Danes, The. *M8* —6F **93**
Dane St. *M11* —2G **137**
Dane St. *Moss* —4D **98**
Dane St. *Oldh* —7G **75**
Dane St. *Roch* —5G **31**
Danesway. *Hth C* —3H **19**
Danesway. *Pen* —1G **113**
Danesway. *P'wch* —5D **92**
Danesway. *Wig* —3D **60**
Daneswood Av. *M9* —3B **94**
Daneswood Av. *Whitw* —3E **12**
Daneswood Clo. *Whitw* —3D **12**
Danett Clo. *M12* —3D **136**
Dane Wlk. *Stoc* —5H **153**
Dan Fold. *Oldh* —7C **74**
Danforth Gro. *M19* —2D **152**
Daniel Adamson Av. *Part* —7K **145**
Daniel Adamson Rd. *Salf* —7H **113**
Daniel Clo. *Bchwd* —6A **144**
Daniel Fold. *Roch* —2D **30**
Daniel's La. *Stoc* —1G **169**
Daniel St. *Haz G* —2C **182**
Daniel St. *Heyw* —3H **49**
Daniel St. *Oldh* —6F **75**
Daniel St. *Rytn* —3E **74**
Daniel St. *Whitw* —1F **13**
Danisher La. *Oldh* —7D **96**
Dannywood Clo. *Hyde* —2G **155**
Danson St. *M40* —5A **116**
Dantall Av. *M9* —4C **94**
Dante Clo. *Ecc* —4E **112**
Danty St. *Duk* —7F **119**
Dantzic St. *M4* —6G **115** (4J **5**)
Danwood Clo. *Dent* —7F **139**
Dapple Gro. *M11* —1C **136**
Darbishire St. *Bolt* —4C **44**
Darby La. *Hind* —1A **84**
Darby Rd. *Irl* —4C **146**
Darbyshire Clo. *Bolt* —5J **43**
Darbyshire Ho. *Tim* —4G **165**
Darbyshire St. *Rad* —3E **68**
Darbyshire Wlk. *Rad* —3F **69**
Darcy Wlk. *M14* —5G **135**
Darden Clo. *Stoc* —7A **152**
Darell Wlk. *M8* —2H **115**
Darenth Clo. *M15* —3F **135**
Daresbury. *Urm* —5F **131**
Daresbury Av. *Alt* —6C **164**
Daresbury Av. *Urm* —5F **131**
Daresbury Clo. *Sale* —7K **149**
Daresbury Clo. *Stoc* —6F **169**
Daresbury Rd. *M21* —1K **149**
Daresbury St. *M8* —7G **93**
Darfield. *Uph* —7A **58**
Darfield Wlk. *M40* —5K **115**
Dargai St. *M11* —7F **117**
Dargle Rd. *Sale* —4F **149**
Darian Av. *M22* —4D **178**
Daric Clo. *Leigh* —7G **107**
Dark La. *M12* —1K **135**
Dark La. *Alt* —2F **163**
Dark La. *Blac* —1K **39**
Dark La. *Bred* —7B **154**
Dark La. *Del* —7E **54**
Dark La. *Mars* —1D **56**
Dark La. *Moss* —5D **98** (in two parts)
Darlbeck Wlk. *M21* —5C **150**
Darley Av. *M21 & M20* (in two parts) —4B **150**
Darley Av. *Ecc* —1A **132**
Darley Av. *Farn* —5G **67**
Darley Av. *Gat* —6H **167**
Darley Ct. *Ram* —3J **43**
Darley Gro. *Farn* —5G **67**
Darley Rd. *M16* —6B **134**
Darley Rd. *Haz G* —5D **182**
Darley Rd. *Roch* —1H **51**
Darley Rd. *Wig* —4D **82**
Darley St. *M11* —7B **116**
Darley St. *Bolt* —4K **43**
Darley St. *Farn* —6G **67**
Darley St. *Hor* —7F **21**
Darley St. *Sale* —6F **149**
Darley St. *Stoc* —7E **152**
Darley St. *Stret* —5H **133**
Darley Ter. *Bolt* —4A **44**
Darlington Clo. *Bury* —7F **27**
Darlington Rd. *M20* —4G **151**
Darlington Rd. *Roch* —1H **51**
Darlington St. *Cop* —3A **18**
Darlington St. *Ince* —7J **61**
Darlington St. *Tyl* —6G **87**
Darlington St. *Wig* —7E **60**
Darlington St. E. *Tyl* —6H **87**
Darlington St. E. *Wig* —7F **61**
Darliston Av. *M9* —2G **93**
Darlton Wlk. *M9* —7A **94**
Darnall Av. *M20* —2G **151**
Darnaway Clo. *Bchwd* —4B **144**
Darnbrook Dri. *M22* —3B **178**
Darncombe Clo. *M16* —5F **135**
Darnhall St. *Ince* —3H **83**
Darnley Av. *Wor* —6E **88**
Darnley St. *M16* —5D **134**
Darnton Rd. *Ash L & Stal* —4J **119**
Darran Av. *Wig* —4B **82**
Darras Rd. *M18* —6E **136**
Darsham Wlk. *M16* —5E **134**
Dart Clo. *Chad* —6H **73**
Dartford Av. *Ecc* —6K **111**
Dartford Av. *Stoc* —4K **153**
Dartford Clo. *M12* —3K **135**
Dartford Rd. *Urm* —1A **148**
Dartington Clo. *M23* —5H **165**
Dartington Clo. *Bram* —1H **181**
Dartmouth Clo. *Oldh* —3D **96**
Dartmouth Cres. *Stoc* —5A **154**
Dartmouth Rd. *M21* —2C **150**
Dartmouth Rd. *W'fld* —7A **70**
Dartnall Clo. *Dis* —6A **184**
Darton Av. *M40* —5A **116**
Darvel Av. *Ash M* —4J **103**
Darvel Clo. *Bolt* —7H **45**
Darwell Av. *Ecc* —1A **132**
Darwen Rd. *Eger* —3A **24**
Darwen St. *M16* —3C **134**
Darwin Gro. *Bram* —6G **181**
Darwin St. *Bolt* —3K **43**
Darwin St. *Hyde* —4A **140**
Darwin St. *Oldh* —2G **97**
Dashwood Rd. *P'wch* —2A **92**
Dashwood Wlk. *M12* —3C **136**
Datchet Ter. *Roch* —1H **51**
Daten Av. *Bchwd* —4A **144**
Dauntesey Av. *Swint* —7H **91**
Davehall Av. *Wilm* —6G **187**
Davenby Fold. *Ince* —7J **61**
Davenfield Gro. *M20* —7H **151**
Davenfield Rd. *M20* —7H **151**
Davenham Rd. *Hand* —1K **187**
Davenham Rd. *Sale* —4C **148**
Davenham Rd. *Stoc* —7H **137**
Davenhill Rd. *M19* —2C **152**
Davenport Av. *M20* —3H **151**
Davenport Av. *Rad* —7D **46**
Davenport Av. *Wilm* —2E **194**
Davenport Dri. *Woodl* —4F **155**
Davenport Fold. *Bolt* —2J **45**
Davenport Fold Rd. *Bolt* —1J **45**
Davenport Gdns. *Bolt* —5A **44**
Davenport Ho. *Bram* —6F **181**
Davenport La. *B'hth* —4A **164**
Davenport Lodge. *Stoc* —6H **169**
Davenport Pk. Rd. *Stoc* —6J **169**
Davenport Rd. *B'hth* —4A **164**
Davenport Rd. *Haz G* —1B **182**
DAVENPORT STATION. *BR* —6H **169**
Davenport St. *Aud* —1C **138**
Davenport St. *Bolt* —5A **44**
Davenport St. *Droy* —7G **117**
Davenport St. *Mac* —3G **199**
Davenport Ter. *M9* —1A **116**
Daventry Rd. *M21* —2D **150**
Daventry Rd. *Roch* —1H **51**
Daventry Way. *Roch* —2H **51**
Daveylands. *Wilm* —6K **187**
Davey La. *Ald E* —4G **195**
David Brow. *Bolt* —4G **65**
David Lewis Cen. *Warf* —7A **194**
David Lewis Clo. *Roch* —6A **32**
David M. *M14* —3J **151**
David Pegg Wlk. *M40* —2D **116**
David's Farm Clo. *Mid* —7E **72**
David's La. *Spring* —7K **75**
Davidson Dri. *Mid* —1D **94**
Davidson Wlk. *Wig* —7A **60**
David's Rd. *Droy* —6G **117**
David St. *Bury* —2G **47** (in two parts)
David St. *Dent* —7E **138**
David St. *Oldh* —1C **96**
David St. *Roch* —3H **31**
David St. *Stoc* —2G **153**
David St. N. *Roch* —3H **31**
Davies Av. *H Grn* —6H **179**
Davies Av. *Newt W* —4E **124**
Davies Rd. *Bred* —7B **154**
Davies Rd. *Part* —7C **146**
Davies Sq. *M14* —5G **135**
Davies St. *Ash L* —7D **118**
Davies St. *Kear* —7J **67**
Davies St. *Oldh* —6B **74**
Davies St. *Plat B* —5J **83**
Davies Way. *Lymm* —7E **160**
Davis St. *Ecc* —7C **112**
Davy Av. *Clif* —5H **91**
Davyhulme Circ. *Urm* —5A **132**
Davyhulme Rd. *Stret* —6G **133**
Davyhulme Rd. *Urm* —5G **131**
Davyhulme Rd. E. *Stret* —6H **133**
Davyhulme St. *Roch* —3K **31**
Davylands. *Urm* —4H **131**
Davy St. *M40* —4H **115**
Daw Bank. *Stoc* —2G **169**
Dawbers Ter. Wig —6D **60** *(off York St.)*
Dawber St. *Ash M* —4F **105**
Dawes St. *Bolt* —7B **44**
Dawley Clo. *Ash M* —5C **104**
Dawley Clo. *Bolt* —7J **43**
Dawley Flats. Heyw —3J **49** *(off Brunswick St.)*
Dawlish Av. *Chad* —5H **73**
Dawlish Av. *Chea H* —4B **180**
Dawlish Av. *Droy* —6G **117**
Dawlish Av. *Stoc* —5A **154**
Dawlish Clo. *Bram* —5H **181**
Dawlish Clo. *Hyde* —6E **140**
Dawlish Clo. *Rix* —7H **145**
Dawlish Rd. *M21* —2C **150**
Dawlish Rd. *Sale* —5C **148**
Dawnay St. *M11* —1D **136**
Dawn St. *Shaw* —7F **53**
Dawson Av. *Wig* —3C **60**
Dawson Clo. *Mac* —5B **198**
Dawson La. *Ram* —6A **44**
Dawson Rd. *Boll* —3J **197**
Dawson Rd. *B'hth* —4B **164**
Dawson Rd. *H Grn* —4K **179**
Dawson Rd. *Mac* —5B **198**
Dawson St. *M3* —1D **134** (8C **4**)
Dawson St. *Ath* —4C **86**
Dawson St. *Bury* —1A **48** (in two parts)
Dawson St. *Heyw* —3J **49**
Dawson St. *Lees* —2J **97**
Dawson St. *Oldh* —1H **97**
Dawson St. *Pen* —7E **90**
Dawson St. *Redf I* —1J **155**
Dawson St. *Roch* —4H **31**
Dawson St. *Salf* —6F **115** (3G **4**)
Dawson St. *Stoc* —7K **153**
Daybrook. *Uph* —7A **58**
Day Dri. *Fail* —2H **117**
Dayfield. *Uph* —7B **58**
Day Gro. *Mot* —6G **141**
Daylesford Clo. *Chea* —7K **167**
Daylesford Cres. *Chea* —7K **167**
Daylesford Rd. *Chea* —7K **167**
Deacon Av. *Swint* —6C **90**
Deacon Clo. *Bow* —3J **175**
Deacons Clo. *Stoc* —2J **169**
Deacons Cres. *Tot* —7E **26**
Deacon's Dri. *Salf* —2H **113**
Deacon St. *Roch* —3K **31**
Deacon Trad. Est. *Newt W* —6B **124**
Deakins Bus. Pk. *Eger* —3K **23**
Deakin St. *Ince* —2G **83**
Deal Av. *Stoc* —5K **153**
Deal Clo. *M40* —3F **117**
Dealey Rd. *Bolt* —2G **65**
Deal St. *Bolt* —3B **66**
Deal St. *Hyde* —7J **139**
Deal St. *Salf* —6E **114** (4F **4**)
Deal St. N. *Bury* —2B **48**
Deal St. S. *Bury* —3B **48** (in two parts)
Deal Wlk. *Chad* —1J **95**
Dean Av. *Newt H* —2D **116**
Dean Av. *Old T* —6B **134**
Deanbank Av. *M19* —2B **152**
Dean Bank Dri. *Roch* —4K **51**
Dean Brook Clo. *M40* —1D **116**
Dean Clo. *M15* —3D **134**
Dean Clo. *Bil* —5D **102**
Dean Clo. *Boll* —3J **197**
Dean Clo. *Farn* —6B **66**
Dean Clo. *Part* —6B **146**
Dean Clo. *Uph* —7C **58**
Dean Clo. *Wilm* —4J **187**
Dean Ct. *M15* —3D **134**
Dean Ct. *Boll* —2K **197**
Dean Ct. *Bolt* —5C **44**
Dean Ct. *Duk* —7F **119**
Dean Ct. *Golb* —2J **125**
Deancourt. *Roch* —1H **51**
Dean Cres. *Orr* —6H **59**
Dean Dri. *Bow* —3J **175**
Dean Dri. *Wilm* —4J **187**
Deane Av. *Bolt* —1H **65**
Deane Av. *Chea* —6B **168**
Deane Av. *Tim* —6E **164**
Deane Chu. Clough. *Bolt* —1G **65**
Deane Chu. La. *Bolt* —2H **65**
Deane Clo. *W'fld* —7H **69**
Deane Rd. *Bolt* —1J **65**
Deanery Gdns. *Salf* —7D **92**
Deanery Way. *Stoc* —1G **169**
Deane Wlk. *Bolt* —7A **44** (in two parts)
Dean Head. *L'boro* —1H **15**
Dean Head La. *Hor* —1E **20**
Dean Ho. *Ram* —5B **44**
Dean La. *M40* —1D **116**
Dean La. *Haz G* —4B **182**
DEAN LANE STATION. *BR* —2D **116**
Dean Meadow. *Newt W* —5E **124**
Dean Moor Rd. *Haz G* —2J **181**
Dean Rd. *M18* —5G **137**
Dean Rd. *Cad* —4A **146**
Dean Rd. *Golb* —2J **125**
Dean Rd. *Hand* —2A **188**
Dean Rd. *Salf* —5E **114** (2F **4**)
Dean Row Rd. *Wilm* —4J **187**
Deanscourt Av. *Swint* —1C **112**
Deansgate. *M3* —1E **134** (9F **4**) (in two parts)
Deansgate. *Bolt* —6A **44**
Deansgate. *Hind* —1B **84**
Deansgate. *Rad* —3F **69**
Deansgate La. *Tim* —4C **164**
DEANSGATE STATION. *BR* —1E **134**
Deanshut Rd. *Oldh* —5E **96**
Deans Rd. *Swint* —1B **112**
Dean St. *M1* —7H **115** (5L **5**)
Dean St. *Ash L* —5E **118**
Dean St. *Fail* —1G **117**
Dean St. *Moss* —6B **98**
Dean St. *Rad* —3D **68**
Dean St. *Ram* —5B **44**
Dean St. *Roch* —3K **31**
Dean St. *Stal* —6A **120**
Deansway. *Swint* —7C **90**
Deanswood Dri. *M9* —2G **93**
Dean Ter. *Ash L* —6F **97**
Dean Wlk. *Mid* —4K **71**
Deanwater Clo. *M13* —2H **135** (10M **5**)
Deanwater Ct. *H Grn* —5K **179**
Deanwater Ct. *Stret* —2H **149**
Deanway. *M40* —7C **94**
Deanway. *Urm* —7F **131**
Deanway. *Wilm* —4J **187**
Deanway Trad. Est. *Hand* —2K **187**
Dean Wood Av. *Orr* —6E **58**
Dearden Av. *L Hul* —2C **88**
Dearden Fold. *Bury* —4G **47**
Dearden Fold. *Eden* —1J **9**
Deardens St. *Bury* —4G **47**
Dearden St. *L'boro* —5F **15**
Dearden St. *L Lev* —2J **67**
Dearden Wlk. *M15* —3E **134**
Deardon Ct. *Uph* —7A **58**
Dearncamme Clo. *Bolt* —7D **24**
Dearne Dri. *Stret* —7J **133**
Dearnley Clo. *L'boro* —7C **14**
Dearnley Pas. *L'boro* —7C **14**
Debdale Av. *M18* —5H **137**
Debdale La. *M18* —5H **137**
Debdale La. *Ast* —4F **109**
Deben Clo. *Stand* —4K **37**
Debenham Av. *M40* —4E **116**
Debenham Ct. *Farn* —7F **67**
Debenham Rd. *Stret* —7E **132**
De Brook Ct. *Urm* —1G **147**
Dee Av. *Tim* —6H **165**
Dee Dri. *Kear* —2K **89**
Deepcar St. *M19* —7C **136**
Deep Dale. *Leigh* —5C **108**
Deepdale. *Oldh* —1H **97**
Deepdale Av. *M20* —2G **151**
Deepdale Av. *Roch* —6A **32**
Deepdale Av. *Rytn* —5A **52**
Deepdale Av. *St H* —7C **102**
Deepdale Clo. *Stoc* —1H **153**
Deepdale Ct. *M9* —4D **94**
Deepdale Dri. *Pen* —1H **113**
Deepdale Rd. *Bolt* —5G **45**
Deepdene St. *M12* —3B **136**
Deeping Av. *M16* —7D **134**
Deeplish Cotts. *Roch* —7H **31**
Deeplish Rd. *Roch* —7H **31**
Deeplish St. *Roch* —7H **31**
Deeply Vale La. *Bury* —2C **28**
Deeracre Av. *Stoc* —5A **170**
Deerfold Clo. *M18* —4F **137**
Deer Hill Clo. *Mars* —2H **57**
Deer Hill Dri. *Mars* —2H **57**
Deerhurst Dri. *M8* —2F **115**
Dee Rd. *Ast* —1J **109**
Deeroak Clo. *M18* —3D **136**
Deerpark Rd. *M16* —6E **134**
Deer St. *M1* —1J **135** (7N **5**)
Deerwood Clo. *Mac* —2B **198**
Defence St. *Bolt* —7K **43**
Defiance St. *Ath* —4C **86**
Deganwy Gro. *Stoc* —5H **153**
Deighton Av. *M20* —2G **151**
Delacourt Rd. *M14* —2G **151**
De Lacy Dri. *Bolt* —4D **44**
Delafield Av. *M12* —7C **136**
Delaford Av. *Wor* —1G **111**
Delaford Clo. *Stoc* —7G **169**
Delaford Wlk. *M40* —4F **117**
Delahays Dri. *Hale* —2F **177**
Delahays Range. *M18* —5H **137**
Delahays Rd. *Hale* —2F **177**
Delaine Rd. *M20* —4J **151**
Delamere Av. *Clif* —5F **91**
Delamere Av. *Lwtn* —3C **126**
Delamere Av. *Sale* —7J **149**
Delamere Av. *Salf* —2G **113**
Delamere Av. *Shaw* —5H **53**
Delamere Av. *Stret* —7H **133**
Delamere Av. *W'fld* —6H **69**
Delamere Clo. *C'brk* —2E **120**
Delamere Clo. *Haz G* —1E **182**
Delamere Clo. *Woodl* —5G **155**
Delamere Ct. *M9* —2G **93**
Delamere Dri. *Mac* —1H **199**
Delamere Gdns. *Bolt* —2K **43**
Delamere Rd. *M19* —2C **152**
Delamere Rd. *Dent* —7K **137**
Delamere Rd. *Gat* —6H **167**
Delamere Rd. *Hand* —1K **187**
Delamere Rd. *Haz G* —1E **182**
Delamere Rd. *Roch* —1A **52**
Delamere Rd. *Stoc* —7K **169**
Delamere Rd. *Urm* —7H **131**
Delamere St. *M11* —2H **137**
Delamere St. *Ash L* —5F **119**
Delamere St. *Bury* —7A **28**
Delamere St. *Oldh* —2F **97**
Delamere Way. *Uph* —7A **58**
Delamer Rd. *Bow* —1A **176**
Delaunays Rd. *M8 & M9* —6G **93**
Delaunays Rd. *Sale* —6D **148**
Delaware Wlk. *M9* —1K **115**
Delbooth Av. *Urm* —5G **131**
Delegarte St. *Ince* —1G **83**
Delfhaven Ct. *Stand* —6C **38**
Delft Wlk. *Salf* —3A **114**
Delfur Rd. *Bram* —5H **181**
Delhi Rd. *Irl* —2B **146**
Dellar St. *Roch* —3E **30**
Dell Av. *Pen* —1H **113**
Dell Av. *Wig* —3A **60**
Dell Clo. *Spring* —2K **97**
Dellcot Clo. *P'wch* —5D **92**
Dellcot Clo. *Salf* —3F **113**
Dellcot La. *Wor* —3H **111**
Dell Gdns. *Roch* —2D **30**
Dellhide Clo. *Spring* —1A **98**
Dell Meadow. *Whitw* —6E **12**
Dell Rd. *Roch* —1D **30**
Dell Side. *Bred* —7C **154**
Dellside Clo. *Ash M* —2K **103**
Dellside Gro. *Wor* —4G **89**
Dell Side Way. *Roch* —2E **30**
Dell St. *Bolt* —7E **24**
Dell, The. *App B* —6D **36**
Dell, The. *Bolt* —7E **24**
Dell, The. *Uph* —7B **58**
Delmar Rd. *Knut* —5F **193**
Delph Av. *Eger* —1K **23**
Delph Brook Way. *Eger* —2K **23**
Delph Gro. *Leigh* —6H **85**
Delph Hill Clo. *Bolt* —3E **42**
Delphi Av. *Wor* —5F **89**
Delph La. *Bolt* —4A **46**
Delph La. *Del* —1F **77**
Delph New Rd. *Del* —3E **76**
Delph Rd. *Dens* —6C **54**
Delphside Clo. *Orr* —2D **80**
Delphside Rd. *Orr* —2D **80**
Delph St. *Bolt* —1K **65**
Delph St. *Miln* —6D **32**
Delph St. *Wig* —5D **60**
Delside Av. *M40* —7C **94**
Delta Clo. *Rytn* —4A **74**
Delta Rd. *Aud* —2C **138**
Delta Wlk. *M40* —1C **116**
Delvino St. *M15* —4F **135**
Delvino Wlk. *M14* —5G **135**
Delwood Gdns. *M22* —1D **178**
De Massey Clo. *Woodl* —4F **155**
Demesne Clo. *Stal* —7C **120**
Demesne Cres. *Stal* —7C **120**
Demesne Dri. *St P* —6C **120**
Demesne Rd. *M16* —7E **134**
Demmings Ind. Est. *Dem I* —6B **168**
Demmings Rd. *Dem I* —6B **168**
Demmings, The. *Chea* —6B **168**
Dempsey Dri. *Bury* —4B **70**
Denbigh Clo. *Haz G* —4A **182**
Denbigh Dri. *Shaw* —7D **52**
Denbigh Gro. *Ath* —2C **86**
Denbigh Pl. *Salf* —6A **114** (in two parts)
Denbigh Rd. *Bolt* —1D **66**

Denbigh Rd. Clif —5E 90
Denbigh Rd. Dent —1D 154
Denbigh St. Moss —7D 98
Denbigh St. Oldh —4D 96
Denbigh St. Stoc —7F 153
Denbigh Wlk. M15 —4E 134
Denbury Dri. Alt —6K 163
Denbury Grn. Haz G —3J 181
Denbury Wlk. M9 —2J 115 (off Westmere Dri.)
Denbydale Way. Rytn —2A 74 (in two parts)
Denby La. Stoc —6F 153
Denby Rd. Duk —2G 139
Dencombe St. M13 —5B 136
Dene Av. Bury —6G 27
Dene Av. Newt W —5B 124
Dene Bank. Bolt —7E 24
Dene Brow. Dent —2F 155
Dene Ct. Stoc —1E 168
Dene Dri. Mid —7B 72
Denefield Clo. Marp B —2B 172
Denefield Pl. Ecc —5D 112
Deneford Rd. M20 —1G 167
Dene Gro. Leigh —4F 107
Dene Hollow. Stoc —1J 153
Denehurst Rd. Roch —4D 30
Denehurst St. M12 —3B 136
Dene Pk. M20 —7G 151
Dene Rd. M20 —7G 151
Dene Rd. W. Manx —7F 151
Deneside. M40 —2K 115
Deneside Cres. Haz G —1D 182
Deneside Wlk. M9 —6A 94 (off Dalbeattie St.)
Dene St. Bolt —7E 24
Dene St. Leigh —4F 107
Denesway. Sale —7C 148 (in two parts)
Deneway. Bram —5E 180
Deneway. H Lane —4K 183
Deneway. Stoc —1E 168
Deneway Clo. Stoc —1E 168
Deneway M. Stoc —1E 168
Denewell Clo. M13 —3K 135
Denewood Ct. Wilm —7G 187
Denford Clo. Wig —4B 82
Denham Clo. Bolt —6C 24
Denham Dri. Bram —5F 181
Denham Dri. Irl —1C 146
Denham Dri. Wig —4C 82
Denham St. M13 —5K 135
Denham St. Rad —7D 46
Den Hill Dri. Spring —1K 97
Denhill Rd. M15 —4F 135
Denhill Rd. Ind. Est. M15 —4F 135
Denholme. Skel —7A 58 (in two parts)
Denholme Rd. Roch —1H 51
Denholm Rd. M20 —3J 167
Denhurst Rd. L'boro —5F 15
Denis Av. M16 —7E 134
Denison Rd. M14 —6J 135
Denison Rd. Haz G —4C 182
Deniston Rd. Stoc —5D 152
Den La. Spring —7K 75
Den La. Upperm —6H 77
Denman Wlk. M8 —2F 115 (off Ermington Dri.)
Denmark Rd. M15 —5F 135
Denmark Rd. Sale —4F 149
Denmark St. Alt —7B 164
Denmark St. Chad —6A 74
Denmark St. Oldh —7G 75
Denmark St. Roch —4J 31
Denmark Way. Chad —6A 74
Denmore Rd. M40 —4F 95
Dennington Dri. Urm —5A 132
Dennison Av. M20 —3H 151
Dennison Ct. Mid —6B 72
Dennison Rd. Chea H —4D 180
Denshaw. Skel —7A 58
Denshaw Av. Dent —4B 138
Denshaw Clo. M19 —7A 152
Denshaw Rd. Del —6C 54
Densmond Wlk. M40 —5J 115 (2P 5)
Densmore St. Fail —1H 117
Denson Rd. Tim —3F 165
Denstone Av. Ecc —5C 112
Denstone Av. Sale —7C 148
Denstone Av. Urm —6A 132
Denstone Cres. Bolt —3G 45
Denstone Rd. Salf —3H 113
Denstone Rd. Stoc —1H 153
Denstone Wlk. M9 —4A 94 (off Dam Head Dri.)
Dent Clo. Stoc —4A 154
Dentdale Clo. Bolt —7D 42
Dentdale Wlk. M22 —4C 178
Denton Gro. Orr —6H 59
Denton La. Chad —2J 95
Denton Relief Rd. Aud —5B 138
Denton Rd. Aud —4C 138
Denton Rd. Bolt —7K 45
DENTON STATION. BR —5A 138
Denton St. Bury —1K 47
Denton St. Heyw —4J 49
Denton St. Roch —3H 31
Denver Av. M40 —5K 115
Denver Dri. Tim —5E 164
Denver Rd. Roch —1H 51
Denville Cres. M22 —1E 178
Denyer Ter. Duk —7F 119
Depleach Rd. Chea —6K 167
Deptford Av. M23 —1A 178
De Quincey Clo. W Tim —2B 164
De Quincey Rd. W Tim —2B 164
Deramore Clo. Ash L —5J 119
Deramore St. M14 —6H 135
Derby Av. Salf —6J 113
Derby Clo. Cad —5J 145
Derby Clo. Newt W —6C 124
Derby Ct. Oldh —2A 96
Derby Ct. Sale —7G 149
Derby Gro. M19 —1D 152
Derby Ho. M15 —4H 135
Derby Ho. Wig —6F 61
Derby Pl. Adl —4J 19
Derby Range. Stoc —6D 152
Derby Rd. M14 —3J 151
Derby Rd. Ash L —5H 119
Derby Rd. Golb —7A 106
Derby Rd. Hyde —5J 139
Derby Rd. N Mills —3K 185
Derby Rd. Rad —6J 67
Derby Rd. Sale —4C 148
Derby Rd. Salf —7J 113
Derby Rd. Stoc —6E 152
Derby Rd. Urm —6B 132
Derby Rd. W'fld —1A 92
Derbyshire Av. Stret —6E 132
Derbyshire Cres. Stret —6F 133
Derbyshire Grn. Stret —7H 133
Derbyshire Gro. Stret —6E 132
Derbyshire La. Stret —7G 133
Derbyshire La. W. Stret —6E 132
Derbyshire Level. Glos —5F 159
Derbyshire Rd. M40 —4F 117
Derbyshire Rd. Part —1K 161
Derbyshire Rd. Poy —7H 183
Derbyshire Rd. Ram —2A 44
Derbyshire Rd. Sale —6G 149
Derbyshire Rd. S. Sale —7G 149
Derbyshire St. M11 —2E 136
Derby St. M8 —3E 114
Derby St. Alt —6C 164
Derby St. Ash L —3E 118
Derby St. Ath —3C 86
Derby St. Bolt —2K 65
Derby St. Bury —3K 47
Derby St. Chad —4K 95 (Chadderton)
Derby St. Chad —2A 96 (Oldham)
Derby St. Dent —6B 138 (in two parts)
Derby St. Fail —6J 95
Derby St. Glos —2E 158
Derby St. Heyw —3H 49
Derby St. Hor —4H 41
Derby St. Ince —3H 83
Derby St. Marp —5K 171
Derby St. Moss —7D 98
Derby St. Newt W —6D 124
Derby St. P'wch —3A 92
Derby St. Ram —5H 9
Derby St. Roch —7J 31
Derby St. Stal —5B 120
Derby St. Stoc —3F 169
Derby St. Tyl —6G 87
Derby St. W'houg —5K 63
Derby St. Wig —4G 61
Derby St. E. Leigh —4A 108
Derby St. W. Leigh —4A 108
Derby Way. Marp —5K 171
Dereham Clo. Bury —7H 27
Dereham Way. Wig —4K 81
Derg St. Salf —6K 113
DERKER STATION. BR —6E 74
Derker St. Oldh —6E 74
Dermot Murphy Clo. M20 —4F 151
Dernford Av. M19 —5B 152
Derngate Dri. Stand —6C 38
Derrick Walker Ct. Roch —7F 31
Derry Av. M22 —7E 166
Derry St. Oldh —1D 96
Derville Wlk. M9 —7K 93 (off Alderside Rd.)
Derwen Rd. Stoc —4G 169
Derwent Av. M21 —5D 150
Derwent Av. Ash L —4E 118
Derwent Av. Droy —7G 117
Derwent Av. Heyw —4K 49
Derwent Av. Ince —7K 61
Derwent Av. Lwtn —7A 106
Derwent Av. Miln —6F 33
Derwent Av. Tim —6H 165
Derwent Av. W'fld —6B 70
Derwent Clo. Chor H —5D 150
Derwent Clo. Cul —7A 128
Derwent Clo. Dent —7K 137
Derwent Clo. Glos —2H 159
Derwent Clo. Hor —3G 41
Derwent Clo. Leigh —5J 107
Derwent Clo. L Lev —3H 67
Derwent Clo. Mac —5C 198
Derwent Clo. Part —6B 146
Derwent Clo. W'fld —6B 70
Derwent Clo. Wor —5D 88
Derwent Dri. Bram —7E 180
Derwent Dri. Bury —6H 47
Derwent Dri. Chad —7J 73
Derwent Dri. Hand —7J 179
Derwent Dri. Kear —2K 89
Derwent Dri. L'boro —2D 32
Derwent Dri. Sale —1E 164
Derwent Dri. Shaw —5E 52
Derwent Ind. Area. Salf —2C 134 (8B 4)
Derwent Pl. Wig —7J 59
Derwent Rd. Ash M —3G 105
Derwent Rd. Farn —6B 66
Derwent Rd. H Lane —4J 183
Derwent Rd. Hind —2C 84
Derwent Rd. Mid —3A 72
Derwent Rd. Orr —6F 59
Derwent Rd. Stret —6H 133
Derwent Rd. Urm —7G 131
Derwent St. M8 —2J 115
Derwent St. Ast —1G 109
Derwent St. Droy —6F 117
Derwent St. Leigh —5J 107
Derwent St. Roch —3H 31
Derwent St. Salf —1C 134 (8B 4)
Derwent Ter. Stal —4A 120
Derwent Wlk. Oldh —7H 75
Derwent Wlk. W'fld —6B 70
Desford Av. M21 —1C 150
Design St. Bolt —2H 65
Desmond Rd. M22 —7E 166
Desmond St. Ath —5A 86 (in two parts)
Destructor Rd. Swint —6C 90
De Trafford Dri. Ince —6K 61
De Trafford Ho. Ecc —7B 112
De Traffords, The. Irl —6D 130
Dettingen St. Salf —2H 113
Deva Cen., The. M3 —3F 4
Deva Clo. Haz G —3B 182
Deva Clo. Poy —1K 189
Devaney Wlk. Dent —1C 154
Deva Sq. Oldh —2A 96
Devas St. M15 —4H 135 (in two parts)
Deverill Av. M18 —5H 137
Devine Clo. Rytn —7B 52
Devine Clo. Salf —6D 114 (3C 4)
Devisdale Ct. Alt —1K 175
Devisdale Rd. Alt —7K 163
Devoke Av. St H —7A 102
Devoke Av. Wor —5G 89
Devoke Gro. Farn —6A 66
Devon Av. M19 —2B 152
Devon Av. W'fld —5J 69
Devon Clo. Asp —1B 62
Devon Clo. L Lev —2K 67
Devon Clo. Mac —1B 198
Devon Clo. Salf —5E 112
Devon Clo. Shaw —6D 52
Devon Clo. Stoc —6A 154
Devon Clo. Wig —1J 81
Devon Dri. Bolt —4A 46
Devon Dri. Dig —2H 77
Devon Dri. Stand —4D 38
Devonport Cres. Rytn —2D 74
Devon Rd. Cad —5K 145
Devon Rd. Droy —5J 117
Devon Rd. Fail —2G 117
Devon Rd. Tyl —5F 87
Devon Rd. Urm —1G 147
Devonshire Clo. Heyw —3G 49
Devonshire Clo. Urm —7C 132
Devonshire Ct. Salf —7D 92
Devonshire Ct. Stoc —6J 169
Devonshire Dri. Ald E —4H 195
Devonshire Dri. Wor —2A 110
Devonshire Gdns. Newt W —7E 124
Devonshire Pk. Rd. Stoc —6J 169
Devonshire Pl. Ath —3D 86
Devonshire Pl. P'wch —2A 92
Devonshire Rd. M21 —2C 150
Devonshire Rd. Ath —2C 86
Devonshire Rd. Bolt —4H 43
Devonshire Rd. B'hth —5B 164
Devonshire Rd. Ecc —6C 112
Devonshire Rd. Haz G —4D 182
Devonshire Rd. Roch —3H 51
Devonshire Rd. Salf —5E 112
Devonshire Rd. Stoc —1D 168
Devonshire Rd. Wor —1E 88
Devonshire St. M12 —3K 135
Devonshire St. Salf —2D 114
Devonshire St. E. Fail —2F 117
Devonshire St. N. M12 —2K 135
Devonshire St. S. M13 —4K 135
Devon St. Bolt —6C 44
Devon St. Bury —5K 47
Devon St. Farn —4F 67
Devon St. Hind —2C 84
Devon St. Leigh —4E 108
Devon St. Oldh —3K 95
Devon St. Pen —5D 90
Devon St. Roch —6H 31
Dewar Clo. M11 —7C 116
Dewar St. M11 —1C 136
Dewberry Clo. Swint —5C 90
Dewes Av. Clif —5F 91
Dewey St. M11 —2F 137
Dewhirst Rd. Roch —7H 13 (in three parts)
Dewhirst Way. Roch —7H 13
Dewhurst Clough Rd. Eger —2K 23
Dewhurst Ct. Eger —2K 23
Dewhurst Rd. Bolt —2G 45
Dewhurst St. M8 —4F 115
Dewhurst St. Heyw —3A 50
De Wint Av. Marp B —3B 172
Dew Meadow Clo. Roch —2G 31
Dewsnap Clo. Duk —3G 139
Dewsnap La. Duk —3G 139
Dewsnap La. Mot —3F 141
Dewsnap Way. Hyde —7E 140
Dew Way. Oldh —7B 74
Dexter Rd. M9 —2G 93
Deyne Av. M14 —5J 135
Deyne Av. P'wch —3B 92
Deyne St. Salf —6J 113
Dial Ct. Farn —5F 67
Dial Pk. Rd. Stoc —7B 170
Dial Rd. Haleb —4G 177
Dial Rd. Stoc —6A 170
Dialstone La. Stoc —4A 170
Diamond Clo. Ash L —4H 119
Diamond St. Ash L —4H 119
Diamond St. Leigh —4J 107
Diamond St. Stoc —5J 169
Diamond St. Wig —3C 60
Diamond Ter. Marp —7K 171
Diane Rd. Ash M —3F 105
Dibden Wlk. M23 —6A 166
Dicconson Cres. Wig —5E 60
Dicconson La. Asp & W'houg —2D 62
Dicconson St. Wig —5E 60
Dicconson Ter. Wig —5E 60
Dicken Grn. Roch —1H 51
Dicken Grn. La. Roch —1H 51
Dickens Clo. Chea H —7D 180
Dickens Dri. Abr —7A 84
Dickens La. Poy —2B 190
Dickenson Rd. M14 & M13 —6J 135
Dickenson St. Hind —3C 84
Dickens Pl. Wig —3B 82
Dickens Rd. Cop —4A 18
Dickens Rd. Ecc —7B 112
Dickens St. Oldh —2J 75
Dickinson Clo. Bolt —4A 44
Dickinson Ct. Hor —1F 41
Dickinson St. M1 —1F 135 (7H 5)
Dickinson St. Bolt —4A 44
Dickinson St. Oldh —7F 75
Dickinson St. Salf —5E 114 (1F 4)
Dickinson St. W. Hor —1E 40
Dickinson Ter. Bolt —4A 44 (off Dickinson St.)
Dickins St. Heyw —3H 49
Didcot Rd. M22 —3C 178
Didley Sq. M12 —2C 136
Didsbury Ct. Manx —6H 151
Didsbury Gro. Hind —2B 84
Didsbury Pk. M20 —1H 167
Didsbury Rd. Stoc —1K 167
Digby Rd. Roch —1H 51
Digby Wlk. M11 —7B 116 (off Albert St.)
Dig Ga. La. Miln —2C 52
Diggle Mill Cotts. Dig —2B 78
Diggles La. Roch —6A 30 (in two parts)
Diggle St. Shaw —7F 53
Diggle St. Wig —5C 60 (in two parts)
Diggle Wlk. C'brk —2E 120
Diglands Av. N Mills —3K 185
Digsby Ct. Manx —6H 151
Dijon St. Bolt —2J 65
Dilham Ct. Bolt —5J 43
Dill Hall Dri. Hth C —1B 20
Dillicar Wlk. M9 —1K 115
Dillmoss Wlk. M15 —3D 134
Dillon Dri. M12 —4A 136
Dilston Clo. M13 —3J 135
Dilworth Clo. Heyw —3F 49
Dilworth Ct. Stoc —6C 170
Dilworth Ho. M15 —4H 135
Dilworth St. M15 —4H 135
Dimple Pk. Eger —1K 23
Dinas Wlk. M15 —3E 134 (off Ipstone Clo.)
Dingle Av. Ald E —3D 194
Dingle Av. App B —5E 36
Dingle Av. Dent —7F 139
Dingle Av. Newt W —7B 124
Dingle Av. Shaw —4G 53
Dingle Av. Uph —6B 58
Dingle Bank Rd. Bram —2F 181
Dinglebrook Gro. Wilm —4A 188
Dingle Clo. Glos —2C 158
Dingle Clo. Mac —7D 196
Dingle Clo. Rom —1H 171
Dingle Dri. Droy —5K 117
Dingle Gro. Gat —5F 167
Dingle Hollow. Rom —1J 171
Dingle Rd. Mid —1A 94
Dingle Rd. Uph —6B 58
Dingle Ter. Ash L —5F 97
Dingle, The. Bram —3E 180
Dingle, The. Hyde —4J 155
Dingle Wlk. Bolt —5B 44
Dingle Wlk. Stand L —2K 59
Dinmore Ct. Stoc —6B 170
Dinmor Rd. M22 —3D 178
Dinnington Dri. M8 —2F 115
Dinorwic Clo. M8 —5G 93
Dinsdale Clo. M40 —6K 115
Dinsdale Dri. Bolt —1K 65
Dinslow Wlk. M8 —1F 115
Dinting Av. M20 —3G 151
Dinting La. Glos —1C 158
Dinting La. Trad. Est. Glos —1C 158
Dinting Lodge Ind. Est. Glos —7B 142
Dinting Rd. Glos —7B 142
DINTING STATION. BR —7C 142
Dinting Vale. Glos —7A 142
Dinton St. M15 —2C 134 (10B 4)
Dipton Wlk. M8 —2J 115 (off Smedley Rd.)
Dirker Av. Mars —1J 57
Dirker Bank Rd. Mars —1H 57
Dirker Dri. Mars —1H 57 (in two parts)
Dirty La. Del —5H 55
Dirty La. Ros —6G 175
Dirty La. S'dale —5B 76
Dirty Leech. Whitw —5H 13
Disley Av. M20 —4F 151
DISLEY STATION. BR —6C 184
Disley St. Roch —1E 50
Disley Wlk. Dent —1E 154
Distaff Rd. Poy —1K 189
Ditton Mead Clo. Roch —2K 31
Ditton Wlk. M23 —5K 165
Division St. Bolt —2B 66
Division St. Roch —2K 31
Dixey St. Hor —2E 40
Dixon Av. Newt W —4E 124
Dixon Av. Salf —2D 114
Dixon Av. Shev —1G 59
Dixon Clo. Old B —1C 124
Dixon Clo. Sale —1H 165
Dixon Closes. Roch —5B 30
Dixon Ct. Chea —6K 167
Dixon Dri. Clif —3C 90
Dixon Dri. Shev —1G 59
Dixon Fold. Roch —6A 30
Dixon Fold. W'fld —5J 69
Dixon Pl. Abr —6K 83
Dixon Rd. Dent —1F 155
Dixon St. M40 —2D 116 (in two parts)
Dixon St. Ash L —4H 119
Dixon St. Hor —2F 41
Dixon St. Irl —2B 146
Dixon St. Lees —6J 75
Dixon St. Mid —4C 72
Dixon St. Oldh —6C 74
Dixon St. Roch —1F 51
Dixon St. Salf —2K 113
Dixon St. W'houg —3J 63
Dobb Brow Rd. W'houg —7H 63
Dobb Hedge Clo. Haleb —6G 177
Dobbinets La. Tim & M23 —7J 165
Dob Brook Clo. M40 —2E 116
Dob Brow. Char R —1A 18
DOBB'S BROW STATION. BR —7H 63
Dobcross Clo. M13 —7C 136
Dobcross New Rd. Dob —5G 77
Dobhill St. Farn —6F 67
Dobroyd St. M8 —7G 93
Dobsen St. Ram —3K 43
Dobson Clo. M13 —3K 135
Dobson Clo. App B —3E 36
Dobson Ct. M40 —4D 116
Dobson Rd. Bolt —6J 43
Dock Office. Salf —2A 134
Dockray Ho. Chea H —5A 180
Doctor Dam Cotts. Roch —1K 29
Doctor Fold La. Heyw —7H 49
Doctor La. Scout —5C 76
Doctor La. Head Cotts. Oldh —5C 76
Doctors La. Bury —3H 47
Doctor's Nook. Leigh —3K 107
Doddington La. Salf —1A 134
Doddington Wlk. Dent —1C 154
Dodd La. W'houg —3E 62
Dodd St. Salf —6H 113
Dodge Fold. Stoc —5C 170
Dodge Hill. Stoc —1G 169
Dodgson St. Roch —6J 31
Dodhurst Rd. Hind —1D 84
Dodington Clo. M16 —5F 135
Dodworth Clo. M15 —3F 135
Doefield Av. Wor —7E 88
Doeford Clo. Cul —4H 127
Doe Hey Gro. Farn —4D 66
Doe Hey Rd. Bolt —4D 66
Doffcocker Brow. Ram —4F 43
Doffcocker La. Bolt —4F 43
Dogford Rd. Rytn —1B 74
Dolbey St. Salf —7J 113
Dolefield. M3 —7E 114 (5F 4)
D'Oliveira Ct. Mid —4A 72
Dolley Pl. Chad —7K 73
Dollis Wlk. M11 —1B 136
Dollond St. M9 —6A 94
Dolman Wlk. M8 —2F 115
Dolphin Pl. M12 —2J 135 (10P 5)
Dolphin St. M12 —2J 135 (10P 5)
Dolwen Wlk. M40 —3D 116
Doman St. Bolt —1B 66
Dombey Rd. Poy —3B 190
Domestic Arrivals. Man A —5C 178
Domett St. M9 —5J 93
Dominic Clo. M23 —2J 165
Donagh Clo. Mac —1B 198
Donald Av. Hyde —1K 155
Donald St. M1 —1G 135 (8J 5)
Dona St. Stoc —3J 169
Don Av. Salf —6G 113
Doncaster Av. M20 —3G 151
Doncaster Clo. L Lev —3H 67
Doncaster Wlk. Oldh —7D 74
Donhead Wlk. M13 —3J 135
Donkey La. Wilm —1G 195
Donlan St. M18 —3H 137
Donleigh St. M40 —2F 117
Donnington. Roch —6G 31
Donnington Av. Chea —5B 168
Donnington Clo. Leigh —7J 107
Donnington Gdns. Wor —4F 89
Donnington Rd. M18 —4G 137
Donnington Rd. Rad —1A 68
Donnison St. M12 —3B 136
Donovan Av. M40 —4J 115
Don St. Bolt —3K 65
Don St. Mid —5E 72
Doodson Av. Irl —7C 130
Doodson Sq. Farn —6F 67
Dooley La. Marp —4F 171
Dooleys La. Wilm —3B 186
Dootson St. Hind —6K 83 (Bickershaw)
Dootson St. Hind —1E 84 (Hindley)
Dorac Av. H Grn —6J 179
Dora St. Ram —7E 8
Dorchester Av. Bolt —4G 45
Dorchester Av. Dent —1D 154
Dorchester Av. P'wch —5C 92
Dorchester Av. Urm —6D 132
Dorchester Clo. Hale —1G 177
Dorchester Clo. Wilm —5K 187
Dorchester Ct. Chea H —3D 180
Dorchester Ct. Sale —1F 165
Dorchester Dri. M23 —2J 165
Dorchester Dri. Rytn —5B 74
Dorchester Gro. Heyw —5J 49
Dorchester Pde. Haz G —3K 181
Dorchester Rd. Haz G —3K 181
Dorchester Rd. Swint —2D 112
Dorchester Rd. Uph —7A 58
Dorchester Way. Mac —7E 196
Dorclyn Av. Urm —7B 132
Dorfield Clo. Bred —7C 154
Doric Av. Bred —7B 154
Doric Clo. M11 —7B 116
Doric Grn. Bil —4D 80
Doris Av. Bolt —6F 45
Doris Rd. Stoc —3E 168
Doris St. Mid —4C 72
Dorket Gro. W'houg —1H 85
Dorking Av. M40 —4D 116
Dorking Clo. Stoc —4K 169
Dorlan Av. M18 —5H 137
Dorland Gro. Stoc —4K 169
Dorman St. M11 —2F 137
Dormer St. Bolt —2B 44
Dorney St. M18 —4F 137
Dorning Rd. Swint —1E 112
Dorning St. Blac —6D 40
Dorning St. Bury —1F 47
Dorning St. Ecc —7B 112
Dorning St. Kear —6H 67
Dorning St. Leigh —3J 107

Dorning St.—Dyson St.

Dorning St. Tyl —6F 87
Dorning St. Wig —6D 60
Dornton Wlk. M8 —2F 115 (off Waterloo Rd.)
Dorothy Gro. Leigh —4J 107
Dorothy Rd. Haz G —1D 182
Dorothy St. M8 —1F 115
Dorothy St. Ram —6F 9
Dorothy Wlk. Bam —7H 83
Dorrington Rd. Sale —6B 148
Dorrington Rd. Stoc —4C 168
Dorrington St. M15 —3F 135
Dorris St. M19 —2D 152
Dorrit Clo. Poy —3C 190
Dorset Av. M14 —7G 135
Dorset Av. Aud —1A 138
Dorset Av. Bram —2F 181
Dorset Av. Chea H —6E 168
Dorset Av. Dig —2J 77
Dorset Av. Farn —6E 66
Dorset Av. Shaw —6D 52
Dorset Av. Stoc —5A 154
Dorset Av. Tyl —4F 87
Dorset Clo. Farn —6E 66
Dorset Clo. Heyw —4G 49
Dorset Clo. Wig —1J 81
Dorset Dri. Bury —5A 48
Dorset Rd. M19 —1E 152
Dorset Rd. Alt —6K 163
Dorset Rd. Ath —3C 86
Dorset Rd. Cad —5K 145
Dorset Rd. Droy —5H 117
Dorset Rd. Fail —2H 117
Dorset Rd. Stand —4D 38
Dorset St. M4 —6H 115 (4K 5)
Dorset St. Ash L —6H 119
Dorset St. Bolt —6C 44
Dorset St. Hind —1C 84 (Hindley)
Dorset St. Hind —4H 61 (Wigan)
Dorset St. Leigh —4D 108
Dorset St. Oldh —2A 96
Dorset St. Pen —5D 90
Dorset St. Roch —6H 31
Dorset St. Stret —7H 133
Dorset Wlk. Mac —1B 198 (off Kennedy Av.)
Dorstone Clo. M40 —3E 116
Dorstone Clo. Hind —2F 85
Dorwood Av. M9 —2J 93
Dotterel Clo. Leigh —2A 108
Double Cop. Leigh —7H 107
Dougall Wlk. M12 —3C 136
Doughty Av. Ecc —5D 112
Dougill St. Bolt —4H 43
Douglas Av. Bil —5D 102
Douglas Av. Bury —3F 47
Douglas Av. Hor —7G 21
Douglas Av. Stret —6H 133
Douglas Av. Uph —7B 58
Douglas Bank Dri. Wig —4B 60
Douglas Clo. Droy —1K 137
Douglas Clo. Hor —1G 41
Douglas Clo. W'fld —5C 70
Douglas Dri. Orr —7F 59
Douglas Dri. Shev —1F 59
Douglas Grn. Salf —3A 114
Douglas Ho. Wig —7F 61
Douglas Pk. Ath —4E 86
Douglas Rd. Ath —5E 86
Douglas Rd. Haz G —1C 182
Douglas Rd. Leigh —1G 107
Douglas Rd. Stand —3H 37
Douglas Rd. Stoc —7G 169
Douglas Rd. Wig —5F 61
Douglas Rd. Wor —2A 112
Douglas Sq. Heyw —4F 49
Douglas St. M40 —1C 116
Douglas St. Ash L —5J 119
Douglas St. Ath —4E 86
Douglas St. Bolt —7A 24
Douglas St. Fail —1J 117
Douglas St. Hind —3A 84
Douglas St. Hyde —7J 139
Douglas St. Oldh —6E 74
Douglas St. Ram —5F 9
Douglas St. Salf —2D 114
Douglas St. Swint —1E 112
Douglas St. Wig —7C 60
Douglas St. Bk. Ram —5F 9
Douglas Wlk. Sale —5A 148
Douglas Wlk. W'fld —5C 70
Douglas Way. Plat B —5J 83
Douglas Way. W'fld —5C 70
Doulton St. M40 —7E 94
Dounby Av. Ecc —5K 111
Douro St. M40 —3B 116
Douthwaite Dri. Rom —2J 171
Dove Bank. Mell —5F 173
Dove Bank Rd. L Lev —2H 67
Dovebrook Clo. C'brk —1E 120
Dove Clo. Bchwd —6A 144
Dovecote. Droy —5B 118
Dovecote Clo. Brom X —4D 24
Dovecote La. Lees —6K 75
Dovecote La. L Hul —4A 88
Dovecote M. M21 —2A 150
Dovedale Av. M20 —3G 151
Dovedale Av. Droy —6G 117
Dovedale Av. Ecc —5C 112
Dovedale Av. P'wch —4D 92
Dovedale Av. Urm —7B 132
Dovedale Clo. H Lane —5J 183
Dovedale Ct. Glos —1H 159
Dovedale Cres. Ash M —7C 82
Dovedale Dri. Stand —3A 38
Dovedale Dri. Ward —5B 14
Dovedale Rd. Ash M —7C 82
Dovedale Rd. Bolt —4H 45
Dovedale Rd. Stoc —4B 170
Dovedale St. Fail —1G 117
Dove Dri. Bury —1B 48
Dove Dri. Irl —5C 130
Dovehouse Clo. W'fld —6J 69
Doveleys Rd. Salf —4G 113
Dover Clo. BL8 —3E 26
Dovercourt Av. Stoc —6B 152
Dover Gro. Bolt —7K 43
Dove Rd. Bolt —2H 65
Dover Pk. Urm —5B 132
Dover Rd. Clif —5E 90
Dover Rd. Mac —1H 199
Dover St. M13 —3H 135
Dover St. Ecc —6K 111
Dover St. Farn —4E 66
Dover St. Oldh —2A 96
Dover St. Roch —2K 31
Dover St. Stoc —2G 153
Dovestone Cres. Duk —2K 139
Dovestone Wlk. M40 —6G 95
Doveston Gro. Sale —4F 149
Doveston Rd. Sale —4F 149
Dove St. Golb —6J 105
Dove St. Oldh —2G 97
Dove St. Ram —1A 44
Dove St. Roch —5F 31
Dove Wlk. M8 —3H 115
Dove Wlk. Farn —6B 66
Dovey Clo. Ast —1J 109
Dower St. Plat B —4J 83
Dow Fold. Bury —2D 46
Dow La. Bury —2D 46
Dowling Clo. Stand L —3A 60
Dowling St. M19 —1E 152 (in two parts)
Dowling St. Roch —6H 31
Downall Grn. Ash M —3K 103
Downall Grn. Rd. Ash M —2A 104
Downbrook Way. Ash M —3F 105 (off North St.)
Downcast Way. Swint —7J 91
Downes Clo. Mac —2C 198
Downesway. Ald E —5F 195
Downfield Clo. Ram —5E 8
Downfields. Stoc —1J 153
Downgate Wlk. M8 —2G 115
Down Grn. Rd. Bolt —2G 45
Downhall Grn. Bolt —5B 44
Downham Av. Bolt —5E 44
Downham Av. Cul —7K 127
Downham Chase. Tim —5F 165
Downham Clo. Rytn —4A 74
Downham Cres. P'wch —4D 92
Downham Gdns. P'wch —4E 92
Downham Gro. P'wch —4E 92
Downham Rd. Heyw —3G 49
Downham Rd. Stoc —5F 153
Downham Wlk. M23 —3J 165
Downham Wlk. Bil —6D 80
Downhill Clo. Oldh —5C 74
Downing Clo. Ash L —2D 118
Downing Clo. Plat B —5J 83
Downing St. M1 —2H 135 (9M 5)
Downing St. Ash L —3D 118
Downing St. Leigh —3K 107
Downing St. Ind. Est. Ard —2J 135 (9M 5) (off Charlton Pl.)
Downley Clo. Roch —2C 30
Downley Dri. M4 —6J 115 (4P 5)
Downs Dri. Tim —3C 164
Downs End. Knut —5F 193
Downshaw Rd. Ash L —2E 118
Downs, The. Alt —1A 176
Downs, The. Chea —1K 179
Downs, The. Mid —1D 94 (in two parts)
Downs, The. P'wch —5A 92
Downs, The. Wig —3J 81
Downton Av. Hind —3B 84
Dowry Rd. Dens —1F 55
Dowry Rd. Lees —7J 75
Dowry St. Oldh —4D 96
Dowson Rd. Hyde —3H 155
Dowson St. Bolt —6C 44
Dow St. Hyde —4H 139
Doyle Av. Bred —7B 154
Doyle Clo. Oldh —2J 75
Doyle Rd. Bolt —3E 64
Draba Brow. Ram —5G 9
Drake Av. Cad —4A 146
Drake Av. Farn —7F 67
Drake Clo. Oldh —6D 74
Drake Ct. Stoc —6G 153
Drake Hall. W'houg —2H 85
Drake Rd. B'hth —3K 163
Drake Rd. L'boro —2G 15
Drake St. Ath —5C 86
Drake St. Roch —5H 31
Draxford Ct. Wilm —7H 187
Draycott Clo. Hind —4D 84
Draycott St. Bolt —3A 44
Draycott St. E. Bolt —3B 44
Drayfields. Droy —6B 118
Drayton Clo. Bolt —3K 43
Drayton Clo. Sale —1B 164
Drayton Dri. H Grn —5H 179
Drayton Gro. Tim —7E 164
Drayton Mnr. Manx —3H 167
Drayton Wlk. M16 —4D 134
Drefus Av. M11 —6E 116
Dresden St. M40 —7E 94
Dresser Cen., The. Open —2D 136
Drewett St. M40 —4A 116
Driffield St. M14 —6G 135
Driffield St. Ecc —1A 132
Drill Wlk. M4 —6J 115 (4P 5) (off Kirby Wlk.)
Drinkwater La. Hor —2F 41
Drinkwater Rd. P'wch —6K 91
Driscoll St. M13 —6B 136
Drive, The. M20 —7J 151
Drive, The. Boll —3G 197
Drive, The. Bred —7B 154
Drive, The. Bury —7K 27
Drive, The. Chea H —7E 168
Drive, The. Haleb —4H 177
Drive, The. Leigh —5K 107
Drive, The. Marp —5J 171
Drive, The. P'wch —3B 92
Drive, The. Ram —1H 9
Drive, The. Sale —2C 164
Drive, The. Salf —6C 92
Drive, The. Stoc —6K 153
Droitwich Rd. M40 —4K 115
Dronfield Rd. M22 —3D 166
Dronfield Rd. Salf —4H 113
Droughts La. P'wch —6D 70
Drovers Wlk. Glos —1F 159
Droxford Gro. Ath —2E 86
Droylsden Rd. M40 —2E 116
Droylsden Rd. Aud —7K 117
Druids Clo. Eger —1K 23
Druid St. Ash M —6E 104
Drummer's La. Ash M —1K 103
Drummond Sq. Wig —7A 60
Drummond St. Bolt —1A 44
Drummond Way. Leigh —3B 108
Drummond Way. Mac —2A 198
Drury La. Chad —4J 95
Drury La. Knut —4D 192
Drury St. M19 —1C 152
Dryad Clo. Pen —5D 90
Drybrook Clo. M13 —4A 136
Dryburgh Av. Bolt —1K 43
Dry Clough La. Upperm —7G 77
Dryclough Wlk. Rytn —3C 74
Dry Croft La. Dig —6H 55
Dryden Av. Ash M —1B 104
Dryden Av. Chea —5A 168
Dryden Av. Swint —1B 112
Dryden Clo. Duk —2B 140
Dryden Clo. Marp —7K 171
Dryden Clo. Wig —2C 82
Dryden Rd. M16 —6C 134
Dryden St. M13 —3J 135
Dryden Way. Dent —2E 154
Dryfield La. Hor —7E 20
Drygate Wlk. M9 —1A 116 (off Orpington Rd.)
Dryhurst Dri. Dis —6D 184
Dryhurst La. Dis —6D 184
Dryhurst Wlk. M15 —3G 135
Drymoss. Oldh —6E 96
Dryton Wlk. Asp —4J 61
Drywood Av. Wor —3J 111
Ducal St. M4 —4H 115 (1L 5)
Duchess Pk. Clo. Shaw —5F 53
Duchess Rd. Crum —7H 93
Duchess St. Shaw —5E 52
Duchess Wlk. Bolt —2H 65
Duchy Av. Bolt —6G 65
Duchy Av. Wor —7F 89
Duchy Bank. Salf —2H 113
Duchy Cvn. Pk. Salf —3K 113
Duchy Rd. Salf —2J 113
Duchy St. Salf —5K 113
Duchy St. Stoc —4F 169
Ducie Av. M15 —4H 135
Ducie Av. Bolt —6J 43
Ducie Cres. M15 —4H 135
Ducie Gro. M15 —4H 135
Ducie Pl. Salf —7C 114 (6A 4)
Ducie St. M1 —7H 115 (6L 5)
Ducie St. Oldh —5D 96
Ducie St. Rad —1D 68
Ducie St. Ram —4F 9
Ducie St. W'fld —6K 69
Duckshaw La. Farn —6E 66
Duckworth Ho. Salf —4K 113
Duckworth Rd. P'wch —4K 91
Duckworth St. Bolt —2J 65
Duckworth St. Bury —1A 48 (in two parts)
Duckworth St. Shaw —6G 53
Duddon Av. Bolt —4H 45
Duddon Clo. Stand —6B 38
Duddon Clo. W'fld —6C 70
Duddon Wlk. Mid —4A 72
Dudley Av. Bolt —4E 44
Dudley Av. W'fld —6K 69
Dudley Clo. M15 —4E 134
Dudley Ct. M16 —6D 134
Dudley Rd. M16 —7D 134
Dudley Rd. Cad —6K 145
Dudley Rd. Pen —6D 90
Dudley Rd. Sale —4G 149
Dudley Rd. Tim —4F 165
Dudley St. Ash M —3C 104
Dudley St. Dent —5C 138
Dudley St. Ecc —7A 112
Dudley St. Oldh —1H 97
Dudley St. Salf & M8 —1E 114
Dudley Wlk. Mac —4B 198
Dudlow Wlk. M15 —3D 134
Dudwell Clo. Bolt —4J 43
Duerden St. Bolt —4G 65
Duffield Ct. M15 —4G 135
Duffield Gdns. Mid —2B 94
Duffield Rd. Mid —2B 94
Duffield Rd. Salf —3H 113
Duffins Clo. Roch —1F 31
Dufton Wlk. M22 —3E 178
Dufton Wlk. Mid —4A 72
Dugdale Av. M9 —3A 94
Duke Av. G'bry —2C 128
Duke Av. Stan G —6B 180
Duke Clo. M16 —4D 134
Duke Ct. M16 —4D 134
Dukefield St. M22 —3E 166
Duke Pl. M3 —1E 134 (8E 4)
Duke Rd. Hyde —4K 139
Dukes All. Ram —6B 44 (off Ridgeway Gdns.)
Duke's Av. L Lev —2J 67
Dukes Platting. Ash L —3K 119
Duke's Row. Asp —2K 61
Duke's Ter. Duk —7F 119 (off Astley St.)
Duke St. M3 —1E 134 (8E 4) (Manchester)
Duke St. M3 —6F 115 (3G 4) (Salford)
Duke St. Ain —4A 46
Duke St. Ald E —4H 195
Duke St. Ash M —5E 104
Duke St. Ash L —5F 119
Duke St. Ast —2J 109
Duke St. Bolt —5A 44 (in two parts)
Duke St. Dent —6C 138
Duke St. Droy —7K 117
Duke St. Ecc —4A 112
Duke St. Fail —7J 95
Duke St. Glos —2E 158
Duke St. Golb —7J 105
Duke St. G Grn —3B 82
Duke St. Heyw —3H 49
Duke St. Leigh —4A 108
Duke St. L'boro —6E 14
Duke St. L Hul —2C 88
Duke St. Mac —4F 199
Duke St. Moss —6E 98
Duke St. Newt W —6D 124
Duke St. Plat B —4J 83
Duke St. Rad —4F 69
Duke St. Ram —7E 8
Duke St. Roch —3H 31 (in two parts)
Duke St. Shaw —7G 53
Duke St. Stal —7K 119
Duke St. Stoc —2H 169
Duke St. Swinl —4E 60
Duke St. Wor —5J 89
Duke St. N. Ram —5A 44
Duke's Wharf. Wor —3H 111
Dukinfield Rd. Hyde —4G 139
Dukinfield St. Leigh —3A 108
Dulford Wlk. M13 —4J 135 (off Plymouth Gro.)
Dulford Wlk. Salf —2F 115
Dulgar St. Open —1D 136
Dulverton St. M40 —2D 116
Dulwich Clo. Sale —7B 148
Dulwich St. M4 —5H 115 (1L 5)
Dumbah La. Boll —4F 197
Dumbarton Clo. Stoc —4H 153
Dumbarton Dri. Heyw —4G 49
Dumbarton Grn. Wig —4A 60
Dumbarton Rd. Stoc —3H 153
Dumbell St. Pen —5D 90
Dumber La. Sale —4D 148
Dumers Clo. Rad —2H 69
Dumers La. Rad & Bury —2H 69
Dumfries Av. Dens —3C 54
Dumfries Dri. Dens —3C 54
Dumfries Wlk. Heyw —4G 49
Dumplington Circ. Urm —2B 132
Dunbar Av. M23 —1A 178
Dunbar Dri. Bolt —3A 66
Dunbar Gro. Heyw —5F 49
Dunbar St. Oldh —6C 74
Dunblaine Av. Stoc —7F 153
Dunblane Av. Bolt —1E 64
Dunblane Av. Stoc —1F 169
Dunblane Clo. Ash M —4J 103
Dunblane Gro. Heyw —5G 49
Duncan Av. Newt W —4E 124
Duncan Edwards Ct. M40 —3D 116 (off Eddie Colman Clo.)
Duncan Edwards Ho. Salf —5K 113 (off Sutton Dwellings)
Duncan Pl. Wig —7A 60
Duncan Rd. M13 —6B 136 (in two parts)
Duncan St. Duk —3G 139
Duncan St. Hor —2G 41
Duncan St. Ram —5B 44
Duncan St. Salf —1C 114 (Higher Broughton)
Duncan St. Salf (Salford) —1C 134 (7A 4)
Duncan St. Shaw —3E 74
Dunchurch Clo. Los —7D 42
Dunchurch Rd. Sale —6C 148
Dun Clo. Salf —6D 114 (3C 4)
Duncombe Clo. Bram —1J 181
Duncombe Dri. M40 —1D 116
Duncombe Rd. Bolt —3A 66
Duncombe St. Salf —2E 114
Duncote Gro. Rytn —1D 74
Dundee. Ecc —6C 112 (off Monton La.)
Dundee Clo. Heyw —4F 49
Dundee La. Ram —5F 9
Dundonald Rd. M20 —7J 151
Dundonald Rd. Chea H —5C 180
Dundonald St. Stoc —5H 169
Dundraw Clo. Mid —5H 71
Dundrennan Clo. Poy —7B 182
Dunecroft. Dent —5E 138
Dunedin Dri. Salf —2K 113
Dunedin Rd. G'mnt —2D 26
Dunelm Dri. Sale —2H 165
Dungeon Wlk. Wilm —6H 187
Dunham Av. Golb —7H 105
Dunham Clo. W'houg —2H 85
Dunham Gro. Leigh —6C 108
Dunham Lawn. Alt —7K 163
Dunham M. Bow —3H 175
Dunham Rise. Alt —7A 164
Dunham Rd. Bow —4G 175
Dunham Rd. Duk —3H 139
Dunham Rd. Hand —7K 179
Dunham Rd. Lymm —4A 162
Dunham Rd. Part —6F 147
Dunham St. Lees —6J 75
Dunkeld Gdns. M23 —5K 165
Dunkeld Rd. M23 —5K 165
Dunkerley Av. Fail —1H 117
Dunkerleys Clo. M8 —7F 93
Dunkerley St. Ash L —3E 118
Dunkerley St. Oldh —6G 75
Dunkerley St. Rytn —2B 74
Dunkery Rd. M22 —3D 178
Dunkirk Clo. Dent —7J 137
Dunkirk La. Hyde —4F 139
Dunkirk Rise. Roch —5G 31
Dunkirk Rd. W'fld —5K 69
Dunkirk St. Droy —7K 117
Dunley Clo. M12 —4C 136
Dunley Clo. Bchwd —4A 144
Dunlin Av. Newt W —5E 124
Dunlin Clo. Bolt —1C 66
Dunlin Clo. Poy —1J 189
Dunlin Clo. Roch —5B 30
Dunlin Clo. Stoc —6E 170
Dunlin Dri. Irl —6C 130
Dunlin Gro. Leigh —3B 108
Dunlin Wlk. B'hth —3K 163
Dunlop Av. Roch —1G 51
Dunlop St. M3 —7F 115 (5G 4)
Dunmail Av. St H —7C 102
Dunmail Clo. Ast —2J 109
Dunmail Dri. Mid —3A 72
Dunmere Wlk. M9 —1J 115 (off Mannington Dri.)
Dunmore Rd. Gat —5H 167
Dunmow Ct. Stoc —6C 170
Dunmow Wlk. M23 —1A 166
Dunne La. Glos —7G 143
Dunnerdale Wlk. M18 —4E 136
Dunnisher Rd. M23 —6B 166
Dunnock Clo. Stoc —6D 170
Dunollie Rd. Sale —7J 149
Dunoon Clo. Heyw —4G 49
Dunoon Dri. Bolt —7J 23
Dunoon Rd. Asp —1B 62
Dunoon Rd. Stoc —3H 153
Dunoon Wlk. M9 —1K 115
Dunrobin Clo. Heyw —5G 49
Dunscar Clo. W'fld —7H 69
Dunscar Fold. Eger —4A 24
Dunscar Ind. Est. Eger —5A 24
Dunscar Sq. Eger —4A 24
Dunscore Rd. Wig —4A 82
Dunsdale Dri. Ash M —5E 104
Dunsfold Dri. M23 —3H 165
Dunsford Ct. Spring —1K 97
Dunsley Av. M40 —5F 95
Dunsmore Clo. M16 —5D 134
Dunsop Dri. Bolt —2F 43
Dunsop Wlk. M15 —3F 135 (in two parts)
Dunstable. Roch —4G 31 (off Spotland Rd.)
Dunstable St. M19 —1D 152
Dunstall Rd. M22 —6E 166
Dunstan St. Bolt —6E 44
Dunstar Av. Aud —2C 138
Dunster Av. M9 —3A 94
Dunster Av. Clif —5F 91
Dunster Av. Roch —7G 31
Dunster Av. Stoc —5A 154
Dunster Clo. Haz G —3A 182
Dunster Clo. Plat B —6J 83
Dunster Dri. Urm —1E 146
Dunster Pl. Wor —1B 110
Dunster Rd. Mac —2H 199
Dunster Rd. Wor —1B 110
Dunsters Av. Bury —7G 27
Dunsterville Ter. Roch —7G 31 (off New Barn La.)
Dunston St. M11 —1E 136
Dunton Grn. Stoc —4K 153
Dunton Towers. Stoc —4K 153 (off Dunton Grn.)
Dunvegan Ct. Heyw —4E 48
Dunvegan Rd. Haz G —3D 182
Dunwood Av. Shaw —5G 53
Dunwood Pk. Courts. Shaw —4G 53
Dunworth St. M14 —6H 135
Durant St. M4 —5H 115 (2L 5)
Durban Clo. Shaw —7E 52
Durban Rd. Ram —7A 24
Durban St. Ash L —7C 118
Durban St. Ath —5A 86
Durban St. Leigh —3C 106
Durban St. Oldh —4A 96
Durban St. Roch —3E 50
Durden M. Shaw —7F 53
Durham Av. Urm —6C 132
Durham Clo. Clif —5D 90
Durham Clo. Duk —3H 139
Durham Clo. L Lev —2K 67
Durham Clo. Mac —1B 198
Durham Clo. Rom —2E 170
Durham Clo. Tyl —4G 87
Durham Cres. Fail —2J 117
Durham Dri. Ash L —7H 97
Durham Dri. Bury —5A 48
Durham Dri. Ram —1F 27
Durham Gro. Cad —4J 145
Durham Ho. Stoc —3G 169
Durham Rd. Hind —2C 84
Durham Rd. Salf —3G 113
Durhams Pas. L'boro —6E 14
Durham St. Bolt —3B 44
Durham St. Droy —1J 137
Durham St. Oldh —3A 96 (in two parts)
Durham St. Rad —1G 69
Durham St. Roch —6H 31
Durham St. Stoc —7G 137
Durham St. Wig —5G 61
Durham St. Bri. Roch —7J 31
Durham Wlk. Dent —1D 154
Durham Wlk. Heyw —3G 49
Durley Av. M8 —1H 115
Durley Av. Tim —4F 165
Durling St. M12 —2J 135 (10P 5)
Durnford Av. Urm —7E 132
Durnford Clo. Roch —2K 29
Durnford St. Mid —5B 72
Durnford Wlk. M22 —1B 178
Durn St. L'boro —5G 15
Durrell Way. Lwtn —1C 126
Durrington Wlk. M40 —4E 94 (off Sawston Wlk.)
Dursley Dri. Ash M —4F 105
Dutton Gro. Leigh —6C 108
Dutton St. M3 —5F 115 (1H 5)
Duty St. Ram —2A 44
Duxbury Av. Bolt —7G 25
Duxbury Av. L Lev —1J 67
Duxbury Dri. Bury —3C 48
Duxbury Hall Rd. Chor —1G 19
Duxbury St. Bolt —3K 43
Duxford Lodge. M8 —5F 93
Duxford Wlk. M40 —4E 94
Dyche St. M4 —5H 115 (5K 5)
Dye Ho. La. Roch —1A 32
Dye La. Rom —1F 171
Dyers Clo. Lymm —7G 161
Dyers Ct. L'boro —5E 14
Dyers La. Lymm —7G 161
Dyer St. M11 —1C 136
Dyer St. Golb —7H 105
Dyer St. Salf —2C 134 (9A 4)
Dymchurch Av. Rad —7A 68
Dymchurch St. M40 —4E 116
Dysarts Clo. Moss —4E 98
Dysart St. Ash L —6H 119
Dysart St. Stoc —6K 169
Dyserth Gro. Stoc —5H 153
Dyson Clo. Farn —6F 67
Dyson Gro. Lees —6K 75
Dyson St. Farn —7F 67

228 A-Z Greater Manchester

Dyson St.—Elderberry Wlk.

Dyson St. Moss —5B 98
Dyson St. Oldh —1D 96
Dystelegh Rd. Dis —6D 184

Eades St. Salf —5A 114
Eadington St. M8 —6G 93
Eafield Av. Miln —5D 32
Eafield Clo. Miln —5D 32
Eafield Rd. L'boro —1C 32
Eafield Rd. Roch —3A 32
Eagar St. M40 —2E 116
Eaglais Way. Mac —1B 198
Eagle Dri. Salf —3A 114
Eagle Mill Ct. Del —1E 76
Eagles Nest. P'wch —4A 92
Eagle St. M4 —6G 115 (3K 5)
Eagle St. Bolt —6C 44
Eagle St. Oldh —7C 74
Eagle Technology Pk. Roch —1J 51
Eagley Bank. Bolt —5B 24
Eagley Brow. Ram —6B 24
Eagley Ct. Brom X —5C 24
Eagley Dri. Bury —4E 46
Eagley Way. Bolt —5B 24
Ealees. L'boro —6G 15
Ealees Rd. L'boro —6G 15
Ealing Av. M14 —7J 135
Ealing Pl. M19 —4C 152
Ealing Rd. Stoc —3E 168
Eames Av. Rad —6J 67
Eamont Wlk. M9 —1K 115
Earby Gro. M9 —4B 94
Earle Clo. Newt W —6B 124
Earle Rd. Bram —2G 181
Earlesden Cres. L Hul —1C 88
Earle St. Ash L —6D 118
Earle St. Newt W —7B 124
Earl Rd. Ram —5F 9
Earl Rd. Stan G —7A 180
Earl Rd. Stoc —6E 152
Earlscliffe Ct. Bow —7K 163
Earls Ct. Mac —4B 198
(off Earlsway)
Earlston Av. Dent —6J 137
Earl St. Ath —5B 86
Earl St. Bolt —1C 66
Earl St. Bury —3K 47
Earl St. Dent —1C 138
(Audenshaw)
Earl St. Dent —5J 137
(Denton)
Earl St. Heyw —3J 49
Earl St. Ince —7J 61
Earl St. Leigh —3A 108
Earl St. Moss —6B 98
Earl St. P'wch —3C 92
Earl St. Ram —5H 9
Earl St. Roch —5E 50
Earl St. Salf —4D 114
Earl St. Stoc —3F 169
Earl St. Wig —4E 60
Earlsway. Mac —5A 198
Earlswood Wlk. M18 —3E 136
Earlswood Wlk. Bolt —2B 66
Earl Ter. Duk —7F 119
(off Astley St.)
Earl Wlk. M12 —4B 136
Early Bank. Stal —2C 140
Early Bank Rd. Duk —3B 140
Earney St. Alt —7B 164
Earnshaw Av. Roch —1G 31
Earnshaw Av. Stoc —2K 169
Earnshaw Clo. Ash L —3D 118
Earnshaw St. M40 —2A 116
Earnshaw St. Bolt —3H 65
Earnshaw St. Holl —5K 141
Easby Clo. Chea H —6D 180
Easby Clo. Poy —7B 182
Easby Rd. Mid —3B 72
Easedale Clo. Urm —6H 131
Easedale Rd. Bolt —5G 43
Easington Wlk. M40 —2C 116
E. Aisle Rd. Traf P —5G 133
East Av. M19 —3B 152
East Av. Boll —3G 197
East Av. H Grn —3J 179
East Av. Leigh —5C 108
East Av. Lwtn —7A 106
East Av. Stal —5A 120
(in two parts)
East Av. W'fld —4J 69
E. Bank Rd. Ram —1E 26
(in two parts)
Eastbank St. Bolt —3B 44
E. Bond St. Leigh —3A 108
Eastbourne Gro. Bolt —5G 43
Eastbourne St. Oldh —3F 97
Eastbourne St. Roch —7H 31
E. Bridgewater St. Leigh —4A 108
Eastbrook Av. Rad —2G 69
Eastburn Av. M40 —5J 115 (1P 5)
Eastbury Ct. Salf —1B 114
E. Central Dri. Swint —1F 113
Eastchurch Clo. Farn —7F 67
Eastcombe Av. Salf —1B 114
Eastcote Av. Open —1G 137
Eastcote Rd. Stoc —5H 153
Eastcote Wlk. Farn —5G 67
Eastcourt Wlk. M13 —3J 135
East Cres. Mid —7B 72
Eastdale Pl. Alt —4B 164
EAST DIDSBURY STATION. BR —2J 167
E. Downs Rd. Bow —2A 176
E. Downs Rd. Chea H —1B 180
East Dri. M21 —1K 149
East Dri. Bury —2B 70
East Dri. Marp —1K 183
East Dri. Salf —3J 113
East Dri. Swint —1F 113
Easterdale. Oldh —1G 97
Eastern Av. Clif —4H 91
Eastern By-Pass. M11 —6E 116
(in two parts)
Eastern Circ. M19 —4C 152
Eastfield. Salf —4J 113
Eastfield Av. M40 —5A 116
Eastfield Av. Mid —7C 72
Eastfields. Rad —1D 68
Eastford Sq. M40 —4J 115
Eastgarth. Plat B —5K 83
E. Garth Wlk. M9 —4A 94
Eastgate. Whitw —4E 12
Eastgate St. Ash L —7E 118
E. Gate St. Roch —4H 31
E. Grange Av. M11 —5E 116
East Gro. M13 —4J 135
Eastgrove Av. Bolt —6A 24
Eastham Av. M14 —1H 151
Eastham Av. Bury —6J 27
Eastham Way. Hand —7K 179
Eastham Way. L Hul —2D 88
Easthaven Av. M11 —5E 116
E. Hill St. Oldh —1E 96
Eastholme Dri. M19 —3D 152
Easthope Clo. M20 —3H 151
E. Lancashire Rd. G'bry & Ast —2H 127
E. Lancashire Rd. Hayd —1A 124
E. Lancashire Rd. Newt W & Golb —2E 124
E. Lancashire Rd. Wor & Swint —1B 110
Eastlands Rd. M9 —2K 93
East Lea. Dent —6E 138
Eastleigh Av. Salf —7E 92
Eastleigh Cres. Leigh —5B 108
Eastleigh Dri. M40 —5K 115
Eastleigh Gro. Bolt —5A 44
Eastleigh Rd. H Grn —3H 179
Eastleigh Rd. P'wch —4E 92
(in two parts)
E. Lynn Dri. Wor —4J 89
E. Meade. M21 —3B 150
East Meade. Bolt —4A 66
E. Meade. P'wch —5D 92
E. Meade. Swint —2C 112
East Moor. Mos C —1C 110
Eastmoor Dri. M40 —3F 117
Eastmoor Gro. Bolt —4H 65
East Mt. Orr —1F 81
E. Newton St. M4 —5J 115 (2P 5)
Eastnor Clo. M15 —3D 134
Easton Clo. Mid —1E 94
Easton Clo. Wig —5C 82
Easton Dri. Chea —6C 168
Easton Rd. Droy —6G 117
E. Ordsall La. Salf —7D 114 (6C 4)
E. Over. Rom —3E 170
Eastpark Clo. M13 —3J 135
E. Park Rd. Mac —6D 198
E. Philip St. Salf —5E 114 (1F 4)
East Rd. C'brk —2E 120
East Rd. Gort —6D 136
East Rd. Long —6C 136
East Rd. Man A —6C 178
East Rd. Stret —5F 133
Eastry Av. Stoc —4K 153
East St. M2 —1F 135 (7H 5)
East St. Ash M —4F 105
East St. Ash L —4H 119
East St. Ath —6F 87
East St. Aud —3D 138
East St. Bury —4K 47
East St. Firg —5B 32
(in two parts)
East St. Hind —4F 85
East St. L'boro —6G 15
East St. Rad —3F 69
East St. Roch —4J 31
East St. Stoc —3F 169
East St. Ward —5A 14
E. Union St. M16 —3C 134
East Vale. Marp —6A 172
East View. Bury —1G 27
East View. Mid —6B 72
East View. Ram —2G 9
East View. Sale —7F 149
East View. Whitw —1F 13
(off Market St.)
Eastville Gdns. M19 —5A 152
East Wlk. Eger —2K 23
Eastward Av. Wilm —7F 187
East Way. Bolt —2D 44
Eastway. Mid —5B 72
Eastway. Sale —1D 164
Eastway. Shaw —7F 53
Eastway. Urm —6G 131
Eastwell Rd. Ash M —5C 104
Eastwell Rd. Wig —3B 60
Eastwood Av. M40 —6H 95
Eastwood Av. Droy —7G 117
Eastwood Av. Newt W —6H 125
Eastwood Av. Urm —7B 132
Eastwood Av. Wor —4C 88
Eastwood Clo. Bolt —3G 65
Eastwood Clo. Bury —3B 48
Eastwood Ct. Bury —3B 48
Eastwood Dri. Stoc —7F 169
Eastwood Gro. Leigh —3G 107
Eastwood Rd. M40 —6G 95
Eastwood St. Aud —2B 138
Eastwood St. L'boro —6F 15
Eastwood Ter. Bolt —5F 43
Eastwood View. Stal —7B 120
Eatock St. Plat B —4K 83
Eatock Way. W'houg —1H 85
Eaton Clo. Chea H —1B 180
Eaton Clo. Duk —3G 139
Eaton Clo. Pen —5D 90
Eaton Clo. Poy —2E 190
Eaton Ct. Bow —3A 176
Eaton Dri. Ald E —2K 195
Eaton Dri. Ash L —4D 118
Eaton Dri. Tim —3E 164
Eaton La. Mac —6F 199
Eaton Rd. M8 —6F 93
Eaton Rd. Bow —3A 176
Eaton Rd. Sale —6E 148
Eaton St. Hind —1C 84
Eaversham St. Oldh —6C 74
Eaves Knoll Rd. N Mills —3G 185
Eaves La. Chad —2J 95
Ebbdale Clo. Stoc —3J 169
Ebberstone St. M14 —7G 135
Ebdon St. M1 —1H 135 (7L 5)
Ebenezer St. M15 —2F 135 (10H 5)
Ebenezer St. Ash L —5G 119
Ebenezer St. Glos —3F 159
Ebnall Wlk. M14 —3K 151
Ebor Clo. Shaw —5E 52
Ebor Rd. M22 —7E 166
Ebor St. L'boro —6F 15
Ebsworth St. M40 —7C 94
Ebury St. Rad —2D 68
Eccles Bri. Rd. Marp —6K 171
Eccles By-Pass. Ecc —5B 112
Eccles Clo. M11 —1E 136
Eccleshall Clo. M15 —3G 135
Eccleshall St. M11 —7E 116
(in two parts)
Eccles New Rd. Salf —6F 113
Eccles Old Rd. Ecc & Salf —6E 112
Eccles Rd. Orr —5H 59
Eccles Rd. Swint —2D 112
ECCLES STATION. BR —6D 112
Eccles St. Ram —5F 9
Eccleston Av. M14 —1H 151
Eccleston Av. Bolt —4D 44
Eccleston Av. Swint —1B 112
Eccleston Clo. Bury —4E 46
Eccleston Pl. Salf —7D 92
Eccleston Rd. Stoc —7F 169
Eccleston St. Fail —7J 95
Eccleston St. Wig —5E 60
Eccleston Way. Hand —1K 187
Eccups La. Wilm —6C 186
Echo St. M1 —1H 135 (7L 5)
Eckersley Av. Hind —4B 84
Eckersley Clo. M23 —5K 165
Eckersley Fold La. Ath —7A 86
Eckersley Rd. Bolt —2A 44
Eckersley St. Bolt —2J 65
Eckersley St. Wig —5G 61
Eckford St. M8 —2H 115
Eclipse Clo. Roch —5A 32
Ecton Av. Mac —4J 199
Edale Av. M40 —7C 94
Edale Av. Aud —2B 138
Edale Av. Dent —2D 154
Edale Av. Stoc —1J 153
Edale Av. Urm —1K 147
Edale Bank. Glos —7A 142
Edale Clo. Ath —4C 86
Edale Clo. Bow —3A 176
Edale Clo. Glos —7A 142
Edale Clo. Haz G —3C 182
Edale Clo. H Grn —5K 179
Edale Clo. Irl —1C 146
Edale Cres. Glos —7A 142
Edale Dri. Stand —3A 38
Edale Fold. Glos —7A 142
(off Edale Cres.)
Edale Gro. Ash L —2A 120
Edale Gro. Sale —1C 164
Edale Rd. Bolt —2G 65
Edale Rd. Farn —7E 66
Edale Rd. Leigh —4B 108
Edale Rd. Stret —6F 133
Edale St. Fail —1G 117
Edale St. Salf —3B 114
Edbrook Wlk. M13 —4K 135
Eddie Colman Clo. M40 —3D 116
Eddie Colman Ct. Salf —5A 114
(off Belvedere Rd.)
Eddisbury Av. M20 —2F 151
Eddisbury Av. Urm —5F 131
Eddisbury Clo. Mac —4H 199
Eddisbury Ter. Mac —4H 199
Eddisford Dri. Cul —4H 127
Edditch Gro. Bolt —6E 44
Eddleston St. Ash M —2B 104
Eddystone Clo. Salf —7A 114
Eden Av. Bolt —2A 44
Eden Av. Cul —5C 128
Eden Av. Eden —1H 9
Eden Av. H Lane —5J 183
Eden Bank. Leigh —2B 108
Edenbridge Rd. M40 —4D 116
Edenbridge Rd. Chea H —7D 168
Eden Clo. M15 —3G 135
Eden Clo. Heyw —2H 49
Eden Clo. Stoc —3J 169
Eden Clo. Wilm —1E 194
Eden Ct. M19 —2C 152
Eden Ct. Eden —1H 9
(off N. Bury Rd.)
Edendale Dri. M22 —3D 178
Eden Dri. Mac —2H 199
Edenfield Av. M21 —6D 150
Edenfield Clo. Mob —3K 193
Edenfield La. Wor —3H 111
Edenfield Rd. Mob —3K 193
Edenfield Rd. P'wch —4E 92
Edenfield Rd. Roch —6D 10
Edenfield St. Roch —4E 30
Eden Gro. Bolt —2K 43
Eden Gro. Leigh —3G 107
Edenhall Av. M19 —2B 152
Edenhall Gro. Hind —4D 84
Edenham Wlk. M40 —5F 95
Edenhurst Dri. Tim —6F 165
Edenhurst Rd. Stoc —5K 169
Eden Lodge. Bolt —2A 44
Eden Pl. Chea —5K 167
Edensor Clo. Wig —2C 60
Edensor Dri. Hale —1G 177
Eden St. Bolt —1A 44
Eden St. Oldh —7C 74
Eden St. Ram —1H 9
Eden St. Roch —4F 31
Edenvale. Wor —1C 110
Eden Way. Shaw —5E 52
Edgar St. Bolt —7A 44
Edgar St. Ram —6F 9
Edgar St. Roch —2A 32
Edgar St. W. Ram —6F 9
Edgbaston Dri. M16 —6A 134
Edgedale Av. M19 —5A 152
Edge End. Dob —3G 77
Edgefield Av. M9 —3A 94
Edge Fold Cres. Wor —7F 89
Edge Fold Ind. Est. W'houg —5J 65
Edge Fold Rd. Wor —6F 89
Edge Grn. Wor —7E 88
Edge Grn. La. Golb —6H 105
Edge Grn. Rd. Ash M —5H 105
Edge Grn. St. Ash M —4F 105
Edge Hall La. Orr —3E 80
Edge Hall Rd. Orr —2E 80
(in two parts)
Edge Hill. Stal —7B 120
Edge Hill Av. Rytn —4C 74
Edgehill Chase. Wilm —6A 188
Edgehill Clo. Salf —6K 113
Edgehill Ct. Stret —7J 133
Edge Hill Rd. Bolt —3H 65
Edge Hill Rd. Rytn —3C 74
Edgehill Rd. Salf —5G 113
Edgehill St. M4 —6G 115 (4K 5)
Edge La. M11 & Droy —6F 117
Edge La. Bolt —7C 22
Edge La. Mot —5E 140
Edge La. Stret & M21 —1H 149
Edge La. Tur —2A 6
Edge La. Rd. Oldh —6D 74
Edge La. St. Rytn —2C 74
Edgeley Fold. Stoc —4E 168
Edgeley Rd. Stoc —4C 168
Edgeley Rd. Urm —2J 147
Edgeley Rd. Trad. Est. Stoc —4C 168
Edgemoor. Bow —2J 175
Edgemoor Clo. Oldh —5H 75
Edgemoor Clo. Rad —1C 68
Edgemoor Dri. Roch —7B 30
Edgerley Pl. Ash M —5C 104
Edgerton Rd. Lwtn —1D 126
Edge St. M4 —6G 115 (4K 5)
Edge View. Chad —5G 73
Edge View La. Ald E —4B 194
Edgeview Wlk. M13 —2H 135 (10M 5)
Edgeware Av. P'wch —3F 93
Edgeware Gro. Wig —4K 81
Edgeware Rd. Chad —4G 95
Edgeware Rd. Ecc —4J 111
Edgewater. Salf —6H 113
Edgeway. Wilm —1H 195
Edgeway Rd. Wig —6C 82
Edgewood. Shev —1G 59
Edgeworth Av. Bolt —4B 46
Edgeworth Dri. M14 —3A 152
Edgeworth Rd. Golb —7H 105
Edgeworth Rd. Hind —4E 84
Edgmont Av. Bolt —2K 65
Edgware Rd. M40 —4D 116
Edgworth Clo. Heyw —3G 49
Edgworth Dri. Bury —4E 46
Edilom Rd. M8 —5E 92
Edinburgh. Ecc —6C 112
(off Monton St.)
Edinburgh Clo. Chea —5B 168
Edinburgh Clo. Ince —6J 61
Edinburgh Clo. Sale —7B 148
Edinburgh Dri. Hind —4F 85
Edinburgh Dri. Mac —2C 198
Edinburgh Dri. Wig —2K 81
Edinburgh Dri. Woodl —5G 155
Edinburgh Ho. Salf —7D 114
Edinburgh Rd. L Lev —4J 67
Edinburgh Sq. M40 —4K 115
Edinburgh Wlk. Asp —1B 62
Edinburgh Way. Roch —1F 51
Edington. Roch —4G 31
(off Spotland Rd.)
Edison Rd. Ecc —7A 112
Edison St. M11 —2G 137
Edith Av. M14 —6G 135
Edith Cavell Clo. Open —7E 116
Edith Cliff Wlk. M40 —6H 95
Edith St. Bolt —7J 43
Edith St. Farn —7F 67
Edith St. Oldh —4D 96
Edith St. Ram —3J 9
Edith St. Wig —7D 60
Edith Ter. Comp —1B 172
Edleston Gro. Wilm —4A 188
Edlin Clo. M12 —4A 136
Edlingham. Roch —6G 31
Edlington Wlk. M40 —2E 116
Edmonds St. Mid —5D 72
Edmonton Ct. Stoc —7J 169
Edmonton Rd. M40 —4C 116
Edmonton Rd. Stoc —7J 169
Edmund Clo. Stoc —7G 153
Edmund Dri. Leigh —3G 107
Edmunds Fold. L'boro —5D 14
Edmunds Pas. L'boro —4E 14
Edmund St. M3 —4E 4
Edmund St. Bolt —5B 44
Edmund St. Droy —7J 117
Edmund St. Fail —7H 95
Edmund St. Miln —6D 32
Edmund St. Rad —2G 69
Edmund St. Roch —4F 31
Edmund St. Salf —5J 113
Edmund St. Shaw —6G 53
Edna Rd. Leigh —1G 107
Edna St. Hyde —1H 155
Edson Rd. M8 —4F 93
Edward Av. M21 —2K 149
Edward Av. Bred —7C 154
Edward Av. L'boro —1D 32
Edward Av. Salf —5G 113
Edward Charlton Rd. M16 —7A 134
Edward Dri. Ash M —4D 104
Edward M. Oldh —2A 96
Edward Onyon Ct. Salf —5J 113
Edward Rd. M9 —2K 93
Edward Rd. Shaw —7E 52
Edward Rd. Wig —4E 60
Edwards Clo. Marp —6J 171
Edwards Ct. M22 —1D 178
Edward St. M9 —7A 94
Edward St. Ash L —6J 119
Edward St. Aud —2B 138
(Audenshaw)
Edward St. Aud —5D 138
(Denton)
Edward St. Bolt —1K 65
Edward St. Bury —4K 47
Edward St. Droy —1J 137
Edward St. Duk —3G 139
Edward St. Fail —1G 117
Edward St. Farn —4D 66
Edward St. Glos —1E 158
Edward St. Hor —2E 40
Edward St. Hyde —6G 139
(in two parts)
Edward St. Leigh —4A 108
Edward St. Mac —4D 198
Edward St. Marp B —2A 172
Edward St. Mid —4C 72
Edward St. Oldh —7J 73
(Chadderton)
Edward St. Oldh —1A 96
(Oldham)
Edward St. P'wch —2A 92
Edward St. Rad —4F 69
(Radcliffe)
Edward St. Rad —6K 67
(Stoneclough)
Edward St. Roch —4J 31
Edward St. Sale —6J 149
Edward St. Salf —4E 114
Edward St. Stoc —3H 169
Edward St. Ward —7B 14
Edward St. W'houg —6J 63
Edward St. Whitw —1F 13
Edward St. Wig —6H 61
Edwards Way. Marp —6J 171
Edwin Rd. M11 —6A 116
Edwin St. Bury —3J 47
Edwin St. Stoc —3K 169
Edwin St. Wig —7G 61
Edwin Waugh Gdns. Roch —1F 31
Edzell Wlk. Open —7E 116
Eeasbrook. Urm —1B 148
Egbert St. M40 —1C 116
Egerton Av. Lymm —3J 161
Egerton Barn Cottage. Eger —2A 24
Egerton Clo. Heyw —4K 49
Egerton Ct. M21 —4K 149
Egerton Ct. Hind —2C 84
Egerton Ct. Stoc —7H 169
Egerton Ct. Wor —7J 89
Egerton Cres. M20 —3H 151
Egerton Cres. Heyw —4J 49
Egerton Dri. Hale —1E 176
Egerton Dri. Sale —5F 149
Egerton Gro. Wor —4F 89
Egerton M. Droy —1J 137
Egerton M. Manx —2K 151
Egerton M. Salf —7D 114 (5D 4)
Egerton Moss. Ash —7C 176
Egerton Pk. Wor —1K 111
Egerton Pl. Shaw —7E 52
Egerton Rd. M14 —2K 151
Egerton Rd. Bel —1D 22
Egerton Rd. Ecc —4B 112
Egerton Rd. Hale —1E 176
Egerton Rd. Stoc —5G 169
Egerton Rd. W'fld —7K 69
Egerton Rd. Wilm —4H 187
Egerton Rd. Wor —4F 89
Egerton Rd. N. M16 & M21 —7C 134
Egerton Rd. N. Stoc —5E 152
Egerton Rd. S. M21 —2C 150
Egerton Rd. S. Stoc —6E 152
Egerton Sq. Knut —4D 192
Egerton St. M15 —2D 134 (8D 4)
Egerton St. Ahr —1K 105
Egerton St. Ash L —5G 119
Egerton St. Dent —4B 138
Egerton St. Droy —7K 117
Egerton St. Ecc —6K 111
Egerton St. Farn —5E 66
Egerton St. Heyw —4J 49
Egerton St. L'boro —6G 15
Egerton St. Mid —7J 71
Egerton St. Moss —5C 98
Egerton St. Oldh —7D 74
Egerton St. P'wch —3C 92
Egerton St. Salf —7D 114 (5D 4)
Egerton Ter. M14 —3K 151
Egerton Vale. Eger —2K 23
Egerton Wlk. Wor —4F 89
Eggington St. M40 —3J 115
Egham Ct. Bolt —4D 44
Egham Ho. Bolt —4H 65
Egmont Ho. M13 —5F 115
Egmont St. M8 —7G 93
Egmont St. Moss —7C 98
Egmont St. Salf —2J 113
Egremont Av. M20 —3G 151
Egremont Clo. W'fld —5A 70
Egremont Ct. Salf —7C 92
Egremont Gro. Stoc —3D 168
Egremont Rd. Miln —1C 52
Egret Dri. Irl —6C 130
Egyptian St. Bolt —4B 44
Egypt La. P'wch —5D 70
Ehlinger Av. Had —4C 142
Eida Way. Traf P —1G 133
Eight Acre. W'fld —7G 69
Eighth Av. Oldh —6B 96
Eighth St. W. Traf P —3G 133
Eigth St. Traf P —3H 133
Eileen Gro. M14 —7J 135
Eileen Gro. W. M14 —7H 135
Elaine Av. M9 —5D 94
Elaine Clo. Ash M —3F 105
Elbain Wlk. M40 —3E 116
Elberton Wlk. M8 —1F 115
(off Landfield Dri.)
Elbe St. M12 —1J 135 (8P 5)
Elbow La. Roch —6J 31
Elbow St. M19 —1C 152
Elbow St. Trad. Est. M19 —1D 152
Elbut La. Bury —7F 29
Elcho Ct. Bow —1K 175
Elcho Rd. Bow —1K 175
Elcombe Av. Lwtn —2C 126
Elcot Clo. M40 —3J 115
Elderberry Clo. Dig —1J 77
Elderberry Clo. Wig —2D 60
Elderberry Wlk. Part —7A 146

Ernocroft Rd.—Fearnhead Clo.

Ernocroft Rd. Marp B —2B 172
Erradale Cres. Wig —5K 81
Erringdon Clo. Stoc —5B 170
Errington Clo. Bolt —1F 65
Errington Dri. Salf —4D 114
Errol Av. M9 —2G 93
Errol Av. M22 —7C 166
Errwood Cres. M19 —2C 152
Errwood Rd. M19 —5B 152
Erskine Clo. Bolt —1E 64
Erskine Pl. Abr —6K 83
Erskine Rd. M9 —2A 94
Erskine Rd. Part —7B 146
Erskine St. M15 —3D 134
Erskine St. Comp —7B 156
Erwin St. M40 —2D 116
Eryngo St. Stoc —2J 169
Escott Wlk. M16 —5F 135
Esher Dri. Sale —2G 165
Esk Clo. Urm —5J 131
Eskdale. Gat —7J 167
Eskdale Av. M20 —3G 151
Eskdale Av. Blac —6C 40
Eskdale Av. Bolt —3H 45
Eskdale Av. Bram —7E 180
Eskdale Av. G'fld —2H 99
Eskdale Av. Oldh —3B 96
Eskdale Av. Roch —2D 50
Eskdale Av. Rytn —6B 52
Eskdale Av. St H —7B 102
Eskdale Av. Wig —3D 60
Eskdale Av. Woodl —5F 155
Eskdale Clo. Bury —3A 70
Eskdale Dri. Mid —3B 72
Eskdale Dri. Tim —4G 165
Eskdale Gro. Farn —6B 66
Eskdale Ho. M13 —5A 136
Eskdale M. G'fld —2H 99
Eskdale Rd. Ash M —3D 104
Eskdale Rd. Hind —2C 84
Eskdale Ter. Stal —4A 120
Eskrick St. Bolt —4K 43
Eskrigge Clo. M8 —7F 93
Esmond Rd. M8 —1G 115
Esmont Dri. Mid —3A 72
Esplanade, The. Roch —5G 31
Essex Av. M20 —6H 151
Essex Av. Bury —4E 48
Essex Av. Droy —5J 117
Essex Av. Stoc —3D 168
Essex Clo. Fail —3H 117
Essex Clo. Shaw —6D 52
Essex Dri. Bury —5K 47
Essex Gdns. Cad —6J 145
Essex Pl. Clif —5D 90
Essex Pl. Tyl —4F 87
Essex Rd. M18 —5H 137
Essex Rd. Stand —4D 38
Essex Rd. Stoc —6A 154
Essex St. M2 —7F 115 (6H 5)
Essex St. Hor —4H 41
Essex St. Roch —6H 31
Essex St. Wig —5G 61
Essex Wlk. M15 —4D 134
Essex Wlk. Mac —2B 198
Essex Way. M15 —4D 134
Essingdon St. Bolt —2K 65
(in two parts)
Essington Wlk. Dent —1C 154
Est. South St. Oldh —3D 96
Estate St. Oldh —3D 96
Estate St. S. Oldh —3D 96
Estate Wlk. Oldh —3D 96
Esther St. L'boro —6D 14
Esther St. Oldh —7H 75
Esthwaite Av. St H —7C 102
Esthwaite Dri. Ast —1G 109
Estonfield Dri. Urm —7D 132
Eston St. M13 —5K 135
Eswick St. M11 —7E 116
Etchells Rd. H Grn —3K 179
Etchells St. Stoc —2H 169
Etchell St. M40 —3J 115
Ethel Av. M9 —2K 93
Ethel Av. Pen —7F 91
Ethel Ct. Roch —6K 31
Ethel St. Bolt —7K 43
Ethel St. Oldh —4D 96
Ethel St. Roch —6K 31
Ethel St. Whitw —1F 13
Ethel Ter. M19 —1C 152
Etherly Clo. Irl —7C 130
Etherow Av. Rom —1J 171
Etherow Brow. B'btm —2G 157
Etherow Gro. M40 —5H 95
Etherow Way. Had —4A 142
Etherstone St. M8 —7J 93
Etherstone St. Leigh —4J 107
Ethrow Ind. Est. Holl —5K 141
Eton Av. Oldh —4C 96
Eton Clo. M16 —4D 134
Eton Clo. Roch —6D 30
Eton Ct. M16 —4D 134
Eton Hill Rd. Rad —2G 69
Eton St. Leigh —5K 107
Eton Ter. Ince —2G 83
Eton Way. Orr —6F 59
Eton Way N. Rad —1G 69
Eton Way S. Rad —1G 69
Etropway. M22 —1D 178
Etruria Clo. M13 —4K 135
Ettington Clo. Bury —2E 46
Ettrick Clo. Open —1F 137
Euclid Clo. M11 —7A 116
Europa Bus. Pk. Stoc —5D 168
Europa Ga. Traf P —4H 133
Europa Trad. Est. Rad —7K 67
Europa Way. Rad —7J 67
Europa Way. Stoc —5D 168
Europa Way. Traf P —4H 133
Eustace St. Bolt —3C 66
Eustace St. Chad —5K 73
Euston Av. M9 —4C 94
Euxton Clo. Bury —4E 46
Evan Clo. Stand L —2K 59
Evans Clo. M20 —7G 151
Evans Clo. Hayd —2B 124
Evans Rd. Ecc —7J 111
Evans St. Ash L —4H 119
Evans St. Hor —1G 41
Evans St. Leigh —3K 107
Evans St. Mid —6D 72
Evans St. Oldh —6D 74
Evans St. Salf —5E 114 (2F 4)
Evanstone Clo. Hor —2F 41
Evan St. M40 —3A 116
Evanton Wlk. M9 —1A 116
(off Nethervale Dri.)
Eva Rd. Stoc —4C 168
Eva St. M14 —6J 135
Eva St. Leigh —1G 107
Eva St. Roch —2J 31
Evelyn St. M14 —2K 151
Evelyn St. Oldh —5F 75
Evening St. Fail —7H 95
Evenley Clo. M11 —2F 137
Everall Bldgs. Rytn —2B 74
Everard Clo. Wor —7E 88
Everard St. Salf —2C 134 (9B 4)
Everbrom Rd. Bolt —4G 65
Everdingen Wlk. Oldh —3H 75
Everest Av. Ash L —3F 119
Everest Clo. Hyde —5A 140
Everest Pl. Wig —4E 60
Everest Rd. Ath —1C 86
Everest Rd. Hyde —5A 140
Everest St. Roch —3J 51
Everett Ct. Manx —4H 151
Everett Rd. M20 —4G 151
Everglade. Oldh —6E 96
Everglade Clo. Mac —6D 198
Evergreen Wlk. Sale —4A 148
Everitt St. Bolt —3A 44
Everleigh Clo. Bolt —7G 25
Everleigh Dri. M8 —2F 115
Eversden Ct. Salf —4E 114
Eversley Ct. Sale —1F 165
Eversley Rd. M20 —7G 151
Everson M. Upperm —6H 77
Everton Rd. Oldh —3B 96
Everton Rd. Stoc —7H 137
Everton St. Ash M —3K 103
Everton St. Swint —7C 90
Every St. M4 —7K 115
Every St. Bury —1K 47
Every St. Ram —5H 9
Evesham Av. M23 —4H 165
Evesham Av. Had —4C 142
Evesham Av. Stoc —7D 152
Evesham Clo. Bolt —7K 43
Evesham Clo. Leigh —7J 107
Evesham Clo. Mac —6G 197
Evesham Clo. Mid —2D 94
Evesham Dri. Farn —4D 66
Evesham Gro. Ash L —1G 119
Evesham Gro. Sale —6J 149
Evesham Rd. M9 —5C 94
Evesham Rd. Chea —6C 168
Evesham Rd. Mid —2C 94
Evesham Wlk. Bolt —1K 65
Evesham Wlk. Mid —2D 94
Evesham Wlk. Oldh —2C 96
Eveside Clo. Chea H —7D 168
Eve St. Oldh —5D 96
Evington Av. Open —2J 137
Ewan St. M18 —3F 137
Ewart Av. Salf —7A 114
Ewart St. Bolt —3A 44
Ewhurst Av. Swint —2B 112
Ewing Clo. M8 —6G 93
Ewood. Oldh —7E 96
Ewood Dri. Bury —5E 46
Exbourne Rd. M22 —3C 178
Exbridge Wlk. M40 —4F 117
Exbury. Roch —4G 31
(off Spotland Rd.)
Exbury St. M14 —3K 151
Excalibur Way. Irl —3A 146
Exchange Clo. Mac —3F 199
Exchange Quay. Salf —3A 134
Exchange St. M2 —7F 115 (5H 5)
Exchange St. Bolt —6B 44
Exchange St. Eden —1H 9
Exchange St. Mac —3F 199
Exchange St. Oldh —7F 75
Exchange St. Stoc —2G 169
Exell Est. Wins —5J 81
Exeter Av. Bolt —3D 44
Exeter Av. Dent —1D 154
Exeter Av. Ecc —4E 112
Exeter Av. Farn —5B 66
Exeter Av. Rad —1B 68
Exeter Clo. Chea H —4B 180
Exeter Clo. Duk —3H 139
Exeter Ct. Mid —5B 72
Exeter Dri. Ash L —1H 119
Exeter Dri. Asp —1B 62
Exeter Dri. Irl —7D 130
Exeter Gro. Roch —7H 31
Exeter Rd. Hind —2C 84
Exeter Rd. Stoc —5A 154
Exeter Rd. Urm —5B 132
Exeter St. Roch —7J 31
Exeter Wlk. Bram —5H 181
Exford Av. Wig —3C 82
Exford Clo. M40 —5K 115
Exford Clo. Stoc —4H 153
Exford Dri. Bolt —7J 45
Exford Wlk. M40 —5K 115
Exhall Clo. L Hul —1C 88
Exit Rd. E. Man A —5B 178
Exit Rd. W. Man A —5B 178
Exmoor Clo. Ash L —1G 119
Exmoor Wlk. M23 —1A 178
Exmouth Av. Stoc —5A 154
Exmouth Pl. Roch —1K 51
Exmouth Rd. Sale —5B 148
Exmouth Sq. Roch —2J 51
Exmouth St. Roch —1K 51
Exmouth Wlk. M16 —6F 135
Express Trad. Est. Farn —1G 89
Exton Wlk. M16 —5E 134
Eyam Clo. Glos —7K 141
(off Eyam La.)
Eyam Fold. Glos —7A 142
(off Langsett La.)
Eyam Gdns. Glos —7A 142
(off Eyam M.)
Eyam Grn. Glos —7K 141
(off Eyam La.)
Eyam Gro. Glos —7K 141
(off Eyam La.)
Eyam Gro. Stoc —6B 170
Eyam La. Glos —7K 141
Eyam M. Glos —7A 142
Eyam Rd. Haz G —4C 182
Eyebrook Rd. Bow —2J 175
Eyet St. Leigh —3J 107
Eynford Av. Stoc —4K 153
Eyre St. M15 —4G 135
Eyres Way. Bred —7A 154

Faber St. M4 —5G 115 (1K 5)
Factory Brow. Blac —2B 40
Factory Brow. Mid —7J 71
Factory Hill. Hor —1H 41
Factory La. M9 —6J 93
Factory La. Dis —5E 184
Factory La. Hth C —3K 19
Factory La. Salf —7D 114 (5C 4)
Factory St. Mid —6B 72
Factory St. Rad —3F 69
Factory St. Ram —4G 9
Factory St. Tyl —6F 87
Factory St. E. Ath —4C 86
Factory St. W. Ath —4C 86
Faggy La. Wig —7E 60
Failsworth Ind. Est. Fail —2E 116
Failsworth Rd. Fail —1K 117
FAILSWORTH STATION. BR —7G 95
Fairacres. Bolt —2G 45
Fair Acres. Stand —4H 37
Fairacres Rd. H Lane —4J 183
Fairbairn St. Hor —2F 41
Fairbank Av. M14 —5H 135
Fairbank Dri. Mid —4K 71
Fairbottom St. Oldh —7D 74
Fairbottom Wlk. Droy —1J 137
Fairbourne Av. Ald E —3H 195
Fairbourne Av. Wig —3C 82
Fairbourne Av. Wilm —2F 195
Fairbourne Clo. Wilm —2F 195
Fairbourne Dri. Tim —2F 165
Fairbourne Dri. Wilm —2F 195
Fairbourne Rd. M19 —1E 152
Fairbourne Rd. Dent —7C 138
Fairbrook Dri. Salf —6J 113
Fairbrother St. Salf —2C 134 (9A 4)
Fairclough St. M11 —6C 116
Fairclough St. Bolt —2B 66
Fairclough St. Hind —1B 84
Fairclough St. Newt W —6D 124
Fairclough St. Wig —7F 61
Fairfax Av. M20 —6H 151
Fairfax Av. Tim —5E 164
Fairfax Clo. Marp —4H 171
Fairfax Dri. L'boro —1D 32
Fairfax Dri. Wilm —2F 195
Fairfax Rd. P'wch —2A 92
Fairfield Av. Boll —3J 197
Fairfield Av. Bred —6E 154
Fairfield Av. Chea H —2B 180
Fairfield Av. Droy —1J 137
Fairfield Av. Plat B —4J 83
Fairfield Av. Wig —2K 81
Fairfield Ct. M13 —5K 135
Fairfield Ct. Droy —1J 137
Fairfield Dri. Bury —1D 48
Fairfield Gdns. Ald E —4G 195
Fairfield Rd. M11 —2G 137
Fairfield Rd. Cad —5J 145
Fairfield Rd. Droy —1G 137
Fairfield Rd. Farn —7E 66
Fairfield Rd. Mid —5A 72
Fairfield Rd. Tim —6G 165
Fairfields. Eger —4B 24
Fairfields. Oldh —5C 96
Fairfield Sq. Droy —1J 137
FAIRFIELD STATION. BR —2J 137
Fairfield St. M1 & M12 —1H 135 (7L 5)
Fairfield St. Pem —2J 81
Fairfield St. Salf —3H 113
Fairfield View. Aud —2J 137
Fairford Clo. Stoc —5H 153
Fairford Dri. Bolt —1A 66
Fairford Way. Stoc —5H 153
Fairford Way. Wilm —6K 187
Fairham Wlk. M4 —7K 115
Fairhaven Av. M21 —2B 150
Fairhaven Av. W'houg —6B 64
Fairhaven Av. W'fld —7H 69
Fairhaven Clo. Bram —4H 181
Fairhaven Clo. W'fld —7H 69
Fairhaven Rd. Bolt —2B 44
Fairhaven St. M12 —3B 136
Fair Heaven. N Mills —4F 185
Fairhills Rd. Irl —2B 146
Fairholme Av. Ash M —4D 104
Fairholme Av. Urm —1A 148
Fairholme Rd. M20 —4J 151
Fairholme Rd. Stoc —7E 152
Fairhope Av. Salf —4F 113
Fairhurst Av. Stand —2K 37
Fairhurst Dri. Wor —5B 88
Fairhurst La. Stand —5C 38
Fairhurst St. Leigh —3J 107
Fairhurst St. Wig —6D 60
Fairisle Clo. M11 —7B 116
Fairland Pl. Bolt —1F 65
Fairlands Pl. Roch —3K 51
Fairlands Rd. Bury —5K 27
Fairlands Rd. Sale —1D 164
Fairlands St. Roch —3K 51
Fairlands View. Roch —3K 51
Fairlawn. Stoc —7F 153
Fairlawn Clo. M14 —5G 135
Fairlea. Dent —7E 138
Fairlea Av. M20 —1J 167
Fairlee Av. Aud —7A 118
Fairleigh Av. Salf —5G 113
Fairless Rd. Ecc —7B 112
Fairlie Av. Bolt —1F 65
Fairlie Dri. Tim —3F 165
Fairlyn Clo. Bolt —7G 65
Fairlyn Dri. Bolt —7G 65
Fairman Clo. M16 —6F 135
Fair Mead. Knut —6E 192
Fairmead Rd. M23 —2C 166
Fairmile Dri. M20 —3J 167
Fairmount Av. Bolt —5G 45
Fairmount Rd. Swint —2K 111
Fairoak Ct. Bolt —1K 65
Fair Oak Rd. M19 —5B 152
Fairstead Wlk. Open —2H 137
Fair St. M1 —7J 115 (6N 5)
Fair St. Bolt —4J 65
Fair St. Pen —6E 90
Fairthorne Gro. Ash L —7D 118
Fair View. Bil —3D 102
Fair View. L'boro —4G 15
Fairview Av. M19 —7B 136
Fair View Av. Bil —3D 102
Fairview Av. Dent —1J 153
Fairview Clo. Ash M —4D 104
Fairview Clo. Chad —6G 73
Fairview Clo. Marp —4K 171
Fairview Clo. Roch —2J 29
Fairview Dri. Marp —4K 171
Fairview Rd. Dent —7J 137
Fairview Rd. Mac —5C 198
Fairview Rd. Tim —6G 165
Fairway. Bram —6F 181
Fairway. Droy —1J 137
Fairway. Gat —7G 167
Fairway. Miln —6E 32
Fairway. Pen —1G 113
Fairway. P'wch —5D 92
Fair Way. Roch —4D 50
Fairway. Whitw —4E 12
Fairway Av. M23 —4H 165
Fairway Av. Bolt —1J 45
Fairway Ct. Dent —5K 137
Fairway Cres. Rytn —7B 52
Fairway Dri. Sale —1C 164
Fairway Rd. Bury —3K 69
Fairway Rd. Oldh —3J 97
Fairways. Hor —2G 41
Fairways Clo. Glos —1H 159
Fairways, The. Ash M —6K 103
Fairways, The. W'houg —6J 63
Fairways, The. W'fld —1K 91
Fairway, The. M40 —1E 116
Fairway, The. Stoc —4B 170
Fairwood Rd. M23 —4H 165
Fairy La. M8 —3E 114
Fairy La. Sale —6K 149
Fairy St. Bury —3G 47
Fairywell Clo. Wilm —4A 188
Fairywell Ct. M23 —4H 165
Fairywell Dri. Sale —2E 164
Fairywell Rd. Tim —3F 165
Faith St. Bolt —4G 43
Faith St. Leigh —3G 107
Falcon Av. Urm —7C 132
Falcon Clo. Bury —1A 48
Falcon Clo. N Mills —4K 185
Falcon Clo. Roch —2K 29
Falcon Ct. M15 —4E 134
Falcon Ct. Salf —6D 92
Falcon Cres. Clif —5F 91
Falcon Dri. Chad —6A 74
Falcon Dri. Irl —5D 130
Falcon Dri. L Hul —2C 88
Falcon Dri. Mid —3A 72
Falconers Grn. Wig —2D 82
Falcon St. Bolt —5B 44
Falcon St. Oldh —2C 96
Falcons View. Oldh —4C 96
Falconwood Chase. Wor —2D 110
Falconwood Clo. Wig —5C 60
Falfield Dri. M8 —3H 115
Falinge Fold. Roch —3F 31
Falinge Rd. Roch —3F 31
Falkirk Dri. Bolt —7H 45
Falkirk Dri. Ince —6J 61
Falkirk Gro. Wig —6J 59
Falkirk St. Oldh —7G 75
Falkirk Wlk. M23 —2A 178
Falkland Av. M40 —4A 116
Falkland Av. Roch —4E 30
Falkland Clo. Oldh —2J 75
Falkland Dri. Ash M —4J 103
Falkland Ho. M14 —1J 151
Falkland Rd. Bolt —6J 45
Fall Bank. Stoc —3E 152
Fall Birch Rd. Los —5K 41
Fallibroome Clo. Mac —3A 198
Fallibroome Rd. Mac —3A 198
Fall La. Mars —2H 57
Fallons Rd. Wor —6A 90
Fallon Wlk. M15 —3E 134
Fallow Clo. W'houg —4J 63
Fallowfield Av. Salf —1B 134
Fallowfield Dri. Roch —2F 31
Fallow Fields Dri. Stoc —1J 153
Fallowfield Shopping Cen. M14 —1B 152
Fallows, The. Chad —2J 95
Falls Gro. H Grn —1G 179
Falmer Clo. M18 —3H 137
Falmer Clo. Bury —5G 27
Falmer Dri. M22 —3D 178
Falmouth Av. Sale —5B 148
Falmouth Av. Urm —6G 131
Falmouth Clo. Mac —3A 198
Falmouth Cres. Stoc —5A 154
Falmouth Rd. Irl —7D 130
Falmouth St. M40 —4B 116
Falmouth St. Oldh —3D 96
Falmouth St. Roch —7J 31
Falsgrave Clo. M40 —3C 116
Falshaw Dri. Bury —3J 27
Falside Wlk. M40 —3E 116
Falston Av. M40 —5F 95
Falstone Av. Ram —7G 9
Falstone Clo. Bchwd —4B 144
Falstone Clo. Wig —5A 82
Falterley Rd. M23 —3J 165
Fancroft Rd. Plat B —5J 83
Fancroft Rd. M22 —6C 166
Fane Wlk. M9 —4H 93
Faraday Av. M8 —2G 115
Faraday Av. Clif —5H 91
Faraday Dri. Bolt —4A 44
Faraday Ho. Bolt —4A 44
(off Faraday Dri.)
Faraday St. M1 —6H 115 (4L 5)
Farcroft Av. Rad —7G 47
Farcroft Clo. M23 —3K 165
Far Cromwell Rd. Bred P —4B 154
Fardale. Shaw —7F 53
Farden Dri. M23 —3H 165
Fardon Clo. Wig —4B 82
Farefield Av. Golb —6H 105
Fareham Ct. M16 —4D 134
Farewell Clo. Roch —3E 50
Fargner St. M11 —7F 117
Far Hey Clo. Rad —3C 68
Farholme. Rytn —4A 74
Faringdon. Roch —6G 31
Faringdon Wlk. Bolt —1A 66
Farington Av. Manx —3G 151
Farland Pl. Bolt —1F 65
Farlands Dri. M20 —4H 167
Far La. M18 —5F 137
Farley Av. M18 —5J 137
Farley Ct. Chea H —1B 180
Farley La. Rob M —3A 58
Farley Rd. Sale —1G 165
Farley Way. Stoc —1G 153
Farman St. Bolt —3K 65
Farm Av. Adl —4J 19
Farm Av. Stret —5E 132
Farm Clo. Stoc —4E 152
Farm Clo. Tot —6D 26
Farmers Clo. Sale —7A 150
Farmer St. Stoc —7F 153
Farmfield. Sale —4C 148
Farmfield Dri. Mac —7D 196
Farmfold. Styal —1F 187
Farm La. Asp —5J 61
Farm La. Dis —6A 184
Farm La. Hyde —2H 155
Farm La. P'wch —6E 70
Farm La. Wor —3H 111
Farm Meadow Rd. Orr —2E 80
Farm Rd. Oldh —7A 96
Farmside Av. Irl —6C 130
Farmside Pl. M19 —1C 152
Farmstead Clo. Fail —2A 118
Farm St. Chad —5K 73
Farm St. Fail —2F 117
Farm St. Heyw —5A 50
Farm Wlk. Bow —2G 175
Farm Wlk. L'boro —6D 14
Farm Wlk. Roch —3A 32
Farmway. Mid —7B 72
Farm Way. Newt W —7G 125
Farm Yd. M19 —1C 152
Farn Av. Redd —7G 137
Farnborough Rd. M40 —5K 115
Farnborough Rd. Bolt —6A 24
Farncombe Clo. M23 —4H 165
Farndale Gro. Ash M —6E 104
Farndale Sq. Wor —4E 88
Farndale Wlk. M9 —7A 94
(off Up. Conran St.)
Farndon Av. Haz G —7D 170
Farndon Clo. Sale —7J 149
Farndon Dri. Tim —5E 164
Farndon Rd. Stoc —7G 137
Farnham Av. M9 —2K 93
Farnham Av. Mac —4C 198
Farnham Clo. Bolt —4A 44
Farnham Clo. Chea H —5C 180
Farnham Clo. Leigh —2K 107
Farnham Dri. Irl —1C 146
Farnhill Wlk. M23 —2J 165
Farnley Clo. Roch —2B 30
Farnsfield. Wig —5H 61
Farnsworth Av. Ash L —3F 119
Farnsworth Clo. Ash L —3F 119
Farnsworth St. M11 —2F 137
Farnworth Dri. M14 —7J 135
Farnworth & Kearsley By-Pass. Farn —4F 67
FARNWORTH STATION. BR —5G 67
Farnworth St. Bolt —2J 65
Farnworth St. Heyw —3J 49
Farnworth St. Leigh —4B 108
(in two parts)
Farrand Rd. Oldh —5K 95
Farrant Rd. M12 —5C 136
Farrar Rd. Droy —1H 137
Farr Clo. Wig —2B 82
Farrell St. Salf —5E 114 (1E 4)
Farrell St. Wig —2J 81
Farrer Rd. M13 —6B 136
Far Ridings. Rom —7H 155
Farriers Croft. Wig —3A 60
Farriers La. Roch —1D 50
Farringdon Dri. Rad —1C 68
Farringdon St. Salf —5J 113
Farrowdale Av. Shaw —7F 53
Farrow St. Shaw —7F 53
(in two parts)
Farrow St. E. Shaw —7F 53
(off Market St.)
Farr St. Stoc —3F 169
Farwood Clo. M16 —4C 134
Farwood Clo. Mac —1B 198
Far Woodseats La. Chis —5F 157
Fastnet St. M11 —1C 136
Fatherford Clo. Dig —1K 77
Faulkenhurst M. Chad —5A 74
Faulkenhurst St. Chad —5A 74
Faulkner Dri. Tim —7F 165
Faulkner Rd. Stret —7J 133
Faulkner St. M1 —1G 135 (7J 5)
Faulkner St. Bolt —1A 66
Faulkner St. Roch —5H 31
Fauvel Rd. Glos —1E 158
Faversham Brow. Oldh —6C 74
Faversham St. M40 —1D 116
Fawborough Rd. M23 —2K 165
Fawcetts Fold. W'houg —2J 63
Fawcett St. Bolt —6D 44
Fawley Av. Hyde —1H 155
Fawley Gro. M22 —7D 166
Fawns Keep. Stal —3E 140
Fawns Keep. Wilm —6K 187
Fay Av. M9 —4D 94
Fay Gdns. Had —5A 142
Faywood Dri. Marp —5A 172
Fearn Dene. Roch —2D 30
Fearndown Way. Mac —6E 196
Fearney Side. L Lev —3H 67
Fearnham Clo. Leigh —7J 107
Fearnhead Av. Hor —7F 21
Fearnhead Clo. Farn —6G 67

Ford St. Roch —5J 31
Ford St. Salf —3C 114 (Charlestown)
Ford St. Salf —6D 114 (4D 4) (Salford)
Ford St. Stoc —2F 169
Ford St. Stone —6J 67
Ford Way. Mot —5G 141
Fordyce Way. Ince —6J 61
Foreland Clo. M40 —3K 115
Forest Av. Wig —3A 60
Forest Clo. Duk —3G 139
Forest Dri. Lang —7K 199
Forest Dri. Sale —1C 164
Forest Dri. Stand —3G 37
Forest Dri. Tim —5D 164
Forest Dri. W'houg —6A 64
Forester Av. Knut —4F 193
Forester Dri. Stal —7A 120
Forester Hill Av. Bolt —3B 66 (in two parts)
Forester Hill Clo. Bolt —3B 66
Foresters Clo. Bick —7C 84
Forest Gdns. Part —7K 145
Forest Range. M19 —1C 152
Forest Rd. Bolt —2H 43
Forest St. Ash L —4G 119
Forest St. Ecc —4J 111
Forest St. Oldh —4D 96
Forest View. Roch —2F 31
Forest Way. Brom X —5E 24
Forfar St. Bolt —7A 24
Forge Ind. Est. Oldh —7F 75
Forge St. Ince —7G 61
Forge St. Oldh —7F 75
Formby Av. M21 —3D 150
Formby Av. Ath —3D 86
Formby Dri. H Grn —4H 179
Formby Rd. Salf —2J 113
Forres Gro. Ash M —4K 103
Forrester Dri. Shaw —5H 53
Forrester Ho. M12 —3C 136 (off Blackwin St.)
Forrester St. Wor —7J 89
Forrest Rd. Dent —1F 155
Forshaw Av. M18 —3H 137
Forshaw St. Dent —5B 138
Forsters St. Golb —7J 105
Forston Wlk. M8 —2H 115
Forsythia Wlk. Part —1A 162
Forsyth St. Roch —2A 30
Fortescue Rd. Stoc —4B 170
Fortgate Wlk. M13 —3K 135
Forth Pl. Rad —1D 68
Forth Rd. Rad —1D 68
Forth St. Leigh —4B 108
Forton Av. Bolt —6G 45
Forton Rd. Wig —5B 82
Fortran Clo. Salf —7A 114
Fort Rd. P'wch —5D 92
Fortrose Av. M9 —4H 93
Fortuna Gro. M19 —2B 152
Fortune St. Bolt —1D 66
Fortyacre Dri. Bred —7C 154
Forum Gro. Salf —3E 114
Fosbrook Av. M20 —6J 151
Foscarn Dri. M23 —6B 166
Fossgill Av. Bolt —7E 24
Foster Av. Ince —1G 83
Foster Ct. Bury —1D 48
Foster La. Bolt —4H 45
Fosters Bldgs. Wig —6D 60
Foster St. Dent —6D 138
Foster St. Oldh —7G 75
Foster St. Rad —3D 68
Foster St. Salf —6H 113
Foster St. Wig —5C 60
Foster Ter. Bolt —4A 44 (off Barnwood Dri.)
Fotherby Dri. M9 —4K 93
Fotherby Pl. Wig —4C 82
Foulds Av. Bury —3E 46
Foundry Ct. Mac —3E 198 (off Catherine St.)
Foundry La. M4 —6H 115 (4L 5)
Foundry La. Wig —3K 81
Foundry Rd. Traf P —5H 133
Foundry St. Boll —2K 197
Foundry St. Bolt —1B 66 (Bolton)
Foundry St. Bolt —3J 67 (Little Lever)
Foundry St. Bury —3K 47
Foundry St. Duk —1G 139 (in two parts)
Foundry St. Heyw —3J 49
Foundry St. Hind —2B 84
Foundry St. Leigh —4B 108
Foundry St. Newt W —6D 124
Foundry St. Oldh —1C 96
Foundry St. Rad —3E 68
Fountain Av. Hale —2F 177
Fountain Pk. W'houg —2H 85
Fountain Pl. Poy —1B 190
Fountain Pl. W'fld —7K 69
Fountains Av. Bolt —4E 44
Fountains Av. Hayd —2B 124
Fountains Clo. Ast —1J 109
Fountains Clo. Poy —2B 190
Fountain Sq. Dis —6C 184
Fountains Rd. Chea H & Bram —6D 180
Fountains Rd. Stret —6D 132
Fountain St. M2 —7G 115 (6J 5)
Fountain St. Ash L —4J 119
Fountain St. Bury —3A 48
Fountain St. Ecc —1B 132
Fountain St. Elt —3G 47
Fountain St. Hyde —6K 139
Fountain St. Mac —3G 199
Fountain St. Mid —6B 72
Fountain St. Oldh —7C 74
Fountain St. N. Bury —3A 48
Fountains Wlk. Chad —2J 95
Fountains Wlk. Duk —3G 139
Fountains Wlk. Lwtn —1F 127
Fount Rd. M15 —3E 134
Fouracres. M23 —6A 166
Fouracres Rd. M23 —6K 165
Four Lanes. Mot —5G 141
Four Lanes Way. Roch —3J 29
Fourteen Meadows Rd. Wig —7D 60
Fourth Av. M11 —5E 116
Fourth Av. Bolt —6H 43
Fourth Av. Bury —1D 48
Fourth Av. C'brk —2E 120
Fourth Av. Chad —2J 95
Fourth Av. L Lev —2H 67
Fourth Av. Oldh —6A 96
Fourth Av. Swint —3B 112
Fourth Av. Traf P —3G 133
Fourth St. Bam —1H 105
Fourth St. Bolt —1F 43
Fourways. Traf P —3E 132
Fourways Wlk. M40 —5D 94
Four Yards. M2 —7F 115 (6H 5)
Fovant Cres. Stoc —1G 153
Fowey Wlk. M23 —6A 166
Fowey Wlk. Hyde —6E 140
Fowler Av. M18 —2H 137
Fowler Clo. Wig —6G 61
Fowler Ind. Pk. Hor —3G 41
Fowler St. Mac —2F 199
Fowler St. Oldh —4A 96
Fowley Comn. La. Cul —4B 128
Fownhope Av. Sale —7D 148
Fownhope Rd. Sale —7D 148
Foxall Clo. Mid —7J 71
Foxall St. Mid —7J 71
Fox Bank Ct. Stoc —3F 169
Foxbank St. M13 —5A 136
Fox Bench Clo. Chea H —6E 180
Foxbench Wlk. M21 —3D 150
Fox Clo. Tim —5D 164
Foxcroft St. L'boro —6D 14
Foxdale Clo. Tur —4G 7
Foxdale St. M11 —7E 116
Foxdene Gro. Wig —5A 82
Foxdenton Dri. Urm —6D 132
Foxdenton La. Mid & Chad —1G 95
Foxdenton Wlk. Dent —1C 154
Foxendale Wlk. Bolt —1B 66
Foxfield Clo. Bury —7F 27
Foxfield Dri. Oldh —6A 96
Foxfield Rd. M23 —1K 177
Foxford Wlk. M22 —2E 178
Fox Gdns. Lymm —7C 160
Foxglove Clo. Boll —2K 197
Foxglove Clo. Stand —3K 37
Foxglove Ct. Roch —1F 31
Foxglove Dri. B'hth —3K 163
Foxglove Dri. Bury —2D 48
Foxglove La. Stal —5A 120
Foxglove Wlk. Part —1B 162
Fox Gro. Knut —5F 193
Foxhall Rd. Dent —5B 138
Foxhall Rd. Tim —5C 164
Foxham Wlk. Salf —2E 114
Foxhill. Shaw —5C 52
Foxhill Chase. Stoc —6E 170
Foxhill Dri. Stal —1C 140
Foxhill Rd. Ecc —7H 111
Fox Hill Rd. Roch —5F 51
Foxholes Clo. Roch —3J 31
Foxholes Rd. Hor —1H 41
Foxholes Rd. Hyde —2G 155
Foxholes Rd. Roch —3J 31
Foxlair Rd. M22 —1B 178
Foxland Rd. Gat —7H 167
Foxlea. Glos —2B 158
Foxley Clo. Droy —1G 137
Foxley Gro. Bolt —7K 43
Foxley Ho. W'houg —7E 62
Foxley Wlk. M12 —4C 136
Fox Platt Rd. Moss —6B 98
Fox Platt Ter. Moss —7C 98
Fox St. Bury —2K 47
Fox St. Ecc —6D 112
Fox St. Heyw —3J 49
Fox St. Hor —3G 41
Fox St. Miln —6C 32 (Milnrow)
Fox St. Miln —4K 31 (Rochdale)
Fox St. Oldh —5A 96
Fox St. Stoc —3F 169
Foxton St. Mid —7J 71
Foxton Wlk. M23 —2A 178
Foxwell Wlk. M8 —2H 115
Foxwood Clo. Orr —2E 80
Foxwood Dri. Moss —5D 98
Foxwood Gdns. M19 —5A 152
Foynes Clo. M40 —3K 115
Foy St. Ash M —5D 104
Framingham Rd. Sale —7E 148
Framley Rd. M21 —3F 151
Frampton Clo. Mid —7D 72
Fram St. M9 —7B 94
Fram St. Salf —6G 113
Frances Av. Gat —5G 167
Francesca Wlk. M18 —3E 136
Frances Pl. Ath —6A 86
Frances St. Bolt —3K 43
Frances St. Chea —5A 168
Frances St. Hyde —6G 139
Frances St. Mac —3D 198
Frances St. Oldh —5E 74 (in two parts)
Frances St. Roch —7B 14
Frances St. Stoc —3G 169
Frances St. W. Hyde —6G 139
France St. Hind —1B 84
France St. W'houg —1J 85
France St. Wig —7B 60
Francis Av. Ecc —6C 112
Francis Av. Wor —5H 89
Francis Gro. Hind —2B 84
Francis Rd. M20 —5J 151
Francis Rd. Irl —2B 146
Francis St. M3 —5F 115 (1H 5)
Francis St. M13 —3H 135
Francis St. Ast —7K 87
Francis St. Cad —5A 146
Francis St. Dent —2F 155
Francis St. Ecc —5B 112
Francis St. Fail —1H 117
Francis St. Farn —5E 66
Francis St. Hind —2B 84
Francis St. Leigh —1J 107
Francis Ter. Duk —7G 119 (off Astley St.)
Francis Thompson Dri. Ash L —5F 119
Frandley Wlk. M13 —2H 135 (9M 5)
Frankby Clo. Pen —1G 113
Frank Cowin Ct. Salf —4D 114
Frankford Av. Bolt —3J 43
Frankford Sq. Bolt —3J 43
Frank Hulme Ho. Stret —1J 149
Frankland Clo. M11 —6D 116
Franklin Av. Droy —7J 117
Franklin Rd. M18 —3G 137
Franklin St. Ecc —6B 112
Franklin St. Oldh —6C 74
Franklin St. Roch —7K 31
Franklin Ter. L'boro —6E 14 (off William St.)
Franklyn Av. Urm —7G 131
Franklyn Clo. Dent —7J 137
Frank Perkins Way. Irl —3B 146
Frank Price Ct. M22 —1C 178
Frank St. M1 —2F 135 (9H 5)
Frank St. Bolt —3K 43
Frank St. Bury —4K 47
Frank St. Fail —1G 117
Frank St. Hyde —7J 139
Frank St. Oldh —6F 75
Frank St. Salf —4A 114
Frank St. Wig —6E 60
Frank Swift Wlk. M14 —6G 135
Frankton Rd. W'fld —7K 69
Franton Rd. M11 —6D 116
Fraser Av. Sale —7J 149
Fraser Ho. Bolt —4K 43 (off Kirk Hope Dri.)
Fraser Pl. Traf P —4H 133
Fraser Rd. Crum —6F 93
Fraser Rd. Wig —7A 60
Fraser St. Ash L —5G 119
Fraser St. Pen —6E 90
Fraser St. Roch —1K 51
Fraser St. Shaw —5E 52
Fraternitas Ter. Droy —5G 117
Frawley Av. Newt W —4E 124
Freckleton Av. M21 —6C 150
Freckleton Dri. Bury —5D 46
Freckleton St. Wig —4E 60
Freda Wlk. M11 —7B 116
Frederica Gdns. Plat B —4J 83
Frederick Av. Shaw —1F 75
Frederick Ct. Farn —6G 67
Frederick Rd. Salf —5B 114
Frederick St. Ash M —3C 104
Frederick St. Ash L —6J 119
Frederick St. Chad —6K 73
Frederick St. Dent —4C 138
Frederick St. Farn —6F 67
Frederick St. Hind —2B 84
Frederick St. Ince —1F 83
Frederick St. L'boro —5E 14
Frederick St. Oldh —2A 96
Frederick St. Ram —6F 9
Frederick St. Salf —6E 114 (4E 4)
Frederic St. Wig —6E 61
Fred Tilson Clo. M14 —6G 135
Freehold St. Roch —7G 31
Freelands. Tyl —6J 87
Freeland Wlk. Open —1E 136
Freeman Av. Ash L —5H 119
Freeman Rd. Duk —3G 139
Freeman's La. Char R —1A 18
Freeman Sq. M15 —3G 135
Freemantle St. Stoc —3F 169
Freestone Clo. Bury —1H 47
Freetown. Glos —2E 158
Freetown Clo. M14 —5G 135
Freetrade St. Roch —7G 31
Fremantle Av. M18 —6F 137
French Av. Oldh —5G 75
French Av. Stal —7C 120
French Barn La. M9 —4J 93
French Gro. Bolt —1F 67
French St. Ash L —4H 119
French St. Stal —7C 120
Frenchwood Ct. Asp —1A 62
Frensham Wlk. M23 —7K 165
Fresca Rd. Oldh —2H 75
Fresh Ct. Glos —3B 158
Freshfield. H Grn —4H 179
Freshfield Av. Ath —3C 86
Freshfield Av. Bolt —4K 65
Freshfield Av. Hyde —1H 155
Freshfield Av. P'wch —1C 92
Freshfield Clo. Fail —2J 117
Freshfield Clo. Marp B —2B 172
Freshfield Dri. Mac —7E 196
Freshfield Gro. Bolt —4B 66
Freshfield Rd. Hind —2D 84
Freshfield Rd. Stoc —1B 168
Freshfield Rd. Wig —4A 82
Freshfields. Knut —3B 192
Freshfields. Rad —1B 68
Freshfield Wlk. M11 —6E 116
Freshford Wlk. M22 —3B 178
Freshwater Dri. Dent —2F 155
Freshwater St. M18 —3G 137
Freshwinds Ct. Oldh —3H 97
Fresia Av. Wor —4B 88
Fresnel Clo. Hyde —3B 140
Frew Clo. M40 —5D 94
Frewland Av. Stoc —7H 169
Freya Gro. Salf —1C 134 (8B 4)
Friarmere Rd. Del —1E 76
Friars Clo. Bow —3K 175
Friars Clo. Tyl —6K 87
Friars Clo. Wilm —5E 186
Friar's Ct. Salf —6F 113
Friars Cres. Roch —3H 51
Friar's Rd. Sale —6F 149
Friars Way. Mac —1A 198
Friendship Av. M18 —5G 137
Friendship Sq. Holl —4K 141
Frieston. Roch —4G 31 (off Spotland Rd.)
Frieston Rd. Tim —3C 164
Friezland Clo. C'brk —2E 120
Friezland La. G'fld —3G 99
Frimley Gdns. M22 —1D 178
Frinton Av. M40 —4F 95
Frinton Clo. Sale —2D 164
Frinton Rd. Bolt —3H 65
Frith St. Wig —7C 60
Frith Ter. Mac —7F 199
Frobisher Clo. M13 —4K 135
Frobisher Pl. Stoc —6G 153
Frobisher Rd. L'boro —2G 15
Frodesley Wlk. M12 —3B 136
Frodsham Av. Stoc —7E 152
Frodsham Clo. Stand L —3K 59
Frodsham Rd. Sale —1J 165
Frodsham St. M14 —6H 135
Frodsham Way. Hand —1A 188
Froghall La. Lymm & H Legh —4A 174
Frog La. Wig —5C 60
Frogley St. Bolt —2D 44
Frogmore Av. Hyde —3J 155
Frome Av. Stoc —6A 170
Frome Av. Urm —1K 147
Frome Clo. Ast —2J 109
Frome Dri. M8 —1H 115
Frome St. Oldh —1G 97
Frostlands Rd. M16 —6E 134
Frost St. M4 —7K 115
Frost St. Oldh —3C 96
Frowde Wlk. M16 —5E 134
Froxmer St. M18 —3E 136
Fruit Mkt. Wig —6E 60 (off Galleries, The)
Fryent Clo. Blac —3B 40
Fuchsia Gro. Salf —2D 114
Fulbeck Av. Wig —5B 82
Fulbeck Wlk. M8 —3E 114
Fulbrook Way. Tyl —6J 87
Fulford St. M16 —5C 134
Fulham Av. M40 —3D 116
Fulham St. Oldh —1G 97
Fullbrook Dri. Chea H —6B 180
Fullerton Rd. Stoc —1D 168
Full Pot La. Roch —4A 30
Fulmar Clo. Poy —1J 189
Fulmar Clo. W'houg —1H 85
Fulmar Dri. Sale —1A 164
Fulmar Dri. Stoc —6D 170
Fulmards Clo. Wilm —6J 187
Fulmar Gdns. Roch —5B 30
Fulmead Wlk. M8 —2F 115 (off Kilmington Dri.)
Fulmer Dri. M4 —6J 115 (3P 5)
Fulmere Ct. Swint —2B 112
Fulneck Sq. Droy —1J 137
Fulshaw Av. Wilm —7G 187
Fulshaw Ct. Wilm —1G 195
Fulshaw Pk. Rd. Wilm —2G 195
Fulshaw Pk. S. Wilm —2F 195
Fulshaw Wlk. M13 —2H 135 (10M 5)
Fulstone M. Stoc —5K 169
Fulthorpe Wlk. M9 —2A 94
Fulton Ct. M15 —4G 135 (off Boundary La.)
Fulton's Ct. Lees —1J 97
Fulwell Av. Tyl —7E 86
Fulwood Av. M9 —3B 94
Fulwood Clo. Bury —4D 46
Fulwood Rd. Lwtn —2C 126
Furbarn La. Roch —4K 29
Furbarn Rd. Roch —5K 29
Furlong Clo. Bam —1H 105
Furlong Rd. M22 —1B 178
Furnace St. Duk —7F 119
Furnace St. Hyde —5G 139
Furness Av. Ash L —3D 118
Furness Av. Bolt —3D 44
Furness Av. Heyw —2J 49
Furness Av. L'boro —5E 14
Furness Av. Oldh —3G 97
Furness Av. W'fld —6A 70
Furness Clo. Glos —2H 159
Furness Clo. Miln —6C 32
Furness Clo. Poy —1A 190
Furness Cres. Leigh —6H 85
Furness Gro. Stoc —2C 168
Furness Quay. Salf —2A 134
Furness Rd. M14 —1J 151
Furness Rd. Bolt —6H 43
Furness Rd. Chea H —6E 180
Furness Rd. Mid —3B 72
Furness Rd. Urm —6B 132
Furness Sq. Bolt —3D 44
Furnival Clo. Dent —7J 137
Furnival Rd. M18 —4E 136
Furnival St. Leigh —1K 107
Furnival St. Stoc —7H 137
Further Field. Roch —3K 29
Further Heights Rd. Roch —2H 31
Further Hey Clo. Lees —7J 75
Further La. Hyde —6E 140
Further Pits. Roch —5E 30
Furtherwood Rd. Oldh —5A 74
Furze Av. W'houg —7K 63
Furze La. Oldh —5H 75 (in two parts)
Furze Wlk. Part —7C 146
Fyfield Wlk. M8 —2H 115
Fylde Av. Bolt —6G 45
Fylde Av. H Grn —4J 179
Fylde Ct. Stret —2G 149
Fylde Rd. Stoc —1C 168
Fylde St. Bolt —4F 67
Fylde St. E. Bolt —4F 67

Gable Av. Wilm —6G 187
Gable Ct. Dent —6D 138
Gable Dri. Mid —5A 72
Gables, The. Sale —7F 149 (Brooklands)
Gables, The. Sale —5G 149 (Sale)
Gable St. M11 —1B 136
Gable St. Bolt —7F 25
Gable St. Newt W —6C 124
Gabriels Ter. Mid —7E 72
Gabriels, The. Shaw —6D 52
Gabriel Wlk. M16 —6F 135
Gadbury Av. Ath —4B 86
Gaddum Rd. M20 —7J 151
Gaddum Rd. Bow —3J 175
Gadwall Clo. Wor —7F 89
Gail Av. Stoc —1F 169
Gail Clo. Ald E —4H 195
Gail Clo. Fail —3G 117
Gainford Av. Gat —7H 167
Gainford Gdns. M40 —6D 94
Gainford Rd. Stoc —1H 153
Gainford Wlk. Bolt —2A 66
Gainsboro Rd. Aud —7B 118
Gainsborough Av. M20 —4J 151
Gainsborough Av. Bolt —3J 65
Gainsborough Av. Marp B —3B 172
Gainsborough Av. Oldh —3C 96
Gainsborough Av. Stret —6K 133
Gainsborough Clo. Wig —4K 81
Gainsborough Clo. Wilm —5K 187
Gainsborough Dri. Chea —5B 168
Gainsborough Dri. Roch —2G 51
Gainsborough Rd. Chad —5G 73
Gainsborough Rd. Ram —3F 27
Gainsborough St. Salf —1E 114
Gainsborough Wlk. Dent —1C 154
Gainsborough Wlk. Hyde —4J 139
Gairlock Av. Stret —7F 133
Gair Rd. Stoc —6H 153
Gair St. Hyde —5H 139
Gaitskell Clo. M12 —7A 116
Galbraith Rd. M20 —7J 151
Galbraith St. M1 —1G 135 (8K 5)
Gale Dri. Mid —4K 71
Gale Rd. P'wch —4K 91
Gale St. Heyw —3H 49
Gale St. Roch —1G 31
Galey St. Bolt —3F 43
Galgate Clo. M15 —2E 134 (10E 4)
Galgate Clo. Bury —4D 46
Galindo St. Bolt —1E 44
Galland St. Oldh —6H 75
Galleries Shopping Cen., The. Wig —6E 60
Galloway Clo. Bolt —1E 64
Galloway Clo. Heyw —4F 49
Galloway Dri. Clif —3D 90
Galloway Rd. Swint —2B 112
Gallowsclough Rd. Mat —3E 140
Galston St. M11 —1C 136
Galsworthy Av. M8 —2G 115
Galvin Rd. M9 —4H 93
Galway St. Oldh —1D 96
Galway Wlk. M23 —2K 177
Galwey Gro. Wig —2E 60
Gambleside Clo. Wor —7D 88
Gamble St. Leigh —3A 108
Gambrel Bank Rd. Ash L —2F 119
Gambrel Gro. Ash L —2F 119
Game St. Oldh —2G 97
Games Wlk. M22 —3B 178
Gamma Wlk. M11 —6D 116
Gandy La. Roch —7E 12
Gan Eden. Salf —7E 92
Gantley Av. Bil —3D 80
Gantley Cres. Bil —4D 80
Gantock Wlk. M14 —6J 135
Ganton Av. W'fld —7H 69
Garbo Ct. Salf —4J 113
Garbrook Av. M9 —2J 93
Garden Av. Droy —6K 117
Garden Av. Stret —6H 133
Garden City. Ram —2E 26
Garden Clo. Aud —3D 138
Garden Clo. Oldh —3D 138
Garden Clo. L'boro —1D 32
Garden La. M3 —7F 115 (5G 4) (off St Mary's Parsonage)
Garden La. Alt —6B 164
Garden La. Salf —6E 114 (3F 4) (in two parts)
Garden La. Wor —2C 110
Garden M. L'boro —6F 15 (off Industry St.)
Garden Rd. Knut —3C 192
Garden Row. Heyw —1H 49
Garden Row. Roch —2F 31
Gardens, The. M2 —6F 115 (4H 5)
Gardens, The. Bolt —6B 24
Gardens, The. Ecc —4E 112
Gardens, The. Tur —7F 7
Garden St. M4 —6G 115 (4J 5)
Garden St. Aud —3D 138
Garden St. Boll —2H 197
Garden St. Ecc —7C 112
Garden St. Heyw —2J 49
Garden St. Hyde —5J 139
Garden St. Kear —6G 67
Garden St. Mac —2G 199
Garden St. Miln —1F 53
Garden St. Oldh —7E 74
Garden St. Ram —5G 9
Garden St. Spring —2K 97
Garden St. Stoc —6A 170
Garden St. S'seat —1G 27
Garden St. Tot —5D 26
Garden St. Tyl —7G 87
Garden Ter. Rytn —6A 52
Garden View. Sale —4F 149
Garden Wlk. Ash L —4G 119
Garden Wlk. Dent —6E 138
Garden Wlk. Part —7A 146
Garden Wall Clo. Salf —1C 134 (8A 4)
Garden Way. L'boro —2D 32
Gardner. Ecc —6C 112
Gardner Grange. Stoc —6A 154
Gardner Rd. P'wch —3K 91
Gardner St. M12 —3D 136
Gardner St. Salf —4A 114
Garfield Av. M19 —1D 152

Garfield Clo. *Roch* —4A **30**
Garfield Gro. *Bolt* —1K **65**
Garfield Pl. *Mars* —1H **57**
Garfield St. *Salf* —3A **134**
Garfield St. *Stoc* —7J **153**
Garforth Av. *M4* —6J **115** (3P **5**)
Garforth St. *Chad* —7A **74**
Gargrave Av. *Bolt* —3F **43**
Gargrave St. *Oldh* —1F **97**
Gargrave St. *Salf* —7K **91**
Garland Rd. *M22* —1E **178**
Garlick St. *M18* —4F **137**
Garlick St. *Hyde* —6K **139**
Garlick St. *Oldh* —1C **96**
(in two parts)
Garnant Ct. *M9* —7B **94**
Garner Av. *Tim* —2E **164**
Garner Clo. *Bow* —2B **176**
Garner Dri. *Ast* —3H **109**
Garner Dri. *Ecc* —5A **112**
Garner Dri. *Salf* —5H **113**
Garners La. *Stoc* —6G **169**
Garnet St. *Oldh* —6F **75**
Garnett Clo. *Mot* —6F **141**
Garnett Rd. *Mot* —6F **141**
Garnett St. *Bolt* —2A **44**
Garnett St. *Ram* —5F **9**
Garnett St. *Stoc* —2H **169**
Garnett Way. Mot —6F 141
(off Garnett Clo.)
Garnham Wlk. *M9* —2A **94**
Garratt Way. *M18* —4E **136**
Garrett Gro. *Shaw* —6G **53**
Garrett Hall Rd. *Wor* —1A **110**
Garrett La. *Ast* —1K **109**
Garrett Wlk. *Stoc* —3E **168**
Garron Wlk. *M22* —2A **178**
Garrowmore Wlk. *M9* —4A **94**
Garsdale La. *Bolt* —6D **42**
Garsdale St. *M1* —2G **135** (9K **5**)
Garsden Wlk. *M23* —7K **165**
Garside Av. *Lwtn* —2B **126**
Garside Dri. *Ath* —4D **86**
Garside Gro. *Bolt* —3J **43**
Garside Gro. *Wig* —5A **82**
Garside Hey Rd. *Bury* —6F **27**
Garside St. *Bolt* —6A **44**
Garside St. *Dent* —7D **138**
Garside St. *Hyde* —1J **155**
Garstang Av. *Bolt* —7G **45**
Garstang Dri. *Bury* —4D **46**
Garstang Ho. *M15* —4H **135**
Garston Av. *Ath* —2B **86**
Garston Clo. *Leigh* —6J **85**
Garston Clo. *Stoc* —7E **152**
Garston St. *Bury* —1A **48**
Garswood Cres. *Bil* —4E **102**
Garswood Dri. *Bury* —6F **27**
Garswood Old Rd. *St H* —7D **102**
Garswood Rd. *M14* —7F **135**
Garswood Rd. *Ash M & Hayd* —3H **103**
Garswood Rd. *Bil* —3E **102**
Garswood Rd. *Bolt* —4A **66**
GARSWOOD STATION. *BR* —5J **103**
Garswood St. *Ash M* —5D **104**
Garth Av. *Tim* —5C **164**
Garth Heights. *Wilm* —6J **187**
Garthland Rd. *Haz G* —1D **182**
Garthmere Rd. *Ath* —2F **87**
Garthorne Clo. *M16* —5D **134**
Garthorp Rd. *M23* —2J **165**
Garth Rd. *M22* —7D **166**
Garth Rd. *Marp* —4A **172**
Garth Rd. *Stoc* —4A **170**
Garth, The. *Salf* —6H **113**
Garthwaite Av. *Oldh* —3C **96**
Gartland Wlk. *M8* —7J **93**
Garton Dri. *Lwtn* —7C **106**
Garton Wlk. *M9* —2A **94**
Gartside St. *M3* —7E **114** (6F **4**)
Gartside St. *Ash L* —7C **118**
Gartside St. *Del* —2E **76**
Gartside St. *Oldh* —2F **97**
Garwick Rd. *Bolt* —2H **43**
Garwood St. *M15* —2F **135** (9G **4**)
Gascoyne St. *M14* —6H **135**
Gaskell Av. *Knut* —4C **192**
Gaskell Clo. *L'boro* —5E **14**
Gaskell Rise. *Oldh* —1J **75**
Gaskell Rd. *Alt* —5B **164**
Gaskell Rd. *Ecc* —7B **112**
Gaskell's Brow. *Ash M* —3A **104**
Gaskell St. *M40* —3E **116**
Gaskell St. *Bolt* —5K **43**
Gaskell St. *Duk* —7F **119**
Gaskell St. *Hind* —7C **62**
Gaskell St. *Pen* —5D **90**
Gaskell St. *Wig* —6G **61**
Gaskill St. *Heyw* —3G **49**
Gas Rd. *Mac* —3F **199**
Gas St. *Ash L* —5F **119**
Gas St. *Bolt* —6A **44**
Gas St. *Farn* —5F **67**
Gas St. *Heyw* —3K **49**
Gas St. *Holl* —4K **141**
Gas St. *Leigh* —3K **107**
Gas St. *Plat B* —5K **83**
Gas St. *Roch* —5G **31**
Gas St. *Stoc* —2G **169**
Gaston Wlk. M9 —2K 93
(off Claygate Dri.)
Gatcombe M. *Wilm* —7G **187**
Gatcombe Sq. *M14* —6J **135**
Gateacre Wlk. *M23* —3J **165**
Gate Cen., The. *Rom* —4C **154**
Gate Field Clo. *Rad* —3C **68**
Gategill Gro. *Bil* —4D **80**
Gate Head. *Mars* —1K **57**
Gatehead Bank. *Mars* —1K **57**
Gatehead Croft. *Del* —3F **77**
Gatehead M. *Del* —3F **77**
Gatehead Rd. *Del* —4F **77**
Gatehouse Rd. *Wor* —3C **88**
Gate Keeper Fold. *Ash L* —1E **118**
Gatemere Clo. *Wor* —7D **88**
Gate Rd. *Stret* —5E **132**
Gatesgarth Rd. *Mid* —4J **71**
Gateshead Clo. *M14* —5H **135**
Gateside Wlk. M9 —2A 94
(off Brockford Dri.)
Gate St. *M11* —1E **136**
Gate St. *Duk* —3E **138**
Gate St. *Roch* —7H **31**
Gateway Cres. *Chad* —2F **95**
Gateway Ind. Est. *M1* —7H **115** (6M **5**)
Gateway Rd. *M18* —3E **136**
Gateways, The. *Pen* —6D **90**
Gathill Clo. *Chea H* —3B **180**
Gathurst La. *Shev* —3G **59**
Gathurst Rd. *Orr* —7E **58**
GATHURST STATION. *BR* —3G **59**
Gathurst St. *M18* —3G **137**
Gatley Av. *M14* —1G **151**
Gatley Brow. *Oldh* —6C **74**
Gatley Grn. *Gat* —6G **167**
Gatley Rd. *Gat* —6H **167**
Gatley Rd. *Sale* —7J **149**
GATLEY STATION. *BR* —5H **167**
Gatling Av. *M12* —7C **136**
Gatwick Av. *M23* —5B **166**
Gatwick Clo. *Bury* —5G **27**
Gavel Wlk. *Mid* —5A **72**
Gavin Av. *Salf* —7A **114**
Gawsworth Av. *M20* —2J **167**
Gawsworth Clo. *Bram* —7G **181**
Gawsworth Clo. *Had* —4C **142**
Gawsworth Clo. *Poy* —3D **190**
Gawsworth Clo. *Shaw* —6D **52**
Gawsworth Clo. *Stoc* —6F **169**
Gawsworth Clo. *Tim* —5H **165**
Gawsworth Ct. M9 —2G 93
(off Deanswood Dri.)
Gawsworth Rd. *Golb* —7H **105**
Gawsworth Rd. *Mac* —7A **198**
Gawsworth Rd. *Sale* —1J **165**
Gawsworth Way. *Dent* —1E **154**
Gawsworth Way. *Hand* —1A **188**
Gawthorpe Clo. *Bury* —1A **70**
Gaydon Rd. *Sale* —6B **148**
Gayford Wlk. M9 —2A 94
(off Brockford Dri.)
Gaynor Av. *Hayd* —2B **124**
Gayrigg Wlk. *M9* —1K **115**
Gaythorne St. *Bolt* —2B **44**
Gaythorn St. *Salf* —7C **114** (5B **4**)
Gayton Clo. *Wig* —4K **81**
Gayton Wlk. *M40* —5F **95**
Gaywood Wlk. *M40* —2J **115**
Gazebo Clo. *Wor* —4B **88**
Gee Cross Fold. *Hyde* —3K **155**
Gee La. *Ecc* —5K **111**
Gee St. *Stoc* —4F **169**
Gelder Clough Cvn. Pk. *Heyw* —7J **29**
Gellert Pl. *W'houg* —1J **85**
Gellert Rd. *W'houg* —1J **85**
Gellfield La. *Upperm* —5K **77**
Gemini Rd. *Salf* —4C **114**
Gendre St. *Eger* —4A **24**
Geneva Rd. *Bram* —1G **181**
Geneva Ter. *Roch* —4E **30**
Geneva Wlk. *M8* —2H **115**
Geneva Wlk. *Chad* —1A **96**
Genista Gro. Salf —3D 114
(off Hilton St. N.)
Gentsia Gro. *Salf* —2D **114**
Geoff Bent Wlk. *M40* —2D **116**
Geoffrey St. *Bury* —1A **48**
Geoffrey St. *Ram* —7E **8**
George Av. *Tyl* —6F **87**
George Barton St. *Bolt* —4D **44**
George Ct. Duk —7F 119
(off Astley St.)
George La. *Bred* —6E **154**
George Leigh St. *M4* —6H **115** (4M **5**)
George Man Clo. *M22* —3C **178**
George Rd. *Ram* —6F **9**
George's Clo. *Poy* —2C **190**
Georges La. *Hor* —5H **21**
George Sq. *Oldh* —1C **96**
George's Rd. *Sale* —7F **149**
Georges Rd. *Stoc* —1F **169**
George's Rd. E. *Poy* —2C **190**
George's Rd. W. *Poy* —2B **190**
George's Ter. *Orr* —2D **80**
George St. *M1* —1F **135** (7J **5**)
(in two parts)
George St. *Ald E* —5G **195**
George St. *Alt* —7B **164**
George St. *Ash M* —4E **104**
George St. *Ash L* —5G **119**
George St. *Ath* —4D **86**
George St. *Bury* —3K **47**
George St. *Chad* —7J **73**
George St. *Comp* —1B **172**
George St. *Dent* —6E **138**
George St. *Ecc* —7A **112**
George St. *Fail* —7H **95**
George St. *Farn* —7D **66**
George St. *Firg* —5C **32**
George St. *Glos* —2E **158**
George St. *Heyw* —2H **49**
George St. *Hind* —2C **84**
George St. *Hor* —2G **41**
George St. *Hur* —1B **32**
George St. *Ince* —7H **61**
George St. *Irl* —6D **130**
George St. *Knut* —4D **192**
George St. *L'boro* —5F **15**
George St. *Mac* —4F **199**
George St. *Moss* —5C **98**
George St. *Newt W* —5C **124**
George St. *Oldh* —1C **96**
George St. *P'wch* —6B **92**
George St. *Rad* —3D **68**
George St. *Roch* —4J **31**
(in two parts)
George St. *Shaw* —5G **53**
George St. *Stal* —6A **120**
George St. *Stoc* —2J **169**
George St. *Urm* —7C **132**
George St. *W'houg* —6K **63**
George St. *W'fld* —5J **69**
George St. *Whitw* —3E **12**
George St. E. *Stoc* —3K **169**
George St. N. *M8* —7F **93**
George St. S. *M8* —7F **93**
George St. W. *Hyde* —6G **139**
George St. W. *Mac* —3E **198**
George St. W. *Stoc* —3K **169**
George Thomas Ct. *M9* —7K **93**
Georgiana St. *Bury* —4K **47**
Georgiana St. *Farn* —4D **66**
Georgian Ct. *Leigh* —4B **108**
Georgian Ct. Tyl —6F 87
(off Market St.)
Georgian Sq. *Plat B* —5J **83**
Georgina Ct. *Bolt* —3H **65**
Georgina St. *Bolt* —4H **65**
Gerald Av. *M8* —7G **93**
Gerald Rd. *Salf* —3A **114**
Gerard St. *Ash M* —5D **104**
Germain Clo. *M9* —2J **93**
German Bldgs. *Stoc* —5J **169**
German La. *Char R* —3A **18**
Gerrard Av. *Tim* —3E **164**
Gerrard Clo. *Ince* —4B **62**
Gerrard Rd. *Bil* —3E **102**
Gerrards Clo. *Irl* —7C **130**
Gerrards Gdns. *Hyde* —3J **155**
Gerrards Hollow. *Hyde* —3H **155**
Gerrard St. *Kear* —6G **67**
Gerrard St. *Leigh* —3K **107**
Gerrard St. *Roch* —3J **51**
Gerrard St. *Salf* —5B **114**
Gerrard St. *Stal* —7B **120**
Gerrard St. *W'houg* —5J **63**
Gertrude Clo. *Salf* —1A **134**
Gervis Clo. *M40* —3K **115**
Ghyll Gro. *St H* —7B **102**
Ghyll Gro. *Wor* —5G **89**
Giants Hall Rd. *Stand L* —3A **60**
Gibb Fold. *Ath* —3D **86**
Gibb La. *Mell* —6E **172**
Gibbon Av. *M22* —2D **178**
Gibbon's Rd. *Ash M* —6K **103**
Gibbon St. *M11* —6C **116**
Gibbon St. *Bolt* —1K **65**
Gibb Rd. *Wor* —1K **111**
Gibbs St. *Salf* —7D **114** (5C **4**)
Gib La. *M23* —4C **166**
Gib La. Cotts. *M23* —4B **166**
Gibraltar La. *Dent* —2F **155**
Gibraltar St. *Bolt* —7K **43**
Gibraltar St. *Oldh* —2H **97**
Gibsmere Clo. *Tim* —5H **165**
Gibson Av. *M18* —2H **137**
Gibson Gro. *Wor* —4C **88**
Gibson Ho. *B'hth* —3A **164**
Gibson La. *Wor* —4C **88**
Gibson Pl. *M3* —5G **115** (1J **5**)
Gibsons Rd. *Stoc* —6D **152**
Gibson St. *Bick* —6B **84**
Gibson St. *Bolt* —4E **44**
Gibson St. *Oldh* —1G **97**
Gibson St. *Roch* —4A **32**
Gibson Way. *B'hth* —3A **164**
Gibwood Rd. *M22* —3C **166**
Giddings Rd. *M1* —1J **135** (7P **5**)
Gidlow Av. *Adl* —5J **19**
Gidlow Av. *Wig* —4C **60**
Gidlow Houses. *Wig* —1C **60**
Gidlow La. *Wig* —1C **60**
Gidlow St. *M18* —3G **137**
Gidlow St. *Hind* —1B **84**
Gifford Av. *M9* —3B **94**
Gifford Pl. *Hind* —4D **84**
Gifford Wlk. *Bram* —2J **181**
Gigg La. *Bury* —6J **47**
Gilbertbank. *Bred* —6E **154**
Gilbert Rd. *Hale* —3C **176**
Gilbertson Rd. *Hth C* —2G **19**
Gilbert St. *M15* —2E **134** (9F **4**)
Gilbert St. *Ecc* —1K **131**
Gilbert St. *Hind* —2A **84**
Gilbert St. *Ram* —2G **9**
Gilbert St. *Salf* —7K **113**
Gilbert White Rd. *Alt* —7H **163**
Gilbrook Way. *Roch* —3K **51**
Gilchrist Av. *Mac* —4A **198**
Gilchrist Rd. *Irl* —4A **146**
Gilcrest Rd. *Cad* —4A **146**
Gilda Brook Rd. *Ecc* —7E **112**
(in three parts)
Gilda Cres. Rd. *Ecc* —5E **112**
Gilda Rd. *Wor* —1A **110**
Gildenhall. *Fail* —1J **117**
Gilden Wlk. *M9* —2A **94**
Gilderdale Clo. *Bchwd* —5B **144**
Gilderdale Clo. *Shaw* —5F **53**
Gilderdale Dri. *M9* —1H **93**
Gilderdale St. *Bolt* —2C **66**
Gildlow St. *Ince* —6J **61**
Gildridge Rd. *M16* —1E **150**
Gilesgate. M14 —6J 135
(off Grelley Wlk.)
Giles St. *M12* —5C **136**
Gillan Rd. *Wig* —3D **60**
Gill Av. *Shev* —7H **37**
Gill Bent Rd. *Chea H* —6C **180**
Gillbrook Rd. *M20* —7H **151**
Gillbrow Cres. *Wig* —5H **61**
Gillemere Gro. *Shaw* —6G **53**
Gillers Grn. *Wor* —4E **88**
Gillford Av. *M9* —6B **94**
Gilliburns Wlk. *W'houg* —2K **85**
Gillingham Rd. *Ecc* —6K **111**
Gillingham Sq. M11 —7B 116
(off Jobling St.)
Gill St. *M9* —7B **94**
Gill St. *Stoc* —7K **153**
Gillwood Dri. *Rom* —2D **170**
Gilman Clo. *M9* —5J **93**
Gilmerton Dri. *M40* —3E **116**
Gilmore Dri. *P'wch* —2B **92**
Gilmore St. *Stoc* —4G **169**
Gilmour St. *Mid* —6C **72**
Gilmour Ter. *M9* —6B **94**
Gilnow Gdns. *Bolt* —7J **43**
Gilnow Gro. *Bolt* —7K **43**
Gilnow La. *Bolt* —7J **43**
Gilnow Rd. *Bolt* —7J **43**
Gilpin Pl. *Plat B* —5H **83**
Gilpin Rd. *Urm* —7D **132**
Gilpin Wlk. *Mid* —5K **71**
Gilroy St. *Wig* —6F **61**
Giltbrook Av. *M40* —4K **115**
Gilwell Dri. *M23* —7K **165**
Gilwood Gro. *Mid* —2B **72**
Gingham Brow. *Hor* —1H **41**
Gingham Pk. *Rad* —1C **68**
Gipsy La. *Roch* —2E **50**
Gird La. *Marp B* —3E **172**
Girton Av. *Ash M* —4B **104**
Girton St. *Bolt* —6F **45**
Girton St. *Salf* —4E **114**
Girton Wlk. *M40* —6F **95**
Girvan Av. *M40* —5F **95**
Girvan Clo. *Bolt* —3J **65**
Girvan Cres. *Ash M* —4J **103**
Girvan Wlk. *Heyw* —4F **49**
Gisborne Dri. *Salf* —3K **113**
Gisburn Av. *Bolt* —3E **42**
Gisburn Av. *Golb* —6H **105**
Gisburn Dri. *Bury* —2C **46**
Gisburn Dri. *Roch* —2J **51**
Gisburne Av. *M40* —5F **95**
Gissing Wlk. *M9* —2K **115**
Givendale Dri. *M8* —5G **93**
Glabyn Av. *Los* —5K **41**
Glade Brow. *Grot* —1A **98**
Gladeside Ct. *M22* —7C **166**
Gladeside Rd. *M22* —7C **166**
Glade St. *Bolt* —6J **43**
Glade, The. *Bolt* —4K **43**
Glade, The. *Shev* —7H **37**
Glade, The. *Stoc* —2C **168**
Gladstone Clo. *M15* —5E **134**
Gladstone Clo. *Bolt* —3A **44**
Gladstone Ct. *Farn* —5E **66**
Gladstone Cres. *Roch* —2H **51**
Gladstone Gro. *Stoc* —7C **152**
Gladstone Ho. *Roch* —5A **14**
Gladstone Rd. *Alt* —5B **164**
Gladstone Rd. *Ecc* —6C **112**
Gladstone Rd. *Farn* —5E **66**
Gladstone Rd. *Urm* —7C **132**
Gladstone St. *Bolt* —3A **44**
Gladstone St. *Bury* —2B **48**
Gladstone St. *Glos* —2E **158**
Gladstone St. *Had* —5C **142**
Gladstone St. *Oldh* —1F **97**
Gladstone St. *Pen* —7E **90**
Gladstone St. *Stoc* —7A **170**
Gladstone St. *W'houg* —5J **63**
Gladstone Ter. Rd. *G'fld* —3G **99**
Gladville Dri. *Chea* —5C **168**
Gladwyn Av. *M20* —6E **150**
Gladys St. *M16* —5C **134**
Gladys St. *Bolt* —4F **67**
Glaisdale. *Oldh* —1H **97**
Glaisdale Clo. *Ash M* —5E **104**
Glaisdale Clo. *Bolt* —3D **44**
Glaisdale St. *Bolt* —3D **44**
Glaister La. *Bolt* —4F **45**
Glamis Av. *M11* —5D **116**
Glamis Av. *Heyw* —6A **50**
Glamis Av. *Stret* —7E **132**
Glamis Clo. *Leigh* —2D **108**
Glamorgan Pl. *Oldh* —2A **96**
Glandale Ct. *Oldh* —3D **96**
Glandon Dri. *Chea H* —4E **180**
Glanford Av. *M9* —4G **93**
Glanton Wlk. *M40* —6F **95**
Glanvor Rd. *Stoc* —3E **168**
Glassbrook St. *Wig* —5C **60**
Glasshouse St. *M4* —5J **115** (2N **5**)
Glasson Wlk. *Chad* —1J **95**
Glass St. *Farn* —7G **67**
Glastonbury. Roch —4G 31
(off Spotland Rd.)
Glastonbury Av. *Chea H* —6D **180**
Glastonbury Av. *Hale* —2F **177**
Glastonbury Av. *Lwtn* —1G **127**
Glastonbury Dri. *Poy* —1B **190**
Glastonbury Gdns. *Rad* —1C **68**
Glastonbury Rd. *Ast* —1H **109**
Glastonbury Rd. *Stret* —6D **132**
Glaswen Gro. *Stoc* —6H **153**
Glazebrook Clo. *Heyw* —4J **49**
Glazebrook La. *G'brk* —2F **145**
GLAZEBROOK STATION. *BR* —5G **145**
Glazebury Dri. *M23* —6B **166**
Glazedale Av. *Rytn* —2A **74**
Glaze Wlk. *W'fld* —4C **70**
Glaziers La. *Cul* —7H **127**
Gleave Av. *Boll* —2K **197**
Gleave Clo. *Alt* —7C **164**
Gleaves Av. *Bolt* —1J **45**
Gleaves Rd. *Ecc* —7C **112**
Gleave St. Bolt —5B 44
(off Bark St.)
Gleave St. *Sale* —4F **149**
Glebe Av. *Ash M* —6E **104**
Glebe Clo. *Stand* —4A **38**
Glebe End St. *Wig* —6D **60**
Glebe Ho. Mid —4C 72
(off Rochdale Rd.)
Glebeland. *Cul* —6J **127**
Glebeland Rd. *Bolt* —1H **65**
Glebelands Rd. *M23* —5K **165**
Glebelands Rd. *Knut* —5D **192**
Glebelands Rd. *P'wch* —2A **92**
Glebelands Rd. *Sale* —4C **148**
Glebelands Rd. E. *P'wch* —2B **92**
Glebe La. *Oldh* —2J **75**
Glebe Rd. *Stand* —4B **38**
Glebe Rd. *Urm* —7B **132**
Glebe St. *Ash L* —5G **119**
Glebe St. *Aud* —5D **138**
Glebe St. *Bolt* —7C **44**
Glebe St. *Chad* —4J **95**
Glebe St. *Leigh* —2K **107**
Glebe St. *Rad* —3F **69**
Glebe St. *Shaw* —6F **53**
Glebe St. *Stoc* —2J **169**
Glebe St. *W'houg* —5J **63**
Gleden St. *M40* —6A **116**
(in two parts)
Gledhall St. *Stal* —6A **120**
Gledhill Av. *Salf* —2A **134**
Gledhill Clo. *Shaw* —4E **52**
Gledhill St. *M20* —3H **151**
Gledhill Way. *Brom X* —3C **24**
Glegg St. *Ince* —6H **61**
Glegg St. *Mac* —4G **199**
Glemsford Clo. *M40* —2D **116**
Glemsford Clo. *Wig* —4D **82**
Glenarm Wlk. *M22* —2E **178**
Glenart. *Ecc* —5C **112**
Glen Av. *M9* —6A **94**
Glen Av. *Bolt* —1H **65**
Glen Av. *Kear* —1K **89**
Glen Av. *Sale* —4E **148**
Glen Av. *Swint* —7B **90**
Glen Av. *Wor* —7J **89**
Glenavon Dri. *Roch* —1F **31**
Glenavon Dri. *Shaw* —5D **52**
Glenbarry Clo. *M13* —3H **135**
Glenbarry St. *M12* —1K **135**
Glenbeck Rd. *W'fld* —5J **69**
Glenbevan Clo. *Ince* —6J **61**
Glenboro Av. *Bury* —3F **47**
Glen Bott St. *Bolt* —3K **43**
Glenbourne Pk. *Bram* —7F **181**
Glenbranter Av. *Ince* —6J **61**
Glenbrook Gdns. *Farn* —4F **67**
Glenbrook Hill. *Glos* —7E **142**
Glenbrook Rd. *M9* —2G **93**
Glenburn St. *Bolt* —3K **65**
Glenby Av. *M22* —1F **179**
Glenby Est. *Chad* —1A **96**
Glencar. *W'houg* —7H **63**
Glencar Dri. *M40* —5F **95**
Glencastle Rd. *M18* —4E **136**
Glen Clo. *Rix* —1H **161**
Glencoe. *Bolt* —6D **44**
Glencoe Clo. *Heyw* —4F **49**
Glencoe Dri. *Bolt* —7H **45**
Glencoe Dri. *Sale* —1A **164**
Glencoe Pl. *Roch* —5F **31**
Glencoe St. *Oldh* —5A **96**
Glen Cotts. *Bolt* —2E **42**
Glencoyne Dri. *Bolt* —6K **23**
Glencross Av. *M21* —7A **134**
Glendale. *Clif* —5F **91**
Glendale Av. *M19* —4B **152**
Glendale Av. *Ash M* —4E **104**
Glendale Av. *Bury* —3K **69**
Glendale Clo. *Heyw* —3K **49**
Glendale Clo. *Wor* —1B **110**
Glendale Dri. *Bolt* —7F **43**
Glendale Rd. *Ecc* —5E **112**
Glendale Rd. *Wor* —1B **110**
Glendene Av. *Bram* —7F **181**
Glendene Av. *Droy* —5A **118**
Glenden Foot. *Roch* —2F **31**
Glendevon Clo. *Bolt* —1F **65**
Glendevon Pl. *W'fld* —7B **70**
Glendinning St. *Salf* —6J **113**
Glendon Cres. *Ash L* —1F **119**
Glendore. *Salf* —6G **113**
Glendower Dri. *M40* —3J **115**
Glen Dri. *App B* —5E **36**
Gleneagles. *Bolt* —3F **65**
Gleneagles Av. *M11* —6E **116**
Gleneagles Av. *Heyw* —5K **49**
Gleneagles Clo. *Bram* —5H **181**
Gleneagles Clo. *Wilm* —5K **187**
Gleneagles Dri. *Mac* —6E **196**
Gleneagles Rd. *H Grn* —3J **179**
Gleneagles Rd. *Urm* —5G **131**
Gleneagles Way. *Ram* —6F **9**
Glenfield. *Alt* —7K **163**
Glenfield Clo. *Oldh* —1H **97**
Glenfield Dri. *Poy* —2B **190**
Glenfield Rd. *Stoc* —6F **153**
Glenfield Sq. *Farn* —4D **66**
Glenfyne Rd. *Salf* —3H **113**
Glen Gdns. *Roch* —1H **31**
Glengarth. *Upperm* —7H **77**
Glengarth Dri. *Los & Bolt* —7C **42**
Glen Gro. *Mid* —7E **72**
Glen Gro. *Rytn* —1B **74**
Glenham Ct. *M15* —5E **134**
Glenhaven Av. *Urm* —7A **132**
Glenholme Rd. *Bram* —5F **181**
Glenhurst Rd. *M19* —5A **152**
Glenilla Av. *Wor* —1G **111**
Glenlea Dri. *M20* —3H **167**
Glenluce Wlk. *Bolt* —1E **64**
Glenmay Ct. *Stret* —7G **133**
Glen Maye. *Sale* —6G **149**
Glenmaye Gro. *Hind* —2E **84**
Glenmere Clo. *P'wch* —1K **91**
Glenmere Rd. *M20* —3J **167**
Glenmoor Rd. *Stoc* —3J **169**
Glenmore Av. *M20* —6E **150**
Glenmore Av. *Farn* —4C **66**
Glenmore Clo. *Bolt* —1E **64**
Glenmore Clo. *Roch* —7A **30**
Glenmore Dri. *M8* —1H **115**
Glenmore Dri. *Fail* —7K **95**
Glenmore Gro. *Duk* —1G **139**
Glenmore Rd. *Ram* —2D **26**
Glenmore St. *Bury* —4J **47**
Glenolden St. *M11* —6F **117**
Glenpark. *Leigh* —2B **108**
Glenpark Wlk. M9 —1A 116
(off Orpington Rd.)
Glenridding Clo. *Oldh* —5E **74**
Glenridge Clo. *Bolt* —3B **44**
Glen Rise. *Tim* —6E **164**
Glen Rd. *Oldh* —1G **97**
Glen Royd. *Roch* —3E **30**
Glenroy Wlk. *M9* —2A **94**
Glensdale Dri. *M40* —6G **95**
Glenshee Dri. *Bolt* —1F **65**
Glenside. *App B* —3B **36**
Glenside Av. *M18* —6F **137**
Glenside Dri. *Bolt* —4B **66**
Glenside Dri. *Woodl* —5F **155**
Glenside Gdns. *Fail* —1K **117**
Glenside Gro. *Wor* —3G **89**
Glen St. *Salf* —2A **134**
Glen, The. *Bolt* —6E **42**
Glen, The. *Mid* —1D **94**
Glenthorn Av. *M9* —1K **93**
Glenthorne Dri. *Ash L* —4E **118**
Glenthorne St. *Bolt* —4A **44**
Glenthorn Gro. *Sale* —7F **149**
Glentress M. *Bolt* —5G **43**

Glentrool M.—Graveyard La.

Glentrool M. Bolt —6G 43
Glent View. Stal —4A 120
Glentwood. Hale —3C 176
Glen View. Rytn —1B 74
Glen View. Whitw —1E 12
Glenville Wlk. Stal —7A 120
Glenville Way. Dent —7E 138
Glenwood Av. Hyde —4H 139
Glenwood Dri. M9 —1A 116
Glenwood Dri. Mid —4E 72
Glenwood Gro. Stoc —1K 181
Glenwyn Av. M9 —3A 94
Globe Ind. Est. Rad —3F 69
Globe La. Duk —2E 138
Globe La. Eger —1K 23
Globe La. Ind. Est. Duk —3F 139
Globe Sq. Duk —2E 138
Glodwick. Oldh —2F 97
Glodwick Rd. Oldh —2F 97
Glossop Rd. Charl & Glos —3K 157
Glossop Rd. Marp B & Charl —3B 172
GLOSSOP STATION. BR —1E 158
Glossop Ter. M40 —4F 95
Glossop Way. Hind —4D 84
Gloster St. Bolt —6C 44
Gloucester Av. M19 —2D 152
Gloucester Av. Golb —7K 105
Gloucester Av. Heyw —5J 49
Gloucester Av. Hor —3H 41
Gloucester Av. Marp —5K 171
Gloucester Av. Roch —7B 14
Gloucester Av. W'fld —6A 70
Gloucester Clo. Ash L —7H 97
Gloucester Clo. Mac —6G 197
Gloucester Ct. Hor —3H 41
Gloucester Cres. Hind —1C 84
Gloucester Dri. Dig —2J 77
Gloucester Dri. Sale —6B 148
Gloucester Ho. Salf —2D 114
Gloucester Pl. Ath —3D 86
Gloucester Pl. Salf —5A 114
Gloucester Rise. Duk —2A 140
Gloucester Rd. Dent —7J 137
Gloucester Rd. Droy —5J 117
Gloucester Rd. H Grn —5J 179
Gloucester Rd. Hyde —2J 155
Gloucester Rd. Knut —6C 192
Gloucester Rd. Mid —1C 94
Gloucester Rd. Poy —1B 190
Gloucester Rd. Salf —4G 113
Gloucester Rd. Urm —7B 132
Gloucester Rd. Wig —1J 81
Gloucester St. M1 —2F 135 (9H 5)
Gloucester St. Ath —4B 86
Gloucester St. Salf —4A 114 (Pendleton)
Gloucester St. Salf (Salford) —1C 134 (8A 4)
Gloucester St. Stoc —4F 169
Gloucester St. N. Oldh —2A 96
Gloucester St. S. Oldh —2A 96
Gloucester Way. Glos —2H 159
Glover Av. M8 —2H 115
Glover Ct. M8 —7F 93
Glover Field. Salf —2D 114 (off Devonshire St.)
Glover Ho. Leigh —6J 107
Glover St. Hor —1F 41
Glover St. Leigh —7G 85
Glover St. Newt W —6E 124
Glyn Av. Hale —2E 176
Glyneath Clo. M11 —7B 116
Glynis Clo. Stoc —5H 169
Glynis Glo. Stoc —5H 169
Glynne St. Farn —6E 66
Glynn Gdns. M20 —6D 150
Glynrene Dri. Wdly —6A 90
Glynwood Pk. Farn —5E 66
G.Mex Cen. M2 —1F 135 (8G 4)
G. MEX STATION. M —1E 134
Gnat Bank Fold. Roch —7B 30
Goathland Way. Mac —5F 199
Goats Ga. Ter. W'fld —4H 69
Godbert Av. M21 —5C 150
Goddard La. Had —3C 142
Goddard La. N Mills —4K 173
Goddard Rd. Had —5C 142
Goddard St. Oldh —3D 96
Godfrey Av. Droy —5F 117
Godfrey Range. M18 —5H 137
Godfrey Rd. Salf —3G 113
Godlee Dri. Swint —1C 112
Godley Clo. Open —1E 136
GODLEY EAST STATION. BR —7B 140
Godley Hill Rd. Hyde —6B 140
GODLEY STATION. BR —6A 140
Godley St. Hyde —5K 139
Godmond Hall Dri. Wor —3B 110
Godson St. Oldh —5C 74
Godwin St. M18 —3G 137
Goit Pl. Roch —5H 31
Golborne Av. M20 —3F 151
Golborne Dale Rd. Newt W —5J 125
Golborne Dri. Shaw —5F 53
Golborne Gallery. Wig —6E 60 (off Galleries, The)
Golborne Ho. Bolt —5B 44
Golborne Ho. Golb —1K 125
Golborne Ho. Shaw —5F 53 (off Cowie St.)
Golborne Pl. Wig —6G 61
Golborne Rd. Ash M —4F 105
Golborne Rd. Lwtn —7A 102
Golborne St. Newt W —5G 125
Goldbrook Clo. Heyw —4A 50
Goldcraft Clo. Heyw —4A 50
Goldcrest Clo. M22 —6F 167
Goldcrest Clo. Wor —1D 110
Goldenhill Av. M11 —5E 116
Golden Sq. Ecc —7B 112 (off Golden St.)
Golden St. Ecc —7B 112
Golden St. Shaw —5J 53
Goldenways. Wig —4E 60
Goldfinch Dri. Bury —7C 28
Goldfinch Way. Droy —5A 118
Goldie Av. M22 —2F 179
Goldrill Av. Bolt —5H 45
Goldrill Gdns. Bolt —5H 45
Goldsmith Av. Oldh —2J 75
Goldsmith Av. Salf —6H 113
Goldsmith Pl. Wig —2C 82
Goldsmith Rd. Stoc —1F 153
Goldsmith St. Bolt —2K 65
Goldsmith Way. Dent —3E 154
Goldstien Rd. Los —2B 64
Gold St. M1 —7G 115 (6K 5)
Goldsworthy Rd. Urm —6G 131
Goldwick Wlk. M23 —2J 165
Golf Rd. Hale —1D 176
Golf Rd. Sale —6K 149
Golfview Dri. Ecc —4B 112
Gomer Wlk. M8 —2J 115
Gonville Av. Sut E —7H 199
Gooch Dri. Newt W —7F 125
Gooch St. Hor —3G 41
Goodacre. Hyde —3B 140
Goodall St. Mac —4G 199
Gooden Pl. Farn —4E 66
Gooden St. Heyw —4A 50
Goodfellow Pl. L Hul —1C 88
Goodiers Dri. Salf —1A 134
Goodier St. M40 —3B 116
Goodier St. Sale —6E 148
Goodier View. Hyde —4K 139
Good Intent. Miln —7E 32
Goodison Clo. Bury —3B 70
Goodlad St. Bury —1F 47
Goodman St. M9 —7A 94
Goodrich. Roch —6G 31
Goodridge Av. M22 —2C 178
Goodrington Rd. Hand —2A 188
Goodshaw Rd. Wor —7E 88
Goodwill Clo. Swint —1D 112
Goodwin Ct. Chad —3A 96
Goodwin St. Bolt —5C 44
Goodwood Av. M23 —3H 165
Goodwood Av. Sale —6A 148
Goodwood Clo. L Lev —3H 67
Goodwood Clo. Mac —5H 199
Goodwood Ct. Salf —2D 114 (off Bury New Rd.)
Goodwood Cres. Tim —5G 165
Goodwood Dri. Oldh —5F 75
Goodwood Dri. Pen —1F 113
Goodwood Rd. Marp —6J 171
Goodworth Wlk. M40 —1C 116 (off Hanson Rd.)
Goole St. M11 —1C 136
Goosecote Hill. Eger —2A 24
Goose Grn. Alt —7B 164
Goose Grn. Av. Cop —3B 18
Goosehouse Grn. Rom —7H 155
Goose La. Roch —4H 31
Goosetrey Clo. Wilm —4A 188
Goostrey Av. M20 —2G 151
Gorden St. Roch —7J 31
Gorden Ter. M9 —7A 94
Gordon Av. M19 —1D 152
Gordon Av. Ash M —4A 104
Gordon Av. Bolt —1J 65
Gordon Av. Chad —4J 95
Gordon Av. Hayd —2B 124
Gordon Av. Haz G —1B 182
Gordon Av. Oldh —1F 97
Gordon Av. Sale —4F 149
Gordon Clo. Wig —6A 60
Gordon Pl. M20 —5H 151
Gordon Rd. Ecc —5B 112
Gordon Rd. Swint —2A 112
Gordonstoun Cres. Orr —7F 59
Gordon St. Abb H —3G 137
Gordon St. Ash L —4H 119
Gordon St. Bury —1J 47
Gordon St. Chad —3H 95
Gordon St. Hyde —7J 139
Gordon St. Ince —7G 61
Gordon St. Lees —2J 97
Gordon St. Leigh —2K 107
Gordon St. Miln —1F 53
Gordon St. Old T —4D 134
Gordon St. Salf —4D 114
Gordon St. Shaw —6G 53 (in two parts)
Gordon St. Spring —1A 98
Gordon St. Stal —7B 120
Gordon St. Stoc —1G 169
Gordon Way. Heyw —4F 49
Gore Av. Fail —7K 95
Gore Av. Salf —6H 113
Gorebrook Ct. M12 —5C 136
Gore Cres. Salf —5H 113
Goredale Av. M18 —6G 137
Gore Dri. Salf —5H 113
Gore La. Ald E —3B 194
Gorelan Rd. M18 —4F 137
Gore's La. Crank —2A 102
Gore St. M1 —7H 115 (6L 5)
Gore St. H Bri —3C 48
Gore St. Salf —5A 114 (Pendleton)
Gore St. Salf —7E 114 (5E 4) (Salford)
Gore St. Wig —1H 81
Goring Av. M18 —3F 137
Gorman St. Wig —5C 60
Gorman Wlk. Wig —2B 82
Gorrells Clo. Roch —2F 51
Gorrell St. Roch —7J 31
Gorrells Way. Roch —2F 51 (in two parts)
Gorrells Way Ind. Est. Roch —2F 51
Gorse Av. Droy —6A 118
Gorse Av. Marp —5J 171
Gorse Av. Moss —6E 98
Gorse Av. Oldh —4G 97
Gorse Av. Stret —6K 133
Gorse Bank. Bury —2C 48
Gorse Bank Rd. Haleb —5G 177
Gorse Covert Rd. Bchwd —5A 144
Gorse Cres. Stret —6K 133
Gorse Dri. L Hul —1B 88
Gorse Dri. Stret —6K 133
Gorse Field Clo. Rad —2E 68
Gorsefield Dri. Swint —1D 112
Gorsefield Hey. Wilm —5A 188
Gorse Hall Clo. Duk —2K 139
Gorse Hall Dri. Stal —7K 119
Gorse Hall Rd. Duk —2J 139
Gorselands. Chea H —7D 180
Gorse La. Stret —6K 133
Gorse Pit. Bury —2C 48
Gorse Rd. Miln —6E 32
Gorse Rd. Swint —2C 112
Gorse Rd. Wor —5G 89
Gorses Dri. Asp —7A 40
Gorses Mt. Bolt —1E 66
Gorse Sq. Part —7K 145
Gorse St. Chad —3H 95
Gorse St. Stret —6J 133
Gorse, The. Bow —4K 175
Gorse Wlk. Leigh —3F 107
Gorse Way. Glos —2G 159
Gorseway. Stoc —6K 153
Gorsey Av. M22 —6C 166
Gorsey Bank. L'boro —4G 15
Gorsey Bank Rd. Stoc —3C 168
Gorsey Brow. Bil —3E 102
Gorsey Brow. B'btm —1G 157
Gorsey Brow. Rom —1E 170
Gorsey Brow. Stand —3H 37
Gorsey Brow. Urm —7D 132
Gorsey Brow Clo. Bil —3D 102
Gorsey Brow St. Stoc —2J 169
Gorsey Clough Dri. Tot —7D 26
Gorsey Clough Wlk. Tot —7D 26
Gorsey Dri. M22 —7C 166
Gorseyfields. Droy —1J 137
Gorsey Hey. W'houg —7J 63
Gorsey Hill St. Heyw —4K 49
Gorsey Intakes. B'btm —2G 157
Gorsey La. Alt —6K 163
Gorsey La. Ash L —2J 119
Gorsey La. Lymm —5C 162
Gorsey Mt. St. Stoc —2J 169
Gorsey Rd. M22 —7C 166
Gorsey Rd. Wilm —6F 187
Gorsey Way. Ash L —2J 119
Gorston Wlk. M22 —4C 178
Gort Clo. Bury —5A 70
Gorton Cres. Dent —7A 138
Gorton Cross Cen. M18 —4F 137
Gorton Fold. Hor —2G 41
Gorton Gro. Wor —2E 88
Gorton La. M12 & M18 —2C 136
Gorton Rd. M11 & M12 —1B 136
Gorton Rd. Redd —3H 153
GORTON STATION. BR —3F 137
Gorton St. M40 —4J 115
Gorton St. Ash L —7D 118
Gorton St. Bolt —7C 44
Gorton St. Chad —1K 95
Gorton St. Ecc —7J 111
Gorton St. Farn —7D 66
Gorton St. Heyw —3A 50
Gorton St. Salf —6F 115 (3G 4)
Gortonvilla Wlk. M12 —3B 136
Gort Wlk. M15 —3E 134 (off John Nash Cres.)
Gosforth Clo. Bury —7G 27
Gosforth Clo. Oldh —5E 74
Gosforth Wlk. M23 —2K 165
Goshen La. Bury —7K 47
Gosling Clo. M16 —6F 135
Gosport Sq. Salf —3D 114
Gosport Wlk. M8 —2J 115 (off Smeaton St.)
Goss Hill St. Oldh —1G 97
Gotha Wlk. M13 —3J 135
Gotherage Clo. Rom —1J 171
Gotherage La. Rom —1J 171
Gothic Clo. Rom —1K 171
Gough's La. Knut —7E 192
Gough St. Heyw —3A 50
Gough St. Stoc —2F 169
Goulden Rd. M20 —4G 151
Goulden St. M4 —6H 115 (3L 5)
Goulden St. Salf —6J 113
Goulder Rd. M18 —6G 137
Gould St. M4 —5H 115 (2L 5)
Gould St. Dent —6C 138
Gould St. Oldh —6F 75
Gourham Dri. Chea H —2B 180
Govan St. M22 —2E 166
Gowan Dri. Mid —5K 71
Gowanlock's St. Bolt —3A 44
Gowan Rd. M16 —1E 150
Gower Av. Haz G —1A 182
Gowerdale Rd. Stoc —5A 154
Gower Rd. Hyde —1H 155
Gower Rd. Stoc —6F 153
Gowers St. Roch —4K 31
Gower St. Ash L —5G 119
Gower St. Bolt —5K 43
Gower St. Farn —5E 66
Gower St. Leigh —4J 107
Gower St. Oldh —7E 74
Gower St. Pen —6E 90
Gower St. Wig —1C 82
Gowran Pk. Oldh —1H 97
Gowy Clo. Wilm —3A 188
Goya Rise. Oldh —2H 75
Goy Ct. Nwtwn —5D 90
Goyt Av. Marp —7K 171
Goyt Cres. Bred —7D 154
Goyt Cres. Stoc —7K 153
Goyt Hey Av. Bil —3E 102
Goyt Rd. Dis —7D 184
Goyt Rd. Marp —7K 171
Goyt Rd. Stoc —7K 153
Goyt Valley. Rom —1C 170
Goyt Valley Rd. Bred —7D 154
Goyt Valley Wlk. Bred —7D 154
Goyt View. N Mills —6H 185
Goyt View. Rom —1D 170
Goyt Wlk. W'fld —4B 70
Grab Brow. Ath —4B 86
Grace St. Hor —1F 41
Grace St. Leigh —3G 107
Grace St. Roch —2J 31
Grace Wlk. M4 —7K 115
Gracie Av. Oldh —5F 75
Gradwell St. Stoc —3F 169
Grafton Av. Ecc —4E 112
Grafton Ct. M15 —4D 134
Grafton Ct. Oldh —2J 75 (off Grafton St.)
Grafton Ct. Roch —6K 31
Grafton Mall. Alt —7B 164
Graftons, The. Alt —7B 164
Grafton St. M13 —4H 135
Grafton St. Adl —6H 19
Grafton St. Alt —7B 164
Grafton St. Ash L —6H 119 (in two parts)
Grafton St. Ath —6A 86
Grafton St. Bolt —5K 43
Grafton St. Bury —5K 47
Grafton St. Fail —7J 95
Grafton St. Hyde —6H 139
Grafton St. Millb —5D 120
Grafton St. Newt W —6D 124
Grafton St. Oldh —2J 75
Grafton St. Roch —6K 31
Grafton St. Stoc —7G 153
Graham Av. App B —3C 36
Graham Cres. Cad —6J 145
Graham Dri. Dis —5C 184
Graham Rd. Salf —4G 113
Graham Rd. Stoc —3K 169
Graham St. M11 —1C 136
Graham St. Ash L —7D 118
Graham St. Bolt —5B 44
Graham St. Plat B —6J 83
Grainger Av. M12 —6C 136
Grains Rd. Del —7A 54
Grains Rd. Shaw —7G 53
Grain View. Salf —1A 134
Gralam Clo. Sale —2J 165
Grammar School Rd. Oldh —5K 95
Grampian Clo. Chad —2J 95
Grampian Way. Lwtn —7B 106
Grampian Way. Plat B —5K 83
Grampian Way. Shaw —5D 52
Granada M. M16 —1E 150
Granada Rd. Dent —6H 137
Granary La. Wor —3H 111
Granary Way. Sale —1D 164
Granby Ho. M1 —1G 135 (8K 5)
Granby Rd. Chea H —4D 180
Granby Rd. Stoc —6K 169
Granby Rd. Stret —1H 149
Granby Rd. Swint —1A 112
Granby Rd. Tim —2F 165
Granby Row. M1 —1G 135 (8K 5)
Granby St. Chad —4J 95
Granby St. Tot —1D 46
Grandale St. M14 —6J 135
Grand Central Sq. Stoc —2G 169
Grandidge St. Roch —7G 31
Grand Union Way. Ecc —1B 132
Grange Av. Chea H —1B 180
Grange Av. Dent —7F 139
Grange Av. Ecc —4B 112
Grange Av. Hale —2E 176
Grange Av. Lev —2B 152
Grange Av. L Lev —3A 68
Grange Av. Mars —1J 57
Grange Av. Miln —1D 52
Grange Av. Oldh —3A 96
Grange Av. Orr —7H 59
Grange Av. Stoc —5F 153
Grange Av. Stret —7H 133
Grange Av. Swint —5B 90
Grange Av. Tim —4F 165
Grange Av. Urm —7G 131
Grange Av. Wig —2D 82
Grange Clo. Hyde —1K 155
Grange Clo. Lwtn —3A 126
Grange Cotts. Mars —1J 57
Grange Ct. Bow —3A 176
Grange Ct. Oldh —3B 96
Grange Cres. Urm —1A 148
Grange Dri. M9 —4B 94
Grange Dri. Ecc —4B 112
Grangeforth Rd. M8 —7F 93
Grange Gro. W'fld —6K 69
Grangelands. Mac —1B 198
Grange La. M20 —1H 167
Grange La. Del —7F 55
Grange Mill Wlk. M40 —1D 116
Grange Pk. Av. Ash L —2K 119
Grange Pk. Av. Chea —6K 167
Grange Pk. Av. Wilm —5G 187
Grange Pk. Rd. M9 —4B 94
Grange Pk. Rd. Brom X —6E 24
Grange Pk. Rd. Chea —6K 167
Grange Pl. Cad —5K 145
Grange Rd. M21 —7A 134
Grange Rd. Ash M —2B 104
Grange Rd. Bick —6C 84
Grange Rd. Bolt —1H 65
Grange Rd. Bow —3A 176
Grange Rd. Bram —1H 181
Grange Rd. Brom X —5E 24
Grange Rd. Bury —3F 47
Grange Rd. Ecc —4J 111
Grange Rd. Farn —5C 66
Grange Rd. Mac —5E 198
Grange Rd. Mid —7F 51
Grange Rd. Sale —6D 148
Grange Rd. Tim —4F 165
Grange Rd. Urm —1A 148
Grange Rd. Whitw —1F 13
Grange Rd. Wor —1A 110
Grange Rd. N. Hyde —7K 139
Grange Rd. S. Hyde —1K 155 (in two parts)
Granger St. Swint —7D 90
Grange St. Fail —2F 117
Grange St. Hind —3B 84
Grange St. Leigh —5J 107
Grange St. Oldh —7C 74
Grange St. Roch —2H 31
Grange St. Salf —6J 113
Grange, The. M14 —6J 135
Grange, The. Hyde —1K 155
Grange, The. Oldh —6F 75
Grangethorpe Dri. M19 —3A 152
Grangethorpe Rd. M14 —7J 135
Grangethorpe Rd. Urm —1A 148
Grange Valley. Hayd —4A 124
Grange Wlk. Mid —4A 72
Grangeway. Hand —1K 187
Grange Way. Hind —2E 84
Grangewood. Brom X —5E 24
Grangewood Dri. M9 —1K 115
Granite St. Oldh —6F 75
Gransden Dri. M8 —2J 115
Granshaw St. M40 —5A 116
Gransmoor Av. M11 —2H 137
Gransmoor Rd. M11 —2H 137
Grantchester Pl. Farn —5B 66
Grantchester Way. Bolt —4G 45
Grant Clo. M9 —5K 93
Grant Ct. Ram —4F 9
Grantham Clo. Bolt —4A 44
Grantham Dri. Bury —7H 27
Grantham Gro. Wig —4H 61
Grantham Rd. Stoc —1E 168
Grantham St. M14 —6G 135
Grantham St. Oldh —2E 96
Grantley St. Ash M —3C 104
Grant Rd. Wig —4C 82
Grant St. Farn —4D 66
Grant St. Ince —7H 61
Grant St. Roch —3F 51
Grantwood. Ash M —3C 104
Granville Av. M16 —7C 134
Granville Av. Salf —7E 92
Granville Clo. Chad —7A 74
Granville Ct. M16 —6C 134
Granville Ct. Miln —2F 53
Granville Gdns. M20 —1G 167
Granville Rd. M14 —2J 151
Granville Rd. Aud —7K 117
Granville Rd. Bolt —3J 65
Granville Rd. Chea H —6D 168
Granville Rd. Tim —5G 165
Granville Rd. Urm —6C 132
Granville Rd. Wilm —1F 195
Granville St. Adl —5J 19
Granville St. Ash L —6H 119
Granville St. Chad —6A 74
Granville St. Ecc —5B 112
Granville St. Farn —4F 67
Granville St. Hind —2C 84
Granville St. Leigh —1K 107
Granville St. Swint —7D 90
Granville St. Wor —4E 88
Granville Ter. Ash L —6H 119
Granville Wlk. Chad —6A 74
Grapes St. Mac —4F 199
Grasdene Av. M9 —4A 94
Grasmere. Mac —5B 198
Grasmere. Orr —6F 59
Grasmere Av. Farn —7B 66
Grasmere Av. Heyw —5K 49
Grasmere Av. Ince —6J 61
Grasmere Av. L Lev —2J 67
Grasmere Av. Orr —7B 58
Grasmere Av. Stoc —4G 153
Grasmere Av. Urm —1G 147
Grasmere Av. Wdly —5A 90
Grasmere Av. W'fld —7G 69
Grasmere Clo. Stal —4A 120
Grasmere Cres. Bram —4G 181
Grasmere Cres. Ecc —5K 111
Grasmere Cres. H Lane —3J 183
Grasmere Dri. Ash M —3D 104
Grasmere Gro. Ash L —4D 118
Grasmere Rd. Ald E —5G 195
Grasmere Rd. Gat —1H 179
Grasmere Rd. Lymm —7G 161
Grasmere Rd. Oldh —1G 97
Grasmere Rd. Part —7A 146
Grasmere Rd. Rytn —7A 52
Grasmere Rd. Sale —1G 165
Grasmere Rd. Stret —6H 133
Grasmere Rd. Swint —2D 112
Grasmere Rd. Tim —5G 165
Grasmere Rd. Wig —7J 59
Grasmere St. M12 —6D 136
Grasmere St. Bolt —3B 44
Grasmere St. Leigh —3J 107
Grasmere St. Roch —3H 31
Grasmere Ter. Abr —7K 83
Grasmere Wlk. Mid —4B 72
Grason Av. Wilm —4J 187
Grasscroft. Stoc —4A 154
Grasscroft Clo. M14 —7F 135
Grasscroft Rd. Hind —3E 84
Grasscroft Rd. Stal —7A 120
Grassfield Av. Salf —2C 114
Grassfield Way. Knut —7D 192
Grassholm Dri. Stoc —5E 170
Grassingham Gdns. Salf —5K 113
Grassington Av. M40 —6C 94
Grassington Ct. Wals —1D 46
Grassington Dri. Bury —4D 48
Grassington Pl. Bolt —4C 44
Grass Mead. Dent —2F 155
Grassmoor Cres. Glos —7K 141
Grathome Wlk. Bolt —2A 66
Gratrix Av. Salf —2B 134
Gratrix La. Sale —7K 149
Gratrix St. M18 —5G 137
Gratten Ct. Wor —3E 88
Gravel Bank Rd. Woodl —4F 155
Gravel La. Salf —6E 114 (4F 4) (in two parts)
Gravel La. Wilm —2E 194
Gravel Walks. Oldh —7F 75
Grave Oak La. Leigh —7A 108 (in two parts)
Graver La. M40 —3F 117
Graves St. Rad —7D 46
Graveyard La. Mob —1A 194

Griffe La.—Hamilton St.

Griffe La. Bury —2C 70
Griffin Clo. Bury —1B 48
Griffin Clo. N Mills —6J 185
Griffin Ct. Salf —6E 114 (4E 4)
Griffin Gro. M19 —2C 152
Griffin M. P'wch —2A 92
Griffin Rd. Fail —2F 117
Griffin St. Salf —2C 114
Griffiths Clo. Salf —4D 114
Griffiths St. M40 —3E 116
Grimeford La. Blac & And —7K 19
Grimes Cotts. Roch —3B 30
Grimes St. Roch —3B 30
Grime St. Ram —7E 8
Grimscott Clo. M9 —6B 94
Grimshaw Av. Boll —3J 197
Grimshaw Av. Fail —7J 95
Grimshaw Clo. Bred —6E 154
Grimshaw La. M40 —3B 116
Grimshaw La. Boll —3H 197
Grimshaw La. Mid —6C 72
Grimshaw St. Fail —7G 95
Grimshaw St. Golb —7J 105
Grimshaw St. Stoc —2J 169
Grimstead Clo. M23 —5J 165
Grindall Av. M40 —5D 94
Grindleford Gdns. Glos (off Buxton M.) —7A 142
Grindleford Gro. Gam —7A 142 (off Edale Cres.)
Grindleford Lea. Glos —7A 142 (off Edale Cres.)
Grindleford Wlk. M21 —5D 150
Grindleford Wlk. Glos —7A 142 (off Edale Cres.)
Grindle Grn. Ecc —1A 132
Grindley Av. M21 —5D 150
Grindlow St. M13 —4A 136
Grindlow Wlk. Wig —5J 81
Grindon Av. Salf —1A 114
Grindrod La. Roch —6J 13
Grindrod St. Rad —2D 68
(in two parts)
Grindrod St. Roch —3G 31
Grindsbrook Rd. Rad —6D 46
Gringle St. M3 —7E 114 (6E 4)
Grinton Av. M13 —7A 136
Grisdale Dri. Mid —4A 72
Grisdale Rd. Bolt —1J 65
Grisebeck Way. Oldh —7C 74
Grisedale Av. Rytn —5A 52
Grisedale Ct. M9 —3C 94
Grisedale Rd. Roch —1D 50
Grisedale Way. Mac —6C 198
Gritley Wlk. M22 —3C 178
Grizebeck Clo. M18 —3E 136
Grizedale Av. St H —7B 102
Grizedale Clo. Bolt —3F 43
Grizedale Clo. C'brk —1E 120
Grizedale Dri. Ince —7J 61
Grizedale Rd. Woodl —6F 155
Groby Ct. Alt —7A 164
Groby Pl. Alt —6A 164
Groby Rd. M21 —2B 150
Groby Rd. Alt —7K 163
Groby Rd. Aud —2C 138
Groby Rd. N. Aud —1B 138
Groby St. Oldh —4E 96
Groby St. Stal —7C 120
Grogan Dri. Harp —7A 94
Groomsport Dri. M8 —3E 114
Groom St. M1 —2H 135 (9L 5)
Grosvenor Av. Lwtn —1B 126
Grosvenor Av. W'fld —5J 69
Grosvenor Cen. Mac —3F 199
Grosvenor Clo. Wilm —2G 195
Grosvenor Clo. Wor —2E 88
Grosvenor Ct. Ash L —7E 118
Grosvenor Ct. Sale —5D 148
Grosvenor Ct. Salf —7D 92
Grosvenor Cres. Hyde —1G 155
Grosvenor Dri. Poy —2A 190
Grosvenor Dri. Wor —2E 88
Grosvenor Gdns. M22 —5E 166
Grosvenor Gdns. Newt W —7E 124
Grosvenor Gdns. Salf —4D 114
Grosvenor Gdns. Stal —7A 120
Grosvenor Ho. Sale —6D 148
Grosvenor Ho. M. Crum —5F 93
Grosvenor Ind. Est. Ash L —7E 118
Grosvenor Pl. Ash L —7E 118
Grosvenor Rd. M16 —7D 134
Grosvenor Rd. Alt —6C 164
Grosvenor Rd. Chea H —7E 168
Grosvenor Rd. Ecc —5J 111
Grosvenor Rd. Hyde —1H 155
Grosvenor Rd. Leigh —2H 107
Grosvenor Rd. Marp —4K 171
Grosvenor Rd. Pen —1F 113
Grosvenor Rd. Sale —5D 148
Grosvenor Rd. Stoc —7C 152
(in two parts)
Grosvenor Rd. Urm —7A 132
Grosvenor Rd. W'fld —5J 69
Grosvenor Rd. Wor —2E 88
Grosvenor Sq. M15 —2G 135 (10J 5)
Grosvenor Sq. Sale —6D 148
Grosvenor Sq. Salf —4D 114
Grosvenor Sq. Stal —7A 120
Grosvenor St. M13 & M1 —2G 135 (10K 5)
Grosvenor St. Ash L —7D 118
(in two parts)
Grosvenor St. Bolt —7C 44
Grosvenor St. Bury —5K 47
Grosvenor St. Dent —5B 138
Grosvenor St. Haz G —1B 182
Grosvenor St. Heyw —4J 49
Grosvenor St. Hind —2B 84
Grosvenor St. Kear —6G 67
Grosvenor St. L Lev —2J 67
Grosvenor St. Mac —3E 198
Grosvenor St. Pen —5D 90
Grosvenor St. P'wch —3C 92
Grosvenor St. Rad —2D 68
Grosvenor St. Roch —4E 50
Grosvenor St. Stal —7A 120
(in two parts)
Grosvenor St. Stoc —3H 169
Grosvenor St. Stret —7H 133
Grosvenor St. Wig —1B 82
Grosvenor Way. Hor —2G 41
Grosvenor Way. Rytn —4B 74
Grotton Hollow. Grot —1A 98
Grotton Meadows. Grot —2B 98
Grouse St. Roch —3H 31
Grove Arc. Wilm —6H 187
Grove Av. Adl —5J 19
Grove Av. Fail —3G 117
Grove Av. Wilm —6G 187
Grove Clo. M14 —6J 135
Grove Cotts. Dig —7K 55
Grove Ct. Haz G —1C 182
Grove Ct. Sale —6H 149
Grove Cres. Adl —5J 19
Grove Hill. Wor —2B 110
Grove Ho. M15 —4H 135
Grovehurst. Swint —2K 111
Grove La. M20 —7G 151
Grove La. Chea H —6C 180
Grove La. Hale —1E 176
Grove La. Stand —5B 38
Grove La. Tim —4D 164
Grove M. Wor —4F 89
Grove Pk. Knut —5D 192
Grove Pk. Sale —6D 148
Grove Pl. Stand —5B 38
Grove Rd. Hale —1C 176
Grove Rd. Mid —4D 72
Grove Rd. Millb —4D 120
Grove Rd. Uph —6C 58
Grove Rd. Upperm —7H 77
Grove St. Ash M —4C 104
Grove St. Ash L —3C 118
Grove St. Bolt —3K 43
Grove St. Bury —1C 48
Grove St. Droy —1H 137
Grove St. Duk —7H 119
Grove St. G'fld —2H 99
Grove St. Haz G —1C 182
Grove St. Heyw —3A 50
Grove St. Kear —6G 67
Grove St. Leigh —4B 108
Grove St. Oldh —7E 74
(in two parts)
Grove St. Roch —7G 31
Grove St. Salf —3E 114
Grove St. Wilm —6H 187
Grove Ter. Oldh —6J 75
Grove, The. M20 —2H 167
Grove, The. Alt —6B 164
Grove, The. App B —3C 36
Grove, The. Bolt —1D 66
Grove, The. Chea H —6C 180
Grove, The. Dob —5F 77
Grove, The. Ecc —7D 112
Grove, The. Had —5B 142
Grove, The. Ince —7G 61
Grove, The. L Lev —3K 67
Grove, The. Lwtn —7B 106
Grove, The. Park I —2F 193
Grove, The. Sale —7F 149
Grove, The. Shaw —7E 52
Grove, The. Stoc —4G 169
Grove, The. Urm —1H 147
Grove, The. W'houg —6J 63
Grovewood Clo. Ash L —3C 118
Grovewood Dri. App B —5E 36
Grovewood M. Mac —5E 198
Grundey St. Haz G —2C 182
Grundy Av. P'wch —5J 91
Grundy La. Bury —4A 48
Grundy Rd. Kear —7G 67
Grundy's Clo. Ast —3J 109
Grundy's La. Chor —3E 18
Grundy St. Golb —2J 125
Grundy St. Heyw —5A 50
Grundy St. Leigh —4A 108
Grundy St. Oldh —7E 74
Grundy St. Stoc —1A 168
Grundy St. W'houg —5J 63
Grundy St. Wor —4H 89
Guardian Ct. Sale —5E 148
Guest Rd. P'wch —1A 92
Guest St. Leigh —3B 108
GUIDE BRIDGE STATION. BR —1D 138
Guide La. Aud —3D 138
Guide Post Sq. M13 —3K 135
Guide St. Salf —7G 113
Guido St. Bolt —3K 43
Guido St. Fail —1G 117
Guild Av. Wor —5F 89
Guildford Av. Chea H —5C 180
Guildford Clo. Stoc —4K 169
Guildford Cres. Wig —3B 60
Guildford Dri. Ash L —1G 119
Guildford Gro. Mid —3E 72
Guildford Rd. M19 —7D 136
Guildford Rd. Bolt —3H 43
Guildford Rd. Duk —2A 140
Guildford Rd. Salf —4F 113
Guildford Rd. Urm —5C 132
Guildford St. Moss —6D 98
Guildford St. Roch —5J 31
(in two parts)
Guildhall Clo. Man S —4G 135
Guild St. Brom X —5C 24
Guilford Rd. Ecc —7K 111
Guiness Ho. Roch —6K 31
Guinness Rd. Traf P —1D 132
Guinness Rd. Trad. Est. Traf P —1D 132
Guiseley Clo. Bury —4J 27
Gullane Clo. M40 —1E 116
Gullane Clo. Mac —6D 196
Gull Clo. Poy —2K 189
Gunco La. But T —2E 196
Gunco La. Mac —5G 199
Gunderson Ct. Oldh —7C 74
Gun Rd. B'btm —7H 157
Gun Rd. Rom —4J 173
Gunson Ct. M40 —5J 115 (2P 5)
Gunson St. M40 —5J 115 (2P 5)
Gun St. M4 —6H 115 (4M 5)
Gunters Av. W'houg —1K 85
Gurner Av. Salf —2B 134
Gurney St. M4 —7K 115
Gutter La. Ram —4F 9
Guy Fawkes St. Salf —2B 134
Guy St. Salf —1F 115
Guywood La. Rom —7G 155
Gwelo St. M11 —6C 116
Gwenbury Av. Stoc —2K 169
Gwendor Av. M8 —4F 93
Gwladys St. C'brk —2E 120
Gwynant Pl. M20 —3J 151
Gylden Clo. Hyde —3B 140
Gypsy La. Stoc —5A 170
Gypsy Wlk. Stoc —5B 170

Habergham Clo. Wor —1E 110
Hackberry Clo. B'hth —3K 163
Hacken Bri. Rd. Bolt —2E 66
Hacken La. Bolt —2E 66
Hackford Clo. Bolt —5J 43
Hackford Clo. Bury —7H 27
Hacking St. Bury —3A 48
Hacking St. P'wch —3A 92
Hacking St. Salf —2E 114
Hackle St. M11 —6E 116
Hackleton Clo. M4 —7K 115
Hackness Rd. M21 —2K 149
Hackney Av. M40 —4E 116
Hackney Clo. Rad —1E 68
Hackwood Wlk. M8 —1F 115 (off Levenhurst Rd.)
Hackworth Clo. Wig —6G 61
Hadbutt La. Ast —4F 109
Haddington Dri. M9 —4A 94
Haddon Av. M40 —6H 95
Haddon Clo. Ald E —2K 195
Haddon Clo. Bury —1A 70
Haddon Clo. H Lane —6J 183
Haddon Clo. Mac —6D 198
Haddon Grn. Glos —7K 141 (off Haddon M.)
Haddon Gro. Sale —6E 148
Haddon Gro. Stoc —3G 153
Haddon Gro. Tim —4D 164
Haddon Hall Rd. Droy —6G 117
Haddon Ho. Salf —5H 113
Haddon Lea. Glos —7K 141 (off Grassmoor Cres.)
Haddon M. Glos —7K 141
Haddon Rd. M21 —5D 150
Haddon Rd. Ecc —1K 131
Haddon Rd. Haz G —3C 182
Haddon Rd. H Grn —5J 179
Haddon Rd. Lwtn —6B 106
Haddon Rd. Wig —4A 82
Haddon Rd. Wor —2A 112
Haddon St. Ash M —3B 104
Haddon St. Salf —3B 114
Haddon St. Stret —5H 133
Haddon Way. Dent —1E 154
Haddon Way. Shaw —5G 53
Hadfield Av. Chad —2K 95
Hadfield Cres. Ash L —3J 119
Hadfield Pl. Glos —2E 158
Hadfield Rd. Had —5A 142
Hadfields Av. Holl —4K 141
Hadfield Sq. Glos —2E 158
HADFIELD STATION. BR —5C 142
Hadfield St. M16 —3C 134
Hadfield St. Duk —2E 138
Hadfield St. Glos —2E 158
Hadfield St. Oldh —4C 96
Hadfield St. Salf —2E 114
Hadfield Ter. Ash L —3J 119
Hadleigh Clo. Bolt —6C 24
Hadley Av. M13 —7A 136
Hadley Clo. Chea H —3B 180
Hadley St. Salf —3B 114
Hadlow Grn. Stoc —4K 153
Hadlow Wlk. M40 —5A 116
Hadwin St. Bolt —4B 44
Hafton Rd. Salf —2B 114
Hag End Brow. Bolt —1E 66
HAG FOLD STATION. BR —2C 86
Haggate. Rytn —3A 74
Haggate Cres. Rytn —3A 74
Hagg Bank La. Dis —6D 184
Hagley Rd. Salf —3B 134
Hags, The. Bury —1A 70
Hague Bar Rd. N Mills —4F 185
Hague Bush Clo. Lwtn —7C 106
Hague Fold. N Mills —4F 185
Hague Ho. Oldh —2D 96
Hague Pl. Stal —6K 119
Hague Rd. M20 —5G 151
Hague Rd. B'btm —2H 157
Hague St. M40 —3B 116
Hague St. Ash L —4G 119
Hague St. Glos —3F 159
Hague St. Oldh —6J 75
Haig Av. Cad —6J 145
Haig Ct. Bury —4F 47
Haigh Av. Stoc —5G 153
Haigh Hall Clo. Ram —7F 9
Haigh La. Chad —5G 73
Haigh Pk. Stoc —5G 153
Haigh Rd. Haig —6K 39
Haigh St. Bolt —5B 44
Haigh St. Roch —6J 31
Haigh View. Ince —1G 83
Haigh View. Wig —4F 61
Haig Rd. Bury —3F 47
Haig Rd. Knut —3F 193
Haig Rd. Stret —6H 133
Haig St. Wig —7D 60
Haile Dri. Wor —2B 110
Hailsham Clo. Bury —5G 27
Hail St. Ram —7E 8
Hailwood St. Roch —1G 51
Halbury Wlk. Bolt —3B 44 (off Ulleswater St.)
Haldene Wlk. M8 —2F 115
Haldon Rd. M20 —5K 151
Hale Av. Poy —3B 190
Hale Bank Av. M20 —3F 151
Hale Clo. Leigh —6B 108
Hale Ct. Bow —1B 176
Hale Grn. Ct. Hale —1E 176
Hale Gro. Ash M —3B 104
Hale La. Fail —7G 95
Hale Low Rd. Hale —1D 176
Hale Rd. Alt & Hale —1B 176
Hale Rd. haleb —3F 177
Hale Rd. Stoc —7E 152
Hales Clo. Droy —6H 117
Halesden Rd. Stoc —5F 153
Halesfield. Hind —5F 85
HALE STATION. BR —2B 176
Halesworth Wlk. M40 —4J 115
Haletop. Civ C —2D 178
Hale Wlk. Chea —7C 168
Halewood Av. Golb —7H 105
Haley Clo. Stoc —2H 153
Haley St. M8 —1G 115
Half Acre. Rad —7C 46
Half Acre Dri. Roch —6E 30
Half Acre Grn. Wilm —5H 187
Half Acre La. Blac —3A 40
(in two parts)
Half Acre La. Roch —6D 30
Half Acre La. W'fld —1B 92
(in two parts)
Half Acre M. Roch —6D 30
Halfacre Rd. M22 —7C 166
Half Acre Rd. Roch —6D 30
Half Edge La. Ecc —5C 112
Half Moon La. Stoc —5B 170
Half Moon St. M2 —7F 115 (5H 5)
Halford Dri. M40 —7D 94
Halfpenny Bri. Ind. Est. Roch —6J 31
Half St. Mac —5F 199
Half St. Mid —5B 72
Half St. Salf —5E 114 (2F 4)
Halifax Rd. L'boro & HX6 —6G 15
Halifax Rd. Oldh —1K 75
Halifax Rd. Roch —3K 31
Halifax St. Ash L —4F 119
Haliwell St. Bolt —3K 43
Hallam Rd. M40 —3D 116
Hallam St. Rad —2H 69
Hallam St. Stoc —5J 169
Hallas Gro. M23 —2B 166
Hall Av. M14 —6K 135
Hall Av. Heyr —3C 120
Hall Av. Sale —4C 148
Hall Av. Tim —4D 164
Hall Bank. Ecc —6A 112
Hallbottom Pl. Hyde —4K 139
Hallbottom St. Hyde —4K 139
Hallbridge Gdns. Uph —6B 58
Hall Clo. Mac —6F 197
Hall Clo. Mot —4G 141
Hall Clo. Shev —7H 37
Hall Coppice, The. Eger —3K 23
Hall Cotts. G'fld —1H 99
Hallcroft. Part —6B 146
Hallcroft Gdns. Miln —6C 32
Hall Dri. Mid —7B 72
Hall Dri. Mot —4G 141
Hallefield Cres. Mac —4G 199
Hallefield Dri. Mac —4G 199
Hallefield Rd. Mac —4G 199
Halle Mall. M4 —6G 115 (4J 5) (off Arndale Shopping Cen.)
Halle Sq. M4 —6G 115 (4J 5) (off Arndale Cen.)
Hall Farm Av. Urm —6K 131
Hall Fold. Had —4C 142
Hall Fold. Whitw —3D 12
Hall Gdns. Roch —2E 30
Hall Ga. W'houg —2J 85
Hallgate. Wig —6E 60
Hallgate Dri. H Grn —2G 179
Hallgate Rd. Stoc —3K 169
Hall Grn. Uph —7B 58
Hall Grn. Clo. Duk —7G 119
Hall Grn. Clo. Uph —7B 58
Hall Grn. Rd. Duk —7G 119
Hall Gro. M14 —6K 135
Hall Gro. Chea —5J 167
Hall Gro. Mac —6F 197
Hall Hill. Boll —3G 197
Hallhouse La. Leigh —4C 108
Halliday Clo. Bchwd —7A 144
Halliday Ct. L'boro —7C 14
Halliday Rd. M40 —3D 116
Halliford Rd. M40 —2C 116
Hallington Clo. Bolt —2A 66
Hall i' th' Wood. Bolt —1C 44
Hall i' th' Wood La. Bolt —2D 44
HALL I'TH' WOOD STATION. BR —2D 44
Halliwell Av. Oldh —4C 96
Halliwell Ind. Est. Bolt —2K 43 (off Rossini St.)
Halliwell La. M8 —1F 115
Halliwell Rd. Bolt —2J 43
Halliwell Rd. P'wch —6K 91
Halliwell St. Chad —6J 95
Halliwell St. Firg —5C 32
Halliwell St. L'boro —6G 15
Halliwell St. Roch —4G 31
(in two parts)
Halliwell St. W. M8 —1F 115
Halliwell Wlk. P'wch —6K 91
Hallkirk Wlk. M40 —5F 95
Hall La. M23 —5B 166
Hall La. App B —3B 36
Hall La. Farn —4F 67
(in two parts)
Hall La. Hind —7B 62
Hall La. Hor —6J 41
(Lostock)
Hall La. Hor —2E 20
(Rivington)
Hall La. Mac —7H 199
Hall La. Part —6B 146
Hall La. Pem —3F 81
Hall La. Wig —2F 61
Hall La. Woodl —4F 155
Hall La. Gro. Hind —6B 62
Hall Lee Dri. W'houg —5A 64
Hall Meadow. Chea H —3A 180
Hall Meadow Rd. Glos —7F 143
Hall Moss La. Bram —7D 180
Hall Moss Rd. M9 —3C 94
Hallows Av. M21 —5C 150
Hall Rd. M14 —6K 135
Hall Rd. Ash L —3G 119
Hall Rd. Bow —3A 176
Hall Rd. Bram —3F 181
Hall Rd. Hand —2A 188
Hall Rd. Hayd —2A 124
Hall Rd. Moss —6C 98
Hall Rd. Wilm —6G 187
Hallroyd Brow. Oldh —6C 74
Hall's Ct. Glos —1E 158
Hallside Pk. Knut —6F 193
Hall's Pl. Spring —1K 97
Hallstead Av. L Hul —3A 88
Hallstead Gro. L Hul —3A 88
Hall St. M2 —1F 135 (7H 5)
Hall St. Ash L —6J 119
Hall St. Bam —1G 105
Hall St. Bolt —4F 67
(in two parts)
Hall St. Bury —1G 47
Hall St. Chea —5J 167
Hall St. Fail —2F 117
Hall St. Heyw —4A 50
Hall St. Hyde —6F 139
Hall St. Ince —6H 61
Hall St. Mac —3E 198
Hall St. Mid —6C 72
Hall St. N Mills —4H 185
Hall St. Oldh —7F 75
Hall St. Pen —5D 90
Hall St. Rad —7D 46
Hall St. Rytn —2B 74
Hall St. Stoc —2J 169
Hall St. S'seat —2G 27
Hall St. Wals —1D 46
Hall St. Whitw —3E 12
Hall St. Wig —7F 61
Hallsville Rd. M19 —1E 152
Hallsworth Rd. Ecc —7J 111
Hall Wood Av. Hayd I —7A 104
Hallwood Av. Salf —3G 113
Hallwood Rd. M23 —5A 166
Hall Wood Rd. Hand —3K 187
Hallwood St. Roch —1G 51
Hallworth Av. Aud —7K 117
Hallworth Rd. M8 —7H 93
Hallworthy Clo. Leigh —7F 107
Halmore Rd. M40 —6K 115
Halsall Clo. Bury —6K 27
Halsall Dri. Bolt —4A 66
Halsbury Clo. M12 —3A 136
Halsey Clo. Chad —5G 95
Halsey Wlk. M8 —1F 115
Halshaw La. Kear —7H 67
Halsmere Dri. M9 —4A 94
Halstead Av. M21 —3A 150
Halstead Av. Salf —4H 113
Halstead Dri. Irl —1D 146
Halstead Gro. Gat —7F 167
Halstead St. Bolt —6C 44
Halstead St. Bury —7A 28
Halstead Wlk. Bury —7A 28
Halstock Wlk. M40 —3K 115 (off Carslake Rd.)
Halstone Av. Wilm —2E 194
Halter Clo. Rad —1E 68
Halton Bank. Salf —4K 113
Halton Dri. Tim —2F 165
Halton Flats. Heyw —3J 49 (off Pitt St.)
Halton Ho. Salf —7K 113
Halton Rd. M11 —6E 116
Halton St. Bolt —6D 44
Halton St. Hayd —3A 124
Halton St. Hyde —6K 139
Halvard Av. Bury —6K 27
Halvard Ct. Bury —6K 27
Halvis Gro. M16 —6B 134
Hambledon Clo. Ath —2E 86
Hambledon Clo. Bolt —1F 65
Hamble M. Salf —1B 114
Hambleton Clo. Bury —4D 46
Hambleton Dri. M23 —7A 166
Hambleton Dri. Sale —5B 148
Hambleton Rd. H Grn —4J 179
Hambleton Wlk. Sale —5B 148
Hamblett St. Leigh —3F 107
Hamble Way. Mac —2A 198
Hambridge Clo. M8 —1G 115
Hamel St. Bolt —3K 65
Hamel St. Hyde —4K 139
Hamer Bldgs. Heyw —3H 49
Hamer Clo. Ash L —7E 118
Hamer Ct. Roch —3K 31
Hamer Dri. M16 —4D 134
Hamer Hall Cres. Roch —2K 31
Hamer Hill. M9 —4J 93
Hamer La. Roch —3K 31
Hamer St. Rad —2G 69
Hamer St. Ram —2F 27
Hamer Ter. Bury —1G 27 (off Ruby St.)
Hamerton Rd. M40 —4J 115
Hamilcar Av. Ecc —6C 112
Hamilton Av. Cad —6K 145
Hamilton Av. Ecc —7C 112
Hamilton Av. Rytn —3K 73
Hamilton Clo. Bury —2F 47
Hamilton Clo. Mac —3J 199
Hamilton Clo. P'wch —4A 92
Hamilton Ct. L Lev —3K 67
Hamilton Ct. Sale —6F 149
Hamilton Ct. Wig —6A 60
Hamilton Cres. Stoc —2D 168
Hamilton Gro. M16 —4D 134
Hamilton Ho. Alt —6B 164
Hamilton Lodge. M14 —6J 135
Hamilton M. Ecc —5K 111
Hamilton M. P'wch —4A 92
Hamilton Pl. Ash L —7D 118
Hamilton Rd. M13 —6B 136
Hamilton Rd. Ash M —4J 103
Hamilton Rd. Hind —3D 84
Hamilton Rd. P'wch —4A 92
Hamilton Rd. W'fld —6J 69
Hamilton Sq. Stoc —7G 153
Hamilton Sq. Wig —6A 60
Hamilton St. Ash L —7D 118
Hamilton St. Ath —5B 86
Hamilton St. Bolt —7A 24
Hamilton St. Bury —1K 47

Hamilton St.—Hassall St.

Hamilton St. Chad —7J 73
Hamilton St. Ecc —5K 111
Hamilton St. Leigh —2H 107
Hamilton St. Oldh —1E 96
Hamilton St. Old T —4D 134
Hamilton St. Salf —1D 114
Hamilton St. Stal —6K 119
Hamilton St. Swint —6B 90
Hamilton Way. Heyw —4E 48
Hamlet Dri. Sale —4C 148
Hamlet, The. Hth C —3H 19
Hamlet, The. Los —5B 42
Hammerstone Rd. M18 —3E 136
Hammett Rd. M21 —2A 150
Hammond Av. Stoc —5G 153
Hammond Flats. Heyw —3J 49 (off Ashton St.)
Hamnet Clo. Bolt —7C 24
Hamnett St. M11 —7F 117
Hamnett St. Hyde —6H 139
Hamon Rd. Alt —7C 164
Hampden Ct. Ecc —6B 112
Hampden Cres. M18 —4E 136
Hampden Gro. Ecc —6B 112
Hampden Pl. Wig —5K 59
Hampden Rd. P'wch —3B 92
Hampden Rd. Sale —7E 148
Hampden Rd. Shaw —7H 53
Hampden St. Heyw —4K 49
Hampden St. Roch —6H 31
Hampden Wlk. Wig —5K 59
Hampshire Clo. Bury —5A 48
Hampshire Clo. Glos —2H 159
Hampshire Clo. Stoc —5A 154
Hampshire Rd. Chad —2K 95
Hampshire Rd. Droy —5J 117
Hampshire Rd. Part —1K 161
Hampshire Rd. Stoc —5A 154
Hampshire St. Salf —1D 114
Hampshire Wlk. M8 —2H 115
Hampshire Wlk. Mac —1B 198 (off Kennedy Av.)
Hampson Av. Cul —6K 127
Hampson Clo. Ash M —6D 104
Hampson Clo. Ecc —7K 111
Hampson Cres. Hand —1J 187
Hampson Fold. Rad —2D 68
Hampson Mill La. Bury —1K 69
Hampson Pl. Ash L —2J 119
Hampson Rd. Ash L —2J 119
Hampson Rd. Stret —7G 133
Hampson St. M40 —4K 115
Hampson St. Ath —4C 86
Hampson St. Droy —6J 117
Hampson St. Ecc —7K 111
Hampson St. Glos —3E 158
Hampson St. Hor —1F 41
Hampson St. Pen —6E 90
Hampson St. Rad —2E 68
Hampson St. Sale —6H 149
Hampson St. Salf —7C 114 (6B 4)
Hampson St. Stoc —3K 169
Hampson St. Trad. Est. Salf —7D 114 (6C 4)
Hampstead Av. Urm —1G 147
Hampstead Dri. Stoc —6A 170
Hampstead La. Stoc —6A 170
Hampstead Rd. Stand —4K 37
Hampton Gro. Bury —6K 27
Hampton Gro. Chea H —2A 180
Hampton Gro. Leigh —1E 108
Hampton Gro. Tim —2D 164
Hampton Pl. M15 —3D 134
Hampton Rd. M21 —1K 149
Hampton Rd. Bolt —3C 66
Hampton Rd. Cad —6K 145
Hampton Rd. Fail —7K 95
Hampton Rd. Urm —1B 148
Hampton St. Oldh —3B 96
Hamsell Rd. M13 —2J 135 (10N 5)
Hamsterley Clo. Bchwd —4B 144
Hanborough Ct. Tyl —7E 86
Hancock Clo. M14 —6H 135
Hancock St. Stret —2H 149
Handel Av. Urm —7J 131
Handel M. Sale —6G 149
Handel St. Bolt —2K 43
Handforth By-Pass. Wilm —7J 187
Handforth Gro. M13 —7A 136
Handforth Rd. Stoc —5H 153
Handforth Rd. Wilm —3A 188
HANDFORTH STATION. BR —2K 187
Hand La. Land —6J 107
Handle St. Whitw —3D 12
Handley Av. M14 —1H 151
Handley Clo. Stoc —6E 168
Handley Rd. Bram —1G 181
Handley St. Bury —5K 47
Handley St. Roch —4F 31
Hands La. Roch —5C 30
Hand St. Mac —3E 198
Handsworth St. M12 —2K 135
Hanging Birch. Mid —7H 71
Hanging Bri. M3 —6F 115 (4H 5) (off Cateaton St.)
Hanging Chaddar La. Rytn —6A 52
Hanging Ditch. M4 —6F 115 (4H 5)
Hanging Lees Clo. Miln —1G 53
Hankinson Clo. Part —1B 162
Hankinson Way. Salf —5A 114
Hanley Clo. Dis —7D 184
Hanley Clo. Mid —2C 94
Hanlith M. M19 —2B 152
Hanlon St. M8 —6F 93
Hanmer St. Hind —1B 84
Hanmore Dri. Ash M —5D 104
Hannah Baldwin Clo. M11 —1B 136
Hannah St. M12 —7C 136
Hannerton Rd. Shaw —5H 53
Hannet Rd. M22 —2D 178
Hannington Ct. Salf —1B 114
Hanover Ct. Bolt —1H 65 (off Greenbank Rd.)
Hanover Ct. Salf —1D 114
Hanover Ct. Wor —2K 111
Hanover Cres. M14 —5K 135
Hanover Gdns. Salf —7E 92
Hanover Ho. Bolt —3H 65
Hanover Rd. B'hth —4K 163
Hanover Rd. Hind —1A 84
Hanover St. M4 —6G 115 (3J 5)
Hanover St. Bolt —6A 44
Hanover St. Leigh —2A 108
Hanover St. L'boro —6E 14
Hanover St. Moss —5C 98
Hanover St. Roch —3E 50
Hanover St. Stal —6K 119
Hanover St. N. Aud —1C 138
Hanover St. S. Aud —1C 138
Hanover Ter. Stoc —7H 153
Hansdon Clo. M8 —2G 115
Hansen Wlk. M22 —2C 178
Hanslope Wlk. M9 —7A 94 (off Swainsthorpe Dri.)
Hanson Clo. Mid —5C 72
Hanson M. Stoc —1K 169
Hanson Rd. M40 —1C 116
Hanson St. Adl —6H 19
Hanson St. Bury —1K 47
Hanson St. Mid —6D 72 (in two parts)
Hanson St. Oldh —7G 75
Hanwell Clo. Leigh —7H 107
Hanworth Clo. M13 —2H 135 (10M 5)
Hapsford Wlk. M40 —3C 116
Hapton Av. Stret —1H 149
Hapton Pl. Stoc —7G 153
Hapton St. M19 —7C 136
Harbern Clo. Ecc —4B 112
Harbern Dri. Leigh —5H 85
Harborne Wlk. G'mnt —3D 26
Harboro Ct. Sale —7D 148
Harboro Gro. Sale —6D 148
Harboro Rd. Sale —5C 148
Harboro Way. Sale —6D 148
Harbour Farm Rd. Hyde —3J 139
Harbour La. Miln —7D 32
Harbour La. Tur —6F 7
Harbour La. N. Miln —6D 32
Harbour M. Ct. Brom X —4D 24
Harbourne Av. Wor —7E 88
Harbourne Clo. Wor —7E 88
Harburn Wlk. M22 —4E 178
Harbury Clo. Wig —4B 60
Harbury Cres. M22 —6C 166
Harbury Wlk. Wig —4B 60
Harcles Dri. Ram —2F 27
Harcombe Rd. M20 —4J 151
Harcourt Av. Urm —1D 148
Harcourt Clo. Urm —1D 148
Harcourt Ind. Cen. Wor —2F 89
Harcourt M. Hor —1F 41
Harcourt Rd. Alt —5B 164
Harcourt Rd. Sale —4E 148
Harcourt St. Farn —4F 67
Harcourt St. Oldh —6F 75
Harcourt St. Stoc —2H 153
Harcourt St. Stret —6J 133
Harcourt St. Wor —2F 89
Harcourt St. S. Wor —2F 89
Hardacre St. Ince —1F 83
Hardberry Pl. Stoc —5C 170
Hardcastle Av. M21 —4C 150
Hardcastle Rd. Stoc —4F 169
Hardcastle St. Bolt —3B 44
Hardcastle St. Oldh —7D 74
Harden Dri. Bolt —3F 45
Harden Hills. Shaw —5H 53
Harden Pk. Ald E —3G 195
Hardfield Rd. Mid —2C 94
Hardfield St. Heyw —3K 49
Hardicker St. M19 —3D 152
Hardie Av. Farn —7D 66
Harding St. M4 —7K 115
Harding St. Adl —5K 19
Harding St. Hyde —4H 139
Harding St. Salf —4A 114 (Pendleton)
Harding St. Salf (Salford) —6F 115 (3G 4)
Harding St. Stoc —2K 169
Hardman Av. Bred —7E 154
Hardman Av. P'wch —5D 92
Hardman Clo. Rad —7D 46
Hardman La. Fail —7G 95
Hardmans. Brom X —5B 24
Hardman's La. Brom X —4B 24
Hardmans M. W'fld —1K 91
Hardman's Rd. W'fld —1K 91
Hardman St. M3 —7E 114 (6F 4)
Hardman St. Bury —1K 47
Hardman St. Chad —4K 95
Hardman St. Fail —1F 117
Hardman St. Farn —7G 67 (in two parts)
Hardman St. Heyw —3K 49
Hardman St. Miln —7E 32
Hardman St. Rad —7D 46
Hardman St. Stoc —2F 169
Hardman St. Wig —1D 82
Hardon Gro. M13 —7B 136
Hardrow Clo. Wig —5C 82
Hardrush Fold. Fail —2J 117
Hardshaw Clo. M13 —3H 135
Hardwick Clo. H Lane —6K 183
Hardwick Clo. Rad —1K 67
Hardwick Dri. Mac —6D 198
Hardwicke Rd. Poy —1D 190
Hardwicke St. Roch —1G 51
Hardwick Rd. Ash M —3C 104
Hardwick Rd. Part —7C 146
Hardwick St. Ash L —6D 118
Hardy Av. M21 —2A 150
Hardybutts. Wig —6F 61 (in two parts)
Hardy Clo. W'houg —3J 63
Hardy Dri. Bram —5F 181
Hardy Dri. Tim —4D 164
Hardy Farm. M21 —4B 150
Hardy Gro. Swint —3B 112
Hardy Gro. Wor —7H 89
Hardy La. M21 —4B 150
Hardy Mill Rd. Bolt —1H 45
Hardy St. Ash L —2J 119
Hardy St. Ecc —1K 131
Hardy St. Oldh —2E 96
Hardy St. Wig —5C 60
Harebell Av. Wor —4B 88
Harebell Clo. Roch —1F 31
Harecastle Av. Ecc —1C 132
Haredale Dri. M8 —2H 115
Hare Dri. Bury —2B 70
Harefield Av. Roch —7J 31
Harefield Dri. M20 —1G 167
Harefield Dri. Heyw —3B 50
Harefield Dri. Wilm —1H 195
Harefield Rd. Hand —1A 188
Harehill Clo. M13 —2H 135 (9M 5)
Hare Hill Ct. L'boro —5F 15
Hare Hill Rd. Hyde —6C 140
Hare Hill Rd. L'boro —5E 14
Hare Hill Wlk. Hyde —7C 140
Hareshill Rd. Heyw —5H 49
Hare St. M4 —6G 115
Hare St. Roch —7H 31
Harewood Av. Roch —2K 29
Harewood Av. Sale —6B 148
Harewood Clo. Roch —3K 29
Harewood Ct. M9 —2G 93 (off Deanswood Dri.)
Harewood Ct. Sale —7G 149
Harewood Dri. Roch —3J 29
Harewood Dri. Rytn —1A 74
Harewood Gro. Stoc —2G 153
Harewood Rd. Hind —1A 84
Harewood Rd. Irl —7D 130
Harewood Rd. Roch —2J 29
Harewood Rd. Shaw —5G 53
Harewood Wlk. Dent —1E 154
Harewood Way. Clif —5D 90
Harewood Way. Mac —6D 198
Harewood Way. Roch —3J 29
Harford Clo. Haz G —3J 181
Hargate Av. Roch —2C 30
Hargate Clo. Bury —2G 27
Hargate Dri. Hale —3E 176
Hargate Dri. Irl —6C 130
Hargate Hill La. Charl —3K 157
Hargrave Clo. M9 —1J 93
Hargreaves Ho. Bolt —7A 44
Hargreaves Rd. Tim —5G 165
Hargreaves St. M4 —5G 115 (1K 5)
Hargreaves St. Bolt —3A 44
Hargreaves St. Oldh —7D 74 (Frank Hill)
Hargreaves St. Oldh —1A 96 (Westwood)
Hargreaves St. Roch —1E 50
Harington Rd. H Grn —4K 179
Harkerside Clo. M21 —2C 150
Harkness St. M12 —2J 135 (10P 5)
Harland Dri. M8 —1H 115
Harland Dri. Ash M —5E 104
Harland Way. Roch —2C 30
Harlea Av. Hind —4E 84
Harlech Av. Hind —3E 84
Harlech Av. W'fld —7B 70
Harlech Clo. M15 —4G 135
Harlech Dri. Haz G —3A 182
Harlech St. Ash M —3B 104
Harleen Gro. Stoc —4B 170
Harlesden Cres. Bolt —1J 65
Harley Av. M14 —6A 136
Harley Av. Ain —4B 46
Harley Av. Harw —2G 45
Harley Ct. Mid —5B 72
Harley Rd. Mid —5B 72
Harley Rd. Sale —5F 149
Harley St. M11 —1F 137
Harley St. Ash L —5F 119
Harling Rd. Shar I —4D 166
Harlington Clo. M23 —4H 165
Harlow Dri. M18 —6F 137
Harlyn Av. Bram —5H 181
Harmer Clo. M40 —3C 116
Harmol Gro. Ash L —2D 118
Harmony St. Oldh —1E 96
Harmsworth Dri. Stoc —5D 152
Harmsworth St. Salf —6J 113
Harmuir Clo. Stand L —2A 60
Harold Av. M18 —5H 137
Harold Av. Ash M —3C 104
Harold Av. Duk —7H 119
Haroldene St. Bolt —3D 44
Harold Lees Rd. Heyw —2B 50
Harold Priestnall Clo. M40 —2D 116
Harold Rd. Hayd —2B 124
Harold St. M16 —3C 134
Harold St. Asp —1B 62
Harold St. Bolt —3K 43
Harold St. Fail —1G 117
Harold St. Mid —6A 72
Harold St. Oldh —7B 74
Harold St. P'wch —3K 91
Harold St. Roch —2A 32
Harold St. Stoc —3K 169
Haroman Rd. Stoc —2H 153
Harper Clo. Mac —5F 199
Harper Fold Rd. Rad —3B 68
Harper Grn. Rd. Farn —4D 66
Harper Pl. Ash L —5G 119
Harper Rd. Shar I —4E 166
Harper's La. Bolt —3H 43
Harper Sq. Shaw —6G 53
Harper St. Ash L —5G 119
Harper St. Farn —4D 66
Harper St. Hind —3A 84
Harper St. Oldh —3C 96
Harper St. Roch —7G 31
Harper St. Stoc —4G 169
Harper St. Wig —7G 61
Harpford Clo. Bolt —1J 67
Harpford Dri. Bolt —1J 67
Harp Rd. Traf P —1E 132
Harp St. M11 —2G 137
Harp Trad. Est. Traf P —1E 132
Harptree Gro. Leigh —1H 107
Harpurhey District Cen. M9 —7A 94
Harpurhey Rd. M8 & M9 —7J 93
Harridge Av. Roch —1E 30 (in two parts)
Harridge Av. Stal —6D 120
Harridge Bank. Roch —2E 30
Harridge St. Roch —1E 30
Harridge, The. Roch —1E 30
Harrier Clo. Wor —7F 89
Harriet St. M4 —6J 115 (3P 5)
Harriet St. Bolt —4H 65
Harriet St. Roch —5J 31
Harriet St. Wor —4F 89
Harriett St. Cad —5A 146
Harringay Rd. M40 —3D 116
Harrington Rd. Alt —6K 163
Harrington St. M18 —4G 137
Harris Av. Dent —6K 137
Harris Av. Urm —4B 132
Harris Clo. Dent —6K 137
Harris Clo. Heyw —4E 48
Harris Dri. Bury —4B 70
Harris Dri. Hyde —5A 140
Harrison Av. M19 —7D 136
Harrison Clo. Roch —3B 30
Harrison Cres. Blac —2K 39
Harrison Rd. Adl —6H 19
Harrisons Dri. Woodl —5G 155
Harrison St. M4 —7K 115
Harrison St. Ecc —1K 131
Harrison St. Hind —4F 85
Harrison St. Hor —1F 41
Harrison St. Hyde —2K 155
Harrison St. L Hul —3C 88
Harrison St. Oldh —1D 96
Harrison St. Salf —4D 114
Harrison St. Stal —6K 119
Harrison St. Stoc —4H 169
Harrison St. Wig —7B 60
Harrison Way. Newt W —6E 124
Harris Rd. Stand —2H 37
Harris St. M8 —4E 114
Harris St. Bolt —7A 44
Harrock La. App B —1A 36
Harrod Av. Stoc —5G 153
Harrogate Av. P'wch —5D 92
Harrogate Dri. Stoc —2G 153
Harrogate Rd. Stoc —2G 153
Harrogate Sq. Bury —4D 46
Harrogate St. Wig —7F 61
Harroll Ga. Swint —1E 112
Harrop Ct. Dig —1K 77
Harrop Ct. Rd. Dig —1K 77
Harrop Edge La. Del —2G 77
Harrop Edge Rd. Mot —5E 140
Harrop Fold. Oldh —6E 96
Harrop Grn. La. Dig —1J 77
Harrop La. A'ton —7C 190
Harrop Rd. Boll —2K 197
Harrop Rd. Hale —2C 176
Harrop St. M18 —3H 137
Harrop St. Bolt —2G 65
Harrop St. Stal —6A 120
Harrop St. Stoc —4J 169
Harrop St. Wor —4D 88
Harrow Av. M19 —4C 152
Harrow Av. Oldh —4C 96
Harrow Av. Roch —6C 30
Harrowby Ct. Farn —6D 66
Harrowby Dri. M40 —3K 115
Harrowby Fold. Farn —6E 66
Harrowby La. Farn —6E 66
Harrowby Rd. Bolt —3F 43 (Doffcocker)
Harrowby Rd. Bolt —3G 65 (Fernhill Gate)
Harrowby Rd. Swint —1C 112
Harrowby St. Farn —6D 66
Harrowby St. Wig —1A 82
Harrow Clo. Bury —1K 69
Harrow Clo. Orr —6F 59
Harrow Cres. Leigh —5K 107
Harrowdene Wlk. M9 —7K 93
Harrow Dri. Sale —1E 164
Harrowgate Clo. Open —2G 137
Harrow M. Shaw —6F 53
Harrow Pl. Ince —3H 83
Harrow Rd. Bolt —5H 43
Harrow Rd. Sale —1E 164
Harrow Rd. Wig —5K 59
Harrow St. M8 —6H 93
Harrow St. Roch —3K 51
Harrycroft Rd. Woodl —5F 155
Harry Hall Gdns. Salf —4C 114
Harry Lawson Ct. Mac —2G 199
Harry Rd. Stoc —2H 153
Harry's St. Leigh —3H 107
Harry St. Oldh —1A 96
Harry St. Roch —2D 50
Harry St. Rytn —4C 74
Harry Thorneycroft Wlk. M11 —1A 136
Harrytown. Rom —1E 170
Harrywood Rd. Dent —3E 154
Hart Av. Droy —7K 117
Hart Av. Sale —6K 149
Hart Ct. Moss —5B 98
Hart Dri. Bury —2B 70
Harter St. M1 —1G 135 (7J 5)
Hartfield Clo. M13 —3J 135
Hartfield Wlk. Bolt —5E 44
Hartford Av. Heyw —2H 49
Hartford Av. Stoc —4F 153
Hartford Av. Wilm —1F 195
Hartford Clo. Heyw —2H 49
Hartford Gdns. Tim —6H 165
Hartford Grange. Oldh —3B 96
Hartford Ind. Est. Oldh —1A 96
Hartford Rd. Sale —1B 164
Hartford Rd. Urm —5C 132
Hartford Sq. Oldh —1A 96
Hartford St. Dent —4C 138
Hartford Wlk. M9 —2J 115 (off Westmere Dri.)
Hart Hill Dri. Salf —5H 113
Harthill St. M8 —3F 115
Hartington Clo. Urm —7C 132
Hartington Ct. Rytn —2C 74
Hartington Dri. M11 —5D 116
Hartington Dri. Haz G —4C 182
Hartington Dri. Stand —6B 38
Hartington Rd. M21 —2B 150
Hartington Rd. Alt —3B 164
Hartington Rd. Bolt —6J 43
Hartington Rd. Bram —6G 181
Hartington Rd. Ecc —5J 111
Hartington Rd. H Grn —4K 179
Hartington Rd. H Lane & Dis —5J 183
Hartington Rd. Stoc —6B 170
Hartington St. M14 —6F 135
Hartis Av. Salf —2E 114
Hartland Av. Urm —7E 132
Hartland Clo. Ast —7H 87
Hartland Clo. Poy —7B 182
Hartland Clo. Stoc —3A 170
Hartland Ct. Bolt —2A 44 (off Blackburn Rd.)
Hartland St. Heyw —3K 49
Hartlebury. Roch —6G 31
Hartlepool Clo. M14 —6H 135
Hartley Av. P'wch —4C 92
Hartley Av. Wig —7G 61
Hartley Gro. Boll —2H 197
Hartley Gro. Irl —5D 130
Hartley Gro. Orr —7H 59
Hartley La. Roch —1G 51
Hartley Pl. Roch —5B 32
Hartley Rd. M21 —1A 150
Hartley Rd. Alt —6A 164
Hartley St. M40 —7B 94
Hartley St. Firg —5B 32
Hartley St. Heyw —3K 49
Hartley St. Hor —3F 41
Hartley St. L'boro —6E 14
Hartley St. Millb —5D 120
Hartley St. Roch —3D 30
Hartley St. Stoc —3F 169
Hartley St. Ward —5A 14
Hartley Ter. L'boro —6E 14 (off William St.)
Hartley Ter. Millb —5D 120
Hartley Ter. Roch —2G 51
Hartley Ter. Wig —7E 60
Hart Mill Clo. Moss —5B 98
Harton Av. M18 —5E 136
Harton Clo. Shaw —7E 52
Hart Rd. M14 —7G 135
Harts Farm M. Leigh —1K 107
Hartshead Av. Ash L —2G 119
Hartshead Av. Stal —5A 120
Hartshead Clo. M11 —2J 137
Hartshead Cres. Fail —2A 118
Hartshead Rd. Ash L —2G 119
Hartshead St. Lees —1K 97
Hartshead View. Hyde —1K 155
Hart's La. Uph —6A 58
Hartsop Dri. Mid —4J 71
Hartspring Av. Swint —1E 112
Hart St. M1 —1G 135 (7K 5) (in two parts)
Hart St. Alt —6C 164
Hart St. Droy —6J 117
Hart St. Tyl —7J 87
Hart St. W'houg —7F 63
Hartswell Clo. Golb —6J 105
Hartswood Clo. Dent —5E 138
Hartswood Rd. M20 —4K 151
Hartwell Clo. M11 —1B 136
Hartwell Clo. Bolt —2E 44
Harty. Ecc —6C 112
Harvard Clo. Woodl —5G 155
Harvard St. Roch —1J 51
Harvest Clo. Sale —7A 150
Harvest Clo. Salf —3J 113
Harvest Rd. Mac —7E 196
Harvey Av. Newt W —6B 124
Harvey Clo. M11 —1B 136
Harvey Ct. L'boro —5G 15
Harvey La. Golb —7H 105
Harvey St. Bolt —2K 43
Harvey St. Bury —2G 47
Harvey St. Ince —1G 83
Harvey St. Roch —3K 31
Harvey St. Stoc —2H 169
Harvin Gro. Dent —7E 138
Harvington Wlk. M15 —4G 135 (off Persian Clo.)
Harwich Clo. M19 —1D 152
Harwich Clo. Stoc —4A 154
Harwin Clo. Roch —1F 31
Harwood Ct. Salf —4B 114
Harwood Ct. Stoc —1A 168
Harwood Cres. Tot —5C 26
Harwood Dri. Bury —4E 46
Harwood Gdns. Heyw —4K 49
Harwood Gro. Bolt —4D 44
Harwood Meadow. Bolt —2H 45
Harwood Pk. Heyw —4K 49
Harwood Rd. M19 —4A 152
Harwood Rd. Stoc —1A 168
Harwood Rd. Tot —1A 46
Harwood St. Bolt —5B 44
Harwood St. L'boro —6D 14
Harwood St. Stoc —7F 153
Harwood Vale. Bolt —2G 45
Harwood Vale Ct. Bolt —2G 45
Harwood Wlk. Tot —5C 26
Haseldine St. Ash M —2B 104
Haseley Clo. Poy —7C 182
Haseley Clo. Rad —1K 67
Haselhurst Wlk. M23 —1K 165
Hasguard Clo. Bolt —5F 43
Haskoll St. Hor —4H 41
Haslam Brow. Bury —5J 47
Haslam Ct. Bolt —1H 65
Haslam Hey Clo. Bury —3C 46
Haslam Rd. Stoc —5G 169
Haslam St. Bolt —1K 65
Haslam St. Bury —1A 48
Haslam St. Mid —7E 72
Haslam St. Roch —4F 31
Haslemere Av. Haleb —6G 177
Haslemere Dri. Chea H —3C 180
Haslemere Rd. M20 —4K 151
Haslemere Rd. Urm —1K 147
Haslington Rd. M22 —2E 178
Hassall Av. M20 —2F 151
Hassall St. Rad —1J 69
Hassall St. Stal —7B 120

Hassall Way—Heddles Ct.

Hassall Way. *Hand* —7A **180**
Hassnes Clo. *Wig* —5D **82**
Hassop Av. *Salf* —1A **114**
Hassop Clo. *M11* —7A **116**
Hassop Rd. *Stoc* —1J **153**
Hastings Av. *M21* —2A **150**
Hastings Av. *W'fld* —7B **70**
Hastings Clo. *Chea H* —2E **180**
Hastings Clo. *Stoc* —4K **169**
Hastings Clo. *W'fld* —7B **70**
Hastings Ct. *Stoc* —3C **168**
Hastings Dri. *Urm* —6G **131**
Hastings Rd. *Bolt* —5H **43**
Hastings Rd. *Ecc* —4J **111**
Hastings Rd. *P'wch* —2C **92**
Hastings St. *Roch* —7H **31**
Haston Clo. *Stoc* —6H **153**
Hasty La. *Ring* —5J **177**
(in two parts)
Hatchett Rd. *M22* —3D **178**
Hatchmere Clo. *Chea H* —7B **168**
Hatchmere Clo. *Tim* —5H **165**
(in two parts)
Hateley Rd. *M16* —6A **134**
Hatfield Av. *M19* —4B **152**
Hatfield Clo. *Ince* —3H **83**
Hatfield Rd. *Bolt* —4J **43**
Hatford Clo. *Tyl* —6J **87**
Hathaway Clo. *H Grn* —5H **179**
Hathaway Ct. *Leigh* —2B **108**
Hathaway Dri. *Bolt* —7C **24**
Hathaway Dri. *Mac* —6E **198**
Hathaway Gdns. *Bred* —7D **154**
Hathaway Rd. *Bury* —3A **70**
Hathaway Wlk. *Ince* —3H **83**
Hatherleigh Wlk. *Bolt* —7H **45**
Hatherley Rd. *M20* —4K **151**
Hatherlow. *Rom* —1E **170**
Hatherlow La. *Haz G* —2B **182**
Hatherop Clo. *Ecc* —7K **111**
Hathersage Av. *Salf* —5H **113**
Hathersage Cres. *Glos* —7A **142**
Hathersage Dri. *Glos* —3H **159**
Hathersage Rd. *M13* —5J **135**
Hathersage St. *Oldh* —1A **96**
Hathersage Way. *Dent* —2E **154**
Hathershaw La. *Oldh* —4D **96**
Hatro Ct. *Urm* —1E **148**
Hattersley Ct. *Hyde* —1D **156**
Hattersley Ind. Est. *Hyde* —1D **156**
Hattersley Rd. E. *Hyde* —7E **140**
Hattersley Rd. W. *Hyde* —7C **140**
HATTERSLEY STATION. *BR* —1C **156**
Hattersley Wlk. *Hyde* —6C **140**
Hatter St. *M4* —6H **115** (3L **5**)
Hatton Av. *Ath* —2D **86**
Hatton Av. *Salf* —5D **114** (1C **4**)
Hatton Gro. *Bolt* —7C **24**
Hatton's Ct. *Salf* —6F **115** (3G **4**)
Hattons Ct. *Stret* —6G **133**
Hattons Rd. *Traf P* —3F **133**
Hatton St. *M12* —6C **136**
Hatton St. *Adl* —6J **19**
Hatton St. *Mac* —4E **198**
Hatton St. *Stoc* —1G **169**
Haugh Fold. *Miln* —1G **53**
Haugh Hill Rd. *Oldh* —3J **75**
Haugh La. *Miln* —1G **53**
Haugh Sq. *Miln* —1G **53**
Haughton Clo. *Woodl* —4E **154**
Haughton Dri. *M22* —1D **166**
Haughton Grn. Rd. *Dent* —2E **154**
Haughton Hall Rd. *Dent* —6D **138**
Haughton St. *Aud* —4D **138**
Haughton St. *Hyde* —1J **155**
Havana Clo. *M11* —7B **116**
(in two parts)
Haveley Rd. *M22* —6C **166**
Havelock Dri. *Salf* —4D **114** (1C **4**)
Havelock St. *Oldh* —2D **96**
Havenbrook Gro. *Ram* —1E **26**
Haven Clo. *Gras* —1D **98**
Haven Clo. *Haz G* —3A **182**
Haven Clo. *Rad* —1B **68**
Haven Dri. *Droy* —5G **117**
Haven La. *Oldh* —4J **75**
Havenscroft Av. *Ecc* —1B **132**
Haven St. *Salf* —6J **113**
Haven, The. *Hale* —1D **176**
Haven, The. *L Lev* —3J **67**
Havenwood Rd. *Wig* —2D **60**
Havercroft Clo. *Wig* —4A **82**
Havercroft Pk. *Bolt* —3B **42**
Haverfield Rd. *M9* —4A **94**
Haverford St. *M12* —3A **136**
Havergate Walks. *Stoc* —7D **170**
Haverhill Gro. *Bolt* —3D **44**
Haversham Rd. *M8* —5E **92**
Havers Rd. *M18* —4G **137**
Haverton Dri. *M22* —2B **178**
Haverty Precinct. *Newt W* —7D **124**
Havisham Clo. *Los* —2B **64**
Hawarden Av. *M16* —7C **134**
Hawarden Rd. *Alt* —5B **164**
Hawarden St. *Bolt* —7A **24**
Haw Clough La. *G'fld* —1J **99**
Hawdraw Grn. *Stoc* —5C **170**
Hawes Av. *M14* —3A **152**
Hawes Av. *Farn* —6A **66**
Hawes Av. *St H* —7C **102**
Hawes Av. *Swint* —2D **112**
Hawes Clo. *Bury* —7F **27**
Hawes Clo. *Stoc* —5J **169**
Hawes Ct. *Stoc* —6K **169**
Hawes Cres. *Ash M* —3D **104**
Haweswater Av. *Ast* —1H **109**
Haweswater Av. *Ince* —7K **61**
Haweswater Clo. *Dent* —7J **137**
Haweswater Cres. *Uns* —1B **70**
Haweswater Dri. *Mid* —4A **72**
Haweswater M. *Mid* —4A **72**
Hawfinch Gro. *Wor* —7F **89**
Hawick Gro. *Heyw* —4E **48**
Hawk Clo. *Bury* —1B **48**
Hawker Av. *Bolt* —3K **65**
Hawkesheath Clo. *Eger* —3B **24**
Hawke St. *Ash L* —5H **119**
Hawke St. *Stal* —7C **120**
Hawk Grn. Clo. *Marp* —1K **183**
Hawk Grn. Rd. *Marp* —1K **183**
Hawkhurst Rd. *M13* —6B **136**
Hawkhurst St. *Leigh* —3C **108**
Hawkins St. *Stoc* —6G **153**
Hawkins Way. *L'boro* —2G **15**
Hawkley Av. *Wig* —5B **82**
Hawkrigg Clo. *Stand* —6B **38**
Hawk Rd. *Irl* —6C **130**
Hawk Rd. *N Mills* —4K **185**
Hawkshaw Clo. *Asp* —3J **61**
Hawkshaw Ct. *Salf* —7A **114**
Hawkshaw La. *Hawk* —1K **25**
Hawkshaw St. *Hor* —2F **41**
Hawkshead Dri. *Bolt* —3G **65**
Hawkshead Dri. *Mid* —5A **72**
Hawkshead Dri. *Rytn* —7B **52**
Hawkshead Rd. *M8* —2H **115**
Hawkshead Rd. *Shaw* —5E **52**
Hawksley St. *Hor* —3H **41**
Hawksley St. *Oldh* —4A **96**
Hawksmoor Clo. *M15* —3E **134**
Hawksmoor Dri. *Shaw* —5F **53**
Hawkstone Av. *Droy* —5G **117**
Hawkstone Av. *W'fld* —7H **69**
Hawkstone Clo. *Bolt* —2G **45**
Hawkswick Dri. *M23* —1A **166**
Hawkworth. *Ast* —3H **109**
Hawk Yd. La. *G'fld* —2K **99**
Hawley Dri. *Haleb* —4F **177**
Hawley Grn. *Roch* —2F **31**
Hawley La. *Haleb* —4F **177**
Hawley St. *M19* —2D **152**
Haworth Av. *Ram* —2F **27**
Haworth Clo. *Mac* —6D **198**
Haworth Ct. *Rad* —3F **69**
Haworth Dri. *Stret* —6D **132**
Haworth Rd. *M18* —5F **137**
Haworth St. *Hind* —1B **84**
Haworth St. *Oldh* —5C **74**
Haworth St. *Rad* —3F **69**
Haworth St. *Tur* —6F **7**
Haworth St. *Wals* —1C **46**
Haworth Wlk. *Rad* —3F **69**
Hawsworth Clo. *M15* —4H **135**
Hawthorn Av. *Ash M* —3J **103**
Hawthorn Av. *Bury* —1G **47**
Hawthorn Av. *Ecc* —5B **112**
Hawthorn Av. *Hind* —4E **84**
Hawthorn Av. *Marp* —5H **171**
Hawthorn Av. *Newt W* —6F **125**
Hawthorn Av. *Orr* —1F **81**
Hawthorn Av. *Rad* —5F **69**
Hawthorn Av. *Ram* —1J **9**
(Edenfield)
Hawthorn Av. *Ram* —2E **26**
(Ramsbottom)
Hawthorn Av. *Stand* —7D **38**
Hawthorn Av. *Tim* —4D **164**
Hawthorn Av. *Urm* —1D **148**
Hawthorn Av. *Wig* —1K **81**
Hawthorn Av. *Wilm* —6G **187**
Hawthorn Av. *Wor* —6G **89**
Hawthorn Bank. *Bolt* —1G **45**
Hawthorn Bank. *Had* —5B **142**
Hawthorn Clo. *Bil* —3D **102**
Hawthorn Clo. *Tim* —4D **164**
Hawthorn Clo. *Tyl* —6K **87**
Hawthorn Cres. *Oldh* —5D **96**
Hawthorn Cres. *Shaw* —7F **53**
Hawthorn Cres. *Tot* —5D **26**
Hawthorn Dri. *M19* —3B **152**
Hawthorn Dri. *Cad* —5K **145**
Hawthorn Dri. *Pen* —1G **113**
Hawthorn Dri. *Salf* —4F **113**
Hawthorn Dri. *Stal* —1K **139**
Hawthorne Av. *Cul* —5C **128**
Hawthorne Av. *Farn* —6D **66**
Hawthorne Av. *Hor* —4J **41**
Hawthorne Dri. *Wor* —1J **111**
Hawthorne Gro. *Ash L* —7D **118**
Hawthorne Gro. *Bred* —6C **154**
Hawthorne Gro. *Chad* —6K **73**
Hawthorne Gro. *Holl* —3K **141**
Hawthorne Gro. *Leigh* —1J **107**
Hawthorne Rd. *Bolt* —1H **65**
Hawthorne St. *Bolt* —1H **65**
Hawthorn Gro. *Bram* —6E **180**
Hawthorn Gro. *Hyde* —1H **155**
Hawthorn Gro. *Poy* —1G **191**
Hawthorn Gro. *Stoc* —7D **152**
Hawthorn Gro. *Wilm* —6H **187**
Hawthorn La. *M21* —2K **149**
Hawthorn La. *Miln* —1E **52**
Hawthorn La. *Sale* —4B **148**
Hawthorn La. *Wilm* —6G **187**
Hawthorn Lodge. *Stoc* —7H **169**
Hawthorn Pk. *Wilm* —6G **187**
Hawthorn Rise. *P'bry* —4A **196**
Hawthorn Rd. *M40* —6G **95**
Hawthorn Rd. *Boll* —2H **197**
Hawthorn Rd. *Dent* —6K **137**
Hawthorn Rd. *Droy* —6A **118**
(in two parts)
Hawthorn Rd. *Gat* —6G **167**
Hawthorn Rd. *Hale* —1C **176**
Hawthorn Rd. *Kear* —2K **89**
Hawthorn Rd. *Oldh* —5K **95**
Hawthorn Rd. *Roch* —6A **30**
Hawthorn Rd. *Sale* —2H **149**
Hawthorn Rd. *Stoc* —1B **168**
Hawthorn Rd. *W'houg* —7K **63**
Hawthorn Rd. S. *Droy* —6A **118**
Hawthorns, The. Ath —4D **86**
(off Water St.)
Hawthorns, The. *Aud* —3B **138**
Hawthorn St. *M18* —3F **137**
Hawthorn St. *Aud* —3C **138**
Hawthorn St. *Wilm* —7G **187**
Hawthorn Ter. *Stoc* —7D **152**
Hawthorn Ter. *Wilm* —7G **187**
Hawthorn View. *Wilm* —6G **187**
Hawthorn Wlk. *L'boro* —6D **14**
Hawthorn Wlk. *Part* —7A **146**
Hawthorn Wlk. *Wilm* —6G **187**
Hawthorn Way. *Mac* —1G **199**
Hawthorpe Gro. *Upperm* —6H **77**
Haxby Rd. *M18* —6F **137**
Haybarn Rd. *M23* —4B **166**
Hayburn Rd. *Stoc* —3A **170**
Haycock Clo. *Stal* —2D **140**
Hay Croft. *Chea H* —4A **180**
Hayden Ct. M40 —3K **115**
(off Sedgeford Rd.)
Haydn Av. *M14* —5H **135**
Haydn Fold. *Charl* —3K **157**
Haydn St. *Bolt* —3K **43**
Haydock Av. *Sale* —1K **163**
Haydock Dri. *Haz G* —2D **182**
Haydock Dri. *Tim* —6F **165**
Haydock Dri. *Wor* —2D **110**
Haydock La. *Brom X* —3C **24**
(in two parts)
Haydock La. *Hayd* —7K **103**
Haydock La. Ind. Est. *Hayd R* —7K **103**
Haydock Pk. Gdns. *Newt W* —7D **104**
Haydock St. *Ash M* —6D **104**
Haydock St. *Bolt* —5B **44**
Haydock St. *Newt W* —5C **124**
Haydock Wlk. *Chad* —7A **74**
Haye's Rd. *Cad* —5A **146**
Hayes Row. *Lwtn* —7E **106**
Hayes St. *Leigh* —1J **107**
(Leigh)
Hayes St. *Leigh* —4E **106**
(Plank Lane)
Hayeswater Circ. *Urm* —6A **132**
Hayeswater Rd. *Urm* —6A **132**
Hayfell Rd. *Wig* —6C **82**
Hayfield Av. *Ast* —2J **109**
Hayfield Av. *Bred* —6E **154**
Hayfield Clo. *M12* —2A **136**
Hayfield Clo. *G'mnt* —3D **26**
Hayfield Clo. *Mac* —7D **196**
Hayfield Clo. *Mid* —3E **72**
Hayfield Clo. *Oldh* —2K **75**
Hayfield Rd. *Bred* —6E **154**
Hayfield Rd. *N Mills* —3K **185**
Hayfield Rd. *Salf* —4F **113**
Hayfields. *Knut* —4F **193**
Hayfield St. *Sale* —5E **148**
Hayfield Wlk. *Dent* —2E **154**
Hayfield Wlk. *Tim* —5G **165**
Haygrove Wlk. *M9* —7K **93**
Hayle Clo. *Mac* —2A **198**
Hayle Rd. *Oldh* —2H **75**
Hayley St. *M13* —5A **136**
Hayling Rd. *Sale* —5C **148**
Haymaker Rise. *Ward* —5B **14**
Hayman Av. *Leigh* —6H **107**
Haymans Wlk. *M13* —2H **135** (10M **5**)
Haymarket Clo. *M13* —4J **135**
Haymarket St. *Bury* —3J **47**
Haymarket, The. *Bury* —3K **47**
Haymill Av. *L Hul* —1C **88**
Haymond Clo. *Salf* —2A **114**
Haynes St. *Bolt* —3H **65**
Haynes St. *Roch* —4H **31**
Haysbrook Av. *Wor* —3B **88**
Haysbrook Clo. *Ash L* —1E **118**
Haythorp Av. *M22* —1E **178**
Hayton St. *Knut* —5C **192**
Hayward Av. *L Lev* —3A **68**
Haywards Clo. *Glos* —6E **142**
Hayward St. *Bury* —2G **47**
Hayward Way. Mot —6F **141**
(off Garnett Clo.)
Haywood Clo. *Lwtn* —7C **106**
Hazel Av. *M16* —7D **134**
Hazel Av. *Ash L* —2J **119**
Hazel Av. *Bury* —3B **48**
Hazel Av. *Chea* —6A **168**
Hazel Av. *L Hul* —2A **88**
Hazel Av. *Mac* —6C **198**
Hazel Av. *Miln* —2E **52**
Hazel Av. *Rad* —6J **67**
Hazel Av. *Ram* —3F **27**
Hazel Av. *Rom* —1H **171**
Hazel Av. *Sale* —7F **149**
Hazel Av. *Swint* —1E **112**
Hazel Av. *Tot* —7D **26**
Hazel Av. *W'houg* —7K **63**
Hazel Av. *Wig* —3C **60**
Hazelbadge Clo. *Poy* —1A **190**
Hazelbadge Rd. *Poy* —1A **190**
Hazelbank Av. *M20* —3H **151**
Hazelborough Clo. *Bchwd* —5B **144**
Hazelbottom Rd. *M8* —1H **115**
Hazel Clo. *Droy* —6A **118**
Hazel Clo. *Marp* —7J **171**
Hazelcroft Gdns. *Ald E* —6G **195**
Hazeldene. *W'houg* —2H **85**
Hazel Dene Clo. *Bury* —6K **47**
Hazeldene Rd. *M40* —6G **95**
Hazel Dri. *M22* —4G **179**
Hazel Dri. *Poy* —2D **190**
Hazel Dri. *Stoc* —5B **170**
Hazelfields. *Wor* —1K **111**
Hazel Gro. *Chad* —6K **73**
Hazel Gro. *Farn* —6D **66**
Hazel Gro. *Golb* —1K **125**
Hazel Gro. *Leigh* —1J **107**
Hazel Gro. *Rad* —6D **68**
Hazel Gro. *Salf* —6G **113**
Hazel Gro. *Urm* —7C **132**
HAZEL GROVE STATION. *BR* —2B **182**
Hazel Hall La. *Ram* —3F **27**
Hazelhurst Clo. *Bolt* —3A **44**
Hazelhurst Clo. *Ram* —7F **9**
Hazelhurst Dri. *Boll* —2J **197**
Hazelhurst Dri. *Mid* —2B **72**
Hazelhurst Fold. *Wor* —1A **112**
Hazelhurst Gro. *Ash M* —4E **104**
Hazelhurst M. *Chad* —4H **95**
Hazelhurst Rd. *Ash L* —2K **119**
Hazelhurst Rd. *Stal* —4A **120**
Hazelhurst Rd. *Wor* —2K **111**
Hazel La. *Oldh* —5B **96**
Hazelmere. *Kear* —7J **67**
Hazelmere Av. *Ecc* —4K **111**
Hazelmere Gdns. *Hind* —3C **84**
Hazel Mt. *Eger* —2A **24**
Hazel Rd. *Alt* —6B **164**
Hazel Rd. *Ath* —3C **86**
Hazel Rd. *Chea H* —3D **180**
Hazel Rd. *Mid* —4D **72**
Hazel Rd. *W'fld* —6B **70**
Hazels, The. *Cop* —3A **18**
Hazel St. *Aud* —3C **138**
Hazel St. *Haz G* —1C **182**
Hazel St. *Ram* —7E **8**
Hazelton Clo. *Leigh* —7J **107**
Hazel View. *Marp* —1K **183**
Hazel Wlk. *Part* —7A **146**
Hazelwell. *Sale* —7F **149**
Hazelwood. *Chad* —6G **73**
Hazelwood Av. *Bolt* —2G **45**
Hazelwood Clo. *Hyde* —7A **140**
Hazelwood Ct. *Urm* —6B **132**
Hazelwood Dri. *Aud* —3D **138**
Hazelwood Dri. *Bury* —5K **27**
Hazelwood Rd. *Bolt* —3H **43**
Hazelwood Rd. *Hale* —2C **176**
Hazelwood Rd. *Haz G* —1D **182**
Hazelwood Rd. *Stoc* —7J **169**
Hazelwood Rd. *Wig* —2D **60**
Hazelwood Rd. *Wilm* —5J **187**
Hazlemere Av. *Mac* —5C **198**
Headen Av. *Wig* —2H **81**
Headingley Ct. M14 —3K **151**
(off Ladybarn La.)
Headingley Dri. *M16* —6A **134**
Headingley Rd. *M14* —3K **151**
Headingley Way. *Bolt* —3K **65**
Headland Clo. *Lwtn* —3C **126**
Headlands Dri. *P'wch* —5A **92**
Headlands Rd. *Bram* —3H **181**
Headlands St. *Roch* —3G **31**
Heady Hill Ct. *Heyw* —3G **49**
Heady Hill Rd. *Heyw* —3G **49**
Heald Av. *M14* —6H **135**
Heald Clo. *Bow* —2A **176**
Heald Clo. *L'boro* —1E **32**
Heald Clo. *Roch* —1E **30**
Heald Dri. *Bow* —2A **176**
Heald Dri. *Roch* —1E **30**
HEALD GREEN STATION. *BR* —4G **179**
Heald Gro. *M14* —5H **135**
Heald Gro. *H Grn* —3G **179**
Heald La. *L'boro* —7E **14**
Heald Pl. *M14* —5H **135**
(in two parts)
Heald Rd. *Bow* —2A **176**
Healds Grn. *Chad* —3H **73**
Heald St. *Newt W* —6B **124**
Heald St. *Stoc* —1J **169**
Healdwood Rd. *Woodl* —7G **155**
(in two parts)
Healey Av. *Heyw* —2A **50**
Healey Av. *Roch* —7F **13**
Healey Clo. *M23* —1K **165**
Healey Clo. *Salf* —7C **92**
Healey Dell. *Roch* —7D **12**
Healey Gro. *Whitw* —6E **12**
Healey Hall M. *Roch* —7E **12**
Healey La. *Roch* —1G **31**
Healey Stones. *Roch* —7F **13**
Healey St. *Roch* —6B **32**
Healing St. *Roch* —7J **31**
Heanor Av. *Dent* —2E **154**
Heap Brow. *Bury* —4D **48**
Heape St. *Roch* —4E **50**
Heaplands. *G'mnt* —3D **26**
Heap Rd. *Roch* —2K **29**
Heaps Farm Ct. *Stal* —1D **140**
Heap St. *Bolt* —1A **66**
Heap St. *Bury* —4D **48**
Heap St. *Oldh* —7G **75**
Heap St. *Rad* —3F **69**
Heap St. *W'fld* —7K **69**
Heapworth Av. *Ram* —5F **9**
Heapy Clo. *Bury* —4D **46**
Heapy St. *Mac* —5G **199**
Heardman Av. *Wig* —5C **60**
Hearn Av. *Leigh* —3K **107**
Heartherlea Clo. *Uph* —7C **58**
Heath Av. *Ram* —3F **27**
Heath Av. *Salf* —4C **114**
Heath Av. *Urm* —6C **132**
Heathbank Rd. *M9* —2J **93**
Heathbank Rd. *Chea H* —5B **180**
Heathbank Rd. *Stoc* —4D **168**
Heathcliffe Wlk. *M13* —3J **135**
Heath Clo. *Bolt* —4H **65**
Heathcote Av. *Stoc* —7E **152**
Heathcote Gdns. *Rom* —1J **171**
Heathcote Rd. *M18* —5E **136**
Heath Cotts. *Bolt* —6K **23**
Heath Cres. *Stoc* —6H **169**
Heather Av. *Cad* —4K **145**
Heather Av. *Droy* —6A **118**
Heather Av. *Shaw* —5H **53**
Heather Bank. *Tot* —5C **26**
Heather Bank Clo. *Glos* —3C **158**
Heather Brae. *Newt W* —5C **124**
Heather Brow. *Stal* —1E **140**
Heather Clo. *Heyw* —5K **49**
Heather Clo. *Hor* —1F **41**
Heather Clo. *Lym Pk* —7E **198**
Heather Clo. *Oldh* —5J **75**
Heather Ct. *Bow* —1K **175**
Heather Dale Dri. *M8* —2G **115**
Heatherfield. *Bolt* —7K **23**
Heatherfield. *Tur* —5G **7**
Heatherfield Ct. *Wilm* —5A **188**
Heather Gro. *Ash M* —4G **105**
Heather Gro. *Droy* —1K **137**
Heather Gro. *Holl* —3K **141**
Heather Gro. *Leigh* —1J **107**
Heather Gro. *Wig* —7A **60**
Heather Lea. *Dent* —7E **138**
Heatherlea Clo. *Uph* —7C **58**
Heather Rd. *Alt* —3C **176**
Heathersett Dri. *M9* —1K **115**
Heatherside. *Stal* —6D **120**
Heatherside. *Stoc* —1J **153**
Heatherside Av. *Moss* —6E **98**
Heatherside Rd. *Ram* —4F **9**
Heathers, The. *Stoc* —7K **169**
Heather St. *M11* —6D **116**
Heather Wlk. *Part* —7K **145**
Heatherway. *M14* —5H **135**
Heatherway. *Marp* —5J **171**
Heatherway. *Sale* —5B **148**
Heath Farm La. *Part* —7C **146**
Heathfield. *Farn* —5G **67**
Heathfield. *Harw* —1H **45**
Heathfield. *Hth C* —3H **19**
Heathfield. *Wilm* —1G **195**
Heathfield. *Wor* —3H **111**
Heathfield Av. *Dent* —7B **138**
Heathfield Av. *Gat* —6H **167**
Heathfield Av. *Stoc* —5E **152**
Heathfield Clo. *Sale* —6K **149**
Heathfield Dri. *Bolt* —4H **65**
Heathfield Dri. *Swint* —1E **112**
Heathfield Dri. *Tyl* —6K **87**
Heathfield Rd. *Bury & W'fld* —3K **69**
Heathfield Rd. *Stoc* —5H **169**
Heathfield Sq. *Knut* —4C **192**
Heathfield Sq. *Upperm* —6J **77**
Heathfields Rd. *Upperm* —6J **77**
Heathfield St. *M40* —3D **116**
Heath Gdns. *Hind* —4G **85**
Heath Gdns. *Salf* —4K **113**
Heathland Rd. *Salf* —7B **92**
Heathlands Dri. *P'wch* —6A **92**
Heathland Ter. *Stoc* —4G **169**
Heath La. *Cul* —3J **127**
Heath La. *Golb* —2A **126**
Heath La. *Ken* —7D **126**
Heath La. *Leigh* —3F **107**
Heathlea. *Hind* —5G **85**
Heathmoor Av. *Lwtn* —3B **126**
Heath Rd. *Ash M* —6D **104**
Heath Rd. *Boll* —4G **197**
Heath Rd. *Glos* —6E **142**
Heath Rd. *Hale* —2B **176**
Heath Rd. *Stoc* —5H **169**
Heath Rd. *Tim* —3D **164**
Heath Rd. *Ward* —5A **14**
Heathrow Heights. *Rom* —2E **170**
Heathside Gro. *Wor* —4G **89**
Heathside Pk. Rd. *Stoc* —3B **168**
Heathside Rd. *M20* —5J **151**
Heathside Rd. *Stoc* —4C **168**
Heath St. *M8* —1F **115**
Heath St. *Ash M* —6E **104**
Heath St. *Golb* —1J **125**
Heath St. *Roch* —6F **31**
Heath, The. *Ash L* —1E **118**
Heath, The. *Mid* —1D **94**
Heath View. *Alt* —1B **176**
Heath View. *Salf* —7A **92**
Heathway Av. *M11* —6F **117**
Heathwood. *Upperm* —6J **77**
Heathwood Rd. *M19* —6A **152**
Heatley Clo. *Dent* —7K **137**
Heatley Clo. *Lymm* —7G **161**
Heatley Way. *Hand* —1K **187**
Heaton Av. *Bolt* —4F **43**
Heaton Av. *Brad* —7G **25**
Heaton Av. *Bram* —1F **181**
Heaton Av. *Farn* —6E **66**
Heaton Av. *L Lev* —2J **67**
HEATON CHAPEL STATION. *BR* —5E **152**
Heaton Clo. *Bury* —1A **70**
Heaton Clo. *Uph* —7A **58**
Heaton Ct. *M9* —4G **93**
Heaton Ct. *Bolt* —6F **43**
Heaton Ct. *Bury* —6J **47**
Heaton Ct. *Sale* —7G **149**
Heaton Ct. *Stoc* —6D **152**
Heaton Ct. Gdns. *Bolt* —6E **42**
Heaton Dri. *Bury* —1A **70**
Heaton Fold. *Bury* —5J **47**
Heaton Grange Dri. *Bolt* —6G **43**
Heaton La. *Stoc* —2G **169**
Heaton Moor Rd. *Stoc* —7D **152**
Heaton Pk. Rd. *M9* —2G **93**
Heaton Pk. Rd. W. *M9* —2G **93**
HEATON PARK STATION. *M* —3C **92**
Heaton Pl. *Stoc* —1A **168**
Heaton Rd. *M20* —3J **151**
Heaton Rd. *Brad F* —1K **67**
Heaton Rd. *Los* —1C **64**
Heaton Rd. *Stoc* —7E **152**
Heatons Gro. *W'houg* —4A **64**
Heaton St. *Asp* —1B **62**
Heaton St. *Dent* —6B **138**
Heaton St. *Ince* —1G **83**
Heaton St. *Mid* —7H **71**
Heaton St. *Miln* —7E **32**
Heaton St. *P'wch* —3B **92**
Heaton St. *Salf* —1E **114**
Heaton St. *Stand* —4A **38**
Heaton St. *Wig* —4E **60**
Heaton Towers. Stoc —1G **169**
(off Wilkinson Rd.)
Heaviley Gro. *Hor* —7E **20**
Heaviley Gro. *Stoc* —5J **169**
Hebble Butt Clo. *Miln* —6C **32**
Hebble Clo. *Bolt* —7D **24**
Hebburn Dri. *Bury* —7G **27**
Hebburn Wlk. *M14* —5H **135**
Hebden Av. *Bred* —6E **154**
Hebden Av. *Cul* —4B **128**
Hebden Av. *Salf* —5G **113**
Hebden Ct. *Bolt* —5A **44**
Hebden Dri. *Glos* —2H **159**
Hebden Wlk. M15 —4F **135**
(off Arnott Cres.)
Hebdon Clo. *Ash M* —3C **104**
Heber Pl. L'boro —6F **15**
(off Victoria St.)
Heber St. *Ince* —7H **61**
Heber St. *Rad* —3E **68**
Hebron St. *Rytn* —3E **74**
Hector Av. *Roch* —4K **31**
Hector Rd. *M13* —6B **136**
Hector Rd. *Wig* —5K **59**
Heddles Ct. *Leigh* —4J **107**

Highfield La.—Holford Av.

Highfield La. *W'fld* —3K **69**
Highfield Pk. *Stoc* —1B **168**
Highfield Pk. Rd. *Bred* —6C **154**
Highfield Parkway. *Bram* —1F **189**
Highfield Pl. *M18* —5H **137**
Highfield Pl. *P'wch* —2A **92**
Highfield Range. *M18* —5H **137**
Highfield Rd. *M8* —1F **115**
Highfield Rd. *Adl* —4J **19**
Highfield Rd. *Blac* —4C **40**
Highfield Rd. *Boll* —2J **197**
Highfield Rd. *Bolt* —3K **43**
Highfield Rd. *Bram* —1H **181**
Highfield Rd. *Chea H* —3A **180**
Highfield Rd. *Ecc* —4B **112**
Highfield Rd. *Eden* —1H **9**
Highfield Rd. *Farn* —6A **66**
Highfield Rd. *Glos* —2F **159**
Highfield Rd. *Hale* —2E **176**
Highfield Rd. *Haz G* —2E **182**
Highfield Rd. *Hind* —7B **62**
Highfield Rd. *Lev* —1E **152**
Highfield Rd. *L Hul* —2B **88**
Highfield Rd. *Mac* —4E **198**
Highfield Rd. *Marp* —5K **171**
Highfield Rd. *Mell* —5B **172**
Highfield Rd. *Miln* —6E **32**
Highfield Rd. *Poy* —1J **189**
Highfield Rd. *P'wch* —1A **92**
Highfield Rd. *Roch* —3A **30**
Highfield Rd. *Salf* —5K **113**
Highfield Rd. *Stret* —2G **149**
Highfield Rd. *Tim* —6F **165**
Highfield Rd. Ind. Est. *L Hul* —1B **88**
Highfield Rd. N. *Adl* —4J **19**
Highfield St. *Aud* —3D **138** (Audenshaw)
Highfield St. *Aud* —4C **138** (Denton)
Highfield St. *Bred* —7D **154**
Highfield St. *Duk* —7F **119**
Highfield St. *Kear* —1J **89**
Highfield St. *Mid* —6D **72**
Highfield St. *Oldh* —7C **74** (in two parts)
Highfield St. *Stoc* —3E **168**
Highfield St. W. *Duk* —7F **119**
Highfield Ter. *M9* —7K **93**
Highfield Ter. *Ash L* —1D **118**
Highfield Ter. *N Mills* —4K **185**
Highfield Ter. *Oldh* —4H **75**
Highgate. *Bolt* —4C **64**
Highgate Av. *Urm* —5J **131**
Highgate Cres. *M18* —5F **137**
Highgate Cres. *App B* —6E **36**
Highgate Dri. *L Hul* —2A **88**
High Gate Dri. *Rytn* —6K **51**
Highgate La. *L Hul* —2A **88**
Highgate La. *Whitw* —5E **12**
Highgate Rd. *Alt* —7K **163**
Highgate Rd. *Uph* —7B **58**
Highgrove Clo. *Bolt* —1B **44**
Highgrove Ct. *M9* —2F **93**
Highgrove M. *Wilm* —7G **187**
High Gro. Rd. *Gat* —6J **167**
High Gro. Rd. *Gras & G'fld* —2E **98**
Highgrove, The. *Bolt* —4D **42**
High Hill Rd. *N Mills* —3K **185**
High Houses. *Bolt* —6K **23**
High Hurst Clo. *Mid* —6J **71**
Highland Rd. *Brom X* —4D **24**
Highland Rd. *Hor* —4J **41**
Highlands. *L'boro* —1E **32**
Highlands. *Rytn* —3A **74**
Highlands Dri. *Stoc* —5D **170**
Highlands Rd. *Roch* —7A **30**
Highlands Rd. *Rytn* —3A **74**
Highlands Rd. *Shaw* —5D **52**
Highlands Rd. *Stoc* —5D **170**
Highlands, The. *Moss* —6B **98**
Highland View. *Moss* —5C **98**
Highland Wlk. *M40* —2F **117**
Highland Way. *Knut* —7D **192**
High La. *M21* —2A **150**
High La. *Hyde* —3A **158**
High La. *Woodl* —5F **155**
High Lea. *Ald E* —5J **195**
High Lea. *Gat* —6J **167**
High Lea. *Mars* —1H **57**
High Lea Rd. *N Mills* —4G **185**
High Lee La. *Oldh* —3B **76**
High Legh Rd. *M11* —1F **137**
High Level Rd. *Roch* —6H **31**
High Meadow. *Brom X* —4D **24**
High Meadow. *Chea H* —4A **180**
Highmeadow. *Rad* —5D **68**
High Meadows. *Rom* —7G **155**
Highmead St. *M18* —4F **137**
Highmead Wlk. *M16* —4D **134**
High Moor Cres. *Oldh* —5J **75**
High Moor La. *Wrigh* —1A **36**
Highmoor View. *Oldh* —5J **75**
Highmore Dri. *M9* —4A **94**
High Mt. *Bolt* —2G **45**
Highnam Wlk. *M22* —3A **178**
High Pk. *Shev* —7J **37**
High Peak. *L'boro* —6K **15**
High Peak Rd. *Ash L* —2A **120**
High Peak Rd. *Whitw* —5E **12**
High Peak St. *M40* —2D **116**
High Rid La. *Los* —5A **42**
Highshore Dri. *M8* —1F **115**
High Stile La. *Dob* —4K **77**
High Stile St. *Kear* —7G **67**
Highstone Dri. *M8* —2J **115**
High St. Altrincham, *Alt* —7B **164**
High St. Aspull, *Asp* —3K **61**
High St. Astley, *Ast* —3H **109**
High St. Atherton, *Ath* —4D **86**
High St. Belmont, *Bel* —1C **22**
High St. Bollington, *Boll* —2K **197**
High St. Bolton, *Bolt* —2K **65**
High St. Bury, *Bury* —2D **46**
High St. Cheadle, *Chea* —5K **167**
High St. Delph, *Del* —2F **77**
High St. Droylesden, *Droy* —7J **117**
High St. E. *Glos* —1F **159**
High St. Golborne, *Golb* —1J **125**
High St. Hazel Grove, *Haz G* —2D **182**
High St. Heywood, *Heyw* —3H **49**
High St. Horwich, *Hor* —1F **41**
High St. Hyde, *Hyde* —6K **139**
High St. Ince-in-Makerfield, *Ince* —1G **83**
High St. Lees, *Lees* —1J **97**
High St. Leigh, *Leigh* —3A **108**
High St. Littleborough, *L'boro* —6D **14**
High St. Little Lever, *L Lev* —3K **67**
High St. Macclesfield, *Mac* (in two parts) —5F **199**
High St. Manchester, *M4* —7G **115** (5J **5**)
High St. Middleton, *Mid* —4C **72**
High St. Mossley, *Moss* —5D **98**
High St. New Mills, *N Mills* —4J **185**
High St. Newton-le-Willows, *Newt W* —5F **125**
High St. Oldham, *Oldh* —7D **74**
High St. Rochdale, *Roch* —4H **31**
High St. Royton, *Rytn* —2B **74**
High St. Shaw, *Shaw* —7F **53**
High St. Stalybridge, *Stal* —1J **139**
High St. Standish, *Stand* —4A **38**
HIGH STREET STATION. *M* —7G **115**
High St. Stockport, *Stoc* —2H **169**
High St. Turton, *Tur* —7E **6**
High St. Tyldesley, *Tyl* —6F **87**
High St. Uppermill, *Upperm* —5H **77**
High St. W. *Glos* —1C **158**
High St. Wigan, *Wig* —4F **61**
High St. Worsley, *Wor* —4E **88**
Highthorne Grn. *Rytn* —5A **52**
Highview. *Glos* —3C **158**
High View. *P'wch* —4B **92**
High View St. *Bolt* —2J **65** (Daubhill)
Highview St. *Bolt* —6A **24** (Sharples)
Highview Wlk. *M9* —4A **94**
High Wardle La. *Roch* —2J **13**
Highwood. *Roch* —3A **30**
Highwood Clo. *Bolt* —4H **45**
Highwood Clo. *Glos* —3D **158**
High Wood Fold. *Marp B* —3C **172**
Highwoods Clo. *Ash M* —3C **104**
Highworth Clo. *Bolt* —1A **66**
Highworth Dri. *M40* —5F **95**
Higson Av. *M21* —3B **150**
Higson Av. *Ecc* —1A **132**
Higson Av. *Rom* —1D **170**
Higson St. *Bolt* —6C **44**
Hilary Av. *Ath* —2C **86**
Hilary Av. *H Grn* —4K **179**
Hilary Av. *Lwtn* —7B **106**
Hilary Av. *Oldh* —6D **96**
Hilary Clo. *Stoc* —1F **169**
Hilary Gro. *Farn* —7E **66**
Hilary Rd. *M22* —3C **178**
Hilary St. *Roch* —4F **51**
Hilbre Av. *Oldh & Rytn* —4B **74**
Hilbre Av. *Rytn* —4B **74**
Hilbre Rd. *M19* —2B **152**
Hilbre Way. *Hand* —1K **187**
Hilbury Av. *M9* —6K **93**
Hilda Av. *Chea* —6A **168**
Hilda Av. *Tot* —6D **26**
Hilda Gro. *Stoc* —6H **153**
Hilda Rd. *Hyde* —3H **155**
Hilda St. *Heyw* —2K **49**
Hilda St. *Leigh* —2G **107**
Hilda St. *Oldh* —7B **74** (in two parts)
Hilda St. *Stoc* —6H **153**
Hilden Ct. *M16* —5D **134**
Hilden St. *Bolt* —7C **44**
Hilden St. *Leigh* —3K **107**
Hilditch Clo. *M23* —5B **166**
Hildyard St. *Wig* —1B **82**
Hiley Rd. *Ecc* —1H **131**
Hilgay Clo. *Wig* —4K **81**
Hillam Clo. *Urm* —1D **148**
Hillary Av. *Ash L* —3F **119**
Hillary Av. *Wig* —2K **81**
Hillary Rd. *Hyde* —4A **140**
Hillbank. *Stand* —6C **38**
Hillbank Clo. *Bolt* —2J **43**
Hillbank St. *Mid* —7F **51**
Hill Barn La. *Dig* —3K **77**
Hillbeck Cres. *Ash M* —4K **103**
Hillbrae Av. *St H* —7A **102**
Hillbrook Av. *M40* —5D **94**
Hillbrook Rd. *Bram* —6F **181**
Hillbrook Rd. *Stoc* —3A **170**
Hillbrow Wlk. *M8* —1F **115**
Hillbury Rd. *Bram* —3H **181**
Hill Carr M. *Alt* —7K **163**
Hill Clo. *App B* —5E **36**
Hill Clo. *Oldh* —2G **97**
Hillcote Wlk. *M18* —3D **136**
Hill Cot Rd. *Bolt* —7B **24**
Hill Ct. M. *Rom* —1F **171**
Hillcourt Rd. *M1* —2G **135** (10K **5**)
Hillcourt Rd. *H Lane* —5J **183**
Hillcourt Rd. *Rom* —6G **155**
Hill Cres. *M9* —4G **93**
Hill Cres. *Leigh* —7G **85**
Hill Crest. *Ath* —2F **87**
Hillcrest. *Hyde* —3K **155**
Hillcrest. *Mid* —3B **72**
Hillcrest. *Plat B* —5K **83**
Hillcrest. *Salf* —5E **112**
Hillcrest Av. *Heyw* —2G **49**
Hill Crest Av. *Leigh* —7G **85**
Hill Crest Av. *Stoc* —1C **168**
Hillcrest Cres. *Heyw* —2G **49**
Hillcrest Dri. *M19* —3E **152**
Hillcrest Dri. *Dent* —1F **155**
Hillcrest Rd. *Ast* —7K **87**
Hillcrest Rd. *Boll* —3H **197**
Hillcrest Rd. *Bram* —2H **181**
Hillcrest Rd. *Gaw* —7C **198**
Hillcrest Rd. *P'wch* —5K **91**
Hillcrest Rd. *Roch* —3F **51** (in two parts)
Hillcrest Rd. *Stoc* —5A **170**
Hillcroft. *Oldh* —6E **96**
Hill Croft. *Stoc* —5C **170**
Hillcroft Clo. *M8* —7G **93**
Hillcroft Ho. *Salf* —5K **113**
Hillcroft Rd. *Alt* —6J **163**
Hilldale Av. *M9* —3K **93**
Hilldean. *Uph* —6C **58**
Hill Dri. *Hand* —2A **188**
Hillel Ho. *M15* —4G **135**
Hillend. *B'btm* —1G **157**
Hill End. *Rom* —6H **155**
Hillend La. *Mot* —1F **157**
Hillend Pl. *M23* —1A **166**
Hillend Rd. *M23* —1A **166**
Hill End Rd. *Del* —1F **77**
Hill Farm Clo. *Oldh* —4E **96**
Hillfield. *Salf* —6H **113**
Hillfield Clo. *M13* —4K **135**
Hillfield Dri. *Bolt* —4D **44**
Hillfield Dri. *Wor* —1C **110**
Hillfield Wlk. *Bolt* —4D **44**
Hillfoot Wlk. *M15* —3D **134**
Hillgate Av. *Salf* —2B **134**
Hillgate St. *Ash L* —4G **119**
Hillhead Wlk. M8 —2G **115** *(off Barnsdale Dri.)*
Hill Ho. Fold La. *App B* —1C **36**
Hillier St. *M9* —7A **94**
Hillier St. N. *M9* —7A **94**
Hillingdon Clo. *Oldh* —6K **95**
Hillingdon Dri. *M9* —5D **94**
Hillingdon Rd. *Stret* —1J **149**
Hillingdon Rd. *W'fld* —7H **69**
Hillington Rd. *Sale* —6C **148**
Hillington Rd. *Stoc* —3E **168**
Hillkirk St. *M11* —7A **116**
Hill La. *M9* —4K **93**
Hill La. *Blac* —2K **39**
Hill La. *Marp B* —2E **172**
Hillman Clo. *M40* —3K **115**
Hill Mt. *Duk* —1A **140**
Hillock Pl. Ath —5D **86** *(off Wardour St.)*
Hillock, The. *Ast* —3H **109**
Hillreed. *Wig* —5B **60**
Hill Rise. *Alt* —6J **163**
Hill Rise. *Ram* —7E **8**
Hill Rise. *Rom* —1F **171**
Hillsborough Dri. *Bury* —3B **70**
Hills Ct. *Bury* —1F **47**
Hillsdale Gro. *Bolt* —2G **45**
Hill Side. *Bolt* —6F **43**
Hillside Av. *Ash M* —7B **82**
Hillside Av. *Ath* —3E **86**
Hillside Av. *Blac* —4C **40**
Hillside Av. *Brom X* —3D **24**
Hillside Av. *C'brk* —2F **121**
Hillside Av. *Dig* —3H **77**
Hillside Av. *Farn* —7D **66**
Hillside Av. *Grot* —2A **98**
Hillside Av. *Hor* —1G **41**
Hillside Av. *Hyde* —4K **155**
Hillside Av. *Newt W* —7B **124**
Hillside Av. *Oldh* —7G **75**
Hillside Av. *Rytn* —1C **74**
Hillside Av. *Salf* —7A **92**
Hillside Av. *Shaw* —6H **53**
Hillside Av. *W'fld* —4J **69**
Hillside Av. *Wor* —3E **88**
Hillside Clo. *M40* —6C **94**
Hillside Clo. *Bil* —3D **102**
Hillside Clo. *Bolt* —4D **64**
Hillside Clo. *Brad* —7G **25**
Hillside Clo. *Bram* —5J **181**
Hillside Clo. *Dis* —6E **184**
Hillside Clo. *Had* —6A **142**
Hillside Clo. *Wig* —4K **81**
Hillside Ct. *Bolt* —6F **43**
Hill Side Ct. *P'wch* —4A **92**
Hillside Cres. *Ash L* —3K **119**
Hillside Cres. *Bury* —6K **27**
Hillside Cres. *Hor* —1G **41**
Hillside Dri. *Mac* —2J **199**
Hillside Dri. *Mid* —5D **72**
Hillside Dri. *Pen* —2H **113**
Hillside Gdns. *M9* —4K **93**
Hillside Gro. *Marp B* —2B **172**
Hillside Rd. *Hale* —1E **176**
Hillside Rd. *Knut* —4D **192**
Hillside Rd. *Ram* —6E **8**
Hillside Rd. *Stoc* —4B **170**
Hillside Rd. *Woodl* —5G **155**
Hillside St. *Bolt* —1K **65**
Hillside View. *Dent* —3E **154**
Hillside View. *Miln* —6E **32**
Hillside View. *N Mills* —4G **185**
Hillside Wlk. *Roch* —7F **13**
Hillside Way. *Whitw* —2E **12**
Hills La. *Bury* —4C **70**
Hillsley Wlk. *M40* —5K **115**
Hillspring Rd. *Spring* —1A **98**
Hillstone Av. *Roch* —7E **12**
Hillstone Clo. *G'mnt* —2D **26**
Hill St. *M20* —3H **151**
Hill St. *Ash L* —6E **118**
Hill St. *B'hth* —3A **164**
Hill St. *Duk* —7F **119**
Hill St. *Heyw* —3J **49**
Hill St. *Hind* —1B **84** (Hindley)
Hill St. *Hind* —4K **61** (Wigan)
Hill St. *Leigh* —3J **107**
Hill St. *Mac* —5F **199**
Hill St. *Mid* —3C **72**
Hill St. *Oldh* —7F **75**
Hill St. *Rad* —5F **69** (Outwood)
Hill St. *Rad* —2D **68** (Radcliffe)
Hill St. *Roch* —5J **31**
Hill St. *Rom* —1F **171**
Hill St. *Salf* —2D **114** (in two parts)
Hill St. *Shaw* —7G **53**
Hill St. *S'seat* —1G **27**
Hill St. *Tot* —1D **46**
Hill St. *Wig* —5D **60**
Hill Top. *Ath* —2F **87**
Hill Top. *Bolt* —2K **43**
Hill Top. *Chad* —4H **73**
Hill Top. *Hale* —4E **176**
Hilltop. *L Lev* —2J **67**
Hill Top. *Rom* —7F **155**
Hilltop. *Whitw* —6E **12**
Hilltop Av. *M9* —4K **93**
Hill Top Av. *Chea H* —3C **180**
Hill Top Av. *P'wch* —3B **92**
Hilltop Av. *W'fld* —6B **70**
Hill Top Av. *Wilm* —5H **187**
Hilltop Ct. *M8* —5F **93**
Hilltop Ct. *M14* —1K **151**
Hill Top Ct. *Chea H* —3D **180**
Hill Top Dri. *Hale* —2E **176**
Hill Top Dri. *Marp* —5G **171**
Hill Top Dri. *Roch* —3H **51**
Hilltop Dri. *Rytn* —4C **74**
Hilltop Dri. *Tot* —6C **26**
Hill Top Fold. *Hind* —1C **84**
Hilltop Gro. *W'fld* —6B **70**
Hill Top La. *Del* —1A **76**
Hilltop Rd. *Glos* —7D **142**
Hill Top Rd. *Wor* —3F **89**
Hill View. *Boll* —3H **197**
Hill View. *Del* —2F **77**
Hill View. *Stal* —3D **140**
Hill View Clo. *Oldh* —4G **75**
Hillview Ct. *Bolt* —1A **44**
Hillview Rd. *Bolt* —1A **44**
Hillview Rd. *Dent* —1J **153**
Hillwood Av. *M8* —4F **93**
Hillwood Dri. *Glos* —2H **159**
Hillyard St. *Bury* —2G **47**
Hilly Croft. *Brom X* —4B **24**
Hilmarton Clo. *Brad* —7G **25**
Hilrose Av. *Urm* —7D **132**
Hilson Ct. *Droy* —7J **117**
Hilton Arc. *Oldh* —7D **74**
Hilton Av. *Hor* —2E **40**
Hilton Av. *Urm* —7B **132**
Hilton Bank. *Wor* —4D **88**
Hilton Clo. *Leigh* —3A **108**
Hilton Clo. *Mac* —4B **198**
Hilton Ct. *Stoc* —3G **169**
Hilton Cres. *Ash L* —3G **119**
Hilton Cres. *P'wch* —5B **92**
Hilton Cres. *Wor* —2D **110**
Hilton Dri. *Cad* —5J **145**
Hilton Dri. *P'wch* —5B **92**
Hilton Fold La. *Mid* —5D **72**
Hilton Gro. *Poy* —1B **190**
Hilton Gro. *Wor* —4D **88**
Hilton La. *P'wch* —6K **91**
Hilton La. *Wor* —4D **88**
Hilton Lodge. *P'wch* —5B **92**
Hilton Pl. *Asp* —7A **40**
Hilton Rd. *Bram* —2H **181**
Hilton Rd. *Bury* —3K **47**
Hilton Rd. *Dis* —5B **184**
Hilton Rd. *Poy* —7G **183** (in two parts)
Hiltons Farm Clo. *Aud* —3C **138**
Hilton Sq. *Pen* —7E **90**
Hilton St. *M1* —7H **115** (5L **5**)
Hilton St. *M4 & M1* —6G **115** (4K **5**)
Hilton St. *Ash M* —5E **104**
Hilton St. *Bolt* —6E **44**
Hilton St. *Bury* —1K **47**
Hilton St. *Hyde* —4K **139**
Hilton St. *Ince* —1G **83**
Hilton St. *L Hul* —3C **88**
Hilton St. *Mid* —4B **72**
Hilton St. *Oldh* —6G **75**
Hilton St. *Salf* —2D **114**
Hilton St. *Stoc* —3F **169**
Hilton St. *Wig* —5F **61**
Hilton St. N. *Salf* —2D **114**
Hilton Wlk. *Mid* —6J **71** (in two parts)
Himley Rd. *M11* —5E **116**
Hincaster Wlk. *M18* —4E **136**
Hinchcliffe St. *Roch* —4F **31**
Hinchcombe Clo. *L Hul* —1C **88**
Hinckley St. *M11* —1B **136**
Hindburn Clo. *W'fld* —5B **70**
Hindburn Dri. *Wor* —7C **88**
Hindburn Wlk. *W'fld* —5B **70**
Hindell Ter. Del —2F **77** *(off King St.)*
Hinde St. *M40* —7C **94**
Hindhead Wlk. *M40* —4F **117**
Hind Hill St. *Heyw* —4K **49**
Hindle Dri. *Rytn* —3A **74**
Hindles Clo. *Ath* —5A **86**
Hindle St. *Rad* —3E **68**
Hindle Ter. *Del* —2F **77**
Hindley Av. *M22* —2B **178**
Hindley Clo. *Ash L* —7D **118**
Hindley Grn. Ind. Est. *Hind* —3G **85**
Hindley Mill La. *Hind* —7C **62**
Hindley Rd. *W'houg* —2G **85**
HINDLEY STATION. *BR* —7B **62**
Hindley St. *Ash L* —7D **118** (in two parts)
Hindley St. *Farn* —6E **66**
Hindley St. *Stoc* —3H **169**
Hindley Wlk. Wig —6E **60** *(off Galleries, The)*
Hind Rd. *Wig* —6K **59**
Hindsford Clo. *M23* —2J **165**
Hindsford St. *Ath* —6F **87**
Hinds La. *Rad & Bury* —6G **47**
Hind St. *Bolt* —6E **44**
Hinkler Av. *Bolt* —3A **66**
Hinstock Cres. *M18* —4F **137**
Hinton. Roch —4G **31** *(off Spotland Rd.)*
Hinton Clo. *Roch* —6A **30**
Hinton Gro. *Hyde* —2A **156**
Hinton St. *M4* —5H **115** (2M **5**)
Hinton St. *Oldh* —2D **96**
Hinton St. *Stoc* —2K **169**
Hipley Clo. *Bred* —5E **154**
Hirons La. *Spring* —2A **98**
Hirst Av. *Wor* —2E **88**
Hitchen Clo. *Duk* —2K **139**
Hitchen Dri. *Duk* —2K **139**
Hitchen Wlk. *M13* —4K **135**
Hive St. *Oldh* —5K **95**
Hoade St. *Hind* —7C **62**
Hobart Clo. *Bram* —1H **189**
Hobart St. *M18* —4F **137**
Hobart St. *Bolt* —3K **43**
Hobbs Wlk. *M8* —5E **92**
Hob Hey La. *Cul* —5H **127**
Hob La. *Tur* —4E **6**
Hobroyd. *Glos* —3D **158**
Hobson Ct. *Aud* —3C **138**
Hobson Cres. *Aud* —3C **138**
Hobson Moor Rd. *Mot* —3F **141**
Hobson St. *M11* —2J **137**
Hobson St. *Fail* —2E **116**
Hobson St. *Mac* —5F **199**
Hobson St. *Oldh* —1D **96**
Hobson St. *Stoc* —7H **137**
Hockenhull Clo. *M22* —2E **178**
Hockley Clo. *Poy* —2E **190**
Hockley Rd. *M23* —5K **165**
Hockley Rd. *Poy* —2D **190**
Hodder Av. *L'boro* —5D **14**
Hodder Av. *Plat B* —5H **83**
Hodder Bank. *Stoc* —6C **170**
Hodder Clo. *Wig* —7K **59**
Hodder Sq. *M15* —3F **135**
Hodder Way. *W'fld* —6C **70** (in three parts)
Hoddesdon St. *M8* —1H **115**
Hodge Clough Rd. *Oldh* —2G **75**
Hodge La. *B'btm* —3F **157**
Hodge La. *Salf* —7K **113**
Hodge Rd. *Oldh* —3H **75**
Hodge Rd. *Wor* —5F **89**
Hodges St. *Wig* —3C **60**
Hodge St. *M9* —6B **94**
Hodgson Dri. *Tim* —3E **164**
Hodgson St. *M8* —3F **115**
Hodgson St. *Ash L* —6E **118**
Hodnet Dri. *Ash M* —5E **104**
Hodnett Av. *Urm* —1G **147**
Hodnet Wlk. *Dent* —1C **154**
Hodson Fold. *Oldh* —6E **96**
Hodson Rd. *Swint* —5C **90**
Hodson St. *Salf* —6E **114** (3E **4**)
Hodson St. *Wig* —7D **60**
Hogarth Rise. *Oldh* —2G **75**
Hogarth Rd. *Marp B* —3B **172**
Hogarth Rd. *Roch* —2H **51**
Hogarth Wlk. M8 —2J **115** *(off Inwood Wlk.)*
Holbeach Clo. *Bury* —7H **27**
Holbeach Clo. *Hind* —3C **84**
Holbeck. *Ast* —3H **109**
Holbeck Av. *Roch* —7F **13**
Holbeck Gro. *M14* —5A **136**
Holbeton Clo. *M8* —3E **114**
Holbeton Clo. *Bram* —1J **181**
Holborn Av. *Fail* —1K **117**
Holborn Av. *Leigh* —7K **85**
Holborn Av. *Rad* —2B **68**
Holborn Av. *Wig* —2D **82**
Holborn Dri. *M8* —3H **115**
Holborn Gdns. *Roch* —7F **31**
Holborn Sq. *Roch* —7F **31**
Holborn St. *Roch* —7F **31**
Holborn St. *Stoc* —2H **169**
Holbrook Av. *L Hul* —1C **88**
Holcombe Av. *Bury* —3F **47**
Holcombe Av. *Golb* —1A **126**
Holcombe Clo. *Alt* —5K **163**
Holcombe Clo. *Kear* —1J **89**
Holcombe Clo. *Salf* —6A **114**
Holcombe Clo. *Spring* —7A **76**
Holcombe Ct. *Ram* —2D **26**
Holcombe Cres. *Kear* —1J **89**
Holcombe Dri. *Mac* —7D **196**
Holcombe Gdns. *M19* —5A **152**
Holcombe Lee. *Ram* —1E **26**
Holcombe Old Rd. *Holc* —6E **8**
Holcombe Precinct. *Ram* —1D **26**
Holcombe Rd. *M14* —3A **152**
Holcombe Rd. *L Lev* —3H **67**
Holcombe Rd. *Tot* —4C **26**
Holcombe View Clo. *Oldh* —4H **75**
Holcombe Village. Bury —5E **8** *(off Moor Rd.)*
Holcombe Wlk. *Stoc* —3F **153**
Holcroft La. *Cul* —5B **128**
Holden Av. *Bolt* —6A **24**
Holden Av. *Bury* —1E **48**
Holden Av. *Ram* —6E **8**
Holden Brook Clo. *Leigh* —3B **108**
Holden Clough Dri. *Ash L* —1F **119**
Holden Fold La. *Rytn* —4A **74** (in two parts)
Holden Lea. *W'houg* —3J **63**
Holden Rd. *Leigh* —2K **107**
Holden Rd. *Salf* —6D **92**
Holden St. *Adl* —5H **19**
Holden St. *Ash L* —4G **119**
Holden St. *Oldh* —4D **96**
Holden St. *Roch* —2J **31**
Holder Av. *L Lev* —1K **67**
Holderness Dri. *Rytn* —4A **74**
Holdgate Clo. *M15* —4E **134**
Holding St. *Hind* —1B **84**
Holdness Clo. *M12* —4A **136**
Holdsworth St. *Swint* —1B **112**
Holebottom. *Ash L* —2G **119**
Holehouse Fold. *Rom* —1F **171**
Holehouse La. *A'ton* —1D **196**
Holford Av. *M14* —7H **135**

A-Z Greater Manchester 241

Holford Ct.—Hough Grn.

Holford Ct. Aud —6D 138
Holford Cres. Knut —5D 192
Holford St. Salf —4C 114
Holford Wlk. Firg —5B 32
Holford Way. Newt W —6H 125
Holgate Dri. Orr —1E 80
Holgate St. Oldh —5J 75
Holhouse La. G'mnt —2D 26
Holiday La. Stoc —5D 170
Holker Clo. M13 —4K 135
(in two parts)
Holker Clo. Poy —1D 190
Holker Way. Dent —1E 154
Holkham Clo. M4 —6J 115 (4P 5)
Holkham Wlk. M4 —6J 115 (4P 5)
Hollam Wlk. M16 —5E 134
Holland Av. Stal —6A 120
Holland Clo. Del —2E 76
Holland Ct. M8 —5F 93
Holland Ct. Rad —2G 69
Holland Ct. Stoc —4J 169
(off Ward St.)
Holland Gro. Ash L —2F 119
Holland Rise. Roch —4G 31
Holland Rd. M8 —5F 93
Holland Rd. Bram —5G 181
Holland Rd. Hyde —4K 139
Hollands Pl. Mac —4H 199
Holland St. M40 —6K 115
Holland St. Ath —5D 86
Holland St. Bolt —1B 44
Holland St. Dent —5A 138
Holland St. Heyw —3K 49
Holland St. Hur —7B 14
Holland St. Mac —4E 198
Holland St. Rad —2G 69
Holland St. Roch —5G 31
Holland St. Salf —3A 114
(Charlestown)
Holland St. Salf —7A 114
(Salford)
Holland Wlk. Salf —3A 114
Hollcott Wlk. M8 —3F 115
(off Stonefield Dri.)
Hollies Ct. Sale —6F 149
Hollies Dri. Marp —6A 172
Hollies La. Wilm —6B 188
Hollies, The. M20 —7F 151
Hollies, The. Ath —4D 86
Hollies, The. Bolt —5H 45
Hollies, The. Gat —6H 167
Hollies, The. Stoc —7D 152
Hollies, The. Swint —2B 112
Hollies, The. Wig —3F 61
Hollin Acre. W'houg —7K 63
Hollin Bank. Stoc —3F 153
Hollinbrook. Wig —4B 60
Hollin Cres. G'fld —3E 98
Hollin Cross La. Glos —2E 158
Hollin Dri. Mid —2A 72
Holliney Rd. M22 —3F 179
Hollingford Pl. Knut —6D 192
Hollinghey Ter. Holl —4J 141
Hollington Way. Wig —5J 81
Hollingwood Clo. Ash M —5C 104
Hollingworth Av. M40 —5H 95
Hollingworth Clo. Stoc
(off Mottram Fold) —3H 169
Hollingworth Dri. Marp —1K 183
Hollingworth Lake Cvn. Site. L'boro —3G 33
Hollingworth Rd. Bred —6C 154
Hollingworth Rd. L'boro —1F 33
Hollingworth St. Chad —4K 95
Hollin Hall St. Oldh —7G 75
Hollin Hey Clo. Bil —5D 102
Hollin Hey Rd. Bolt —2E 42
Hollinhey Ter. Holl —4J 141
Hollin Ho. Mid —4C 72
Hollinhurst Dri. Los —6C 42
Hollinhurst Rd. Rad —4G 69
Hollin La. Mid —1A 72
Hollin La. Roch —6A 30
Hollin La. Styal —6F 179
Hollin Rd. Boll —3J 197
Hollins. Farn —6K 65
Hollins Av. Glos —7K 141
(off Hollins M.)
Hollins Av. Hyde —3J 155
Hollins Av. Lees —6K 75
Hollins Bank. Glos —7K 141
(off Hollins La.)
Hollins Brook Clo. Uns —1B 70
Hollins Brow. Bury —2K 69
Hollins Clo. Ash M —4K 103
Hollins Clo. Ast —7G 87
Hollins Clo. Bury —2B 70
Hollins Clo. Glos —7K 141
(off Hollins La.)
Hollinsclough Clo. M22 —6E 166
Hollinscroft Av. Tim —6H 165
Hollins Fold. Glos —7K 141
(off Hollins La.)
Hollins Gdns. Glos —7K 141
Hollins Grn. Mid —3C 72
Hollins Grn. Rd. Marp —5K 171
Hollins Gro. M12 —6C 136
Hollins Gro. Glos —7K 141
(off Hollins La.)
Hollins Gro. Sale —6E 148
Hollinshead. Salf —2E 114
Hollins La. Bury —1A 70
Hollins La. Duk —1K 139
Hollins La. Glos —7K 141
Hollins La. G'fld —2K 99
Hollins La. Marp —5K 171
Hollins La. Marp B —4B 172
Hollins La. Moss —6D 98
Hollin's La. Ram —2J 9
Hollins M. Glos —7K 141
Hollins M. Uns —2C 70
Hollinsmoor Rd. N Mills —4J 173
Hollins Mt. Marp B —3B 172
Hollins Rd. Hind —2E 84
Hollins Rd. Mac —5H 199
Hollins Rd. Oldh —5K 95
Hollins Rd. Waterh —6K 75
Hollins St. Bolt —7D 44
Hollins St. Spring —1K 97
Hollins St. Stal —1K 139
Hollins Ter. Marp —5K 171
Hollins, The. Marp —5K 171
Hollins Wlk. M22 —2D 178
Hollins Way. Glos —7K 141
(off Hollins M.)
Hollinswood Rd. Bolt —7D 44
Hollinswood Rd. Wor —2D 110
Hollinwood Av. M40 & Chad —4F 95
Hollinwood La. Marp —2B 184
Hollinwood Rd. Dis —6D 184
HOLLINWOOD STATION. BR —5J 95
Holloway Dri. Wor —6A 90
Hollowell La. Hor —4H 41
Hollow End. Stoc —3K 153
Hollow End Towers. Stoc —3K 153
Hollow Field. Roch —3K 29
Hollowgate. Swint —2K 111
Hollow La. Knut —5E 192
Hollow Meadows. Rad —1A 90
Hollows Farm Av. Roch —2F 31
Hollowspell. Roch —1A 32
Hollows, The. H Grn —3J 179
Hollow Vale Dri. Stoc —1H 153
Hollwood Way. Stoc —2F 169
Holly Av. Chea —6K 167
Holly Av. Newt W —6F 125
Holly Av. Urm —7K 131
Holly Av. Wor —5G 89
Holly Bank. Holl —4K 141
Holly Bank. Leigh —1A 108
Holly Bank. Rytn —7B 52
Holly Bank. Sale —7G 149
Holly Bank Clo. M15 —3C 134
Holly Bank Cotts. Part —6B 146
Holly Bank Ct. Chea H —3C 180
Holly Bank Dri. Los —5B 42
Holly Bank Ind. Est. Rad —3D 68
Holly Bank Rise. Duk —1K 139
Holly Bank Rd. Wilm —4H 187
Holly Bank St. Rad —3D 68
Holly Bush La. Rix —3C 160
Hollybush Sq. Lwtn —7C 106
Hollybush St. M18 —3G 137
Holly Clo. Tim —5E 164
Holly Ct. Hyde —7A 140
Holly Ct. Irl —6D 130
Holly Ct. Manx —4H 151
Holly Cres. Cop —2A 18
Hollycroft Av. M22 —5D 166
Hollycroft Av. Bolt —1G 67
Hollydene. Asp —1K 61
Holly Dene Clo. Los —6B 42
Holly Dene Dri. Los —6C 42
Holly Dri. Sale —6E 148
Hollyedge Dri. P'wch —5A 92
Holly Fold. W'fld —5K 69
Holly Grange. Bow —2B 176
Holly Grange. Bram —1H 181
Holly Gro. Bolt —4J 43
Holly Gro. Chad —6K 73
Holly Gro. Dent —6E 138
Holly Gro. Farn —6C 66
Holly Gro. Lees —6J 75
Holly Gro. Leigh —1J 107
Holly Gro. Sale —6H 149
Holly Gro. Stal —1J 139
Holly Heath Dri. Wig —2D 60
Hollyhedge Av. M22 —6D 166
Hollyhedge Ct. Rd. M22 —6E 166
Hollyhedge Rd. M22 & Gat —6C 166
Hollyhedge Rd. M23 —6K 165
Hollyhey Dri. M23 —1C 166
Holly Ho. Dri. Urm —7H 131
Hollyhouse Dri. Woodl —5E 154
Hollyhurst. Wor —2K 111
Holly La. Oldh —5A 96
Holly La. Styal —1E 186
Holly Mill Cres. Bolt —1B 44
Hollymount. M16 —5B 134
Hollymount Av. Stoc —6A 170
Hollymount Dri. Oldh —3J 75
Hollymount Dri. Stoc —6A 170
Hollymount Gdns. Stoc —6B 170
Holly Mt. La. G'mnt —3B 26
Hollymount Rd. Stoc —6B 170
Holly Oak Gdns. Heyw —4J 49
Holly Rd. Asp —1K 61
Holly Rd. Bram —7G 181
Holly Rd. Golb —1A 126
Holly Rd. H Lane —5K 183
Holly Rd. Lymm —6H 161
Holly Rd. Mac —4D 198
Holly Rd. Poy —2C 190
Holly Rd. Stoc —5E 152
Holly Rd. Swint —2B 112
Holly Rd. Wig —7A 60
Holly Rd. Wilm —7H 187
Holly Rd. N. Wilm —7G 187
Holly Rd. S. Wilm —1G 195
Holly St. M11 —1A 136
Holly St. Asp —4H 61
Holly St. Bolt —1B 44
Holly St. Bury —3A 48
Holly St. Droy —6F 117
Holly St. Roch —3K 51
Holly St. Stoc —2J 169
Holly St. S'seat —1G 27
Holly St. Tot —6D 26
Holly St. Ward —5A 14
Hollythorn Av. Chea H —5E 180
Hollythorn M. Chea H —5E 180
Holly Vale Cotts. Marp B —3E 172
Holly View. M22 —6E 166
Holly Wlk. Part —7K 145
Holly Way. M22 —3E 166
Hollywood. Bow —2B 176
Hollywood Rd. Bolt —3H 43
Hollywood Rd. Mell —3E 172
Hollywood Towers. Stoc
(off East St.) —3F 169
Holmbrook. Tyl —6J 87
Holmbrook Wlk. M8 —3G 115
Holm Ct. Salf —6A 114
Holmcroft Rd. M18 —6F 137
Holmdale Av. M19 —5A 152
Holme Av. Bury —7G 27
Holme Av. Wig —4E 60
Holmebrook Wlk. M8 —2G 115
(off Tamerton Dri.)
Holme Cres. Rytn —4A 74
Holmefield. Sale —6F 149
Holmefield Dri. Chea H —4D 180
Holme Ho. St. L'boro —2H 15
Holmelyme Ho. Poy —2D 190
Holmepark Gdns. Wor —3C 110
Holme Rd. M20 —7F 151
Holmes Chapel Rd. Knut —7E 192
Holmes Cotts. Bolt —2J 43
Holmes Ho. Av. Wins —4J 81
Holmes Rd. Roch —5F 31
Holmes St. Bolt —2C 66
Holmes St. Chea —5A 168
Holmes St. Roch —4F 31
(Rochdale)
Holmes St. Roch —1A 32
(Smallbridge)
Holmes St. Stoc —4G 169
Holme St. Hyde —7H 139
Holme St. Swinl —4E 60
Holme St. Wig —4E 60
Holmes Way. Dent —3D 154
Holmeswood Rd. Bolt —4K 65
Holme Ter. L'boro —2H 15
Holme Ter. Wig —3D 60
Holmfield. Ald E —6G 195
Holmfield Av. M9 —1B 116
Holmfield Av. P'wch —4C 92
Holmfield Av. W. M9 —1B 116
Holmfield Clo. Stoc —7F 153
Holmfield Grn. Bolt —3F 65
Holmfirth Rd. G'fld & HD7 —2J 99
Holmfirth St. M13 —5B 136
Holmfoot Wlk. M9 —1K 115
(off Carisbrook St.)
Holmlea Rd. Droy —6G 117
Holmleigh Av. M9 —6A 94
Holmpark Rd. Open —2H 137
Holmrook. Alt —6K 163
Holmsfield Clo. Asp —4J 61
Holmside Gdns. M19 —6A 152
Holmwood. Bow —1J 175
Holmwood Clo. Ash M —3C 104
Holmwood Ct. Manx —6H 151
Holmwood Rd. M20 —5H 151
Holroyd St. M11 —1C 136
Holroyd St. Roch —5J 31
Holset Dri. Alt —6K 163
Holset Wlk. Haz G —3J 181
Holst Av. M8 —2G 115
Holstein Av. Roch —7F 13
Holt Av. Bil —4D 102
Holt Av. Cop —2B 18
Holtby St. M9 —6A 94
Holt Cres. Bil —4D 102
Holthouse Rd. Tot —7C 26
Holt La. Fail —2J 117
Holt La. M. Fail —1K 117
Holtown Ind. Est. M11 —6A 116
Holts La. Oldh —3H 97
Holts La. Styal —2F 187
Holts Pas. L'boro —6E 14
Holts Ter. Roch —2G 31
Holt St. M40 —3B 116
Holt St. Aud —1C 138
Holt St. Bolt —1K 65
Holt St. B'hth —3A 164
Holt St. Ecc —1A 132
Holt St. Hind —2A 84
Holt St. Ince —6H 61
Holt St. Leigh —1J 107
Holt St. L'boro —1H 15
Holt St. Miln —7E 32
Holt St. Oldh —6G 75
Holt St. Orr —2D 80
Holt St. Ram —5H 9
Holt St. Stoc —3H 169
Holt St. Swint —5D 90
Holt St. Tyl —6G 87
Holt St. Whitw —2E 12
Holt St. Wig —4B 60
Holt St. Wor M —3C 82
Holt St. W. Ram —6F 9
Holtswell Clo. Lwtn —7C 106
Holt Town. M40 —6K 115
Holtwood Wlk. Stoc —3A 154
Holway Wlk. M9 —1J 115
(off Hendham Vale)
Holwick Rd. M23 —1K 165
Holwood Dri. M16 —2E 150
Holybourne Wlk. M23 —3H 165
Holy Harbour St. Bolt —3J 43
Holyhurst Wlk. Bolt —3A 44
Holyoake Rd. Wor —5F 89
Holyoake St. Droy —6A 118
Holyoak St. M40 —2E 116
Holyrood Clo. Leigh —1E 108
Holyrood Ct. P'wch —1C 92
Holyrood Dri. P'wch —1C 92
Holyrood Dri. Swint —1B 112
Holyrood Gro. P'wch —1C 92
Holyrood Rd. P'wch —2C 92
Holyrood St. M40 —4G 117
Holyrood St. Oldh —5K 75
Holywood St. M14 —6H 135
Homebury Dri. M11 —6D 116
Home Dri. Mid —7B 72
Home Farm Av. Mac —2B 198
Home Farm Av. Mot —1F 157
Homelands Clo. Sale —1D 164
Homelands Rd. Sale —1D 164
Homelands Wlk. M9 —1K 115
Homer Dri. Marp B —3B 172
Homer St. Rad —3C 68
Homerton Rd. M40 —4D 116
Homestead Av. Hayd —2A 124
Homestead Clo. Part —6C 146
Homestead Cres. M19 —7K 151
Homestead Gdns. Roch —7B 14
Homestead Rd. Dis —6C 184
Homestead, The. Sale —5D 148
Homewood Av. M22 —2D 166
Homewood Rd. M22 —2C 166
Honduras St. Oldh —7F 75
Hondwith Clo. Bolt —7E 24
Honeybourne Clo. Tyl —6J 87
Honey Hill. Lees —2K 97
Honey St. M8 —4G 115
Honeysuckle Av. Wig —3B 60
Honeysuckle Clo. M23 —2J 165
Honeysuckle Clo. Woodl —5E 154
Honeysuckle Dri. Stal —6B 120
Honeysuckle Wlk. Sale —5B 148
Honeysuckle Way. Roch —1F 31
Honeywell La. Oldh —4D 96
Honeywood Clo. Ram —1E 26
Honford Rd. M22 —7C 166
Hong Kong Av. Man A —4A 178
Honister Av. St H —7C 102
Honister Dri. Mid —4A 72
Honister Rd. M9 —1B 116
Honister Rd. Wig —1H 81
Honister Way. Roch —1D 50
Honiton Av. Hyde —7C 140
Honiton Clo. Chad —5G 73
Honiton Clo. Heyw —5J 49
Honiton Clo. Leigh —5H 85
Honiton Ct. Hyde —7D 140
Honiton Dri. Bolt —7J 45
Honiton Gro. Rad —1B 68
Honiton Ho. Salf —5E 112
Honiton Wlk. Hyde —7D 140
Honiton Way. Alt —5K 163
Honor St. M13 —6B 136
Honsham Wlk. M23 —2J 165
Hood Clo. Tyl —6K 87
Hood Gro. Leigh —5B 108
Hood Sq. Grot —2A 98
Hood St. M4 —6H 115 (4M 5)
Hood Wlk. Dent —3E 154
Hook St. Ince —7H 61
Hoole Clo. Chea —6C 168
Hooley Bri. Ind. Est. Heyw —1J 49
Hooley Clough. Heyw —1K 49
Hooley Range. Stoc —7D 152
Hooper St. M12 —1K 135
Hooper St. Oldh —1E 96
Hooper St. Stoc —2G 169
Hooten La. Low C —5C 108
Hooton St. M40 —5B 116
Hooton St. Bolt —3J 65
Hooton Way. Hand —7K 179
(off Beeston Rd.)
Hopcroft Clo. M9 —1H 93
Hope Av. Brad —7D 24
Hope Av. Hand —2J 187
Hope Av. L Hul —3E 88
Hope Av. Stret —6F 133
Hope Carr Ind. Est. Leigh —5B 108
Hope Carr La. Leigh —6A 108
Hope Carr Rd. Leigh —5A 108
(in two parts)
Hopecourt Clo. Salf —4G 113
Hope Cres. Salf —5G 113
Hope Cres. Shev —7H 37
Hopedale Clo. M11 —7B 116
Hopedale Rd. Stoc —4H 153
Hopefield Rd. Lymm —7H 161
Hopefield St. Bolt —2K 65
Hope Fold Av. Ath —5B 86
Hopefold Dri. Wor —5G 89
Hope Grn. Way. A'ton —3B 190
Hope Hey La. L Hul —2B 88
Hope La. A'ton —4B 190
Hope La. Leigh —6E 108
Hopelea St. M20 —3H 151
Hope Pk. Clo. P'wch —4B 92
Hope Pk. Rd. P'wch —4B 92
Hope Rd. M14 —5K 135
Hope Rd. P'wch —5A 92
Hope Rd. Sale —7F 149
Hopes Carr. Stoc —2H 169
Hope St. M1 —7G 115 (6K 5)
Hope St. Adl —4K 19
Hope St. Ash M —3F 105
Hope St. Ash L —4H 119
Hope St. Asp —3D 62
Hope St. Ast —3H 109
Hope St. Aud —4D 138
Hope St. Blac —5C 40
Hope St. Bolt —7G 25
Hope St. Duk —1F 139
(in two parts)
Hope St. Ecc —6D 112
Hope St. Farn —6G 67
Hope St. Glos —7G 143
Hope St. Haz G —1B 182
Hope St. Heyw —5B 50
Hope St. Hind —1D 84
Hope St. Hor —1F 41
Hope St. Ince —3G 83
Hope St. Leigh —3K 107
Hope St. L Hul —3C 88
Hope St. Mac —3G 199
Hope St. Newt W —6D 124
Hope St. Oldh —7F 75
Hope St. Ram —6F 9
Hope St. Roch —4H 31
Hope St. Salf —1D 114
(Higher Broughton)
Hope St. Salf —7C 114 (5A 4)
(Salford)
Hope St. Shaw —6F 53
Hope St. Stoc —2F 169
Hope St. Swint —7E 90
(Pendlebury)
Hope St. Swint —1B 112
(Swinton)
Hope St. Wig —6E 60
(off Galleries, The)
Hope St. N. Hor —7F 21
Hope St. W. Mac —3E 198
Hope Ter. Duk —1F 139
Hopgarth Wlk. M40 —3F 117
Hopkin Av. Oldh —6F 75
Hopkins Field. Bow —3K 175
Hopkinson Av. Dent —4B 138
Hopkinson Clo. Upperm —6H 77
Hopkinson Rd. M9 —2K 93
Hopkins St. M12 —6C 136
Hopkins St. Hyde —5J 139
Hopkin St. Oldh —7D 74
Hoppet La. Droy —6A 118
Hopton Av. M22 —1E 178
Hopton Ct. M15 —3G 135
Hopwood Av. Ecc —5B 112
Hopwood Av. Heyw —5K 49
Hopwood Av. Hor —1G 41
Hopwood Clo. Bury —3K 69
Hopwood Clo. Lwtn —1D 126
Hopwood Ct. Mid —2C 72
Hopwood Ct. Shaw —6D 52
Hopwood Rd. Mid —2C 72
Hopwood St. M40 —2D 116
Hopwood St. Pen —7E 90
Hopwood St. Salf —6E 114 (3F 4)
Horace Barnes Clo. M14 —6G 135
Horace Gro. Stoc —6G 153
Horace St. Bolt —3K 43
Horatio St. M18 —3H 137
Horbury Av. M18 —6F 137
Horbury Dri. Bury —3G 47
Horden Wlk. Rytn —2C 74
(off Shaw St.)
Horeb St. Bolt —1K 65
Horest La. Dens —5B 54
Horley Clo. Bury —5G 27
Horlock Ct. Salf —5B 114
Hornbeam Clo. Sale —5A 148
Hornbeam Clo. Tim —6J 165
Hornbeam Ct. Salf —5A 114
Hornbeam Rd. M19 —7D 136
Hornby Av. M9 —2A 94
Hornby Dri. Bolt —4D 64
Hornby Gro. Leigh —1D 108
Hornby Rd. Stret —5K 133
Hornby St. M8 —4F 115
Hornby St. Bury —7K 27
Hornby St. Heyw —4K 49
Hornby St. Mid —6C 72
Hornby St. Oldh —2B 96
Hornby St. Wig —4E 60
Horncastle Clo. Bury —7H 27
Horncastle Clo. Lwtn —1D 126
Horncastle Rd. M40 —5D 94
Hornchurch Ct. M15 —3F 135
(off Bonsall St.)
Hornchurch St. M15 —3E 134
Horne Dri. M4 —6J 115 (4P 5)
Horne Gro. Wig —2B 82
Horne St. Bury —5J 47
Hornet Clo. Roch —2J 51
Hornsea Clo. Bury —3D 46
Hornsea Clo. Chad —5H 73
Hornsea Rd. Stoc —6E 170
Hornsea Wlk. M11 —7C 116
Hornsey Gro. Wig —4K 81
Horridge Av. Newt W —4E 124
Horridge Fold. Eger —1A 24
Horridge Fold Av. Bolt —4F 65
Horridge St. Bury —1F 47
Horrobin La. And & Hor —3A 20
Horrobin La. Tur —2E 24
Horrocks Fold Av. Bolt —6K 23
Horrocks Rd. Tur —4F 7
Horrocks St. Ath —6E 86
Horrocks St. Bolt —1G 65
Horrocks St. Leigh —3J 107
(Leigh)
Horrocks St. Leigh —4E 106
(Plank Lane)
Horrocks Cres. Rad —1G 69
Horrocks St. Tyl —6F 87
Horsa St. M12 —1K 135
Horsa St. Bolt —4D 44
Horsedge St. Oldh —6D 74
Horsefield Av. Whitw —5E 12
Horsefield Clo. M21 —3E 150
Horsefield Way. Rom —4C 154
Horseshoe La. Ald E —4G 195
Horseshoe La. Brom X —4C 24
Horsfield St. Bolt —2G 65
Horsforth La. G'fld —3G 99
Horsham Av. Haz G —3A 182
Horsham Clo. Bury —5G 27
Horsham Gro. Wig —4H 61
Horsham St. Salf —6J 113
Horstead Wlk. M19 —7C 136
Horton Av. Bolt —6A 24
Horton Rd. M14 —7G 135
Horton St. Stoc —4J 169
Horton St. Wig —3A 60
Hortree Rd. Stret —7J 133
Horwich Bus. Pk. Hor —3F 41
Horwood Cres. M20 —5K 151
Hoscar Dri. M19 —3B 152
Hoskers Nook. W'houg —7H 63
Hoskers, The. W'houg —1H 85
Hoskins Clo. M12 —4C 136
Hospital Av. Ecc —6C 112
Hospital Rd. Brom X —4B 24
Hospital Rd. Pen —1F 113
Hotel Rd. Man A —5C 178
Hotel St. Bolt —6B 44
Hotel St. Newt W —6D 124
Hothersall Rd. Stoc —2H 153
Hothersall St. Salf —5E 114 (1E 4)
Hotspur Clo. M14 —2G 151
Hough Clo. Oldh —5E 96
Houghend Av. M21 —4C 150
Hough End Cen. M21 —3E 150
Houghend Cres. M21 —2E 150
Hough Fold Way. Bolt —7F 25
Hough Grn. Ash —7C 176

Hough Hall Rd. M40 —7B 94
Hough Hill Rd. Stal —7A 120
(in two parts)
Hough La. Brom X —5B 24
Hough La. Hyde —3K 139
Hough La. Mid —2H 73
Hough La. Tyl —7J 87
Hough La. Wilm & Ald E —2K 195
Houghley Clo. Mac —1E 198
Hough Rd. M20 —3G 151
Hough St. M40 —3A 116
Hough St. Bolt —1G 65
Hough St. Tyl —7K 87
Houghton Av. Oldh —5B 96
Houghton Clo. Newt W —6C 124
Houghton Clo. Roch —6A 32
Houghton La. Shev —7F 37
Houghton La. Swint —3B 112
Houghton La. Wig —4A 60
Houghton Rd. M8 —6G 93
Houghton St. Bolt —1A 66
Houghton St. Bury —4J 47
Houghton St. Leigh —2K 107
Houghton St. Newt W —6D 124
Houghton St. Pen —2H 113
Houghton St. Rytn —4C 74
Hough Wlk. Salf —5C 114 (1B 4)
Houghwood Grange. Ash M —5B 104
Houldsworth Av. Tim —4C 164
Houldsworth Mill. Stoc —2G 153
Houldsworth Sq. Stoc —3G 153
Houldsworth St. M1 —6H 115 (4L 5)
Houldsworth St. Rad —1D 68
Houldsworth St. Redd —3G 153
Hounslow Ho. Bolt —4A 44
Hourigan Ho. Leigh —1J 107
Houseley Av. Chad —4J 95
Housley Clo. Wig —2C 82
Houson St. Oldh —2D 96
Houston Pk. Salf —7K 113
Hove Clo. G'mnt —3C 26
Hoveden St. M8 —4F 115
Hove Dri. M14 —3A 152
Hove St. Bolt —1J 65
Hovey Clo. M8 —1F 115
Hoviley. Hyde —6J 139
Hoviley Brow. Hyde —6J 139
Hovingham St. Roch —4K 31
Hovington Gdns. M19 —4A 152
Hovis St. M11 —1E 136
Howard Av. Bolt —2G 65
Howard Av. Chea H —3C 180
Howard Av. Ecc —5B 112
Howard Av. Kear —7H 67
Howard Av. Lymm —7G 161
Howard Av. Stoc —4E 152
Howard Clo. Glos —7D 142
Howard Clo. Rom —1E 170
Howard Ct. Ash L —5G 119
Howard Dri. Hale —3E 176
Howard Hill. Bury —1A 70
Howard La. Dent —5D 138
Howard Pl. Glos —1D 158
Howard Pl. Hyde —7H 139
Howard Pl. Roch —4H 31
Howard Rd. M22 —2D 166
Howard Rd. Cul —7A 128
Howard's La. Moss —5E 98
Howard's La. Orr —7F 59
Howard Spring Wlk. M8 —7F 93
Howard St. M8 —4F 115
Howard St. M12 —1J 135 (8N 5)
Howard St. Ash L —4E 118
Howard St. Aud —3D 138
(Audenshaw)
Howard St. Aud —4C 138
(Denton)
Howard St. Bolt —4B 44
Howard St. Glos —1E 158
Howard St. Millb —4D 120
Howard St. Oldh —6J 75
Howard St. Rad —3F 69
Howard St. Roch —4H 31
Howard St. Salf —1A 134
Howard St. Shaw —6E 52
Howard St. Stoc —1H 169
Howard St. Stret —7H 133
Howard St. Wig —2J 81
Howard Way. L'boro —2G 15
Howarth Av. Wor —1A 112
Howarth Clo. M11 —7C 116
Howarth Clo. Bury —7K 47
Howarth Cross St. Roch —2K 31
Howarth Dri. Irl —1B 146
Howarth Farm Way. Roch —1A 32
Howarth Pl. Roch —7F 31
Howarth Sq. Roch —4J 31
Howarth St. M16 —5C 134
Howarth St. Leigh —4B 108
Howarth St. L'boro —5F 15
Howarth St. W'houg —6K 63
Howbridge Clo. Wor —7E 88
Howbro Dri. Ash L —3C 118
Howbrook Wlk. M15 —3F 135
Howclough Clo. Wor —5H 89
Howclough Dri. Wor —5H 89
Howcroft Clo. Bolt —5A 44
Howcroft St. Bolt —2K 65
Howden Clo. Stoc —7G 137
Howden Dri. Wig —3C 82
Howden Rd. M9 —2J 93
Howden Rd. N Mills —3J 185
Howe Bri. Clo. Ath —6A 86
Howe Dri. Ram —2F 27
Howell Croft N. Bolt —6B 44
Howell Croft S. Bolt —6B 44
Howells Av. Sale —5F 149
Howell's Yd. Bolt —6B 44
Howe St. Ash L —1D 138
Howe St. Mac —2H 199
Howe St. Salf —1C 114
Howgill St. M11 —7F 117
How La. Bury —6J 27
How Lea Dri. Bury —6K 27
Howsin Av. Bolt —1D 44
Howton Clo. M12 —5C 136
Howty Clo. Wilm —4K 187
Hoxton Clo. Bred —6E 154
Hoy Dri. Urm —4B 132
Hoylake Clo. M40 —7F 95
Hoylake Clo. Leigh —6H 107
Hoylake Rd. Sale —1K 165
Hoylake Rd. Stoc —3C 168
Hoyland Clo. M12 —3B 136
Hoyle Av. Oldh —2C 96
Hoyles Ct. Rad —2G 69
Hoyle's Ter. Miln —6C 32
Hoyle St. M12 —1J 135 (8P 5)
Hoyle St. Bolt —1A 44
Hoyle St. Mid —1E 94
Hoyle St. Rad —5G 69
Hoyle St. Whitw —1F 13
Hoyle Wlk. M13 —3J 135
Hubert Worthington Ho. Ald E —5G 195
Hucclecote Av. M22 —2C 178
Hucklow Av. M23 —2A 178
Hucklow Bank. Glos —7K 141
(off Grassmoor Cres.)
Hucklow Clo. Glos —7K 141
(off Grassmoor Cres.)
Hucklow Fold. Glos —7K 141
(off Grassmoor Cres.)
Hucklow Lanes. Glos —7K 141
(off Grassmoor Cres.)
Hudcar La. Bury —1A 48
Huddart St. Salf —1B 134
Huddersfield Rd. C'brk —3E 120
Huddersfield Rd. Del —2F 77
Huddersfield Rd. Dens —3D 54
Huddersfield Rd. Dig —3H 77
Huddersfield Rd. Miln —1F 53
Huddersfield Rd. Moss & Dens —6E 98
Huddersfield Rd. Oldh & Aus —7F 75
Huddersfield Rd. Scout —6B 76
Huddersfield Rd. Stal & St P —6B 120
Hudson Gro. Lwtn —1C 126
Hudson Rd. Bolt —3H 65
Hudson Rd. Hyde —3J 155
Hudsons Pas. L'boro —4G 15
Hudson St. Oldh —5J 95
Hudson Wlk. Roch —5D 30
Hudswell. W'fld —6J 69
Hughendon Ct. Tot —5D 26
Hughes Av. Hor —1E 40
Hughes Clo. Bury —2A 48
Hughes St. M11 —1A 136
Hughes St. Bolt —3J 43
(in two parts)
Hughes Way. Ecc —1J 131
Hugh Fold. Lees —2J 97
Hughley Clo. Rytn —2E 74
Hugh Lupus St. Bolt —7C 24
Hugh Oldham Dri. Salf —2C 114
Hugh St. Bolt —2J 65
Hugh St. Glos —1D 158
Hugh St. Roch —4J 31
Hughtrede St. Roch —2K 51
Hugo St. M40 —1C 116
Hugo St. Farn —4D 66
Hugo St. Roch —3F 51
Hulbert St. Bury —4G 47
Hulbert St. Mid —5D 72
Hullet Clo. App B —5E 36
Hulley Rd. Mac —7G 197
Hull Mill La. Del —1F 77
Hull Sq. Salf —6D 114 (4D 4)
Hully St. Stal —6K 119
Hulme Gro. Leigh —2H 107
Hulme Hall Av. Chea H —4C 180
Hulme Hall Cres. Chea H —4C 180
Hulme Hall La. M40 & M11 —4A 116
Hulme Hall Rd. M15 —2D 134 (9C 4)
Hulme Hall Rd. Chea H —2C 180
Hulme Pl. Salf —6C 114 (4B 4)
Hulme Rd. Bolt —6G 25
Hulme Rd. Dent —6K 137
Hulme Rd. Leigh —2G 107
Hulme Rd. Rad —7A 68
Hulme Rd. Sale —7H 149
Hulme Rd. Stoc —4F 153
Hulme's La. Dent —2C 154
Hulme Sq. Mac —6F 199
Hulmes Rd. M40 & Fail —3G 117
Hulmes Rd. Fail —4H 117
Hulme St. Ash L —4H 119
Hulme St. Bolt —5B 44
Hulme St. Bury —2H 47
Hulme St. Hulme & M1 —2E 134 (10F 4)
(in three parts)
Hulme St. Oldh —3C 96
Hulme St. Salf —7C 114 (5B 4)
Hulme St. Stoc —4K 169
Hulmeswood Ter. Dent
(off Harrywood Rd.) —3E 154
Hulme Wlk. M15 —3E 134
(in three parts)
Hulton Av. Wor —4C 88
Hulton Clo. Bolt —2G 65
Hulton District Cen. Wor —3C 88
Hulton Dri. Bolt —3G 65
Hulton La. Bolt —4G 65
Hulton La. Est. Bolt —3G 65
Hulton St. M16 —5E 134
Hulton St. Dent —5C 138
Hulton St. Fail —1G 117
Hulton St. Salf —2A 134
Humber Dri. Bury —4K 27
Humber Pl. Wig —7J 59
Humber Rd. Ast —1J 109
Humber Rd. Miln —6E 32
Humberstone Av. M15 —2E 134 (10F 4)
Humber St. M8 —1G 115
Humber St. Salf —7H 113
Hume St. M19 —2D 152
Hume St. Roch —6J 31
Humphrey Booth's Gdns. Salf —5J 113
Humphrey Cres. Urm —7D 132
Humphrey La. Urm —7E 132
Humphrey Pk. Urm —7E 132
HUMPHREY PARK STATION. BR —6E 132
Humphrey Rd. M16 —4B 134
Humphrey Rd. Bram —1G 181
Humphrey St. M8 —7F 93
Humphrey St. Ince —7H 61
Humps M. Oldh —7E 74
Huncoat Av. Stoc —4F 153
Huncote Dri. M9 —6A 94
Hungerford Wlk. M23 —4H 165
Hunger Hill. Roch —5B 14
Hunger Hill Av. Bolt —4E 64
Hunger Hill La. Roch —1B 30
Hunmanby Av. M15 —2F 135 (10G 4)
Hunstanton Dri. Bury —7H 27
Hunston Rd. Sale —7D 148
Hunt Av. Ash L —3F 119
Hunter Dri. Rad —2E 68
Hunter Rd. Wig —5K 59
Hunters Clo. Wilm —4B 188
Hunters Ct. Stal —2D 140
Hunters Grn. Ram —1D 26
Hunters Hill. Bury —2B 70
Hunters Hill La. Dig —7H 55
Hunters La. Glos —2B 158
Hunters La. Oldh —7D 74
Hunters La. Roch —4H 31
Hunters M. Sale —5E 148
Hunters M. Wilm —6J 187
Hunterson Av. Ecc —6E 112
Hunter St. Mid —5C 72
Hunters View. Hand —2J 187
Hunt Fold Dri. G'mnt —2D 26
Hunt Hill Rd. Rad —2D 68
Huntingdon Av. Chad —2K 95
Huntingdon Av. Manx —3G 151
Huntingdon Cres. Stoc —5A 154
Huntingdon Wlk. Bolt —3A 44
Huntingdon Way. Dent —1D 154
Hunt La. Chad —7H 73
Huntley Mt. Rd. Bury —1B 48
Huntley Rd. M8 —5E 92
Huntley Rd. Stoc —4D 168
Huntley St. Bury —2B 48
Huntly Way. Heyw —4E 48
Huntly Chase. Wilm —6K 187
Hunton Av. Ash L —6J 119
Hunt Rd. Hayd —3A 124
Hunt Rd. Hyde —4A 140
Huntroyde Av. Bolt —4E 44
Hunt's Bank. M3 —6F 115 (3H 5)
Hunt's Bank. W'houg —1K 85
Huntsham Clo. Alt —5K 163
Huntsman Dri. Irl —3B 146
Hunts Rd. Salf —3H 113
Hunt St. M9 —6K 93
Hunt St. Ath —4D 86
Hunt St. Stoc —3E 168
Hunt St. Wig —7G 61
Huntsworth Wlk. M13 —4K 135
Hurdlow Av. Salf —1A 114
Hurdlow Grn. Glos —1K 157
(off Brassington Cres.)
Hurdlow Lea. Glos —1K 157
(off Brassington Cres.)
Hurdlow M. Glos —1K 157
Hurdlow Wlk. M9 —1K 115
Hurdlow Way. Glos —1K 157
(off Brassington Cres.)
Hurdsfield Ind. Est. Mac —1F 199
Hurdsfield Rd. Mac —2G 199
Hurdsfield Rd. Stoc —7B 170
Hurford Av. M18 —3F 137
Hurlbote Clo. Hand —7K 179
Hurley Dri. Chea H —2A 180
Hurlston Rd. Bolt —4K 65
Hurst Av. Chea H —6E 180
Hurst Av. Sale —7A 148
Hurstbank Av. M19 —6K 151
Hurst Bank Rd. Ash L —4J 119
Hurstbourne Av. M11 —5D 116
Hurst Brook. Cop —3B 18
Hurstbrook Clo. Ash L —4G 119
Hurstbrook Dri. Urm —7D 132
Hurst Clo. Bolt —7F 65
Hurst Ct. M23 —7K 165
Hurst Ct. Ash L —3H 119
Hurst Cross. Ash L —3H 119
Hurstead. Roch —7B 14
Hurstead Grn. Roch —7B 14
Hursted Rd. Miln —6D 32
Hurstfield Ind. Est. Stoc —4G 153
Hurstfield Rd. Wor —7D 88
Hurst Fold. Irl —6D 130
(off Fiddlers La.)
Hurstfold Av. M19 —7K 151
Hurst Grn. Clo. Bury —5D 46
Hurst Gro. Ash L —3J 119
Hurst Hall Dri. Ash L —3J 119
Hursthead Rd. Chea H —5D 180
Hursthead Wlk. M13 —2H 135 (10M 5)
Hurst La. Boll —2J 197
Hurst La. G'bry —3B 128
Hurst Lea Ct. Ald E —4G 195
Hurst Meadow. Roch —2A 52
Hurstmead Ter. M20 —1H 167
(off South Rd.)
Hurst Mill La. G'bry —1C 128
Hurst Rd. Glos —1H 159
Hurst St. Bolt —3J 65
Hurst St. Bury —3A 48
Hurst St. Duk —3E 138
Hurst St. Farn —5E 66
Hurst St. Hind —1A 84
Hurst St. Leigh —6B 108
Hurst St. Oldh —7B 74
Hurst St. Roch —7J 31
Hurst St. Stoc —3G 153
Hurst St. Wor —1E 88
Hurstvale Av. H Grn —3H 179
Hurstville Rd. M21 —4B 150
Hurst Wlk. M22 —2A 178
Hurstway Dri. M9 —4A 94
Hurstwood Gro. Stoc —6D 170
Hurstwood Wlk. Salf —6A 114
Hus St. Droy —1H 137
Husteads La. Dob —5E 76
Hutchinson Rd. Roch —3K 29
Hutchinson St. Rad —2G 69
Hutchinson St. Roch —6D 30
Hutchinson Way. Rad —4E 68
Hut La. Hth C —1K 19
Hutton Av. Ash L —6J 119
Hutton Av. Wor —2B 110
Hutton Clo. Cul —4J 127
Hutton St. Stand —2C 38
Hutton Wlk. M13 —3J 135
(off Copeman Clo.)
Huxley Av. M8 —2G 115
Huxley Clo. Bram —5G 181
Huxley Clo. Mac —1D 198
Huxley Dri. Bram —5G 181
Huxley Pl. Wig —2C 82
Huxley St. Bolt —3J 43
Huxley St. B'hth —4B 164
Huxley St. Oldh —2G 97
Huxton Grn. Haz G —3J 181
Huyton Rd. Adl —6J 19
Huyton Ter. Adl —5K 19
Hyacinth Clo. Hayd —3B 124
Hyacinth Clo. Stoc —6F 169
Hyacinth Wlk. Part —1A 162
Hyatt Cres. Stand —2J 37
Hydebank. Rom —2H 171
Hyde Bank Rd. N Mills —4J 185
Hyde By-Pass. Hyde —6G 139
HYDE CENTRAL STATION. BR —7G 139
Hyde Clo. Wor M —2C 82
Hyde Dri. Wor —5E 88
Hyde Fold Clo. M19 —4B 152
Hyde Gro. M13 —4J 135
Hyde Gro. Sale —6F 149
Hyde Gro. Wor —5E 88
HYDE NORTH STATION. BR —4G 139
Hyde Pk. Pl. Roch —5A 32
Hyde Pl. M13 —4J 135
Hyde Rd. M12 & M18 —2J 135 (10P 5)
Hyde Rd. Dent —5D 138
Hyde Rd. Mid —1G 95
Hyde Rd. Mot —6F 141
Hyde Rd. Woodl —5E 154
Hyde Rd. Wor —5E 88
Hyde Sq. Mid —6A 72
Hydes Ter. Stal —6B 120
Hyde St. M15 —4D 134
(in two parts)
Hyde St. Bolt —3J 65
Hyde St. Droy —4A 118
Hyde St. Duk —1H 139
Hyde St. Oldh —1D 96
Hyde Way. Mot —6G 141
Hydon Brook Wlk. Roch —1E 50
Hydrangea Clo. Sale —5A 148
Hyldavale Av. Gat —5H 167
Hylton Dri. Ash L —3D 118
Hylton Dri. Chea H —4E 180
Hyman Goldstone Wlk. M8 —1F 115
Hyndells Lodge. Hind —1B 84
Hyndman Ct. Salf —7H 113
Hypatia St. Bolt —5D 44
Hythe Clo. M14 —6J 135
Hythe Rd. Stoc —3D 168
Hythe St. Bolt —2G 65
Hythe Wlk. Chad —1K 95

Ian Frazer Ct. Roch —1H 51
Ibberton Wlk. M9 —6B 94
(off Carnaby St.)
Ibsley. Roch —4G 31
(off Spotland Rd.)
Ice Ho. Clo. Wor —4B 88
Iceland St. Salf —6J 113
Idiona St. Bolt —2K 43
Ilex Gro. Salf —2D 114
Ilford St. M11 —6D 116
Ilfracombe Rd. Stoc —3B 170
Ilfracombe St. M40 —2F 117
Ilkeston Dri. Asp —3D 62
Ilkeston Wlk. M40 —1C 116
(off Halliford Rd.)
Ilkeston Wlk. Dent —2E 154
Ilkley Clo. Bolt —6E 44
Ilkley Clo. Chad —1K 95
Ilkley Cres. Stoc —2G 153
Ilkley Dri. Urm —5J 131
Ilkley St. M40 —6C 94
Ilk St. M11 —6D 116
Illingworth Av. Stal —7C 120
Illona Dri. Salf —7A 92
Ilminster. Roch —6G 31
Ilminster Wlk. M9 —2A 94
(off Eastlands Rd.)
Ilthorpe Wlk. M40 —2C 116
Imogen Ct. Salf —1C 134 (8B 4)
Imperial Dri. Leigh —2D 108
Imperial Ter. Sale —4E 148
Ina Av. Bolt —4F 43
Ince Clo. M20 —3H 151
Ince Clo. Stoc —7G 153
Ince Grn. La. Ince —1G 83
Ince Hall Av. Ince —6H 61
INCE STATION. BR —1G 83
Ince St. Stoc —7G 153
Inchcape Dri. M9 —3H 93
Inchfield Clo. Roch —4A 30
Inchfield Rd. M40 —6C 94
Inchley Rd. M13 —2H 135 (10M 5)
Inchwood M. Oldh —2J 75
Incline Rd. Oldh —5K 95
Independant St. Bolt —5C 44
Independent St. L Lev —3J 67
India St. Bury —1G 27
Indigo St. Salf —3K 113
Indigo Wlk. Salf —2K 113
Indoor Mkt. Roch —5H 31
Industrial Est., The. Bolt —3K 43
Industrial St. Ram —2G 9
Industrial St. W'houg —7K 63
Industry Rd. Roch —3H 31
Industry St. Chad —3J 95
Industry St. L'boro —6F 15
Industry St. Roch —3A 30
Industry St. Whitw —1F 13
Infant St. P'wch —3C 92
Infirmary St. Bolt —6B 44
Ingersley Ct. Boll —2K 197
Ingersley Rd. Boll —2K 197
Ingham Rd. W Tim —3B 164
Inghams La. L'boro —6F 15
Ingham St. M40 —4G 117
Ingham St. Bury —4A 48
Ingham St. Leigh —7J 85
Ingham St. Oldh —7E 74
Inghamwood Clo. Salf —1F 115
Ingleby Av. M9 —3A 94
Ingleby Av. Irl —3A 146
Ingleby Clo. Shaw —5E 52
Ingleby Clo. Stand —3C 37
Ingleby Ct. Stret —1J 149
Ingleby Way. Shaw —5E 52
Ingledene Av. Salf —6E 92
Ingledene Ct. Salf —6E 92
Ingledene Gro. Bolt —3G 43
Ingle Dri. Stoc —4A 170
Inglefield. Roch —3B 30
Inglehead Clo. Dent —7E 138
Ingle Rd. Chea —5C 168
Ingles Fold. Wor —1D 110
Inglesham Clo. Leigh —7J 107
Ingleton Av. M8 —5H 93
Ingleton Clo. Bolt —1F 45
Ingleton Clo. Bury —1F 47
Ingleton Clo. Gat —5J 167
Ingleton Clo. Rytn —1B 74
Ingleton Dri. St H —7B 102
Ingleton Gdns. Shaw —6H 53
Ingleton Rd. Stoc —3E 168
Inglewhite Av. Wig —4E 60
Inglewhite Clo. Bury —5H 47
Inglewhite Cres. Wig —4E 60
Inglewhite Pl. Wig —4E 60
Inglewood Av. Wig —7G 61
Inglewood Clo. Ash L —3D 118
Inglewood Clo. Bchwd —4B 144
Inglewood Rd. Chad —5F 73
Inglewood Wlk. M13 —3J 135
(off Brunswick St.)
Inglis St. L'boro —5F 15
Ingoe Clo. Heyw —2B 50
Ingoldsby Av. M13 —5K 135
Ingram Dri. Stoc —7A 152
Ingram St. Plat B —4J 83
Ingram St. Wig —5B 60
Ingres Wlk. Oldh —2G 75
Ings Av. Roch —2D 30
Ings La. Roch —2D 30
Inkerman St. M40 —2K 115
(off Topley St.)
Inkerman St. Hyde —5H 139
Inkerman St. Roch —3H 31
Ink St. Roch —5H 31
Inman St. Bury —5J 47
Inman St. Dent —6D 138
Innes St. M12 —6D 136
Innis Av. M40 —3E 116
Institute St. Bolt —6B 44
Instow Clo. M13 —3K 135
Instow Clo. Chad —5H 73
Intake La. G'fld —4G 99
Invar Rd. Swint —6B 90
Inverbeg Dri. Bolt —6J 45
Invergarry Wlk. M11 —7E 116
Inverlael Av. Bolt —5H 43
Inverness Av. M9 —3C 94
Inverness Clo. Asp —1B 62
Inverness Rd. Duk —2G 139
Inver Wlk. M40 —5F 95
Inward Dri. Shev —1G 59
Inwood Wlk. M8 —2J 115
Inworth Wlk. M8 —1F 115
(off Highshore Dri.)
Iona Pl. Bolt —3E 44
Iona Way. Urm —4B 132
Ionian Gdns. Salf —3C 114
Ipswich St. Roch —7H 31
Ipswich Wlk. M12 —4A 136
(off Martindale Cres.)
Ipswich Wlk. Dent —1E 154
Iqbal Clo. M12 —4C 136
Irby Wlk. Chea —7C 168
Ireby Clo. Mid —4J 71
Iredale Cres. Stand —6B 38
Iredine St. M11 —7E 116
Irene Av. Hyde —4J 139
Iris Av. Farn —5C 66
Iris Av. Kear —2H 89
Iris Av. Open —1F 137
Iris St. Oldh —4D 96
Iris St. Ram —5F 9
Iris Wlk. Part —1B 162
Irkdale St. M8 —2J 115
Irk St. M4 —5G 115 (1K 5)
Irk Vale Dri. Chad —5G 73
Irk Way. W'fld —4B 70
Irlam Av. Ecc —7B 112
Irlam-Cadishead By-Pass. Irl —3C 146
Irlam Rd. Sale —5G 149
Irlam Rd. Urm —1D 146
Irlams Sq. Salf —3H 113
IRLAM STATION. BR —3A 146
Irlam St. M40 —3A 116
Irlam St. Bolt —2A 44

Keele Clo.—Kingsbridge Wlk.

Keele Clo. M40 —5J 115 (1P 5)
Keele Clo. Stoc —5K 169
Keele Cres. Mac —5D 198
Keeley Clo. M40 —4E 116
Keepers Clo. Knut —3G 193
Keepers Dri. Roch —2A 30
Keighley Av. Droy —5J 117
Keighley Clo. Bury —3D 46
Keighley St. Bolt —3J 43
Keilder M. Bolt —6G 43
Keith Dri. Stoc —4D 168
Keith Wlk. M40 —5K 115
Kelboro Av. Aud —2B 138
Kelbrook Ct. Stoc —6C 170
Kelbrook Rd. M11 —1D 136
Kelby Av. M23 —4B 166
Kelday Wlk. M8 —2J 115 (off Smeaton St.)
Keld Clo. Bury —7F 27
Keld Wlk. M18 —4E 136
Kelfield Av. M23 —1A 166
Kelham Wlk. M40 —6E 94
Kellbank Rd. Wig —4A 82
Kellbrook Cres. Salf —6B 92 (in two parts)
Kellet Clo. Wig —5K 59
Kellet's Row. Wor —2E 88
Kellett St. Bolt —6B 24
Kellett St. Roch —4K 31
Kellett Wlk. M11 —6D 116
Kelling Wlk. M15 —2D 134 (10D 4)
Kelmarsh Clo. M11 —2F 137
Kelmscott Lodge. Urm (off Cornhill Rd.) —6K 131
Kelsall Clo. Stoc —5F 169
Kelsall Dri. Droy —5H 117
Kelsall Dri. Tim —5G 165
Kelsall Rd. Chea —6C 168
Kelsall St. M12 —3B 136
Kelsall St. Bolt —6E 44
Kelsall St. Oldh —1B 96
Kelsall St. Roch —4H 31
Kelsall St. Sale —6E 148
Kelsall Way. Hand —7K 179
Kelsey Flats. Heyw —3J 49 (off Fearn St.)
Kelsey Wlk. M9 —2H 93
Kelso Clo. Oldh —6D 96
Kelson Av. Ash L —3E 118
Kelstern Av. M13 —6A 136
Kelstern Sq. M13 —6A 136
Kelverlow St. Oldh —1G 97
Kelvin Av. Mid —7H 71
Kelvin Av. Sale —6F 149
Kelvin Clo. Ash M —3K 103
Kelvindale Dri. Tim —4G 165
Kelvin Gro. M8 —2G 115
Kelvin Gro. Wig —5A 82 (in two parts)
Kelvington Dri. M9 —2K 115
Kelvin St. M4 —6G 115 (4K 5)
Kelvin St. Ash L —1D 138
Kelway Ter. Wig —5F 61
Kelwood Av. Bury —7D 28
Kemball. Ecc —6D 112
Kemble Av. M23 —2C 166
Kemble Clo. Hor —7F 21
Kemmel Av. M22 —6E 166
Kemnay Wlk. M11 —7E 116
Kempley Clo. M12 —3B 136
Kempnough Hall Rd. Wor —1G 111
Kemp Rd. Marp B —3C 172
Kempsey Ct. Chad —7K 73
Kempsey St. Chad —7K 73
Kempsey Wlk. M40 —6F 95
Kempster St. Salf —4D 114
Kempston Gdns. Bolt —3A 44
Kemp St. Hyde —5J 139
Kemp St. Mid —6B 72
Kempton Av. L Lev —4J 67
Kempton Av. Sale —7B 148
Kempton Clo. Droy —6A 118
Kempton Clo. Haz G —3E 182
Kempton Clo. Newt W —4F 125
Kempton Ct. Sale —7A 148
Kempton Rd. M19 —2C 152
Kempton Way. Chad —7A 74
Kemsing Wlk. Salf —7A 114
Kenchester Av. M11 —1F 137
Kendal Av. Ash L —4D 118
Kendal Av. Dent —1E 154
Kendal Av. Hyde —4G 139
Kendal Av. Roch —2A 30
Kendal Av. Sale —7G 149
Kendal Av. Urm —5G 131
Kendal Clo. Heyw —5A 50
Kendal Clo. Mac —5B 198
Kendal Clo. Tim —6H 165
Kendal Dri. Bram —7E 180
Kendal Dri. Bury —6H 47
Kendal Dri. Gat —7J 167
Kendal Dri. Shaw —6H 53
Kendal Gdns. Woodl —6F 155
Kendal Gro. Ash M —4D 104
Kendal Gro. Leigh —3H 107
Kendal Gro. W'fld —6K 69
Kendal Gro. Wor —5H 89
Kendal Ho. Ince —6J 61
Kendall Rd. M8 —4F 93
Kendal Rd. Bolt —5J 43
Kendal Rd. Hind —2C 84
Kendal Rd. Ince —6J 61
Kendal Rd. Mac —5B 198
Kendal Rd. Ram —2D 26
Kendal Rd. Salf —3G 113
Kendal Rd. Stret —6H 133
Kendal Rd. Wor —1A 110
Kendal Rd. W. Ram —2D 26
Kendal St. Wig —5D 60
Kendal Ter. Duk —7G 119 (off Astley St.)
Kendal Wlk. Mid —5A 72
Kendon Gro. Dent —6C 138
Kendon Wlk. M8 —3E 114
Kendrew Rd. Bolt —2G 65
Kendrew Wlk. M9 —6A 94
Kendrick Pl. Wig —6G 61
Kenford Wlk. M8 —2F 115
Kenhall Rd. Leigh —4C 108
Kenilworth. Roch —6G 31
Kenilworth Av. M20 —5F 151
Kenilworth Av. Chad —5G 73
Kenilworth Av. Chea H —1C 180
Kenilworth Av. Clif —4F 91
Kenilworth Av. Hand —2K 187
Kenilworth Av. Knut —4F 193
Kenilworth Av. W'fld —1A 92
Kenilworth Clo. Mac —5B 198
Kenilworth Clo. Marp —3K 171
Kenilworth Clo. Oldh —2K 97
Kenilworth Clo. Rad —7D 46
Kenilworth Dri. Haz G —4B 182
Kenilworth Dri. Hind —3D 84
Kenilworth Dri. Leigh —1E 108
Kenilworth Gdns. Newt W —7E 124
Kenilworth Grn. Mac —5B 198
Kenilworth Gro. Aud —1A 138
Kenilworth Rd. Lwtn —2C 126
Kenilworth Rd. Mac —6B 198
Kenilworth Rd. Roch —5A 52
Kenilworth Rd. Sale —6C 148
Kenilworth Rd. Stoc —4B 168
Kenilworth Rd. Urm —1E 146
Kenilworth Sq. Bolt —4H 43
Kenion Rd. Roch —6D 30
Kenion St. Roch —5H 31
Kenley Lodge. Bram —5F 181
Kenley Wlk. M8 —2J 115 (off Smedley Rd.)
Kenmay Av. Bolt —7F 43
Kenmere Gro. M40 —6D 94
Kenmor Av. Bury —5E 46
Kenmore Clo. W'fld —6B 70
Kenmore Dri. Tim —1E 176
Kenmore Gro. Ash M —4K 103
Kenmore Gro. Cad —4K 145
Kenmore Rd. M22 —4C 166
Kenmore Rd. Sale —1A 164
Kenmore Rd. W'fld —6B 70
Kenmore Way. W'fld —6B 70
Kennard Clo. M9 —6B 94
Kennard Pl. Alt —5C 164
Kennedy Av. Mac —2B 198
Kennedy Clo. Stand —5B 38
Kennedy Dri. Bury —4B 70
Kennedy Dri. L Lev —3A 68
Kennedy Rd. Ast —1K 109
Kennedy Rd. Salf —6G 113
Kennedy St. M2 —7F 115 (6H 5)
Kennedy St. Bolt —6E 44
Kennedy St. Oldh —2C 96
Kennedy Way. Dent —7B 138
Kennedy Way. Stoc —1E 168
Kennerley Ct. Stoc —6J 169
Kennerley Lodge. Stoc —6H 169
Kennerley Rd. Stoc —6H 169
Kennerley's La. Wilm —6G 187
Kennet Clo. W'houg —5J 63
Kennet Flats. Heyw —3J 49 (off Meadow Clo.)
Kenneth Av. Leigh —2H 107
Kenneth Gro. Leigh —2H 107
Kenneth Sq. Salf —2E 114
Kennett Rd. M23 —1A 178
Kennet Way. Leigh —1K 107
Kenninghall Rd. M22 —1D 178
Kennington Av. M40 —4D 116
Kennington Fold. Bolt —3K 65
Kenny Clo. Lees —2H 97
Kenside Wlk. M16 —6F 135
Kensington Av. M14 —5K 135
Kensington Av. Ash L —4J 119
Kensington Av. Chad —6G 73
Kensington Av. Hyde —1J 155
Kensington Av. Rad —2B 68
Kensington Av. Rytn —7A 52
Kensington Clo. G'mnt —3D 26
Kensington Clo. Miln —6E 32
Kensington Ct. Dent —5K 137
Kensington Ct. Hyde —1J 155
Kensington Ct. Salf —7C 92
Kensington Ct. Wilm —7G 187
Kensington Dri. Bury —5E 46
Kensington Dri. Hor —2G 41
Kensington Dri. Leigh —1E 108
Kensington Dri. Salf —5H 113
Kensington Gdns. Hale —3D 176
Kensington Gdns. Hyde —1K 155
Kensington Gro. Dent —5K 137
Kensington Gro. Stal —7A 120
Kensington Gro. Tim —3C 164
Kensington Pl. Bolt —6A 44 (off Kensington St.)
Kensington Rd. M21 —7A 134
Kensington Rd. Fail —7K 95
Kensington Rd. Oldh —3B 96
Kensington Rd. Stoc —4D 168
Kensington Rd. Wig —2K 81
Kensington St. M14 —6G 135
Kensington St. Bolt —6A 44
Kensington St. Hyde —1J 155
Kensington St. Roch —1G 51
Kenslow Av. M8 —5F 93
Kensworth Clo. M23 —5H 165
Kensworth Clo. Bolt —4K 43
Kensworth Dri. Bolt —4K 43
Kent Av. Boll —4G 197
Kent Av. Chad —1J 95
Kent Av. Chea H —6E 168
Kent Av. Droy —7G 117
Kent Av. Plat B —5J 83
Kent Clo. Dig —2J 77
Kent Clo. Wor —5D 88
Kent Ct. Bolt —5A 44
Kent Dri. Bury —5K 47
Kent Dri. Kear —1K 89
Kentford Dri. M40 —4J 115
Kentford Gro. Farn —6E 66
Kentford Rd. Bolt —4A 44
Kent Gro. Fail —2G 117
Kentleigh Wlk. Hyde —6E 140
Kentmere Av. Roch —1K 31
Kentmere Av. St H —7C 102
Kentmere Clo. Gat —1H 179
Kentmere Ct. M9 —3C 94
Kentmere Dri. Ast —1H 109
Kentmere Dri. Mid —3A 72
Kentmere Gro. Farn —7B 66
Kentmere Rd. Bolt —4H 45
Kentmere Rd. Tim —5H 165 (in two parts)
Kentmore Clo. Stoc —1A 168
Kenton Av. M18 —5E 136
Kenton Clo. Aud —2B 138
Kenton Clo. Bolt —4K 43
Kenton Rd. Shaw —6E 52
Kenton St. Oldh —2F 97
Kent Rd. Ath —3C 86
Kent Rd. Cad —5J 145
Kent Rd. Dent —7J 137
Kent Rd. Glos —1F 159
Kent Rd. Part —1A 162
Kent Rd. Stoc —3D 168
Kent Rd. Tyl —5F 87
Kent Rd. E. M14 —6K 135
Kent Rd. W. M14 —6J 135
Kentsford Dri. Rad —1K 67
Kentstone Av. Stoc —7K 151
Kent St. M2 —7F 115 (5H 5)
Kent St. Bolt —5A 44
Kent St. Leigh —4E 108
Kent St. Oldh —3D 96
Kent St. Pen —5D 90
Kent St. Roch —6H 31
Kent St. Salf —4D 114
Kent St. Wig —7F 61
Kentucky St. Oldh —1G 97
Kent Wlk. Heyw —4G 49
Kent Wlk. Mac —2B 198 (off Kennedy Av.)
Kent Way. Newt W —7E 124
Kentwell Clo. Duk —2F 139
Kentwell Dri. Mac —7E 196
Kenwick Dri. M40 —5G 95
Kenwood Av. M19 —4B 152
Kenwood Av. Bram —7F 181
Kenwood Av. Gat —5G 167
Kenwood Av. Hale —2D 176
Kenwood Av. Leigh —3C 108
Kenwood Clo. Leigh —3C 108
Kenwood Clo. Stret —7J 133
Kenwood Ct. Stret —1J 149
Kenwood La. Wor —3H 111
Kenwood Rd. Bolt —2H 43
Kenwood Rd. Oldh —5A 74
Kenwood Rd. Stoc —7G 137
Kenwood Rd. Stret —1J 149
Kenworthy Av. Ash L —3H 119
Kenworthy Gdns. Upperm —6H 77
Kenworthy La. M22 —1D 166
Kenworthy St. Roch —5A 32
Kenworthy St. Stal —7A 120 (in two parts)
Kenworthy Ter. Roch —5A 32
Kenwright St. M4 —6G 115 (3K 5)
Kenwyn St. M40 —5A 116
Kenyon Av. Duk —2J 139
Kenyon Av. Oldh —4D 96
Kenyon Av. Sale —1J 165
Kenyon Clo. Hyde —4K 139
Kenyon Fold. Roch —7A 30
Kenyon Gro. L Hul —3A 88
Kenyon La. M40 —7C 94
Kenyon La. Golb —7D 126
Kenyon La. Ken —3J 127
Kenyon La. Lwtn —3C 126
Kenyon La. Mid —6E 72
Kenyon La. P'wch —3C 92
Kenyon Rd. Brad F —1K 67
Kenyon Rd. Stand —3K 37
Kenyon Rd. Wig —4E 60
Kenyon's La. Hayd —1B 124
Kenyon St. M18 —3G 137
Kenyon St. Ash L —5E 118
Kenyon St. Bury —2A 48
Kenyon St. Duk —1F 139
Kenyon St. Heyw —3J 49
Kenyon St. Leigh —7H 85
Kenyon St. Rad —3F 69
Kenyon St. Ram —4G 9
Kenyon Ter. L Hul —4A 88
Kenyon Way. L Hul —3A 88
Kenyon Way. Tot —7D 26
Keppel Rd. M21 —1B 150
Keppel St. Ash L —5G 119
Kepwick Dri. M22 —3E 178
Kerans Dri. W'houg —5J 63
Kerenhappuch St. Ram —5F 9 (off Buchanan St.)
Kerfield Wlk. M13 —2H 135 (10M 5)
Kerfoot Clo. M22 —3E 166
Kerfoot St. Leigh —4C 108
Kermishaw Nook. Ast —2H 109
Kermoor Av. Bolt —6A 24
Kerne Gro. M23 —2A 166
Kerrera Dri. Salf —7H 113
Kerridge Dri. Bred —6D 154
Kerridge Rd. Mac —7K 197
Kerridge Wlk. M16 —6F 135 (off Peachey Clo.)
Kerrier Clo. Ecc —6E 112
Kerris Clo. M22 —3E 178
Kerr St. M9 —4K 93
Kerry Gro. Bolt —5D 44
Kerry Wlk. M23 —1K 177
Kersal Av. L Hul —3D 88
Kersal Av. Pen —7G 91
Kersal Bank. Salf —7C 92
Kersal Bar. Salf —6C 92
Kersal Clo. P'wch —6A 92
Kersal Crag. Salf —6C 92
Kersal Dri. Tim —4G 165
Kersal Gdns. Salf —6C 92
Kersal Hall Av. Salf —7A 92
Kersal Rd. P'wch —6K 91
Kersal Vale Ct. Salf —7A 92
Kersal Vale Rd. Salf —6K 91
Kersal View. Salf —4K 113
Kersal Way. Salf —1B 114
Kersh Av. M19 —2D 152
Kershaw Av. L Lev —2J 67
Kershaw Av. P'wch —5K 91
Kershaw Av. Sale —1J 165
Kershaw Dri. Chad —4F 95
Kershaw Gro. Aud —1K 137
Kershaw La. Aud —1K 137
Kershaw Pas. L'boro —7C 14
Kershaw Rd. Fail —1H 117
Kershaw St. Ash L —1D 138
Kershaw St. Bolt —1K 65 (Bolton)
Kershaw St. Bolt —7E 24 (Bradshaw Chapel)
Kershaw St. Bury —3A 48
Kershaw St. Droy —7H 117
Kershaw St. Glos —2E 158
Kershaw St. Heyw —3H 49
Kershaw St. Oldh —6G 75
Kershaw St. Orr —1H 81
Kershaw St. Roch —4H 31
Kershaw St. Rytn —1B 74
Kershaw St. Shaw —6F 53 (in two parts)
Kershaw St. Tyl —6G 87
Kershaw St. E. Shaw —6F 53
Kershaw Wlk. M12 —3K 135
Kershaw Way. Newt W —4E 124
Kershope Gro. Salf —1A 134
Kersley St. Oldh —1E 96
Kerswell Wlk. M40 —2C 116
Kerwin Wlk. Open —1C 136
Kerwood Dri. Rytn —3C 74
Kesteven Rd. M9 —1K 115
Keston Av. M9 —4C 94
Keston Av. Droy —7G 117
Keston Cres. Stoc —4K 153
Keston Rd. Oldh —5G 75
Kestor St. Bolt —5C 44 (in two parts)
Kestrel Av. Aud —7A 118
Kestrel Av. Clif —5F 91
Kestrel Av. Farn —7B 66
Kestrel Av. Knut —3E 192
Kestrel Av. L Hul —2C 88
Kestrel Av. Oldh —2G 97
Kestrel Clo. Marp —1A 184
Kestrel Clo. W'fld —1A 92
Kestrel Dri. Ash M —2E 104
Kestrel Dri. Bury —1B 48
Kestrel Dri. Irl —6C 130
Kestrel Ho. Traf P —1D 132
Kestrel M. Roch —5B 30
Kestrel Rd. Traf P —1D 132
Kestrel St. Bolt —5C 44
Kestrel Wlk. M12 —3C 136
Keswick Av. Ash L —3D 118
Keswick Av. Chad —7J 73
Keswick Av. Dent —5B 138
Keswick Av. Gat —1H 179
Keswick Av. Hyde —5G 139
Keswick Av. Mac —6B 198
Keswick Av. Oldh —3E 96
Keswick Av. Urm —1G 147
Keswick Clo. M13 —4K 135
Keswick Clo. Cad —5K 145
Keswick Clo. Mac —5B 198
Keswick Clo. Mid —4K 71
Keswick Clo. Stal —4A 120
Keswick Ct. Mid —4K 71
Keswick Dri. Bram —7E 180
Keswick Dri. Bury —6H 47
Keswick Gro. Salf —5K 113
Keswick Pl. Ince —7J 61
Keswick Rd. H Lane —4J 183
Keswick Rd. Stoc —3F 153
Keswick Rd. Stret —6G 133
Keswick Rd. Tim —5H 165
Keswick Rd. Wor —5H 89
Keswick St. Bolt —3B 44
Keswick St. Roch —3D 50
Kesworthy Clo. Hyde —7E 140
Ketley Wlk. M22 —1F 179
Kettering Rd. M19 —7D 136
Kettleshulme Wlk. Wilm —4A 188
Kettleshulme Way. Poy —3D 190
Kettlewell Wlk. M18 —4E 136
Ketton Clo. M11 —2G 137
Keverlow La. Oldh —5G 97
Kevin Av. Rytn —4C 74
Kevin Ct. Stoc —7K 169
Kevin St. M19 —2D 152
Kew Av. Hyde —1J 155
Kew Dri. Chea H —2A 180
Kew Dri. Urm —5J 131
Kew Gdns. M40 —6C 94
Kew Rd. Fail —7J 95
Kew Rd. Oldh —1F 97 (in two parts)
Kew Rd. Roch —2J 51
Key Ct. Dent —2E 154
Keyes Clo. Bchwd —6A 144
Keyes Gdns. Bchwd —6A 144
Keyhaven Wlk. M40 —3J 115
Keymer St. M11 —6A 116
Keynsham Rd. M11 —5D 116
Keystone Clo. Salf —4J 113
Key West Clo. M11 —7B 116
Keyworth Wlk. M40 —4A 116
Khartoum St. M11 —6F 117
Khartoum St. M16 —5D 134
Kibbles Brow. Brom X —4D 24
Kibboth Crew. Ram —4F 9
Kibworth Clo. W'fld —6H 69
Kibworth Wlk. M9 —2A 94 (off Brockford Dri.)
Kidacre Wlk. M40 —1C 116
Kidderminster Way. Chad —5H 73
Kidd Rd. Glos —4G 159
Kidnall Wlk. M9 —6B 94
Kid St. Mid —5B 72
Kiel Clo. Ecc —1C 132
Kielder Hill. Mid —2B 72
Kielder Sq. Salf —7K 113
Kilbride Av. Bolt —7H 45
Kilbuck La. Hayd —1B 124 (in two parts)
Kilburn Av. M9 —1K 93
Kilburn Av. Ash M —4F 105
Kilburn Clo. H Grn —5H 179
Kilburn Clo. Leigh —6H 85
Kilburn Dri. Shev —6G 37
Kilburn Gro. Wig —4K 81
Kilburn Rd. Orr —2C 80
Kilburn Rd. Rad —2B 68
Kilburn Rd. Stoc —4E 168
Kilburn St. Oldh —5G 75
Kildale Clo. Bolt —2E 64
Kildare Cres. Roch —3H 51
Kildare Grange. Hind —2A 84
Kildare Rd. M21 —2D 150
Kildare Rd. Swint —1C 112
Kildare St. Farn —7E 66
Kildare St. Hind —2A 84
Kildare St. Wig —1B 82
Kildonan Dri. Bolt —7F 43
Killer St. Ram —4G 9
Killington Clo. Wig —5D 82
Killingworth La. Bchwd —5A 144
Killingworth M. Hor —4H 41 (off New Rd.)
Killon St. Bury —4A 48
Kilmaine Dri. Bolt —1E 64
Kilmarsh Wlk. M8 —1F 115
Kilmington Dri. M8 —2F 115
Kilmory Dri. Bolt —7H 45
Kiln Bank. Whitw —1E 12 (off Tong End)
Kiln Bank La. Whitw —1E 12
Kiln Brow. Brom X —4E 24
Kiln Croft. Rom —2D 170
Kiln Croft La. Chea H —1A 188
Kilner Clo. Bury —2B 70
Kilnerdeyne Ter. Roch —6G 31
Kilner Wlk. M40 —4J 115
Kilnfield. Brom X —4B 24
Kiln Hill Clo. Chad —4H 73
Kiln Hill La. Chad —4H 73
Kilnhurst Wlk. Bolt —5K 43
Kiln La. Had —4C 142
Kiln La. Miln —6D 32
Kiln Mt. Miln —6D 32
Kilnsey Wlk. M18 —4E 136
Kilnside Dri. M9 —1K 115
Kiln St. L Lev —3J 67
Kiln St. Ram —6F 9
Kilnwick Clo. M18 —6D 136
Kilphin, The. Los —5B 42
Kilsby Clo. Farn —4D 66
Kilsby Clo. Los —7D 42
Kilsby Wlk. M40 —4K 115
Kilshaw St. Pem —2J 81
Kilton Wlk. M40 —4J 115
Kilvert Dri. Sale —5D 148
Kilvert St. Traf P —4K 133
Kilworth Av. Sale —7D 148
Kilworth Dri. Los —1D 64
Kilworth St. Roch —1F 51
Kimberley Av. Rom —1F 171
Kimberley Pl. Ash M —5E 104
Kimberley Rd. Bolt —7A 24
Kimberley St. Cop —3A 18
Kimberley St. Oldh —4A 96
Kimberley St. Salf —1E 114
Kimberley St. Stoc —4G 169
Kimberley St. Wig —5C 60
Kimberley Wlk. M15 —2D 134 (10D 4)
Kimble Clo. G'mnt —2D 26
Kimbolton Clo. M12 —2C 136
Kinburn Rd. M19 —1K 167
Kinbury Wlk. M40 —4J 115
Kincardine Rd. M13 —2H 135 (10L 5)
Kincraig Clo. M11 —1D 136
Kincraig Clo. Bolt —2E 64
Kinder Av. Ash L —2A 120
Kinder Av. Oldh —2H 97
Kinder Clo. Glos —2C 158
Kinder Ct. Stoc —4G 169
Kinder Dri. Marp —5A 172
Kinder Fold. Stal —3D 140
Kinder Gro. Ash M —2B 104
Kinder Gro. Rom —1J 171
Kinder Ho. Salf —5H 113
Kinders Cres. G'fld —2H 99
Kinders La. G'fld —2H 99
Kinders M. G'fld —2H 99
Kinder St. Stal —6A 120
Kinder St. Stoc —4G 169
Kinderton Av. M20 —3H 151
Kinder Way. Mid —4B 72
Kinder Way. Mot —6F 141
Kineton Wlk. M13 —3J 135 (off Lauderdale Cres.)
King Albert St. Shaw —6F 53
King Charles Ct. Glos —3F 159
Kingcombe Wlk. M9 —7A 94
King Edward Av. Glos —1F 159 (in two parts)
King Edward Rd. Hyde —3J 155
King Edward Rd. Knut —4D 192
King Edward Rd. Mac —3F 199
King Edward St. M19 —1D 152
King Edward St. Ecc —6A 112
King Edward St. Mac —3E 198
King Edward St. Salf —1B 134
Kingfisher Av. Aud —7A 118
Kingfisher Clo. M12 —4A 136
Kingfisher Ct. Salf —1H 133
Kingfisher Ct. S Lan —2D 104
Kingfisher Dri. Bury —1B 48
Kingfisher Dri. Farn —7B 66
Kingfisher M. Marp —5A 172
Kingfisher Rd. Stoc —7D 170
King George Clo. Ash M —5D 104
King George Rd. Hayd —2C 124
King George Rd. Hyde —1J 155
Kingham Dri. M4 —6J 115 (3P 5)
Kingholm Gdns. Bolt —4K 43
King La. Oldh —2J 75
Kingmoor Av. Rad —2F 69
Kings Acre. Bow —3J 175
Kings Av. M8 —7G 93
Kings Av. Gat —7G 167
King's Av. Lwtn —2D 126
Kings Av. W'fld —4J 69
Kingsbridge Av. Bolt —4B 46
Kingsbridge Av. Hyde —7C 140
Kingsbridge Clo. Marp —4J 171
Kingsbridge Rd. M9 —1J 115
Kingsbridge Rd. Duk —2F 139
Kingsbridge Rd. Oldh —2F 97
Kingsbridge Wlk. Hyde —7C 140

Kingsbrook Rd.—Lakeside Av.

Kingsbrook Rd. M16 —2E 150
Kingsbury Av. Bolt —4G 43
Kingsbury Ct. Bolt —4G 43
Kingsbury Ct. Lodge. Bolt —4G 43
Kingsbury Rd. M11 —6E 116
Kingscliffe St. M9 —7A 94
King's Clo. M18 —3H 137
Kings Clo. Bram —2H 181
Kings Clo. P'wch —2C 92
King's Clo. Wilm —7G 187
Kings Ct. Alt —7B 164
Kings Ct. Tyl —6F 87 (off Market St.)
Kingscourt Av. Bolt —3J 43
King's Cres. M16 —6B 134
King's Cres. Tyl —7E 86
Kingsdale Rd. M18 —5J 137
Kingsdown Cres. Wig —2E 60
Kingsdown Rd. M22 —3C 178
Kingsdown Rd. Abr —1K 105
Kingsdown Rd. Bolt —4B 44
Kingsdown Wlk. Stoc —5K 153
Kings Dri. Chea H —1C 180
Kings Dri. Marp —4J 171
King's Dri. Mid —6A 72
King's Dri. Stoc —7C 152
Kingsfield Dri. M20 —7J 151
Kingsfield Way. Ast —7H 87
Kingsfold Av. M40 —4J 115
Kingsfold Clo. Bolt —7G 45
Kingsford St. Salf —6H 113
King's Gdns. Leigh —3C 108
King's Ga. Bolt —6A 44
Kingsgate Rd. M22 —3C 178
Kings Gro. Roch —7A 14
Kings Gro. Stret —6K 133
Kingsheath Av. M11 —5D 116
Kingshill Ct. Stand —6A 38
Kingshill Rd. M21 —2A 150
Kingsholme Rd. M22 —2C 178
Kingsland. Roch —2E 50
Kingsland Clo. M40 —5K 115
Kingsland Rd. Farn —5C 66
Kingsland Rd. Roch —1D 50
Kingsland Rd. Stoc —4C 168
Kings La. Oldh —1J 75
Kings La. Stret —6K 133
Kings Lea. Adl —4H 19
Kingslea Rd. M20 —5J 151
Kingsleigh Rd. Stoc —6A 152
Kingsley Av. M9 —1B 116
Kingsley Av. Salf —1A 114
Kingsley Av. Stoc —6G 153
Kingsley Av. Stret —6K 133
Kingsley Av. Urm —7A 132
Kingsley Av. W'fld —7A 70
Kingsley Av. Wig —4B 82
Kingsley Av. Wilm —3J 187
Kingsley Clo. Ash L —3K 119
Kingsley Clo. Dent —1B 154
Kingsley Ct. Salf —7A 114
Kingsley Dri. Chea H —1C 180
Kingsley Dri. Lees —7J 75
Kingsley Gro. Aud —1A 138
Kingsley Rd. M22 —3D 166
Kingsley Rd. Hind —2D 84
Kingsley Rd. Mid —4D 72
Kingsley Rd. Oldh —1G 97
Kingsley Rd. Swint —6B 90
Kingsley Rd. Tim —4F 165
Kingsley Rd. Wor —3E 88
Kingsley St. Bolt —3K 43
Kingsley St. Bury —3F 47
Kingsley St. Leigh —7G 85
Kings Lynn Clo. M20 —7H 151
Kingsmead M. M9 —2J 93
Kingsmede. Wig —3F 61
Kingsmere Av. M19 —1B 152
Kingsmill Av. M19 —2D 152
Kingsmoor Fields. Glos —6F 143
Kingsmoor Rd. Glos —7F 143
Kingsnorth Clo. Bolt —4B 44
Kingsnorth Rd. Urm —5G 131
Kings Pk. Traf P —5F 133
King Sq. Oldh —1C 96
King Sq. Shopping Cen. Oldh —1C 96
Kings Rd. Ash M —3C 104
King's Rd. Ash L —4G 119
King's Rd. Aud —4J 137
Kings Rd. Bred —7E 154
Kings Rd. Chad —4G 95
Kings Rd. Chea H —1B 180
Kings Rd. Chor H —2C 150
Kings Rd. Golb —2J 125
Kings Rd. Haz G —1C 182
Kings Rd. Irl —4A 146
King's Rd. Oldh —2D 96
King's Rd. P'wch —5C 92
Kings Rd. Rad —6D 46
Kings Rd. Roch —7K 31
King's Rd. Sale —5D 148
King's Rd. Shaw —7E 52
King's Rd. Stret & Old T —1J 149
King's Rd. Wilm —5E 186
Kings Ter. Duk —7F 119
Kings Ter. Stret —6K 133
Kingston Arc. Hyde —7E 140
Kingston Av. M20 —2H 167
Kingston Av. Bolt —4E 44
Kingston Av. Chad —3J 95
Kingston Av. Mac —4H 199
Kingston Av. Oldh —5F 75
Kingston Clo. Salf —7D 92
Kingston Clo. Shaw —5F 53
Kingston Clo. Wig —4D 82
Kingston Ct. Manx —2H 167
Kingston Dri. Rytn —7A 52
Kingston Dri. Sale —5H 149
Kingston Dri. Urm —2K 147
Kingston Gdns. Hyde —6F 139
Kingston Gro. M9 —3B 94
Kingston Hill. Chea —7K 167
Kingston M. Fail —1K 117
Kingston Mill. Stoc —2F 169
Kingston Pl. Chea H —2A 180
Kingston Rd. M20 —2H 167
Kingston Rd. Fail —1K 117
Kingston Rd. Hand —7J 179
Kingston Rd. Rad —7G 47
Kingston St. Stoc —2F 169
King St. M2 —7F 115 (5H 5) (in two parts)
King St. Bolt —6A 44
King St. Brad —7F 25
King St. B'btm —2G 157
King St. Brom X —4B 24
King St. Del —2F 77
King St. Dent —3D 138 (Audenshaw)
King St. Dent —6D 138 (Denton)
King St. Droy —1J 137 (in two parts)
King St. Duk —7F 119
King St. Ecc —7D 112
King St. Fail —2F 117
King St. Farn —6F 67
King St. Glos —2E 158
King St. Heyw —4K 49
King St. Hind —1B 84
King St. Holl —4K 141
King St. Hor —1E 40
King St. Hyde —6H 139
King St. Ince —7J 61
King St. Knut —4D 192
King St. Lees —1K 97
King St. Leigh —4K 107
King St. Mac —3G 199
King St. Mid —5C 72
King St. Moss —6D 98
King St. Newt W —6D 124
King St. Oldh —7C 74
King St. Rad —4F 69
King St. Ram —5G 9
King St. Roch —5H 31
King St. Rytn —2B 74
King St. Salf —1E 114 (Hightown)
King St. Salf —3H 113 (Irlams o' th' Height)
King St. Salf —6E 114 (3F 4) (Salford)
King St. Stal —6A 120
King St. Stret —1H 149
King St. W'houg —5K 63
King St. Whitw —1F 13
King St. Wig —6E 60
King St. Woodf —4D 188
King St. E. Roch —6H 31
King St. E. Stoc —1H 169
King St. S. Roch —7G 31 (in two parts)
King St. W. M3 —7F 115 (5G 4)
King St. W. Stoc —2G 169
King St. W. Wig —6E 60
Kings Wlk. Droy —1J 137
Kingsway. M20 & M19 —4J 167
Kingsway. Alt —6B 164
Kingsway. Boll —3G 197
Kingsway. Bram —2H 181
Kingsway. Bred —7C 154
Kingsway. Duk —2J 139
Kingsway. Gat —6J 167
Kingsway. Ince —7H 61
Kingsway. Kear —1H 89
Kingsway. Mid —1D 94
Kingsway. Newt W —7E 124
Kingsway. Pen —2G 113
Kingsway. Roch —7K 31
Kingsway. St H —7A 102
Kingsway. Stret —1G 149
Kingsway. Urm —5C 132
Kingsway. Wig —4F 61
Kingsway. Wor —7F 89
Kingsway Av. M19 —1B 152
Kingsway Bldgs. M19 —5A 152
Kingsway Clo. Oldh —2C 96
Kingsway Cres. M19 —5A 152
Kingsway M. M22 —6E 166
Kingsway Pk. Urm —4A 132
Kingsway S. Chea H —5A 180
Kingswear Dri. Bolt —4J 43
Kingswood Gro. Stoc —1H 153
Kingswood Rd. M14 —2K 151
Kingswood Rd. Ecc —4K 111
Kingswood Rd. Mid —3B 72
Kingswood Rd. P'wch —2K 91
Kingthorpe Gdns. Bolt —2B 66
King William St. Ecc —5J 111
King William St. Salf —1A 134
King William St. Tyl —7F 87
King William St. Enterprise Zone. Salf —1A 134
Kingwood Av. Bolt —5F 43
Kingwood Cres. Wig —1K 81
Kinlet Rd. Wig —3J 81
Kinlett Wlk. M40 —5F 95
Kinley Clo. M12 —3B 136
Kinloch Dri. Bolt —6H 43
Kinloch St. M11 —6C 116
Kinloch St. Oldh —3E 96
Kinmel Av. Stoc —6A 154
Kinmel Wlk. M23 —5K 165
Kinmount Wlk. M9 —2K 115 (off Lathbury Rd.)
Kinnaird Cres. Stoc —3K 169
Kinnaird Rd. M20 —5H 151
Kinnerley Gro. Wor —6C 88
Kinniside Clo. Wig —5C 82
Kinross Av. Ash M —4J 103
Kinross Av. Stoc —1J 181
Kinross Dri. Bolt —1F 65
Kinross Rd. M14 —6A 136
Kinsale Wlk. M23 —1K 177
Kinsey Av. M23 —4K 165
Kinsley Dri. Wor —5E 88
Kintbury St. Bam —1H 105
Kintore Av. Haz G —1D 182
Kintore Wlk. M40 —3J 115 (off Keyhaven Wlk.)
Kintyre Av. Salf —7H 113
Kintyre Clo. M11 —7F 117
Kintyre Dri. Bolt —1E 64
Kinver Clo. Bolt —3J 65
Kinver Rd. M40 —5E 94
Kipling Av. Dent —3E 154
Kipling Av. Droy —5J 117
Kipling Av. Wig —3C 82
Kipling Clo. Stoc —4C 170
Kipling Gro. Leigh —1H 107
Kipling Rd. Oldh —4F 75
Kipling St. Salf —2D 114
Kippax St. M14 —6H 135
Kirby Av. Ath —2C 86
Kirby Av. Chad —4F 95
Kirby Av. Swint —3B 112
Kirby Clo. Bury —6J 47
Kirby Rd. Leigh —3J 107
Kirby Wlk. M4 —6J 115 (4P 5)
Kirby Wlk. Shaw —5F 53
Kirkbank St. Oldh —7B 74 (in two parts)
Kirkbeck. Leigh —5C 108
Kirkburn View. Bury —7G 27
Kirkby Av. M40 —1D 116
Kirkby Av. Sale —1G 165
Kirkby Dri. Sale —1G 165
Kirkby Rd. Bolt —5H 43
Kirkby Rd. Cul —6K 127
Kirkdale Av. M40 —5F 95
Kirkdale Dri. Rytn —1A 74
Kirkdale Gdns. Skel —7A 58
Kirkebrok Rd. Bolt —2G 65
Kirkfell Dri. Ast —1H 109
Kirkfell Dri. H Lane —4J 183
Kirkfell Wlk. Oldh —5D 74
Kirkgate Clo. M40 —5J 115 (2P 5)
Kirkhall La. Bolt —5J 43
Kirkhall La. Leigh —1J 107
Kirkhall Workshops, The. Bolt —5J 43
Kirkham Av. M18 —3F 137
Kirkham Av. Lwtn —3C 126
Kirkham Clo. Dent —6D 138
Kirkham Rd. H Grn —4J 179
Kirkham Rd. Leigh —6H 107
Kirkham St. Abr —7K 105
Kirkham St. Bolt —4D 44
Kirkham St. L Hul —2C 88
Kirkham St. Oldh —7C 74
Kirkham St. Salf —7J 113
Kirkhaven Sq. M40 —4A 116
Kirkhill Wlk. M40 —5F 95
Kirkholt Wlk. M9 —4A 94
Kirk Hope Dri. Bolt —4K 43
Kirk Hope Wlk. Bolt —4K 43
Kirklands. Bolt —3F 45
Kirklands. Sale —1E 164
Kirkland Wlk. M40 —5K 115
Kirklee Av. Chad —5J 73
Kirklee Rd. Roch —3F 51
Kirklees Clo. Tot —5D 26
Kirklees Ind. Est. Tot —6E 26
Kirklees St. Tot —5D 26
Kirklees Wlk. W'fld —6B 70
Kirkless La. Ince —5K 61
Kirkless St. Asp —3J 61
Kirkless St. Wig —6G 61
Kirkley St. Hyde —1H 155
Kirkman Av. Ecc —1A 132
Kirkman Clo. M18 —5F 137
Kirkmanshulme La. M12 & M18 —5B 136
Kirkman St. Bury —3K 69
Kirkpatrick St. Hind —4F 85
Kirk Rd. M19 —3D 152
Kirkstall. Roch —4G 31 (off Spotland Rd.)
Kirkstall Av. Heyw —2J 49
Kirkstall Av. L'boro —4E 14
Kirkstall Clo. Mac —1D 198
Kirkstall Clo. Poy —1B 190
Kirkstall Gdns. Rad —1C 68
Kirkstall Rd. Mid —3B 72
Kirkstall Rd. Urm —6C 132
Kirkstall Sq. M13 —3J 135
Kirkstead Clo. M11 —1C 136
Kirkstead Rd. Chea H —5D 180
Kirkstile Cres. Wig —5A 82
Kirkstile Pl. Clif —3C 90
Kirkstone. Wig —7J 59
Kirkstone Av. St H —7C 102
Kirkstone Av. Wor —6H 89
Kirkstone Clo. Oldh —5D 74
Kirkstone Dri. Mid —4A 72
Kirkstone Dri. Rytn —7B 52
Kirkstone Rd. M40 —5E 94
Kirkstone Rd. Hyde —4G 139
Kirk St. M18 —4F 137
Kirktown Wlk. Open —1E 136
Kirkwall Dri. Bolt —1D 66
Kirkway. M9 —3C 94
Kirkway. Mid —7C 72
Kirkway. Roch —3H 51
Kirkwood Dri. M40 —4J 115
Kirtley Av. Ecc —5B 112
Kirtlington Clo. Rytn —1E 74
Kirton Wlk. M9 —2J 93
Kitchener Av. Cad —6J 145
Kitchener St. Bolt —3D 66
Kitchener St. Bury —4F 47
Kitchen St. Roch —4J 31
Kitepool St. Ecc —4J 111
Kitter St. Roch —1K 31
Kitt Grn. Rd. Wig —3H 59
Kittiwake Clo. Ast —1G 109
Kitt's Moss La. Bram —6F 181
Kiveton Clo. Wor —5E 88
Kiveton Dri. Ash M —6E 104
Kiwi St. Salf —6A 114
Knacks La. Roch —6C 12
Knaresborough Clo. Stoc —1G 153
Knaresborough Rd. Hind —3C 84
Knarr Barn La. Dob —3D 76
Knarr La. Del —4E 76
Knight Cres. Mid —3K 71
Knightley Wlk. M40 —3K 115
Knightsbridge. M4 —6G 115 (4J 5) (off Arndale Shopping Cen.)
Knightsbridge. Stoc —1H 169
Knightsbridge Clo. Salf —7D 92
Knightsbridge M. M20 —6H 151
Knightscliffe Cres. Shev —7D 36
Knight's Clo. Mac —4G 199
Knights Clo. P'wch —2B 92
Knight's Ct. Salf —6E 112
Knightshill Cres. Wig —5B 60
Knight St. M20 —1H 167
Knight St. Ash L —6D 118
Knight St. Bolt —5B 44
Knight St. Bury —3G 47
Knight St. Hyde —1J 155
Knight St. Mac —4G 199
Knightswood. Bolt —3F 65
Knightwake Rd. N Mills —4G 185
Kniveton Clo. M12 —3B 136
Kniveton Rd. M12 —2B 136
Kniveton St. Hyde —6K 139
Knob Hall Gdns. M23 —1K 177
Knole Av. Poy —1D 190
Knoll St. Roch —2D 50
Knoll St. Salf —1D 114
Knoll, The. Alt —6K 163
Knoll, The. Moss —6B 98
Knoll, The. Shaw —7H 53
Knott Fold. Hyde —2H 155
Knott Hill La. Del —3E 76
Knott La. Bolt —3F 43
Knott La. Hyde —2H 155
Knott Lanes. Oldh —7D 96
Knott's Houses. Leigh —7G 107
Knott St. Ash L —7D 118
Knott St. Salf —7H 113
Knowe Av. M22 —3D 178
Knowl Clo. Dent —7J 137
Knowl Clo. Ram —7G 9
Knowldale Way. M12 —4A 136
Knowle Av. Ash L —4D 118
Knowle Dri. P'wch —5A 92
Knowle Grn. Hand —2J 187
Knowle Pk. Hand —2J 187
Knowle Rd. Mell —5C 172
Knowles Av. Wig —3B 82
Knowles Ct. Salf —5E 112
Knowles Edge St. Bolt —3J 43
Knowles La. Lees —2K 97
Knowles Pl. M15 —3G 135
Knowles Pl. Wig —6G 61
Knowles St. Ince —1F 83
Knowles St. Rad —2E 68
Knowle's Vs. Wig —3B 82
Knowl Hill Dri. Roch —2A 30
Knowl La. Roch —6H 11
Knowl Rd. Roch —5B 32
Knowl Rd. Shaw —7G 53
Knowls, The. Oldh —6A 96
Knowl St. Oldh —5A 96
Knowl St. Stal —6B 120
Knowl Syke St. Ward —4A 14
Knowl Top La. Upperm —7K 77
Knowl View. L'boro —2D 32
Knowl View. Tot —6E 26
Knowsley. Spring —7A 76
Knowsley Av. Ath —3C 86
Knowsley Av. Golb —1K 125
Knowsley Av. Salf —1B 134
Knowsley Av. Spring —7A 76
Knowsley Av. Urm —5A 132
Knowsley Cres. Stoc —3K 169
Knowsley Dri. Leigh —6H 107
Knowsley Dri. Spring —7A 76
Knowsley Dri. Swint —2B 112
Knowsley Grange. Bolt —6D 42
Knowsley Grn. Salf —1B 134 (off Knowsley Av.)
Knowsley Grn. Spring —7A 76
Knowsley Gro. Hor —4H 41
Knowsley La. Hth C —1B 20
Knowsley Rd. Ain —4A 46
Knowsley Rd. Bolt —3H 43
Knowsley Rd. Haz G —4D 182
Knowsley Rd. Mac —6E 198
Knowsley Rd. Stoc —3K 169
Knowsley Rd. W'fld —6K 69
Knowsley Rd. Wig —3C 60
Knowsley St. M8 —4F 115
Knowsley St. Bolt —5B 44
Knowsley St. Bury —4J 47
Knowsley St. Leigh —3H 107
Knowsley St. Roch —4G 31
Knowsley Ter. Spring —7A 76
Knowsley Ter. Stoc —3K 169
Knutsford Av. M16 —5D 134
Knutsford Av. Sale —6J 149
Knutsford Av. Stoc —3F 153
Knutsford Rd. M18 —4E 136
Knutsford Rd. Knut —3G 193
Knutsford Rd. Mob & Ald E —4A 194
Knutsford Rd. Wilm —3E 194
Knutsford Rd. Wlk. Mac (off Wilmslow Wlk.) —4G 199
Knutsford St. Salf —6J 113
Knutsford View. Haleb —4G 177
Knutshaw Cres. Bolt —4D 64
Knypersley Av. Stoc —4A 170
Kranj Way. Oldh —7D 74
Krokus Sq. Chad —7J 73
Kyle Ct. Haz G —3D 182
Kylemore Av. Bolt —1H 65
Kyle Rd. Haz G —3D 182
Kynder St. Dent —6D 138

Labtec St. Pen —6F 91
Laburnam St. Ash M —6D 104
Laburnum Av. Ash L —2G 119
Laburnum Av. Ath —4E 86
Laburnum Av. Aud —7A 118
Laburnum Av. Chad —5K 73
Laburnum Av. Ecc —1J 131
Laburnum Av. Fail —2H 117
Laburnum Av. Hyde —2H 155
Laburnum Av. Ince —1H 83
Laburnum Av. Leigh —7J 85
Laburnum Av. Shaw —7F 53
Laburnum Av. Stal & Duk —1K 139
Laburnum Av. Swint —2C 112
Laburnum Av. Tot —5D 26
Laburnum Av. W'fld —7K 69
Laburnum Ct. Tot —5D 26
Laburnum Dri. Bury —5A 70
Laburnum Gro. Hor —4J 41
Laburnum Gro. P'wch —1A 92
Laburnum Gro. Tyl —6K 87
Laburnum Gro. Wig —2C 60
Laburnum Ho. Shaw —7F 53
Laburnum La. Hale —4C 176
Laburnum La. Miln —2E 52
Laburnum Lodge. Bolt —5H 45
Laburnum Pk. Bolt —7D 24
Laburnum Rd. M18 —5F 137
Laburnum Rd. Cad —5K 145
Laburnum Rd. Dent —6H 137
Laburnum Rd. Farn —6D 66
Laburnum Rd. Lwtn —2D 126
Laburnum Rd. Mac —6G 199
Laburnum Rd. Mid —6E 72
Laburnum Rd. Oldh —7A 96
Laburnum Rd. Urm —5K 131
Laburnum Rd. Wor —5G 89
Laburnum St. Ath —4E 86
Laburnum St. Bolt —5K 43
Laburnum St. Salf —6K 113
Laburnum Ter. Roch —1G 51
Laburnum Vs. Oldh —6E 96
Laburnum Vs. Urm —7C 132 (off Cavendish Rd.)
Laburnum Wlk. Sale —5A 148
Laburnum Way. L'boro —6D 14
Laburnum Way. Stoc —3D 168
Lacey Av. Wilm —4H 187
Lacey Clo. Wilm —4H 187
Lacey Ct. Wilm —4H 187
Lacey Grn. Wilm —5H 187
Lacey Gro. Wilm —4J 187
Lackford Dri. M40 —4J 115 (1P 5)
Lacrosse Av. Oldh —3A 96
Lacy Gro. Stret —1H 149
Lacy St. Stoc —3H 169
Lacy St. Stret —1H 149
Lacy Wlk. M12 —1A 136
Ladbrooke Clo. Ash L —4G 119
Ladbrooke Rd. Ash L —3F 119
Ladcastle Rd. G'fld —1G 99
Ladhill La. G'fld —2H 99
Ladies La. Hind —1B 84
Ladies Mile. Knut —4C 192
Ladies' Wlk. Ath —5C 86
Ladybarn Av. Golb —2H 125
Ladybarn Ct. Manx —3K 151 (off Ladybarn Shopping Cen.)
Ladybarn Cres. M14 —3K 151
Ladybarn Cres. Bram —6H 181
Ladybarn La. M14 —2K 151
Ladybarn Rd. M14 —2K 151
Ladybarn Shopping Cen. Manx —3K 151
Ladybower. Chea H —1E 180
Ladybridge Av. Wor —7E 88
Lady Bri. Brow. Bolt —6F 43
Lady Bri. La. Bolt —6F 43
Ladybridge Rise. Chea H —1D 180
Ladybridge Rd. Chea H —2D 180
Ladybrook Av. Tim —3F 165
Ladybrook Gro. Wilm —3K 187
Ladybrook Rd. Bram —3E 180
Ladyfield St. Wilm —6H 187
Ladyfield Ter. Wilm —6J 187
Lady Harriet Wlk. Wor —4E 88
Ladyhill View. Wor —7E 88
Ladyhouse Clo. Miln —7E 32
Lady Ho. Fold. Miln —1D 52 (off Ashfield La.)
Ladyhouse La. Miln —1D 52 (in two parts)
Lady Kelvin Rd. Alt —5A 164
Ladylands Av. M11 —6E 116
Lady La. Croft —7G 127
Lady La. Wig —3A 82
Ladymere Dri. Wor —7D 88
Ladypit Rd. H Peak —7K 185
Lady Rd. Lees —1J 97
Ladys Clo. Poy —1C 190
Ladyshore Clo. Salf —6K 113
Ladyshore Rd. L Lev —4A 68
Lady's Incline. Poy —1C 190
Ladysmith Av. Ash M —5E 104
Ladysmith Av. Bury —7A 28
Ladysmith Dri. Ash L —3K 119
Ladysmith Rd. M20 —7J 151
Ladysmith Rd. Ash L —3K 119
Ladysmith Rd. Stal —4A 120
Ladysmith St. Oldh —4A 96
Ladysmith St. Stoc —4G 169
Ladysmith, The. Ash L —3K 119
Ladythorn Av. Marp —6A 172
Ladythorn Cres. Bram —6H 181
Ladythorne Av. P'wch —5A 92
Ladythorne Ct. P'wch —5A 92
Ladythorne Dri. P'wch —5A 92
Ladythorn Gro. Bram —5H 181
Ladythorn Rd. Bram —5G 181
Ladywell Av. L Hul —3C 88
Ladywell Clo. Haz G —2J 181
Ladywell Gro. L Hul —2C 88
Ladywell Trad. Est. Salf —6F 113
Lafford La. Uph —6C 58
Lagan Wlk. M22 —2D 178
Lagos Clo. M14 —5G 135
Laindon Rd. M14 —5A 136
Laithwaite Rd. Wig —7K 59
Lake Bank. L'boro —1E 32
Lake Dri. Mid —7B 72
Lakeland Av. Ash M —4E 104
Lakeland Ct. Mid —4K 71
Lakeland Cres. Bury —7J 47
Lakeland Dri. Rytn —5A 52
Lakelands Clo. Mac —3H 199
Lakelands Dri. Bolt —1F 65
Lakelands, The. Blac —4C 40
Lakenheath Dri. Bolt —6B 24
Lake Rd. Dent —5D 138
Lake Rd. Stal —4K 119
Lake Rd. Traf P —2G 133
Lakes Dri. Orr —1E 80
Lakeside. Bury —1K 69
Lakeside. Duk —1F 139
Lakeside. Had —3C 142
Lake Side. Leigh —2H 107
Lake Side. L'boro —2E 32
Lakeside Av. Ash L —4D 118
Lakeside Av. Bil —4E 80
Lakeside Av. Bolt —4C 66

Lakeside Av. *Wor* —2F **89**
Lakeside Clo. *M18* —3H **137**
Lakeside Dri. *Poy* —7C **182**
Lakeside Grn. *Stoc* —5A **170**
Lakeside Way. *Bury* —4K **47**
Lakes Rd. *Duk* —1G **139**
Lakes Rd. *Marp* —5A **172**
Lake St. *Bolt* —1B **66**
Lake St. *Leigh* —2A **108**
Lake St. *Stoc* —6K **169**
Lakeswood Ct. *Stoc* —6B **152**
Lake View. *M9* —5C **94**
Lake View. *H Peak* —7K **185**
Lake View. *L'boro* —4D **14**
Lake Wlk. *Wig* —7H **59**
Lakin St. *M40* —1C **116**
Laleham Grn. *Bram* —1F **181**
Lamb Clo. *M12* —4B **136**
Lamb Ct. *Salf* —6E **114** (4E **4**)
Lamberhead Ho. *Wig* —1H **81**
Lamberhead Ind. Est. *Wig* —1J **81**
Lamberhead Rd. *Wig* —1H **81**
Lambert Dri. *Sale* —4B **148**
Lamberton Dri. *M23* —5J **165**
Lambert St. *Ash L* —7D **118**
Lambeth Av. *Fail* —7K **95**
Lambeth Clo. *Hor* —2H **41**
Lambeth Gro. *Woodl* —5E **154**
Lambeth Rd. *M40* —4E **116**
Lambeth Rd. *Stoc* —2H **153**
Lambeth St. *Ath* —4B **86**
Lambeth Ter. *Roch* —7F **31**
Lambgates. *Had* —4C **142**
Lamb La. *Ash* —7B **176**
Lamb La. *Salf* —6E **114** (4E **4**)
Lambley Clo. *Leigh* —7H **85**
Lambourn Clo. *Bolt* —1A **66**
Lambourn Clo. *Poy* —1B **190**
Lambourne Clo. *M22* —4D **178**
Lambourne Gro. *Miln* —7D **32**
Lambourn Rd. *Urm* —5F **131**
Lambrook Wlk. *M40* —4F **117**
Lambs Fold. *Stoc* —5F **153**
Lamb St. *Wig* —5G **61**
Lambton Rd. *M21* —2D **150**
Lambton Rd. *Wor* —2A **112**
Lambton St. *Bolt* —4J **65**
Lambton St. *Ecc* —4K **111**
Lambton St. *Wig* —2J **81**
Lamburn Av. *M40* —5F **95**
Lamb Wlk. *Dent* —3E **154**
Lamorna Clo. *Salf* —7B **92**
Lamphey Clo. *Bolt* —5D **42**
Lamport Clo. *M1* —2H **135** (9L **5**)
Lamport Ct. M1 —2H **135** (9L **5**)
(off Lamport Clo.)
Lampson St. *M8* —4E **114**
Lamsholme Clo. *M19* —7C **136**
Lanark Av. *M22* —3D **166**
Lanark Clo. *Haz G* —2E **182**
Lanark Clo. *Heyw* —4F **49**
Lanark Wlk. *Mac* —1B **198**
Lanbury Dri. *M8* —1F **115**
Lancashire Ct. *Oldh* —2A **96**
Lancashire Hill. *Stoc* —7G **153**
Lancashire Lodge. *Uph* —2A **80**
Lancashire Rd. *Part* —1A **162**
Lancashire St. *M40* —3B **116**
Lancaster Av. *Ath* —5E **86**
Lancaster Av. *Fail* —1G **117**
Lancaster Av. *Farn* —5B **66**
Lancaster Av. *Golb* —1A **126**
Lancaster Av. *Hor* —3H **41**
Lancaster Av. *Mid* —7E **72**
Lancaster Av. *Ram* —7E **8**
Lancaster Av. *Stal* —5A **120**
Lancaster Av. *Tyl* —4G **87**
Lancaster Av. *Urm* —6C **132**
Lancaster Av. *W'fld* —7A **70**
Lancaster Clo. *Adl* —5K **19**
Lancaster Clo. *Bolt* —6C **44**
Lancaster Clo. *Haz G* —4B **182**
Lancaster Clo. *Newt W* —5B **124**
Lancaster Clo. *Rom* —2E **170**
Lancaster Ct. *M19* —2B **152**
Lancaster Ct. *M40* —4E **116**
Lancaster Ct. *Leigh* —4B **108**
Lancaster Ct. *Mac* —3G **199**
Lancaster Dri. *Bury* —4K **27**
Lancaster Dri. *L Lev* —2K **67**
Lancaster Dri. *P'wch* —5C **92**
Lancaster Ho. *Salf* —7C **92**
Lancaster Ho. Stoc —3G **169**
(off York St.)
Lancaster Pl. *Adl* —4J **19**
Lancaster Rd. *M20* —7G **151**
Lancaster Rd. *Cad* —5J **145**
Lancaster Rd. *Dent* —1D **154**
Lancaster Rd. *Droy* —5H **117**
Lancaster Rd. *Hind* —1C **84**
Lancaster Rd. *Salf* —2F **113**
Lancaster Rd. *Wig* —5J **59**
Lancaster Rd. *Wilm* —4A **188**
Lancaster Sq. *Rytn* —1B **74**
Lancaster St. *Chad* —3J **95**
Lancaster St. *Cop* —3B **18**
Lancaster St. *Ince* —1G **83**
Lancaster St. *Moss* —6B **98**
Lancaster St. *Rad* —3C **68**
Lancaster St. *Stoc* —1J **169**
Lancaster Ter. Bolt —3A **44**
(off Boardman St.)
Lancaster Ter. *Roch* —2K **29**
Lancaster Wlk. *Bolt* —3A **44**
Lancaster Wlk. *Wig* —5K **59**
Lancaster Way. *Wing I* —3H **63**
Lancastrian Ho. *P'wch* —6C **92**
Lancelot Rd. *M22* —2F **179**
Lancelyn Dri. *Wilm* —5K **187**
Lancewood Pl. *Wig* —1K **81**
Lanchester Dri. *Bolt* —1K **65**
Lanchester St. *M40* —5A **116**
Lancing Av. *M20* —7K **151**
Lancing Wlk. *Chad* —1J **95**
Landcross Rd. *M14* —1J **151**
Landedmans. *W'houg* —7K **63**
Landells Wlk. *M40* —3C **116**
Lander Gro. *M9* —4B **94**
Landfall Wlk. *M8* —3E **114**
Landfield Dri. *M8* —1F **115**
Land Ga. La. *Ash M* —1B **104**
Land La. *Wilm* —7J **187**
Landmark Ct. Bolt —4G **43**
(off Bk. Markland Hill La. E.)
Landor Clo. *Lwtn* —1C **126**
Landor Ct. *Dent* —6H **137**
Landore Clo. *Rad* —2F **69**
Landos Ct. *M40* —5J **115** (2P **5**)
Landos Rd. *M40* —5J **115** (2P **5**)
Landrace Dri. *Wor* —2D **110**
Landsberg Rd. *Fail* —7K **95**
Landsberg Ter. *Fail* —7K **95**
Landsdowne Dri. *Wor* —6E **88**
Landseer Dri. *Mac* —3A **198**
Landseer Dri. *Marp B* —4B **172**
Landseer St. *Oldh* —2E **96**
Lands End Rd. *Mid* —7H **71**
Landside. *Leigh* —6K **107**
Landstead Dri. *M40* —6A **116**
Land St. *Wig* —6D **60**
Lane Brow. *Grot* —2B **98**
Lane Dri. *Grot* —2B **98**
Lane End. *Ecc* —7D **112**
Lane End. *Heyw* —5B **50**
Lane End Clo. *Fail* —2J **117**
Lane End Rd. *M19* —6K **151**
Lane Ends. *Rom* —7H **155**
Lanegate. *Hyde* —2H **155**
Lane Head Av. *Lwtn* —7C **106**
Lane Head Rd. *Oldh* —3K **97**
Lane Ings. *Mars* —1J **57**
Lanesfield Wlk. M8 —7J **93**
(off Crescent Rd.)
Laneside Av. *Shaw* —6H **53**
Laneside Clo. *L'boro* —5E **14**
Laneside Dri. *Bram* —3J **181**
Laneside Rd. *M20* —3J **167**
Laneside Rd. *N Mills* —4K **185**
Laneside Rd. *Row* —5K **173**
Laneside Wlk. *Miln* —5D **32**
Lane, The. *Bolt* —6D **42**
Langcliffe Clo. *Cul* —6J **127**
Langcliffe Wlk. *M18* —4E **136**
Langcroft Dri. *M40* —3E **116**
Langdale Av. *M19* —2D **152**
Langdale Av. *Ince* —6K **61**
Langdale Av. *Lwtn* —7A **106**
Langdale Av. *Lymm* —7F **161**
Langdale Av. *Oldh* —3B **96**
Langdale Av. *Roch* —5A **52**
Langdale Av. *Wig* —3D **60**
Langdale Clo. *Dent* —1C **154**
Langdale Clo. *Gat* —1J **179**
Langdale Clo. *H Lane* —4J **183**
Langdale Clo. *Mac* —6B **198**
Langdale Clo. *Tim* —6C **164**
Langdale Ct. *M8* —2H **115**
Langdale Cres. *Abr* —7K **83**
Langdale Cres. *Orr* —6H **59**
Langdale Dri. *Bury* —3A **70**
Langdale Dri. *Mid* —3B **72**
Langdale Dri. *Wor* —6H **89**
Langdale Gro. *Plat B* —5K **83**
Langdale Rd. *M14* —5K **135**
Langdale Rd. *Bram* —7E **180**
Langdale Rd. *Hind* —2C **84**
Langdale Rd. *Orr* —7H **59**
Langdale Rd. *Part* —7A **146**
Langdale Rd. *Sale* —2C **164**
Langdale Rd. *Stoc* —4E **152**
Langdale Rd. *Stret* —6G **133**
Langdale Rd. *Woodl* —5F **155**
Langdale St. *Bolt* —3A **66**
Langdale St. *Farn* —7E **66**
Langdale St. *Leigh* —3J **107**
Langdale Ter. *Stal* —4A **120**
Langden Clo. *Cul* —4H **127**
Langden Clo. *Shaw* —5E **52**
Langdon Clo. *Bolt* —4K **43**
Langfield. *Lwtn* —2C **126**
Langfield Av. *M16* —6D **134**
Langfield Cres. *Droy* —6A **118**
Langfield Wlk. *Salf* —6K **113**
Langford Dri. *Irl* —1C **146**
Langford Gdns. *Bolt* —2A **66**
Langford Rd. *M20* —4G **151**
Langford Rd. *Stoc* —6E **152**
Langford St. *Dent* —6D **138**
Langford St. *Mac* —3E **198**
Langham Clo. *Bolt* —6C **24**
Langham Ct. *Manx* —6F **151**
Langham Ct. *Stret* —5E **132**
Langham Gro. *Tim* —3F **165**
Langham Rd. *Bow* —2K **175**
Langham Rd. *Oldh* —3C **96**
Langham Rd. *Salf* —6K **113**
Langham Rd. *Stand* —4K **37**
Langham Rd. *Stoc* —2D **168**
Langham St. *Ash L* —3E **118**
(in two parts)
Langham St. Ind. Est. *Ash L* —3E **118**
Langholm Clo. *Wins* —4K **81**
Langholm Dri. *Bolt* —7H **45**
Langholme Clo. *M15* —2D **134** (10D **4**)
Langholme Pl. *Ecc* —6K **111**
(in two parts)
Langholme Way. *Heyw* —4F **49**
Langholm Rd. *Ash M* —5J **103**
Langland Clo. *M9* —3A **94**
Langland Clo. *Lev* —1F **153**
Langley Av. *Grot* —2B **98**
Langley Av. *Haz G* —3K **181**
Langley Av. *Mid* —2A **72**
Langley Av. *Newt W* —7E **124**
Langley Av. *P'wch* —1B **92**
Langley Clo. *Lwtn* —7A **106**
Langley Clo. *Stand* —3A **38**
Langley Clo. *Urm* —7C **132**
Langley Ct. *Had* —4C **142**
Langley Ct. *Salf* —6E **92**
Langley Cres. *P'wch* —1B **92**
Langley Dri. *Bolt* —1J **65**
Langley Dri. *Glos* —2H **159**
Langley Dri. *Hand* —2A **188**
Langley Dri. *Wor* —2B **110**
Langley Gdns. *P'wch* —1B **92**
Langley Ga. *P'wch* —1B **92**
Langley Gro. *P'wch* —1B **92**
Langley Hall Clo. *Lang* —7K **199**
Langley Hall Rd. *P'wch* —1B **92**
Langley Ho. *Mid* —3C **72**
Langley La. *Heyw & Mid* —2J **71**
Langley Platt La. *Ath* —7C **86**
Langley Rd. *M14* —1J **151**
Langley Rd. *Lang* —7J **199**
Langley Rd. *Pen & Salf* —7K **91**
Langley Rd. *P'wch* —2A **92**
Langley Rd. *Sale* —7C **148**
Langley Rd. S. *Salf* —2K **113**
Langley St. *Wig* —1K **81**
Langness St. *M11* —7E **116**
Lango St. *M16* —5C **134**
Langport Av. *M12* —3A **136**
Langroyd Wlk. M8 —1F **115**
(off Highshore Dri.)
Langset Av. *Hind* —1B **84**
Langsett Av. Glos —1K **157**
(off Langsett La.)
Langsett Av. *Salf* —5G **113**
Langsett Grn. Glos —1K **157**
(off Langsett La.)
Langsett Gro. Glos —1K **157**
(off Langsett La.)
Langsett La. *Glos* —1K **157**
Langsett Lea. Glos —1K **157**
(off Langsett La.)
Langsett Ter. *Glos* —1K **157**
Langshaw Rd. *Bolt* —1J **65**
Langshaw St. *M16* —5C **134**
Langshaw St. *Salf* —7K **113**
Langshaw Wlk. *Bolt* —1J **65**
Langside Av. *M9* —3A **94**
Langside Dri. *Bolt* —2E **64**
Langstone Clo. *Hor* —2F **41**
Langston Grn. *Haz G* —3J **181**
Langston St. *M3* —5F **115** (1G **4**)
Langthorne St. *M19* —2D **152**
Langthorne Wlk. *Bolt* —7K **43**
Langton Av. *Stand* —4A **38**
Langton Clo. *Fail* —7A **96**
Langton Ct. Plat B —4J **83**
(off Moss La.)
Langton Pl. *Stand* —4A **38**
Langton St. *Heyw* —2K **49**
Langton St. *Mid* —6C **72**
Langton St. *Salf* —6J **113**
Langton Ter. *Roch* —1G **51**
Langtree Clo. *Wor* —7D **88**
Langtree La. *Stand* —2K **37**
Langwell Clo. *Bchwd* —5A **144**
Langworthy Av. *L Hul* —2D **88**
Langworthy Rd. *M40* —1C **116**
Langworthy Rd. *Salf* —4K **113**
Lanhill Dri. *M8* —2J **115**
Lankro Way. *Ecc* —7D **112**
Lanreath Clo. *Mac* —2A **198**
Lanreath Wlk. M8 —2H **115**
(off Geneva Wlk.)
Lansbury Ho. *M16* —6D **134**
Lansbury St. *Orr* —1G **81**
Lansdale Gdns. *M19* —5A **152**
Lansdale St. *Ecc* —1J **131**
Lansdale St. *Farn* —6G **67**
Lansdale St. *Wor* —2F **89**
Lansdown Clo. *Chea H* —5E **180**
Lansdowne. *Cul* —7J **127**
Lansdowne Av. *Aud* —7A **118**
Lansdowne Av. *Rom* —1H **171**
Lansdowne Clo. *Bolt* —4D **44**
Lansdowne Ct. *Chad* —1K **95**
Lansdowne Ho. *Manx* —1H **167**
Lansdowne Rd. *M8* —6G **93**
Lansdowne Rd. *Ath* —2F **87**
Lansdowne Rd. *Bolt* —3D **44**
Lansdowne Rd. *B'hth* —5B **164**
Lansdowne Rd. *Chad* —1A **96**
Lansdowne Rd. *Ecc* —5B **112**
Lansdowne Rd. *Sale* —4E **148**
Lansdowne Rd. *Urm* —2G **147**
Lansdowne Rd. N. *Urm* —1G **147**
Lansdowne St. *Mac* —2G **199**
Lansdowne St. *Roch* —5E **30**
Lansdowne Ter. Wig —5E **60**
(off Earl St.)
Lapford St. *M11* —2F **137**
Lapwing Clo. *Lwtn* —1B **126**
Lapwing Clo. *Newt W* —6E **124**
Lapwing Clo. *Roch* —5A **30**
Lapwing Clo. *Stal* —4A **120**
Lapwing Ct. *Manx* —5G **151**
Lapwing La. *M20* —5G **151**
Lapwing La. *Stoc* —3K **153**
Larch Av. *Chea H* —3C **180**
Larch Av. *Mac* —6C **198**
Larch Av. *Newt W* —7E **124**
Larch Av. *Rad* —5F **69**
Larch Av. *Stret* —1H **149**
Larch Av. *Swint* —2A **112**
Larch Av. *Wig* —1K **81**
Larch Clo. *M23* —3G **165**
Larch Clo. *Bil* —3D **102**
Larch Clo. *Fail* —2H **117**
Larch Clo. *Lwtn* —3D **126**
Larch Clo. *Marp* —6J **171**
Larch Clo. *Poy* —2D **190**
Larch Ct. *Salf* —5A **114**
Larches, The. *Moss* —6D **98**
Larch Gro. *Ath* —3C **86**
Larch Gro. *Chad* —6K **73**
Larch Gro. *Lees* —6J **75**
Larch Gro. *Wdly* —5K **89**
Larch Rd. *Dent* —6E **138**
Larch Rd. *Ecc* —4J **111**
Larch Rd. *Hayd* —2A **124**
Larch Rd. *Leigh* —7J **85**
Larch Rd. *Part* —7A **146**
Larch St. *Bury* —3B **48**
Larch St. *Oldh* —2B **96**
Larchview Rd. *Mid* —6E **72**
Larchway. *Bram* —5E **180**
Larchway. *Firg* —5B **32**
Larch Way. *Glos* —2H **159**
Larchway. *H Lane* —5K **183**
Larchwood. *Chad* —6G **73**
Larchwood Av. *M9* —1B **116**
Larchwood Clo. *Sale* —6A **148**
Larchwood Dri. *Wig* —2D **60**
Larchwood Dri. *Wilm* —5A **188**
Larchwood St. *Bolt* —3B **44**
Larden Wlk. *M8* —2F **115**
Large Pl. *Newt H* —3E **116**
Largs Wlk. *M23* —5K **165**
Larkfield Av. *L Hul* —2B **88**
Larkfield Av. *Wig* —2D **60**
Larkfield Clo. *Ash L* —1F **119**
Larkfield Clo. *G'mnt* —2D **26**
Larkfield Gro. *Bolt* —5D **44**
Larkfield Gro. *L Hul* —2B **88**
Larkfield M. *L Hul* —2B **88**
Lark Hall Clo. *Mac* —4J **199**
Lark Hall Cres. *Mac* —4J **199**
Lark Hall Rd. *Mac* —4J **199**
Larkhill. *Farn* —7F **67**
Lark Hill. *Stal* —3A **120**
Lark Hill. *Stoc* —3E **168**
Larkhill Av. *Stand* —5B **38**
Larkhill Clo. *Tim* —5F **165**
Lark Hill Cotts. *N Mills* —4G **185**
Lark Hill Ct. *Mid* —6C **72**
Lark Hill La. *Dob* —2G **77**
Larkhill Pl. *Roch* —2G **31**
Larkhill Rd. *Chea H* —6E **168**
Lark Hill Rd. *Dob* —4F **77**
Lark Hill Rd. *Stoc* —3F **169**
Larkhill View. *Chea H* —6E **168**
Larkhill Wlk. *M8* —2H **115**
Larkside Av. *Wor* —4G **89**
Larks Rise. *Droy* —5B **118**
Lark St. *Bolt* —5B **44**
Lark St. *Farn* —7F **67**
Lark St. *Oldh* —3H **75**
Lark St. *Rad* —3B **68**
Larkswood Dri. *Stoc* —6D **170**
Larkwood Clo. *C'brk* —1E **120**
Larmuth Av. *M21* —4C **150**
Larne Av. *Stoc* —4D **168**
Larne Av. *Stret* —7G **133**
Larne St. *M11* —1C **136**
Larwood Av. *Stoc* —2C **168**
Lascar Av. *Salf* —1A **134**
Lashbrook Clo. *M40* —4K **115**
Lassell Fold. *Hyde* —3B **140**
Lassell St. *M11* —2H **137**
(in two parts)
Lassington Av. *Open* —1F **137**
Lastingham St. *M40* —2E **116**
Latchford St. *Ash L* —4E **118**
Latchmere Rd. *M14* —2J **151**
Latham Av. *Newt W* —5E **124**
Latham Clo. *Bred P* —5D **154**
Latham La. *Orr* —5G **59**
Latham Rd. *Blac* —2A **40**
Latham Row. *Hor* —2K **41**
Latham St. *M11* —2H **137**
Latham St. *Bolt* —3B **44**
Lathbury Rd. *M9 & M40* —1K **115**
Lathom Gro. *Sale* —7J **149**
Lathom Hall Av. *Spring* —7A **76**
Lathom Rd. *M20* —3K **151**
Lathom Rd. *Irl* —2B **146**
Lathom St. *Bury* —1A **48**
Lathom Way. *Mac* —1H **199**
Latimer Clo. *Orr* —7F **59**
Latimer St. *Oldh* —1E **96**
Latins St. *Roch* —6G **31**
Latrigg Cres. *Mid* —4J **71**
Latrobe St. *Droy* —1J **137**
Lauderdale Cres. *M13* —3J **135**
Launceston Clo. *Bram* —5H **181**
Launceston Rd. *Hind* —4G **85**
Launceston Rd. *Rad* —1A **68**
Laundry St. *Salf* —4K **113**
Laura St. *Bury* —2G **27**
Laureate's Pl. *Spring* —7B **76**
Laurel Av. *M14* —7G **135**
Laurel Av. *Chad* —6F **73**
Laurel Av. *Chea* —6K **167**
Laurel Av. *Newt W* —6F **125**
Laurel Bank. *Hyde* —2G **155**
Laurel Bank. *Stal* —1B **140**
Laurel Ct. *Roch* —6K **31**
Laurel Ct. *Stoc* —6D **152**
Laurel Cres. *Hind* —4E **84**
Laurel Dri. *L Hul* —3C **88**
Laurel Dri. *Tim* —7F **165**
Laurel End La. *Heat M* —7C **152**
Laurel Grn. *Dent* —7E **138**
Laurel Gro. *M20* —4H **151**
Laurel Gro. *Ash M* —4D **104**
Laurel Gro. *Leigh* —7J **85**
Laurel Gro. *Lwtn* —1B **126**
Laurel Gro. *Salf* —6G **113**
Laurel Rd. *Stoc* —6D **152**
Laurels Dri. *L'boro* —1D **32**
Laurels, The. *Moss* —6D **98**
Laurel St. *Bolt* —6J **43**
Laurel St. *Bury* —3B **48**
Laurel St. *Mid* —6F **73**
Laurel St. *Oldh* —1F **97**
Laurel St. *Stoc* —1G **169**
Laurel St. *Tot* —6D **26**
Laurel St. *Wig* —7B **60**
Laurel Wlk. *Part* —1A **162**
Laurel Way. *Bram* —4E **180**
Laurence Clo. *M12* —3D **136**
Laurence Lowry Ct. *Pen* —6D **90**
Lauria Ter. *Ain* —4B **46**
Laurie Pl. *Roch* —3H **31**
Lausanne Rd. *M20* —3H **151**
Lausanne Rd. *Bram* —1G **181**
Lavender Clo. *M23* —2J **165**
Lavender Clo. *Sale* —5A **148**
Lavender Rd. *Farn* —5C **66**
Lavender Rd. *Oldh* —3J **97**
Lavender Rd. *Wig* —3B **60**
Lavenders Brow. *Stoc* —2H **169**
Lavender St. *Rad* —3B **68**
Lavender Wlk. *Ash M* —3K **103**
Lavender Wlk. *Part* —1A **162**
Lavenham Av. *M11* —7F **117**
Lavenham Clo. *Bury* —3K **69**
Lavenham Clo. *Haz G* —4C **182**
Lavenham Clo. *Mac* —1E **198**
Laverton Clo. *Bury* —4E **48**
Lavington Av. *Chea* —5C **168**
Lavington Gro. *M18* —5F **137**
Lavinia St. *M8* —7J **93**
Lavinia St. *Ecc* —6K **111**
Lavister Av. *M19* —7K **151**
Lawefield Cres. *Clif* —2B **90**
Lawfield Ct. *Bram* —2F **181**
Lawflat. *Ward* —6A **14**
Lawler Av. *Salf* —3B **134**
Lawnbank Clo. *Mid* —5A **72**
Lawn Closes. *Oldh* —4G **97**
Lawn Dri. *Swint* —1C **112**
Lawn Dri. *Tim* —5C **164**
Lawnfold. *Had* —5A **142**
Lawngreen Av. *M21* —3A **150**
Lawnhurst Ind. Est. *Stoc* —6D **168**
Lawns Av. *Orr* —2C **80**
Lawns, The. *Hind* —2A **84**
Lawns, The. *Wilm* —2E **194**
Lawn St. *Bolt* —4J **43**
Lawnswood. *Roch* —2E **50**
Lawnswood Dri. *Swint* —2E **112**
Lawnswood Dri. *Tyl* —6K **87**
Lawnswood Pk. Rd. *Swint* —2E **112**
Lawnswood Wlk. *M12* —4A **136**
Lawrence Clo. *Roch* —3C **30**
Lawrence Ct. *Abr* —6K **83**
Lawrence Pl. *Poy* —3B **190**
Lawrence Rd. *Alt* —5A **164**
Lawrence Rd. *Haz G* —1C **182**
Lawrence Rd. *Urm* —6G **131**
Lawrence St. *Bury* —2K **69**
Lawrence St. *Newt W* —6C **124**
Lawrence St. *Stoc* —2G **169**
Lawrie Av. *Ram* —6F **9**
Lawson Av. *Gat* —6H **167**
Lawson Av. *Hor* —7G **21**
Lawson Av. *Leigh* —6J **85**
Lawson Clo. *Mid* —2C **72**
Lawson Clo. *Wor* —1A **112**
Lawson Dri. *Tim* —5E **164**
Lawson Gro. *Sale* —4E **148**
Lawson Rd. *Bolt* —3J **43**
Lawson St. *M9* —5J **93**
Lawson St. *Bolt* —1A **44**
Lawson Wlk. *Dent* —2E **154**
Laws Ter. *L'boro* —6D **14**
Law St. *Roch* —1E **50**
Lawton Av. *Bram* —4G **181**
Lawton Clo. *Cul* —6J **127**
Lawton Clo. *Rom* —2D **170**
Lawton Fold. *Grot* —7B **76**
Lawton Moor Rd. *M23* —2A **166**
Lawton Rd. *Stoc* —6E **152**
Lawton Sq. *Del* —2F **77**
Lawton St. *Del* —2E **76**
Lawton St. *Droy* —6K **117**
Lawton St. *Hyde* —5J **139**
Lawton St. *Open* —2F **137**
Lawton St. *Roch* —3J **31**
Lawton St. *Stal* —7B **120**
Laxey Av. *Ath* —5E **86**
Laxey Cres. *Leigh* —1G **107**
Laxfield Dri. *Urm* —5F **131**
Laxford Gro. *Bolt* —7E **42**
Layard St. *Ash L* —5E **118**
Laycock Av. *Bolt* —2D **44**
Laycock Av. *Millb* —4E **120**
Laycock Cres. *Fail* —1H **117**
Laycock Dri. *Duk* —2A **140**
Laycock Gro. *Fail* —1H **117**
Laycock St. *Roch* —1A **32**
Laycock Way. *Dent* —2D **154**
Layfield Clo. *Tot* —4B **26**
Layland Av. *Cul* —5J **127**
Laystall St. *M1* —7H **115** (5M **5**)
Laythe Barn Clo. *Miln* —6C **32**
Layton Av. *Hyde* —7F **139**
Layton Clo. *Stoc* —3J **169**
Layton Clo. *Wig* —2K **81**
Layton Dri. *Kear* —1H **89**
Layton Dri. *Rom* —7G **155**
Layton St. *M40* —6K **115**
Lazenby Cres. *Ash M* —5B **104**
Lazenby Wlk. *M13* —5B **136**
Lazonby Av. *Asp* —3D **62**
Lea Bank Clo. *Mac* —3C **198**
Leabank St. *M19* —1C **152**
Leabrook Dri. *M40* —7G **95**
Leaburn Dri. *M19* —6A **152**
Leach Clo. *Roch* —1A **32**
Leaches Rd. *Ram* —3H **9**
Leach M. *P'wch* —3K **91**
Leach's Pas. *L'boro* —7D **14**
Leach St. *M18* —3D **136**
Leach St. *Bolt* —1A **66**
Leach St. *Farn* —5G **67**
Leach St. *Miln* —7D **32**
Leach St. *Oldh* —6J **75**
Leach St. *P'wch* —3K **91**
Leach St. *Roch* —6K **31**
Leach St. *Shaw* —7G **53**
Leach Wlk. *Oldh* —6J **75**
Leaconfield Dri. *Wor* —1H **111**
Lea Ct. *Stoc* —6D **152**
Leacroft. *Ash M* —2B **104**
Leacroft Av. *Bolt* —1F **67**
Leacroft Rd. *M21* —5D **150**
Leacroft Rd. *Bchwd* —4A **144**
Leadale Clo. *Stand* —4K **37**
Leadale Rise. *Spring* —1A **98**
Leadbeaters Clo. *Mac* —4H **199**
Leadbeaters Rd. *Mac* —4H **199**
Leader St. *Ince* —6G **61**
Leader St. *Pem* —1J **81**
Leader Williams Rd. *Irl* —1B **146**
Lea Dri. *M9* —4B **94**
Leafield. *Tyl* —6J **87**
Leafield Av. *M20* —6K **151**
Lea Field Clo. *Rad* —3C **68**
Leafield Dri. *Chea H* —2B **180**
Leafield Dri. *Wor* —2C **110**

Linda Dri. Haz G —2B 182
Lindale. Hyde —4G 139
Lindale Av. M40 —5F 95
Lindale Av. Bolt —5F 43
Lindale Av. Bury —3A 70
Lindale Av. Chad —1J 95
Lindale Av. Rytn —5A 52
Lindale Av. Urm —6H 131
Lindale Clo. Wor —1A 110
Lindale Dri. Mid —3A 72
Lindale Rise. Shaw —6H 53
Lindale Rd. Wor —1A 110
Lindbury Av. Stoc —4A 170
Linden Av. Alt —6C 164
Linden Av. Ash M —2B 104
Linden Av. Ath —5B 86
Linden Av. Aud —2B 138
Linden Av. L Lev —1J 67
Linden Av. Oldh —6H 75
Linden Av. Orr —1E 80
Linden Av. Ram —5H 9
Linden Av. Sale —6D 148
Linden Av. Salf —2J 113
Linden Clo. Dent —6E 138
Linden Clo. Lymm —7G 161
Linden Clo. Ram —1H 9
Linden Ct. Mac —3D 198
(off Abbey Rd.)
Linden Ct. Orr —1E 80
(off Linden Gro.)
Linden Dri. Salf —1A 134
Linden Dri. E. Salf —1B 134
Linden Gro. M14 —2K 151
Linden Gro. Bil —5C 102
Linden Gro. Bram —1F 189
Linden Gro. Cad —5K 145
Linden Gro. Leigh —1J 107
Linden Gro. Orr —1E 80
(in two parts)
Linden Gro. Salf —1A 134
Linden Gro. Stoc —7K 169
Linden Lea. Sale —1F 165
Linden M. Wor —2B 110
Linden Pk. M19 —2B 152
Linden Rd. M20 —6G 151
Linden Rd. Chea H —1C 180
Linden Rd. Dent —6E 138
Linden Rd. Hind —7C 62
Linden Rd. Stal —2D 140
Linden Rd. Wor —2B 110
Linden St. Swint —1B 112
Linden St. Wig —2J 81
Linden Wlk. Bolt —7D 24
Linden Wlk. Orr —1E 80
Linden Way. Droy —1G 137
Linden Way. H Lane —5A 184
Lindenwood. Chad —6G 73
Lindeth Av. M18 —5F 137
Lindfield Dri. Bolt —4A 44
Lindfield Est. N. Wilm —7G 187
Lindfield Est. S. Wilm —7G 187
Lindfield Rd. Stoc —1H 153
Lindinis Av. Salf —6A 114
Lindisfarne. Roch —4G 31
(off Spotland Rd.)
Lindisfarne Av. Lwtn —1G 127
Lindisfarne Clo. Sale —2F 165
Lindisfarne Dri. Poy —1B 190
Lindisfarne Pl. Bolt —3E 44
Lindisfarne Rd. Ash L —3C 118
Lindley Av. Orr —2C 80
Lindley Gro. Stoc —6F 169
Lindley St. Kear —1K 89
Lindley St. L Lev —3K 67
Lindley Wood Rd. M14 —2A 152
Lindon Av. Dent —7B 138
Lindop Clo. Knut —4F 193
Lindop Rd. Hale —3D 176
Lindow Clo. Bury —6F 27
Lindow Ct. Wilm —5E 186
Lindow Fold Dri. Wilm —2D 194
Lindow La. Wilm —6E 186
Lindow Pde. Wilm —7F 187
Lindow Rd. M16 —6C 134
Lindow St. Leigh —2H 107
Lindow St. Sale —7K 149
Lindrick Av. W'fld —1H 91
Lindrick Clo. M40 —1E 116
Lindrick Clo. Mac —6E 196
Lindrick Ter. Bolt —1K 65
Lindsay Av. M19 —1B 152
Lindsay Av. Chea H —3D 180
Lindsay Av. Swint —1C 112
Lindsay Clo. Oldh —4H 75
Lindsay Rd. M19 —2B 152
Lindsay St. Hor —4H 41
Lindsay St. Stal —6B 120
Lindsay Ter. Asp —1K 61
Lindsell Rd. W Tim —3A 164
Lindsgate Dri. Tim —4F 165
Lindside Wlk. M9 —4A 94
Lind St. M40 —6A 116
Lindum Av. M16 —5C 134
Lindum Ct. Heyw —3A 50
Lindum St. M14 —6H 135
Lindwall Clo. M23 —1B 166
Lindy Av. Clif —4D 90
Linear Walkway. Ecc —4C 112
Linehan Clo. Stoc —1K 167
Lineholme. Rytn —4A 74
Linen Ct. Salf —5D 114 (2C 4)
Lines Rd. Droy —7K 117
Lines Rd. Irl —2B 146
Linfield Clo. Bolt —1F 45
Linfield St. M11 —7D 116
Linford Av. M40 —5E 94
Lingard Clo. Aud —1A 138
Lingard La. Bred P —5B 154
Lingard Rd. M22 —2D 166
Lingards Dri. Ast —4G 109
Lingards La. Ast —4G 109
Lingard St. Leigh —4B 108
Lingard St. Stoc —2H 153
Lingard Ter. Aud —1A 138
Lingcrest Clo. M19 —3E 152
Lingdale Rd. Chea H —2B 180
Lingdale Wlk. M40 —1C 116
Lingdale Wlk. Mac —6E 198
(off Goathland Way)
Ling Dri. Ath —5D 86
Lingfield Av. Haz G —2D 182
Lingfield Av. Sale —1K 163
Lingfield Clo. Bury —5G 27
Lingfield Clo. Farn —7E 66
Lingfield Cres. Wig —3A 60
Lingfield Rd. M11 —6E 116
Lingfield Wlk. Chad —7A 74
Lingholme Dri. Mid —4J 71
Lingmell Av. St H —7B 102
Lingmell Clo. Bolt —5F 43
Lingmell Clo. Mid —4K 71
Lingmell Clo. Urm —5J 131
Lingmoor Clo. Mid —4J 71
Lingmoor Clo. Wig —6C 82
Lingmoor Dri. Ast —1H 109
Lingmoor Rd. Bolt —4F 43
Lingmoor Wlk. M15 —3F 135
Lings Wlk. M22 —3E 178
Linhope Clo. Stoc —7A 152
Link Av. Urm —1E 148
Linkfield Dri. Wor —2B 110
Link La. Oldh —5C 96
Link Rd. Sale —2B 164
Link Rd. Spring —7K 75
Links Av. Fail —3H 117
Links Cres. P'wch —5E 92
Links Dri. M13 —2H 135 (10L 5)
Links Dri. Los —6B 42
Linksfield. Dent —4D 138
Linkside Av. Rytn —1B 74
Links Pl. Ash L —2J 119
Links Rise. Urm —5J 131
Links Rd. Bolt —3F 65
Links Rd. Harw —1J 45
Links Rd. Heyw —5K 49
Links Rd. Los —6B 42
Links Rd. Marp —7K 171
Links Rd. Rom —7H 155
Links Rd. Wilm —3E 194
Links, The. M40 —1E 116
Links View. P'wch —6A 92
Links View. Roch —6D 30
Links View Ct. W'fld —7H 69
Links Way. Chad —6A 74
Linksway. Gat —7G 167
Linksway. P'wch —5D 92
Linksway. Swint —2E 112
Linksway Clo. Stoc —5C 152
Linksway Dri. Bury —3A 70
Link, The. Hand —2K 187
Link, The. Shaw —5D 52
Link, The. Stoc —4A 154
Link Wlk. Part —1K 161
Linkway. Ash M —3G 105
Linley Clo. Stand L —2J 59
Linley Dri. Oldh —3H 97
Linley Gro. Ram —2E 26
Linley Rd. Chea H —4D 180
Linley Rd. Sale —5F 149
Linley Rd. Wig —2A 82
Linley St. Rad —1J 69
Linnell Dri. Roch —4A 30
Linnet Clo. Aud —7A 118
Linnet Clo. Newt W —6E 124
Linnet Clo. Stoc —6D 170
Linnet Dri. Bury —1B 48
Linnet Dri. Irl —6C 130
Linnet Dri. Leigh —3B 108
Linnet Gro. Mac —2C 198
Linnet Hill. Roch —6E 30
Linnets Wood M. Wor —4G 89
Linnett Clo. M12 —5B 136
Linney La. Shaw —6G 53
Linney Rd. Bram —2F 181
Linney Sq. Wig —6G 61
Linn St. M8 —6G 93
Linnyshaw Ind. Est. Wor —4H 89
Linnyshaw La. Wor —3G 89
Linslade Gdns. Bolt —1A 66
Linslade Wlk. M9 —1K 115
(off Foleshill Av.)
Linsley St. Salf —6E 114 (3F 4)
Linstead Dri. M8 —2F 115
Linstock Way. Ath —4B 86
Linthorpe Wlk. Bolt —2H 65
Linton Av. Bury —7K 27
Linton Av. Dent —6J 137
Linton Av. Golb —6H 105
Linton Clo. M4 —1K 135
Linton Rd. Sale —4G 149
Linton Wlk. Salf —7K 91
Linwood Clo. Hind —3B 84
Linwood Gro. M12 —7C 136
Linwood St. Fail —2E 116
Lion Brow. M9 —5K 93
Lion Fold La. M9 —4K 93
Lion La. Blac —3A 40
Lions Dri. Swint —7D 90
Lion St. M9 —5K 93
Lion Wlk. Salf —7K 91
Liptrot St. Wig —7B 60
Lisbon St. Roch —4E 30
Lisburn Av. M21 —1C 150
Lisburn Av. Sale —7E 148
Lisburne Av. Stoc —5B 170
Lisburne Clo. Stoc —5B 170
Lisburne Ct. Stoc —5B 170
Lisburne La. Stoc —6A 170
Lisburn Rd. M40 —7C 94
Liscard Av. M14 —1H 151
Liscard St. Ath —4B 86
Lisetta Av. Oldh —2F 97
Liskeard Av. Rytn —3D 74
Liskeard Clo. Roch —3A 32
Liskeard Rd. Bram —5H 181
Lisle St. Roch —4J 31
Lismore Av. Bolt —1F 65
Lismore Av. Stoc —4D 168
Lismore Rd. Duk —2H 139
Lismore Wlk. M22 —4E 178
Lismore Way. Urm —4C 132
Lissadel St. Salf —4A 114
Lisson Gro. Hale —2C 176
Lister Ho. M13 —4H 135
Lister Rd. Mid —1H 93
Lister St. Bolt —3H 65
Liston St. Duk —1K 139
Litcham Clo. M1 —2H 135 (9L 5)
Litchfield Clo. Dens —3C 54
Litchfield Gro. Wor —1J 111
Litherland Av. M22 —2E 178
Litherland Rd. Bolt —4A 66
Litherland Rd. Sale —7J 149
Lit. Ancoats St. M1 —6H 115 (4M 5)
Lit. Aston Clo. Mac —6E 196
Lit. Bank St. Oldh —1F 97
LITTLEBOROUGH STATION. BR —6F 15
Littlebourne Wlk. Bolt —6C 24
Lit. Brook Clo. Chea H —7E 168
Littlebrook Clo. Had —5C 142
Lit. Brook Rd. Sale —2A 164
Lit. Brow. Brom X —5C 24
Lit. Church St. Wig —1H 81
Lit. Clegg Rd. L'boro —2C 32
Littledale St. Roch —4G 31
(in two parts)
Lit. David St. M1 —1G 135 (7K 5)
Lit. Ees La. Sale —4D 148
Lit. Egerton St. Stoc —1G 169
Lit. Factory St. Tyl —6F 87
Littlefields. Mot —5G 141
Lit. Flatt. Roch —3D 30
Little Ga. W'houg —2J 85
Littlegreen Ho. Salf —5K 113
Littleham Wlk. M18 —4E 136
Lit. Harwood Lee. Bolt —2F 45
Littlehaven Clo. M12 —4A 136
Lit. Heath La. Dun M —6F 163
Lit. Hey St. Rytn —2E 74
Littlehills Clo. Mid —5A 72
Lit. Holme St. M4 —7K 115
Lit. Holme Wlk. Bolt —2B 66
Lit. John St. M3 —7E 114 (7F 4)
Little La. M9 —3H 93
Little La. Wig —2A 82
Lit. Lever St. M1 —7H 115 (5L 5)
Lit. London. Wig —5F 61
Lit. Meadow. Eger —5B 24
Lit. Meadow Clo. P'bry —2D 196
Lit. Meadow Rd. Bow —3K 175
Lit. Moor Clough. Eger —2A 24
Littlemoor Cotts. Stoc —3K 169
Littlemoor La. Dig —2H 77
Littlemoor La. Oldh —6G 75
Littlemoor Rd. Mot —7G 141
Lit. Moss La. Swint —5D 90
Littlemoss Rd. Droy —5A 118
Lit. Oak Clo. Lees —1J 97
Lit. Pasture. Leigh —1H 107
Lit. Peter St. M15 —2E 134 (9F 4)
Lit. Pitt St. M1 —7H 115 (5M 5)
Lit. Quay St. M3 —7E 114 (6F 4)
Littler Av. M21 —5C 150
Lit. Scotland. Blac —3K 39
Lit. Stones Rd. Eger —2A 24
Little St. Mac —3F 199
Little St. Stoc —3K 169
Littleton Gro. Stand —3A 38
Littleton Rd. Salf —7K 91
Littletown. Oldh —3A 96
Lit. Underbank. Stoc —2H 169
Lit. Western St. M14 —5H 135
Littlewood. Rytn —2F 75
(off Oldham Rd.)
Littlewood Av. Bury —7K 27
Littlewood Rd. M22 —7C 166
Littlewood St. Salf —6J 113
Litton Bank. Glos —1A 158
(off Litton M.)
Littondale Clo. Rytn —1C 74
Litton Fold. Glos —1A 158
(off Riber Bank)
Litton Gdns. Glos —1A 158
Litton M. Glos —1A 158
Liverpool Clo. Stoc —3G 153
Liverpool Rd. M3 —1D 134 (7D 4)
Liverpool Rd. Ash M —6A 104
Liverpool Rd. Cad & Ecc —7J 145
Liverpool Rd. Hayd —7H 103
Liverpool Rd. Plat B —5J 83
Liverpool St. Ince —4K 61
Liverpool St. Salf & Salf —6H 113
Liverpool St. Stoc —3G 153
Liverstudd Av. Stoc —2H 153
Liverton Ct. M9 —2H 93
Liverton Dri. M9 —2H 93
Livesey St. M4 —5J 115 (1N 5)
Livesey St. Lev —2D 152
Livesey St. Oldh —6G 75
Livingstone Av. Moss —6B 98
Livingstone Clo. Mac —3B 198
Livingstone Ho. Wig —5G 61
(off Durham St.)
Livingstone St. Ash M —3C 104
Livingstone St. Lees —2J 97
Livingstone St. Spring —1A 98
Livsey Ct. Bolt —4B 44
Livsey La. Heyw —3G 49
Livsey St. Roch —5J 31
Livsey St. W'fld —6K 69
Lizard St. M1 —7H 115 (5L 5)
Liza St. Leigh —7J 85
Lizmar Ter. M9 —7B 94
Llanberis Rd. Chea H —3A 180
Llanfair Rd. Stoc —3E 168
Lloyd Av. Gat —5G 167
Lloyd Cres. Newt W —6B 124
Lloyd Rd. M19 —3D 152
Lloyd's Ct. Alt —7B 164
Lloyd's Gdns. Alt —1B 176
Lloyd Sq. Alt —7B 164
Lloyd St. M2 —7F 115 (6G 4)
(in two parts)
Lloyd St. Alt —7B 164
Lloyd St. Droy —7H 117
Lloyd St. Heyw —4K 49
Lloyd St. Roch —1F 51
Lloyd St. Stoc —7F 153
Lloyd St. Whitw —2E 12
Lloyd St. N. M14 & Man S —5G 135
Lloyd St. S. M14 —1G 151
Lobden Cres. Whitw —4E 12
Lobelia Av. Farn —5C 66
Lobelia Wlk. Part —1A 162
Lobley Clo. Roch —2K 31
Local Board St. Wig —7H 61
Lochawe Clo. Heyw —4G 49
Lochinver Gro. Heyw —4G 49
Lochmaddy Clo. Haz G —3D 182
Loch St. Orr —1H 81
Lock Clo. Heyw —5A 50
Lockerbie Pl. Wig —5A 82
Locker La. Ash M —3H 105
Lockett Gdns. Salf —6D 114 (3D 4)
Lockett Rd. S Lan —2D 104
Lockett St. M8 —4E 114
Lockett St. Salf —3A 114
Lockhart Clo. M12 —4C 136
Lockhart St. Roch —7K 31
Lockingate St. Ash L —2F 119
Locking Ga. Rise. Oldh —5J 75
Locklands La. Irl —7C 130
Lock La. Los & Bolt —2C 64
Lock La. Part —7K 145
Lock Rd. B'hth —5A 164
Lockside. Marp —5A 172
Lockside M. Moss —4E 98
Locksley Clo. Stoc —1E 168
Locks View. Ince —6H 61
Lockton Clo. M1 —2H 135 (9M 5)
Lockton Clo. Stoc —4H 153
Lockton Ct. M1 —2H 135 (9M 5)
Lockwood St. M12 —6D 136
Loddon Wlk. M9 —7A 94
Lodge Av. Urm —7C 132
Lodge Bank. Had —3C 142
Lodge Bank Rd. L'boro —1D 32
Lodge Brow. Boll —1J 197
Lodge Brow. Rad —4F 69
Lodge Clo. Duk —2J 139
Lodge Clo. Lymm —7H 161
Lodge Ct. M22 —6E 166
Lodge Ct. Mot —5G 141
Lodge Ct. Stoc —1B 168
Lodge Dri. Ast —2H 109
Lodge Dri. Cul —6K 127
Lodge Farm Clo. Bram —2G 181
Lodge Grn. Duk —2J 139
Lodge Gro. Ath —6E 86
Lodge La. Ath —6D 86
Lodge La. Del —1E 76
(in two parts)
Lodge La. Duk —1H 139
Lodge La. Hyde —5H 139
Lodge La. Leigh —3E 108
Lodge La. Newt W —7D 104
Lodge Mill La. Ram —2A 10
Lodgepole Clo. Ecc —1H 131
Lodge Rd. Ath —6E 86
Lodge Rd. Knut —3F 193
Lodge Rd. Orr —3E 80
Lodge Rd. Rad —4F 69
Lodges, The. Wor —7J 89
Lodge St. M40 —3A 116
Lodge St. Ash L —7D 118
Lodge St. Bury —2A 48
Lodge St. Hyde —4J 139
Lodge St. L'boro —5F 15
Lodge St. Mid —5C 72
Lodge St. Ram —5G 9
Lodge St. Ward —5A 14
Lodge, The. Had —3C 142
Lodge View Cvn. Site. Bolt —5C 44
Loeminster Pl. Ince —7H 61
Loen Cres. Bolt —2J 43
Logan St. Bolt —7A 24
Logwood Av. Bury —2H 47
Logwood Av. Wig —7K 59
Logwood Ho. Wig —6A 60
Logwood Pl. Nwtwn —6A 60
Loire St. Wig —7B 60
Loisine Clo. Roch —2D 50
Lois St. Chad —6J 95
Lomas Clo. M19 —7A 152
Lomas Sq. Mac —6F 199
Lomas St. Fail —6J 95
Lomas St. Mid —5D 72
Lomas St. Stoc —4F 169
Lomax St. M1 —7J 115 (5N 5)
Lomax St. Bolt —3A 44
Lomax St. Bury —2A 48
Lomax St. Farn —4E 66
Lomax St. G'mnt —3D 26
Lomax St. L'boro —4E 14
Lomax St. Plat B —5J 83
Lomax St. Rad —4E 68
Lomax St. Roch —3H 31
Lombard Clo. Bred —6D 154
Lombard Gro. M14 —2J 151
Lombard St. Ath —4B 86
Lombard St. Oldh —7C 74
Lombard St. Roch —4F 31
Lombardy Ct. Salf —5A 114
Lomond Av. Hale —1E 176
Lomond Av. Stret —6H 133
Lomond Clo. Stoc —1J 181
Lomond Dri. Bury —1F 47
Lomond Lodge. M8 —5F 93
Lomond Pl. Bolt —7E 42
Lomond Rd. M22 & H Grn —2F 179
Lomond Ter. Roch —1A 52
London Clo. Wig —6K 59
London Fields. Bil —3E 102
London Pl. Stoc —2H 169
London Rd. M1 —7H 115 (7L 5)
London Rd. A'ton & Poy —7A 190
London Rd. Ald E —5G 195
London Rd. Haz G —1B 182
London Rd. Mac —7F 199
London Rd. Oldh —5F 75
London Rd. P'bry —1D 196
London Rd. N. Poy —1C 190
London Rd. S. Poy —3B 190
London Rd. Ter. Mac —6F 199
London Sq. Stoc —2H 169
London St. Bolt —2A 66
London St. Salf —4B 114
London St. W'fld —7K 69
Loney St. Mac —4E 198
Longacres Dri. Whitw —2F 13
Longacres La. Whitw —1F 13
Longacres Rd. Haleb —5G 177
Longacre St. M1 —7J 115 (6N 5)
Longacre St. Mac —3E 198
Longbow Ct. Salf —3D 114
Longbridge Rd. Traf P —3E 132
Longbrook. Shev —6H 37
Long Causeway. Ath —1A 108
Long Causeway. Farn —7F 67
Long Causeway. Sow B —2K 17
Longcliffe Wlk. Bolt —3B 44
Longclough Dri. Glos —2C 158
Longcrag Wlk. M15 —4G 135
(off Botham Clo.)
Longcroft. Ast —4E 108
Longcroft Dri. Alt —7K 163
Longcroft Gro. M23 —4K 165
Longcroft Gro. Aud —1K 137
Long Croft La. Chea H —4A 180
Longdale Clo. Rytn —2A 74
Longdale Dri. Mot —6G 141
Longdale Gdns. Mot —6G 141
Longdell Wlk. M9 —7A 94
(off Moston La.)
Longden Av. Oldh —3J 75
Longden Ct. Bram —7G 181
Longden La. Mac —5J 199
Longden Rd. M12 —7C 136
Longden Rd. Ash M —5C 104
Longden St. Bolt —5J 43
Longden St. Mac —4G 199
Long Dri. Ast —1H 109
Longendale Rd. Stand —5K 37
Longfellow Av. Bolt —3H 65
Longfellow Clo. Wig —2C 82
Longfellow Cres. Oldh —2H 75
Longfellow St. Salf —4C 114
Longfellow Wlk. Dent —3E 154
Longfield. Bury —7A 28
Longfield Av. Cop —2A 18
Longfield Av. H Grn —5J 179
Longfield Av. Tim —5G 165
Longfield Av. Urm —1A 148
Longfield Cen. P'wch —2A 92
Longfield Clo. Hyde —3J 139
Longfield Cotts. Urm —7K 131
(off Stamford Rd.)
Longfield Cres. Oldh —5G 75
Longfield Dri. Urm —7K 131
Longfield Gdns. Cad —6K 145
Longfield Pk. Shaw —7E 52
Longfield Rd. M23 —3K 165
Longfield Rd. Bolt —4G 65
Longfield Rd. Roch —4E 30
Longfield Rd. Shaw —7E 52
Longfield St. Asp —4J 61
Longford Av. Bolt —3J 43
Longford Av. Stret —7J 133
Longford Clo. Stret —6J 133
Longford Cotts. Stret —7K 133
Longford Ho. M21 —1K 149
Longford Pl. M14 —5A 136
Longford Rd. M21 —1A 150
Longford Rd. Stoc —1H 153
Longford Rd. Stret —6H 133
Longford Rd. W. M19 & Stoc —1F 153
Longford St. M18 —3F 137
Longford St. Heyw —3K 49
Longford Trad. Est. Stret —6H 133
Long Grain Pl. Stoc —6B 170
Longham Clo. M11 —7A 116
Longham Clo. Bram —3E 180
Long Hey. Hale —1E 176
Longhey Rd. M22 —6D 166
Long Heys La. Dal —1A 58
Long Hill. Roch —1F 51
Longhill Wlk. M40 —2C 116
Longhirst Clo. Bolt —2H 43
Longhope Rd. M22 —1B 178
Longhurst La. Mell —5B 172
Longhurst Rd. M9 —3H 93
Longhurst Rd. Hind —3D 84
Longlands Rd. N Mills —4H 185
Long La. Boll —1K 197
Long La. Bolt —1F 67
Long La. Bury —5J 27
Long La. Chad —4H 95
Long La. Charl —2H 157
Long La. Dis —7E 184
Long La. Dob —4G 77
(Dobcross)
Long La. Dob —1K 99
(Tunstead)
Long La. Hth C —1K 19
Long La. Hind —3E 84
Long La. W'houg —4G 63
Long Levens Rd. M22 —2C 178
Longley Dri. Wor —2K 111
Longley La. Shar I & Gat —3D 166
Longley Rd. Wor —5F 89
Longley St. Oldh —1D 96
Longley St. Shaw —1F 75
Long Marl Dri. Chea —2B 188
Longmead Av. Ash M —4E 104
Longmead Av. Haz G —2B 182
Longmeade Gdns. Wilm —7J 187
Long Meadow. Brom X —5E 24
Longmeadow. Chea H —5E 180
Long Meadow. Hyde —3K 139
Longmeadow Gro. Dent —7C 138
Long Meadow Pas. Hyde —6H 139
Longmead Rd. Salf —3H 113
Longmead Way. Mid —5D 72

Lyndhurst Av.—Mansfield Av.

Lyndhurst Av. P'wch —4E 92
Lyndhurst Av. Roch —5F 51
Lyndhurst Av. Sale —7D 148
Lyndhurst Av. Urm —5A 132
Lyndhurst Clo. Wilm —1D 194
Lyndhurst Dri. Hale —2E 176
Lyndhurst Gdns. Mid —6A 72
Lyndhurst Rd. M20 —6G 151
(in two parts)
Lyndhurst Rd. Oldh —4B 96
Lyndhurst Rd. Stoc —7G 137
Lyndhurst Rd. Stret —7F 133
Lyndhurst St. Salf —6J 113
Lyndhurst View. Duk —7G 119
Lyndon Av. Shev —7G 37
Lyndon Clo. Scout —6B 76
Lyndon Clo. Tot —6D 26
Lyndon Croft. Oldh —3A 96
Lyndon Rd. Irl —7B 130
Lyne Av. Glos —2C 158
Lyne Edge Cres. Duk —2K 139
Lyne Edge Rd. Duk —2A 140
Lyne Edge Rd. Stal —1K 139
Lyne Gro. Sale —7G 149
Lyneham Wlk. M9 —2A 94
Lyneham Wlk. Salf —2F 115
Lyne View. Hyde —3K 139
Lyngard Clo. Wilm —4A 188
Lyngarth Ho. Alt —5C 164
Lyngate Clo. Stoc —3J 169
Lyn Gro. Heyw —2H 49
Lynham Dri. Heyw —5K 49
Lynmouth Av. M20 —4G 151
Lynmouth Av. Oldh —4D 96
Lynmouth Av. Rytn —3A 74
Lynmouth Av. Stoc —3G 153
Lynmouth Av. Urm —2K 147
Lynmouth Clo. Chad —5G 73
Lynmouth Clo. Rad —2G 69
Lynmouth Clo. Wig —4C 60
Lynmouth Ct. P'wch —4K 91
Lynmouth Gro. P'wch —4K 91
Lynn Av. Sale —4H 149
Lynn Dri. Droy —6G 117
Lynne Clo. Glos —2H 159
Lynnfield Ho. Alt —6B 164
Lynn Gro. Mac —5E 198
Lynn St. Oldh —3A 96
Lynnwood Dri. Roch —4D 30
Lynnwood Rd. M19 —1K 167
Lynroyle Way. Roch —2F 51
Lynside Wlk. M22 —5E 178
Lynslade Av. Urm —6H 131
Lynsted Av. Bolt —3C 66
Lynstock Way. Los —7J 41
Lynthorpe Av. Cad —4K 145
Lynthorpe Rd. M40 —4F 95
Lynton Av. Cad —4A 146
Lynton Av. Hyde —7C 140
Lynton Av. Oldh —5A 96
Lynton Av. Pen —6D 90
Lynton Av. Roch —2D 50
Lynton Av. Rytn —3A 74
Lynton Av. Urm —7E 130
Lynton Av. Wig —3C 60
Lynton Clo. Chad —5H 73
Lynton Clo. Knut —5F 193
Lynton Ct. Ald E —4G 195
Lynton Cres. Wor —6F 89
Lynton Dri. M19 —3B 152
Lynton Dri. H Lane —4J 183
Lynton Dri. P'wch —1C 92
Lynton Gro. Tim —6D 164
Lynton La. Ald E —4G 195
Lynton Lee. Rad —2G 69
Lynton M. Ald E —4G 195
Lynton Pk. Rd. Chea H —4B 180
Lynton Rd. M21 —1A 150
Lynton Rd. Bolt —4J 65
Lynton Rd. Gat —6H 167
Lynton Rd. Hind —1D 84
Lynton Rd. Pen —6D 90
Lynton Rd. Stoc —5E 152
Lynton Rd. Tyl —7K 87
Lynton St. M14 —7H 135
Lynton St. Leigh —3H 107
Lyntonvale Av. Gat —5G 167
Lynton Wlk. Hyde —7C 140
Lyn Town Trad. Est. Ecc —6B 112
Lyntown Trans-Pennine Trad. Est. Roch —2F 51
Lynway Dri. M20 —5H 151
Lynway Gro. Mid —4D 72
Lynwell Rd. Ecc —6B 112
Lynwood. Hale —4E 176
Lynwood Av. M16 —7C 134
Lynwood Av. Bolt —4D 66
Lynwood Av. Ecc —6B 112
Lynwood Av. Lwtn —3C 126
Lynwood Clo. Ash L —1E 118
Lynwood Ct. M8 —5F 93
Lynwood Dri. Oldh —6H 75
Lynwood Gro. Ath —4B 86
Lynwood Gro. Aud —7A 118
Lynwood Gro. Bolt —1F 45
Lynwood Gro. Sale —5G 149
Lynwood Gro. Stoc —4E 152
Lyon Gro. Wor —7J 89
Lyon Ind. Est. B'hth —4K 163
Lyon Rd. B'hth —4A 164
Lyon Rd. Kear —2G 89
Lyon Rd. Ind. Est. Kear —2G 89
Lyons Dri. Bury —4E 46
Lyon's Fold. Sale —4F 149
Lyons Rd. Traf P —2E 132
Lyon St. Ash M —5J 61
Lyon St. Mac —4E 198
Lyon St. Shaw —6F 53
Lyon St. Swint —1C 112
Lyon St. Wig —7D 60
Lyon Way. Stoc —4G 153
Lysander Clo. M14 —2H 151
Lytham Av. M21 —3C 150
Lytham Clo. Ash L —2J 119
Lytham Dri. Bram —5J 181
Lytham Dri. Heyw —4J 49
Lytham Rd. M14 & M19 —1B 152
Lytham Rd. Ash M —3B 104
Lytham Rd. H Grn —3H 179
Lytham Rd. Urm —7E 130
Lytham St. Roch —1G 31
Lytham St. Stoc —5H 169
Lytherton Av. Cad —6K 145
Lyth St. M14 —3K 151
Lytton Av. M8 —2G 115
Lytton Rd. Droy —6J 117
Lytton St. Bolt —3K 43

Mabel Av. Bolt —3C 66
Mabel Av. Wor —1J 111
Mabel Rd. Fail —6J 95
Mabel's Brow. Kear —7G 67
(in two parts)
Mabel St. M40 —3F 117
Mabel St. Bolt —5J 43
Mabel St. Roch —2F 31
Mabel St. W'houg —7K 63
Mabel St. Wig —1A 82
Maberry Clo. Shev —6D 36
Mabfield Rd. M14 —1J 151
Mabledon Clo. H Grn —4K 179
Mabs Ct. Ash L —6H 119
Macaulay Way. Dent —2E 154
Macauley Clo. Duk —2A 140
Macauley Pl. Wig —3B 82
Macauley Rd. M16 —7B 134
Macauley Rd. Stoc —1F 153
Macauley St. Roch —3F 51
Macauley St. Rytn —2C 74
McCall Wlk. M11 —6D 116
McCarthy Clo. Bchwd —7A 144
Maccles Ct. L'boro —5E 14
Macclesfield Clo. Hind —2A 84
Macclesfield Rd. Ald E & P'bry —5G 195
Macclesfield Rd. Haz G —5C 182
Macclesfield Rd. P'bry —7B 196
Macclesfield Rd. Wilm —6J 187
McConnell Gdns. Clay —6D 116
McConnell Rd. M40 —1C 116
McCormack Dri. Wig —6F 61
Macdonald Av. Farn —7C 66
Macdonald Av. Wig —4C 82
Macdonald Rd. Irl —3A 146
Macdonald St. Oldh —3D 96
Macdonald St. Orr —1H 81
McDonna St. Bolt —2J 43
McDowall Wlk. M8 —5H 93
Macefin Av. M21 —6D 150
Macfarren St. M12 —6C 136
McKean St. Bolt —2C 66
Mackenzie Av. Wig —4C 82
Mackenzie Gro. Bolt —1K 43
Mackenzie Ind. Pk. Stoc —5D 168
Mackenzie Rd. Salf —2B 114
Mackenzie St. M12 —6C 136
Mackenzie St. Bolt —7K 23
Mackenzie Wlk. Oldh —1J 75
Mackeson Dri. Ash L —4J 119
Mackeson Rd. Ash L —4J 119
Mackintosh Way. Oldh —7D 74
McLaren Ct. M21 —1A 150
Maclaren Dri. M8 —5E 92
Maclaren Ho. Salf —5K 113
(off Sutton Dwellings)
McLean Dri. Irl —5C 130
Maclure Clo. M16 —6E 134
Maclure Rd. Roch —6H 31
Macnair Ct. Marp —6A 172
McNaught St. Roch —6K 31
McOwen Pl. Roch —5J 31
McOwen St. Roch —5J 31
Madams Wood Rd. Wor —4B 88
Maddison Rd. Droy —7H 117
Madeira Pl. Ecc —6K 111
Madeley Clo. Hale —4C 176
Madeley Clo. Wig —4A 82
Madeley Dri. Chad —1A 96
Madeley Gdns. Bolt —3A 44
Madeley Gdns. Roch —3F 31
Madeline St. Bolt —4F 67
Maden St. Ast —2F 109
Maden Wlk. Chad —6K 73
Madison Av. Aud —1A 138
Madison Av. Chea H —2C 180
Madison Gdns. Fail —1G 117
Madison St. M18 —3G 137
Madras Rd. Stoc —4E 168
Madron Av. Mac —2A 198
Maesbrook Dri. Tyl —7G 87
Mafeking Av. Bury —7A 28
Mafeking Pl. Ash M —5E 104
Mafeking Rd. Bolt —6G 45
Mafeking St. Oldh —4A 96
Magdala St. Heyw —5A 50
Magdala St. Oldh —6C 74
Magdalen Dri. Ash M —4B 104
Magdalen Wlk. M15 —2E 134 (10F 4)
Magda Rd. Stoc —6A 170
Magna Carta Ct. Salf —2F 113
Magnolia Clo. Part —1A 162
Magnolia Clo. Sale —4A 148
Magnolia Ct. Sale —5A 148
(off Magnolia Clo.)
Magnolia Ct. Salf —6A 114
Magnolia Dri. M8 —2G 115
Magnolia Rise. P'bry —4A 196
Magpie Clo. Droy —5A 118
Magpie La. Oldh —3J 97
Magpie Wlk. M11 —7B 116
Maher Gdns. M15 —5E 134
Mahogany Wlk. Sale —5A 148
Mahood St. Stoc —4F 169
Maida St. M12 —7D 136
Maiden Clo. Ash L —2E 118
Maiden M. Swint —1D 112
Maidford Clo. M4 —7K 115
Maidford Clo. Stret —7J 133
Maidstone Av. M21 —1A 150
Maidstone Clo. Leigh —5G 85
Maidstone Clo. Mac —1D 198
Maidstone M. M21 —1A 150
Maidstone Rd. Stoc —7K 151
Maidstone Wlk. Dent —1E 154
Main Av. M19 —3B 152
Main Av. Traf P —5G 133
Maine Rd. M14 —7G 135
Mainhill Wlk. M40 —3E 116
Main La. Cul —3J 127
Main La. Golb —6C 126
Mainprice Clo. Salf —4K 113
Main Rd. Clif —4H 91
Main Rd. Golb —6C 126
Main Rd. Lang —7K 199
Main Rd. Oldh —7A 74
Mains Av. Bam —1H 105
Main St. Bil —4D 102
Main St. Fail —7H 95
Main St. Hyde —5H 139
Mainwaring Dri. Wilm —5K 187
Mainwaring Ter. M23 —1A 166
Mainway. Mid —1B 94
Mainway E. Mid —1E 94
Mainwood Rd. Tim —6G 165
Mainwood Sq. M13 —2H 135 (9M 5)
Maismore Rd. M22 —3B 178
Maitland Av. M21 —5C 150
Maitland Clo. Roch —1A 32
Maitland St. Stoc —4K 169
Maitland Wlk. Chad —6K 73
Maizefield Clo. Sale —7K 149
Major St. M1 —1G 135 (7J 5)
Major St. Miln —6D 32
Major St. Ram —5F 9
Major St. Wig —1J 81
Makants Clo. Ath —1F 87
Makant St. Bolt —2J 43
Makepiece Wlk. M8 —5E 92
Makerfield Way. Ince —7K 61
Makin Ct. Heyw —4K 49
Makinson Arc. Wig —6E 60
(off Galleries, The)
Makinson Av. Hind —7B 62
Makinson Av. Hor —3J 41
Makinson La. Hor —1K 41
Makin St. M1 —1G 135 (8J 5)
Makkah Clo. M40 —3C 116
Malaga Av. Man A —5B 178
Malakoff St. Stal —7J 119
Malbern Ind. Est. Dent —5B 138
Malbrook Wlk. M13 —3J 135
(off Ardeen Wlk.)
Malby St. Oldh —6D 74
Malcolm Av. Clif —4E 90
Malcolm Dri. Clif —5E 90
Malcolm St. Roch —2F 51
Malden Gro. M23 —4A 166
Maldon Clo. Stoc —5E 170
Maldon Clo. Wig —4H 61
Maldon Cres. Swint —2D 112
Maldon Dri. Ecc —4C 112
Maldon Rd. Stand —5B 38
Maldon St. Roch —7H 31
Maldwyn Av. M8 —5G 93
Maldwyn Av. Bolt —4H 65
Malford Dri. M8 —2F 115
Malgam Dri. M20 —3H 167
Malham Av. Wig —5C 82
Malham Clo. Leigh —3G 107
Malham Clo. Rytn —2B 74
Malham Ct. Stoc —5B 170
Malham Dri. W'fld —6A 70
Malham Gdns. Bolt —3J 65
Mallaig Wlk. Open —1E 136
Mallard Clo. Duk —2J 139
Mallard Clo. Knut —4E 192
Mallard Clo. Oldh —5B 96
Mallard Clo. Stoc —6E 170
Mallard Ct. H Grn —4H 179
Mallard Ct. Salf —1H 133
Mallard Cres. Poy —1J 189
Mallard Dri. Hor —2E 40
Mallard Grn. B'hth —3K 163
Mallards Reach. Rom —1F 171
Mallard St. M1 —1G 135 (9J 5)
Mallett Cres. Bolt —3F 43
Malley Wlk. M9 —4A 94
(off Greendale Dri.)
Malling Rd. M23 —7A 166
Mallison St. Bolt —2B 44
Mallory Av. Ash L —3F 119
Mallory Ct. Bow —1A 176
Mallory Dri. Leigh —3C 108
Mallory Rd. Hyde —4A 140
Mallory Wlk. M23 —3H 165
Mallowdale. Wor —7D 88
Mallowdale Clo. Bolt —6D 42
Mallowdale Rd. Stoc —6C 170
Mallow St. M15 —3E 134
Mallow Wlk. Part —7B 146
Mall, The. Bury —3K 47
Mall, The. Ecc —6D 112
Mall, The. Hyde —7H 139
Mall, The. Sale —6F 149
Mall, The. Stal —3E 140
Mally Gdns. Moss —7D 98
Malmesbury Clo. Poy —1B 190
Malmesbury Rd. Chea H —6D 180
Malpas Av. Wig —5G 61
Malpas Clo. Chea —7C 168
Malpas Clo. Wilm —4A 188
Malpas Dri. Tim —2C 164
Malpas St. M12 —3C 136
Malpas St. Oldh —7D 74
Malpas Wlk. M16 —4D 134
Malsham Rd. M23 —1K 165
Malta Clo. Mid —6F 73
Malta St. M4 —7K 115
Malta St. Oldh —1H 97
Maltby Dri. Bolt —3J 65
Maltby Rd. M23 —5K 165
Maltmans Rd. Lymm —7D 160
Malton Av. M21 —2B 150
Malton Av. Bolt —2G 65
Malton Av. Lwtn —2C 126
Malton Av. W'fld —4K 69
Malton Clo. Chad —5H 73
Malton Clo. Leigh —2G 107
Malton Clo. W'fld —4K 69
Malton Dri. Alt —5J 163
Malton Dri. Haz G —5B 182
Malton Rd. Stoc —6C 152
Malton Rd. Wor —1A 110
Malton St. Oldh —2B 96
Malt St. M15 —2D 134 (10C 4)
Malt St. Knut —4D 192
Malus Ct. Salf —5A 114
Malvern Av. Ash L —1G 119
Malvern Av. Ath —2F 87
Malvern Av. Bolt —4G 43
Malvern Av. Bury —7K 27
Malvern Av. Droy —6A 118
Malvern Av. Gat —6F 167
Malvern Av. Hind —3E 84
Malvern Av. Urm —6K 131
Malvern Clo. Ash M —4D 104
Malvern Clo. Farn —6B 66
Malvern Clo. Hor —7G 21
Malvern Clo. Miln —5E 32
Malvern Clo. Pen —2H 113
Malvern Clo. P'wch —2C 92
Malvern Clo. Rytn —3A 74
Malvern Clo. Shaw —6D 52
Malvern Clo. Stoc —7F 153
Malvern Clo. Wig —4J 81
Malvern Cres. Ince —3H 83
Malvern Dri. Alt —6K 163
Malvern Dri. Mac —6G 197
Malvern Dri. Pen —2H 113
Malvern Gro. M20 —4G 151
Malvern Gro. Salf —5G 113
Malvern Gro. Wor —4F 89
Malvern Rise. Had —4C 142
Malvern Rd. Knut —6C 192
Malvern Rd. Mid —2B 94
Malvern Row. M15 —3D 134
Malvern St. M15 —3D 134
Malvern St. Oldh —2B 96
Malvern St. Stand —2K 37
Malvern St. E. Roch —5E 30
Malvern St. W. Roch —5E 30
Malvern Ter. Leigh —5K 107
Manby Rd. M18 —5D 136
Manby Sq. M18 —5D 136
Mancentral Trad. Est. Salf —7D 114 (6D 4)
Manchester Airport Eastern. Hand —6K 179
MANCHESTER AIRPORT STATION. BR —5B 178
Manchester Ind. Cen. M3 —1D 134 (7D 4)
Manchester International Airport. Man A —7B 178
Manchester International Bus. Cen. M22 —5G 179
Manchester New Rd. Mid —2A 94
Manchester New Rd. Part —6B 146
Manchester Old Rd. Bury —4J 47
Manchester Old Rd. Mid —7H 71
Manchester Rd. Aud & Ash L —2J 137
Manchester Rd. Blac —3B 40
Manchester Rd. Bolt —7C 44
Manchester Rd. Bury & P'wch —4J 47
Manchester Rd. Car —6B 146
Manchester Rd. Chea —3K 167
Manchester Rd. Cheq & Over H —5C 64
Manchester Rd. Chor H & Whal R —2A 150
(in two parts)
Manchester Rd. Dent —5J 137
Manchester Rd. Droy —7G 117
Manchester Rd. Farn —6G 67
Manchester Rd. G'fld —5C 56
(Diggle)
Manchester Rd. G'fld —3F 99
(Grasscroft)
Manchester Rd. Hawk I & Old —5K 95
Manchester Rd. Heyw —2J 71
Manchester Rd. Holl & Tin —3A 142
Manchester Rd. Hyde —6F 139
Manchester Rd. Ince —6G 61
Manchester Rd. Kear & Clif —1J 89
Manchester Rd. Knut —1A 192
Manchester Rd. Leigh & Ast —4C 108
Manchester Rd. Mac —1F 199
Manchester Rd. Mars —4D 56
Manchester Rd. Moss —2C 120
Manchester Rd. Ram & Bury —5J 9
Manchester Rd. Roch —2E 50
Manchester Rd. Shaw —1E 74
Manchester Rd. Stoc —4E 152
Manchester Rd. Swint —1E 112
Manchester Rd. Tyl —6G 87
Manchester Rd. Warr & Rix —4A 160
Manchester Rd. W'houg —6D 40
(Hilton House)
Manchester Rd. W'houg —3J 63
(Westhoughton)
Manchester Rd. W Tim —5B 164
Manchester Rd. Wilm —6H 187
Manchester Rd. Wor & Wdly —5F 89
Manchester Rd. E. L Hul —3C 88
Manchester Rd. N. Dent —5A 138
Manchester Rd. S. Aud —5A 138
Manchester Rd. W. L Hul —1K 87
Manchester Science Pk. M15
(off Lloyd St. N.) —4G 135
Manchester St. M16 —4C 134
Manchester St. Heyw —3K 49
Manchester St. Oldh —2B 96
Manchet St. Roch —4D 50
Mancroft Av. Bolt —2K 65
Mancroft Wlk. M1 —2H 135 (9L 5)
Mancunian Rd. Dent —2E 154
Mancunian Way. M15, M1 & M12 —2E 134 (10E 4)
(in two parts)
Mandalay Gdns. Marp —4H 171
Mandarin Grn. B'hth —3K 163
Mandarin Wlk. Salf —5A 114
Manderville Clo. Wig —5K 81
Mandeville St. M19 —2D 152
Mandley Av. M40 —5F 95
Mandley Clo. L Lev —1J 67
Mandley Pk. Av. Salf —1E 114
Mandon Clo. Rad —1C 68
Manesty Clo. Mid —4J 71
Mangle St. M1 —7H 115 (5L 5)
Mango Pl. Salf —6A 114
Manifold Dri. H Lane —6K 183
Manifold St. Salf —3B 114
Manilla Wlk. M11 —7B 116
Manipur St. M11 —1B 136
Manley Av. Clif —3C 90
Manley Av. Golb —6H 105
Manley Clo. Bury —2G 27
Manley Clo. Leigh —7H 85
Manley Clo. Stoc —5E 168
Manley Cres. W'houg —5B 64
Manley Gro. Bram —6G 181
Manley Gro. Mot —6F 141
Manley Rd. M21 & M16 —1C 150
Manley Rd. Gaw —6C 198
Manley Rd. Oldh —3C 96
Manley Rd. Roch —2E 50
(in two parts)
Manley Rd. Sale —2C 164
Manley Row. W'houg —5B 64
Manley St. Ince —1G 83
Manley St. Salf —2D 114
Manley Ter. Bolt —1A 44
Manley Way. Mot —6G 141
Manning Av. Wig —4C 60
Manningham Rd. Bolt —1H 65
Mannington Dri. M9 —1J 115
Mannion Ho. Wig —6F 61
Mannock St. Oldh —1B 96
Manor Av. M16 —7D 134
Manor Av. Golb —1A 126
Manor Av. L Lev —3A 68
Manor Av. Newt W —5B 124
Manor Av. Sale —5B 148
Manor Av. Urm —1B 148
Manor Clo. Ash M —5J 103
Manor Clo. Chad —6A 74
Manor Clo. Chea H —4E 180
Manor Clo. Dent —7F 139
Manor Clo. Gras —1E 98
Manor Clo. Wilm —5E 186
Manor Ct. Bolt —1F 45
Manor Ct. Lwtn —1A 126
Manor Ct. Sale —5B 148
Manor Ct. Stret —1F 149
Manor Cres. Knut —4E 192
Manor Cres. Mac —7F 197
Manordale Wlk. M40 —2K 115
Manor Dri. M21 —6D 150
Manor Dri. Rytn —3C 74
Manor Farm Clo. Ash L —2D 118
Manor Farm Rise. Oldh —7H 75
Manorfield Clo. Bolt —4G 43
Manor Fold. Ath —4C 86
Manor Gdns. Wilm —6K 187
Manor Ga. Rd. Bolt —5H 45
Manor Gro. Asp —1K 61
Manor Gro. Leigh —5C 108
Manor Gro. Orr —6H 59
Manor Heath. Salf —7C 92
Manor Hill Rd. Marp —4K 171
Manor Ho. Clo. St H —7A 102
Manorial Dri. L Hul —1A 88
Manor Ind. Est. Stret —2G 149
Manor La. Oll —7H 193
Manor Lodge. Swint —7H 91
Manor Pk. Urm —1B 148
Manor Pk. N. Knut —4F 193
Manor Pk. Rd. Glos —1G 159
Manor Pk. S. Knut —5E 192
Manor Pl. Ince —1H 83
Manor Rd. Alt —7C 164
Manor Rd. Ast —2J 109
Manor Rd. Aud —2K 137
Manor Rd. Chea H & Bram —3E 180
Manor Rd. Dent —7F 139
Manor Rd. Droy —7G 117
Manor Rd. Hayd —2B 124
Manor Rd. Hind —2D 84
Manor Rd. Hor —1H 41
Manor Rd. Hyde —4K 139
Manor Rd. Lev —7D 136
Manor Rd. Marp —4K 171
Manor Rd. Mid —1B 94
Manor Rd. Oldh —3G 97
Manor Rd. Sale —5F 149
Manor Rd. Salf —4H 113
Manor Rd. Shaw —6E 52
Manor Rd. Shev —7F 37
Manor Rd. Stoc —6A 154
Manor Rd. Stret —1F 149
Manor Rd. Swint —2D 112
Manor Rd. Wilm —5E 186
Manor Rd. Woodl —5F 155
Manor St. M12 —2J 135 (9N 5)
(in two parts)
Manor St. Aud —2D 138
Manor St. Bolt —6B 44
Manor St. Bury —3A 48
Manor St. Farn —7E 66
Manor St. Glos —1F 159
Manor St. Golb —7K 105
Manor St. Kear —2K 89
Manor St. Mid —4C 72
Manor St. Moss —5C 98
Manor St. Nwtwn —1B 82
Manor St. Oldh —6E 74
Manor St. Ram —4F 9
Manor St. Rytn —4E 74
Manor St. Wig —6E 60
Manor View. Woodl —5F 155
Manor Wlk. Aud —2D 138
Manor Yd. Upperm —6H 77
(off High St. Uppermill)
Mansart Clo. Ash M —5F 105
Manse Gdns. Newt W —5F 125
Mansell Way. Hor —5J 41
Manse, The. Moss —7C 98
Mansfield Av. M9 —3K 93

A-Z Greater Manchester 251

Mansfield Av.—Masefield Dri.

Mansfield Av. Dent —4B 138
Mansfield Av. Ram —2F 27
Mansfield Clo. Ash L —7D 118
Mansfield Clo. Bchwd —6A 144
Mansfield Clo. Dent —4B 138
Mansfield Cres. Dent —5B 138
Mansfield Dri. M9 —3A 94
Mansfield Gro. Bolt —4H 43
Mansfield Rd. M9 —3K 93
Mansfield Rd. Hyde —1J 155
Mansfield Rd. Moss —6E 98
Mansfield Rd. Oldh —2F 97
Mansfield Rd. Roch —5A 30
Mansfield Rd. Urm —1K 147
Mansfield St. Ash L —1C 138
Mansfield St. Golb —7H 105
Mansfield View. Moss —6E 98
Mansford Dri. M40 —3B 116
Manshaw Cres. Aud —2J 137
Manshaw Rd. M11 —2J 137
Mansion Av. W'fld —3J 69
Mansion Dri. Knut —4E 192
Mansion Ho., The. B'hth —4B 164
Mansley's Pas. Leigh —3K 107 (off King St.)
Manson Av. M15 —2D 134 (10C 4)
Manstead Wlk. M40 —6A 116
Manston Dri. Chea H —2C 180
Manswood Dri. M8 —1G 115
Mantell Wlk. M40 —3C 116
Manton Av. M9 —4D 94
Manton Av. Dent —6J 137
Manton Clo. Salf —2F 115
Manvers St. Stoc —7G 153
Manwaring St. Fail —7G 95
Maple Av. M21 —2B 150
Maple Av. Ath —3B 86
Maple Av. Bolt —4H 43
Maple Av. Bury —2B 48
Maple Av. Chea H —2B 180
Maple Av. Dent —7K 117 (Audenshaw)
Maple Av. Dent —6C 138 (Denton)
Maple Av. Ecc —4J 111
Maple Av. Hind —4D 84
Maple Av. Hor —4J 41
Maple Av. Ince —1H 83
Maple Av. Lwtn —2D 126
Maple Av. Mac —6F 199
Maple Av. Marp —7K 171
Maple Av. Newt W —7F 125
Maple Av. Newtwn —6G 185
Maple Av. Poy —2D 190
Maple Av. Stal —1K 139
Maple Av. Stret —1H 149
Maple Av. W'fld —7K 69
Maple Bank. Bow —1K 175
Maple Clo. Bil —3D 102
Maple Clo. Chad —5K 73
Maple Clo. Kear —2H 89
Maple Clo. Mid —6F 73
Maple Clo. Sale —6A 148
Maple Clo. Salf —5K 113
Maple Clo. Shaw —5D 52
Maple Clo. Stoc —5K 169
Maple Cres. Leigh —1J 107
Maple Croft. Stoc —3K 169
Maple Dri. Abr —1K 105
Maple Dri. Tim —6J 165
Maplefield Dri. Wor —1D 110
Maple Gro. M40 —5H 95
Maple Gro. Fail —3G 117
Maple Gro. P'wch —1A 92
Maple Gro. Ram —6H 9
Maple Gro. Tot —7E 26
Maple Gro. Wig —3C 60
Maple Gro. Wor —7F 89
Maple Rd. M23 —3G 165
Maple Rd. Ald E —3H 195
Maple Rd. Bram —7G 181
Maple Rd. Chad —5K 73
Maple Rd. Farn —6C 66
Maple Rd. Part —7A 146
Maple Rd. Swint —2C 112
Maple Rd. W. M23 —3G 165
Maple St. Ash M —2C 104
Maple St. Bolt —7E 24
Maple St. Oldh —4A 96
Maple St. Roch —6F 31
Maple Wlk. M23 —3G 165
Maplewood. Mac —6F 199
Maplewood Gdns. Bolt —4A 44
Maplewood Ho. Bolt —3A 44
Maplewood Rd. Wilm —5A 188
Mapley Av. M22 —3D 166
Maplin Clo. M13 —2J 135 (10N 5)
Maplin Dri. Stoc —6E 170
Mapperton Wlk. M16 —6F 135
Marble St. M2 —7G 115 (5J 5) (in two parts)
Marble St. Oldh —6F 75
Marbury Av. M14 —1H 151
Marbury Clo. Urm —6F 131
Marbury Dri. Tim —2C 164
Marbury Gro. Stand —5A 38
Marbury Rd. Stoc —4F 153
Marbury Rd. Wilm —4H 187
Marcer Rd. M40 —6K 115
March Av. Stoc —1D 168
Marchbank. Asp —4J 61
Marchbank Dri. Gat —5J 167
March Dri. Bury —7H 27
Marches Clo. Rytn —2F 75
Marchioness St. M18 —3H 137
Marchmont Clo. M13 —3K 135
March St. Roch —5J 31
Marchwood Av. M21 —1D 150
Marcliffe Dri. M19 —1E 152
Marcliffe Dri. Roch —6D 30
Marcliffe Gro. Knut —5D 192
Marcliffe Ind. Est. Haz G —3C 182
Marcliff Gro. Stoc —1D 168
Marcroft Pl. Roch —1J 51
Marcus Gro. M14 —7J 135
Marcus St. Bolt —4H 43
Mardale Av. M20 —5J 151
Mardale Av. Rytn —5A 52
Mardale Av. St H —7B 102
Mardale Av. Urm —6H 131
Mardale Av. Wdly —5A 90
Mardale Clo. Ath —2C 86
Mardale Clo. Bolt —4H 45
Mardale Clo. Oldh —6H 75
Mardale Clo. P'wch —7C 70
Mardale Clo. Stal —5A 120
Mardale Cres. Lymm —7F 161
Mardale Dri. Bolt —4H 45
Mardale Dri. Gat —5H 167
Mardale Dri. Mid —5A 72
Mardale Rd. Swint —2B 112
Marden Rd. M23 —6A 166
Mardon Clo. Knut —3G 193
Mardyke. Roch —4G 31
Mardyke Dri. M8 —3E 114
Marfield Av. Chad —2J 95
Marfield Ct. Urm —1G 147
Marford Clo. M22 —5D 166
Marford Cres. Sale —1D 164
Margaret Ashton Clo. M9 —1B 116
Margaret Av. Roch —5A 32
Margaret Av. Stand L —2J 59
Margaret Ho. Ash L —6E 118
Margaret Rd. Dent —5E 138
Margaret Rd. Droy —6G 117
Margaret St. Ash L —5E 118 (in two parts)
Margaret St. Bury —4K 47
Margaret St. Heyw —3H 49
Margaret St. Hind —1B 84
Margaret St. Oldh —5K 95
Margaret St. Shaw —7F 53
Margaret St. Stoc —3G 153
Margaret St. Wig —5C 60
Margaret Ter. Ash L —6E 118
Margaret Ward Ct. Roch —7J 31
Margate Av. M40 —3D 116
Margate Rd. Stoc —3H 153
Margrove Clo. Fail —1A 118
Margrove Rd. Salf —4G 113
Marguerita Rd. M40 —4F 117 (in two parts)
Marham Clo. M21 —3E 150
Marian Av. Newt W —6B 124
Marian Rd. Hayd —2A 124
Maria St. Bolt —3A 44
Marie Clo. Dent —7D 138 (in two parts)
Marie St. Salf —1E 114
Marigold Clo. Mac —3B 198
Marigold St. Roch —7H 31 (in two parts)
Marigold St. Wig —7K 59
Mariman Dri. M8 —5G 93
Marina Av. Dent —1E 154
Marina Clo. Hand —7K 179
Marina Cres. M11 —5D 116
Marina Dri. Marp —4G 171
Marina Dri. Wig —2K 81
Marina Rd. Bred —6C 154
Marina Rd. Droy —6K 117
Marine Av. Part —7K 145
Marion Pl. Plat B —7H 83
Marion St. Bolt —4E 66
Marion St. Oldh —4D 96
Maritime Clo. Newt W —4E 124
Maritime Ct. Sale —6D 148
Marjorie Clo. M18 —3D 136
Mark Av. Salf —4B 114
Markendale St. Salf —3A 134
Markenfield Dri. Shaw —6D 52
Market Arc. Leigh —3K 107
Market Av. Ash L —5F 119
Market Av. Oldh —7D 74
Market Brow. M9 —5K 93
Market Cen., The. M2 —7G 115 (5J 5)
Market Hall. Bolt —6B 44
Market Hall. Wig —6E 60 (off Galleries, The)
Market Pde. Bury —3K 47
Market Pl. M3 —6F 115 (4G 4)
Market Pl. Adl —5J 19
Market Pl. Ath —4D 86
Market Pl. Bolt —2K 197
Market Pl. Bolt —5B 44
Market Pl. Bury —3J 47
Market Pl. Comp —1D 172
Market Pl. Dent —6C 138
Market Pl. Droy —7J 117
Market Pl. Eden —1H 9
Market Pl. Farn —6F 67
Market Pl. Heyw —3K 49
Market Pl. Hyde —7H 139 (in two parts)
Market Pl. Mac —3F 199
Market Pl. Mars —1H 57
Market Pl. Mid —5C 72
Market Pl. Moss —6C 98
Market Pl. Newt W —6C 124
Market Pl. Oldh —7C 74
Market Pl. Pen —6E 90
Market Pl. Ram —4G 9
Market Pl. Roch —5G 31
Market Pl. Shaw —2B 74 (Royton)
Market Pl. Shaw —7F 53 (Shaw)
Market Pl. Stoc —1H 169 (in two parts)
Market Pl. Wig —6E 60
Market Sq. Rytn —2B 74
Market St. M1 —7G 115 (5H 5)
Market St. Adl —6J 19
Market St. Alt —7B 164
Market St. Ash L —5F 119
Market St. Ath —4C 86
Market St. Bolt —6B 44
Market St. B'btm —2G 157
Market St. Bury —3J 47 (in three parts)
Market St. Dent —6D 138
Market St. Dis —6D 184
Market St. Droy —1J 137
Market St. Farn —5F 67
Market St. Glos —2E 158
Market St. Heyw —3J 49
Market St. Hind —2B 84
Market St. Holl —4J 141
Market St. Hyde —6H 139
Market St. Leigh —3K 107
Market St. L Lev —3J 67
Market St. Marp —5K 171
Market St. Mid —5B 72 (in two parts)
Market St. Moss —6C 98
Market St. Mot —5G 141
Market St. N Mills —4H 185
Market St. Newt W —5C 124
Market St. Pen —6E 90
Market St. Rad —6K 67
Market St. Rytn —2B 74
Market St. Shaw —7F 53
Market St. Stal —6A 120
Market St. Stand —4A 38
Market St. Tot —5D 26
Market St. Tyl —6F 87
Market St. W'houg —6J 63
Market St. Whitw —5E 12
Market St. Wig —6E 60
MARKET STREET STATION. M —7G 115
Market Wlk. Sale —5F 149
Market Way. M4 —6G 115 (4J 5) (off Arndale Shopping Cen.)
Market Way. Roch —5H 31
Market Way. Salf —5K 113
Markfield Av. M13 —4K 135
Markham Clo. M12 —1A 136
Markham Clo. Hyde —3H 139
Markham St. Hyde —3H 139
Markington St. M14 —6G 135
Mark Jones Wlk. M40 —3D 116
Markland Ct. Wig —5C 60 (off Frog La.)
Markland Hill. Bolt —5E 42
Markland Hill Clo. Bolt —4F 43
Markland Hill La. Bolt —4F 43
Marklands Rd. Ast —4G 109
Markland St. Bolt —7B 44 (off Soho St.)
Markland St. Bolt —1C 66 (off Thynne St.)
Markland St. Hyde —1J 155
Markland St. Wig —6G 61
Markland Tops. Bolt —4F 43
Mark La. M4 —6G 115 (4J 5)
Mark La. Shaw —7G 53
Marks St. Rad —3E 68
Mark St. Oldh —7B 74
Mark St. Roch —3K 31
Mark St. Wor —1B 110
Markwood. Del —2F 77
Marland Av. Chea H —2B 180
Marland Av. Oldh —6E 96
Marland Av. Roch —1D 50
Marland Clo. Roch —7D 30
Marland Cres. Stoc —2H 153
Marland Fold. Roch —1D 50
Marland Fold La. Oldh —6D 96
Marland Grn. Roch —1D 50
Marland Hill Rd. Roch —7E 30
Marland Old Rd. Roch —1D 50
Marlands Sq. Tyl —6F 87 (off Lime St.)
Marland St. Chad —4J 95
Marland Tops. Roch —1D 50
Marlborough Av. M16 —7C 134
Marlborough Av. Ald E —4H 195
Marlborough Av. Chea H —2D 180
Marlborough Av. Ince —3H 83
Marlborough Clo. Ash L —1C 138
Marlborough Clo. Dent —6D 138
Marlborough Clo. Mac —6F 197
Marlborough Clo. Marp —4H 171
Marlborough Clo. Park I —2F 193
Marlborough Clo. Ram —1G 27
Marlborough Clo. Whitw —4E 12
Marlborough Ct. M9 —2G 93
Marlborough Ct. Mac —4F 199 (off Pickford St.)
Marlborough Dri. Fail —2G 117
Marlborough Dri. Mac —6F 197
Marlborough Dri. Stoc —6F 153
Marlborough Gdns. Farn —6C 66
Marlborough Gro. Droy —6A 118
Marlborough Rd. Ath —3E 86
Marlborough Rd. Bow —2B 176
Marlborough Rd. Ecc —4E 112
Marlborough Rd. Hyde —2J 155
Marlborough Rd. Irl —6D 130
Marlborough Rd. Rytn —4C 74
Marlborough Rd. Sale —6F 149
Marlborough Rd. Salf —2F 115 (in two parts)
Marlborough Rd. Stret —6G 133
Marlborough Rd. Urm —6H 131
Marlborough St. Ash L —1C 138
Marlborough St. Bolt —5J 43
Marlborough St. Heyw —5A 50
Marlborough St. Oldh —1E 96
Marlborough St. Roch —3E 30
Marlbrook Dri. W'houg —2J 85
Marlbrook Wlk. Bolt —2B 66
Marlcroft Av. Stoc —1D 168
Marld Cres. Bolt —3F 43
Marle Av. Moss —6E 98
Marle Croft. W'fld —1G 91
Marl Edge. P'bry —5C 196
Marle Rise. Moss —6E 98
Marler Rd. Hyde —5J 139
Marley Clo. Tim —4D 164
Marley Dri. Sale —4E 148
Marleyer Rise. Rom —3E 170
Marleyer St. M40 —1E 116
Marley Hey. Tur —6F 7
Marley Rd. M19 —2D 152
Marley Rd. Poy —3C 190
Marlfield Rd. Haleb —5H 177
Marlfield Rd. Shaw —5C 52
Marlfield St. M9 —6A 94
Marl Gro. Orr —3D 80
Marlheath Wlk. M15 —2E 134 (10F 4) (off Jackson Cres.)
Marlhill Clo. Stoc —6C 170
Marlhill Ct. Stoc —6C 170
Marlinford Dri. M40 —3E 116
Marlor Ct. Heyw —3H 49
Marlor St. Dent —5C 138
Marlow Brow. Had —5C 142
Marlow Clo. Bolt —4H 45
Marlow Clo. Chea H —2B 180
Marlow Clo. Urm —5K 131 (in four parts)
Marlow Dri. Bow —2H 175
Marlow Dri. Hand —7J 179
Marlow Dri. Irl —6C 130
Marlow Dri. Swint —2C 112
Marlowe Clo. Wig —2C 82
Marlowe Ct. Mac —6E 198
Marlowe Dri. M20 —6H 151
Marlowe Wlk. Dent —3E 154
Marlowe Walks. Bred —1C 170
Marlow Rd. M9 —6B 94
Marlow St. Had —4C 142
Marlton Wlk. M9 —3A 94 (off Leconfield Dri.)
Marlwood Rd. Bolt —3F 43
Marmaduke St. Oldh —6B 74
Marmion Clo. Lwtn —7C 106
Marmion Dri. M21 —2A 150
Marne Av. M22 —6E 166
Marne Av. Ash L —3K 119
Marne Cres. Roch —5E 30
Marnland Gro. Bolt —2E 64
Maroon Rd. M22 —5F 179
Marple Av. Bolt —1C 44
Marple Clo. Oldh —5B 96
Marple Clo. Stand —3H 37
Marple Ct. Stoc —4J 169
Marple Gro. Stret —6G 133
Marple Hall Dri. Marp —4H 171
Marple Old Rd. Stoc —5E 170
Marple Rd. Chis & Charl —5F 157
Marple Rd. Stoc —4B 170
MARPLE STATION. BR —4A 172
Marquis Av. Bury —1J 47
Marquis Dri. H Grn —5K 179
Marquis St. M19 —1F 153
Marrick Av. Gat —6J 167
Marrick Clo. Wig —5C 82
Marriott's Ct. M2 —7G 115 (5J 5)
Marriott St. M20 —4H 151
Marriott St. Stoc —3H 169
Marrow Wlk. M1 —2H 135 (9L 5) (off Grosvenor St.)
Mars Av. Bolt —3J 65
Marsden Clo. Ash L —3C 118
Marsden Clo. Moss —5B 98
Marsden Clo. Roch —5A 52
Marsden Ct. M4 —6G 115 (4J 5) (off Arndale Shopping Cen.)
Marsden Dri. Tim —5G 165
Marsden La. Mars —1J 57
Marsden Rd. Bolt —6A 44
Marsden Rd. Rom —7G 155
Marsden's Sq. L'boro —5F 15 (off Sutcliffe St.)
Marsden St. M2 —7F 115 (5H 5)
Marsden St. Bury —2K 47
Marsden St. Ecc —5A 112
Marsden St. Had —5C 142
Marsden St. Ince —3H 83
Marsden St. Mid —7E 72
Marsden St. Nwtwn —7B 60
Marsden St. W'houg —6J 63
Marsden St. Wig —6E 60
Marsden St. Wor —1B 110 (Mosley Common)
Marsden St. Wor —5K 89 (Worsley)
Marsden Wlk. Rad —2D 68
Marsden Way. M4 —6G 115 (4J 5) (off Arndale Shopping Cen.)
Marsett Clo. Roch —3B 30
Marsett Wlk. M23 —1K 165
Marshall Ct. Ash L —6H 119
Marshall Ct. Oldh —6C 74
Marshall Rd. M19 —1C 152
Marshall Stevens Way. Traf P —3F 133
Marshall St. M4 —6H 115 (3L 5)
Marshall St. M12 —3J 135
Marshall St. Dent —5C 138
Marshall St. Leigh —4J 107
Marshall St. Roch —5A 32
Marsham Clo. M13 —4A 136
Marsham Clo. Grot —2B 98
Marsham Dri. Marp —6A 172
Marsham Rd. Haz G —3K 181
Marshbank. W'houg —5J 63
Marshbrook Clo. Hind —2E 84
Marsh Brook Fold. W'houg —7E 62
Marshbrook Rd. Urm —6A 132
Marsh Clo. Stoc —5F 169
Marshdale Rd. Bolt —5F 43
Marshfield Rd. Tim —6G 165
Marshfield Wlk. M13 —3J 135 (off Lauderdale Cres.)
Marsh Fold La. Bolt —5J 43
Marsh Grn. Wig —5K 59
Marsh Head. Dig —1A 78
Marsh La. Farn —6C 66
Marsh La. L Lev —2K 67
Marsh La. N Mills —6K 185
Marsh La. Ros —7J 175
Marsh La. Wig —6E 60
Marsh Lea. Dig —1A 78
Marsh Rd. L Hul —3D 88
Marsh Rd. L Lev —2J 67
Marsh Row. Hind —3E 84
Marsh St. Bolt —3A 44
Marsh St. Hor —1E 40
Marsh St. W'houg —5J 63
Marsh St. Wig —3C 82
Marsh St. Wor —5H 89
Marsland Av. Tim —3F 165
Marsland Clo. Dent —6K 137
Marsland Grn. La. Ast —4E 108
Marsland Rd. Marp —4J 171
Marsland Rd. Sale —7E 148
Marsland Rd. Tim —5F 165
Marsland St. Haz G —2B 182
Marsland St. Stoc —7H 153 (in two parts)
Marsland St. N. Salf —1F 115
Marsland St. S. Salf —1F 115
Marsland Ter. Stoc —3K 169
Mars St. Oldh —7A 74
Mars St. Tur —5G 7
Marston Clo. Fail —2A 118
Marston Clo. Los —5K 41
Marston Clo. W'fld —6C 70
Marston Dri. Irl —7D 130
Marston Rd. Salf —7E 92
Marston Rd. Stret —7J 133
Marston St. M40 —3K 115
Marsworth Dri. M4 —6J 115 (4P 5)
Martens Rd. Irl —5A 146
Marthall Dri. Sale —1J 165
Marthall La. Oll —7J 193
Marthall Way. Hand —7A 180
Martham Dri. Stoc —6E 170
Martha's Ter. Roch —1A 32
Martha St. Bolt —2K 65
Martha St. Oldh —6B 74
Martin Av. Farn —7B 66
Martin Av. L Lev —3A 68
Martin Av. Newt W —4D 124
Martin Av. Oldh —1G 97
Martin Clo. Dent —4D 138
Martin Clo. Stoc —6E 170
Martindale Clo. Rytn —1C 74
Martindale Cres. M12 —3A 136
Martindale Cres. Mid —3K 71
Martindale Cres. Wig —1B 82
Martindale Gdns. Bolt —3A 44
Martindale Rd. St H —6B 102
Martin Dri. Irl —5C 130
Martin Fields. Roch —3B 30
Martingale Clo. Rad —1E 68
Martingale Way. Droy —5B 118
Martin Gro. Kear —7H 67
Martin Ho. M14 —6K 135
Martin La. Roch —3D 30
Martin Rd. Clif —5F 91
Martins Av. Hth C —2G 19
Martinsclough. Los —7C 42
Martins Ct. Hind —1E 84
Martinscroft Rd. M23 —6B 166
Martin St. Ath —4D 86
Martin St. Aud —2D 138
Martin St. Bury —2D 48
Martin St. Hyde —7J 139
Martin St. Salf —6H 113
Martin St. Tur —7F 7
Martland Av. Lwtn —2B 126
Martland Av. Shev —1F 59
Martland Cres. Wig —3A 60
Martland Mill La. Wig —4K 59 (in two parts)
Martlesham Wlk. M4 —6G 115 (4K 5)
Martlet Av. Dis —6C 184
Martlet Clo. M14 —1H 151
Martlett Av. Roch —5A 30
Martlew Dri. Ath —3F 87
Martock Av. M22 —1E 178
Marton Av. M20 —1J 167
Marton Av. Bolt —5E 44
Marton Dri. Ath —3E 86
Marton Grange. P'wch —5D 92
Marton Grn. Stoc —5F 169
Marton Gro. Stoc —4G 153
Marton Pl. Sale —6E 148
Marton St. Wig —5E 60
Marton Way. Hand —7A 180
Marus Av. Wig —4B 82
Marus Bri. Retail Pk. Wig —5B 82
Marvic Ct. M13 —6A 136
Marwick Clo. Stand —3K 37
Marwood Clo. Alt —5K 163
Marwood Clo. Rad —6J 67
Marwood Dri. M23 —1K 177
Mary Anne Clo. Ash L —2E 118
Maryfield Clo. Golb —2H 125
Maryfield Ct. M16 —2E 150
Mary France St. M15 —3E 134
Mary Hulton Ct. W'houg —6A 64
Maryland Av. Bolt —6F 45
Marylebone Ct. Wig —3F 61
Marylebone Pl. Wig —3E 60
Marylon Dri. M22 —3E 166
Mary St. M3 —5F 115 (1G 4)
Mary St. Bury —6K 27
Mary St. Chea —5K 167
Mary St. Dent —5E 138
Mary St. Droy —6K 117
Mary St. Duk —7F 119
Mary St. Farn —7F 67
Mary St. Heyw —3J 49
Mary St. Hyde —6H 139
Mary St. Ram —6F 9
Mary St. Roch —7B 14
Mary St. Tyl —6G 87
Mary St. E. Hor —1F 41
Mary St. W. Hor —7E 20
Masboro St. M8 —1F 115
Masbury Clo. Bolt —5A 24
Masefield Av. Leigh —1H 107
Masefield Av. Orr —1G 81
Masefield Av. P'wch —4K 91
Masefield Av. Rad —2C 68
Masefield Clo. Duk —2B 140
Masefield Cres. Droy —7J 117
Masefield Dri. Farn —7D 66 (in two parts)

Masefield Dri.—Mercer Rd.

Masefield Dri. Stoc —1C 168
Masefield Dri. Wig —2B 82
Masefield Gro. Stoc —1G 153
Masefield Ho. Wig —2B 82
Masefield Rd. Droy —7J 117
Masefield Rd. L Lev —2K 67
Masefield Rd. Oldh —4F 75
Masmyth St. Hor —2G 41
Mason Clo. Ash M —4F 105
Mason Gdns. Bolt —7A 44
Mason La. Ath —5E 86
Mason Row. Eger —2K 23
Masons Gro. Had —3C 142
Masons La. Mac —2H 199
Mason St. M4 —6H 115 (3L 5)
Mason St. Abr —7K 83
Mason St. Bury —3A 48
Mason St. Heyw —3H 49
Mason St. Hor —2E 40
Mason St. Roch —5H 31
Mason St. Wig —7D 60
Mason St. Ind. Est. Wig (off Mason St.) —7D 60
Massey Av. Ash L —2G 119
Massey Av. Fail —7K 95
Massey Croft. Whitw —3E 12
Massey Rd. Alt —7C 164
Massey Rd. Sale —6J 149
Massey St. Ald E —5G 195
Massey St. Bury —2A 48
Massey St. Salf —6C 114 (5B 4)
Massey Wlk. M22 —3F 179
Massie St. Chea —5K 167
Matchmoor La. Hor —1K 41
Matham Wlk. M15 —3G 135 (off Chevril Clo.)
Mather Av. Ecc —6C 112
Mather Av. Lwtn —3C 126
Mather Av. P'wch —5C 92
Mather Av. W'fld —4K 69
Mather Clo. W'fld —5K 69
Mather Fold Rd. Wor —6D 88
Mather La. Leigh —4A 108
Mather Rd. Bury —5K 27
Mather Rd. Ecc —6C 112
Mather St. Ath —4D 86
Mather St. Bolt —7A 44
Mather St. Fail —1G 117
Mather St. Kear —6G 67
Mather St. Rad —3E 68
Mather Way. Salf —5A 114
Matheson Dri. Wig —6K 59
Matley Clo. Hyde —4B 140
Matley Gro. Stoc —4A 154
Matley La. Hyde & Mat —4B 140
Matley Pk. La. Stal —3D 140
Matlock Av. M20 —4F 151
Matlock Av. Ash L —2K 119
Matlock Av. Dent —2E 154
Matlock Av. Salf —1A 114
Matlock Av. Urm —2K 147
Matlock Bank. Glos —1A 158 (off Riber Bank)
Matlock Clo. Ath —5D 86
Matlock Clo. Farn —5G 67
Matlock Clo. Sale —6G 149
Matlock Dri. Haz G —4C 182
Matlock Gdns. Glos —1A 158 (off Riber Bank)
Matlock La. Glos —1A 158 (off Riber Bank)
Matlock M. Alt —6C 164
Matlock Pl. Glos —1A 158 (off Riber Bank)
Matlock Rd. H Grn —5J 179
Matlock Rd. Stoc —1J 153
Matlock Rd. Stret —6E 132
Matlock St. Ecc —1A 132
Matson Wlk. M22 —2A 178
Matt Busby Clo. Pen —1F 113
Matterdale Ter. Stal —4A 120
Matthew Clo. Oldh —3F 97
Matthew Moss La. Roch —1D 50
Matthews Av. Kear —7H 67
Matthews La. M12 & M19 —7C 136
Matthew's St. M12 —2B 136
Matthew St. Marp —5A 172
Matthias Ct. Salf —5D 114 (2D 4)
Mattison St. M11 —2G 137
Maudsley St. Bury —4J 47
Maud St. Bolt —7E 24
Maud St. Roch —2J 31
Mauldeth Clo. Stoc —7C 152
Mauldeth Ct. Stoc —7C 152
Mauldeth Rd. Burn & Stoc —5B 152
Mauldeth Rd. Wthtn & Burn —3J 151
MAULDETH ROAD STATION. BR —4A 152
Mauldeth Rd. W. Chor H & Wthtn —4C 150
Maunby Gdns. L Hul —4E 88
Maureen Av. M8 —7G 93
Maurice Clo. Duk —1J 139
Maurice Dri. Salf —4K 113
Maurice Pariser Wlk. M8 —1F 115
Maurice Rd. Roch —6H 31
Maurice St. Salf —4K 113
Maveen Ct. Stoc —7J 169
Maveen Gro. Stoc —7J 169
Mavis Dri. Cop —3A 18
Mavis Gro. Miln —6E 32
Mavis St. Roch —4E 50
Mavson St. M13 —2J 135 (10N 5)
Mawdsley Dri. M8 —7J 93
Mawdsley St. Bolt —6B 44
Maxfield Clo. Mac —3B 198
Maxton Ho. Farn —6G 67
Maxwell Av. Stoc —6A 170
Maxwell St. Bolt —1A 44
Maxwell St. Bury —2B 48
Max Woosnam Wlk. M14 —6G 135
Mayall St. Moss —6C 98
Mayall St. E. Oldh —7G 75
Mayan Av. Salf —6D 114 (3D 4)
May Av. Abr —1A 106
May Av. Chea H —6D 180
May Av. Leigh —2H 107
May Av. Stoc —1D 168
Maybank St. Bolt —1K 65
Mayberth Av. M8 —5G 93
Maybreck Clo. Bolt —1J 65
Maybrook Wlk. M9 —7K 93
Mayburn Clo. Mid —2E 94
Maybury St. M18 —3G 137
Maycroft. Stoc —4K 153
Maycroft Av. M20 —5J 151
May Dri. M19 —4B 152
Mayering Ct. Stoc —6E 152
Mayer St. Stoc —4A 170
Mayes Gdns. M4 —7K 115
Mayes St. M4 —6G 115 (3J 5) (in two parts)
Mayfair. Hor —2H 41
Mayfair Av. Rad —2B 68
Mayfair Av. Salf —5F 113
Mayfair Av. Urm —7K 131
Mayfair Av. W'fld —7K 69
Mayfair Clo. Duk —1A 140
Mayfair Ct. Tim —5F 165
Mayfair Cres. Fail —7K 95
Mayfair Dri. Asp —4B 62
Mayfair Dri. Ath —3F 87
Mayfair Dri. Irl —7C 130
Mayfair Dri. Rytn —4B 74
Mayfair Dri. Sale —1C 164
Mayfair Dri. Wig —5B 82
Mayfair Gdns. Roch —7F 31
Mayfair Gro. W'fld —7A 70
Mayfair Pk. M20 —7F 151
Mayfair Rd. M22 —1E 178
Mayfield. Bolt —7F 25
Mayfield. Rad —4C 68
Mayfield Av. Adl —5J 19
Mayfield Av. Bolt —3D 66
Mayfield Av. Dent —3E 154
Mayfield Av. Farn —7E 66
Mayfield Av. Mac —6E 198
Mayfield Av. Sale —6J 149
Mayfield Av. Spring —7A 76
Mayfield Av. Stoc —5H 153
Mayfield Av. Stret —1F 149
Mayfield Av. Swint —2A 112
Mayfield Av. Wor —4F 89
Mayfield Clo. Ram —2E 26
Mayfield Clo. Tim —5F 165
Mayfield Ct. Wig —5H 59
Mayfield Dri. Leigh —1G 127
Mayfield Gro. M18 —5H 137
Mayfield Gro. Stoc —4H 153
Mayfield Gro. Wilm —1E 194
Mayfield Mans. M16 —6E 134
Mayfield Rd. M16 —6E 134
Mayfield Rd. Bram —1G 189
Mayfield Rd. Marp B —2B 172
Mayfield Rd. Mob —2J 193
Mayfield Rd. Oldh —5F 75
Mayfield Rd. Orr —6H 59
Mayfield Rd. Ram —2E 26
Mayfield Rd. Salf —6B 92
Mayfield Rd. Tim —5F 165
Mayfield Rd. Uph —7A 58
Mayfield St. Ash M —5C 104
Mayfield St. Ath —4C 86
Mayfield St. Aud —4C 138
Mayfield St. Roch —3K 31 (in two parts)
Mayfield Ter. Mac —6E 198
Mayfield Ter. Roch —3K 31
Mayfield Ter. Sale —6E 148
Mayflower Av. Salf —1A 134
Mayflower Cotts. Stand —5E 38
Mayford Rd. M19 —7C 136
Maygate. Oldh —6B 74
May Gro. M19 —2D 152
Mayhill Dri. Salf —4E 112
Mayhill Dri. Wor —7J 89
Mayhurst Av. M21 —6D 150
Mayorlowe Av. Stoc —6A 154
Mayor's Rd. Alt —7C 164
Mayor St. Bolt —7K 43
Mayor St. Bury —2G 47
Mayor St. Chad —7A 74
Mayo St. M12 —1K 135
May Pl. L'boro —7C 14
May Pl. Roch —1J 51 (off Oldham Rd.)
Maypole Ind. Est. Abr —1A 106
Maypool Dri. Stoc —4H 153
May Rd. M16 —6D 134
May Rd. Chea H —6D 180
May Rd. Pen —2F 113
Maysmith M. Salf —2D 114
May St. M40 —3E 116 (in two parts)
May St. Bolt —6C 44
May St. Ecc —4A 112
May St. Golb —6K 105
May St. Heyw —5A 50 (in two parts)
May St. Leigh —3G 107
May St. Oldh —3A 96
May St. Rad —3E 68
May St. Tur —5G 7
Mayton St. M11 —1C 136
May Tree Dri. Wig —2D 60
Mayville Dri. M20 —5H 151
May Wlk. Part —7A 146
Maywood. Wilm —2E 194
Maywood Av. M20 —3H 167
Maze St. Bolt —1E 66
Meachin Av. M21 —4C 150
Mead Clo. Knut —5C 192
Meade Clo. Urm —7A 132
Meade Gro. M13 —6B 136
Meade Hill Rd. P'wch —4E 92
Meade, The. M21 —3B 150
Meade, The. Bolt —4A 66
Meade, The. Wilm —5J 187
Meadfoot Av. P'wch —4C 92
Meadfoot Rd. M18 —3F 137
Meadland Gro. Bolt —1B 44
Meadon Av. Clif —6F 91
Meadow Av. Hale —1F 177
Meadow Av. Hyde —1J 155
Meadow Bank. M21 —3A 150
Meadowbank. Ash L —2E 118
Meadow Bank. Bred —7D 154
Meadow Bank. Glos —3B 158
Meadow Bank. Holl —3K 141
Meadow Bank. Stoc —1D 168
Meadow Bank. Tim —4E 164
Meadowbank Av. Ath —3E 86
Meadowbank Clo. Fail —2J 117
Meadow Bank Clo. Oldh —3J 97
Meadow Bank Ct. Stret —1E 148
Meadowbank Gdns. G'bry —2C 128
Meadowbank Rd. Bolt —4H 65
Meadowbrook. Salf —6F 113
Meadowbrook Clo. Los —3B 64
Meadowbrook Way. Chea H —7D 168
Meadow Brow. Ald E —4G 195
Meadowburn Nook. Ecc —4K 111
Meadow Clo. Dent —3E 154
Meadow Clo. Hale —1F 177
Meadow Clo. Heyw —3J 49
Meadow Clo. H Lane —4K 183
Meadow Clo. Leigh —6J 107
Meadow Clo. L Lev —4K 67
Meadow Clo. Moss —4E 98
Meadow Clo. Newt W —6B 124
Meadow Clo. Stret —1J 149
Meadow Clo. Wilm —2E 194
Meadow Clo. Woodl —5E 154
Meadow Ct. Hale —1G 177
Meadow Ct. Salf —5F 113
Meadowcroft. Ash M —2B 104
Meadow Croft. Haz G —1C 182
Meadowcroft. Mot —5G 141
Meadowcroft. Rad —1D 68
Meadowcroft. Sale —4F 149
Meadowcroft. W'houg —7K 63
Meadow Croft. W'fld —1G 91
Meadowcroft La. Oldh —5F 75
Meadowcroft La. Roch —6B 30
Meadow Dri. Knut —6C 192
Meadow Dri. P'bry —3D 196
Meadowfield. Los —6B 42
Meadowfield Clo. Glos —6B 142
Meadowfield Ct. Hyde —5H 139
Meadowfield Dri. Wor —2D 110
Meadow Fold. Upperm —6J 77
Meadowgate. Salf —5G 113
Meadowgate. Urm —1B 148
Meadowgate. Wor —7H 89
Meadowgate Rd. Salf —5F 113
Meadow Head Av. Whitw —5F 13
Meadow Head La. Roch —2F 29
Meadow La. Bolt —6J 45
Meadow La. Dent —2E 154
Meadow La. Dis —6D 184
Meadow La. Duk —1H 139
Meadow La. Dun M —7C 162
Meadow La. Oldh —5C 96
Meadow La. Wor —3H 111
Meadow Pit La. Haig —5G 39
Meadow Rise. Glos —3B 158
Meadow Rise. Shaw —4E 52
Meadow Rd. Mid —1A 94
Meadow Rd. Salf —5C 114 (1B 4)
Meadow Rd. Urm —1B 148
Meadows Clo. Hind —2B 84
Meadowside. M21 —4B 150
Meadowside. A'ton —5F 191
Meadowside. Bram —2E 180
Meadowside. Miln —1G 53
Meadowside. Nwtwn —6G 185
Meadowside Av. M22 —7D 166
Meadowside Av. Ash M —7C 82
Meadowside Av. Bolt —5E 44 (in two parts)
Meadowside Av. Irl —7C 130
Meadowside Av. Wor —3G 89
Meadowside Clo. Rad —1E 68
Meadowside Gro. Wor —4G 89
Meadows La. Bolt —2H 45
Meadows Rd. Chea H —4B 180
Meadows Rd. H Grn —3H 179
Meadows Rd. Sale —4G 149
Meadows Rd. Stoc —3E 152
Meadows, The. Cad —4K 145
Meadows, The. Grot —1A 98
Meadows, The. Had —5B 142
Meadows, The. Mid —1D 94
Meadows, The. P'wch —3B 92
Meadows, The. Rad —1C 68
Meadows, The. Upperm —7H 77
Meadow St. M16 —5E 134
Meadow St. Adl —6J 19
Meadow St. Oldh —6K 95
Meadow St. Redf I —1J 155
Meadow St. Stoc —6A 170
Meadow St. Wig —5C 60
Meadowsweet Rd. Mob —2K 193
Meadow, The. Bolt —6C 42
Meadow, The. Whitw —2E 12
Meadowvale Dri. Pem —1J 81
Meadow View. Lymm —7D 160
Meadow View. Roch —3C 30
Meadow Wlk. Ast —3H 109
Meadow Wlk. Bred —7D 154
Meadow Wlk. Farn —6C 66
Meadow Wlk. L'boro —6D 14
Meadow Wlk. Part —7A 146
Meadow Way. M40 —6C 94
Meadow Way. Blac —4C 40
Meadow Way. Hale —1F 177
Meadow Way. Mac —1G 199
Meadow Way. S'seat —2G 27
Meadow Way. Tot —6C 26
Meadow Way. Tur —5F 7
Meadow Way. Wilm —2E 194
Meadscroft Dri. Ald E —4F 195
Meads Gro. Ast —2J 109
Meads Gro. Farn —6A 66
Meads, The. Chad —1J 95
Mead, The. Salf —6H 113
Meadway. Bram —7G 181
Meadway. Bury —7K 47
Meadway. Chad —5G 95
Mead Way. Dent —2D 154
Meadway. Duk —2J 139
Meadway. Farn —5H 67
Meadway. H Lane —4K 183
Meadway. Ince —7H 61
Meadway. Lwtn —1B 126
Meadway. Poy —7K 181
Meadway. P'bry —5C 196
Meadway. Ram —2G 9
Meadway. Roch —1E 50
Meadway. Sale —7C 148
Meadway. Stal —3E 140
Meadway. Tyl —6K 87
Meadway Clo. Sale —1C 164
Meadway Ct. Bram —7G 181
Meadway Rd. Chea H —1D 180
Mealhouse Brow. Stoc —2H 169
Mealhouse Ct. Ath —4C 86
Mealhouse La. Ath —4C 86
Mealhouse La. Bolt —6B 44
Meal St. N Mills —4J 185
Meal St. Stoc —7G 153
Meanley Rd. Ast —1E 108
Meanley St. Tyl —6G 87
Meanwood Brow. Roch —4E 30 (in two parts)
Meanwood Fold. Roch —4F 31
Meddings Clo. Ald E —6F 195
Medina Clo. Chea H —7D 168
Medlar Way. Ash M —3B 104
Medley St. Roch —3H 31
Medley Wlk. M13 —2H 135 (10M 5) (off Hanworth Clo.)
Medlock Clo. Farn —6D 66
Medlock Ct. M15 —4F 135 (off Lingbeck Cres.)
Medlock Ct. Oldh —7J 75
Medlock Dri. Oldh —6E 96
Medlock Rd. Fail —4H 117
Medlock St. M15 —2F 135 (9G 4)
Medlock St. Droy —6J 117
Medlock St. Oldh —7E 74
Medlock Way. Lees —1J 97
Medlock Way Plat B —5J 83
Medlock Way. W'fld —6C 70
Medway Clo. Ash M —2B 104
Medway Clo. Hor —2H 41
Medway Clo. Leigh —1G 127
Medway Clo. Oldh —4A 96
Medway Clo. Salf —5H 113
Medway Cres. Alt —5A 164
Medway Dri. Hor —2H 41
Medway Dri. Kear —2K 89
Medway Pl. Wig —7K 59
Medway Rd. Cul —7A 128
Medway Rd. Oldh —4A 96
Medway Rd. Shaw —5E 52
Medway Rd. Wor —7D 88
Medway, The. Heyw —2H 49
Medway Wlk. M40 —5K 115
Medway Wlk. Wig —7K 59
Meech St. M11 —1E 136
Meek St. Rytn —4E 74
Meerbrook Rd. Stoc —3C 168
Mee's Sq. Ecc —1B 132
Mee St. Mac —6G 199
Megfield. W'houg —1J 85
Meg La. Mac —3A 198
Melandra Castle Rd. Glos —1K 157
Melandra Cres. Hyde —7E 140
Melanie Clo. Glos —2C 158
Melanie Dri. Stoc —2H 153
Melba St. Open —1G 137
Melbecks Wlk. M23 —1J 165
Melbourne Av. Chad —7J 73
Melbourne Av. Man A —4A 178
Melbourne Av. Stret —7H 133
Melbourne Clo. Hor —2G 41
Melbourne Clo. Roch —3J 51
Melbourne Gro. Hor —2G 41
Melbourne M. Salf —3D 114
Melbourne Rd. Bolt —1H 65
Melbourne Rd. Bram —6G 181
Melbourne Rd. Roch —3J 51
Melbourne St. M9 —7A 94
Melbourne St. M15 —2E 134 (10E 4)
Melbourne St. Chad —7K 73
Melbourne St. Dent —7C 138
Melbourne St. Pen —7F 91
Melbourne St. Salf —3D 114
Melbourne St. Stal —6A 120
Melbourne St. Stoc —2H 153
Melbourne St. N. Ash L —4G 119
Melbourne St. S. Ash L —4G 119
Melbury Av. M20 —6K 151
Melbury Ct. Bchwd —4A 144
Melbury Dri. Los —5K 41
Melbury Rd. Chea H —6D 180
Meldon Rd. M13 —7A 136
Meldreth Dri. M12 —5B 136
Meldrum St. Oldh —3D 96
Meldrum Wlk. Oldh —3D 96
Melford Av. M40 —6G 95
Melford Dri. Ash M —4C 104
Melford Dri. Bil —4D 80
Melford Dri. Mac —1E 198
Melford Ho. Bolt —4A 44 (off Nottingham Dri.)
Melford Rd. Haz G —3D 182
Melfort Av. Stret —1J 149
Meliden Cres. M22 —1E 178
Meliden Cres. Bolt —4H 43
Melksham Clo. Mac —4C 198
Melksham Clo. Salf —6B 114
Mellalieu St. Heyw —2J 49
Mellalieu St. Mid —5A 72
Mellalieu St. Rytn —4C 74
Melland Av. M21 —5C 150
Melland Rd. M18 —6E 136
Meller Rd. M13 —7B 136
Melling Av. Chad —5G 73
Melling Av. Stoc —4G 153
Melling Clo. Leigh —7K 107
Melling Rd. Oldh —1G 97
Mellings Av. Orr —6E 80
Melling St. M12 —5C 136
Melling St. Wig —2A 82
Mellington Av. M20 —3H 167
Melling Way. Wins —6K 81
Mellish Wlk. M8 —3F 115
Mellodew Dri. Oldh —3H 75
Mellor Brow. Heyw —3J 49
Mellor Clo. M16 —4D 134
Mellor Clo. Ash L —5J 119
Mellor Ct. Stoc —4C 170
Mellor Cres. Knut —5B 192
Mellor Dri. Bury —6H 47
Mellor Dri. Wor —6E 88
Mellor Gro. Bolt —4H 43 (in two parts)
Mellor Ho. Rytn —2C 74 (off Royton Hall Pk.)
Mellor Rd. SK12 —6H 173
Mellor Rd. Ash L —6J 119 (in two parts)
Mellor Rd. Chea H —3D 180
Mellor Rd. N Mills —6H 173
Mellors Rd. Traf P —2F 133
Mellor St. M40 —5K 115
Mellor St. Droy —7H 117
Mellor St. Ecc —7B 112
Mellor St. Fail —2F 117
Mellor St. Lees —1J 97
Mellor St. Oldh —5A 96
Mellor St. P'wch —3K 91
Mellor St. Rad —4F 69 (in two parts)
Mellor St. Roch —4F 31
Mellor St. Rytn —1B 74
Mellor St. Stret —5J 133
Mellor Way. Chad —3K 95
Mellowdew St. Oldh —2J 75
Mellowstone Dri. M21 —2F 151
Melloy Pl. M8 —4G 115
Melmerby Clo. Ash M —5B 104
Melmerby Ct. Salf —7K 113
Melon Pl. Salf —6B 114
Melrose. Roch —4G 31 (off Spotland Rd.)
Melrose Av. M20 —7J 151
Melrose Av. Bolt —4G 43
Melrose Av. Bury —2G 47
Melrose Av. Ecc —4J 111
Melrose Av. Heyw —2J 49
Melrose Av. Leigh —6H 85
Melrose Av. L'boro —4E 14
Melrose Av. Sale —6F 149
Melrose Av. Stoc —4B 168
Melrose Clo. W'fld —4K 69
Melrose Ct. Chad —3J 95
Melrose Cres. Ash M —5J 103
Melrose Cres. Hale —3F 177
Melrose Cres. Poy —7H 183
Melrose Cres. Stoc —7F 169
Melrose Dri. Wig —4J 81
Melrose Gdns. Rad —1C 68
Melrose Rd. L Lev —3H 67
Melrose Rd. Rad —1C 68
Melrose St. M40 —3E 116
Melrose St. Bury —2F 27
Melrose St. Oldh —5F 75
Melrose St. Roch —5F 31
Melsomby Rd. M23 —1A 166
Meltham Av. M20 —4G 151
Meltham Clo. Stoc —2A 168
Meltham Pl. Bolt —2J 65
Meltham Rd. Mars —1J 57
Meltham Rd. Stoc —2A 168
Melton Av. Dent —6J 137
Melton Av. Urm —6F 131
Melton Clo. Ast —7H 87
Melton Clo. Heyw —4H 49
Melton Clo. Wor —5E 88
Melton Dri. Bury —1A 70
Melton Rd. M8 —6E 92
Melton Row. Rad —2D 68
Melton St. M9 —6B 94
Melton St. Heyw —4H 49
Melton St. Rad —2D 68
Melton St. Stoc —6H 153
Melton Wlk. Rad —2D 68
Melton Way. Rad —2D 68
Melverley Dri. Leigh —3C 108
Melverley Rd. M9 —2G 93
Melverley St. Wig —7C 60
Melville Clo. M11 —2G 137
Melville Rd. Cad —5J 145
Melville Rd. Kear —1H 89
Melville Rd. Stret —6F 133
Melville St. Ash L —5F 119
Melville St. Bolt —2C 66
Melville St. Lees —2J 97
Melville St. Roch —4F 51
Melville St. Salf —6D 114 (4D 4)
Melvin Av. M22 —7E 166
Melyncourt Dri. Hyde —6E 140
Memorial Rd. Wor —5F 89
Menai Gro. Chea —5C 168
Menai Rd. Stoc —5G 169
Menai St. Bolt —2H 65
Mendip Av. M22 —7F 167
Mendip Av. Wig —4J 81
Mendip Clo. Bolt —6J 45
Mendip Clo. Chad —2K 95
Mendip Clo. H Grn —5H 179
Mendip Clo. Hor —7G 21
Mendip Clo. Rytn —3A 74
Mendip Clo. Stoc —7G 153
Mendip Ct. Plat B —4K 83
Mendip Ct. Stoc —7G 153
Mendip Cres. Bury —2E 46
Mendip Dri. Bolt —7J 45
Mendip Dri. Miln —6E 32
Mendip Rd. Oldh —4B 96
Mendips Clo. Shaw —5D 52
Menston Av. M40 —6G 95
Mentmore Rd. Roch —5B 32
Mentone Cres. M22 —7E 166
Mentone Rd. Stoc —7D 152
Mentor St. M13 —6B 136
Menzies Ct. M21 —1B 150
Mercer Ct. Hth C —3H 19
Mercer La. Roch —4A 30
Mercer Rd. M18 —4F 137

Mercer Rd.—Minerva Rd.

Mercer Rd. Heyw —6K 49
Mercer St. M19 —1D 152
Mercer St. Droy —6K 117
Mercer St. Newt W —5F 125
Merchants Cres. Lwtn —7C 106
Merchants Quay. Salf —3K 133
Mercian Way. Ash L —5F 119
Mercian Way. Stoc —4F 169
Mercia St. Bolt —1J 65
Mercury Bus. Pk. Urm —3D 132
Mercury Way. Urm —4D 132
Mere Av. Droy —1G 137
Mere Av. Leigh —3H 107
Mere Av. Mid —1C 94
Mere Av. Salf —6J 113
Mere Av. Stoc —6E 168
Mere Bank Clo. Wor —4E 88
Merebrook Clo. Mac —3C 198
Merebrook Rd. Mac —3B 198
Mere Clo. Dent —6K 137
Mere Clo. Sale —7K 149
Mere Clo. Uns —1B 70
Mereclough Av. Wor —6H 89
Meredew Av. Swint —2C 112
Meredith St. M14 —3K 151
Meredith St. Bolt —3B 66
Mere Dri. M20 —6H 151
Mere Dri. Clif —5E 90
Merefield Av. Roch —7G 31
Merefield Rd. Tim —6G 165
Merefield St. Roch —7G 31
Merefield Ter. Roch —7G 31
Mere Fold. Char R —1A 18
Merefold. Hor —2D 40
Mere Fold. Wor —4D 88
Mere Gdns. Bolt —5A 44
Mere Gro. St H —7B 102
Merehall Clo. Bolt —5A 44
Merehall Dri. Bolt —4A 44
Merehall St. Bolt —4K 43
Mereheath La. Knut —1B 192
Mereheath Pk. Knut —3C 192
Mereland Av. M20 —6J 151
Mereland Clo. Orr —1E 80
Mere La. Roch —7H 31
Merepool Clo. Marp —4H 171
Mere Rd. Ash M —4E 104
Mere Rd. Newt W —5H 125
Mere Side. Stal —4K 119
(in four parts)
Mereside Clo. Chea H —7B 168
Mereside Clo. Mac —2C 198
Mereside Gro. Wor —4G 89
Mereside Wlk. M15 —3D 134
Mere St. Leigh —3H 107
Mere St. Roch —6H 31
(in three parts)
Mere St. Wig —1B 82
Mere, The. Ash L —2J 119
Mere, The. Chea H —7B 168
Mere Wlk. Bolt —5A 44
Merewood Av. M22 —5D 166
Meriden Clo. Rad —7D 46
Meriden Gro. Los —7D 42
Merinall Clo. Roch —5A 32
Meriton Rd. Hand —1J 187
Meriton Wlk. M18 —5D 136
Merlewood. Ram —1J 9
Merlewood Av. M19 —3E 152
Merlewood Av. Dent —7K 117
Merlewood Av. Upperm —6H 77
Merlewood Dri. Ast —7H 87
Merlewood Dri. Swint —2A 112
Merlin Av. Knut —3E 192
Merlin Clo. L'boro —2E 32
Merlin Clo. Oldh —7E 96
(in two parts)
Merlin Clo. Stoc —5E 170
Merlin Dri. Clif —5F 91
Merlin Gro. Bolt —4H 43
(in two parts)
Merlin Rd. Irl —5C 130
Merlin Rd. Miln —6D 32
Merlyn Av. M20 —6J 151
Merlyn Av. Dent —7C 138
Merlyn Av. Sale —4G 149
Merlyn Ct. Manx —6G 151
Merrick Av. M22 —7E 166
Merrick St. Heyw —4A 50
Merridale, The. Hale —4E 176
Merriden Rd. Mac —1D 198
Merridge Wlk. M8 —2F 115
Merrill St. M4 —7K 115
Merriman Av. Knut —3F 193
Merriman Hall. Roch —2K 31
Merriman St. M16 —5E 134
Merrion St. Farn —4E 66
Merrow Wlk. M1 —2H 135 (9L 5)
(off Grosvenor St.)
Merrybent Clo. Stoc —6B 170
Merry Bower Rd. Salf —7E 92
Merrydale Av. Ecc —4C 112
Merrydale Clo. Mac —2B 198
Merryman's La. Ald E —7A 194
Mersey Bank. Had —4B 142
Merseybank Av. M21 —5C 150
Mersey Bank Rd. Had —5B 142
Mersey Clo. Hind —4G 85
Mersey Clo. W'fld —5B 70
Mersey Cres. M20 —7D 150
Mersey Dri. Part —6C 146
Mersey Dri. W'fld —5B 70
Mersey Ho. Stoc —4C 168
Mersey Ind. Est. Stoc —2A 168
Mersey Meadows. M20 —7F 151
Mersey Rd. M20 —7F 151
Mersey Rd. Heat M —1B 168
(in two parts)
Mersey Rd. Orr —7F 59
Mersey Rd. Plat B —5H 83
Mersey Rd. Sale —4F 149
Mersey Rd. N. Fail —6J 95
Mersey Sq. Stoc —2G 169
Mersey Sq. W'fld —5B 70
Mersey St. Leigh —4G 107
Mersey St. Open —2G 137
Mersey St. Stoc —1J 169
Mersey View. Urm —2G 147
Merseyway. Stoc —2G 169
Merston Dri. M20 —3J 167
Mersy Ct. Sale —5J 149
Mersy St. Stoc —2H 169
Merton Av. Bred —6E 154
Merton Av. Haz G —4D 182
Merton Av. Oldh —4B 96
Merton Clo. Bolt —1J 65
Merton Dri. Droy —7G 117
Merton Gro. Ast —2J 109
Merton Gro. Chad —4F 95
Merton Gro. Tim —5F 165
Merton Rd. Poy —1K 189
Merton Rd. P'wch —2C 92
Merton Rd. Sale —4E 148
Merton Rd. Stoc —4D 168
Merton Rd. Wig —3H 81
Merton St. Bury —2H 47
Merton Wlk. M9 —1A 116
(off Trongate Wlk.)
Merville Av. M40 —6B 94
Mervyn Pl. Wig —3C 82
Mervyn Rd. Salf —2A 114
Merwell Rd. Urm —1G 147
Merwood Av. H Grn —4K 179
Merwood Gro. M14 —5A 136
Mesne Lea Gro. Wor —7G 89
Mesne Lea Rd. Wor —6G 89
Mesnes Av. Wig —2C 82
Mesnes Pk. Ter. Wig —5E 60
Mesnes Rd. Wig —4E 60
Mesnes St. Wig —5E 60
Mesnes Ter. Wig —6E 60
Metal Box Way. W'houg —4K 63
Metcalfe St. Miln —5B 32
Metcalfe Ter. Ain —4B 46
Metcalf M. Upperm —6H 77
Metfield Pl. Bolt —5J 43
Metfield Wlk. M40 —5F 95
Methuen St. M12 —6D 136
Methwold St. Bolt —2J 65
Metroplex Bus. Pk. Salf —1J 133
Metropolitan Ho. Oldh —1D 96
Mevagissey Wlk. Oldh —6G 75
Mews, The. M40 —5A 116
Mews, The. Bolt —5H 43
Mews, The. Gat —6H 167
Mews, The. Hind —2B 84
Mews, The. P'wch —4B 92
Mews, The. Sale —7G 149
Mews, The. Wor —2G 111
Meyer St. Stoc —5H 169
Meynell Dri. Leigh —6K 107
Meyrick Rd. Salf —5A 114
Meyrick St. Wig —1B 82
Miall St. Roch —6H 31
Micawber Rd. Poy —3C 190
Michaels Hey Pde. M23 —3G 165
Michael St. Mid —6B 72
Michael Wife La. Ram —1K 9
Michigan Av. Salf —1K 133
Mickleby Wlk. M40 —5K 115
Micklehurst Av. M20 —6E 150
Micklehurst Grn. Stoc —6C 170
Micklehurst Rd. Moss —7D 98
Mickleton. Ath —3E 86
Mickleton Brow. And —2A 20
Midbrook Wlk. M22 —3B 178
Middlebourne St. Salf —6J 113
Middlebrook Dri. Los —7C 42
Middle Calderbrook. L'boro —2G 15
Middlefell St. Farn —4F 67
Middlefield. Oldh —7E 96
Middle Field. Roch —3A 30
Middlefields. Chea H —7D 168
Middle Fold. Tur —4F 7
Middlegate. M40 —4F 95
Middle Ga. Oldh —5C 96
Middle Grn. Ash L —4G 119
Middleham St. M14 —7G 135
Middle Hill. Roch —7H 13
Middle Hillgate. Stoc —3H 169
Middlehills. Mac —5J 199
Middle Holly Gro. Dig —3J 77
Middle La. Part —1K 161
Middlesex Dri. Bury —5K 47
Middlesex Rd. M9 —5K 93
Middlesex Rd. Stoc —4K 153
Middlesex Wlk. Oldh —1B 96
Middlestone Dri. M9 —1K 115
Middle St. Whitw —2E 12
Middleton Av. Fail —1H 117
Middleton Clo. Rad —6D 46
Middleton Dri. Bury —3K 69
Middleton Gdns. Mid —6B 72
Middleton Old Rd. M9 —4K 93
Middleton Rd. M8 & Mid
(in two parts) —6F 93
Middleton Rd. Chad —5G 73
Middleton Rd. Heyw —5A 50
Middleton Rd. Rytn —3K 73
Middleton Rd. Stoc —7H 137
Middleton View. Mid —6D 72
Middleton Way. Mid —6B 72
Middle Wlk. Knut —4E 192
Middleway. Grot —2B 98
Middlewich Wlk. M18 —4E 136
Middlewood. Lwtn —1D 126
Middlewood Dri. Stoc —2C 168
Middle Wood La. Roch —5C 14
Middlewood Rd. H Lane —5H 183
Middlewood Rd. Poy —2E 190
MIDDLEWOOD STATION. BR —6H 183
Middlewood St. Salf —7C 114 (6B 4)
Middlewood View. H Lane —4H 183
Middlewood Wlk. M9 —1K 115
Middlewood Way. Mac
(in three parts) —2F 199
Midfield Ct. Salf —1E 114
Midford Av. Ecc —6K 111
Midford Dri. Bolt —5A 24
Midford Wlk. M8 —2G 115
Midge Hall Dri. Roch —6C 30
Midgley Av. M18 —3G 137
Midgley Dri. Roch —3A 52
Midgley Gro. Ash L —4J 119
Midgley St. Swint —2B 112
Midgrove. Del —2F 77
Midgrove La. Del —3F 77
Midhurst Av. M40 —4D 116
Midhurst Clo. Bolt —4A 44
Midhurst Clo. Chea H —4B 180
Midhurst St. Roch —7H 31
Midhurst Way. Chad —1K 95
Midland Clo. Leigh —2G 107
Midland Cotts. Haz G —3G 183
Midland Rd. Bram —7G 169
Midland Rd. Stoc —7H 137
Midland St. M12 —2K 135
Midland Ter. Hale —2B 176
Midland Ter. N Mills —5J 185
Midland Wlk. Bram —1G 181
(in two parts)
Midlothian St. M11 —6D 116
Midmoor Wlk. M9 —3A 94
(off Levedale Rd.)
Midville Rd. M11 —5E 116
Midway. Chea H —7D 180
Midway. Poy —3B 190
Midwood Hall. Salf —5K 113
(off Sutton Dwellings)
Milan St. Salf —2E 114
Milbourne Rd. Bury —6K 27
Milburn Av. M23 —1B 166
Milburn Dri. Bolt —5H 45
Milbury Dri. L'boro —2E 32
Milden Clo. Manx —6J 151
Mildred Av. Grot —2B 98
Mildred Av. P'wch —5C 92
Mildred Av. Rytn —4C 74
Mildred St. Salf —3C 114
Mile End La. Stoc —6K 169
Mile La. Bury —4D 46
Miles La. App B —5D 36
Miles La. Shev —7F 37
MILES PLATTING STATION. BR —3A 116
Miles St. M12 —2C 136
Miles St. Farn —6E 66
Miles St. Hyde —7K 139
Miles St. Oldh —6F 75
Milford Av. Oldh —5A 96
Milford Brow. Lees —7J 75
Milford Cres. L'boro —5F 15
Milford Dri. M19 —3D 152
Milford Gro. Stoc —4A 170
Milford Rd. Bolt —3A 66
Milford Rd. Harw —1H 45
Milford Rd. Wig —4H 61
Milford St. M9 —3H 93
Milford St. Ince —1G 83
Milford St. Roch —3H 31
Milford St. Salf —6J 113
Milkstone Pl. Roch —6H 31
Milkstone Rd. Roch —6H 31
(in two parts)
Milk St. M2 —7G 115 (5J 5)
Milk St. Hyde —7H 139
Milk St. Oldh —7G 75
Milk St. Ram —6F 9
Milk St. Roch —6H 31
Milk St. Tyl —6G 87
Milk St. Wig —7E 60
Milkwood Gro. M18 —5F 137
Millais St. M40 —7C 94
Millard St. Chad —7J 73
Millard Wlk. M18 —5F 137
Millbank. App B —6D 36
Millbank Ct. Heyw —3H 49
Millbank Dri. Mac —2B 198
Millbank St. M1 —7J 115 (6N 5)
Millbank St. Heyw —3H 49
Millbeck Ct. Mid —4K 71
Millbeck Cres. Pem —2J 81
Millbeck Gro. Bolt —2A 66
Millbeck Gro. St H —6B 102
Millbeck Rd. Mid —4K 71
Millbeck St. M15 —3G 135
Millbrae Gdns. Shaw —6D 52
Millbrook Av. Ath —2E 86
Millbrook Av. Dent —7B 138
Millbrook Bank. Roch —3K 29
Millbrook Clo. Shaw —7H 53
Millbrook Fold. Haz G —4D 182
Millbrook Gro. Wilm —4K 187
Millbrook Ho. Farn —6G 67
Mill Brook Ind. Est. M23 —5J 165
Millbrook Rd. M23 —1A 178
Millbrook St. Stoc —3H 169
Millbrook Towers. Stoc —3H 169
Mill Brow. M9 —5J 93
Mill Brow. Ash L —6G 97
Mill Brow. B'btm —2G 157
Mill Brow. Chad —4J 73
Mill Brow. Marp B —3D 172
Mill Brow. Wor —2H 111
Mill Brow Rd. Marp B —3D 172
Millbrow Ter. Oldh —4J 73
Mill Clo. Knut —2G 193
Mill Ct. Urm —7C 132
Millcrest Clo. Wor —3B 110
Mill Croft. Bolt —5K 43
Millcroft. Shaw —7G 53
Millcroft Av. Orr —2D 80
Mill Croft Clo. Roch —2J 29
Millcroft La. Del —6F 55
Milldale Clo. Ath —4C 86
Milldale Rd. Leigh —1F 127
Millerhouse. Shaw —1F 75
Miller Meadow Clo. Shaw —5G 53
Miller Rd. Oldh —4C 96
Millers Brook Clo. Heyw —2K 49
Millers Clo. Sale —7A 150
Millers Ct. Mac —3E 198
Miller's Ct. Salf —6E 112
Millersdale Ct. Glos —1H 159
Miller's La. Ath —5D 86
Millers La. Lymm —6H 161
Miller's La. Wig —5H 83
Millers St. Ecc —6A 112
Miller St. M4 —6G 115 (3J 5)
Miller St. Ash L —4F 119
Miller St. Blac —6C 40
Miller St. Bury —2G 27
Miller St. Heyw —3K 49
Miller St. Rad —7D 48
Millervale Ho. Plat B —6J 83
(off Miller's La.)
Millet St. Ram —4H 9
Millett St. Bury —3H 47
Millett Ter. Bury —5E 28
Millfield Dri. Wor —2D 110
Millfield Gro. Roch —6K 31
Millfield La. Ash M & Hayd —6A 104
Millfield Rd. Bolt —6J 45
Millfield Wlk. M40 —5E 94
Millfold. Whitw —1F 13
Mill Fold Rd. Mid —6B 72
Millford Av. Urm —7G 131
(in two parts)
Millford Gdns. Urm —7G 131
Millgate. Del —2F 77
Millgate. Eger —2K 23
Mill Ga. Oldh —4B 96
Mill Ga. Roch —2K 31
Millgate. Stoc —1H 169
Millgate. Wig —6E 60
Millgate Cen. Del —2F 77
Millgate La. M20 —2H 167
(in two parts)
Mill Grn. St. M12 —1K 135
Millhalf Clo. M15 —4E 134
Millhead Av. M40 —6A 116
Mill Hill. L Hul —1A 88
Mill Hill Av. Poy —5B 182
Mill Hill Cvn. Pk. Bolt —5C 44
(off Mill Hill St.)
Mill Hill Gro. Mot —7F 141
Mill Hill Hollow. Poy —5B 182
Mill Hill St. Bolt —5C 44
Mill Hill Way. Mot —7F 141
Millhouse Av. M23 —7A 166
Mill Ho. Clo. Roch —7B 14
Millhouse St. Ram —3J 9
Mill Ho. View. Uph —7C 58
Millingford Av. Golb —6H 105
Millingford Gro. Ash M —5D 104
Millingford Ind. Est. Golb —1J 125
Millington Hall La. M'ton —7D 174
Millington La. M'ton —5D 174
Millington Rd. Traf P —2G 133
Millington Wlk. M15 —3D 134
(off Shawheath Clo.)
Mill La. M22 —2E 166
Mill La. A'ton —7G 189
Mill La. App B —6C 36
Mill La. Ash L —6F 119
Mill La. Asp —3D 62
Mill La. Boll —2K 197
Mill La. Bolt —5C 44
Mill La. Bred —4E 170
Mill La. Bury —1F 47
Mill La. Chad —3A 96
Mill La. Chea —5K 167
Mill La. Chea H —1D 180
Mill La. Cop —2A 18
Mill La. Dent & Hyde —1F 155
Mill La. Dob —5D 76
Mill La. Fail —1E 116
Mill La. Haz G —4D 182
Mill La. Hor —1H 41
Mill La. Leigh —4B 108
Mill La. Los —6K 41
(in two parts)
Mill La. Lymm —6J 161
Mill La. Mac —4F 199
Mill La. Moss —5C 98
Mill La. Newt —7E 188
Mill La. Newt W —6G 125
Mill La. Rytn —2A 74
Mill La. Stoc —1H 153
(North Reddish)
Mill La. Stoc —3J 153
(Reddish Vale)
Mill La. Uph —5A 58
Mill La. Warf —7A 194
Mill La. W'houg —2J 85
Mill La. Woodl —5E 154
(off Hyde Rd)
Mill La. Woodl —4E 154
(off Lambeth Gro.)
Mill Meadow. Wig —7F 61
Millom Av. M23 —2B 166
Millom Clo. Roch —3A 32
Millom Ct. Tim —5H 165
Millom Dri. Bury —4A 70
Millom Pl. Gat —1H 179
Millow St. M4 —5G 115 (2J 5)
Millpool Wlk. M9 —7K 93
(off Alderside Rd.)
Millrise. Oldh —6C 74
Mill Rd. Mac —5F 199
Mill Rd. Orr —2D 80
Mill Rd. Walm —4K 27
Mill Rd. Wilm —6H 187
Mills Hill Clo. Oldh —6E 96
Mills Hill Rd. Mid —5F 73
MILLS HILL STATION. BR —5F 73
Mills St. Heyw —3H 49
Mills St. W'fld —6K 69
Mills St. Whitw —2F 13
Millstone Clo. Cop —3B 18
Millstone Clo. Poy —7D 182
Millstone Rd. Bolt —4F 43
Millstream La. M40 —4G 117
Mill St. M11 —1C 136
Mill St. Adl —4J 19
Mill St. Alt —6C 164
Mill St. Ash M —6E 104
Mill St. Bolt —6C 44
Mill St. Brom X —4B 24
Mill St. Chad —5J 95
Mill St. Cop —3A 18
Mill St. Fail —1F 117
Mill St. Farn —6E 66
Mill St. Glos —1F 159
Mill St. Golb —1J 125
Mill St. Haz G —1B 182
Mill St. Hind —1B 84
Mill St. Leigh —4A 108
Mill St. L'boro —1D 32
Mill St. Mac —3F 199
Mill St. Moss —6C 98
Mill St. Newt M —4J 139
Mill St. Rad —4F 69
(in two parts)
Mill St. Ram —7E 8
Mill St. Rytn —2B 74
Mill St. Salf —4A 114
Mill St. Stal —7C 120
Mill St. Tot —5D 26
Mill St. Tyl —6E 86
Mill St. Upperm —6H 77
Mill St. W'houg —6K 63
Mill St. Wig —7D 60
Mill St. Wilm —6H 187
Mill St. Woodl —5E 154
(in two parts)
Mill St. Wor —1C 110
Milltown. Glos —1F 159
Milltown Clo. Rad —4F 69
Milltown St. Rad —4F 69
Millview. Dig —2J 77
Millwall Clo. M18 —4F 137
Millway. Haleb —5G 177
Millway Wlk. M40 —3E 116
Millwood Clo. Ash M —3C 104
Millwood Ct. Bury —7K 47
Millwood Ter. Hyde —7H 139
Millwood View. Stal —6B 120
Millwright St. M40 —3D 116
Mill Yd. Bury —2A 48
Milne Clo. M12 —3C 136
Milner Av. B'hth —4K 163
Milner Av. Bury —7K 27
Milner St. M16 —5D 134
Milner St. Rad —3C 68
Milner St. Swint —7D 90
Milner St. Whitw —3E 12
Milnes Av. Leigh —6K 107
Milne St. Chad —5A 74
(Busk)
Milne St. Chad —7K 73
(Chadderton)
Milne St. Chad —2A 96
(Oldham)
Milne St. Hig —4E 74
Milne St. Roch —3E 50
Milne St. Shaw —7F 53
Milngate Clo. Roch —2A 52
Milnholme. Bolt —2H 43
Milnrow Clo. M13 —2H 135 (9M 5)
Milnrow Rd. L'boro —2D 32
Milnrow Rd. Roch —5H 31
Milnrow Rd. Shaw —6F 53
MILNROW STATION. BR —7D 32
Milnthorpe Rd. Bolt —5G 45
Milnthorpe St. Salf —3B 114
Milnthorpe Way. M12 —3A 136
Milo Ind. Pk. Droy —5A 118
Milo St. M9 —4K 93
Milsom Av. Bolt —3J 65
Milstead Wlk. M40 —3C 116
Milton Av. Bolt —3H 65
Milton Av. Droy —7J 117
Milton Av. Irl —4A 146
Milton Av. L Lev —2K 67
Milton Av. Millb —4E 120
Milton Av. Newt W —6D 124
Milton Av. Salf —6H 113
Milton Clo. Ath —2D 86
Milton Clo. Duk —2B 140
(in two parts)
Milton Clo. Marp —7K 171
Milton Clo. Stret —6J 133
Milton Ct. M19 —6A 152
Milton Ct. Bram —6G 181
Milton Ct. Cop —3A 18
Milton Ct. Salf —6E 92
Milton Cres. Farn —1D 88
Milton Cres. Gat —6J 167
Milton Dri. Chad —1J 95
Milton Dri. Poy —1B 190
Milton Dri. Sale —4E 148
Milton Dri. Tim —2E 164
Milton Gro. M16 —7C 134
Milton Gro. Orr —6D 80
Milton Gro. Orr —1F 81
Milton Gro. Sale —4E 148
Milton Gro. Wig —3E 60
Milton Mt. M18 —5F 137
Milton Pl. Salf —5B 114
Milton Rd. Aud —7B 118
Milton Rd. Bram —5G 181
Milton Rd. Cop —4A 18
Milton Rd. Lwtn —2B 126
Milton Rd. P'wch —2C 92
Milton Rd. Rad —2B 68
Milton Rd. Stret —6J 133
Milton Rd. Swint —6B 90
Milton St. Bury —2H 47
Milton St. Dent —5C 138
Milton St. Ecc —6B 112
Milton St. Hyde —5H 139
Milton St. Leigh —3J 107
Milton St. Mid —5B 72
Milton St. Moss —5C 98
Milton St. Ram —5F 9
Milton St. Roch —4H 31
Milton St. Rytn —1C 74
Milton St. Salf —4E 114
Milton View. Moss —5C 98
Milverton Av. Hyde —7C 140
Milverton Clo. Los —1D 64
Milverton Dri. Bram —7D 180
Milverton Rd. M14 —5K 135
Milverton Wlk. Hyde —7C 140
Milwain Dri. Stoc —4E 152
Milwain Rd. M19 —2B 152
Milwain Rd. Stret —1G 149
Mimosa Dri. Pen —5D 90
Mincing St. M4 —5G 115 (2K 5)
Minden Clo. M20 —6J 151
Minden Clo. Bury —3F 47
Minden Pde. Bury —3K 47
Minden St. Salf —2J 113
Minehead Av. M20 —3F 151
Minehead Av. Leigh —5H 85
Minehead Av. Urm —2K 147
Minerva Rd. Ash L —6G 119
Minerva Rd. Farn —5B 66

Minerva St.—Mossdale Rd.

Minerva St. Bolt —6D 44
Minerva Ter. L'boro —6E 14
(off William St.)
Mine St. Heyw —1J 49
Mine Way. Hayd —2B 124
Minford Clo. M40 —2D 116
Minister Dri. Bow —3J 175
Minnie St. Bolt —3J 65
Minnie St. Whitw —1F 13
Minoan Gdns. Salf —3C 114
Minorca Av. M11 —6F 117
Minorca Clo. Roch —4A 30
Minorca St. Bolt —2A 66
Minor St. Fail —7J 95
(in two parts)
Minor St. Oldh —2C 96
Minor St. Roch —4E 50
Minshull Ho. M1 —1H 135
Minshull St. M1 —7G 115 (6K 5)
Minshull St. Knut —4D 192
Minshull St. S. M1 —1H 135 (7L 5)
(off Fairfield St.)
Minsmere Wlk. M8 —2F 115
(off Alderford Pde.)
Minsmere Walks. Stoc —6D 170
Minstead Clo. Hyde —1A 156
Minstead Wlk. M22 —2B 178
Minster Clo. Bolt —3E 44
Minster Clo. Duk —3H 139
Minster Dri. Chea —6C 168
Minster Gro. Ast —1H 109
Minster Rd. Bolt —3E 44
Minster Way. Chad —5J 73
Minstrel Clo. Abr —1K 105
Minton St. M40 —7E 94
Minton St. Oldh —2E 96
Minto St. Ash L —4E 118
(in two parts)
Mintridge Clo. Open —2G 137
Mint St. Ram —1H 9
Mirabel St. M3 —5F 115 (2G 4)
Miranda Ct. Salf —1C 134 (8B 4)
Mirfield Av. M9 —3K 93
Mirfield Av. Oldh —3C 96
Mirfield Av. Stoc —1D 168
Mirfield Clo. Lwtn —2B 126
Mirfield Dri. Ecc —4B 112
Mirfield Dri. Mid —5B 72
Mirfield Dri. Urm —5A 132
Mirfield Rd. M9 —3K 93
Miriam St. Bolt —2H 65
Miriam St. Fail —2F 117
Miry La. W'houg —2H 85
(in two parts)
Miry La. Wig —6C 60
Mission St. Heyw —3J 49
Missouri Av. Salf —7J 113
Misterton Wlk. M23 —4J 165
(off Sandy La.)
Mistral Ct. Ecc —5C 112
Mitcham Av. M9 —4C 94
Mitchell Gdns. M22 —7E 166
Mitchell Hey. Roch —5G 31
Mitchell Rd. Bil —3E 102
Mitchells Quay. Fail —1G 117
Mitchell St. M40 —3D 116
Mitchell St. Ash M —6E 104
Mitchell St. Bury —1G 47
Mitchell St. Ecc —5A 112
Mitchell St. Golb —1J 125
Mitchell St. Ince —7J 61
Mitchell St. Leigh —3F 107
Mitchell St. Mid —5B 72
Mitchell St. Oldh —6B 74
Mitchell St. Roch —4F 31
Mitchell St. Smal —1A 32
Mitchell St. Wig —1A 82
Mitcheson Gdns. Salf —5K 113
Mitford Ct. M14 —3J 151
Mitford Rd. M14 —3J 151
Mitford St. Stret —1G 149
Mitre Rd. M13 —5B 136
Mitre St. Bolt —1A 44
Mitre St. Bury —2H 47
Mitre St. Fail —7H 95
Mitton Clo. Bury —3C 46
Mitton Clo. Cul —4H 127
Mitton Clo. Heyw —3F 49
Mizpah Gro. Bury —3F 47
Mizzy Rd. Roch —3G 31
Moadlock. Rom —6G 155
Moat Av. M22 —6C 166
Moat Gdns. M22 —7C 166
Moat Hall Av. Ecc —1J 131
Moat Ho. St. Ince —7J 61
Moat La. Rix —1E 160
Moat Rd. M22 —7C 166
Moat Wlk. Stoc —3A 154
Mobberley Clo. M19 —6A 152
Mobberley Rd. Ash —7D 176
Mobberley Rd. Bolt —5F 45
Mobberley Rd. Knut —4E 192
Mobberley Rd. Wilm —5B 186
Mocha Pde. Salf —5D 114 (1D 4)
Modbury Clo. Haz G —3J 181
Modbury Ct. Rad —7K 67
Modbury Wlk. M8 —2G 115
Mode Hill La. W'fld —6C 70
Mode Hill Wlk. W'fld —6C 70
Model Ter. Plat B —4J 83
Mode Wheel Rd. Salf —7H 113
Mode Wheel Rd. S. Salf —1H 133
Modwen Rd. Salf —3B 134
Moelfre Dri. Chea H —5E 180
Moffat Clo. Bolt —7H 45
Moffat Ct. Duk —7F 119
Moggie La. A'ton —4D 190
Moisant St. Bolt —3K 65
Mold St. Bolt —2A 44
Mold St. Oldh —6C 74
Molesworth St. Roch —5J 31
Mollets Wood. Dent —4E 138
Mollington Rd. M22 —4E 178
Molly Potts Clo. Knut —6E 192
Molyneux Rd. M19 —1E 152
Molyneux Rd. W'houg —5A 64
Molyneux St. Roch —4F 31
Molyneux St. Wig —6F 61
Mona Av. H Grn —3K 179
Mona Av. Stret —6G 133
Monaco Dri. M22 —1D 166
Monarch Clo. Irl —4A 146
Monarch Clo. Rytn —4B 74
Monart Rd. M9 —6A 94
Mona St. Bolt —3A 44
Mona St. Hyde —7J 139
Mona St. Salf —4A 114
Mona St. Wig —6D 60
Moncrieffe St. Bolt —1C 66
Monde Trad. Est. Traf P —3E 132
Mond Rd. Irl —5D 130
Money Ash Rd. Alt —1B 176
Monfa Av. Stoc —7J 169
Monica Av. M8 —4F 93
Monica Ct. Ecc —5D 112
Monica Gro. M19 —2B 152
Monica Ter. Ash M —6D 104
Monk Clo. Ast —1H 109
Monks Clo. M8 —5H 93
Monks Clo. Miln —6C 32
Monk's Ct. Salf —6F 113
Monksdale Av. Urm —7K 131
Monks Hall Gro. Ecc —5D 112
Monks La. Bolt —3F 45
Monks Rd. Glos —4A 158
Monkswood. Oldh —7C 74
Monkton Av. M18 —5E 136
Monkwood Dri. M9 —7A 94
Monmouth Av. Bury —7K 27
Monmouth Av. Sale —5D 148
Monmouth Cres. Ash M —6E 104
Monmouth Rd. Chea H —3D 180
Monmouth St. M18 —3G 137
Monmouth St. Mid —6E 72
Monmouth St. Oldh —2A 96
Monmouth St. Roch —6H 31
Monroe Clo. Salf —4J 113
Monroe Clo. Wig —4C 82
Monsal Av. Salf —1A 114
Monsal Av. Stoc —4B 170
Monsall Clo. Bury —4A 70
Monsall Clo. Mac —4H 199
Monsall Dri. Mac —4H 199
Monsall Rd. M40 —2A 116
Monsall St. M40 —3K 115
Monsall St. Oldh —4C 96
Mons Av. Roch —4E 30
Monster Rd. Wig —1H 81
Montague Ct. Sale —6G 149
Montague Ho. Stoc —3F 169
(off East St.)
Montague Rd. M16 —4A 134
Montague Rd. Ash L —6H 119
Montague Rd. Sale —6F 149
Montague St. Bolt —3H 65
Montague Way. Stal —6A 120
Montagu Rd. Stoc —4B 170
Montana Sq. Comp —1B 172
Montana Sq. M11 —2G 137
Montcliffe Cres. M16 —1F 151
Monteagle St. M9 —3H 93
Montford Clo. W'houg —1H 85
Montford Rise. Asp —4J 61
Montford St. Salf —7K 113
(in two parts)
Montgomery. Roch —6G 31
Montgomery Clo. Park I —2F 193
Montgomery Dri. Bury —4B 70
Montgomery Ho. M16 —7F 135
Montgomery Ho. Oldh —6K 95
Montgomery Rd. M13 —7B 136
Montgomery St. Oldh —5K 95
Montgomery Way. Rad —1A 68
Montmorency Rd. Knut —3G 193
Monton Av. Ecc —5C 112
Montondale. Ecc —5A 112
Monton Fields Rd. Ecc —5A 112
Monton Grn. Ecc —4A 112
Monton La. Ecc —6C 112
Montonmill Gdns. Ecc —5A 112
Monton Rd. Ecc —5B 112
(in two parts)
Monton Rd. Stoc —6A 154
Monton St. M14 —5G 135
(in two parts)
Monton St. Bolt —3A 66
Monton St. Rad —3D 68
Montpellior Rd. M22 —2D 178
Montreal St. M19 —1D 152
Montreal St. Leigh —4C 106
Montreal St. Oldh —3D 96
Montrey Cres. Ash M —5J 103
Montrose. Ecc —6C 112
(off Monton La.)
Montrose Av. M20 —5G 151
Montrose Av. Bolt —4E 44
Montrose Av. Duk —2G 139
Montrose Av. Ram —2E 26
Montrose Av. Stoc —1J 181
Montrose Av. Stret —7F 133
Montrose Av. Wig —6H 59
Montrose Clo. Mac —2C 198
Montrose Dri. Brom X —5D 24
Montrose Gdns. Rytn —2D 74
Montrose St. Roch —4E 50
Montserrat Brow. Bolt —3D 42
Montserrat Rd. Bolt —3E 42
Monument Rd. Wig —4F 61
Monyash Ct. Glos —1K 157
(off Monyash M.)
Monyash Gro. Glos —1K 157
(off Monyash M.)
Monyash Lea. Glos —1K 157
(off Monyash M.)
Monyash M. Glos —1K 157
Monyash Pl. Glos —1K 157
(off Monyash M.)
Monyash View. Hind —4D 84
Monyash Way. Glos —1A 158
(off Ashford M.)
Moody St. Stand —4A 38
Moon Gro. M14 —6K 135
Moon St. Oldh —7A 74
Moor Av. App B —5E 36
Moor Bank La. Miln —1B 52
Moorbottom Rd. Holc —5C 8
Moorby Av. M19 —6A 152
Moorby St. Oldh —6E 74
Moorby Wlk. Bolt —1B 66
Moor Clo. Rad —1C 68
Moorclose St. Mid —6E 72
Moorclose Wlk. M9 —1K 115
(off Heathersett Dri.)
Moorcock Av. Pen —7F 91
Moor Cres. Dig —2J 77
Moorcroft. Ram —1H 9
Moorcroft. Roch —2H 51
Moorcroft Dri. M19 —6B 152
Moorcroft Rd. M23 —2K 165
Moorcroft Sq. Hyde —3J 139
Moorcroft St. Droy —7J 117
Moorcroft St. Oldh —5A 96
Moorcroft Wlk. M19 —6A 152
Moordale Av. Oldh —5J 75
Moordale Rd. Knut —4E 192
Moordale St. M20 —5G 151
Moordown Clo. M8 —2H 115
Moore Cres. Lymm —6H 161
Moor Edge Rd. Moss —5F 99
Mooredge Ter. Rytn —4C 74
Moore Dri. Hayd —3B 124
Moore Gro. Lymm —6H 161
Moore Ho. Ecc —1B 132
Moor End. M22 —3D 166
Moor End Av. Salf —7C 92
Moor End Ct. Salf —7C 92
Moor End Rd. Mell —5F 173
Moores La. Stand —3K 37
Moore St. Roch —5H 31
Moore St. Wig —4F 61
Moore St. E. Wig —5G 61
Moore Wlk. Dent —3E 154
Moorfield. Mos C —1B 110
Moorfield. Salf —6C 92
Moorfield. Tur —5F 7
Moorfield. Wor —7H 89
Moorfield Av. M20 & M19 —3J 151
Moorfield Av. Dent —1E 154
Moorfield Av. L'boro —4E 14
Moorfield Av. Stal —2D 140
Moorfield Chase. Farn —7F 67
Moorfield Clo. Ecc —7B 112
Moorfield Clo. Irl —6D 130
Moorfield Clo. Swint —2B 112
Moorfield Cres. Lwtn —2E 126
Moorfield Dri. Hyde —4J 139
Moorfield Dri. Wilm —1E 194
Moorfield Gro. Bolt —4D 44
Moorfield Gro. Sale —7G 149
Moorfield Gro. Stoc —6D 152
Moorfield Hamlet. Shaw —6D 52
Moorfield Heights. C'brk —1E 120
Moorfield Pde. Irl —6D 130
Moorfield Pl. Roch —3G 31
Moorfield Rd. M20 —6F 151
Moorfield Rd. Irl —6D 130
Moorfield Rd. Oldh —5K 95
Moorfield Rd. Salf —4H 113
Moorfield Rd. Swint —2A 112
Moorfield St. Holl —4K 141
Moorfield St. Manx —3H 151
(in two parts)
Moorfield St. Plat B —4K 83
Moorfield St. Shaw —6F 53
Moorfield Ter. C'brk —1E 120
Moorfield Ter. Holl —4K 141
Moorfield View. L'boro —5E 14
Moorfield Wlk. Urm —7B 132
Moorgate. Bolt —7F 25
Moorgate. Bury —2K 47
Moorgate Av. M20 —3F 151
Moorgate Av. Roch —5C 30
Moorgate Ct. Bolt —4D 44
Moorgate Dri. Ast —2J 109
Moorgate Dri. C'brk —2E 120
Moor Ga. La. L'boro —4C 14
Moorgate M. C'brk —1E 120
Moorgate Retail Pk. Bury —2A 48
Moorgate Rd. C'brk —1E 120
Moorgate Rd. Rad —5C 46
Moorgate St. Upperm —6H 77
Moorhead St. M4 —5H 115 (2M 5)
Moorhey Rd. L Hul —1B 88
Moorhey St. Oldh —1F 97
Moor Hill. Roch —3B 30
Moorhill Ct. Salf —6C 92
Moorhill Rd. Mac —7E 198
Moorhouse Fold. Miln —6C 32
Moorings Clo. Ince —6H 61
Moorings, The. Moss —4E 98
Moorings, The. Wor —3J 111
Moorland Av. M8 —5F 93
Moorland Av. Del —3F 77
Moorland Av. Droy —7G 117
Moorland Av. Miln —6E 32
Moorland Av. Roch —4B 30
Moorland Av. Sale —7G 149
Moorland Av. Whitw —4E 12
Moorland Cres. Whitw —4E 12
Moorland Dri. Chea H —4B 180
Moorland Dri. Hor —2K 41
Moorland Dri. L Hul —1B 88
Moorland Gro. Bolt —3G 43
Moorland Rd. M20 —7H 151
Moorland Rd. Ash M —4G 105
Moorland Rd. C'brk —3E 120
Moorland Rd. Hind —2A 84
Moorland Rd. Stoc —7K 169
(in two parts)
Moorlands Av. Leigh —5K 107
Moorlands Av. Urm —6K 131
Moorlands Clo. Mac —7E 196
Moorlands Cres. Moss —6D 98
Moorlands Dri. Moss —4E 98
Moorland St. L'boro —4G 15
Moorland St. Roch —3G 31
Moorland St. Shaw —6F 53
Moorlands View. Bolt —4G 65
Moorland Ter. Roch —3C 30
Moor La. M23 —1A 166
Moor La. Bolt —7A 44
Moor La. Dob —4F 55
(Denshaw)
Moor La. Dob —4J 77
(Dobcross)
Moor La. Leigh —7J 85
Moor La. Roch —1B 30
Moor La. Salf —7K 91
Moor La. Urm —6J 131
Moor La. Wilm —1C 194
Moor La. Woodf —1F 189
Moor Nook. Sale —7H 149
Moor Pk. Av. Roch —3D 50
Moor Pk. Rd. M20 —2J 167
Moor Platt Clo. Hor —2K 41
Moor Rd. M23 —2J 165
Moor Rd. Holc —5E 8
Moor Rd. L'boro —2G 15
Moor Rd. Orr —2D 80
Moorsbrook Gro. Wilm —4A 188
Moorsholme Av. M40 —1C 116
Moorside. Knut —4D 192
Moorside. L'boro —5H 15
Moorside. Roch —2H 51
Moorside Av. Ain —4B 46
Moorside Av. Bolt —3G 43
(in two parts)
Moorside Av. Droy —5A 118
Moorside Av. Farn —7D 66
Moorside Av. Hor —1G 41
Moorside Av. Oldh —2K 75
Moorside Ct. Dent —5E 138
Moorside Ct. Sale —6F 149
Moorside Cres. Droy —6A 118
Moorside Ho. Tim —4G 165
Moorside La. Dent —5E 138
(in two parts)
Moorside La. Pot S —7J 191
Moor Side La. Ram —4A 10
Moorside Lodge. Swint —7B 90
Moorside Rd. M8 —6G 93
Moorside Rd. Moss —6E 98
Moorside Rd. Salf —6C 92
Moorside Rd. Stoc —1C 168
Moorside Rd. Swint —1A 112
Moorside Rd. Tot —6C 26
Moorside Rd. Tur —2E 6
Moorside Rd. Urm —6G 131
MOORSIDE STATION. BR —6B 90
Moorside St. Droy —6K 117
Moorside Wlk. Orr —6H 59
Moor St. Asp —1B 62
Moor St. Bury —2K 47
Moor St. Ecc —7K 111
Moor St. Heyw —3H 49
Moor St. Oldh —7F 75
Moor St. Shaw —7E 52
Moor St. Swint —1D 112
Moors View. Ram —5F 9
Moorton Av. M19 —3B 152
Moorton Pk. M19 —3B 152
Moortop Clo. M9 —2J 93
Moor Top Pl. Stoc —7D 152
Moor View Clo. Roch —2B 30
Moorville Rd. Salf —3G 113
Moor Way. Hawk —1K 25
Moorway. Wilm —1E 194
Moorway Dri. M9 —3C 94
Moorwood Dri. Sale —7C 148
Mora Av. Chad —5K 73
Moran Clo. Wilm —3A 188
Moran Cres. Mac —4D 198
Moran Rd. Mac —4D 198
Moran Wlk. M15 —3F 135
Morar Dri. Bolt —6J 45
Morar Rd. Duk —2H 139
Mora St. M9 —7B 94
Moravian Clo. Duk —7G 119
Moravian Field. Droy —1J 137
Moray Clo. Ram —7E 8
Moray Rd. Chad —3J 95
Moray Wlk. Oldh —3D 96
Morbourne Clo. M12 —3A 136
Morden Av. M11 —6E 116
Morden Av. Ash M —4C 104
Morecambe Clo. M40 —2D 116
Moresby Clo. Leigh —3H 107
Moresby Dri. M20 —3H 167
Morestead Wlk. M40 —5J 115 (1P 5)
Moreton Av. Bram —7G 181
Moreton Av. Sale —7C 148
Moreton Av. Stret —7H 133
Moreton Av. W'fld —5K 69
Moreton Clo. Duk —3H 139
Moreton Clo. Golb —7H 105
Moreton Dri. Bury —2F 47
Moreton Dri. Hand —2A 188
Moreton Dri. Leigh —7J 107
Moreton Dri. Poy —1D 190
Moreton La. Stoc —4A 170
Moreton St. Chad —6H 73
Moreton Wlk. Stoc —4A 170
Moreton Way. Mot —6H 141
Morgan Pas. Fail —1G 117
Morgan Pl. Stoc —6H 153
Morgan St. L'boro —6F 15
Morillon Rd. Irl —5C 130
Morland Rd. M16 —5C 134
Morley Av. M14 —1G 151
Morley Av. Swint —2C 112
Morley Grn. Rd. Wilm —3C 186
Morley Ho. Salf —5K 113
(off Sutton Dwellings)
Morley Rd. Rad —2B 68
Morley's La. Ast —5F 109
Morley St. Ath —4C 86
Morley St. Bolt —7K 43
Morley St. Bury —5K 47
Morley St. Glos —2F 159
Morley St. Oldh —5J 75
Morley St. Roch —3K 31
Morley St. W'fld —6K 69
Morley Way. G'fld —2H 99
Morna Wlk. M12 —1K 135
Morningside Clo. Droy —1J 137
Morningside Clo. Roch —6K 31
Morningside Dri. M20 —3J 167
Mornington Av. Chea —7K 167
Mornington Ct. Oldh —6C 74
Mornington Cres. M14 —2G 151
Mornington Rd. And —4K 19
Mornington Rd. Ath —1F 87
Mornington Rd. Bolt —5H 43
Mornington Rd. Chea —7K 167
Mornington Rd. Hind —2D 84
Mornington Rd. Roch —3H 51
Mornington Rd. Sale —5H 149
Morpeth Clo. Ash L —4C 118
Morpeth St. Swint —2C 112
Morpeth Wlk. M12 —4A 136
Morrell Rd. M22 —3D 166
Morris Fold Dri. Los —7B 42
Morris Grn. Bolt —4J 65
Morris Grn. Bus. Pk. Bolt —2J 65
Morris Grn. La. Bolt —3J 65
Morris Grn. St. Bolt —4J 65
Morris Gro. Urm —2G 147
Morris Ho. Wig —6F 61
Morrison St. Bolt —3A 66
Morrison Wlk. M40 —3C 116
(off Eldridge Dri.)
Morris Rd. Uph —7A 58
Morris St. Bolt —6C 44
Morris St. Hind —2B 84
Morris St. Ince —3G 83
Morris St. Manx —3H 151
Morris St. Oldh —2E 96
Morris St. Rad —1J 69
Morris St. Tyl —6F 87
Morris St. Wig —6F 61
Morrowfield Av. M8 —1F 115
Morrwell Rd. M22 —3E 166
Morse Rd. M40 —3D 116
Mortar St. Oldh —6G 75
(in two parts)
Mort Ct. Bolt —2J 43
Mortfield Gdns. Bolt —5K 43
Mortfield La. Bolt —5K 43
(in two parts)
Mort Fold. L Hul —2C 88
Mortimer Av. M9 —3A 94
Mortimer St. Oldh —5E 74
Mortlake Clo. Wor —4B 88
Mortlake Dri. M40 —3D 116
Mort La. Tyl —6A 88
Morton Av. Wig —2D 82
Morton Clo. Wig —5J 81
Mortons, The. W'houg —4J 63
Morton St. Bolt —6C 44
Morton St. Fail —1E 116
Morton St. Mid —4C 72
Morton St. Rad —4F 69
Morton St. Roch —5J 31
Morton St. Stoc —6G 153
Morton Ter. Woodl —5F 155
Mort St. Farn —6D 66
Mort St. Hind —2E 84
Mort St. Hor —1F 41
Mort St. Leigh —3F 107
Mort St. Tyl —6F 87
Mort St. Wig —4C 60
Morven Av. Haz G —1D 182
Morven Dri. M23 —6A 166
Morven Gro. Bolt —6H 45
Morville Dri. Wig —3D 82
Morville Rd. M21 —1D 150
Morville Rd. Salf —3G 113
Morville St. M1 —1J 135 (7N 5)
Moschatel Wlk. Part —7C 146
Moscow Rd. Stoc —4F 169
Moscow Rd. E. Stoc —4F 169
Mosedale Av. St H —7B 102
Mosedale Clo. M23 —5J 165
Mosedale Clo. Ast —2J 109
Mosedale Rd. Mid —4K 71
Moseldene Rd. Stoc —6B 170
Moseley Ct. M19 —1B 152
Moseley Grange. Chea H —1B 180
Moseley Rd. Chea H —1B 180
Moseley Rd. Fall & Lev —2K 151
Moseley St. Stoc —3G 169
MOSES GATE STATION. BR —4E 66
Mosley Arc. M1 —7G 115 (6K 5)
(off Piccadilly Plaza)
Mosley Av. Bury —7K 27
Mosley Av. Ram —2F 27
Mosley Clo. Tim —4D 164
Mosley Comn. Rd. Tyl & Wor —7A 88
Mosley Rd. Tim —5F 165
Mosley Rd. Traf P —3G 133
Mosley St. M2 —7G 115 (7H 5)
Mosley St. Rad —1D 68
MOSLEY STREET STATION. M —7G 115
Mossack Av. M22 —3D 178
Moss Av. Bil —4D 80
Moss Av. Leigh —3B 108
Moss Av. Roch —6A 32
Moss Bank. M8 —7G 93
Moss Bank. Bram —7E 180
Moss Bank. Cop —3A 18
Moss Bank. Shaw —7F 53
Moss Bank Av. Droy —6A 118
Moss Bank Clo. Bolt —1K 43
Mossbank Clo. Had —5A 142
Moss Bank Ct. Droy —6A 118
Moss Bank Ct. Leigh —3G 107
Mossbank Gro. Heyw —2J 49
Moss Bank Gro. Wdly —5B 90
Moss Bank Rd. St H —7A 102
Moss Bank Rd. Wdly —5B 90
Moss Bank Trad. Est. Wor —3G 89
Moss Bank Way. Bolt —4E 42
Mossbray Av. M19 —6K 151
Moss Bri. Rd. Roch —7K 31
Mossbrook Dri. L Hul —1A 88
Moss Brook Rd. M9 —1A 116
Moss Brow. Boll —3G 197
Moss Clo. Rad —1B 68
Mossclough Ct. M9 —1A 116
Moss Colliery Rd. Clif —4C 90
Mosscot Clo. M13 —2H 135 (9M 5)
Moss Croft Clo. Urm —6G 131
Mossdale Av. Bolt —6D 42
Mossdale Rd. M23 —2K 165

Mossdale Rd.—Neston St.

Mossdale Rd. Ash M —7C 82
Mossdale Rd. Sale —2C 164
Mossdown Rd. Rytn —3E 74
Moss Dri. Hor —2K 41
Mossfield Clo. Bury —1C 48
Mossfield Clo. Stoc —1D 168
Mossfield Ct. Bolt —5A 44
Mossfield Dri. M9 —3C 94
Mossfield Grn. Ecc —5E 130
Mossfield Rd. Farn —6D 66
Mossfield Rd. Kear —2H 89
Mossfield Rd. Swint —5C 90
Mossfield Rd. Tim —5H 165
Moss Fold. Ast —1J 109
Moss Ga. Bchwd —4A 144
Moss Ga. Rd. Shaw —5D 52 (in two parts)
Moss Grange Av. M16 —5D 134
Moss Grn. Car —4H 147
Moss Gro. Lymm —7H 161
Moss Gro. Shaw —4C 52
Moss Gro. Stand —5A 38
Moss Gro. Ct. M15 —5E 134 (off Moss La. W.)
Mossgrove Rd. Tim —4D 164
Mossgrove St. Oldh —5B 96
Mosshall Clo. M15 —3D 134
Moss Hall Rd. Bury & Heyw —4D 48
Moss Hey Dri. M23 —2C 166
Moss Hey St. Shaw —7F 53
Moss Ho. La. Wor —3B 110
Moss Ind. Est. Leigh —7F 107
Moss Ind. Est. Roch —7K 31
Mossland Clo. Heyw —5K 49
Mossland Gro. Bolt —4D 64
Moss La. Ald E —5H 195
Moss La. Alt & Tim —7B 164
Moss La. Ash L —4B 118 (in two parts)
Moss La. Ast —7F 109
Moss La. Boll —2G 197
Moss La. Bolt —2G 43
Moss La. Bram —7D 180
Moss La. B'btm —2F 157
Moss La. Cad —5K 145
Moss La. Cop —3A 18
Moss La. G'bry —4C 128
Moss La. Golb —4K 125
Moss La. H Legh —6A 174
Moss La. Hor —3D 40
Moss La. Kear —2K 89
Moss La. Lymm —2A 162
Moss La. Mac —6D 198
Moss La. Mid —2B 94 (in two parts)
Moss La. Mob —2A 194
Moss La. Over T —1A 192
Moss La. Part & Lymm —7B 146
Moss La. Plat B —4J 83
Moss La. Roch —6J 31
Moss La. Rytn —3E 74
Moss La. Sale —7B 148 (Ashton upon Mersey)
Moss La. Sale —1A 164 (Woodhouses)
Moss La. Styal —7D 178
Moss La. Tim —4D 164
Moss La. Urm —4B 132
Moss La. Wdly —5B 90
Moss La. W'fld —6K 69
Moss La. Whitw —3D 12
Moss La. Wor —3G 89 (in two parts)
Moss La. Wrigh —1C 36
Moss La. E. M16 & M14 —5E 134
Moss La. Ind. Est. W'fld —5K 69
Moss Lane Trad. Est. W'fld —5A 70
Moss La. W. M15 —5D 134
Moss Lea. Bolt —1K 43
Mosslee Av. M8 —4F 93
Mossley Rd. Ash L —5G 119
Mossley Rd. Gras —3D 98
MOSSLEY STATION. BR —6C 98
Moss Lynn. Spring —7A 76
Moss Mnr. Sale —7C 148
Moss Meadow. W'houg —4J 63
Moss Meadow Rd. Salf —4G 113
Mossmere Rd. Chea H —7C 168
Moss Mill St. Roch —7K 31
Moss Nook Ind. Area. M22 —4F 179
Moss Pk. Rd. Stret —7E 132
Moss Pit Row. Asp —2K 61
Moss Pl. Bury —5J 47
Moss Pl. Droy —7K 117
Moss Rd. Ald E —4H 195
Moss Rd. Bil —4D 80
Moss Rd. Cad —7H 129
Moss Rd. Kear —7G 67 (in two parts)
Moss Rd. Sale —6K 147
Moss Rd. Stret —5G 133
Moss Rose. Ald E —4H 195
Moss Row. Bury —4K 47
Moss Row. Roch —3K 29
Moss Shaw Way. Rad —1B 68
Moss Side. Bury —7E 26
Moss Side Cres. M15 —4G 135
Moss Side Enterprise Est. M15 —4F 135
Moss Side La. Miln —7A 32
Moss Side La. Rix —7E 144
Moss Side Rd. Cad —4K 145
Moss Sq. Mac —7F 199
Moss St. Bury —3J 47
Moss St. Dent —7K 117
Moss St. Droy —6K 117
Moss St. Farn —5G 67
Moss St. Heyw —3J 49
Moss St. Holl —4K 141
Moss St. Ince —4H 83
Moss St. Oldh —6J 75
Moss St. Pem —2H 81
Moss St. Plat B —4J 83
Moss St. Roch —6K 31
Moss St. Salf —3D 114
Moss St. Stoc —2F 169
Moss St. S'seat —2H 27
Moss St. Wig —5C 60
Moss St. E. Ash L —5F 119
Moss St. W. Ash L —6D 118
Moss Ter. Ash L —6E 118
Moss Ter. Roch —6K 31
Moss, The. Mid —1D 94
Moss Vale Cres. Stret —5D 132
Moss Vale Rd. Stret —6D 132
Moss Vale Rd. Urm —7C 132
Moss View. Tyl —7G 87
Moss View Rd. Bolt —5G 45
Moss View Rd. Gaw —7C 198
Moss View Rd. Part —7C 146
Mossway. Mid —2B 94
Moss Way. Sale —6C 148
Mossways Pk. Wilm —6C 186
Mosswood Pk. M20 —3H 167
Mosswood Rd. Wilm —4A 188
Mossy Lea Fold. Shev —2G 37
Mossy Lea Rd. Wrigh —1F 37
Moston Bk. Av. M9 —1A 116
Moston La. M9 —7K 93
Moston La. M40 —7C 94
Moston La. E. M40 —5G 95
Moston Rd. Mid —1F 95
MOSTON STATION. BR —5F 95
Moston St. Salf —1F 115
Moston St. Stoc —3H 153
Mostyn Av. M14 —2A 152
Mostyn Av. Bury —7K 27
Mostyn Av. Chea H —2A 180
Mostyn Rd. Haz G —3K 181
Mostyn St. Stal & Duk —1K 139
Motcombe Farm Rd. H Grn —3H 179
Motcombe Gro. H Grn —1G 179
Motcombe Rd. H Grn —2G 179
Motherwell Av. M19 —1C 152
Motlow Wlk. M23 —3H 165
Motor St. M3 —7F 115 (5G 4)
Mottershead Av. L Lev —2J 67
Mottershead Rd. M22 —1B 178
Mottram Av. M21 —5C 150
Mottram Clo. Chea —6C 168
Mottram Dri. Tim —6E 164
Mottram Dri. Wig —2D 82
Mottram Fold. Mot —6G 141
Mottram Fold. Stoc —3H 169
Mottram M. Hor —1F 41
Mottram Moor. Mot —5G 141
Mottram Old Rd. Hyde —2K 155
Mottram Old Rd. Stal —7C 120
Mottram Rd. Ald E —5H 195
Mottram Rd. B'btm —2F 157
Mottram Rd. Hyde —7J 139
Mottram Rd. Sale —7J 149
Mottram Rd. Stal —6B 120
Mottram St. Hor —1F 41
Mottram St. Stoc —3H 169
Mottram Towers. Stoc —3H 169
Mottram Way. Stoc —3H 169 (off Mottram Fold)
Mough La. Chad —4F 95
Mouldsworth Av. M20 —3G 151
Mouldsworth Av. Stoc —4F 153
Moulton Clo. Knut —5F 193
Moulton St. M8 —4E 114
Moulton St. Precinct. M8 —4E 114
Mountain Ash. Roch —1D 30
Mountain Ash Clo. Roch —1D 30
Mountain Ash Clo. Sale —5A 148
Mountain Gro. Wor —3E 88
Mountain Rd. Cop —4A 18
Mountain St. M40 —4F 117
Mountain St. Moss —6C 98
Mountain St. Stoc —1J 169
Mountain St. Wor —3E 88
Mount Av. L'boro —4E 14
Mount Av. Roch —7C 14
Mountbatten Av. Duk —2K 139
Mountbatten Clo. Bury —4B 70
Mountbatten St. M18 —4E 136
Mt. Carmel Ct. Salf —2C 134 (9A 4) (off Mt. Carmel Cres.)
Mt. Carmel Cres. Salf —2C 134 (9A 4)
Mount Clo. Ash L —7E 118
Mount Cres. Orr —1F 81
Mount Dri. Marp —6K 171
Mount Dri. Urm —7D 132
Mountfield. P'wch —3B 92
Mountfield Rd. Bram —7G 181
Mountfield Rd. Stoc —4E 168
Mountfield Wlk. M11 —7B 116 (off Hopedale Clo.)
Mountfield Wlk. Bolt —4A 44 (in two parts)
Mount Fold. Mid —7C 72
Mountford Av. M8 —5F 93
Mount Gro. Gat —5F 167
Mountheath Ind. Est. P'wch —6B 92
Mount La. Dob —5E 76
Mountmorres Clo. Bolt —7F 65
Mount Pl. Roch —4G 31
Mt. Pleasant. Adl —4J 19
Mt. Pleasant. Bolt —1E 66
Mt. Pleasant. Comp —7B 156
Mt. Pleasant. Haz G —1B 182
Mt. Pleasant. Mid —6J 71 (in two parts)
Mt. Pleasant. Nan —1K 27
Mt. Pleasant. P'wch —6E 70
Mt. Pleasant. Rad —2E 68
Mt. Pleasant. Stoc —5E 170
Mt. Pleasant. Tin —2C 142
Mt. Pleasant. Tur —6F 7
Mt. Pleasant. Wilm —4H 187
Mt. Pleasant. Woodl —5F 155
Mt. Pleasant Rd. Dent —7D 138
Mt. Pleasant Rd. Farn —6B 66
Mt. Pleasant St. Ash L —4G 119 (in two parts)
Mt. Pleasant St. Aud —2D 138 (in two parts)
Mt. Pleasant St. Hor —4H 41
Mt. Pleasant St. Oldh —7F 75
Mt. Pleasant Wlk. Rad —2E 68 (in two parts)
Mount Rd. M18 & M19 —5E 136
Mount Rd. Hyde —4A 156
Mount Rd. Mars —4D 56
Mount Rd. Mid —7B 72
Mount Rd. P'wch —7B 70
Mount Rd. Stoc —1E 168
Mountroyal Clo. Hyde —4A 140
Mt. St Joseph's Rd. Bolt —1H 65
Mountside Clo. Roch —2H 31
Mountside Cres. P'wch —3K 91
Mt. Sion Rd. Rad —4B 68
Mt. Skip La. L Hul —3C 88
Mount St. M2 —1F 135 (7H 5) (in two parts)
Mount St. Bolt —4A 44
Mount St. Dent —1F 155
Mount St. Ecc —1A 132
Mount St. Glos —2E 158
Mount St. Heyw —4K 49
Mount St. Hor —3H 41
Mount St. Hyde —7J 139
Mount St. Leigh —4G 107
Mount St. Ram —4F 9
Mount St. Roch —4E 50 (Castleton)
Mount St. Roch —4G 31 (Town Head)
Mount St. Rytn —3C 74
Mount St. Salf —2D 114 (Hightown)
Mount St. Salf —5D 114 (2D 4) (Salford)
Mount St. Shaw —6D 52
Mount St. Stal —6A 120
Mount St. Swint —1D 112
Mount Ter. Alt —7B 164 (off Central Way)
Mount Ter. Bury —1K 69
Mount Ter. Droy —5G 117
Mount Ter. Mac —4H 199
Mount, The. Alt —6B 164
Mount, The. Ash L —5H 119
Mount, The. Haleb —4G 177
Mount, The. Salf —7C 92
Mount, The. Stoc —6K 153
Mount View. Ince —2F 83
Mount View. Upperm —6G 77
Mt. View Rd. Shaw —7G 53
Mt. Zion Rd. Bury —1K 69
Mousell St. M8 —4G 115
Mouselow Clo. Had —6B 142
Mowbray Av. P'wch —5C 92
Mowbray Av. Sale —7G 149
Mowbray St. Ash L —6E 118
Mowbray St. Bolt —4H 43
Mowbray St. Oldh —1D 96
Mowbray St. Roch —2D 50
Mowbray St. Stoc —3H 169
Mowbray Wlk. Mid —4A 72
Mow Halls La. Dob —5G 77
Moxley Rd. M8 —6E 92
Moxon Way. Ash M —4F 105
Moyse Av. Wals —7D 26
Mozart Clo. M4 —6J 115 (3P 5)
Muirfield Av. Bred —6E 154
Muirfield Clo. M40 —7E 94
Muirfield Clo. Bolt —3F 65
Muirfield Clo. Heyw —4K 49
Muirfield Clo. P'wch —2B 92
Muirfield Clo. Wilm —5K 187
Muirfield Dri. Ast —7J 87
Muirfield Dri. Mac —6F 197
Muirhead Ct. Salf —3A 114
Mulberry Av. Heyw D —6F 49
Mulberry Av. Lwtn —2D 126
Mulberry Clo. H Grn —5J 179
Mulberry Clo. Heyw D —6F 49
Mulberry Clo. Roch —7G 31
Mulberry Clo. Wig —1K 81
Mulberry Ct. Mac —7F 199
Mulberry Ct. Salf —5A 114
Mulberry M. Stoc —1G 169
Mulberry Mt. St. Stoc —3G 169
Mulberry Rd. Salf —5A 114
Mulberry St. M2 —7F 115 (6G 4)
Mulberry St. Ash L —5G 119
Mulberry Wlk. Droy —1G 137
Mulberry Wlk. Sale —4B 148
Mulberry Way. Heyw D —6F 49
Mule St. Bolt —5C 44
Mulgrave Rd. Wor —7J 89
Mulgrave St. Bolt —4J 65
Mulgrave St. Swint —6B 90
Mulgrave Wlk. M9 —4A 94 (off Haverfield Rd.)
Mullacre Rd. M22 —5D 166
Mull Av. M12 —4B 136
Mulliner St. Bolt —4B 44
Mullineux St. Wor —5F 89
Mullins Av. Newt W —4E 124
Mullion Clo. M19 —1F 153
Mullion Dri. Tim —4C 164
Mullion Wlk. M8 —2H 115
Mulmount Clo. Oldh —4A 96
Mumps. Oldh —7E 74
Munday St. M4 —7K 115
Munford Wlk. M40 —3A 116 (off Lodge St.)
Municipal Clo. Heyw —3K 49 (off Longford St.)
Munn Rd. M9 —2H 93
Munro Av. M22 —2F 179
Munro Av. Orr —1E 80
Munroe Av. Orr —1E 80
Munslow Wlk. M9 —3B 94
Munster St. M4 —5G 115 (2J 5)
Muriel St. Heyw —3A 50
Muriel St. Roch —7K 31
Muriel St. Salf —3D 114
Murieston Rd. Hale —2C 176
Murphy Clo. Wig —2C 82
Murray Clo. Mac —2C 198
Murrayfield. P'bry —5C 196
Murrayfield. Roch —6A 30
Murray Rd. Bury —3K 47
Murray St. M4 —6H 115 (4M 5)
Murray St. Ath —5B 86
Murray St. Salf —2D 114
Murrow Wlk. M9 —7K 93
Murton Ter. Bolt —1B 44 (off Holly St.)
Musbury Av. Chea H —2D 180
Muscari Wlk. M12 —2J 135 (9P 5)
Musden Wlk. Stoc —3F 153
Museum St. M2 —1F 135 (7G 4)
Musgrave Gdns. Bolt —5J 43
Musgrave Rd. M22 —1D 178
Musgrave Rd. Bolt —5H 43
Muslin St. Salf —7C 114 (6B 4)
Mustard La. Croft —7F 127
Muter Av. M22 —2F 179
Mutual St. Heyw —2A 50
Mycroft Clo. Leigh —7J 85
Myerscroft Clo. M40 —6G 95
Myford Wlk. M8 —3E 114
Myrrh St. Bolt —2A 44
Myrrh Wlk. Bolt —2A 44 (off Myrrh St.)
Myrtle Av. Ash M —2B 104
Myrtle Av. Leigh —7J 85
Myrtle Av. Newt W —7E 124
Myrtle Bank. P'wch —6A 92
Myrtle Clo. Oldh —2C 96
Myrtle Gdns. Bury —3B 48
Myrtle Gro. Bil —4D 102
Myrtle Gro. Dent —6H 137
Myrtle Gro. Droy —6A 118
Myrtle Gro. P'wch —5B 92
Myrtle Gro. W'fld —4H 69
Myrtleleaf Gro. Salf —6H 113
Myrtle Pl. Salf —4C 114
Myrtle Rd. Mid —4E 72
Myrtle Rd. Part —7K 145
Myrtle St. M11 —1A 136
Myrtle St. M16 —5C 134
Myrtle St. Bolt —5K 43
Myrtle St. Heyw —4A 50
Myrtle St. Stoc —3D 168
Myrtle St. Wig —6D 60
Myrtle St. N. Bury —3B 48
Myrtle St. S. Bury —3B 48
My St. Salf —7J 113
Mytham Gdns. L Lev —4K 67
Mytham Rd. L Lev —3K 67
Mytholme Av. Cad —7J 145
Mythorn Wlk. M40 —3C 116 (off Harmer Clo.)
Mytton Rd. Bolt —1H 43

Nabbs Fold. G'mnt —1D 26
Nabbs Way. G'mnt —3E 26
Nab Clo. Boll —1K 197
Nab La. Boll —1K 197
Nab La. Marp —4J 171
Naburn Clo. Stoc —4A 154
Naburn St. M13 —5K 135
Nada Lodge. M8 —6F 93
Nada Rd. M8 —6F 93
Naden Wlk. W'fld —6A 70
Nadine St. Salf —5J 113
Nadin St. Oldh —4C 96
Nailsworth Wlk. M13 —4J 135 (off Plymouth Gro.)
Nairn Clo. Stand —4K 37
Nairn Wlk. M40 —5A 116
Nallgate. Roch —3A 52
Nall St. M19 —3D 152
Nall St. Miln —6C 32
Nameplate Clo. Ecc —6K 111
Nancy St. M15 —3D 134
Nancy View. Boll —2K 197
Nandywell. L Lev —3K 67
Nangreave Rd. Stoc —5J 169
Nangreaves St. Leigh —3G 107
Nangreave St. Salf —7C 114 (6C 4)
Nan Nook Rd. M23 —2K 165
Nansen Av. Ecc —5A 112
Nansen Clo. Stret —5J 133
Nansen Rd. Gat —7G 167
Nansen St. M11 —1A 136
Nansen St. Salf —6J 113
Nansen St. Stret —6H 133
Nansmoss Rd. Wilm —4D 186
Nantes Ct. Bolt —3K 43
Nantwich Av. Roch —1H 31
Nantwich Clo. Chea —6C 168
Nantwich Rd. M14 —1G 151
Nantwich Wlk. Bolt —2A 66
Nantwich Way. Hand —7A 180
Napier Ct. M15 —3C 134
Napier Ct. Hyde —1J 155
Napier Ct. Stoc —6D 152
Napier Grn. Salf —2B 134
Napier Rd. M21 —2B 150
Napier Rd. Ecc —5K 111
Napier Rd. Stoc —7D 152
Napier St. M15 —3D 134
Napier St. Haz G —1B 182
Napier St. Hyde —1J 155
Napier St. Shaw —5F 53
Napier St. Swint —1B 112
Napier St. E. Oldh —2B 96
Napier St. W. Oldh —2A 96
Naples Rd. Stoc —5D 168
Naples St. M4 —5G 115 (2K 5)
Narbonne Gdns. Ecc —5E 112
Narborough Wlk. M40 —2J 115
Narbuth Dri. M8 —1F 115
Narcissus Wlk. Wor —4B 88
Narrow La. A'ton —4E 190
Narrows, The. Alt —1A 176
Narrow Wlk. Bow —2A 176
Naseby Av. M9 —3B 94
Naseby Pl. P'wch —2C 92
Naseby Rd. Stoc —2G 153
Naseby Wlk. W'fld —6C 70
Nash Rd. Traf P —1C 132
Nash St. M15 —3E 134
Nasmyth Av. Dent —5E 138
Nasmyth Bus. Cen. Ecc —5A 112
Nasmyth Rd. Ecc —1A 132
Nasmyth St. M8 —2J 115
Nasmyth St. Hor —2G 41
Nathan Dri. Salf —6E 114 (3E 4)
Nathaniel Ct. Plat B —4K 83 (off Liverpool Rd.)
Nathans Rd. M22 —7C 166
National Dri. Salf —1B 134
National Ind. Est. Ash L —6D 118
Naunton Av. Leigh —3G 107
Naunton Rd. Mid —7D 72
Naunton Wlk. M9 —7A 94
Naval St. M4 —6J 115 (3N 5)
Navenby Av. M16 —5C 134
Navenby Rd. Wig —5C 82
Navigation Clo. Leigh —4J 107
Navigation Rd. Alt —4B 164
NAVIGATION ROAD STATION. BR & M —5C 164
Naylor Av. Golb —1K 125
Naylor Ct. M40 —5J 115 (1P 5)
Naylorfarm Av. Shev —1F 59
Naylor St. M40 —5K 115
Naylor St. Ath —5C 86
Naylor St. Oldh —7C 74
Nazeby Wlk. Oldh —2A 96
Naze Ct. Oldh —6C 74
Naze Wlk. Stoc —4A 154
Neal Av. Ash L —5H 119
Neal Av. H Grn —4G 179
Neale Av. G'fld —2J 99
Neale Rd. M21 —3A 150
Near Birches Pde. Oldh —3J 97
Nearbrook Rd. M22 —7C 166
Nearcroft Rd. M23 —4A 166
Neargates. Char R —1A 18
Near Hey Clo. Rad —3C 68
Nearmaker Av. M22 —7C 166
Nearmaker Rd. M22 —7C 166
Neary Way. Urm —4A 132
Neasden Gro. Bolt —1J 65
Neath Av. M22 —4D 166
Neath Clo. Poy —7B 182
Neath Clo. W'fld —7C 70
Neath Fold. Bolt —3K 65
Neath St. Oldh —7B 74
Nebo St. Bolt —2K 65
Nebraska St. Bolt —4A 44
Neden Clo. M11 —1D 136
Needham Av. M21 —2B 150
Needham Ct. W'fld —7K 69
Needhams Wharf Clo. Mac —2J 199
Needwood Clo. M40 —3K 115
Needwood Rd. Woodl —5F 155
Needwood St. M40 —2K 115
Neenton Sq. M12 —2C 136
Neild Gdns. Leigh —4J 107
Neild St. Oldh —3C 96
Neill St. Salf —4E 114
Neilson Clo. Mid —7E 72
Neilston Av. M40 —1D 116
Nellie St. Heyw —3H 49
Nell La. M21 & M20 —3C 150
Nell St. Bolt —1A 44
Nel Pan La. Leigh —7G 85
Nelson Av. Ecc —5B 112
Nelson Av. Poy —2E 190
Nelson Clo. M15 —5E 134
Nelson Clo. Poy —2E 190
Nelson Ct. M40 —4K 115
Nelson Dri. Cad —4A 146
Nelson Dri. Droy —6F 117
Nelson Dri. Ince —6J 61
Nelson Fold. Pen —6E 90
Nelson Rd. M9 —2K 93
Nelson Sq. Bolt —6B 44
Nelson St. M4 —5G 115 (1K 5)
Nelson St. M13 —4H 135
Nelson St. Ath —3B 86 (in two parts)
Nelson St. Aud —3C 138
Nelson St. Bolt —1C 66 (Bolton)
Nelson St. Bolt —3K 67 (Little Lever)
Nelson St. Bury —5K 47 (in two parts)
Nelson St. Dent —5D 138 (in two parts)
Nelson St. Ecc —6B 112
Nelson St. Farn —6G 67
Nelson St. Haz G —7D 170
Nelson St. Heyw —4K 49
Nelson St. Hind —1B 84
Nelson St. Hor —2H 41
Nelson St. Hyde —7J 139
Nelson St. Lees —2J 97
Nelson St. L'boro —6F 15
Nelson St. Mac —4F 199
Nelson St. Mid —7E 72
Nelson St. Mile P —4K 115
Nelson St. Newt W —6C 124
Nelson St. Roch —5H 31
Nelson St. Salf —3D 114 (Lower Broughton)
Nelson St. Salf —7J 113 (Weaste)
Nelson St. Stret —1H 149
Nelson St. Tyl —7H 87
Nelson Way. Chad —3K 95
Nelstrop Cres. Stoc —4F 153
Nelstrop Rd. Stoc —4F 153
Nelstrop Rd. N. Stoc & M19 —3E 152
Nelstrop Wlk. Stoc —4E 152
Nepaul Rd. M9 —6A 94
Neptune Gdns. Salf —3C 114
Nesbit St. Bolt —2D 44
Nesfield Rd. M23 —1K 165
Neston Av. M20 —4G 151
Neston Av. Bolt —7B 24
Neston Av. Sale —1J 165
Neston Clo. Shaw —6H 53
Neston Gro. Stoc —6F 169
Neston Rd. Roch —1A 52
Neston Rd. Wals —1D 46
Neston St. M11 —2H 137

Neston Way—Norfolk St.

Neston Way. Hand —2K 187
Neswick Wlk. M23 —1J 165
Netherbury Clo. M18 —6E 136
Netherby Rd. Wig —3C 60
Nethercott Ct. Tyl —6E 86
Nethercroft Ct. Alt —6A 164
Nethercroft Rd. Tim —6G 165
Netherfield Clo. Oldh —3A 96
Netherfield Rd. Bolt —4K 65
Netherfields. Ald E —6G 195
Netherfields. Leigh —1H 107
Nether Fold. P'bry —2C 196
Netherhey La. Rytn —4A 74
Nether Hey St. Oldh —2F 97
(in two parts)
Nether Ho. Rd. Shaw —6E 52
Netherlees. Lees —2H 97
Netherley Dri. Mars —3G 57
Netherley Rd. Cop —4A 18
Netherlow Ct. Hyde —7J 139
Nether St. M12 —1J 135 (8N 5)
Nether St. Hyde —2K 155
Netherton Gro. Farn —4D 66
Netherton Rd. M14 —1G 151
Nethervale Dri. M9 —1A 116
Netherwood Rd. M22 —4C 166
Netley Av. Roch —1H 31
Netley Gdns. Rad —2C 68
Netley Gro. Oldh —3C 97
Netley Rd. M23 —7A 166
Nettlebarn Rd. M22 —6C 166
Nettleford Rd. M16 & M21 —2E 150
Nettleton Gro. M9 —6B 94
Nevada St. Bolt —4A 44
Nevendon Dri. M23 —7K 165
Nevile Ct. Salf —7B 92
Nevile Rd. Salf —7B 92
Neville Cardus Wlk. M14 —7J 135
Neville Clo. Bolt —5A 44
Neville Dri. Irl —5C 130
Neville St. Chad —7A 74
Neville St. Haz G —1B 182
Neville St. Newt W —5C 124
Neville St. Plat B —4J 83
Neville St. Shaw —6F 53
Nevill Rd. Bram —2G 181
Nevin Av. Chea H —3A 180
Nevin Clo. Bram —4J 181
Nevin Clo. Oldh —5K 95
Nevin Rd. M40 —6F 95
Nevis Gro. Bolt —7K 23
Nevis St. Roch —3J 51
Nevy Fold Av. Hor —2K 41
New Allen St. M40 —5J 115 (1N 5)
Newall Gro. Leigh —1K 107
Newall Rd. M23 —1K 177
Newall St. L'boro —5F 15
Newark Av. M14 —6H 135
Newark Av. Rad —1A 68
Newark Pk. Way. Rytn —6A 52
Newark Rd. Clif —5F 91
Newark Rd. Hind —3A 84
Newark Rd. Roch —1H 31
Newark Rd. Stoc —5H 153
Newark Sq. Roch —1H 31
Newark St. Wig —5B 60
New Bailey St. Salf —7E 114 (5E 4)
Newbank Chase. Chad —6J 73
New Bank St. M12 —3A 136
New Bank St. Had —4B 142
Newbank Tower. Salf —5E 114 (1E 4)
New Barn Av. Ash M —5E 104
New Barn Clo. Shaw —6E 52
New Barn La. Leigh —6J 107
New Barn La. Roch —7G 31
New Barn Rd. Oldh —5E 96
New Barn St. Bolt —4H 43
New Barn St. Roch —7J 31
Newbarn St. Shaw —6E 52
New Barton St. Salf —3G 113
Newbeck St. M4 —6G 115 (3K 5)
New Beech Rd. Stoc —1A 168
(in two parts)
Newberry Gro. Stoc —6F 169
Newbiggin Way. Mac —3E 198
(off Longacre St.)
Newbold Clo. M15 —3F 135
Newbold Moss. Roch —4K 31
Newbold St. Bury —3G 47
Newbold St. Roch —4A 32
Newboult Rd. Chea —5A 168
Newbourne Clo. Haz G —1B 182
Newbreak Clo. Oldh —6H 75
Newbreak St. Oldh —6H 75
Newbridge Clo. Ash M —5K 103
Newbridge Gdns. Bolt —1G 45
New Bri. La. Stoc —2J 169
New Bri. St. Salf —6F 115 (3G 4)
Newbridge View. Moss —7D 98
New Briggs Fold. Eger —2A 24
New Brighton Cotts. Whitw —2F 13
(off Ruth St.)
New Broad La. Roch —2A 52
Newbrook Av. M21 —6D 150
Newbrook Rd. Ath & Bolt —2F 87
New Brunswick St. Hor —2F 41
New Buildings Pl. Roch —4H 31
Newburn Av. M9 —3B 94
Newburn Clo. Wig —3A 82
Newbury Av. Sale —6A 148
Newbury Clo. Chea H —6C 180
Newbury Ct. Tim —4D 164
Newbury Dri. Ecc —5K 111
Newbury Dri. Urm —4A 132
Newbury Gro. Heyw —5J 49
Newbury Pl. Salf —1D 114
Newbury Rd. H Grn —5J 179
Newbury Rd. L Lev —3H 67
Newbury Wlk. M9 —1K 115
(off Ravelston Dri.)
Newbury Wlk. Bolt —4A 44
Newbury Wlk. Chad —7A 74
(off Kempton Way)
Newby Dri. B'hth —5B 164
Newby Dri. Gat —6G 167
Newby Dri. Mid —3B 72
Newby Dri. Sale —7H 149
Newby Rd. Bolt —4G 45
Newby Rd. Haz G —1A 182
Newby Rd. Stoc —1E 168
Newby Rd. Ind. Est. Haz G —2A 182
Newby Sq. Wig —2H 81
Newcastle St. M15 —2F 135 (10H 5)
(in two parts)
Newcastle Wlk. Dent —1E 154
New Cateaton St. Bury —2K 47
New Chapel La. Hor —3J 41
Newchurch. Oldh —7E 96
New Church Ct. Rad —3F 69
Newchurch La. Cul —7K 127
New Church Rd. Bolt —3F 43
Newchurch St. M11 —1B 136
New Church St. Rad —3E 68
Newchurch St. Roch —4E 50
New Church Wlk. Rad —3F 69
New City Rd. Wor —7C 88
Newcliffe Rd. M9 —3B 94
New Coin St. Rytn —3B 74
Newcombe Clo. M11 —7B 116
Newcombe Ct. Sale —6D 148
Newcombe Dri. L Hul —1B 88
Newcombe Rd. Ram —3E 26
Newcombe St. M3 —5F 115 (1H 5)
New Ct. Dri. Eger —1K 23
Newcroft. Fail —2K 117
Newcroft Cres. Urm —1D 148
Newcroft Dri. Stoc —5F 169
Newcroft Dri. Urm —1E 148
Newcroft Rd. Urm —1D 148
New Cross. M4 —6H 115 (4L 5)
New Cross St. Rad —3F 69
New Cross St. Salf —6G 113
New Cross St. Swint —1E 112
Newdale Rd. M12 —7D 136
New Drake Grn. W'houg —2J 85
Newearth Rd. Wor —7D 88
New Earth St. Moss —5D 98
New Earth St. Oldh —2G 97
New Elizabeth St. M8 —3G 115
New Ellesmere App. Wor —3F 89
Newell Ter. Roch —3G 31
New Elm Rd. M3 —1D 134 (8D 4)
Newenden Rd. Wig —2D 60
Newfield Clo. Rad —3C 68
Newfield Clo. Roch —4A 32
Newfield Ct. Lymm —6G 161
Newfield Head La. Miln —7F 33
Newfield View. Miln —6E 32
(in three parts)
New Fold. Orr —3C 80
New Fold. Uph —3C 80
New Forest Rd. M23 —3G 165
Newgate. Roch —5G 31
Newgate. Uph —7A 58
Newgate Av. App B —5E 36
Newgate Dri. L Hul —1B 88
Newgate Rd. Sale —1A 164
Newgate Rd. Uph —7A 58
Newgate Rd. Wilm —6D 186
Newgate St. M4 —6G 115 (3K 5)
New George St. M4 —6G 115 (3K 5)
New George St. Bury —2G 47
New Grn. Bolt —6G 25
Newhall Av. Brad F —7K 45
New Hall Av. Ecc —2J 131
New Hall Av. H Grn —5H 179
New Hall Av. Salf —7D 92
New Hall Dri. M23 —1A 166
New Hall La. Bolt —4G 43
New Hall La. Cul —7K 127
(in two parts)
Newhall Pl. Bolt —5G 43
New Hall Rd. Bury —1E 48
New Hall Rd. Sale —6K 149
New Hall Rd. Salf —7D 92
Newhall Rd. Stoc —7J 137
New Hall St. Mac —2E 198
Newham Av. M11 —6D 116
Newham Clo. Sut E —7H 199
Newhaven Av. M11 —2H 137
Newhaven Av. Leigh —7K 85
Newhaven Bus. Pk. Ecc —1C 132
Newhaven Clo. Bury —5G 27
Newhaven Wlk. Bolt —4D 44
New Herbert St. Salf —3G 113
Newhey Av. M22 —6D 166
New Hey Ct. Sale —5F 149
Newhey Rd. M22 —7D 166
Newhey Rd. Chea —5A 168
Newhey Rd. Miln —7E 32
(in two parts)
NEWHEY STATION. BR —1F 53
New Heys Way. Bolt —6F 25
New Holder St. Bolt —6A 44
Newholme Ct. Stret —7J 133
Newholme Gdns. Wor —3E 88
Newholme Rd. M20 —5F 151
Newhouse Clo. Ward —5A 14
Newhouse Cres. Roch —4A 30
Newhouse Rd. Heyw —5K 49
Newhouse St. Ward —5A 14
Newick Wlk. M9 —3A 94
(off Levedale Rd.)
Newington Av. M8 —4F 93
Newington Ct. Bow —1K 175
Newington Dri. Bolt —4B 44
Newington Dri. Bury —4E 46
Newington Wlk. Bolt —4B 44
(in two parts)
New Inn Yd. Roch —7C 14
New Islington. M4 —6J 115 (4N 5)
New Kings Head Yd. Salf —6F 115 (3G 4)
(off Chapel St.)
Newland Av. Wig —2K 81
Newland Dri. Bolt —7F 65
Newland M. Cul —4J 127
Newlands. Fail —4G 117
Newlands Av. Ast —2G 109
Newlands Av. Bolt —4H 45
Newlands Av. Bram —4H 181
Newlands Av. Chea H —5C 180
Newlands Av. Ecc —1H 131
Newlands Av. Irl —7B 130
Newlands Av. Roch —1H 31
Newlands Av. W'fld —5J 69
Newlands Clo. Chea H —5C 180
Newlands Clo. Roch —1H 31
Newlands Dri. M20 —3J 167
Newlands Dri. Blac —6C 40
Newlands Dri. Had —5B 142
Newlands Dri. Lwtn —1B 126
Newlands Dri. Pen —2G 113
Newlands Dri. P'wch —2A 92
Newlands Dri. Wilm —1E 194
Newlands Rd. M23 —3J 165
Newlands Rd. Chea —5K 167
Newlands Rd. Leigh —5K 107
(in two parts)
Newlands Rd. Mac —4A 198
Newland St. M8 —6H 93
Newlands Wlk. Mid —3A 72
(in two parts)
New La. Bolt —4F 45
New La. Ecc —7K 111
New La. Mid —5C 72
New La. Rytn —2B 74
New Lawns. Stoc —1J 153
New Lees St. Ash L —3H 119
(in two parts)
New Lodge. Wig —4F 61
New Lodge, The. Ath —4C 86
Newlyn Av. Mac —2A 198
Newlyn Av. Stal —5D 120
Newlyn Clo. Haz G —3B 182
Newlyn Dri. Ash M —6D 104
Newlyn Dri. Bred —6E 154
Newlyn Dri. Sale —1G 165
Newlyn St. M14 —7H 135
Newman Av. Wig —4C 60
Newman Clo. Hind —2A 84
Newman St. Ash L —5E 118
Newman St. Hyde —6J 139
Newman St. Roch —1A 32
Newman St. Wig —4G 61
New Market. M2 —7F 115 (5H 5)
Newmarket Clo. Sale —1K 163
Newmarket Gro. Ash L —3C 118
New Market La. M2 —7F 115 (5H 5)
Newmarket M. Salf —2D 114
Newmarket Rd. Ash L —3C 118
Newmarket Rd. L Lev —4J 67
New Mkt. St. Wig —6E 60
New Meadow. Los —6C 42
New Miles La. Shev —7F 37
New Mill. Roch —2A 32
New Mills Rd. Chis —7H 157
New Mill St. L'boro —6E 14
Newmill Wlk. M8 —2F 115
(off Alderford Pde.)
New Moor La. Haz G —1B 182
New Moss Rd. Cad —4K 145
New Mount St. M4 —5G 115 (2K 5)
Newnham St. Bolt —1A 44
New Park Rd. Salf —2B 134
Newpark Wlk. M8 —2G 115
(off Wellside Wlk.)
Newport Av. Stoc —3G 153
Newport M. Farn —7F 67
Newport Rd. M21 —1A 150
Newport Rd. Bolt —3C 66
Newport Rd. Dent —2F 155
Newport St. M14 —6H 135
Newport St. Bolt —6B 44
(in two parts)
Newport St. Farn —7F 67
Newport St. Mid —5E 72
Newport St. Oldh —2B 96
Newport St. Salf —6J 113
Newport St. Tot —7E 26
Newquay Av. Bolt —4B 46
Newquay Av. Stoc —3G 153
Newquay Dri. Bram —5H 181
Newquay Dri. Mac —3A 198
New Quay St. Salf —7E 114 (6E 4)
New Radcliffe St. Oldh —7C 74
New Ridd Rise. Hyde —2H 155
New Riven Ct. L Lev —3J 67
New Rd. And —2A 20
New Rd. Cop —1B 18
New Rd. Haig —7J 39
New Rd. L'boro —7C 14
New Rd. Lymm —7E 160
New Rd. Oldh —3C 96
New Rd. P'bry —3C 196
New Rd. Rad —4F 69
New Rd. Tin —2B 142
New Rd. Whitw —2D 12
New Rock. W'houg —2K 85
New Royd Av. Lees —6K 75
New Royd Rd. Oldh —6J 75
Newry Rd. Ecc —1C 132
Newry St. Bolt —2K 43
Newry Wlk. M9 —4H 93
Newsham Clo. Bolt —1K 65
Newsham Wlk. M12 —6D 136
Newsham Wlk. Wig —4B 60
Newshaw La. Had —6B 142
Newsholme Clo. Cul —6K 127
Newsholme St. M8 —1F 115
New Springs. Bolt —1H 43
Newstead. Roch —4G 31
(off Spotland Rd.)
Newstead Av. M20 —5K 151
Newstead Av. Ash L —1G 119
Newstead Clo. Poy —7B 182
Newstead Dri. Bolt —4G 65
Newstead Gro. Bred —7C 154
Newstead Rd. Urm —6C 132
Newstead Rd. Wig —4A 82
Newstead Ter. Tim —4D 164
New St. M40 —4A 116
New St. Alt —7A 164
New St. Ash M —4E 104
New St. Blac —3B 40
New St. Bolt —7A 44
New St. B'btm —2G 157
New St. Droy —1J 137
New St. Ecc —7A 112
New St. Lees —1J 97
New St. L'boro —7D 14
New St. Miln —7E 32
New St. N Mills —5J 185
New St. Pem —2H 81
New St. Pen —6E 90
New St. Plat B —5J 83
New St. Rad —4F 69
New St. Roch —2G 31
New St. Stal —1A 140
New St. Tot —6D 26
New St. Upperm —6H 77
New St. Wilm —1E 194
New Tempest Rd. Los —2C 64
New Ter. Wilm —5H 187
New Thomas St. Salf —4A 114
Newton Av. Long —5B 136
Newton Av. Wthtn —4G 151
Newton Bus. Pk. Hyde —4A 140
Newton Clo. Wig —4F 61
Newton Cres. Mid —4K 71
Newtondale Av. Rytn —2A 74
Newton Dri. G'mnt —3E 26
NEWTON FOR HYDE STATION. BR —5K 139
New Tong Field. Brom X —5B 24
Newton Hall Ct. Hyde —4G 139
Newton Hall Rd. Hyde —4G 139
Newton La. Newt W —3G 125
Newton M. P'wch —3C 92
Newton Moor Ind. Est. Hyde —4J 139
Newtonmore Wlk. Open —7D 116
Newton Rd. Alt —4C 164
Newton Rd. Bil —2E 102
Newton Rd. Fail —3G 117
Newton Rd. Lwtn —5J 125
Newton Rd. Mid —7H 71
Newton Rd. Urm —7A 132
Newton Rd. Wilm —4G 187
Newtons Fold. Leigh —4E 106
Newton St. M1 —7H 115 (5L 5)
Newton St. Ash L —5G 119
Newton St. Bolt —3A 44
Newton St. Bury —6K 27
Newton St. Droy —5A 118
Newton St. Fail —2E 116
Newton St. Hyde —5H 139
Newton St. Leigh —3K 107
Newton St. Mac —4E 198
Newton St. Roch —7J 31
Newton St. Stal —6K 119
Newton St. Stoc —3G 169
Newton St. Stret —1H 149
Newton Ter. Bolt —3A 44
Newton Ter. Duk —7F 119
Newton Wlk. Bolt —3A 44
Newton Wood Rd. Duk —3F 139
Newtown Av. Dent —7D 138
Newtown Clo. M11 —1D 136
Newtown Clo. Pen —5D 90
Newtown Ct. P'wch —3C 92
Newtown St. P'wch —3C 92
Newtown St. Shaw —7F 53
New Union St. M4 —6J 115 (4N 5)
New Vernon St. Bury —1K 47
New Viaduct St. M11 & M40 —6A 116
Newville Dri. M20 —5K 151
New Wakefield St. M1 —2G 135 (9J 5)
New Way. Whitw —2E 12
New Welcome St. M15 —3F 135
New York Av. Man A —5B 178
New York St. Heyw —3H 49
New Zealand Rd. Stoc —2J 169
Neyland Clo. Bolt —6F 43
Ney St. Ash L —2D 118
Niagara St. Stoc —5J 169
Nicholas Croft. M4 —6G 115 (4K 5)
Nicholas Owen Clo. M11 —1E 136
Nicholas Rd. Oldh —3C 96
Nicholas St. M1 —7G 115 (6J 5)
Nicholas St. Bolt —5C 44
Nicholls St. M12 —3K 135
Nicholls St. Salf —5B 114
Nicholson Av. Mac —2G 199
Nicholson Clo. Mac —2G 199
Nicholson Rd. Hyde —4G 139
Nicholson Sq. Duk —1F 139
Nicholson St. Lees —1J 97
Nicholson St. Roch —7H 31
Nicholson St. Stoc —1G 169
Nicker Brow. Dob —4G 77
(in two parts)
Nickleby Rd. Poy —2B 190
Nickleton Brow. Hth C —3A 20
Nick Rd. La. Ward —4H 13
Nico Ditch. M19 —7E 136
Nicolas Rd. M21 —1K 149
Nicola St. Eger —4A 24
Nicol Mere Dri. Ash M —2C 104
Nicol Rd. Ash M —3C 104
Nield Rd. Dent —6D 138
Nields Brow. Bow —2A 176
Nield St. Moss —5B 98
Nields Way. Rom —7D 172
Nigel Rd. M9 —1B 116
Nigher Moss Av. Roch —5A 32
Nightingale Clo. Wilm —4H 187
Nightingale Dri. Aud —6A 118
Nightingale Rd. Blac —2A 40
Nightingale St. M3 —5F 115 (2G 4)
Nightingale St. Adl —4J 19
Nightingale Wlk. Bolt —3B 66
Nile St. Ash L —1D 138
Nile St. Bolt —1B 66
Nile St. Oldh —6C 74
Nile St. Roch —4J 31
Nile Ter. Salf —3D 114
Nimble Nook. Chad —2J 95
Nina Dri. M40 —4E 94
Nine Acre Ct. Salf —2B 134
Nine Acres Dri. Salf —2B 134
Ninehouse La. Bolt —2B 66
Ninfield Rd. M23 —7B 166
Ninian Ct. Mid —5B 72
Ninian Gdns. Wor —4F 89
Ninth Av. Oldh —6B 96
Nipper La. W'fld —4J 69
Nisbet Av. M22 —1E 178
Niven St. M12 —2J 135 (9N 5)
Nixon Rd. Bolt —3J 65
Nixon Rd. S. Bolt —3J 65
Nixon St. Fail —1G 117
Nixon St. Mac —3D 198
Nixon St. Roch —2D 50
Nixon St. Stoc —3G 169
Noahs Ark La. Mob —5A 194
Nobel St. M40 —2E 116
Noble Meadow. Roch —6B 14
Noble St. Bolt —1A 66
Noble St. Leigh —3A 108
(in two parts)
Noble St. Oldh —3D 96
Noel Dri. Sale —6H 149
Nolan St. M9 —7A 94
Nole St. Bolt —6A 44
Nona St. Salf —6J 113
Nook Cotts. Spring —6A 76
Nook Farm Av. Roch —1H 31
Nook Fields. Bolt —2G 45
Nook La. Ash L —2H 119
Nook La. Ast —6J 109
Nook La. Golb —1K 125
Nook Side. Roch —1H 31
Nook Ter. Roch —1H 31
Nook, The. App B —6E 36
Nook, The. Bury —4D 48
Nook, The. Ecc —5J 111
Nook, The. Wor —7H 89
Noon Ct. Newt W —7E 124
Noon Sun Clo. G'fld —3G 99
Noon Sun St. Roch —3H 31
(in two parts)
Norah St. Chad —5K 95
Norbet Wlk. M9 —1A 116
Norbreck Av. M21 —3B 150
Norbreck Av. Chea —5C 168
Norbreck Cres. Wig —4C 60
Norbreck Gdns. Bolt —5E 44
Norbreck Pl. Bolt —5E 44
Norbreck St. Bolt —5E 44
Norburn Rd. M13 —7B 136
Norbury Av. Bil —2D 102
Norbury Av. Gras —1C 98
Norbury Av. Hyde —7H 139
Norbury Av. Marp —5J 171
Norbury Av. Sale —6D 148
Norbury Av. Salf —3H 113
Norbury Clo. Knut —3F 193
Norbury Cres. Haz G —2B 182
Norbury Dri. Marp —5J 171
Norbury Gro. Bolt —1C 44
Norbury Gro. Haz G —2B 182
Norbury Gro. Pen —6D 90
Norbury Hollow Rd. Haz G & Poy —4F 183
Norbury Ho. Oldh —2F 97
Norbury La. Oldh —4H 97
Norbury M. Marp —5J 171
Norbury Sq. M40 —4A 116
Norbury St. Leigh —3H 107
Norbury St. Mac —4E 198
Norbury St. Roch —1K 51
Norbury St. Salf —2E 114
Norbury St. Stoc —2H 169
Norbury Way. Hand —7A 180
Norcliffe Wlk. M18 —5D 136
Norcot Wlk. M15 —3D 134
Norcross Clo. Stoc —6B 170
Nordale Pk. Roch —2A 30
Nordek Clo. Rytn —1B 74
Nordek Dri. Rytn —1B 74
Norden Av. M20 —4G 151
Norden Clo. Roch —2J 29
Norden Ct. Bolt —2A 66
Norden Rd. Roch —7K 29
Nordens Dri. Chad —5H 73
Nordens Rd. Chad —6H 73
Nordens St. Chad —6J 73
Norden Way. Roch —2J 29
Noreen Av. P'wch —2B 92
Norfield Clo. Duk —1G 139
Norfolk Av. M18 —5E 136
Norfolk Av. Dent —6H 137
Norfolk Av. Droy —5H 117
Norfolk Av. Heyw —3G 49
Norfolk Av. Stoc —4E 152
Norfolk Av. W'fld —6A 70
Norfolk Clo. Cad —5J 145
Norfolk Clo. Hind —1E 84
Norfolk Clo. L'boro —2G 15
Norfolk Clo. L Lev —2K 67
Norfolk Clo. Shaw —6D 52
Norfolk Cres. Fail —2G 117
Norfolk Dri. Farn —5F 67
Norfolk Gdns. Urm —6F 131
Norfolk Ho. Sale —6G 149
Norfolk Ho. Salf —6E 92
Norfolk Rd. M18 —5E 136
Norfolk Rd. Ath —2B 86
Norfolk Rd. Bil —6E 80
Norfolk Sq. Glos —1E 158
(off High St. W.)
Norfolk St. M2 —7F 115 (5J 5)
Norfolk St. Glos —1F 159
Norfolk St. Hyde —7H 139
Norfolk St. Nwtwn —1B 82
(in two parts)
Norfolk St. Oldh —3K 95
(in two parts)
Norfolk St. Roch —6G 31
Norfolk St. Salf —3A 114

Norfolk St. Wig —4C 60
Norfolk St. Wor —1F 89
Norfolk Way. Rytn —4B 74
Norford Way. Roch —4A 30
Norgate St. M20 —7H 151
Norlan Av. Aud —2C 138
Norland Wlk. M40 —3B 116
Norleigh Rd. M22 —3D 166
Norley Av. Stret —6K 133
Norley Clo. Chad —4K 73
Norley Dri. M19 —7E 136
Norley Dri. Sale —6J 149
Norley Hall Av. Wig —7J 59
Norley Rd. Leigh —4F 107
Norley Rd. Wig —7H 59
Norman Av. Hayd —2C 124
Norman Av. Haz G —1A 182
Norman Av. Newt W —6G 125
Normanby Chase. Alt —7K 163
Normanby Gro. Swint —6C 90
Normanby Rd. Wor —6E 88
Normanby St. M14 —5G 135
Normanby St. Bolt —4H 65
Normanby St. Swint —6C 90
Normanby St. Wig —1H 81
Norman Clo. Mid —5E 72
Normandale Av. Bolt —4G 43
Normandy Cres. Rad —3D 68
Norman Gro. M12 —5B 136
Norman Gro. Stoc —3G 153
Norman Rd. M14 —7J 135
Norman Rd. Alt —5A 164
Norman Rd. Ash L —2G 119
Norman Rd. Roch —6F 31
Norman Rd. Sale —6F 149
Norman Rd. Salf —1E 114
Norman Rd. Stal —6K 119
Norman Rd. Stoc —7D 152
Norman Rd. W. M9 —1B 116
Norman's Pl. Alt —7B 164
Norman St. M12 —4D 136
Norman St. Bolt —3B 66
Norman St. Bury —1B 48
Norman St. Fail —4J 95
Norman St. Hyde —7J 139
Norman St. Ince —3G 83
Norman St. Mid —7D 72
Norman St. Oldh —6B 74
Normanton Av. Salf —5G 113
Normanton Clo. Stand L —2A 60
Normanton Dri. M9 —4A 94
Normanton Rd. Stoc —4C 168
Norman Weall Ct. Mid —4C 72
Normington St. Oldh —7G 75
Norreys Av. Urm —6G 131
Norreys St. Roch —4J 31
Norris Av. Stoc —2E 168
Norris Bank Ter. Stoc —2E 168
Norris Hill Dri. Stoc —1E 168
Norris Rd. Sale —1F 165
Norris Rd. W'houg —5C 64
Norris St. Bolt —1A 66
Norris St. Farn —7E 66
Norris St. L Lev —3J 67
Norris St. Tyl —6G 87
Norris Towers. Stoc —1G 169 (off Wilkinson Rd.)
Northallerton Rd. Salf —2A 114
Northam Clo. Stand —4K 37
Northampton Rd. M40 —2A 116
Northampton Wlk. Dent —1E 154
Northampton Way. Dent —1E 154
North Av. M19 —3B 152
North Av. Farn —6C 66
North Av. G'fld —2H 99
North Av. G'mnt —3D 26
North Av. Hope C —5C 108
North Av. Leigh —4C 106
North Av. Stal —5A 120
North Av. Uns —2B 70
Northavon Clo. Ecc —7E 112 (off Kearton Dri.)
Northbank Gdns. M19 —4A 152
Northbank Ind. Est. Irl —4A 146
Northbank Wlk. M20 —7D 150
N. Blackfield La. Salf —7C 92
Northbourne St. Salf —6J 113
Northbrook Av. M8 —3F 93
N. Brook Rd. Had —5A 142
N. Broughton St. Salf —6E 114 (4E 4)
N. Butts St. Leigh —5B 108
North Circ. W'fld —1A 92
N. Clifden La. Salf —2E 114
Northcliffe Rd. Stoc —3A 170
North Clo. Tin —2B 142
Northcombe Rd. Stoc —6G 169
Northcote Rd. Bram —5H 181
Northcote St. Rad —4E 68
North Cres. M11 —5F 117
N. Croft. Oldh —4E 96
Northcroft. Wig —5H 61
Northdale Rd. M9 —2H 93
N. Dean St. Pen —6E 90
Northdene Dri. Roch —6B 30
Northdown Av. M15 —3D 134
Northdown Av. Woodl —5G 155
North Downs. Knut —5F 193
N. Downs Rd. Chea H —1B 180
N. Downs Rd. Shaw —5D 52
North Dri. App B —3C 36
North Dri. Aud —7A 118
North Dri. Swint —1F 113
North Edge. Leigh —2B 108
Northenden Pde. M22 —2D 166
Northenden Rd. Cop —3A 18
Northenden Rd. Gat —5G 167
Northenden Rd. Sale —5F 149
Northenden View. M20 (off South Rd.) —1H 167
N. End Rd. Stal —6B 120
Northen Gro. M20 —6F 151
Northerly Cres. M40 —4F 95
Northern Av. Clif —4G 91
Northern Gro. Bolt —4J 43
Northfield Av. M40 —5H 95
Northfield Ct. Lwtn —7A 106
Northfield Dri. Wilm —5K 187
Northfield Rd. M40 —5H 95
Northfield Rd. Bury —6K 27
Northfields. Knut —3F 193
Northfield St. Bolt —1J 65
Northfleet Rd. Ecc —7H 111
N. Florida Rd. Hayd I —1A 124
North Ga. Oldh —5C 96
Northgate. Whitw —4E 12
Northgate Av. Mac —2E 198
Northgate La. Oldh —2J 75
Northgate Rd. Stoc —3E 168
N. George St. Salf —5D 114 (2C 4)
Northgraves Dri. Salf —2E 114
North Gro. M13 —4K 135
North Gro. Urm —1A 148
North Gro. Wor —4E 88
N. Harvey St. Stoc —2H 169
N. Hill St. Salf —5D 114 (2D 4)
Northland Rd. M9 —4C 94
Northland Rd. Bolt —6B 24
Northlands. Rad —1C 68
North La. Ast —2G 109
North La. Roch —4H 31
Northleach Clo. Bury —2E 46
Northleigh Dri. P'wch —4D 92
Northleigh Rd. M16 —6B 134
N. Lonsdale St. Stret —6J 133
North Mkt. La. M2 —7G 115 (5J 5)
Northmead. P'bry —5C 196
N. Meade. M21 —3B 150
Northmoor M. Oldh —6C 74
Northmoor Rd. M12 —5C 136
N. Nook. Oldh —6A 76
Northolme Gdns. M19 —5A 152
Northolt Av. Leigh —7K 85
Northolt Ct. M11 —6F 117
Northolt Dri. Bolt —2B 66
Northolt Rd. M23 —2K 165
North Pde. M3 —7F 115 (5G 4)
North Pde. Miln —1G 53
North Pde. Sale —1H 165
N. Park Rd. Bram —2F 181
N. Phoebe St. Salf —1B 134
North Pl. Stoc —2H 169
Northridge Rd. M9 —1K 93
North Rise. G'fld —2H 99
North Rd. M11 —6D 116
North Rd. Ath —3B 86
North Rd. Aud —7A 118
North Rd. Car —6F 147
North Rd. Glos —5E 142
North Rd. Hale —4E 176
North Rd. Man A —6C 178
North Rd. P'wch —2K 91
North Rd. Stal —6B 120
North Rd. Stret —5E 132
North Rd. Traf P —4G 133
Northside Av. Urm —1H 147
N. Star Dri. Salf —7D 114 (5D 4)
Northstead Av. Dent —7F 139
North St. M8 —3G 115
North St. Ash M —4F 105
North St. Ash L —6E 118
North St. Ath —4E 86
North St. Hayd —3A 124
North St. Heyw —3H 49
North St. Leigh —4B 108 (Leigh)
North St. Leigh —4J 107 (Pennington)
North St. Mid —4C 72
North St. Rad —2G 69
North St. Ram —1G 9
North St. Roch —4J 31
North St. Rytn —2B 74 (in two parts)
North St. Whitw —2E 12
Northumberland Av. Ash L —4F 119
Northumberland Clo. M16 —4C 134
Northumberland Cres. M16 —4C 134
Northumberland Rd. M16 —5C 134
Northumberland Rd. Part —1A 162
Northumberland Rd. Stoc —3K 153
Northumberland St. Salf —1D 114
Northumberland St. Wig —5G 61
Northumbria St. Bolt —1J 65
Northurst Dri. M8 —4F 93
North Vale. Hth C —3H 19
N. Vale Rd. Tim —5D 164
North View. Bury —2F 27
North View. Moss —6E 98
North View. Ram —1G 9
North View. W'fld —4J 69
North View. Whitw —1F 13
N. View Clo. Lyd —2C 98
N. Vine St. M15 —3F 135
Northward Rd. Wilm —7F 187
Northway. M40 —5H 95
Northway. Alt —5C 164
North Way. Bolt —1D 44
Northway. Droy —1J 137
Northway. Ecc —6D 112
Northway. Lymm —7D 160
North Way. Stoc —4A 154
Northway. Wig —5E 60
Northways. Stand —3K 37
Northwell St. Leigh —7J 85
NORTH WESTERN STATION. BR —7E 60
N. Western St. M1 & M12 —1J 135 (7N 5)
N. Western St. Lev —2C 152
Northwich Rd. Knut —5A 192
Northwold Clo. Wig —4J 81
Northwold Dri. M9 —4D 94
Northwold Dri. Bolt —5E 42
Northwood. Bolt —1F 45
Northwood Av. Newt W —5H 125
Northwood Cres. Bolt —1J 65
Northwood Gro. Sale —6F 149
N. Woodley. Rad —6G 69
Northworth Dri. M9 —4D 94
Norton Av. M12 —6D 136
Norton Av. Dent —6J 137
Norton Av. Sale —4B 148
Norton Av. Urm —5B 132
Norton Grange. P'wch —4D 92
Norton Gro. Stoc —2D 168
Norton Rd. Roch —1H 31
Norton Rd. Wor —1A 110
Norton St. M1 —7J 115 (6N 5)
Norton St. Bolt —2B 44
Norton St. Mile P —4A 116
Norton St. Old T —5C 134
Norton St. Salf —1E 114 (Hightown)
Norton St. Salf —6F 115 (3G 4) (Salford)
Norview Dri. M20 —4H 167
Norville Av. M40 —4F 95
Norway Gro. Stoc —6H 153
Norway St. M11 —1A 136
Norway St. Bolt —3K 43
Norway St. Salf —6J 113
Norway St. Stret —6J 133
Norweb Way. Chad —6J 73
Norweb Way. Leigh —5B 108
Norwell Rd. M22 —6E 166
Norwich Av. Ash M —6F 105
Norwich Av. Chad —5J 73
Norwich Av. Dent —1D 154
Norwich Av. Lwtn —1B 126
Norwich Av. Roch —5C 30
Norwich Clo. Ash L —1H 119
Norwich Clo. Duk —2A 140
Norwich Ct. Mac —3G 199 (off Commercial Rd.)
Norwich Dri. Bury —2H 47
Norwich Rd. Stret —6D 132
Norwich St. Roch —7J 31
Norwick Clo. Bolt —2E 64
Norwood. P'wch —5B 92
Norwood Av. M20 —6K 151
Norwood Av. Ash M —2B 104
Norwood Av. Ast —2G 109
Norwood Av. Bram —7E 180
Norwood Av. Chea H —1C 180
Norwood Av. H Lane —5H 183
Norwood Av. Lwtn —2D 126
Norwood Av. Salf —7C 92
Norwood Av. Wig —3C 60
Norwood Clo. Adl —4J 19
Norwood Clo. Shaw —5E 52
Norwood Clo. Wor —7G 89
Norwood Ct. Stret —1J 149
Norwood Cres. Rytn —4C 74
Norwood Dri. Swint —1A 112
Norwood Dri. Tim —6H 165
Norwood Gro. Bolt —5J 43
Norwood Gro. Rytn —4C 74
Norwood Pk. Alt —7A 164
Norwood Rd. Gat —5H 167
Norwood Rd. Stoc —7K 169
Norwood Rd. Stret —1J 149
Nostell Rd. Ash M —3C 104
Nottingham Av. Stoc —4A 154
Nottingham Clo. Stoc —4A 154
Nottingham Dri. Ash L —1F 119
Nottingham Dri. Bolt —4A 44
Nottingham Dri. Fail —3J 117
Nottingham Pl. Wig —5G 61
Nottingham Ter. Stoc —4A 154
Nottingham Way. Dent —1E 154
Nova Scotia St. Fail —7H 95
Nowell Ct. Mid —3C 72
Nowell Ho. Mid —4C 72
Nowell Rd. Mid —3C 72
Nudger Clo. Dob —4F 77
Nudger Grn. Dob —4F 77
Nuffield Ho. Bolt —4H 43
Nuffield Rd. M22 —7E 166
Nugent Rd. Bolt —3A 66
Nugget St. Oldh —1F 97
Nuneaton Dri. M40 —5K 115
Nuneham Av. M20 —3J 151
Nunfield Clo. M40 —5D 94
Nunnery Rd. Bolt —2H 65
Nunthorpe Dri. M8 —7J 93
Nursery Av. Hale —4C 176
Nursery Brow. Rad —6F 69
Nursery Clo. Char R —1A 18
Nursery Clo. Glos —2E 158
Nursery Clo. Sale —6H 149
Nursery Dri. Poy —1B 190
Nursery La. Stoc —4C 168
Nursery La. Wilm —7F 187
Nursery Rd. Boll —3G 197
Nursery Rd. Chea H —3B 180
Nursery Rd. Fail —1J 117
Nursery Rd. Hyde —6G 139
Nursery Rd. P'wch —1A 92
Nursery Rd. Ram —1G 9
Nursery Rd. Stoc —7E 152
Nursery Rd. Urm —5J 131
Nursery St. M16 —6F 135
Nursery St. Salf —4K 113
Nuthatch Av. Wor —7F 89
Nuthurst Rd. M40 —6E 94
Nutsford Vale. M18 —5C 136
Nut St. Bolt —3K 43
Nuttall Av. Hor —2E 40
Nuttall Av. L Lev —3A 68
Nuttall Av. W'fld —6K 69
Nuttall Clo. Ram —6G 9
Nuttall Hall Rd. Ram —7H 9
Nuttall La. Ram —6F 9
Nuttall M. W'fld —6K 69
Nuttall Rd. Ram —7G 9
Nuttall Sq. Bury —1K 69
Nuttall St. M11 —2C 136
Nuttall St. M16 —4C 134
Nuttall St. Ath —4E 86
Nuttall St. Bury —4A 48
Nuttall St. Cad —4A 146
Nuttall St. Oldh —3F 97
Nutt La. P'wch —6E 70
Nutt St. Wig —4G 61

Oadby Clo. M12 —4C 136
Oak Av. M21 —2B 150
Oak Av. Abr —1A 106
Oak Av. Cad —5K 145
Oak Av. Chea H —2C 180
Oak Av. Golb —1K 125
Oak Av. Hayd —2A 124
Oak Av. Hind —4E 84
Oak Av. Hor —5J 41
Oak Av. L Lev —3K 67
Oak Av. Mac —6C 198
Oak Av. Mid —7C 72
Oak Av. Newt W —6E 124
Oak Av. Nwtwn —6G 185
Oak Av. Ram —2E 26
Oak Av. Rom —1G 171
Oak Av. Rytn —7B 52
Oak Av. Stand —5B 38
Oak Av. Stoc —1D 168
Oak Av. W'fld —7K 69
Oak Av. Wilm —1F 195
Oak Bank. Nwtwn —6G 185
Oakbank. Plat B —4K 83
Oak Bank. P'wch —6K 91
Oak Bank Av. M9 —6B 94
Oakbank Av. Chad —6G 73
Oak Bank Clo. W'fld —6B 70
Oak Bank Dri. Boll —1K 197
Oakbank Dri. Bolt —6K 23
Oak Barton. Los —2C 64
Oakcliffe Rd. Roch —7A 14
Oak Clo. Mot —5G 141
Oak Clo. Wilm —7F 187
Oak Coppice. Bolt —6G 43
Oak Cotts. Styal —1F 187
Oak Ct. Bred —6E 154
Oak Croft. Stal —2E 140
Oakcroft Clo. Stal —1E 140
Oakdale. Bolt —1F 45
Oakdale Clo. W'fld —6H 69
Oakdale Ct. Alt —6A 164
Oakdale Ct. Del —3E 76
Oakdale Dri. M20 —2J 167
Oakdale Dri. Ast —2J 109
Oakdale Dri. H Grn —2H 179
Oakdean Ct. Wilm —4H 187
Oakdene. Leigh —3A 108
Oakdene. Swint —2K 111
Oakdene Av. H Grn —5H 179
Oakdene Av. Stoc —5F 153
Oakdene Cres. Marp —4K 171
Oakdene Gdns. Marp —4K 171
Oakdene Rd. Marp —4K 171
Oakdene Rd. Mid —6E 72
Oakdene Rd. Tim —3F 165
Oakdene St. M9 —7B 94
Oak Dri. M14 —1K 151
Oak Dri. Bram —5E 180
Oak Dri. Dent —5J 137
Oak Dri. Marp —5H 171
Oaken Bank Rd. Heyw & Mid —1B 72
Oakenbottom Rd. Bolt —6F 45
Oaken Bri. Stoc —7G 153
Oaken Clough. Ash L —2D 118
Oakenclough. Oldh —7C 74
Oakenclough Clo. Wilm —3K 187
Oaken Clough Dri. Ash L —2E 118
Oakenclough Dri. Bolt —3F 43
Oakenden Clo. Ash M —2C 104
Oakengates. Stand —4B 38
Oakenholme Wlk. M18 (off Beyer Clo.) —4E 136
Oakenrod Hill. Roch —5F 31
Oakenshaw Av. Whitw —5E 12
Oakenshaw View. Whitw —5E 12
Oaken St. Ash L —2E 118
Oaker Av. M20 —6E 150
Oakes St. Kear —7H 67
Oakes, The. Glos —3C 158
Oakfield. Duk —3J 139
Oakfield. P'wch —4D 92
Oakfield. Sale —5E 148
Oakfield Av. Ath —3C 86
Oakfield Av. C'brk —2E 120
Oakfield Av. Chea —5A 168
Oakfield Av. Droy —7H 117
Oakfield Av. Firs —6A 134
Oakfield Av. Golb —7H 105
Oakfield Av. Knut —3F 193
Oakfield Av. Whal R —6D 134
Oakfield Clo. Ald E —3H 195
Oakfield Clo. Hor —3K 41
Oakfield Ct. Tim —5C 164
Oakfield Cres. Asp —1A 62
Oakfield Dri. L Hul —2A 88
Oakfield Gro. M18 —5F 137
Oakfield Gro. Farn —1E 88
Oakfield M. Sale —6E 148
Oakfield M. Stoc —6H 169
Oakfield Rd. M20 —7G 151
Oakfield Rd. Alt —6C 164
Oakfield Rd. Had —6A 142
Oakfield Rd. Hyde —4J 139
Oakfield Rd. Poy —1C 190
Oakfield Rd. Stoc —6H 169
Oakfield St. M8 —2G 115
Oakfield St. Alt —6C 164
Oakfield Ter. Roch —4E 30
Oakfield Trad. Est. Alt —6C 164
Oakfold Av. Ash L —2H 119
Oakford Av. M40 —5J 115 (1N 5)
Oakford Wlk. Bolt —2J 65
Oak Gates. Eger —3A 24
Oak Gro. Ash L —2H 119
Oak Gro. Chea —6A 168
Oak Gro. Ecc —7K 111
Oak Gro. Poy —1B 190
Oak Gro. Urm —7C 132
Oakham Clo. Bury —7H 27
Oakham M. Salf —6C 92
Oakhampton Clo. Rad —1A 68
Oakham Rd. Dent —1E 154
Oakhead. Leigh —5C 108
Oak Hill. L'boro —6D 14
Oakhill Clo. Bolt —6J 45
Oakhill Clo. Mac —6D 196
Oak Hill Clo. Wig —3D 60
Oakhill Trad. Est. Wor —2E 88
Oakhill Way. M8 —1F 115
Oakhouse Dri. M21 —3B 150
Oakhurst Chase. Ald E —4G 195
Oakhurst Dri. Stoc —6D 168
Oakhurst Gro. W'houg —7H 63
Oakington Av. M14 —6H 135
Oakland Av. M16 —5A 134
Oakland Av. M19 —6A 152
Oakland Av. Salf —4E 112
Oakland Av. Stoc —5A 170
Oakland Cotts. Salf —7B 92
Oakland Ct. Hind —4D 84
Oakland Ct. Poy —1B 190
Oakland Gro. Bolt —3G 43
Oakland Ho. M16 —4A 134
Oaklands. Bolt —6F 43
Oaklands. Los —5B 42
Oaklands. Wilm —6K 187
Oaklands Av. Chea H —2C 180
Oaklands Av. Marp B —3C 172
Oaklands Clo. Wilm —4A 188
Oaklands Dri. Haz G —3C 182
Oaklands Dri. P'wch —3B 92
Oaklands Dri. Sale —5E 148
Oaklands Pk. Gras —2F 99
Oaklands Rd. G'fld & Oldh —2F 99
Oaklands Rd. Hyde —7A 140
Oaklands Rd. Lwtn —2D 126
Oaklands Rd. Oll —7J 193
Oaklands Rd. Ram —1H 9
Oaklands Rd. Rytn —4C 74
Oaklands Rd. Salf —1A 114
Oaklands Rd. Swint —2B 112
Oakland Ter. Roch —4E 50
Oak La. Ker —5J 197
Oak La. W'fld —6B 70
Oak La. Wilm —7F 187
Oaklea. Stand —3G 37
Oak Lea Av. Wilm —1G 195
Oaklea Rd. Sale —4C 148
Oakleigh. Knut —7F 193
Oakleigh. Stoc —7H 169
Oakleigh Av. M19 —3B 152
Oakleigh Av. Bolt —4C 66
Oakleigh Av. Tim —4E 164
Oakleigh Clo. Heyw —6A 50
Oakleigh Ct. Tim —4G 165
Oakley Av. Bil —2E 102
Oakley Clo. M40 —3E 116
Oakley Clo. Rad —6E 68
Oakley Pk. Bolt —6F 43
Oakley St. L'boro —7C 14
Oakley St. Salf —6H 113
Oakley Vs. Stoc —7D 152
Oaklings, The. Hind —4E 84
Oak Lodge. Bram —5H 181
Oakmere Av. Ecc —4A 112
Oakmere Clo. M22 —7D 166
Oakmere Rd. Chea H —7B 168
Oakmere Rd. Hand —7K 179
Oak M. Wilm —4J 187
Oakmoor Dri. Salf —7A 92
Oakmoor Rd. M23 —5A 166
Oakridge Wlk. M9 —1K 115
Oak Rd. M20 —5H 151
Oak Rd. Chea —5A 168
Oak Rd. Fail —2H 117
Oak Rd. Hale —1C 176
Oak Rd. Lymm —7C 160
Oak Rd. Mob —1B 194
Oak Rd. Oldh —5A 96
Oak Rd. Part —1K 161
Oak Rd. Sale —6H 149
Oak Rd. Salf —2C 114
Oaks Av. Bolt —1E 44
Oaksey Wlk. Salf —1B 114
Oakshaw Dri. Roch —3C 30
Oakside Clo. Chea —5K 167
Oaks La. Bolt —7D 24
Oaks, The. H Grn —2G 179
Oaks, The. Hyde —6A 140
Oak St. M4 —6G 115 (4K 5) (in two parts)
Oak St. Ath —6A 86
Oak St. Aud —3D 138
Oak St. Ecc —7B 112
Oak St. Glos —1E 158
Oak St. Haz G —1B 182
Oak St. Heyw —2H 49
Oak St. Hyde —5J 139
Oak St. Leigh —5K 107
Oak St. L'boro —6G 15
Oak St. Mid —7F 73
Oak St. Miln —1F 53
Oak St. Pen —6E 90
Oak St. Rad —5G 69
Oak St. Ram —6F 9
Oak St. Roch —5H 31
Oak St. Shaw —6G 53
Oak St. S'bri —1D 32
Oak St. Stoc —3D 168
Oak St. Tyl —6G 87
Oak St. Wig —6G 61
Oaksworth M. Gat —6H 167
Oak Ter. L'boro —1H 15
Oak Tree Clo. Ath —6A 86
Oak Tree Clo. Stoc —3B 170
Oak Tree Ct. Chea —6K 167
Oak Tree Cres. Stal —1A 140
Oak Tree Dri. Duk —2K 139
Oak View. Knut —5F 193
Oak View Rd. G'fld —2H 99
Oakville Dri. Salf —4E 112
Oakville Ter. M40 —6B 94
Oakway. Manx —3J 167
Oakway. Mid —2B 72
Oakwell Dri. Bury —3B 70
Oakwell Dri. Salf —6E 92
Oakwood. Chad —7G 73
Oakwood. Glos —2B 158
Oakwood. Sale —6A 148
Oakwood Av. M40 —6F 95
Oakwood Av. Ash M —6C 104
Oakwood Av. Aud —2C 138
Oakwood Av. Clif —3C 90
Oakwood Av. Gat —6G 167
Oakwood Av. Shev —1F 59
Oakwood Av. Wilm —7E 186
Oakwood Av. Wor —5H 89
Oakwood Clo. Bury —2F 47
Oakwood Ct. Bow —4K 175
Oakwood Dri. Bolt —5F 43
Oakwood Dri. Leigh —7J 107

Oakwood Dri.—Oswald St.

Oakwood Dri. P'bry —4E 196
Oakwood Dri. Salf —3F 113
Oakwood Dri. Wor —5H 89
Oakwood Ho. M21 —2C 150
Oakwood La. Bow —4K 175
Oakwood Mt. Bchwd —7A 144
Oakwood Rd. Cop —2B 18
Oakwood Rd. Dis —6D 184
Oakwood Rd. Rom —1G 171
Oakworth Croft. Oldh —2K 75
Oakworth St. M9 —5J 93
Oatlands. Ald E —6H 195
Oatlands Rd. M22 —2C 178
Oat St. Stoc —4J 169
Oats Wlk. M13 —5J 135
Oban Av. M40 —4D 116
Oban Av. Oldh —5F 75
Oban Cres. Stoc —7F 169
Oban Dri. Ash M —4J 103
Oban Dri. Sale —7J 149
Oban Gro. Bolt —7A 24
Oban St. Bolt —2K 43
Oban Way. Asp —1B 62
Oberlin St. Oldh —7H 75
Oberlin St. Roch —7F 31
Oberon Clo. Ecc —6B 112
Occleston Clo. Sale —2J 165
Occupiers La. Haz G —3E 182
Ocean St. Alt —5K 163
Ocean St. Trad. Est. B'hth —5K 163
Ocean Wlk. M15 —4F 135
Ockenden Dri. M9 —7K 93
Ocshell Ho. Salf —5K 113
Octagon Ct. Bolt —7B 44
Octavia Dri. M40 —4E 116
Octavia Ho. Salf —5K 113
(off Sutton Dwellings)
Oddies Yd. Roch —2J 31
Odell St. M11 —2D 136
Odessa Av. Salf —3F 113
Odette St. M18 —4E 136
Off Duke St. Moss —6E 98
Offerton Dri. Stoc —5B 170
Offerton Fold. Stoc —4A 170
Offerton Grn. Stoc —5D 170
Offerton Ind. Est. Stoc —4A 170
Offerton La. Stoc —3K 169
Offerton Rd. Haz G & Stoc —1E 182
Offerton St. Hor —2E 40
Offerton St. Stoc —1K 169
Off Green St. Mid —5C 72
Off Grove Rd. Millb —4D 120
Off Kershaw St. Shaw —6F 53
(off Kershaw St., in two parts)
Off Lees St. Shaw —6F 53
(off Lees St.)
Off Ridge Hill La. Stal —6K 119
Off Stamford St. Millb —4D 120
Ogbourne Wlk. M13 —3J 135
(off Lauderdale Cres.)
Ogden Clo. Heyw —3G 49
Ogden Clo. W'fld —5A 70
Ogden Ct. Hyde —7J 139
Ogden Gdns. Duk —1J 139
Ogden Gro. Gat —7F 167
Ogden La. M11 —2F 137
Ogden La. Miln —7H 33
Ogden Rd. Bram —7E 180
Ogden Rd. Fail —2H 117
Ogden Sq. Duk —1F 139
Ogden St. Ash L —3H 119
Ogden St. B'btm —2H 157
Ogden St. Chad —6A 74
Ogden St. Manx —7H 151
Ogden St. Mid —6C 72
Ogden St. Oldh —1H 97
Ogden St. P'wch —3C 92
Ogden St. Roch —3E 50
Ogden St. Swint —1D 112
Ogden Wlk. W'fld —6A 70
Ogmore Wlk. M40 —6G 95
Ogwen Dri. P'wch —2B 92
Ohio Av. Salf —1K 133
O'Kane Ho. Ecc —7B 112
Okehampton Cres. Sale —5B 148
Okell Gro. Leigh —2H 107
Okeover Rd. Salf —7D 92
Olaf St. Bolt —4D 44
Old Bank. Dis —6F 185
Old Bank Clo. Bred —7E 154
Old Bank St. M2 —7F 115 (5H 5)
Old Barn Pl. Brom X —4C 24
Old Barton Rd. Urm —3A 132
Old Birley St. M15 —3F 135
Old Boston Trad. Est. Old B —1C 124
Oldbridge Dri. Hind —1B 84
Old Broadway. M20 —5H 151
Old Brook Clo. Shaw —5H 53
Old Brook Fold. Tim —7F 165
Old Brow. Moss —6C 98
(in two parts)
Old Brow Ct. Moss —7C 98
Old Brow La. Roch —1A 32
Oldbury Clo. M40 —5K 115
Oldbury Clo. Heyw —6K 49
Oldcastle Av. M20 —2G 151
Old Chapel St. Stoc —4E 168
Old Church St. M40 —2D 116
Old Chu. St. Oldh —7D 74
Old Clough La. Wor —7H 89
(in two parts)
Old Colliery Yd. Ash M —5J 103
Old Cottage Clo. Wor —3B 110
Old Courtyard, The. M22 —6E 166
Oldcroft. Spring —1A 98
Old Croft M. Stoc —4K 169
Old Crofts Bank. Urm —5A 132
Old Cross. Glos —7G 143
Old Cross St. Ash L —5G 119
Old Delph Rd. Roch —3A 30
Old Doctors St. Tot —5D 26
Old Eagley M. Bolt —6B 24
Old Edge La. Rytn & Oldh —4C 74
Old Elm St. M13 —3J 135
Old Engine La. Ram —5H 9
Oldershaw Dri. M9 —2K 115
Old Farm Clo. Mac —1D 198
Old Farm Cres. Droy —1H 137
Old Farm M. Chea H —5E 180
Old Farm Rd. Stoc —5D 170
Oldfield Clo. W'houg —6K 63
Oldfield Dri. Mob —2K 193
Oldfield Dri. Tim —5D 164
Oldfield Gro. Sale —5G 149
Oldfield La. Dun M —7G 163
Oldfield M. Alt —6A 164
Oldfield Rd. Alt —6J 163
Oldfield Rd. Lymm —7B 160
(in two parts)
Oldfield Rd. P'wch —7C 70
Oldfield Rd. Sale —5G 149
Oldfield Rd. Salf —1C 134 (8A 4)
Oldfield St. M11 —7D 116
Old Fold. Ecc —4A 112
Old Fold. Haz G —1B 182
Old Fold. Wig —1H 81
Old Fold Rd. Asp —1B 62
(in two parts)
Old Fold Rd. W'houg —7F 63
Old Gdns. St. Stoc —3H 169
Old Garden, The. Tim —4F 165
Oldgate Wlk. M15 —3D 134
Old Green. G'mnt —3D 26
Old Greenwood La. Hor —4H 41
Old Ground St. Ram —5G 9
Old Hall Clo. Bury —5F 27
Old Hall Clo. Glos —7F 143
Old Hall Clo. Mot —5G 141
Old Hall Clough. Los —6C 42
Old Hall Ct. Sale —6J 149
Old Hall Cres. Hand —2A 188
Old Hall Dri. M18 —5F 137
Old Hall Dri. Ash M —6C 104
Old Hall Dri. Stoc —5C 170
Old Hall La. M14 & M13 —1K 151
Old Hall La. Los —4C 42
Old Hall La. Mell —6B 172
Old Hall La. Mot —4G 141
Old Hall La. P'wch & Mid —7E 70
(in two parts)
Old Hall La. W'houg —1J 85
Old Hall La. W'fld —1G 91
Old Hall La. Woodf —4F 189
Old Hall La. Wor —1G 111
Old Hall Mill La. Ath —7A 86
Old Hall Rd. M40 —1D 116
Old Hall Rd. Gat —5G 167
Old Hall Rd. Sale —6J 149
Old Hall Rd. Salf —7D 92
Old Hall Rd. Stret —5D 132
Old Hall Rd. W'fld —7G 69
Old Hall Sq. Had —4C 142
Old Hall St. M11 —2G 137
Old Hall St. Duk —2E 138
Old Hall St. Ince —1G 83
Old Hall St. Kear —7G 67
Old Hall St. Mac —2F 199
Oldhall St. Mid —6B 72
(in two parts)
Old Hall St. N. Bolt —6B 44
Oldham Av. Stoc —2K 169
Oldham Broadway Bus. Pk. Chad —3G 95
Oldham Central Trad. Pk. Oldh —6E 74
Oldham Ct. M40 —5J 115 (2P 5)
Oldham Dri. Bred —6E 154
Oldham Ho. Shaw —1F 75
OLDHAM MUMPS STATION. BR —1E 96
Oldham Rd. Ash L —1E 118
Oldham Rd. Del —7A 54
Oldham Rd. Gras & Upperm —1D 98
Oldham Rd. Grot & Lyd —1K 97
Oldham Rd. Man & Fail —6H 115 (3M 5)
Oldham Rd. Mid —6C 72
Oldham Rd. Roch —6J 31
Oldham Rd. Rytn —2C 74
Oldham Rd. Scout & Dob —6C 76
Oldham Rd. Shaw —2F 75
Oldhams Rise. Mac —6F 197
Oldhams Ter. Bolt —7K 23
(in three parts)
Oldham St. M1 —7G 115 (5K 5)
Oldham St. Boll —2K 197
Oldham St. Bolt —7K 43
Oldham St. Dent —7A 138
Oldham St. Droy —6K 117
Oldham St. Hyde —7H 139
Oldham St. Oldh —5A 96
Oldham St. Salf —7D 114 (6C 4)
Oldham St. Stoc —3G 153
Oldham Way. Oldh —6B 74
OLDHAM WERNETH STATION. BR —1B 96
Old Heyes Rd. Tim —3F 165
Old Ho. Ter. Ash L —3J 119
Old Kiln La. Bolt —3C 42
Oldknow Rd. Marp —5A 172
Old La. M11 —1F 137
Old La. Aus —6K 75
Old La. Bury —4K 27
Old La. Chad —3K 95
Old La. Dob —4H 77
(Dobcross)
Old La. Dob —5K 77
(Pobgreen)
Old La. Glos —3C 158
Old La. Gras —1E 98
Old La. Hor —3K 41
(in three parts)
Old La. L Hul —1B 88
Old La. Shev —7G 37
Old La. W'houg —7H 63
Old La. Wig —2D 60
Old Lansdowne Rd. M20 —6F 151
Old Lees St. Ash L —3H 119
Old Links Clo. Bolt —3E 42
Old Lord's Cres. Hor —7F 21
Old Manor Pk. Ath —5A 86
Old Market Pl. Alt —6B 164
Old Market Pl. Knut —4D 192
Old Market St. M9 —5J 93
Old Meadow Dri. Dent —4D 138
Old Meadow La. Hale —1F 177
Old Medlock St. M3 —1D 134 (8D 4)
Old Mill Clo. Pen —7F 91
Old Mill Ho. Spring —2A 98
Old Mill La. Grot —2A 98
Old Mill La. Haz G —4E 182
Old Mill La. Mac —5G 199
Old Mills Hill. Mid —5F 73
Old Mill St. M4 —7J 115 (5P 5)
Oldmill St. Roch —4H 31
Old Moat La. M20 —3G 151
Oldmoor Rd. Bred —5C 154
Old Moss La. G'bry —3D 128
Old Mt. Rd. Mars —4F 57
Old Mount St. M4 —5G 115 (2K 5)
Old Nans La. Bolt —3H 45
Old Nursery Fold. Bolt —1G 45
Old Oak Clo. Bolt —1K 67
Old Oak Dri. Dent —6E 138
Old Oake Clo. Wor —5G 89
Old Oak St. M20 —7H 151
Old Packhorse Rd. Dig —7H 55
Old Packhorse Rd. Sow B —4D 16
Old Parrin La. Ecc —5K 111
Old Penny La. Old B —1D 124
Old Pepper La. Stand —3H 37
Old Quarry La. Eger —3B 24
Old Rake. Hor —7H 21
Old Rectory Gdns. Chea —6K 167
Old River Clo. Irl —7C 130
Old Rd. M9 —5K 93
Old Rd. Ash M —4C 104
Old Rd. Ash L —3K 119
Old Rd. Bolt —1A 44
Old Rd. Chea —5B 168
Old Rd. Duk —7G 119
(in two parts)
Old Rd. Fail —1G 117
Old Rd. Hand —2K 187
Old Rd. Hyde —4H 139
Old Rd. Mot —3F 141
Old Rd. Roch —7C 14
Old Rd. Stal —1C 140
Old Rd. Stoc —7G 153
Old Rd. Tin —2C 142
Old Rd. Wilm —5H 187
Old School Ct. M9 —5J 93
Old School Ct. Ecc —4B 112
Old School Dri. M9 —5J 93
Old School La. Adl —7G 19
Old School La. Chea H —4C 180
Old School Pl. Ash M —5C 104
Old Shaw St. Salf —1B 134
Old Sq. Ash L —5G 119
Oldstead Gro. Bolt —2F 65
Oldstead Wlk. M9 —2K 115
(off Parkstead Dri.)
Old St. Ash L —6E 118
Old St. B'btm —2G 157
Old St. Oldh —2H 97
Old St. Stal —6A 120
Old Swan Clo. Eger —2A 24
Old Swan Cotts. Eger —2A 24
Old Thorn La. G'fld —1K 99
OLD TRAFFORD STATION. M —5A 134
Old Vicarage. W'houg —2J 85
Old Vicarage Gdns. Wor —4F 89
Old Vicarage M. W'houg —2J 85
Old Vicarage Rd. Hor —2K 41
Old Wargrave Rd. Newt W —6D 124
Oldway Wlk. M40 —3D 116
Old Wellington Rd. Ecc —6B 112
Old Wells Clo. L Hul —1C 88
Old Well Wlk. Sale —1A 164
Old Will's La. Hor —6F 21
Old Wood La. Bolt —5J 45
Oldwood Rd. M23 —1A 178
Old Wool La. Chea H —7B 168
Olga St. Bolt —3K 43
Olivant St. Bury —5J 47
Olive Bank. Bury —1F 47
Olive Gro. Wig —3B 60
Oliver Clo. Boll —3H 197
Oliver Clo. L'boro —6D 14
Oliver La. Mars —1H 57
Olive Rd. Tim —3E 164
Oliver St. M15 —3G 135
Oliver St. Ath —4D 86
Oliver St. Oldh —1D 96
Oliver St. Stoc —3H 169
Olive St. Bolt —2K 65
Olive St. Bury —3H 47
Olive St. Fail —7G 95
Olive St. Heyw —3A 50
Olive St. Roch —4F 51
Olive Wlk. Sale —4A 148
Olivia Gro. M14 —6K 135
Ollerbarrow Rd. Hale —2C 176
Ollerbrook Ct. Bolt —3B 44
Ollersett Av. N Mills —4J 185
Ollersett La. N Mills —3K 185
Ollerton. Roch —4G 31
(off Spotland Rd.)
Ollerton Av. M16 —6C 134
Ollerton Av. Sale —4B 148
Ollerton Clo. M22 —2E 166
Ollerton Clo. Asp —4J 61
Ollerton Dri. Fail —2H 117
Ollerton Rd. Hand —7K 179
Ollerton St. Adl —3J 19
Ollerton St. Bolt —6B 24
Ollerton Ter. Bolt —6B 24
(off Ollerton St.)
Ollier Av. M12 —7C 136
Olney. Roch —6G 31
Olney Av. M22 —5D 166
Olney St. M13 —5K 135
Olsberg Clo. Rad —2G 69
Olverston Rd. Wig —4B 82
Olwen Av. M12 —4C 136
Olwen Cres. Stoc —2H 153
Olympia Trad. Est. M15 —2E 134 (9F 4)
Olympic Ct. Salf —1K 133
Omega Dri. Irl —4B 146
Omer Av. M13 —7B 136
Omer Dri. M19 —3A 152
Onchan Av. Oldh —1F 97
One Ash Clo. Roch —2H 31
Oneoak Ct. Bram —2F 181
One Oak La. Wilm —6B 188
Ongar Wlk. M9 —4H 93
Onslow Av. M40 —6G 95
Onslow Clo. Oldh —6C 74
Onslow Rd. Stoc —3E 168
Onslow St. Roch —1E 50
Onward St. Hyde —7H 139
Oozewood Rd. Rytn —1J 73
Opal Gro. Leigh —4J 107
Opal St. M19 —2D 152
Openshaw Fold Rd. Bury —6H 47
Openshaw La. Cad —4A 146
Openshaw Pl. Farn —6D 66
Openshaw St. Bury —4A 48
Openshaw Wlk. Open —1E 136
Oracle Ct. Wor —5E 88
Orama Av. Salf —4E 112
Oram St. Bury —1A 48
Orange Hill Rd. P'wch —2C 92
Orange St. Ash L —5F 119
Orange St. Salf —5A 114
Orchard Av. Bolt —2B 44
Orchard Av. Part —6B 146
Orchard Av. Wor —1D 110
Orchard Brow. Rix —1G 161
Orchard Brow. Shaw —6D 52
Orchard Clo. Chea H —5E 180
Orchard Clo. Leigh —1K 107
Orchard Clo. Mac —5D 198
Orchard Clo. Poy —2C 190
Orchard Clo. Shev —6G 37
Orchard Clo. Wilm —1F 195
Orchard Ct. Stoc —5B 170
Orchard Ct. Tim —4F 165
Orchard Cres. Ald E —7F 195
Orchard Dri. Hale —1E 176
Orchard Dri. Hand —3A 188
Orchard Gdns. Bolt —2H 45
Orchard Grn. Ald E —5H 195
Orchard Gro. M20 —5F 151
Orchard Gro. Shaw —6E 52
Orchard Ind. Est. Salf —3A 114
Orchard La. Leigh —1K 107
Orchard Pl. Sale —5F 149
Orchard Pl. Tim —4F 165
Orchard Rise. Hyde —2K 155
Orchard Rd. Alt —6C 164
Orchard Rd. Comp —1B 172
Orchard Rd. Fail —1H 117
Orchard Rd. Lymm —6H 161
Orchard Rd. E. M22 —1D 166
Orchard Rd. W. M22 —1D 166
Orchards, The. Shaw —6D 52
Orchards, The. Stoc —7H 169
Orchard St. M20 —5F 151
Orchard St. Ash M —5E 104
Orchard St. Heyw —2A 50
Orchard St. Hyde —7J 139
Orchard St. Kear —7G 67
Orchard St. Salf —3A 114
(in two parts)
Orchard St. Stoc —2H 169
Orchard St. Wig —6F 61
Orchard, The. Ald E —6H 195
Orchard, The. Tim —3F 165
Orchard, The. W'houg —5J 63
(off Gerrard St.)
Orchard Trad. Est. Salf —3K 113
Orchard Vale. Stoc —5E 168
Orchid Av. Farn —5D 66
Orchid Clo. Irl —2A 146
Orchid Dri. Bury —6A 48
Orchid St. M9 —1K 115
Orchid Way. Roch —1F 31
Ordell Wlk. M9 —4A 94
Ordnance Av. Bchwd —6A 144
Ordnance St. Ecc —6B 112
Ordsall Av. L Hul —3D 88
Ordsall Cen. M5 —8A 4
Ordsall District Cen. Salf —1B 134
Ordsall Dri. Salf —2B 134
Ordsall La. Salf —3A 134
Oregon Av. Oldh —5C 74
Oregon Clo. M13 —3J 135
Orford Av. Dis —6D 184
Orford Clo. H Lane —5J 183
Orford Rd. M40 —3E 116
Orford Rd. P'wch —2B 92
Organ St. Hind —4F 85
Organ St. Leigh —3J 107
Organ Way. Holl —4K 141
Oriel Av. Oldh —4C 96
Oriel Clo. Chad —2J 95
Oriel Clo. Stoc —5K 169
Oriel Ct. Sale —5F 149
Oriel Rd. M20 —6G 151
Oriel Rd. Ash M —4B 104
Oriel St. Bolt —1J 65
Oriel St. Roch —7J 31
Orient Ho. M1 —1G 135 (8K 5)
Orient Rd. Salf —4E 112
Orient Sq. M1 —1G 135 (8K 5)
(off Granby Row)
Orient St. Salf & M8 —1F 115
Oriole Clo. Wor —7D 88
Orion Pl. Salf —4C 114
Orion Trad. Est. Traf P —1E 132
Orkney Clo. M23 —7A 166
Orkney Clo. Rad —2F 69
Orkney Dri. Urm —4B 132
Orlanda Av. Salf —4E 112
Orlando St. Bolt —1B 66
(in two parts)
Orleans Way. Oldh —7C 74
Orley Wlk. Oldh —2H 75
Orme Av. Mid —7C 72
Orme Av. Salf —3F 113
Orme Clo. M11 —7A 116
Orme Clo. P'bry —2C 196
Orme Clo. Urm —7D 132
Orme Cres. Mac —7F 197
Ormerod Av. Rytn —3C 74
Ormerod Clo. Rom —2D 170
Ormerod St. M40 —5G 117
Ormerod St. Heyw —4A 50
Orme St. M11 —7A 116
Orme St. Ald E —5G 195
Orme St. Oldh —2E 96
Orme St. Stoc —1K 169
Ormonde Av. Salf —4F 113
Ormonde Ct. Ash L —4G 119
Ormonde St. Ash L —4G 119
Ormond St. Bolt —1F 67
Ormond St. Bury —2A 48
Ormrods, The. Bury —7F 29
Ormrod St. Bolt —7A 44
Ormrod St. Brad —1E 44
Ormrod St. Bury —3A 48
Ormrod St. Farn —5E 66
Ormrod St. Oldh —7C 74
Ormsby Av. M18 —5D 136
Ormsby Clo. Stand —3A 38
Ormsby Clo. Stoc —7G 169
Ormsgill Clo. M15 —3F 135
Orms Gill Pl. Stoc —5C 170
Ormside Clo. Hind I —3F 85
Ormskirk. Uph —7A 58
Ormskirk Av. M20 —4F 151
Ormskirk Clo. Bury —5E 46
Ormskirk Rd. Pem & Nwtwn —1H 81
Ormskirk Rd. Stoc —4H 153
Ormskirk Rd. Uph —7A 58
Ormston Av. Hor —7F 21
Ormston Gro. Leigh —1K 107
Ormstons La. Hor —6H 21
Ornatus St. Bolt —7B 24
Ornsay Wlk. Open —7E 116
Oronsay Gro. Salf —7H 113
Orpington Dri. Bury —4F 47
Orpington Rd. M9 —1A 116
Orpington St. Wig —1J 81
Orrell Arc. Wig —6E 60
(off Galleries, The)
Orrell Gdns. Orr —1F 81
Orrell Hall Clo. Orr —6H 59
Orrell Rd. Orr —7D 58
ORRELL STATION. BR —3E 80
Orrell St. M11 —1F 137
Orrell St. Bury —2G 47
Orrell St. Wig —7F 61
Orrel St. Salf —6J 113
Orrishmere Rd. Chea H —1B 180
Orron St. L'boro —6E 14
Orr St. M11 —1F 137
Orsett Clo. M40 —5J 115 (1P 5)
Orthes Gro. Stoc —5F 153
Orton Av. M23 —2A 166
Orton Rd. M23 —2A 166
Orton Way. Ash M —5B 104
Orvietto Av. Salf —4E 112
Orville Dri. M19 —3B 152
Orwell Av. M22 —5D 166
Orwell Av. Dent —6J 137
Orwell Clo. Bury —1H 47
Orwell Rd. Bolt —3H 43
Osborne Clo. Bury —5F 47
Osborne Dri. Pen —1G 113
Osborne Gro. Bolt —4J 43
Osborne Gro. H Grn —1G 179
Osborne Gro. Leigh —2D 108
Osborne Ho. Ecc —6A 112
(off Police St.)
Osborne Pl. Had —4C 142
Osborne Rd. M19 —1B 152
Osborne Rd. Alt —6C 164
Osborne Rd. Ash M —4C 104
Osborne Rd. Dent —5D 138
Osborne Rd. Hyde —1J 155
Osborne Rd. Lwtn —2C 126
Osborne Rd. Oldh —2B 96
Osborne Rd. Salf —6E 112
Osborne Rd. Stoc —4H 169
Osborne St. Bred —7B 154
Osborne St. Col —4J 115
Osborne St. Did —7G 151
Osborne St. Heyw —4K 49
Osborne St. Oldh —6A 74
Osborne St. Roch —7G 31
Osborne St. Salf —5K 113
Osborne St. Shaw —7F 53
Osborne Ter. Sale —6F 149
Osborne Wlk. Rad —3C 68
Osbourne Clo. Farn —5F 67
Osbourne Clo. Wilm —7K 187
Osbourne Pl. Alt —7B 164
Oscar St. M40 —1C 116
(in two parts)
Oscar St. Bolt —3J 43
Oscott Av. L Hul —1C 88
Oscroft Clo. M8 —2F 115
Oscroft Wlk. M14 —3K 151
(off Ladybarn La.)
Osmond St. Oldh —7G 75
Osmund Av. Bolt —6F 45
Osprey Av. W'houg —1G 85
Osprey Clo. M15 —4E 134
Osprey Clo. Duk —2J 139
Osprey Ct. Salf —1H 133
Osprey Dri. Droy —5A 118
Osprey Dri. Irl —6C 130
Osprey Dri. Wilm —5J 187
Osprey's, The. Wig —3J 81
Osprey Wlk. M13 —3J 135
Ossington Wlk. M23 —1A 166
Ossory St. M14 —6H 135
Osterley Rd. M9 —4B 94
Ostlers Ga. Droy —6B 118
Ostrich La. P'wch —4C 92
Oswald Clo. Salf —3A 114
Oswald La. M21 —1B 150
Oswald Rd. Chor H —1A 150
Oswald St. M4 —7K 115
(Ancoats)

Oswald St. M4 —5G 115 (2J 5) (Manchester)
Oswald St. Bolt —2J 65 (in two parts)
Oswald St. Oldh —6B 74
Oswald St. Roch —4J 31
Oswald St. Shaw —5G 53
Oswald St. Stoc —6H 137
Oswestry Clo. G'mnt —4D 26
Otago St. Oldh —5G 75
Otford Dri. Salf —6A 114
Othello Dri. Ecc —6B 112
Otley Av. Salf —5G 113
Otley Clo. Chad —1K 95
Otley Gro. Stoc —7F 169
Otmoor Way. Rytn —2E 74
Otranto Av. Salf —4F 113
Ottawa Clo. M23 —7K 165
Otterburn Clo. M15 —3F 135
Otterburn Ho. Ecc —5C 112
Otterburn Pl. Stoc —5B 170
Otterbury Clo. Bury —3D 46
Otter Dri. Bury —2B 70
Otterham Wlk. M40 —3F 117
Otterspool Rd. Rom —2F 171
Otterwood Sq. Wig —4J 59
Ottery Wlk. M40 —5F 95
Oughtrington Cres. Lymm —7H 161
Oughtrington La. Lymm —7H 161
Oughtrington View. Lymm —7H 161
Oulder Hill. Roch —5D 30
Oulder Hill Dri. Roch —5C 30
Ouldfield Clo. Roch —6K 31
Oulton Av. Sale —5J 149
Oulton St. Bolt —7C 24
Oulton Wlk. M40 —5K 115
Oundle Clo. M14 —6J 135
Oury St. Stoc —3G 169
Ouse St. Salf —7G 113
Outdoor Mkt. Roch —5H 31
Outram Clo. Marp —7K 171
Outram Ho. M1 —7J 115 (6N 5)
Outram M. Upperm —5H 77
Outram Rd. Duk —3F 139
Outram Sq. Droy —1J 137
Outrington Dri. Open —1C 136
Outterside St. Adl —6J 19
Outwood Av. Clif —3B 90
Outwood Dri. H Grn —4G 179
Outwood Gro. Bolt —7A 24
Outwood La. Man A —4C 178
Outwood Rd. H Grn —4H 179
Outwood Rd. Rad —5E 68
Oval Dri. Duk —2F 139
Oval, The. H Grn —4H 179
Oval, The. Shev —1F 59
Ovenhouse La. Boll —4G 197
Overbridge Rd. Salf —4E 114
Overbrook Av. M40 —3K 115
Overbrook Dri. P'wch —4B 92
Overcombe Wlk. M40 —2J 115 (off Westmount Clo.)
Overdale. Rom —2D 170
Overdale. Swint —2E 112
Overdale Clo. Oldh —5C 74
Overdale Cres. Urm —7H 131
Overdale Dri. Bolt —6G 43
Overdale Rd. M22 —6D 166
Overdale Rd. Nwtwn —6F 185
Overdale Rd. Rom —2E 170
Overdell Dri. Roch —1E 30
Overdene Clo. Los —7B 42
Overens St. Oldh —7F 75
Overfields. Knut —3G 193
Overfield Way. Roch —2H 31
Overgreen. Bolt —2G 45
Overhill Dri. Wilm —6A 188
Overhill La. Wilm —6A 188
Overhill Rd. Chad —6H 73
Overhill Rd. Wilm —6K 187
Overhill Way. Wig —4K 81
Overhouses. Tur —5D 6
Overlea Dri. M19 —5A 152
Overlinks Dri. Salf —3F 113
Over Pl. Knut —6F 193
Overshores Rd. Tur —4C 6
Oversleyford Cvn. Site. Wilm —2A 186
Overstone Dri. M8 —1F 115
Overton Av. M22 —6D 166
Overton Cres. Haz G —7C 170
Overton Cres. Sale —1B 164
Overton La. Bolt —6D 42
Overton Rd. M22 —6D 166
Overton St. Leigh —4J 107
Overton Way. Hand —7K 179
Over Town La. Roch —1G 29
Overt St. Roch —7H 31
Overwood Rd. M22 —3D 166
Ovington Wlk. M40 —3J 115
Owenington Gro. L Hul —1C 88
Owens Clo. Chad —6G 73
Owen St. Ecc —7K 111
Owen St. Leigh —3H 107
Owen St. Oldh —3J 75
Owen St. Salf —3A 114
Owen St. Stoc —2F 169
Owen Wlk. M16 —5F 135
Owlerbarrow Rd. Bury —2E 46
Owler La. Chad —4F 95
Owlwood Clo. L Hul —4A 88
Owlwood Dri. L Hul —4A 88
Oxbow Way. W'fld —6A 70
Oxbridge Clo. Sale —7B 148
Oxburgh Rd. Ince —2H 83
Oxendale Dri. Mid —5K 71
Oxendon Av. M11 —5D 116
Oxenholme Wlk. M18 —4F 137
Oxenhurst Grn. Stoc —6C 170
Oxford Av. Droy —5H 117
Oxford Av. Roch —6C 30
Oxford Av. Sale —6B 148
Oxford Av. W'fld —6A 70
Oxford Clo. Farn —6B 66
Oxford Ct. M2 —1F 135 (7H 5)
Oxford Ct. Mac —3G 199
Oxford Ct. Old T —4D 134
Oxford Ct. Wig —5F 61
Oxford Dri. Woodl —6G 155
Oxford Gro. Bolt —4J 43
Oxford Gro. Cad —4J 145
Oxford Gro. Stoc —5J 169
Oxford Ho. Oldh —1A 96
Oxford Pl. M14 —5J 135
Oxford Pl. Roch —7J 31
Oxford Rd. M1 & M13 —2G 135 (9J 5)
Oxford Rd. Alt —1B 176
Oxford Rd. Ath —2B 86
Oxford Rd. Duk —1H 139
Oxford Rd. Hyde —2J 155
Oxford Rd. L Lev —3H 67
Oxford Rd. Los —5K 41
Oxford Rd. Mac —5D 198
Oxford Rd. Orr —6F 59
Oxford Rd. Salf —4E 112
OXFORD ROAD STATION. BR —2F 135
Oxford St. M1 —1F 135 (7H 5)
Oxford St. M16 —4D 134
Oxford St. Adl —6J 19
Oxford St. Bolt —6B 44
Oxford St. Bury —4A 48
Oxford St. Ecc —6C 112
Oxford St. Hind —7D 62
Oxford St. Leigh —2K 107
Oxford St. Millb —4D 120
Oxford St. Newt W —6D 124
Oxford St. Oldh —2K 95
Oxford St. Salf —1B 134
Oxford St. Shaw —6F 53
Oxford St. Stal —7C 120
Oxford St. E. Ash L —1D 138
Oxford St. W. Ash L —1D 138
Oxford Wlk. Dent —1E 154
Oxford Way. Stoc —7F 153
Ox Ga. Bolt —7F 25
Ox Hey Clo. Los —5J 41
Oxhey Clo. Ram —4G 9
Ox Hey La. Dens —4D 54
Ox Hey La. Los —5J 41
Oxhill Wlk. M40 —5F 95
Oxhouse Rd. Orr —3D 80
Oxlea Gro. W'houg —7J 63
Oxney Rd. M14 —5J 135
Ox St. Ram —6F 9
Oxted Wlk. M8 —2G 115
Oxton Av. M22 —7C 166
Oxton St. M11 —2H 137

Pacific Rd. B'hth —5J 163
Pacific Way. Salf —1G 133
Packer St. Bolt —3J 43
Packer St. Roch —5H 31
Packsaddle Pk. P'bry —5A 196
Packwood Chase. Chad —6H 73
Padbury Clo. Urm —6F 131
Padbury Wlk. M40 —3B 116
Padbury Way. Bolt —3F 45
Padden Brook. Rom —1F 171
Padden Brook M. Rom —1F 171
Paddington Av. M40 —3D 116
Paddington Clo. Salf —6A 114
Paddison St. Swint —7C 90
Paddock Brow. P'bry —5C 196
Paddock Chase. Poy —6D 182
Paddock Clo. Ath —2E 86
Paddock Ct. Fail —3H 117
Paddock Field. Salf —1B 134
Paddock Head. L'boro —7C 14
Paddock Hill. Mob —3A 194
Paddockhill La. Knut —2A 194
Paddock La. Dun M —6C 162
Paddock La. Fail —3H 117
Paddock La. Lymm —3H 161
Paddock Rise. Wig —3A 60
Paddock Rd. Hyde —2H 155
Paddocks End. Hale —4E 176
Paddock Shopping Precinct, The. Hand —1K 187
Paddocks, The. P'bry —5C 196
Paddock St. M12 —2J 135 (9N 5)
Paddock, The. Ash M —2B 104 (in two parts)
Paddock, The. Bram —3F 181
Paddock, The. Chea —6A 168
Paddock, The. G'fld —3G 99
Paddock, The. Holl —4A 142
Paddock, The. Lymm —7J 161
Paddock, The. Ram —4F 9
Paddock, The. Stoc —6J 169
Paddock, The. Tim —7F 165
Paddock, The. W'fld —7G 69
Paderborn Ct. Bolt —7A 44
Padfield Ga. Glos —3F 159
Padfield Main Rd. Pad —3C 142
Padiham Clo. Bury —6H 47
Padstow Clo. Hyde —6D 140
Padstow Clo. Mac —3A 198
Padstow Dri. Bram —5H 181
Padstow St. M40 —5A 116
Padstow Wlk. Hyde —6D 140
Padworth Wlk. M23 —3H 165
Pagefield Clo. Wig —5C 60
Pagefield Ind. Est. Wig —5B 60
Pagefield St. Wig —5C 60
Pagen St. Roch —4H 31
Paget St. M40 —3K 115
Paget St. Ash L —4G 119
Pagnall Ct. Chad —2K 95
Paignton Av. M19 —2B 152
Paignton Av. Hyde —7C 140
Paignton Clo. Bil —7E 80
Paignton Dri. Sale —5B 148
Paignton Gro. Stoc —3G 153
Paignton Wlk. Hyde —7C 140
Pailin Dri. Droy —6A 118
Pailton Clo. Los —7D 42
Painswick Rd. M22 —3B 178
Paiton St. Bolt —6J 43
Palace Arc. Ash M —5D 104 (off Bryn St.)
Palace Gdns. Rytn —4B 74
Palace Gro. Leigh —2D 108
Palace Rd. Ash L —3H 119
Palace Rd. Sale —5E 148
Palace St. Bolt —5B 44
Palace St. Bury —3A 48
Palace St. Oldh —7A 74
Palatine Av. M20 —4H 151
Palatine Av. Roch —4C 30
Palatine Clo. G Grn —3A 82
Palatine Clo. Irl —1B 146
Palatine Cres. M20 —5H 151
Palatine Dri. Bury —4K 27
Palatine Ho. Stoc —3G 169 (off Old Chapel St.)
Palatine M. M20 —4H 151
Palatine Rd. M22 & M20 —2C 166
Palatine Rd. Roch —4C 30
Palatine Sq. Leigh —3H 107
Palatine St. Bolt —6B 44
Palatine St. Dent —4C 138
Palatine St. Roch —5A 32
Palatine Ter. Roch —4C 30
Paley St. Bolt —6B 44
Palfrey Pl. M12 —2J 135 (10P 5)
Palgrave Av. M40 —3K 115
Palin St. Hind —4F 85
Palin Wood Rd. Del —1F 77
Palliser Clo. Bchwd —7A 144
Pall Mall. M2 —7F 115 (6H 5) (in two parts)
Pall Mall Ct. M2 —7F 115 (5H 5)
Palma Av. Man A —4A 178
Palm Av. Ash M —3K 103
Palm Clo. Sale —5A 148
Palmer Av. Chea —5B 168
Palmer Clo. M8 —5H 93
Palmer Gro. Leigh —6J 85
Palmerston Av. M16 —7D 134
Palmerston Clo. Dent —6K 137
Palmerston Clo. Ram —7F 9
Palmerston Rd. Dent —6K 137
Palmerston Rd. Mac —4C 198
Palmerston Rd. Stoc —1J 181
Palmerston St. M12 —1K 135
Palmerston St. Boll —2J 197
Palmer St. Duk —7F 119
Palmer St. Sale —6E 148
Palmer St. Salf —3C 114 (in two parts)
Palm Gro. Chad —6K 73
Palm Gro. Wig —1K 81
Palm St. M13 —6B 136
Palm St. Bolt —2A 44
Palm St. Droy —6F 117
Palm St. Oldh —6G 75
Pandora St. M20 —5G 151
Panfield Rd. M22 —7C 166
Pangbourne Av. Urm —6C 132
Pangbourne Clo. Stoc —5E 168
Pankhurst Wlk. M14 —6H 135
Panmure St. Oldh —3D 96
Pansy Rd. Farn —6C 66
Panton St. Hor —4H 41
Paper Mill Rd. Brom X —5C 24
Parade Rd. Man A —5C 178
Parade, The. Ald E —5G 195
Parade, The. Rom —2E 170
Parade, The. Swint —7D 90
Paradise St. Aud —2D 138
Paradise St. Had —4B 142
Paradise St. Mac —4E 198
Paradise St. Ram —5G 9
Paradise Wharf. M1 —7H 115 (6N 5)
Paragon Ho. Leigh —3A 108 (off Lord St.)
Paragon Ho. Leigh —3A 108 (off Princess St.)
Parbold Av. M20 —3G 151
Parbrook Clo. M40 —3K 115
Parchments, The. Newt W —5F 125
Pardoner's Ct. Salf —6F 113
Pares Land Wlk. Roch —6K 31
Parhill Ct. Knut —5E 192
Paris Av. Salf —2B 134
Paris Av. Wins —4J 81
Parish View. Salf —1B 134
Parisian Way. M15 —4F 135 (off Moss Side Shopping Cen.)
Paris St. Bolt —2H 65
Park Av. Bil —6E 80
Park Av. Bolt —1A 44
Park Av. Bram —7E 180
Park Av. Chad —5K 73
Park Av. Chea H —3B 180
Park Av. Fail —7F 95
Park Av. Golb —6H 105
Park Av. Hale —3D 176
Park Av. Hyde —5H 139
Park Av. Lev —1C 152
Park Av. Old T —4C 134
Park Av. Poy —1C 190
Park Av. P'wch —3B 92
Park Av. Rad —2H 69
Park Av. Ram —5H 9
Park Av. Rom —7G 155
Park Av. Sale —4E 148
Park Av. Salf —7F 93
Park Av. Shev —6H 37
Park Av. Stoc —4B 168
Park Av. Swint —1E 112
Park Av. Tim —3C 164
Park Av. Urm —7A 132
Park Av. W'fld —1H 91
Park Av. Wilm —5J 187
Park Av. N. Newt W —7E 124
Park Av. S. Newt W —7E 124
Park Bank. Ath —1F 87
Park Bank. Salf —6H 113
Parkbridge Wlk. M13 —3H 135
Park Brook La. Shev —6H 37
Parkbrook Rd. M23 —4B 166
Park Brook Rd. Mac —4C 198
Park Brow Clo. M21 —2C 150
Park Bungalows. Marp —6K 171
Park Clo. Chad —5K 73
Park Clo. Glos —7F 143
Park Clo. Stal —5K 119
Park Clo. Tim —3D 164
Park Clo. W'fld —1K 91
Park Cotts. Bolt —2J 43
Park Cotts. G'fld —2E 98
Park Cotts. Shaw —5D 52
Park Ct. M22 —1D 178
Park Ct. Roch —6G 31
Park Ct. Sale —5E 148
Park Ct. M. Chea —7A 168
Park Cres. M14 —6J 135
Park Cres. Ash L —6J 119
Park Cres. Chad —5H 73
Park Cres. Glos —6D 142
Park Cres. Wig —5D 60
Park Cres. Wilm —4H 187
Park Cres. W. Wig —5D 60
Parkdale. Ast —3H 109
Parkdale. Chad —5K 73
Parkdale Av. M18 —4E 136
Parkdale Av. Aud —2B 138
Parkdale Rd. Bolt —4E 44
Parkdene Clo. Bolt —1F 45
Park Dene Rd. Glos —7E 142
Park Dri. M16 —7C 134
Park Dri. Ecc —4B 112
Park Dri. Hale —2D 176
Park Dri. Hyde —5H 139
Park Dri. Stoc —1D 168
Park Dri. Tim —4E 164
Park Edge. W'houg —7A 64
Parkend Dri. Leigh —6H 107
Parkend Rd. M23 —6A 166
Parker Arc. M1 —7G 115 (6K 5) (off Piccadilly Plaza)
Parker St. M1 —7G 115 (6K 5)
Parker St. Bury —3A 48
Parker St. Mac —4G 199
Parkett Heyes Rd. Mac —4A 198
Parkfield. Chad —5J 73
Parkfield. Mid —6B 72
Parkfield. Salf —6H 113
Parkfield. Shev —6H 37
Parkfield Av. M14 —6H 135
Parkfield Av. Ast —2H 109
Parkfield Av. Farn —7D 66
Parkfield Av. Marp —5K 171
Parkfield Av. Oldh —5K 95
Parkfield Av. P'wch —4D 92
Parkfield Av. Urm —1K 147
Parkfield Clo. Ast —2H 109
Parkfield Clo. Leigh —1A 108
Parkfield Ct. Alt —7A 164
Parkfield Dri. Mid —6A 72
Parkfield Dri. Tyl —6K 87
Parkfield Est. Swint —2E 112
Parkfield Ind. Est. Mid —6A 72
Parkfield Rd. Alt —7A 164
Parkfield Rd. Bolt —3B 66
Parkfield Rd. Chea H —3B 180
Park Field Rd. Gras —1E 98
Parkfield Rd. Knut —6E 192
Parkfield Rd. N. M40 —5G 95
Parkfield Rd. S. M20 —6G 151
Parkfields. Abr —1K 105
Parkfields. Millb —5D 120
Parkfield St. M14 —6H 135
Parkfield St. Roch —3K 51
Parkgate. Chad —5K 73
Parkgate. Knut —3F 193
Parkgate. Wals —7C 26
Park Ga. Av. M20 —4H 151
Parkgate Clo. Bred —5C 154
Parkgate Dri. Bolt —7B 24
Parkgate Dri. Stoc —7K 169
Parkgate Dri. Swint —1E 112
Parkgate La. Knut —3F 193
Parkgate Rd. Mac —7E 198
Park Gates Av. Chea H —3E 180
Park Gates Dri. Chea H —3E 180
Parkgate Trad. Est. Knut —2F 193
Parkgate Way. Hand —1K 187
Parkgate Way. Shaw —6H 53
Park Grn. Mac —4F 199 (in two parts)
Park Gro. M19 —7C 136
Park Gro. Mac —5E 198
Park Gro. Rad —2D 68
Park Gro. Stoc —6D 152
Park Gro. Wor —7F 89
Park Hey Dri. App B —6E 36
Park Hill. Roch —3H 31
Parkhill Av. M8 —5H 93
Park Hill Clo. N Mills —3J 185
Parkhill Dri. W'fld —6J 69
Park Hill Rd. Hale —3E 176
Parkhills Rd. Bury —5J 47
Park Hill St. Bolt —5K 43
Park Hill Ter. Millb —5D 120
Park Ho. Tyl —6F 87
Parkhouse Bri. Rd. Salf —2K 113
Park Ho. Dri. P'bry —2C 196
Park Ho. La. P'bry —2C 196
Parkhouse St. M11 —1D 136
Parkhouse St. Ind. Est. M11 —1D 136
Parkhurst Av. M40 —6G 95
Parkin Clo. Duk —1G 139
Park Ind. Est. Ash M —5A 104
Parkinson St. Bolt —1J 65
Parkinson St. Bury —7K 27
Parkin St. M12 —6C 136
Park Lake Av. Salf —7E 92
Parkland Av. N Mills —3J 185
Parklands. Poy —1C 190
Parklands. Rytn —6A 52
Parklands. Shaw —5H 53
Parklands. W'fld —6J 69
Parklands. Wilm —6J 187
Parklands Cres. Heyw D —5G 49
Parklands Dri. Asp —7A 40
Parklands Dri. Sale —1B 164
Parklands Ho. Rytn —7A 52
Parklands Rd. M23 —3K 165
Parklands, The. Stoc —6G 153
Parklands Way. Heyw D —5G 49
Parklands Way. Poy —1C 190
Park La. Abr —1K 105
Park La. Duk —7G 119
Park La. G'fld —2J 99
Park La. Hale —3E 176
Park La. Hor —2H 41
Park La. Leigh —4C 108
Park La. L Bol —2D 174
Park La. Mac —5D 198 (in two parts)
Park La. Oldh —5D 96
Park La. Pen —1H 113
Park La. Poy —1C 190
Park La. Roch —4H 31
Park La. Rytn —1B 74 (in four parts)
Park La. Salf —7D 92 (Broughton Park)
Park La. Salf —3G 113 (Irlams o' th' Height)
Park La. Stoc —3K 169
Park La. W'fld —7H 69
Park La. Wor —1K 109
Park La. Ct. Salf —7D 92
Park La. Ct. W'fld —7H 69
Park La. W. Pen —1H 113
Park Lea Ct. Salf —6E 92
Parkleigh Dri. M40 —5G 95
Park Lodge. M19 —1C 152
Park Lodge. Salf —7D 92
Park Lodge Clo. Chea —7A 168
Park Meadow. W'houg —6A 64
Park M. M16 —7C 134
Park M. Rad —2G 69
Park Mt. Gat —6G 167
Park Mt. Mac —5C 198
Park Mt. Clo. Mac —5C 198
Park Mt. Dri. Mac —5C 198
Parkmount Rd. M9 —6A 94
Park Pde. Ash L —6E 118
Park Pde. Shaw —4G 53
Park Pde. Ind. Est. Ash L —6E 118
Park Pl. M4 —5G 115 (1J 5)
Park Pl. P'wch —2C 92
Park Pl. Salf —5E 112
Park Pl. Stoc —1B 168
Park Range. M14 —6K 135
Park Rise. Rom —7G 155
Park Rise. Stal —5K 119
Park Rd. Adl —6H 19
Park Rd. Aud —1B 138
Park Rd. Bolt —6J 43
Park Rd. Bow —1J 175
Park Rd. Bury —1J 47
Park Rd. Chea —5A 168
Park Rd. Chea H —3E 180
Park Rd. Cop —3A 18
Park Rd. Dent —6C 138
Park Rd. Dis —6K 183
Park Rd. Duk —7G 119
Park Rd. Ecc & Salf —4E 112 (Ellesmere Pk.)
Park Rd. Ecc —4B 112 (Monton)
Park Rd. Gat —5F 167
Park Rd. Golb —2H 125
Park Rd. Had —5C 142
Park Rd. Hale —3C 176
Park Rd. Hind —3B 84
Park Rd. Hyde —5H 139
Park Rd. L'boro —5F 15
Park Rd. L Lev —2H 67
Park Rd. Lymm —3H 161
Park Rd. Mid —6B 72
Park Rd. N Mills —5J 185
Park Rd. Oldh —1D 96
Park Rd. Orr —6E 80
Park Rd. Part —7C 146
Park Rd. Pem —1G 81
Park Rd. P'wch & M8 —4D 92
Park Rd. Ram —1D 26
Park Rd. Roch —2J 31
Park Rd. Rom —7G 155
Park Rd. Sale —4E 148
Park Rd. Stand —5A 38
Park Rd. Stoc —5D 152
Park Rd. Stret —6G 133
Park Rd. Tim —3C 164
Park Rd. Tur —6G 7
Park Rd. W'houg —6K 63
Park Rd. Wig —5C 60
Park Rd. Wilm —6G 187
Park Rd. Wor —6E 88
Park Rd. N. Newt W —6G 125
Park Rd. N. Urm —6A 132
Park Rd. S. Newt W —7E 124
Park Rd. S. Urm —7A 132
Park Row. Bolt —6B 24
Park Row. Stoc —1A 168
Park Seventeen. W'fld —5K 69
Parkside. Hind —1C 84
Parkside. Mid —1A 94
Parkside. Whitw —1F 13
Parkside Av. Ash M —7B 82
Parkside Av. Ecc —7A 112
Parkside Av. Fail —3G 117
Parkside Av. Salf —7E 92
Parkside Av. Shaw —5G 53
Parkside Av. Wor —6F 89
Parkside Clo. H Lane —4H 183
Parkside Clo. Rad —2H 69
Parkside Cres. Orr —1F 81
Parkside Ho. Rytn —2C 74
Parkside Ind. Est. Rytn —2C 74
Parkside La. Mell —5C 172
Parkside Rd. M14 —7F 135
Parkside Rd. Sale —7H 149
Parkside St. M12 —2J 135 (10N 5)
Parkside St. Bolt —4E 44
Parkside Wlk. Bram —1G 181 (in two parts)
Parkside Wlk. Bury —4K 47
Parks Nook. Farn —7E 66
Park Sq. M16 —7A 134
Park Sq. Ash L —4J 119
PARK STATION. BR —4C 116
Parkstead Dri. M9 —2K 115
Parks, The. Newt W —7D 104
Parkstone Av. M18 —3H 137
Parkstone Av. W'fld —1H 91
Parkstone Clo. Bury —3D 46
Parkstone Dri. Swint —2F 113
Parkstone La. Wor —3H 111
Parkstone Rd. Irl —6C 130
Park St. M3 —5F 115 (1H 5) (Manchester)

Park St.—Penrith Av.

Park St. M3 —6D 114 (5C 4) (Salford)
Park St. Ash L —7E 118 (in two parts)
Park St. Ath —3E 86
Park St. Aud —6B 138
Park St. Boll —2K 197
Park St. Bolt —5K 43
Park St. Bred —7D 154
Park St. Droy —6A 118
Park St. Farn —5F 67
Park St. Heyw —5A 50
Park St. Mac —4F 199
Park St. Moss —7C 98
Park St. Oldh —2C 96 (in two parts)
Park St. P'wch —3C 92
Park St. Rad —2G 69
Park St. Roch —6H 31
Park St. Rytn —2C 74
Park St. Salf —7C 92
Park St. Shaw —6F 53
Park St. Stal —7B 120
Park St. Stoc —1H 169
Park St. Swint —1E 112
Park St. Tyl —6G 87
Park St. Wig —1D 82
Parksway. M9 —2H 93
Parksway. Pen —2G 113
Parksway. P'wch —5C 92
Parks Yd. Bury —3J 47
Park Ter. Bolt —6B 24
Park Ter. Glos —2E 158
Park Ter. Heyw —2K 49
Park Ter. Moss —7C 98
Park Ter. Stand —2K 37
Park Ter. W'houg —5K 63
Park Ter. W'fld —7H 69
Park, The. Gras —2D 98
Park, The. G'fld —2J 99
Park Vale Rd. Mac —5E 198
Park View. M9 —2J 115
Park View. Abr —7K 61 (Ince)
Park View. Abr —6K 83 (Platt Bridge)
Park View. Ash M —6D 104
Park View. Aud —1B 138
Park View. Bolt —6B 24 (in two parts)
Park View. Bred —7A 154
Park View. Chad —5J 73
Park View. Fail —3A 152
Park View. Farn —5F 67
Park View. Gat —5G 167
Park View. Haz G —4F 183
Park View. Kear —7H 67
Park View. L Bol —1D 174
Park View. Mac —3G 199
Park View. Salf —2B 134
Park View. Shaw —5D 52
Park View. Stoc —4B 168 (Cheadle Heath)
Park View. Stoc —4K 169 (Stockport)
Park View Clo. P'wch —4A 92
Park View Ct. M21 —1K 149
Park View Ct. P'wch —4A 92
Parkview Ct. Stret —1K 149
Park View Ho. Ath —4C 86
Park View Rise. N Mills —3J 185
Park View Rd. Bolt —2J 65
Park View Rd. P'wch —4B 92
Parkville Rd. M20 —5J 151
Parkville Rd. P'wch —7C 70
Parkway. Bram —2G 181
Parkway. Chad —5J 73
Park Way. L Hul —3A 88 (in two parts)
Parkway. N Mills —3J 185
Parkway. Roch —4D 30
Parkway. Stand —3G 37
Parkway. Stoc —4B 168
Park Way. Urm & Stret —5D 132
Parkway. W'houg —1H 85
Parkway. Wilm —7H 187
Parkway Bus. Cen. M14 —7F 135
Parkway Four Ind. Est. Traf P —3E 132
Parkway Gro. L Hul —3A 88
Parkway Ind. Est. Traf P —3E 132
Parkwood. Eger —2K 23
Parkwood Clo. Ince —1G 83
Parkwood Dri. Bolt —7F 65
Parkwood Rd. M23 —4C 166
Parlane St. M4 —5H 115 (1K 5)
Parliament Pl. Bury —4J 47
Parliament St. Bury —4J 47
Parliament St. Ince —1G 83
Parliament St. Uph —6C 58
Parnam Wlk. M9 —4A 94
Parndon Dri. Stoc —4A 170
Parnell Av. M22 —3C 166
Parnell Clo. Ast —3H 109
Parnham Clo. Rad —1K 67
Parrbrook Clo. W'fld —5A 70
Parrbrook Wlk. W'fld —5B 70
Parr Clo. Farn —6D 66
Parrenthorn Rd. P'wch —6C 70
Parrfield Rd. Wor —1J 111
Parr Fold. Bury —4B 70
Parr Fold Av. Wor —6E 88
Parr Ho. Oldh —2D 96
Parrin La. Ecc —5K 111
Parrish La. Ash L —6E 118
Parr La. Uns —4A 70
Parrot St. Bolt —1A 66
Parrott St. M11 —7E 116
Parrs Ct. Irl —7B 130
Parrs Mt. M. Stoc —1B 168
Parr St. M11 —2G 137
Parr St. Ecc —7B 112
Parr St. Mac —4E 198
Parr St. Tyl —7F 87
Parrs Wood Av. M20 —2J 167
Parrs Wood La. M20 —2J 167
Parrs Wood Rd. M20 —3H 167
Parry Mead. Bred —6E 154
Parry Rd. M12 —5C 136
Parry Wlk. Ash L —4H 119
Parslow Av. M8 —7G 93
Parsonage. M3 —6F 115 (4G 4)
Parsonage Brow. Uph —6A 58
Parsonage Clo. Bury —2A 48
Parsonage Clo. Salf —1C 134 (8A 4)
Parsonage Clo. Uph —7A 58
Parsonage Ct. Manx —4H 151
Parsonage Ct. Stoc —6D 152
Parsonage Dri. Wor —5E 88
Parsonage Gdns. M3 —7F 115 (5G 4)
Parsonage Gdns. Marp —7A 172
Parsonage Grn. Wilm —6H 187
Parsonage La. Salf —6F 115 (4G 4)
Parsonage Rd. M20 —4H 151
Parsonage Rd. Rad —7A 68
Parsonage Rd. Stoc —6D 152
Parsonage Rd. Uph —7A 58
Parsonage Rd. Urm —1G 147 (in two parts)
Parsonage Rd. Wor —5E 88
Parsonage St. M8 —6F 93
Parsonage St. M15 —4E 134
Parsonage St. Bury —2A 48
Parsonage St. Hyde —7H 139
Parsonage St. Mac —4F 199
Parsonage St. Rad —2E 68
Parsonage St. Stoc —1G 169
Parsonage Ter. Miln —5D 32 (off Parsonage Wlk.)
Parsonage Wlk. Roch —5D 32
Parsonage Way. Chea —6C 168
Parson Dri. Duk —7F 119
Parson's Dri. Mid —4B 72
Parsons Field. Salf —2A 114
Parsons La. Bury —3K 47
Parsons St. Bury —2H 47
Parsons St. Oldh —1A 96
Parson's Wlk. Wig —5D 60
Parth St. Bury —4D 48
Partington Ct. Farn —5E 66
Partington Ct. Glos —1H 159
Partington La. Swint —1C 112
Partington Pk. Glos —7E 142
Partington Pl. Sale —5F 149
Partington Shopping Cen. Part —7B 146
Partington St. M40 —3B 116
Partington St. Bolt —4J 65
Partington St. Fail —1H 117
Partington St. Heyw —3G 49
Partington St. Oldh —7E 74
Partington St. Roch —3D 50
Partington St. Wig —6A 60
Partington St. Wor —1A 112
Partridge Av. M23 —5C 166
Partridge Clo. Irl —5C 130
Partridge Clo. Roch —5B 30
Partridge Ct. Stoc —6K 169
Partridge Rise. Droy —5B 118
Partridge Rd. Fail —2A 118
Partridge St. Stret —4K 133
Partridge Way. Chad —6F 73
Part St. W'houg —4J 63
Parvet Av. Droy —5H 117
Pascal St. M19 —2C 152
Passmonds Cres. Roch —4D 30
Passmonds Way. Roch —4D 30
Pass St. Oldh —1B 96
Pass, The. Roch —4J 31
Passway. St H —7C 102
Paston Rd. Shar I —4D 166
Pasture Clo. Ash M —2A 104
Pasture Clo. Heyw —4H 49
Pasture Clo. Mac —7E 196
Pasturefield Clo. Sale —7K 149
Pasture Field Rd. M22 —2F 179
Pastures La. Scout —6B 76
Patch Croft Rd. M22 —3F 179
Patchett St. M12 —3B 136
Patchett St. Tyl —6G 87
Patch La. Bram —7F 181 (in two parts)
Pateley Sq. Wig —4D 60
Patey St. M12 —6C 136
Pathfield Wlk. M9 —7K 93 (off Coningsby Dri.)
Patience St. Roch —3E 30
Paton Av. Bolt —3C 66
Paton M. Bolt —3C 66
Paton St. M1 —7H 115 (6L 5)
Paton St. Roch —1F 31
Patricia Dri. Wor —5G 89
Patrick Roddy Ct. M18 —4E 136
Patricroft Bri. Ecc —7A 112
Patricroft Rd. Ecc —6A 112
Patricroft Rd. Ince —7H 61
PATRICROFT STATION. BR —6A 112
Patten St. M20 —4H 151
Patterdale Av. Ash L —3D 118
Patterdale Av. Urm —5K 131
Patterdale Clo. Oldh —5E 74
Patterdale Clo. Roch —2D 50
Patterdale Clo. Stal —5A 120
Patterdale Dri. Bury —6J 47
Patterdale Dri. Mid —4A 72
Patterdale Pl. Ince —7J 61
Patterdale Rd. M22 —3E 166
Patterdale Rd. Ash M —7C 82
Patterdale Rd. Ash L —3D 118
Patterdale Rd. Bolt —1H 45
Patterdale Rd. Leigh —4C 108
Patterdale Rd. Part —7A 146
Patterdale Rd. Stoc —4K 169
Patterdale Rd. Woodl —6F 155
Patterdale Wlk. Tim —6H 165
Patterson Av. M21 —1A 150
Patterson St. Bolt —2G 65
Patterson St. Dent —5D 138
Patterson St. Newt W —6D 124
Patterson St. W'houg —7F 63
Pattishall Clo. M4 —7K 115
Pattison Clo. Roch —1F 31
Patton Clo. Bury —4B 70
Patton Ct. Salf —4C 114
Paul Ct. Stoc —2J 169
Paulden Av. M23 —5B 166
Paulden Av. Oldh —5J 75
Paulden Dri. Fail —1J 117
Paulette St. Bolt —3A 44
Paulhan Rd. M20 —6K 151
Paulhan St. Bolt —3K 65
Pauline St. Ince —6F 85
Paul Row. L'boro —2G 15
Pavement La. Mob —2H 193
Pavilion Clo. Roch —2H 31
Pavilion Dri. Ash L —3H 119
Pavilion Lodge. M16 —6A 134
Pavilion Wlk. Rad —2D 68
Paxford Pl. Wilm —1G 195
Paxton Pl. Farn —6F 67
Paythorne Grn. Stoc —6C 170
Peabody St. Bolt —2A 66
Peacefield. Marp —6J 171
Peacehaven Av. M11 —6E 116
Peace St. Ast —1F 109
Peace St. Ath —4E 86
Peace St. Bolt —1K 65
Peace St. Fail —6J 95
Peaceville Rd. M19 —1B 152
Peach Bank. Mid —6C 72
Peachey Clo. M16 —6F 135
Peach Gro. Hayd —2A 124
Peach Rd. Oldh —5H 75
Peach St. P'wch —2C 92
Peach Tree Ct. Salf —6A 114
Peacock Av. Salf —3H 113
Peacock Clo. M18 —3E 136
Peacock Clo. Had —5A 142
Peacock Ct. Stal —7A 120
Peacock Dri. H Grn —6H 179
Peacock Fold. Leigh —2H 107
Peacock Gro. M18 —4F 137
Peacock La. H Legh —6A 174
Peacock Way. Hand —7K 179
Peak Av. Ath —2C 86
Peak Bank. Rom —1E 170
Peak Clo. Oldh —2K 75
Peakdale Av. Crum —7H 93
Peakdale Av. H Grn —3H 179
Peakdale Rd. Droy —5G 117
Peakdale Rd. Glos —6A 142
Peakdale Rd. Marp —7A 172
Peaknaze Clo. Glos —2C 158
Peaknaze Clo. Pen —7F 91
Peak Rd. N Mills —4K 185
Peak St. M1 —7H 115 (5M 5)
Peak St. Bolt —3K 43
Peak St. Oldh —1A 96
Peak St. Stoc —2J 169
Peanock La. L'boro —2D 32
Pear Av. Bury —2C 48
Pearl Av. Salf —6E 92
Pearl Brook Ind. Est. Hor —2F 41
Pearle.St. Mac —2F 199
Pearl Mill Clo. Oldh —3F 97
Pearl St. Dent —6C 138
Pearl St. Haz G —7C 170
Pearl St. P'bry —3C 196
Pearl St. Roch —4E 30
Pearl St. Wig —3C 60
Pearl Way. Mot —7G 141
Pearly Bank. Oldh —2H 75
Pear Mill Ind. Est. Bred —1A 170
Pearn Av. M19 —5B 152
Pearn Rd. M19 —5B 152
Pearson Clo. Miln —5D 32
Pearson Clo. Part —7C 146
Pearson Gro. Lees —1J 97
Pearson Ho. Ecc —1B 132
Pearson St. Bury —2B 48
Pearson St. Duk —3G 139
Pearson St. Mac —4G 199
Pearson St. Roch —4A 32
Pearson St. Stoc —7H 153
Pear St. P'wch —2C 92
Peart Av. Woodl —4G 155
Pear Tree Av. Cop —1A 18
Pear Tree Clo. Had —5A 142
Pear Tree Clo. Marp B —3B 172
Pear Tree Clo. Salf —6A 114
Pear Tree Ct. Salf —6A 114
Pear Tree Dri. Stal —6B 120
Pear Tree Gro. Tyl —6K 87
Peartree Wlk. M22 —7B 166
Pear Tree Wlk. Sale —5A 148
Peart St. Dent —6C 138
Peary St. M4 —5H 115 (1M 5)
Peaslake Clo. Rom —1H 171
Peatfield Av. Wdly —5B 90
Peatfield Wlk. M15 —4F 135
Pebble Clo. Stal —4A 120
Pebworth Clo. Mid —2B 94
Peckford Dri. M40 —3C 116
Peckforton Clo. Gat —6G 167
Peckforton Wlk. Wilm —4A 188
Peckmill Clo. Wilm —3A 188
Pedder St. Bolt —4J 43
Pedler Brow La. Roch —5C 14
Pedley Hill. A'ton —6D 190
Pedley Wlk. M13 —2H 135 (9M 5)
Peebles Clo. Ash M —4J 103
Peebles Dri. M40 —4F 117
Peel Av. Bow —2B 176
Peel Av. Ram —6E 8
Peel Brow. Ram —5H 9
Peel Cen., The. Stoc —1J 169
Peel Clo. Ath —4E 86
Peel Circ. Urm —3C 132
Peel Ct. Stoc —5J 169
Peel Cross Rd. Salf —7A 114
Peel Dri. L Hul —3B 88
Peel Dri. Sale —6J 149
Peelgate Dri. H Grn —2G 179
Peel Grn. Rd. Ecc —1K 131
Peel Gro. M12 —5C 136
Peel Gro. Wor —7G 89
Peel Hall Rd. M22 —1E 178
Peel Hall Rd. S'seat —2F 27
Peel Ho. Ecc —6D 112
Peel La. M8 —4G 115
Peel La. Ast —4H 109 (in two parts)
Peel La. Heyw —2H 49
Peel La. Wor —4B 88
Peel Moat Ct. Stoc —6D 152
Peel Moat Rd. Stoc —5D 152
Peel Mt. Ram —7E 8
Peel Mt. Salf —5B 114
Peel Pk. Cres. L Hul —3B 88
Peel Rd. Hale —1C 176
Peels Av. Spring —7A 76
Peel Sq. M18 —4F 137
Peel St. Adl —4K 19
Peel St. Ash L —5F 119
Peel St. Chad —1K 95
Peel St. Dent —3C 138 (Audenshaw)
Peel St. Dent —5C 138 (Denton)
Peel St. Droy —1H 137
Peel St. Duk —7G 119
Peel St. Ecc —6D 112
Peel St. Fail —2F 117
Peel St. Farn —6G 67
Peel St. Heyw —3H 49
Peel St. Hyde —1J 155
Peel St. Leigh —2J 107
Peel St. L'boro —6F 15
Peel St. Mac —5F 199
Peel St. Mars —1H 57
Peel St. Newt W —6C 124
Peel St. Pad —4E 142
Peel St. Plat B —5J 83
Peel St. Rad —4F 69
Peel St. Roch —4G 31
Peel St. Shaw —6E 52
Peel St. Stal —7K 119
Peel St. Stoc —5H 169
Peel St. W'houg —5J 63
Peel Ter. Duk —7F 119 (off Astley St.)
Peel Ter. W'houg —4J 63
Peel View. Tot —6E 26
Peel Way. Bury —3J 47
Peelwood Av. L Hul —2C 88
Peelwood Gro. Ath —5E 86
Peerglow Pk. Est. Tim —3C 164
Peers Clo. Urm —5F 131
Peers Dri. Tot —7D 26
Peers St. Bury —3G 47
Pegamoid St. Bolt —4D 44
Pegasus Ct. Roch —6E 30
Pegasus Sq. Salf —5C 114 (1B 4)
Pegwell Dri. Salf —3E 114
Pekin St. Ash L —4G 119
Pelham Pl. M8 —5H 93
Pelham St. Ash L —1C 138
Pelham St. Bolt —3J 65
Pelham St. Oldh —5D 96
Pellowe Rd. Oldh —3C 96
Pelton Av. Wdly —5A 90
Pelton Wlk. M40 —3K 115 (off Rodmell Av.)
Pemberlei Rd. Asp —4B 62
Pemberton Ho. Shaw —5F 53 (off Napier St.)
Pemberton Rd. Wins —7G 81
PEMBERTON STATION. BR —3K 81
Pemberton St. M16 —5C 134
Pemberton St. Bolt —1A 44
Pemberton St. L Hul —3D 88
Pemberton St. Roch —3E 50
Pemberton Way. Shaw —5F 53
Pembridge Fold. Mid —6E 72
Pembridge Rd. M9 —3B 94
Pembroke Av. Ecc —6B 112
Pembroke Av. Sale —5D 148
Pembroke Clo. M13 —3K 135
Pembroke Clo. Hor —1E 40
Pembroke Ct. Haz G —2C 182
Pembroke Ct. Pen —7F 91
Pembroke Ct. Roch —3H 31
Pembroke Ct. Rom —1D 170
Pembroke Dri. Bury —6J 47
Pembroke Dri. Oldh —2J 75
Pembroke Gro. Cad —4J 145
Pembroke Ho. Stoc —3G 169 (off Bowden St.)
Pembroke Rd. Hind —4G 85
Pembroke Rd. Mac —4B 198
Pembroke Rd. Wig —5K 59
Pembroke St. Bolt —5K 43
Pembroke St. L'boro —5F 15
Pembroke St. Oldh —1B 96
Pembroke St. Salf —2E 114 (Hightown)
Pembroke St. Salf —7J 113 (Weaste)
Pembroke Way. Dent —1E 154
Pembry Clo. Stoc —5K 153
Pembury Clo. M22 —1C 178
Penarth Rd. M22 —3D 166
Penarth Rd. Bolt —2H 65
Penbury Rd. Wig —1D 60
Pencombe Clo. M12 —4C 136
Pencroft Way. Man S —4G 135
Pendeen Clo. Ast —1G 109
Pendeen Clo. Wyth —3E 178
Pendennis. Roch —6G 31
Pendennis Av. Los —1D 64
Pendennis Clo. Rad —1A 68
Pendennis Cres. Hind —4E 84
Pendennis Rd. Stoc —7E 152
Pender Wlk. M18 —4F 137
Pendine Wlk. Salf —2E 114
Pendle Av. Bolt —6A 24
Pendlebury Clo. P'wch —5K 91
Pendlebury Ct. Stoc —7J 169
Pendlebury Fold. Bolt —4D 64
Pendlebury Ind. Est. Swint —7E 90
Pendlebury La. Haig —7E 38
Pendlebury Rd. Gat —5G 167
Pendlebury Rd. Swint —7D 90
Pendlebury St. Bolt —2B 44
Pendlebury St. Rad —3E 68
Pendlebury Towers. Stoc —7H 153
Pendle Clo. Bury —2F 47
Pendle Clo. Oldh —2H 97
Pendle Clo. Wig —2K 81
Pendle Ct. Bolt —2K 43
Pendlecroft Av. Pen —7G 91
Pendle Dri. Hor —7G 21
Pendle Gdns. Cul —7J 127
Pendlegreen Clo. M11 —1B 136
Pendle Gro. Rytn —3A 74
Pendle Ho. Dent —7D 138
Pendle Rd. Dent —7D 138
Pendle Rd. Lwtn —7A 106
Pendleton Grn. Salf —5K 113
Pendleton Ho. Salf —4A 114 (off Broughton Rd.)
PENDLETON STATION. BR —4A 114
Pendleton Way. Salf —5K 113
Pendle Wlk. M40 —5K 115
Pendle Wlk. Stoc —5H 153
Pendleway. Pen —6E 90
Pendragon Pl. Fail —1J 117
Pendrell Wlk. M9 —4A 94 (off Sanderstead Dri.)
Penelope Rd. Salf —3H 113
Penelope Rd. Swint —3H 113
Penerley Dri. M9 —2K 115
Penfair Clo. M11 —7C 116
Penfield Clo. M1 —2H 135 (9L 5)
Penfold Wlk. M12 —3B 136
Pengarth Rd. Hor —1G 41
Pengham Wlk. M23 —2A 166
Pengwern Av. Bolt —2H 65
Penhale M. Bram —5H 181
Penhall Wlk. M40 —3C 116 (off Limerston Dri.)
Pen Ho. Clo. Bram —4G 181
Penistone Av. M9 —4C 94
Penistone Av. Roch —6A 32
Penistone Av. Salf —5G 113
Penketh Av. M18 —5C 136
Penketh Av. Ast —2H 109
Penketh St. Wig —4C 60
Penkford La. C Grn —6A 174
Penkford St. Newt W —7A 124
Penleach Av. Leigh —3B 108
Penmere Gro. Sale —2C 164
Penmore Chase. Haz G —3K 181
Penmore Clo. Shaw —6G 53
Pennant Clo. Bchwd —7A 144
Pennant Dri. P'wch —2A 92
Pennant St. Oldh —6F 75
Pennell Dri. Wor M —2B 82
Pennell St. M11 —7F 117
Penn Grn. Chea H —3D 180
Pennie Ct. Stoc —5C 170
Pennie Rd. Woodl —5G 155
Pennine Av. Chad —2J 95
Pennine Av. Wig —4J 81
Pennine Clo. M9 —3B 94
Pennine Clo. Bury —1E 46
Pennine Clo. Hor —7G 21
Pennine Clo. Shaw —6G 53
Pennine Ct. Mac —1G 199
Pennine Ct. Oldh —1E 96
Pennine Ct. Pen —6E 90
Pennine Ct. Stoc —5C 170
Pennine Dri. Alt —6K 163
Pennine Dri. Miln —5E 32
Pennine Dri. Ward —5A 14
Pennine Gro. Ash L —2J 119
Pennine Gro. Leigh —7G 85
Pennine La. Lwtn —7A 106
Pennine Rd. Glos —2C 158
Pennine Rd. Haz G —3K 181
Pennine Rd. Hor —7G 21
Pennine Rd. Woodl —5G 155
Pennine Ter. Duk —7G 119 (off Astley St.)
Pennine Vale. Shaw —5G 53
Pennine View. Aud —4C 138
Pennine View. Heyr —4C 120
Pennine View. L'boro —1H 15
Pennine View. Moss —6D 98
Pennine View. Rytn —2C 74
Pennine Wlk. Plat B —5K 83 (off Rivington Av.)
Pennington Av. Leigh —5J 107
Pennington Clo. Asp —5C 62
Pennington Clo. L Hul —3A 88
Pennington Ct. Leigh —7F 107
Pennington Gdns. Leigh —5J 107
Pennington Grn. La. Asp —4C 62
Pennington Ho. Leigh —4J 107
Pennington La. C Grn —7A 124
Pennington La. Haig —5G 39
Pennington La. Ince —6J 61
Pennington M. Leigh —6J 107
Pennington Rd. Bolt —3B 66
Pennington Rd. Leigh —5K 107
Penningtons La. Gaw —6A 198
Pennington St. M12 —7C 136
Pennington St. Chad —4K 95
Pennington St. Hind —1B 84
Pennington St. Wals —1C 46
Pennington St. Wor —5G 89
Pennistone Clo. Irl —6D 130
Penn St. M40 —7B 94
Penn St. Farn —6E 66
Penn St. Heyw —4K 49
Penn St. Hor —2G 41
Penn St. Oldh —2B 96
Penn St. Roch —4H 31
Penny Bri. La. Urm —1J 147
Penny Brook Fold. Haz G —1C 182
Pennygate Clo. Hind —1B 84
Pennyhurst St. Wig —7C 60
Penny La. Hayd —2B 124
Penny La. Stoc —1H 169 (in two parts)
Penny Meadow. Ash L —5G 119 (in two parts)
Pennymoor Dri. Alt —5K 163
Penrhos Av. Gat —6F 167
Penrhyn Av. Chea H —3A 180
Penrhyn Av. Mid —7C 72
Penrhyn Cres. Haz G —4A 182
Penrhyn Dri. P'wch —3B 92
Penrhyn Gro. Ath —2C 86
Penrhyn Rd. Stoc —3D 168
Penrice Clo. Rad —1B 68
Penrice Fold. Wor —1D 110
Penrith Av. M11 —5D 116
Penrith Av. Ash L —3D 118

Prospect Pl.—Ravenoak Rd.

Prospect Pl. Ash L —3H 119
Prospect Pl. Comp —7A 156
Prospect Pl. Farn —7E 66
Prospect Pl. Heyw —2K 49
Prospect Pl. Swint —1E 112
Prospect Rd. Ash L —3J 119
Prospect Rd. Cad —4A 146
Prospect Rd. Duk —7H 119
Prospect Rd. Oldh —7A 74
Prospect Rd. Stand —6A 38
Prospect St. Bolt —4B 44
Prospect St. Heyw —4A 50
Prospect St. Hind —2B 84
Prospect St. L'boro —5F 15
Prospect St. Roch —1G 51
Prospect St. Tyl —6F 87
Prospect Ter. Bury —1H 47
Prospect Ter. Roch —2J 29
Prospect Vale. H Grn —3H 179
Prospect View. Swint —1E 112
Prospect Vs. M9 —6B 94
Prosperity. Ast —7K 87
Prosser Av. Ath —5A 86
Prout St. M12 —6C 136
Providence St. M4 —7K 115
Providence St. Ash L —4H 119
Providence St. Aud —2D 138
Providence St. Bolt —1B 66
Provident Av. M19 —1E 152
Provident St. Shaw —6F 53
Provident Way. Tim —5E 164
Provis Rd. M21 —3B 150
Prubella Av. Dent —4C 138
Pryce Av. Ince —7H 61
Pryce St. Bolt —4K 43
Pryme St. M15 —2E 134 (10E 4)
Pudding La. Hyde —6C 140 (in two parts)
Puffin Av. Poy —1K 189
Pugin Wlk. M9 —2K 115 (off Parkstead Dri.)
Pulborough Clo. Bury —5F 27
Pulford Av. M21 —6D 150
Pulford Rd. Sale —1G 165
Pullman Clo. M19 —2D 152
Pullman Dri. Urm —7D 132
Pullman St. Roch —7H 31
Pulman Ct. Bolt —1C 66
Pump St. M40 —6A 116
Pump St. Hind —2B 84
Pump St. Oldh —5K 95
Pumptree M. Mac —4A 198
Punch La. Bolt —4D 64 (in three parts)
Punch St. Bolt —7K 43
Pungle, The. W'houg —2H 85 (in two parts)
Purbeck Clo. M22 —3C 178
Purbeck Dri. Bury —6G 27
Purbeck Dri. Los —4K 41
Purbeck Way. Ast —1H 109
Purcell Clo. Bolt —4K 43
Purcell St. M12 —6C 136
Purdon St. Bury —6K 27
Purdy Ho. Oldh —2D 96
Puritan Wlk. M40 —3J 115 (off Elcot Clo.)
Purley Av. M23 —2B 166
Purley Dri. Cad —5J 145
Purslow Clo. M12 —7A 116
Purton Wlk. M9 —1A 116 (off Norbet Wlk.)
Putney Clo. Oldh —5C 74
Putt St. Swint —5D 90
Puzzletree Ct. Stoc —4A 170
Pye Clo. Old B —1D 124
Pyegreave Clo. M15 —2E 134 (10F 4)
Pyegrove. Glos —1H 159
Pyegrove Rd. Glos —1G 159
Pyke St. Wig —5F 61
Pymgate Dri. H Grn —2G 179
Pymgate La. H Grn —2G 179
Pym St. M40 —7B 94
Pym St. Ecc —6B 112
Pym St. Heyw —4K 49
Pyramid Ct. Salf —2D 114
Pyrus Clo. Ecc —1H 131
Pytha Fold Rd. M20 —5J 151

Quadrant, The. M9 —4C 94
Quadrant, The. Droy —7H 117
Quadrant, The. Rom —1E 170
Quadrant, The. Stoc —2K 169
Quadrant, The. Stret —6A 134
Quail Dri. Irl —6C 130
Quail St. Oldh —1G 97
Quakerfields. W'houg —7H 63
Quakers Field. Tot —4D 26
Quakers Pl. Stand —4A 38
Quakers Ter. Stand —2K 37
Quantock Clo. Stoc —1G 169
Quantock Clo. Wig —5J 81
Quantock St. M16 —5E 134
Quarlton Dri. Hawk —1K 25
Quarmby Rd. M18 —5H 137
Quarry Bank Rd. Styal —2F 187
Quarry Clo. Glos —1F 159
Quarry Clough. Stal —1C 140
Quarry Hill. Roch —1G 31
Quarry Pl. Wig —6G 61
Quarry Pond Rd. Wor —4B 88
Quarry Rise. Stal —1K 139
Quarry Rd. Kear —7J 67
Quarry Rd. Rom —1F 171
Quarry St. Rad —3F 69
Quarry St. Ram —5H 9 (in three parts)
Quarry St. Roch —3G 31
Quarry St. Stal —7K 119
Quarry St. Woodl —5F 155
Quarry View. Roch —1G 31
Quarry Wlk. M11 —7B 116 (off Pilgrim Dri.)
Quayside Clo. Wor —3D 110
Quayside M. Lymm —7F 161
Quayside Way. Mac —4G 199
Quays, The. Salf —2K 133
Quay St. M3 —7E 114 (6E 4) (Manchester)
Quay St. M3 —6E 114 (4F 4) (Salford)
Quay St. Stal —7K 119
Quayview. Salf —1A 134
Quay W. Traf P —3J 133
Quebec Pl. Bolt —1J 65
Quebec St. Bolt —1K 65
Quebec St. Dent —5C 138
Quebec St. Oldh —6A 74
Queen Alexandra Clo. Salf —1C 134 (8A 4)
Queen Ann Clo. Uns —2C 70
Queen Ann Dri. Wor —1D 110
Queenhill Dri. Hyde —4A 140
Queenhill Rd. M22 —2E 166
Queens Av. M18 —4D 136
Queen's Av. Ash M —5D 104
Queen's Av. Ath —2C 86
Queens Av. Bred —7E 154
Queen's Av. Brom X —5C 24
Queen's Av. G'bry —2C 128
Queen's Av. L Lev —2J 67
Queen's Av. Mac —1G 199
Queens Av. Roch —7A 14
Queensbrook. Bolt —6A 44
Queensbury Ct. M40 —5K 115
Queensbury Pde. M40 —5A 116
Queens Clo. Boll —4G 197
Queens Clo. Hyde —3J 155
Queens Clo. Mos C —1B 110
Queens Clo. Stoc —1C 168
Queen's Clo. Wor —3F 89
Queen's Ct. Manx —6G 151
Queens Ct. Marp —5A 172
Queen's Ct. Stoc —1C 168
Queens Ct. Wilm —7G 187
Queenscroft. Ecc —5D 112
Queen's Dri. Chea H —2C 180
Queen's Dri. Glos —1H 159
Queens Dri. Golb —1A 126
Queens Dri. Hyde —3K 155
Queens Dri. Newt W —4D 124
Queen's Dri. P'wch —5C 92
Queens Dri. Roch —2G 51
Queen's Dri. Stoc —1C 168
Queensferry St. M40 —2E 116
Queens Gdns. Chea —5A 168
Queens Gdns. Leigh —3C 108
Queensgate. Bolt —5J 43
Queensgate. Bram —7G 181
Queensgate Dri. Rytn —7A 52
Queen's Gro. M12 —5C 136
Queensland Rd. M18 —4D 136
Queen's Pk. Rd. Heyw —1K 49
Queens Pk. St. Bolt —5K 43
Queens Pl. Bury —2G 27
Queen Sq. Ash L —4H 119
Queen Sq. Stoc —1J 169
Queen's Rd. M8 & M9 —3G 115
Queen's Rd. M40 —2K 115
Queen's Rd. Ash M —4D 104
Queens Rd. Ash L —3H 119
Queens Rd. Bolt —2H 65
Queens Rd. Bred —7E 154
Queens Rd. Chad —7J 73
Queen's Rd. Chea H —7B 168
Queen's Rd. Hale —1C 176
Queens Rd. Hayd —2C 124
Queen's Rd. Haz G —1C 182
Queen's Rd. L'boro —6F 15
Queens Rd. Oldh —2E 96
Queens Rd. Orr —2C 80
Queen's Rd. Plat B —4J 83
Queens Rd. Sale —5D 148
Queen's Rd. Urm —1B 148
Queens Rd. Wilm —7G 187
Queen's Rd. Ter. L'boro —6F 15 (off Queen's Rd.)
Queens Ter. Duk —7F 119
Queens Ter. Hand —1K 187
Queenston Rd. M20 —6G 151
Queen St. M2 —7F 115 (6G 4)
Queen St. Ash L —5G 119
Queen St. Aud —3D 138 (Audenshaw)
Queen St. Aud —5C 138 (Denton)
Queen St. Boll —2K 197
Queen St. Bolt —6A 44
Queen St. Bury —3A 48
Queen St. Chea —5B 168
Queen St. Duk —7F 119
Queen St. Ecc —7D 112
Queen St. Fail —1G 117
Queen St. Farn —6F 67
Queen St. Glos —2D 158
Queen St. Golb —1K 125
Queen St. Had —5C 142 (Hadfield)
Queen St. Had —7J 139 (Hyde)
Queen St. Heyw —2K 49
Queen St. Hind —1B 84
Queen St. Hor —2E 40
Queen St. Knut —4C 192
Queen St. Leigh —3A 108
Queen St. L'boro —6F 15
Queen St. L Hul —4D 88
Queen St. Marp —5A 172
Queen St. Mid —6E 72
Queen St. Moss —6C 98
Queen St. Newt W —6D 124
Queen St. Oldh —7D 74
Queen St. Plat B —5J 83
Queen St. Rad —4G 69
Queen St. Ram —5F 9
Queen St. Roch —4H 31
Queen St. Rytn —2B 74
Queen St. Salf —3H 113 (Irlams o' th' Height)
Queen St. Salf —6E 114 (3F 4) (Salford)
Queen St. Shaw —7F 53
Queen St. Spring —1K 97
Queen St. Stal —6A 120
Queen St. Stoc —1J 169
Queen St. Tot —7E 26
Queen St. W'houg —6J 63
Queen St. Wig —7E 60 (Orrell)
Queen St. Wig —1G 81 (Pemberton)
Queen St. Wig —2K 81
Queen St. W. M20 —3H 151
Queen's Wlk. Droy —7J 117
Queensway. M19 —1K 167
Queensway. Clif —5E 90
Queensway. Duk —2K 139
Queensway. G'fld —1H 99
Queensway. H Grn —4H 179
Queens Way. Ince —6J 61
Queensway. Irl —7B 130
Queensway. Kear —2H 89
Queensway. Knut —3B 192
Queensway. Leigh —3D 108
Queensway. Moss —7D 98
Queensway. Poy —2B 190
Queensway. Roch —3E 50
Queensway. Shev —2F 59
Queensway. Urm —5C 132
Queensway. Wig —4D 60
Queensway. Wor —7D 88
Queen Victoria St. Ecc —6A 112
Queen Victoria St. Mac —3F 199
Queen Victoria St. Roch —1J 51
Quenby St. M15 —2D 134 (10D 4)
Quendon Av. Salf —4E 114
Quick Edge La. Grot —3B 98
Quickedge Rd. Moss & Lyd —5C 98
Quick Rd. Moss —3D 98
Quick View. Moss —4E 98
Quilter Gro. M9 —5J 93
Quinney Cres. M16 —5E 134
Quinn St. M11 —7C 116
Quinton. Roch —4G 31 (off Spotland Rd.)
Quinton Wlk. M13 —3H 135

Rabbit La. Mot —3G 141
Raby St. M14 —5F 135
Raby St. M16 —5E 134
Racecourse Pk. Wilm —7F 187
Racecourse Rd. Wilm —6E 186
Racecourse Wlk. Rad —2D 68
Race Ct. Lymm —7G 161
Racefield Clo. Lymm —7F 161
Racefield Hamlet. Chad —2K 73
Racefield Rd. Alt —7A 164
Racefield Rd. Knut —5C 192
Race, The. Hand —3K 187
Rachel Rosing Wlk. M8 —7F 93
Rachel St. M12 —1J 135 (8P 5)
Rackhouse Rd. M23 —2B 166
Radbourne Clo. M12 —3C 136
Radcliffe Av. Cul —6J 127
Radcliffe Gro. Leigh —1K 107
Radcliffe Moor Rd. Brad T & Brad F —7K 45
Radcliffe New Rd. W'fld —4G 69
Radcliffe Pk. Cres. Salf —3G 113
Radcliffe Pk. Rd. Salf —3F 113
Radcliffe Rd. Bolt —6C 44
Radcliffe Rd. Bury —6H 47
Radcliffe Rd. L Lev —1E 66
Radcliffe Rd. Oldh —4H 75
RADCLIFFE STATION. M —3F 69
Radcliffe St. Oldh —6D 74
Radcliffe St. Rytn —2B 74
Radcliffe St. Spring —1A 98
Radcliffe View. Salf —2B 134 (off Ordsall Dri.)
Radclyffe St. Chad —6K 73
Radclyffe St. Mid —4C 72
Radclyffe Ter. Mid —4C 72
Radelan Gro. Rad —2B 68
Radford Clo. Stoc —4B 170
Radford Dri. M9 —7A 94
Radford Dri. Irl —6C 130
Radford St. Salf —7C 92
Radium St. M4 —6J 115 (3N 5)
Radlet Dri. Tim —3E 164
Radlett Wlk. M13 —4J 135 (off Plymouth Gro.)
Radley Clo. Bolt —4G 43
Radley Clo. Sale —7B 148
Radley Wlk. M16 —6F 135 (off Quinney Cres.)
Radnor Av. Dent —6K 137
Radnor Clo. Hind —4E 84
Radnor Dri. Leigh —3G 107
Radnor Ho. Stoc —3G 169 (off Moseley St.)
Radnormere Dri. Chea H —7B 168
Radnor St. Gort —5E 136
Radnor St. Hulme —4F 135
Radnor St. Oldh —2A 96
Radnor St. Stret —7H 133
Radstock Clo. M14 —1H 151
Radstock Clo. Bolt —5A 24
Radstock Rd. Stret —7G 133
Radway. Tyl —6J 87
Raeburn Dri. Marp B —3B 172
Rae St. Stoc —3E 168
Raglan Av. Clif —5F 91
Raglan Av. W'fld —7B 70
Raglan Clo. M11 —7B 116
Raglan Dri. Tim —3C 164
Raglan Rd. Mac —1H 199
Raglan Rd. Sale —7D 148
Raglan Rd. Stret —6F 133
Raglan St. Bolt —3K 43
Raglan St. Hyde —7G 139
Raglan St. Roch —4E 50
Raglan Wlk. M15 —3F 135
Ragley Clo. Poy —1D 190
Raikesclough Ind. Est. Bolt —2D 66
Raikes La. Bolt —2D 66 (in two parts)
Raikes Rd. Bolt —1F 67
Raikes Way. Bolt —1F 67
Railton Av. M16 —6D 134
Railton Ter. M9 —1B 116
Railway App. Rad —3F 69
Railway App. Roch —3E 50
Railway Brow. Roch —4E 50
Railway Rd. Adl & Brins —5J 19
Railway Rd. Chad —5J 95
Railway Rd. Golb —1K 125
Railway Rd. Leigh —3J 107
Railway Rd. Marp —5H 171
Railway Rd. Oldh —1B 96
Railway Rd. Stoc —3G 169
Railway Rd. Stret —4J 133
Railway Rd. Urm —7B 132
Railway St. M18 —3E 136
Railway St. Alt —7B 164
Railway St. Ath —3B 86
Railway St. Bury —2G 27
Railway St. Duk —7F 119
Railway St. Farn —5G 67
Railway St. Glos —1E 158
Railway St. Had —4C 142
Railway St. Heyw —4A 50
Railway St. Hind —7B 62
Railway St. Hyde —7H 139
Railway St. L'boro —6F 15
Railway St. Miln —1F 53 (Newhey)
Railway St. Miln —6J 31 (Rochdale)
Railway St. Newt W —6D 124
Railway St. Rad —3E 68
Railway St. Ram —5G 9
Railway St. Stoc —1G 169
Railway St. Wig —5C 60
Railway St. W. Bury —2F 27
Railway Ter. M21 —7B 134
Railway Ter. Bury —4G 47
Railway Ter. Cop —3B 18
Railway Ter. Dis —6D 184
Railway Ter. Heyw —4K 49
Railway Ter. S'seat —2G 27 (off Miller St.)
Railway View. Adl —5J 19
Railway View. Hyde —1G 155
Railway View. Shaw —5G 53
Railway View. Spring —1K 97
Railway View. Stoc —7G 137
Raimond St. Bolt —2J 43
Rainbow Clo. M21 —3B 150
Rainbow Dri. Ath —2D 86
Raincliff Av. M13 —7B 136
Raines Crest. Miln —6D 32
Rainford Av. M20 —2G 151
Rainford Av. Tim —5E 164
Rainford Ho. Bolt —5B 44 (off Beta St.)
Rainford Rd. Wind —3B 102
Rainford St. Bolt —6E 24
Rainforth St. M13 —6B 136
Rainham Dri. M8 —1G 115
Rainham Dri. Bolt —4A 44
Rainham Gro. Bolt —4A 44 (off Rainham Dri.)
Rainham Way. Chad —1K 95
Rainham Way Stoc —4K 153
Rainhill Wlk. M40 —3F 117
Rainow Av. Droy —7G 117
Rainow Rd. Mac —1J 199
Rainow Rd. Stoc —6E 168
Rainow Way. Wilm —4K 187
Rainsdale Flats. Heyw —3J 49 (off Meadow Clo.)
Rainshaw St. Bolt —1B 44
Rainshaw St. Oldh —6H 75
Rainshaw St. Rytn —2B 74
Rainsough Av. P'wch —6A 92
Rainsough Brow. P'wch —6K 91
Rainsough Clo. P'wch —6A 92
Rainton Wlk. M40 —5F 95
Rainwood. Chad —6G 73
Raithby Dri. Wig —4C 82
Raja Clo. M8 —1H 115
Rake. Roch —5K 29
Rakehead Wlk. M15 —4G 135 (off Botham Clo.)
Rake La. Clif —4E 90
Rake St. Bury —1K 47
Rake Ter. L'boro —5G 15
Rake Top. Roch —3E 30
Rakewood Dri. Oldh —2J 75
Rakewood Rd. L'boro —1F 33
Raleigh Clo. M20 —5G 151
Raleigh Clo. Oldh —6D 74
Raleigh Gdns. L'boro —2G 15
Raleigh St. Stoc —6G 153
Raleigh St. Stret —7H 133
Ralli Ct. Salf —7E 114 (5E 4)
Ralli Quays. Salf —7E 114 (5E 4)
Ralph Av. Hyde —3J 155
Ralph Grn. St. Chad —4K 95
Ralph Sherwin Ct. Roch —7B 14
Ralphs La. Duk —2G 139
Ralph St. M11 —7F 117
Ralph St. Bolt —3K 43
Ralph St. Roch —3J 31
Ralston Clo. M8 —7E 92
Ralstone Av. Oldh —3D 96
Ramage Wlk. M12 —7A 116
Ramillies Av. Chea H —3D 180
Rampit Clo. Hayd —2B 124
Ramp Rd. E. Man A —5C 178
Ramp Rd. S. Man A —5C 178
Ramp Rd. W. Man A —5B 178
Ramsay Av. Farn —7C 66
Ramsay Pl. Roch —4J 31
Ramsay St. Bolt —1A 44
Ramsay St. Roch —4J 31
Ramsay Ter. Roch —4J 31
Ramsbottom La. Ram —4G 9
Ramsbottom Rd. Hor —2G 41
Ramsbottom Rd. Tur & Hawk —2H 25
RAMSBOTTOM STATION. ELR —5G 9
Ramsbury Dri. M40 —5F 95
Ramsdale Rd. Bram —4G 181
Ramsdale St. Chad —7J 73
Ramsden Clo. Glos —7E 142
Ramsden Clo. Oldh —7C 74
Ramsden Clo. Wig —2C 82
Ramsden Cres. Oldh —6C 74
Ramsden Fold. Clif —5D 90
Ramsden Rd. Ward —4A 14 (in two parts)
Ramsden St. Ash L —4F 119
Ramsden St. Oldh —7C 74
Ramsey Av. M19 —1F 153
Ramsey Clo. Ash M —6D 104
Ramsey Clo. Ath —5E 86
Ramsey Gro. Bury —3F 47
Ramsey Rd. Leigh —4A 108
Ramsey St. M40 —1D 116
Ramsey St. Chad —2K 95
Ramsey St. Oldh —6F 75
Ramsgate Rd. M40 —4E 116
Ramsgate Rd. Stoc —3H 153
Ramsgate St. Salf —3E 114
Ramsgill Clo. M23 —2J 165
Ramsgreave Clo. Bury —6H 47
Ram St. L Hul —3B 88
Ramwell Gdns. Bolt —1K 65
Ramwells Brow. Brom X —4B 24
Ramwells Ct. Brom X —4D 24
Ramwells M. Brom X —4D 24
Ranby Av. M9 —3B 94
Randale Dri. Bury —3A 70
Randall Av. Shev —1G 59
Randall Wlk. M11 —7B 116 (off Turnpike Wlk.)
Randal St. Bolt —2J 65
Randal St. Hyde —6J 139
Randerson St. M12 —2J 135 (9N 5)
Randlesham St. P'wch —3C 92
Randle St. Hind —7B 62
Randolph Pl. Stoc —4G 169
Randolph Rd. Kear —7H 67
Randolph St. M19 —7D 136
Randolph St. Bolt —7J 43
Randolph St. Oldh —5A 96
Rands Clough Dri. Wor —2D 110
Rand St. Oldh —5H 75
Ranelagh Rd. Pen —1F 113
Ranelagh St. M11 —6D 116
Raneley Gro. Roch —3J 51
Ranford Rd. M19 —2C 152
Range Ct. Mac —2G 199
Range Dri. Woodl —4G 155
Range Hall Ct. Stoc —2J 169
Range La. Dens —4D 54
Rangemoor Clo. Bchwd —4A 144
Rangemore Av. M22 —3E 166
Range Rd. M16 —6E 134
Range Rd. Duk & Stal —2B 140 (in two parts)
Range Rd. Stoc —4G 169
Range St. M11 —1E 136
Range St. Bolt —2K 65
Ranicar St. Hind —4G 85
Rankin Clo. M15 —4E 134
Rankine Ter. Bolt —7K 43
Ranmore Av. Ash M —4K 103
Ranmore Av. Open —1F 137
Rannoch Rd. Bolt —6H 45
Ransfield Rd. M21 —7B 134
Ransom Cres. Old T —4D 134
Ranulph Ct. Salf —3H 113
Ranworth Av. Stoc —1B 168
Ranworth Clo. M11 —1B 136
Ranworth Clo. Bolt —6C 24
Raper St. Oldh —6G 75
Rapes Highway. Dens —7D 34
Raphael St. Bolt —3K 43
Rappax Rd. Hale —4E 176
Rasbottom St. Bolt —1A 66
Raspberry La. Irl —4C 130
Rassbottom Brow. Stal —6K 119
Rassbottom Ind. Est. Stal —6K 119
Rassbottom St. Stal —6K 119
Rassey Clo. Stand —6C 38
Rastell Wlk. M9 —4A 94 (off Ravenswood Dri.)
Ratcliffe Av. Irl —7C 130
Ratcliffe Rd. Asp —7A 40
Ratcliffe St. M19 —1D 152
Ratcliffe St. Leigh —1K 107
Ratcliffe St. Stoc —3H 169 (in two parts)
Ratcliffe St. Tyl —6H 87
Ratcliffe St. Wig —5C 60
Ratcliffe Ter. Moss —7C 98
Ratcliffe Towers. Stoc —3H 169
Rathan Rd. Urm —5A 132
Rathbone St. Roch —5A 32
Rathbourne Av. M9 —3K 93
Rathen Av. Ince —5J 61
Rathen Rd. M20 —5H 151
Rathmell Clo. Cul —6J 127
Rathmell Rd. M23 —1K 165
Rathmore Av. M40 —3A 116
Rathvale Dri. M22 —4C 178
Rath Wlk. M40 —3E 116
Rattenbury Ct. Salf —3G 113
Raveden Clo. Bolt —2J 43
Raveley Av. M14 —2K 151
Ravelston Dri. M9 —2K 115
Raven Av. Chad —2J 95
Raven Clo. Droy —5A 118
Raven Ct. Lymm —7F 161
Ravendale Clo. Roch —3C 30
Raven Dri. Irl —6C 130
Ravenfield Gro. Bolt —5K 43
Ravenhead Clo. M14 —2K 151
Ravenhead Dri. Uph —7A 58
Ravenhead Sq. C'brk —3E 120
Ravenhurst. Salf —6E 92
Ravenhurst Ct. Bchwd —5A 144
Ravenhurst Dri. Bolt —7D 42
Ravenna Av. M23 —4H 165
Ravenoak Av. M19 —1E 152
Ravenoak Dri. Fail —7J 95
Ravenoak Pk. Rd. Chea H —4D 180
Ravenoak Rd. Chea H —4D 180

264 A-Z Greater Manchester

Ravenoak Rd.—Ridgmont Clo.

Ravenoak Rd. *Stoc* —7J **169**
Raven Rd. *Bolt* —2G **65**
Raven Rd. *Tim* —2F **165**
Ravensbury St. *M11* —6D **116**
Ravenscar Cres. *M22* —4D **178**
Ravenscar Wlk. *Farn* —7F **67**
Ravens Clo. *P'wch* —5E **92**
Ravenscraig Rd. *L Hul* —1D **88**
Ravensdale Gdns. *Ecc* —5C **112**
Ravensdale Rd. *Bolt* —6D **42**
Ravensdale St. *M14* —6J **135**
Ravensfield Ind. Est. *Duk* —7F **119**
Ravenside Pk. *Chad* —2J **95**
Ravenstonedale Dri. *Rytn* —1C **74**
Ravenstone Dri. *Sale* —5J **149**
Ravenstones Dri. *Dig* —3J **77**
Raven St. *M12* —1J **135** (8P **5**)
Raven St. *Bury* —1K **47**
Raven St. *Roch* —3A **30**
Ravensway. *P'wch* —5D **92**
Ravens Wood. *Bolt* —6E **42**
Ravenswood Av. *Stoc* —2C **168**
Ravenswood Av. *Wig* —4K **81**
Ravenswood Ct. *Stoc* —7H **169**
Ravenswood Dri. *M9* —4A **94**
Ravenswood Dri. *Bolt* —5E **42**
Ravenswood Dri. *Chea H* —4D **180**
Ravenswood Dri. *Hind* —7C **62**
Ravenswood Rd. *Stret* —4K **133**
Ravenswood Rd. *Wilm* —2E **194**
Raven Ter. Duk —7G ***119***
(off Astley St.)
Raven Way. *Salf* —5A **114**
Ravenwood. *Chad* —7F **73**
Ravenwood Dri. *Aud* —3C **138**
Ravenwood Dri. *Haleb* —5H **177**
Ravine Av. *M9* —1A **116**
Rawcliffe Av. *Bolt* —6H **45**
Rawcliffe St. *M14* —6H **135**
Rawdon Clo. *M19* —1D **152**
Rawlinson La. *Hth C* —2G **19**
Rawlinson St. *Hor* —1F **41**
Rawlyn Rd. *Bolt* —3G **43**
Rawpool Gdns. *M23* —4A **166**
Rawson Av. *Farn* —5G **67**
Rawson Rd. *Bolt* —4J **43**
Rawsons Rake. *Ram* —5E **8**
Rawson St. *Farn* —5F **67**
Rawsthorne Av. *Eden* —1H **9**
Rawsthorne St. *Bolt* —3A **44**
Rawsthorne St. *Tyl* —7K **87**
Rawstron St. *Whitw* —2E **12**
Rawthey Pl. *Plat B* —5H **83**
Rayburn Way. *M8* —3G **115**
Raycroft Av. *M9* —5C **94**
Raydale Clo. *Lwtn* —7C **106**
Rayden Cres. *W'houg* —1J **85**
Raydon Av. *M40* —3K **115**
Raylees. *Ram* —7G **9**
Rayleigh Av. *Open* —2H **137**
Rayleigh Clo. *Mac* —2A **198**
Raymond Av. *Bury* —7K **27**
Raymond Av. *Chad* —3K **95**
Raymond Rd. *M23* —1B **166**
Raymond St. *Pen* —6D **90**
Rayner Av. *Hind* —5B **84**
Rayner La. *Ash L* —6B **118**
Rayner St. *Stoc* —3K **169**
Raynham Av. *M20* —7H **151**
Raynham St. *Ash L* —5G **119**
Rayson St. *M9* —5J **93**
Reabrook Av. *M12* —3B **136**
Reach, The. *Wor* —5G **89**
Read Clo. *Bury* —6H **47**
Reade Av. *Urm* —1H **147**
Reade Ho. *Urm* —1H **147**
Reading Clo. *M11* —1E **136**
Reading Dri. *Sale* —6B **148**
Reading St. *Salf* —3B **114**
Reading Wlk. *Dent* —1D **154**
Readitt Wlk. *M11* —6D **116**
Read St. *Hyde* —6G **139**
Read St. W. *Hyde* —6G **139**
Reaney Wlk. *M12* —3C **136**
Rear Grn. *Clif* —5F **91**
Reather Clo. *M40* —5J **115** (1P **5**)
Rebecca St. *M8* —7G **93**
Rechar Way. *Pen* —1H **113**
Recreation Av. *Ash M* —4F **105**
Recreation Dri. *Bil* —3E **102**
Recreation Rd. *Fail* —6K **95**
Recreation St. *Bolt* —2A **66**
Recreation St. *Brad* —7G **25**
Recreation St. *P'wch* —3C **92**
Rectory Av. *M8* —6G **93**
Rectory Av. *Lwtn* —1A **126**
Rectory Av. *P'wch* —3B **92**
Rectory Clo. *Dent* —7E **138**
Rectory Clo. *Mars* —1H **57**
Rectory Clo. *Rad* —2H **69**
Rectory Fields. *Stoc* —2J **169**
Rectory Gdns. *P'wch* —3B **92**
Rectory Gdns. *W'houg* —2J **85**
Rectory Grn. *P'wch* —3A **92**
Rectory Grn. *Stoc* —2J **169**
Rectory Gro. *P'wch* —4B **92**
Rectory La. *Bury* —1D **48**
Rectory La. *P'wch* —2A **92**
Rectory La. *Rad* —3F **69**
Rectory La. *Stand* —4A **38**
Rectory M. *M22* —2F **167**
Rectory Rd. *M8* —6F **93**
Rectory Rd. *Ash M* —3K **103**
Rectory St. *Mid* —5B **72**
Redacre. *Poy* —6C **182**
Redacre Rd. *M18* —3G **137**
Red Bank. *M4 & M8* —5G **115** (1J **5**)
Redbank. *Bury* —6E **28**
Red Bank Rd. *Rad* —1D **68**
Redbarn Clo. *Bred* —6D **154**
Red Barn Rd. *Bil* —2B **102**
Redbourne Dri. *Urm* —5H **131**
Redbrick Ct. *Ash L* —7E **118**
Red Bri. *Bolt* —4J **45**
Redbridge Gro. *M21* —2A **150**
Redbrook Av. *M40* —3A **116**
Redbrook Clo. *Farn* —5G **67**
Redbrook Gro. *Wilm* —4K **187**
Redbrook Rd. *Part* —1A **162**
Redbrook Rd. *Tim* —5H **165**
Red Brook St. *Roch* —5F **31**
Redbrook Way. *A'ton* —7A **190**
Redburn Clo. *Wig* —1D **82**
Redburn Rd. *M23* —4B **166**
Redcar Av. *M20* —4H **151**
Redcar Av. *Urm* —5J **131**
Redcar Clo. *Haz G* —2D **182**
Redcar Clo. *Oldh* —5F **75**
Redcar Rd. *Bolt* —1H **43**
Redcar Rd. *L Lev* —3J **67**
Redcar Rd. *Pen* —1G **113**
Redcar St. *Roch* —4G **31**
Redcliffe Ct. *P'wch* —5B **92**
Redclyffe Av. *M14* —6J **135**
Redclyffe Rd. *M20* —5G **151**
Redclyffe Rd. *Urm* —1B **132**
Redcot Ct. *W'fld* —7G **69**
Redcote St. *M40* —7C **94**
Redcourt. *Glos* —2E **158**
Redcourt Av. *M20* —6H **151**
Redcroft Gdns. *M19* —6A **152**
Redcroft Rd. *Sale* —4C **148**
Redcross St. *Roch* —4H **31**
Redcross St. N. *Roch* —3G **31**
Reddaway Clo. *Salf* —3A **114**
Reddish Clo. *Bolt* —6G **25**
Reddish Cres. *Lymm* —7F **161**
Reddisher Rd. *Mars* —1G **57**
Reddish La. *M18* —5G **137**
Reddish La. *Lymm* —7F **161**
REDDISH NORTH STATION. *BR* —7H **137**
Reddish Rd. *Stoc* —3H **153**
REDDISH SOUTH STATION. *BR* —3H **153**
Reddish Vale Rd. *Stoc* —3H **153**
Reddy La. *M'ton & Boll* —5C **174**
Redesmere Clo. *Droy* —7K **117**
Redesmere Clo. *Tim* —5H **165**
Redesmere Dri. *Ald E* —5F **195**
Redesmere Dri. *Chea H* —7B **168**
Redesmere Pk. *Urm* —2K **147**
Redesmere Rd. *Hand* —7K **179**
Redfearn Wood. *Roch* —2D **30**
Redfern Av. *Sale* —7J **149**
Redfern Cotts. *Roch* —3K **29**
Redfern St. *M4* —6G **115** (3J **5**)
Redfern Way. *Roch* —3K **29**
Redfield Clo. *M11* —7B **116**
Redford Clo. *Leigh* —3A **108**
Redford Dri. *Bram* —2J **181**
Redford Rd. *M8* —3F **93**
Redford St. *Bury* —2G **47**
(in two parts)
Redgate. *Hyde* —2H **155**
Redgate. *L Pad* —5E **142**
Redgate La. *M12* —3B **136**
(in two parts)
Redgate Rd. *S Lan* —2D **104**
Redgrave Pl. *Oldh* —6H **75**
Redgrave Rise. *Wig* —4K **81**
Redgrave St. *Oldh* —6G **75**
Redgrave Wlk. *M19* —1E **152**
Red Hall St. *Oldh* —1G **97**
Redhill Dri. *Bred* —7B **154**
Redhill Gro. *Bolt* —4A **44**
Redhill St. *M4* —6H **115** (5M **5**)
Red Hill Way. *Hind* —1B **84**
Redhouse La. *Bred* —6D **154**
Redhouse La. *Dis* —5E **184**
Red Ho. La. *Dun M* —3E **162**
Redington Clo. *Wor* —3C **110**
Redisher Clo. *Ram* —1D **26**
Redisher La. *Hawk* —1C **26**
Redland Av. *Stoc* —5H **153**
Redland Clo. *L'boro* —5F **15**
Redland Ct. *Bam* —1H **105**
Redland Cres. *M21* —4B **150**
Red La. *Bolt* —4F **45**
Red La. *Dig* —7J **55**
Red La. *Dis* —7B **184**
Red La. *Roch* —2K **31**
Red Lion St. *M4* —6G **115** (4K **5**)
Red Lodge. *Dis* —6A **184**
Red Lumb St. *Roch* —7G **11**
Redlynch Wlk. *M8* —1G **115**
Redmain Gro. *Lwtn* —1C **126**
Redmayne Clo. *Newt W* —5D **124**
Redmere Gro. *M14* —2J **151**
Redmire M. *Duk* —2K **139**
Redmires Ct. *Salf* —7A **114**
Redmond Clo. *Aud* —2C **138**
Redmoor La. *Dis* —7G **185**
Redmoor La. *N Mills* —6H **185**
Redmoor Sq. *M13* —2H **135** (9M **5**)
Rednal Wlk. *Wig* —1D **82**
Red Pike Wlk. *Oldh* —6E **74**
Redpol Av. *Leigh* —2B **108**
Redpoll Clo. *Wor* —1D **110**
Red Rock Brow. *Wig* —5E **38**
Red Rock La. *Haig* —5D **38**
Red Rock La. *Rad* —1B **90**
Red Rose Cen. *Salf* —7B **114**
Redrose Cres. *M19* —3E **152**
Red Rose Gdns. *Sale* —4F **149**
Red Rose Gdns. *Wor* —3C **88**
Red Row. *Haz G* —4F **183**
Redruth Av. *Mac* —2A **198**
Redruth St. *M14* —7H **135**
Redscar Wlk. *Mid* —5K **71**
Redshank Clo. *Newt W* —5E **124**
Redshank Gro. *Leigh* —2A **108**
Redshank La. *Bchwd* —6A **144**
Redshaw Av. *Bolt* —6D **24**
Redshaw Clo. *M14* —1K **151**
Redstart Gro. *Wor* —7F **89**
Redstock Clo. *W'houg* —5A **64**
Redstone Rd. *M19* —7K **151**
Red St. *Ath* —4E **86**
Redthorn Av. *M19* —3B **152**
Redvales Rd. *Bury* —6J **47**
Redvale Wlk. *Salf* —2E **114**
Redvers St. *M11* —1A **136**
Redvers St. *Oldh* —6B **74**
Redwater Clo. *Wor* —2C **110**
Red Waters. *Leigh* —2A **108**
Redway La. *Ker* —3K **197**
Redwing Cen. *Traf P* —3G **133**
Redwing Rd. *G'mnt* —2D **26**
Redwood. *Chad* —7F **73**
Redwood. *Sale* —6A **148**
Redwood. *Shev* —7H **37**
Redwood. *W'houg* —1H **85**
Redwood Av. *Orr* —1G **81**
Redwood Av. *Wig* —3B **60**
Redwood Clo. *Roch* —1D **30**
Redwood Dri. *M8* —3H **115**
Redwood Dri. *Aud* —3C **138**
Redwood Dri. *Bred* —6D **154**
Redwood La. *Lees* —7J **75**
Redwood Pk. Gro. *Firg* —5B **32**
Redwood Rd. *Upperm* —7J **77**
Redwood St. *Salf* —4A **114**
Reece Ct. *Duk* —1H **139**
Reedbank. *Rad* —6E **68**
Reed Ct. *Oldh* —6C **74**
Reed Cres. *Wig* —3C **82**
Reedham Clo. *Bolt* —5J **43**
Reedham Wlk. M40 —4A ***116***
(off Lifton Av.)
Reedham Wlk. *Oldh* —3A **96**
Reed Hill. *Roch* —4H **31**
Reedley Dri. *Wor* —7E **88**
Reedmace Clo. *Wor* —6G **89**
Reedshaw Bank. *Stoc* —6B **170**
Reedsmere Clo. *Wig* —1B **82**
Reed St. *M18* —3F **137**
Reed St. *Oldh* —7D **74**
Reeman Clo. *Bred* —6E **154**
Reeman Ct. *Wilm* —4H **187**
Reepham Clo. *Wig* —4K **81**
Reeve Clo. *Stoc* —6D **170**
Reeve's Ct. *Salf* —6E **112**
Reeves Rd. *M21* —3B **150**
Reeves St. *Leigh* —2K **107**
Reeve St. *Lwtn* —1F **127**
Reevey Av. *Haz G* —2A **182**
Reform St. *Roch* —4H **31**
Reform Wlk. *Open* —1D **136**
Refuge St. *Shaw* —7F **53**
Regaby Gro. *Hind* —2E **84**
Regal Clo. *W'fld* —6B **70**
Regal Ind. Est. *M12* —2C **136**
Regal Wlk. *M40* —2E **116**
Regan Av. *M21* —3D **150**
Regan St. *Bolt* —2K **43**
Regan St. *Rad* —4F **69**
Regatta St. *Salf* —2K **113**
Regency Clo. *M40* —3K **115**
Regency Clo. *Glos* —1F **159**
Regency Clo. *Oldh* —3B **96**
Regency Ct. *Chea H* —2C **180**
Regency Ct. *Wig* —6F **61**
Regency Wharf. *Leigh* —4C **108**
Regent Av. *M14* —7G **135**
Regent Av. *Ash M* —3B **104**
Regent Av. *L Hul* —3E **88**
Regent Av. *Mac* —5D **198**
Regent Bank. *Wilm* —1F **195**
Regent Clo. *Bram* —1F **189**
Regent Clo. *Chea H* —7E **168**
Regent Clo. *Wilm* —1F **195**
Regent Ct. *Salf* —6D **92**
Regent Ct. *Stoc* —5E **152**
Regent Cres. *Fail* —2G **117**
Regent Cres. *Rytn* —4B **74**
Regent Dri. *Dent* —1B **154**
Regent Dri. *Leigh* —1D **108**
Regent Dri. *Los* —6B **42**
Regent Dri. *Moss* —7D **98**
Regent Ho. *M14* —6K **135**
Regent Pk. *Salf* —4K **113**
Regent Pl. *M14* —5J **135**
Regent Rd. *Alt* —7A **164**
Regent Rd. *Los* —7B **42**
Regent Rd. *Plat B* —4J **83**
Regent Rd. *Salf* —7B **114**
Regent Rd. *Stoc* —5J **169**
Regent Rd. Ind. Area. *Salf* —1D **134** (8C **4**)
Regents Pk. Ct. *Wilm* —1F **195**
Regents Pl. *Salf* —7B **114**
Regent Sq. *Salf* —1B **134**
(in two parts)
Regent St. *M40* —3F **117**
Regent St. *Ath* —5E **86**
Regent St. *Bury* —1K **47**
Regent St. *Cop* —3A **18**
Regent St. *Ecc* —6D **112**
Regent St. *Glos* —1F **159**
Regent St. *Heyw* —4H **49**
Regent St. *Hind* —2A **84**
(in two parts)
Regent St. *L'boro* —6F **15**
Regent St. *Mid* —4B **72**
Regent St. *Newt W* —6C **124**
Regent St. *Oldh* —7E **74**
Regent St. *Pad* —4D **142**
Regent St. *Ram* —7E **8**
Regent St. *Roch* —3H **31**
Regent St. *Shaw* —6F **53**
Regent Wlk. *Farn* —6F **67**
Regina Av. *Stal* —6A **120**
Regina Ct. *Salf* —5E **112**
Regina Cres. *Leigh* —2E **108**
Reginald Latham Ct. *M40* —5K **115**
Reginald St. *Bolt* —4G **65**
Reginald St. *Ecc* —1J **131**
Reginald St. *Open* —2H **137**
Reginald St. *Swint* —6B **90**
Reid Clo. *Dent* —2E **154**
Reigate Clo. *Bury* —4F **47**
Reigate Rd. *Urm* —2G **147**
Reilly St. *M15* —3F **135**
Reins Lea Av. *Oldh* —5E **96**
Reins Lee Rd. *Ash L* —2E **118**
Reliance St. *M40* —2E **116**
Rembrandt Wlk. *Oldh* —2G **75**
Rena Clo. *Stoc* —7F **153**
Rena Ct. *Stoc* —7F **153**
Rendel Clo. *Newt W* —7F **125**
Rendel Clo. *Stret* —7H **133**
Rendlesham Clo. *Bchwd* —4B **144**
Renfrew Clo. *Bolt* —3F **65**
Renfrew Clo. *Mac* —1B **198**
Renfrew Clo. *Wig* —4C **82**
Renfrew Dri. *Bolt* —3F **65**
Renfrew Rd. *Asp* —1B **62**
Rennell St. *Roch* —5J **31**
Rennie Clo. *Stret* —7J **133**
Renshaw Av. *Ecc* —7B **112**
Renshaw Dri. *Bury* —2C **48**
Renshaw Sq. *Ecc* —7A **112**
Renshaw St. *Alt* —6C **164**
Renshaw St. *Ecc* —7B **112**
Renton Rd. *M22* —7D **166**
Renton Rd. *Stret* —7J **133**
Renwick Gro. *Bolt* —3J **65**
Renwick Sq. *Ash M* —5B **104**
Repton Av. *M40* —6G **95**
Repton Av. *Dent* —6J **137**
Repton Av. *Droy* —5F **117**
Repton Av. *Hyde* —6J **139**
Repton Av. *Ince* —3H **83**
Repton Av. *Oldh* —4B **96**
Repton Av. *Urm* —7F **131**
Repton Clo. *Sale* —7B **148**
Reservoir Rd. *Stoc* —4F **169**
Reservoir St. *Asp* —3D **62**
(Aspull)
Reservoir St. *Asp* —6J **61**
(Wigan)
Reservoir St. *Roch* —4A **32**
Reservoir St. *Salf* —6K **113**
(Pendleton)
Reservoir St. *Salf*
(Salford) —5E **114** (2F **4**)
Restormel Av. *Asp* —1B **62**
Retford Av. *Roch* —1K **51**
Retford Clo. *Bury* —7H **27**
Retford St. *Oldh* —2F **97**
Retiro St. *Oldh* —7D **74**
Retreat, The. *Rom* —2G **171**
Reuben St. *Stoc* —6G **153**
Revers St. *Bury* —2H **47**
Reveton Grn. *Bram* —2J **181**
Rex Bldgs. *Wilm* —7H **187**
Rex Ct. *Grot* —1B **98**
Reynard Ct. *M13* —5A **136**
Reynard Rd. *M21* —3B **150**
Reynard St. *Hyde* —6H **139**
Reynell Rd. *M13* —7B **136**
Reyner Stephens Way. *Ash L* —5F **119**
Reyner St. *M1* —1G **135** (7J **5**)
Reyner St. *Ash L* —6J **119**
Reynolds Clo. *Bolt* —1F **87**
Reynolds Dri. *M18* —3F **137**
Reynolds Dri. *Bolt* —7F **65**
Reynolds Dri. *Marp B* —3B **172**
Reynolds M. *Wilm* —5A **188**
Reynolds Rd. *M16* —5C **134**
Reynold St. *Hyde* —7H **139**
Rhine Clo. *Tot* —5D **26**
Rhiwlas Dri. *Bury* —5K **47**
Rhodehouses. *Marp* —1K **183**
Rhodes Av. *Lees* —2K **97**
Rhodes Av. *Upperm* —5J **77**
Rhodes Bank. *Oldh* —1D **96**
Rhodes Cres. *Roch* —2H **51**
Rhodes Dri. *Bury* —4A **70**
Rhodes Hill. *Lees* —2K **97**
Rhodes St. *M40* —4A **116**
Rhodes St. *Hyde* —6G **139**
Rhodes St. *Oldh* —7E **74**
Rhodes St. *Pad* —4D **142**
Rhodes St. *Roch* —1K **31**
Rhodes St. *Shaw* —3E **74**
Rhodes St. N. *Hyde* —6G **139**
Rhode St. *Tot* —6D **26**
Rhodeswood Dri. *Had* —3C **142**
Rhos Av. *M14* —2A **152**
Rhos Av. *Chea H* —3A **180**
Rhos Av. *Mid* —7C **72**
Rhos Dri. *Haz G* —3B **182**
Rhosleigh Av. *Bolt* —1K **43**
Rial Pl. *M15* —3G **135**
Rialto Gdns. *Salf* —2E **114**
Ribbesford Rd. *Wig* —3J **81**
Ribble Av. *Bolt* —6G **45**
Ribble Av. *Chad* —5H **73**
Ribble Av. *L'boro* —5D **14**
Ribble Clo. *Cul* —7K **127**
Ribble Cres. *Bil* —5C **102**
Ribble Dri. *Bury* —4K **27**
Ribble Dri. *Kear* —2J **89**
Ribble Dri. *W'fld* —5A **70**
Ribble Dri. *Wig* —7J **59**
Ribble Dri. *Wor* —2B **110**
Ribble Gro. *Heyw* —2G **49**
Ribble Gro. *Leigh* —3G **107**
Ribble Rd. *Oldh* —4A **96**
Ribble Rd. *Plat B* —5J **83**
Ribble Rd. *Stand* —3H **37**
Ribblesdale Clo. *Heyw* —6A **50**
Ribblesdale Dri. *M40* —3J **115**
Ribblesdale Rd. *Bolt* —2K **65**
Ribble St. *Roch* —1F **51**
Ribbleton Clo. *Bury* —4D **46**
Ribble Wlk. *Droy* —1J **137**
Ribchester Dri. *Bury* —6H **47**
Ribchester Gdns. *Cul* —6A **128**
Ribchester Gro. *Bolt* —4G **45**
Ribchester Wlk. *M15* —3F **135**
Riber Bank. *Glos* —1A **158**
Riber Clo. Glos —1A ***158***
(off Riber Bank)
Riber Fold. Glos —1A ***158***
(off Riber Bank)
Riber Grn. Glos —1A ***158***
(off Riber Bank)
Ribstow St. *M15* —3E **134**
Rice St. *M3* —1E **134** (7E **4**)
Richard Burch St. *Bury* —2K **47**
Richard Gwyn Clo. *W'houg* —1H **85**
Richard Reynolds Ct. *Irl* —4A **146**
Richardson Clo. *W'fld* —4K **69**
Richardson Rd. *Ecc* —6C **112**
Richardson St. *Stoc* —4J **169**
Richards Rd. *Stand* —2H **37**
Richard St. *Ince* —1F **83**
Richard St. *Rad* —3D **68**
Richard St. *Ram* —4J **9**
Richard St. *Roch* —6H **31**
Richard St. *Shaw* —1E **74**
Richard St. *Stoc* —1H **169**
(in two parts)
Richbell Clo. *Irl* —3A **146**
Richborough Clo. *Salf* —3E **114**
Richelieu St. *Bolt* —2C **66**
Richmond Av. *Chad* —3J **95**
Richmond Av. *Hand* —7K **179**
Richmond Av. *P'wch* —6C **92**
Richmond Av. *Rytn* —2B **74**
Richmond Av. *Urm* —7C **132**
Richmond Clo. *Cul* —5H **127**
Richmond Clo. *Duk* —3H **139**
Richmond Clo. *Had* —4C **142**
Richmond Clo. *Lymm* —7H **161**
Richmond Clo. *Moss* —7E **98**
Richmond Clo. *Sale* —7K **149**
Richmond Clo. *Shaw* —1F **75**
Richmond Clo. *Stal* —7A **120**
Richmond Clo. *Stand* —6E **38**
Richmond Clo. *Tot* —6D **26**
Richmond Clo. *W'fld* —7H **69**
Richmond Ct. M9 —2G ***93***
(off Deanswood Dri.)
Richmond Ct. *M13* —5A **136**
Richmond Ct. *Bow* —2K **175**
Richmond Ct. *Chea* —6J **167**
Richmond Cres. *Moss* —7E **98**
Richmond Dri. *Leigh* —1D **108**
Richmond Dri. *Lymm* —7H **161**
Richmond Dri. *Wor* —7A **90**
Richmond Gdns. *Bolt* —3D **66**
Richmond Gdns. *Newt W* —7E **124**
Richmond Grn. *Bow* —2K **175**
Richmond Gro. *M12* —4A **136**
Richmond Gro. *M13* —5K **135**
Richmond Gro. *Chea H* —2B **180**
Richmond Gro. *Ecc* —5C **112**
Richmond Gro. *Farn* —5C **66**
Richmond Gro. *Leigh* —1E **108**
Richmond Hill. *Bow* —2K **175**
Richmond Hill. *Hyde* —1K **155**
(in two parts)
Richmond Hill. *Knut* —5E **192**
Richmond Hill. *Mac* —5G **199**
Richmond Hill. *Wig* —1J **81**
Richmond Hill Rd. *Gat* —6J **167**
Richmond Ho. *Stal* —7A **120**
Richmond Ho. *Tyl* —6F **87**
Richmond Pl. *Mac* —5G **199**
Richmond Rd. *M14* —2K **151**
Richmond Rd. *Alt* —6B **164**
Richmond Rd. *Ash M* —3B **104**
Richmond Rd. *Bow* —2K **175**
Richmond Rd. *Dent* —6J **137**
Richmond Rd. *Duk* —3G **139**
Richmond Rd. *Fail* —7J **95**
Richmond Rd. *Hind* —4E **84**
Richmond Rd. *Rom* —7G **155**
Richmond Rd. *Stoc* —1B **168**
Richmond Rd. *Traf P* —2E **132**
Richmond Rd. *Wor* —1A **110**
Richmond St. *M1* —1G **135** (7K **5**)
Richmond St. *Ash L* —4D **118**
Richmond St. *Ath* —4C **86**
Richmond St. *Aud* —3C **138**
Richmond St. *Bury* —5J **47**
Richmond St. *Droy* —6A **118**
Richmond St. *Hor* —2F **41**
Richmond St. *Hyde* —7J **139**
Richmond St. *Salf* —5E **114** (2E **4**)
Richmond St. *Stal* —6B **120**
Richmond St. *Wig* —6D **60**
Richmond St. *Wor M* —2C **82**
Richmond Ter. *Ald E* —5G **195**
Richmond Ter. *H Lane* —4B **184**
Richmond Wlk. *Oldh* —1B **96**
Richmond Wlk. *Rad* —7D **46**
Rickford Av. *Leigh* —1H **107**
Ricroft Rd. *Comp* —7B **156**
Ridd Cotts. *Roch* —4H **29**
Riddell Ct. *Salf* —6G **113**
Ridding Av. *M22* —2E **178**
Ridding Clo. *Stoc* —5B **170**
Riddings Ct. *Tim* —3D **164**
Riddings Rd. *Hale* —3D **176**
Riddings Rd. *Tim* —3D **164**
Riders Ga. *Bury* —1F **49**
Ridge Av. *Haleb* —6H **177**
Ridge Av. *Marp* —7A **172**
Ridge Av. *Stand* —6D **38**
Ridge Clo. *Had* —5A **142**
Ridge Clo. *Rom* —1J **171**
Ridge Cres. *Marp* —1K **183**
Ridge Cres. *W'fld* —6B **70**
Ridgecroft. *Ash L* —2F **119**
Ridgedale Cen. *Marp* —5K **171**
Ridge End Fold. *Marp* —2A **184**
Ridgefield. *M2* —7F **115** (5G **4**)
Ridgefield St. *Fail* —1F **117**
(in two parts)
Ridge Gro. *W'fld* —6B **70**
Ridge Hill La. *Stal* —6K **119**
(in two parts)
Ridge La. *Dig* —1K **77**
Ridgemont Av. *Stoc* —7D **152**
Ridgemont Dri. *Wor* —2B **110**
Ridgemont Wlk. *M23* —1K **165**
Ridge Pk. *Bram* —6F **181**
Ridge Rd. *Marp* —7A **172**
Ridge, The. *Marp* —1A **184**
Ridge View. *Mac* —6E **198**
Ridge Wlk. *M9* —4K **93**
Ridgeway. *Clif* —5F **91**
Ridgeway. *Lwtn* —2D **126**
Ridgeway. *Wilm* —6B **188**
Ridgeway Gates. *Bolt* —6B **44**
Ridgeway Rd. *Tim* —6G **165**
Ridgeway, The. *Dis* —5C **184**
Ridgewell Av. *Lwtn* —1A **126**
Ridgewood Av. *M40* —3K **115**
Ridgewood Av. *Chad* —6G **73**
Ridgmont Clo. *Hor* —2K **41**

Ridgmont Dri.—Rosalind Ct.

Ridgmont Dri. Hor —2K 41
Ridgmont Rd. Bram —7G 181
Ridgway. Blac —3A 40
Ridgway St. M40 —6K 115
Ridgway St. E. M4 —6K 115
Ridgway, The. Rom —2E 170
Riding Clo. Ast —1K 109
Ridingfold La. Wor —3J 111
Riding Ga. Bolt —6G 25
Riding Ga. M. Bolt —6G 25
Riding Head La. Ram —3K 9
Riding La. Ash M —2G 105
Ridings Ct. Dob —4G 77
Ridings Rd. Had —4B 142
Ridings St. M40 —3B 116
Riding St. Salf —6E 114 (4E 4)
Ridley Dri. Tim —2C 164
Ridley Gro. Sale —7K 149
Ridley Rd. Boll —2G 197
Ridley St. Oldh —1E 96
Ridley Wlk. M15 —4G 135
Ridling La. Hyde —7J 139
Ridsdale Av. M20 —4G 151
Ridsdale Wlk. Salf —3A 114
Ridyard St. L Hul —3D 88
Ridyard St. Plat B —4K 83
Ridyard St. Wig —7K 59
Riefield. Bolt —3H 43
Rifle Rd. Sale —5K 149
Rifle St. Oldh —6D 74
Riga Rd. M14 —1J 151
Riga St. M4 —6G 115 (3K 5)
Rigby Av. Blac —3A 40
Rigby Av. Rad —1G 69
Rigby Ct. Bolt —2B 66
(in two parts)
Rigby Ct. Roch —3A 30
Rigby Ct. Salf —1D 114
Rigby Gro. L Hul —3A 88
Rigby La. Bolt —6E 24
Rigbys La. Ash M —5F 105
Rigby St. Ash M —5C 104
Rigby St. Bolt —2B 66
Rigby St. Bow —1B 176
Rigby St. Golb —1J 125
Rigby St. Hind —1C 84
Rigby St. Salf —1D 114
(in two parts)
Rigby's Yd. Wig —1H 81
Rigby Wlk. Salf —2E 114
Rigel Pl. Salf —5C 114 (1B 4)
Rigel St. M4 —5J 115 (2P 5)
Rigi Mt. Rytn —7B 52
Rigton Clo. M12 —4C 136
Riley Clo. Sale —2K 163
Riley Ct. Bolt —4B 44
Riley La. Haig —5K 39
Riley Sq. Wig —5F 61
Riley St. Ath —6A 86
Riley Wood Clo. Rom —2D 170
Rilston Av. Cul —6H 127
Rimington Av. Lwtn —7A 106
Rimington Clo. Cul —6J 127
Rimmer Clo. M11 —7A 116
Rimmington Clo. M9 —5C 94
Rimmington Clo. Cul —6J 127
Rimsdale Clo. Gat —1G 179
Rimsdale Wlk. Bolt —1E 64
(in two parts)
Rimworth Dri. M40 —4J 115
Rindle Rd. Ast —6J 109
Ringcroft Gdns. M40 —6D 94
Ringfield Clo. M16 —5E 134
(in two parts)
Ringford Wlk. M40 —3A 116
Ringley Av. Golb —7H 105
Ringley Chase. W'fld —6J 69
Ringley Clo. W'fld —6H 69
Ringley Dri. W'fld —7H 69
Ringley Gro. Bolt —7A 24
Ringley Hey. W'fld —6H 69
Ringley Meadows. Rad —7A 68
Ringley Old Brow. Rad —7A 68
Ringley Pk. W'fld —6H 69
Ringley Rd. Rad —6K 67
(in three parts)
Ringley Rd. W. Rad & W'fld —6C 68
Ringley St. M9 —7K 93
Ringlow Av. Swint —1A 112
Ringlow Pk. Rd. Swint —2A 112
Ring Lows La. Roch —7H 13
Ringmer Dri. M22 —3C 178
Ringmere Ct. Oldh —6C 74
Ringmore Rd. Bram —2J 181
Ring-O-Bells La. Dis —6D 184
Rings Clo. Fail —2H 117
Ringstead Dri. M40 —4J 115
Ringstead Dri. Wilm —4K 187
Ringstone Clo. P'wch —4A 92
Ringway Av. Leigh —7K 85
Ringway Gro. Sale —1J 165
Ringway Rd. Man A & M22 —5C 178
Ringway Rd. W. Man A & M22 —4C 178
Ringway Trad. Est. M22 —4E 178
Ringwood Av. M12 —7D 136
Ringwood Av. Aud —7A 118
Ringwood Av. Haz G —3K 181
Ringwood Av. Hyde —2A 156
Ringwood Av. Rad —5F 69
Ringwood Av. Ram —7E 8
Ringwood Clo. Bchwd —5B 144
Ringwood Way. Chad —6A 74
Rink St. M14 —3K 151
Ripley Av. Chea H —7D 180
Ripley Av. Stoc —7K 169
Ripley Clo. M4 —1K 135
Ripley Clo. Haz G —4C 182
Ripley Cres. Urm —4H 131
Ripley Dri. Leigh —2K 107
Ripley Dri. Wig —3J 81
Ripley St. Bolt —1D 44
Ripley Way. Dent —2D 154
Ripon Av. Bolt —4F 43
Ripon Av. Bury —4K 69
Ripon Av. Lwtn —1B 126
Ripon Av. W'fld —4K 69
Ripon Av. Wig —3D 60
Ripon Clo. Chad —1K 95
Ripon Clo. Hale —3G 177
Ripon Clo. L Lev —3H 67
Ripon Clo. Newt W —4E 124
Ripon Clo. Rad —1H 69
Ripon Clo. Stoc —3H 169
Ripon Clo. W'fld —4K 69
Ripon Cres. Stret —6D 132
Ripon Dri. Ash M —6F 105
Ripon Dri. Bolt —4F 43
Ripon Gro. Sale —4D 148
Ripon Hall Av. Ram —7F 9
Ripon Rd. Stret —6D 132
Ripon St. M15 —4G 135
Ripon St. Ash L —5G 119
Ripon St. Oldh —6B 74
Ripon Wlk. Rom —2E 170
Rippenden Av. M21 —7A 134
Rippingham Rd. M20 —3H 151
Rippleton Rd. M22 —7E 166
Ripponden Rd. Dens —3C 54
Ripponden Rd. Oldh —6G 75
Ripponden St. Oldh —5G 75
Ripton Wlk. M9 —3H 93
(off Selston Rd.)
Risbury Wlk. M40 —2E 116
Riseley St. Mac —3E 198
Rises, The. Had —4B 142
Rise, The. Spring —7K 75
Rise, The. Stand L —3J 59
Rishton Av. M40 —3A 116
Rishton Av. Bolt —4B 66
Rishton La. Bolt —2B 66
Rishworth Clo. Stoc —6B 170
Rishworth Dri. M40 —7G 95
Rishworth Rise. Shaw —4D 52
Rising La. Oldh —5C 96
Rising La. Clo. Oldh —5C 96
Rising Sun Rd. Gaw —7C 198
Risley Av. M9 —7K 93
Risley Employment Area. Bchwd —4A 144
Risley Rd. Bchwd —5A 144
Risley St. Oldh —6D 74
Risque St. Stoc —7F 153
Rita Av. M14 —6H 135
Ritson Clo. M18 —3D 136
Riva Rd. M19 —1K 167
Riverbank Clo. Boll —2H 197
Riverbank Dri. Bury —1H 47
Riverbank Lawns. Salf —5E 114 (1E 4)
Riverbank, The. Rad —6J 67
Riverbank Tower. Salf —5E 114 (2E 4)
Riverbank Wlk. M20 —6D 150
Riverbank Way. Glos —3H 159
Riverdale Clo. Stand L —2K 59
Riverdale Ct. M9 —4H 93
Riverdale Rd. M9 —4G 93
River La. Dent —6F 139
River La. Part —6B 146
Rivermead. Miln —2F 53
Rivermead Av. Haleb —6G 177
Rivermead Clo. Dent —3E 154
Rivermead Rd. Dent —2E 154
Rivermead Way. W'fld —6A 70
Riverpark Rd. M40 —5C 116
River Pl. M15 —2F 135 (9F 4)
River Pl. Miln —6D 32
Riversdale. Warr —4A 160
Riversdale Ct. P'wch —3A 92
Riversdale Dri. Oldh —6E 96
Riversdale Rd. Chea —5J 167
Riversdale View. Woodl —4E 154
Rivershill. Sale —4E 148
Rivershill Dri. Heyw —4H 49
Rivers Hill Gdns. Haleb —6H 177
Riverside. Chad —5G 73
River Side. Duk —6G 119
Riverside. Salf —5C 114 (2B 4)
Riverside Av. M21 —6D 150
Riverside Av. Irl —1D 146
Riverside Av. Wig —5F 61
Riverside Clo. Glos —1F 159
Riverside Clo. Rad —2H 69
Riverside Ct. Mac —7K 199
Riverside Ct. Manx —7F 151
Riverside Dri. Bury —2F 27
Riverside Dri. Rad —6K 67
Riverside Dri. Urm —2K 147
Riverside Rd. Rad —2H 69
Riverside Works. Wilm —5H 187
Rivers La. Urm —4K 131
Riversleigh Clo. Bolt —2F 43
Riversmeade. Brom X —5E 24
Riversmeade. Leigh —2A 108
Rivers St. Orr —1E 80
Riverstone Dri. M23 —4H 165
River St. M12 —1J 135 (8P 5)
River St. M15 —2F 135 (10G 4)
River St. Bolt —6C 44
River St. Heyw —1K 49
River St. Leigh —4A 108
River St. Mac —5G 199
River St. Rad —3F 69
River St. Roch —5H 31
River St. Stoc —7K 153
River St. Wilm —5H 187
Riverton Rd. M20 —3J 167
River View. Stoc —3J 153
River View Clo. P'wch —5K 91
Riverview Cotts. Glos —3E 158
(off Turnlee Dri.)
River View Ct. Salf —7C 92
Riverview Wlk. Bolt —7K 43
(off Bridgewater St.)
River Way. Wig —6E 60
Riviera Ct. Roch —2J 29
Rivington. Salf —4G 113
Rivington Av. Adl —5K 19
Rivington Av. Lwtn —7A 106
Rivington Av. Pen —7G 91
Rivington Av. Plat B —4K 83
Rivington Av. Wig —4D 60
Rivington Cres. Pen —7G 91
Rivington Dri. Bick —6D 84
Rivington Dri. Bury —4E 46
Rivington Dri. Shaw —6H 53
Rivington Dri. Uph —7C 58
Rivington Gro. Aud —1A 138
Rivington Gro. Cad —4K 145
Rivington Ho. Hor —1F 41
Rivington La. And —6B 20
Rivington La. Hor —3D 20
Rivington Rd. Hale —2D 176
Rivington Rd. Salf —4G 113
Rivington Rd. Spring —7A 76
Rivington St. Ath —5A 86
Rivington St. Blac —3B 40
Rivington St. Oldh —5D 74
Rivington St. Roch —3H 31
Rivington Wlk. M12 —4B 136
Rivington Way. Stand —5B 38
Rixson St. Oldh —4H 75
Rix St. Bolt —3A 44
Rixton Ct. M16 —6B 134
Rixton Dri. Tyl —7H 87
Rixton St. Salf —3B 134
Roach Bank Ind. Est. Bury —6B 48
Roach Bank Rd. Bury —6B 48
Roaches M. Moss —4D 98
Roaches Way. Mac —6D 198
Roaches Way. Moss —4E 98
Roach Grn. Wig —5G 61
Roachill Clo. Alt —6K 163
Roach Pl. Roch —4J 31
Roach St. Bury —2K 69
(Bury)
Roach St. Bury —3C 48
(Heap Bridge)
Roach Vale. Roch —1A 32
Roachwood Clo. Chad —7G 73
Roading Brook Rd. Bolt —2K 45
Road La. Roch —7F 13
Roads Ford Av. Miln —5D 32
Roadside Clo. Lwtn —7A 106
Roadside Ct. Lwtn —1A 126
Roan Ct. Mac —4H 199
Roan Ho. Way. Mac —4H 199
Roan M. Mac —4H 199
Roan Way. Ald E —6H 195
Roaring Ga. La. Ring —1J 177
Robert Adam Cres. M15 —3E 134
Robert Hall St. Salf —1B 134
Robert Malcolm Clo. M40 —3K 115
Robert Owen Gdns. M22 —3D 166
Robert Owen St. Droy —6A 118
Robert Salt Ct. Alt —5C 164
Roberts Av. M14 —5H 135
Robert Saville Ct. Roch —6D 30
(off Half Acre M.)
Robertscroft Clo. M22 —7C 166
Robertshaw Av. M21 —4B 150
Robertshaw St. Leigh —1J 107
Robertson Clo. M18 —4E 136
Robertson St. Rad —2E 68
Roberts Pas. L'boro —1H 15
Roberts Pl. L'boro —1D 32
Roberts St. Ecc —6B 112
Robert St. M3 —5F 115 (1H 5)
Robert St. M40 —3B 116
Robert St. Ath —6E 86
Robert St. Bolt —7G 25
Robert St. Bury —2G 47
Robert St. Duk —1F 139
Robert St. Fail —6J 95
Robert St. Farn —6G 67
Robert St. Heyw —5A 50
Robert St. Hyde —6G 139
Robert St. Oldh —4K 95
Robert St. Plat B —4J 83
Robert St. P'wch —2C 92
Robert St. Rad —2E 68
Robert St. Ram —2G 9
Robert St. Roch —4J 31
Robert St. Sale —6J 149
Robe Wlk. M18 —3F 137
Robin Clo. Char R —1A 18
Robin Clo. Farn —7B 66
Robin Croft. Bred —7B 154
Robin Dri. Irl —6C 130
Robin Hill Dri. Stand —3H 37
Robin Hill La. Stand —2J 37
Robin Hood Av. Mac —6E 198
Robin Hood La. Wrigh —2B 36
Robin Hood St. M8 —7F 93
Robinia Clo. Ecc —1H 131
Robin La. W'fld —7K 69
(in two parts)
Robin Pk. Rd. Wig —6A 60
Robin Rd. Bury —1F 27
Robinsbay Rd. M22 —4E 178
Robins Clo. Bram —5G 181
Robins Clo. Droy —5A 118
Robins Hill. Bram —5F 181
Robins La. Bram —5F 181
Robins La. Cul —7H 127
Robin's La. Uph —7A 80
Robinson Pl. Spring —7B 76
Robinsons Fold. Spring —7B 76
Robinson St. Ash L —4F 119
Robinson St. Chad —1K 95
Robinson St. Hor —1F 41
Robinson St. Hyde —6K 139
Robinson St. Leigh —4A 108
Robinson St. Oldh —1D 96
Robinson St. Roch —5J 31
Robinson St. Stal —1J 139
Robinson St. Stoc —4F 169
Robinson St. Tyl —6G 87
Robin St. Oldh —6C 74
Robins Way. Boll —3J 197
Robinsway. Bow —3A 176
Robinswood Rd. M22 —2D 178
Rob La. Newt W —5G 125
Robson Av. Urm —2C 132
Robsons Pl. Abr —7K 83
Robson St. Oldh —1E 96
Roby Mill. Uph —3B 58
Roby Rd. Ecc —1A 132
Roby St. M1 —7H 115 (6L 5)
Roby Well Way. Bil —3D 102
Roch Av. Heyw —3G 49
Rochbury Clo. Roch —6B 30
Roch Clo. W'fld —5B 70
Roch Cres. W'fld —4B 70
Rochdale Ind. Cen. Roch —6F 31
Rochdale La. Heyw —3K 49
Rochdale La. Rytn —1B 74
Rochdale Old Rd. Bury —2C 48
Rochdale Rd. M4, M40 & M9 —5H 115 (2L 5)
Rochdale Rd. Bury —3K 47
Rochdale Rd. Dens —2B 54
Rochdale Rd. Eden —1J 9
Rochdale Rd. Firg & B'edg —5B 32
Rochdale Rd. Heyw —3K 49
Rochdale Rd. L'boro —2D 16
Rochdale Rd. Mid —4C 72
Rochdale Rd. Oldh —5C 74
Rochdale Rd. Rytn —6A 52
Rochdale Rd. Shaw —4C 52
Rochdale Rd. Sow B —2H 17
Rochdale Rd. E. Heyw —3A 50
ROCHDALE STATION. BR —6H 31
Roche Gdns. Chea H —6D 180
Roche Rd. Del —1E 76
Rochester Av. Bolt —4G 45
Rochester Av. P'wch —5C 92
Rochester Av. Wor —6E 88
Rochester Clo. Ash L —1G 119
Rochester Clo. Duk —2A 140
Rochester Clo. Golb —1J 125
Rochester Dri. Tim —2C 164
Rochester Gro. Haz G —1C 182
Rochester Rd. Urm —5B 132
Rochester Way. Chad —1K 95
Rochford Av. M22 —4D 178
Rochford Av. W'fld —7H 69
Rochford Clo. W'fld —7H 69
Rochford Rd. Ecc —1H 131
Roch Mills Cres. Roch —7E 30
Roch Mills Gdns. Roch —7E 30
Roch Pl. Plat B —5H 83
Roch St. Roch —3K 31
Roch Valley Way. Roch —6E 30
Roch Wlk. W'fld —5B 70
Roch Way. W'fld —5B 70
Rockall Wlk. M11 —7B 116
Rock Av. Bolt —3J 43
Rock Bank. Moss —6C 98
Rockbourne Clo. Hind —3B 84
Rockdove Av. M15 —2F 135 (10G 4)
Rockfield Dri. M9 —7A 94
Rock Fold. Eger —3B 24
Rockford Lodge. Knut —5F 193
Rock Gdns. Hyde —3J 155
Rockhampton St. M18 —4F 137
Rockhaven Av. Hor —1G 41
Rockhouse Clo. Ecc —1A 132
Rockingham Clo. M12 —3K 135
Rockingham Clo. Bchwd —4B 144
Rockingham Clo. Shaw —5C 52
Rockland Wlk. M40 —5E 94
Rockley Gdns. Salf —4B 114
Rocklyn Av. M40 —5E 94
Rocklynes. Rom —1F 171
Rockmead Dri. M9 —4A 94
Rock Nook. L'boro —2H 15
Rock Rd. Urm —7D 132
Rock Rd. Wor —5C 110
Rock St. M11 —1G 137
Rock St. Ash L —3E 118
Rock St. Golb —6J 105
Rock St. Heyw —4A 50
Rock St. Hor —2F 41
Rock St. Hyde —3J 155
Rock St. Oldh —7D 74
(in two parts)
Rock St. Salf —2D 114
Rock Ter. Eger —3B 24
Rock Ter. Moss —2C 120
Rock, The. Bury —3J 47
(in three parts)
Rocky Bank Ter. Ince —2G 83
(off Warrington Rd.)
Rocky La. Ecc —3B 112
Roda St. M9 —1B 116
Rodborough Gdns. M23 —1K 177
Rodborough Rd. M23 —1K 177
Rodeheath Clo. Wilm —6K 187
Rodenhurst Dri. M40 —1C 116
Rodepool Clo. Wilm —3K 187
Rodford Wlk. Salf —2F 115
Rodgers Clo. W'houg —1J 85
Rodgers Way. W'houg —1J 85
Rodmell Av. M40 —3K 115
Rodmell Clo. Brom X —5B 24
Rodmill Dri. Gat —1G 179
Rodney Ct. M4 —5J 115 (2P 5)
Rodney Dri. Bred —5E 154
Rodney Ho. M19 —2B 152
Rodney St. M4 —6J 115 (3P 5)
Rodney St. Ash L —4H 119
Rodney St. Ath —5C 86
Rodney St. Mac —4F 199
Rodney St. Roch —3D 50
Rodney St. Salf —7D 114 (5D 4)
Rodney St. Wig —7E 60
Rodway Wlk. Salf —2F 115
Roeacre St. Heyw —3A 50
Roebuck Gdns. Sale —6E 148
Roebuck La. Oldh —3A 76
Roebuck La. Sale —6E 148
Roebuck Low. Oldh —3A 76
Roebuck M. Sale —6F 149
Roebuck St. Hind —4G 85
Roeburn Wlk. Plat B —5H 83
Roeburn Wlk. W'fld —6C 70
Roecliffe Clo. Wig —1D 82
Roe Cross Grn. Mot —4F 141
Roe Cross Rd. Mot —3F 141
Roedean Gdns. Urm —7E 130
Roefield. Roch —4E 30
Roefield Ter. Roch —4E 30
Roe Grn. Wor —7H 89
Roe Grn. Av. Wor —7J 89
Roe Hey Dri. Cop —2B 18
Roe La. Oldh —2H 97
Roe St. M4 —5J 115 (2N 5)
Roe St. Mac —4E 198
Roe St. Roch —3E 30
Roewood La. Mac —3K 199
(Commonside)
Roewood La. Mac —2J 199
(Hurdsfield)
Rogate Dri. M23 —6A 166
Roger Byrne Clo. M40 —3D 116
Roger Clo. Rom —2D 170
Roger Hey. Chea H —1C 180
Rogers La. Salf —7F 115
Rogerstead. Bolt —7J 43
Roger St. M4 —5G 115 (1K 5)
Rogerton Clo. Leigh —4B 108
Rokeby Av. Lwtn —7B 106
Rokeby Av. Stret —1H 149
Rokeden. Newt W —5F 125
Roker Av. M13 —7B 136
Roker Ind. Est. Oldh —6F 75
Roker Pk. Av. Aud —2B 138
Roland Rd. Bolt —2J 65
Roland Rd. Stoc —3H 153
Role Row. P'wch —6B 92
Rolla St. Salf —6E 114 (3F 4)
Rollesby Clo. Bury —7H 27
Rolleston Av. M40 —6K 115
Rollins La. Rom —2A 172
Rolls Cres. M15 —3E 134
Rollswood Dri. M40 —2C 116
Roman Clo. Newt W —7E 124
Roman Clo. Wig —3B 82
Roman Ct. Salf —3D 114
Roman Rd. Ash M —3C 104
Roman Rd. Fail & Oldh —7J 95
Roman Rd. P'wch —6A 92
Roman Rd. Rytn —3B 74
Roman Rd. Stoc —1G 169
Romans, The. Moss —6D 98
Roman St. M4 —6G 115 (4J 5)
Roman St. Moss —4D 98
Roman St. Rad —3C 68
Romer Av. M40 —6G 95
Rome Rd. M40 —5J 115 (1N 5)
Romer St. Bolt —6E 44
Romford Av. Dent —5E 138
Romford Av. Leigh —2K 107
Romford Clo. Oldh —2C 96
Romford Pl. Hind —2C 84
Romford Rd. Sale —4C 148
Romford St. Hind —2B 84
Romford Wlk. M9 —4G 93
Romiley Cres. Bolt —5F 45
Romiley Dri. Bolt —5F 45
(Brightmet)
Romiley Dri. Bolt —6C 44
(Mill Hill)
Romiley Sq. Stand —5A 38
ROMILEY STATION. BR —1G 171
Romiley St. Salf —3H 113
Romiley St. Stoc —7K 153
Romley Precinct. Rom —1G 171
Romley Rd. Urm —5B 132
Romney Av. Roch —3H 51
Romney Rd. Bolt —3E 42
Romney St. M40 —7C 94
Romney St. Ash L —5G 119
Romney St. Salf —3B 114
Romney Towers. Stoc —4K 153
Romney Wlk. Chad —1K 95
Romney Way. Stoc —4K 153
Romney Way. Wig —3D 60
Romsey. Roch —4G 31
(off Spotland Rd.)
Romsey Av. Mid —3B 72
Romsey Dri. Chea H —6E 180
Romsey Gdns. M23 —5K 165
Romsey Gro. Wig —5K 81
Romsley Clo. M12 —3C 136
Romsley Dri. Bolt —3J 65
Ronaldsay Gdns. Salf —7J 113
Ronald St. M11 —7F 117
Ronald St. Oldh —7G 75
Ronald St. Roch —4E 50
Rona Wlk. M12 —4A 136
Rondin Rd. M12 —1A 136
Ronnis Mt. Ash L —1E 118
Ronton Wlk. M8 —7J 93
Roocroft Ct. Bolt —4K 43
Roocroft Sq. Blac —3A 40
Rooden Ct. P'wch —3C 92
Roods La. Roch —3J 29
Rookery Av. M18 —3H 137
Rookery Av. App B —3E 36
Rookery Av. Ash M —6D 104
Rookery Clo. Stal —2E 140
Rookerypool Clo. Wilm —3K 187
Rookery, The. Newt W —5E 124
Rooke St. Ecc —1J 131
Rookfield. Sale —5G 149
Rookfield Av. Sale —5G 149
Rookley Wlk. M14 —6J 135
Rook St. Bury —1K 47
Rook St. Oldh —2G 97
Rook St. Ram —4G 9
Rookswood Dri. Roch —2D 50
Rookway. Mid —7B 72
Rookwood. Chad —5G 73
Rookwood Av. M23 —4K 165
Rookwood Hill. Bram —3G 181
Rooley Moor Rd. Roch —2K 11
(in two parts)
Rooley St. Roch —3E 30
Rooley Ter. Roch —4E 30
Roosevelt Rd. Kear —7H 67
Rooth St. Stoc —1F 169
Rope St. Roch —4H 31
Ropewalk. Salf —5E 114 (2F 4)
Rope Wlk., The. Leigh —4J 107
Ropley Wlk. M9 —6B 94
(off Oak Bank Av.)
Rosa Gro. Salf —2D 114
Rosalind Ct. Salf —1C 134 (8B 4)

St Malo Rd.—Sawley Av.

St Malo Rd. Wig —2E 60
St Margaret's Av. M19 —4B 152
St Margarets Clo. Alt —7A 164
St Margarets Clo. Bolt —5H 43
St Margarets Clo. P'wch —1C 92
St Margaret's Gdns. Oldh —4A 96
St Margaret's Rd. M40 —4F 95
St Margaret's Rd. Alt —1A 176
St Margaret's Rd. Bolt —5H 43
St Margaret's Rd. Chea —5C 168
St Margaret's Rd. P'wch —1C 92
St Mark's Av. Alt —6J 163
St Marks Av. Rytn —2E 74
St Mark's Av. Wig —7B 60
St Marks Clo. Rytn —2E 74
St Mark's Ct. Chad —6K 73
St Marks Cres. Wor —6F 89
St Mark's La. M8 —1F 115
St Marks Sq. Bury —1K 47
St Mark's St. M19 —1E 152
St Mark's St. Bolt —1B 66
St Mark's St. Bred —6E 154
St Mark St. Duk —7F 119
St Mark's View. Bolt —1B 66
St Mark's Wlk. Bolt —2A 66
St Martin's Av. Stoc —1E 168
St Martin's Clo. Droy —5H 117
St Martin's Clo. Hyde —7K 139
St Martin's Dri. Salf —7F 93
St Martin's Rd. Marp —5A 172
St Martin's Rd. Oldh —5E 96
St Martins Rd. Sale —4B 148
St Martins St. Roch —4F 51
St Marys'. Stoc —2J 169
St Mary's Av. Bil —4C 102
St Mary's Av. Bolt —1H 65
St Mary's Av. Dent —2E 154
St Mary's Clo. Asp —1K 61
St Mary's Clo. Ath —5E 86
St Mary's Clo. P'wch —3A 92
St Mary's Clo. Roch —1K 51
St Mary's Clo. Stoc —2J 169
St Mary's Ct. M8 —6F 93
St Mary's Ct. M40 —7D 94
St Marys Ct. Leigh —7G 107
St Marys Ct. Oldh —7C 74
St Mary's Crest. G'fld —2J 99
St Mary's Dri. Chea —5B 168
St Mary's Dri. G'fld —2J 99
St Mary's Dri. Stoc —4H 153
St Mary's Ga. M1 —6F 115 (4H 5)
St Mary's Ga. Roch —5G 31
St Marys Ga. Shaw —6F 53
St Marys Ga. Stoc —2H 169
St Mary's Ga. Upperm —6H 77
St Mary's Hall Rd. M8 —6F 93
St Mary's Parsonage. M3 —7E 114 (5F 4)
St Mary's Pl. Bury —3J 47
St Mary's Rd. M40 —1D 116
St Mary's Rd. Asp —7K 39
St Mary's Rd. Bow —2K 175 (in two parts)
St Mary's Rd. Dis —7D 184
St Marys Rd. Ecc —6D 112
St Mary's Rd. Glos —2E 158
St Mary's Rd. Hyde —4J 139
St Mary's Rd. N Mills —4H 185
St Mary's Rd. P'wch —3A 92
St Mary's Rd. Sale —5D 148
St Mary's Rd. Wor —2E 88
St Mary's St. M3 —7F 115 (5G 4)
St Mary's St. Hulme —4E 134
St Mary's St. Oldh —6D 74
St Mary's St. Swint —7E 90
St Mary St. Salf —6D 114 (4D 4)
St Mary's Way. Leigh —3K 107
St Mary's Way. Oldh —7C 74
St Marys Way. Stoc —1J 169
St Matthew's Clo. Wig —3J 81
St Matthews Ct. Stret —1G 149
St Matthews Dri. Chad —4J 73
St Matthews Grange. Bolt —4A 44
St Matthew's Rd. Stoc —3F 169
St Matthews Ter. Bolt —4A 44 (off St Matthews Wlk.)
St Matthew's Ter. Stoc —3F 169
St Matthews Wlk. Bolt —4A 44 (in two parts)
St Maws Ct. Rad —1A 68
St Michael's Av. Ath —6A 86
St Michael's Av. Bolt —4D 66
St Michael's Av. Bram —5G 181
St Michael's Clo. Bury —5E 46
St Michael's Ct. Ecc —1J 131
St Michaels Ct. Sale —4C 148
St Michael's Ct. Wig —4E 60
St Michael's Pl. M4 —5G 115 (1K 5) (off Dantzic St.)
St Michaels Rd. Hyde —7K 139
St Michael's Sq. M4 —5G 115 (2K 5)
St Michael's Sq. Ash L —5G 119
St Modwen Rd. Stret —4D 132
St Nicholas Rd. Lwtn —7E 106
St Osmund's Dri. Bolt —6G 45
St Osmund's Gro. Bolt —6G 45
St Oswald's Rd. Ash M —6C 104
St Oswalds Rd. Lev —7D 136
St Patrick St. Wig —6F 61
St Patricks Way. Wig —6F 61
St Paul's Av. Wig —3B 82
St Paul's Clo. Adl —4J 19
St Pauls Clo. Rad —5E 68
St Paul's Clo. Stal —5C 120
St Pauls Ct. Oldh —3D 96
St Paul's Ct. Salf —6C 92
St Paul's Ct. Wor —5F 89
St Paul's Hill Rd. Hyde —7K 139
St Paul's Pl. Bolt —2J 43
St Paul's Rd. M20 —4J 151
St Paul's Rd. Mac —4G 199
St Paul's Rd. Salf —6C 92
St Paul's Rd. Stoc —6D 152
St Paul's Rd. Wor —5G 89
St Paul's St. Bury —2A 48
St Pauls St. Hyde —6J 139
St Paul's St. Ram —5G 9
St Paul's St. Stal —6C 120
St Paul's St. Stoc —7J 153
St Pauls Trad. Est. Stal —6C 120
St Paul's Vs. Bury —2A 48
St Peter Quay. Salf —2A 134
St Peter's Av. Bolt —3G 43
St Peter's Av. Knut —5C 192
St Peter's Clo. Lymm —7G 161
St Peter's Dri. Hyde —7K 139
St Petersgate. Stoc —2G 169
St Peter's Rd. Bury —6J 47
St Peter's Rd. Swint —1C 112
St Peter's Sq. M2 —1F 135 (7H 5)
St Peter's Sq. Stoc —2G 169
ST PETER'S SQUARE STATION. M —1F 135
St Peters St. Ash L —6E 118
St Peter's St. Roch —6K 31
St Peter's Ter. Farn —7F 67
St Peter's Way. Bolt —4B 44
St Philip's Av. Bolt —2K 65
St Philip's Pl. Salf —6D 114 (4C 4)
St Philip's Rd. M18 —5F 137
St Phillip's Dri. Rytn —5C 74
St Saviour's Rd. Stoc —6A 170
Saintsbridge Rd. M22 —2C 178
St Simons Clo. Stoc —3A 170
St Simon St. Salf —5D 114 (1D 4)
St Stephen's Av. Aud —1C 138
St Stephen's Av. Wig —4G 61
St Stephens Clo. M13 —4K 135
St Stephens Clo. Ast —3G 109
St Stephens Clo. Bolt —1E 66
St Stephens Gdns. Kear —1J 89
St Stephen's Gdns. Mid —4C 72
St Stephens Rd. Stand —4J 37
St Stephen's St. Kear —1J 89
St Stephens St. Oldh —6E 74
St Stephen St. Salf —6D 114 (4D 4)
St Teresa's Rd. M16 —6A 134
St Thomas Circ. Oldh —2B 96
St Thomas Clo. Rad —3E 68
St Thomas Ct. Bury —3A 48
St Thomas's Sq. Ct. Uph —7C 58
St Thomas's Pl. M8 —4G 115
St Thomas's Pl. Stoc —3H 169
St Thomas St. Bolt —3K 43
St Thomas St. Wig —7E 60
St Thomas St. N. Oldh —2B 96
St Thomas St. S. Oldh —2B 96
St Vincent St. M4 —6J 115 (4P 5)
St Vincent St. Alt —7C 164
St Wertburgh's Rd. M21 —1C 150
St Wilfred's Dri. Roch —1F 31
St Wilfreds St. M15 —3E 134
St Wilfrid's Pl. Stand —4A 38
St Wilfrid's Rd. Stand —4B 38
St William's Av. Bolt —3A 66
St Winifred's Pl. Stal —6K 119
Salcombe Av. Bolt —4B 46
Salcombe Clo. Sale —5C 148
Salcombe Clo. Wig —4G 61
Salcombe Gro. Bolt —7J 45
Salcombe Rd. M11 —1F 137
Salcombe Rd. Stoc —3A 170
Salcot Wlk. M40 —5J 115 (1P 5)
Sale Heys Rd. Sale —7D 148
Sale La. Tyl —7K 87
Salem Gro. Oldh —1H 97
Sale Rd. M23 —1A 166
Salesbury Way. Wig —4C 82
Sales's La. Bury —2B 28
SALE STATION. M —6F 149
Sale St. L'boro —5F 15
Salford App. Salf —6F 115 (3G 4)
SALFORD CRESCENT STATION. BR —6B 114
Salford Foyer. Salf —5K 113
Salford Rd. Bolt —6G 65
Salford Rd. Wor —7J 65
SALFORD STATION. BR —7E 114
Salford St. Bury —1A 48
Salford St. Oldh —2G 97
Salik Gdns. Roch —7H 31
Salisbury Av. Heyw —5J 49
Salisbury Av. Hind —1D 84
Salisbury Cotts. Had —4C 142
Salisbury Ct. Mac —3G 199
Salisbury Cres. Ash L —1H 119
Salisbury Dri. Duk —2A 140
Salisbury Dri. P'wch —5C 92
Salisbury Ho. M1 —1G 135 (8K 5) (off Granby Row)
Salisbury Pl. Mac —6G 197
Salisbury Rd. M21 —1B 150
Salisbury Rd. Alt —4B 164
Salisbury Rd. Ash M —3C 104
Salisbury Rd. Ecc —4D 112
Salisbury Rd. Hayd I —1A 124
Salisbury Rd. Hor —4K 41
Salisbury Rd. Oldh —1F 97
Salisbury Rd. Rad —1C 68
Salisbury Rd. Swint —1C 112
Salisbury Rd. Urm —5B 132
Salisbury Rd. W'fld —6K 69
Salisbury St. M14 —5G 135
Salisbury St. Bolt —7K 43
Salisbury St. Golb —1J 125
Salisbury St. Had —4C 142
Salisbury St. Mid —5D 72
Salisbury St. Shaw —5D 52
Salisbury St. Stoc —2H 153
Salisbury Ter. L Lev —3K 67
Salisbury Way. Ast —7H 87
Salix Ct. Salf —5A 114
Salkeld Av. Ash M —5B 104
Salkeld St. Roch —7H 31
Salley St. L'boro —1G 15
Sallowfields. Wig —2D 80
Salmesbury Hall Clo. Ram —7F 9
Salmon Fields. Rytn —3D 74
Salmon St. M4 —6G 115 (4K 5)
Salmon St. Wig —5G 61
Salop St. Bolt —7C 44
Salop St. Salf —4A 114
Saltash Clo. M22 —3D 178
Saltburn Wlk. M9 —7A 94 (off Naunton Wlk.)
Saltdene Rd. M22 —3C 178
Saltergate Clo. Bolt —2E 64
Saltergate M. Salf —6A 114
Saltersbrook Gro. Wilm —4A 188
Salters Ct. Ath —4D 86
Saltersley La. Wilm —7E 186
Salterton Dri. Bolt —4G 65
Salterton Wlk. M40 —1C 116
Salteye Rd. Ecc —7J 111
Saltford Av. M4 (in two parts) —6J 115 (4P 5)
Saltford Ct. M4 —6K 115
Salthill Av. Heyw —6A 50
Salthill Dri. M22 —2E 178
Salthouse Clo. Bury —6G 27
Saltire Gdns. Salf —7E 92
Saltney Av. M20 —3F 151
Saltram Clo. Rad —1A 68
Saltram Rd. Wig —3J 81
Saltrush Rd. M22 —2D 178
Salts Dri. L'boro —5E 14
Salts St. Shaw —6E 52
Saltwood Gro. Bolt —4B 44
Salutation St. M15 —3F 135
Salvin Clo. Ash M —5F 105
Salvin Wlk. M9 —4A 94
Sam Cowan Clo. M14 —6G 135
Sam Fitton Way. Oldh —7D 74
Samian Gdns. Salf —3C 114
Samlesbury Clo. M20 —7F 151
Samlesbury Clo. Shaw —6D 52
Sammy Cookson Clo. M14 (in two parts) —6G 135
Samouth Clo. M40 —5K 115
Sampson Sq. M14 —5G 135
Sam Rd. Dig —1J 77
Samson St. Roch —4A 32
Sam Swire St. M15 —4F 135
Samuel La. Shaw —5C 52
Samuel Ogden St. M1 —1G 135 (8K 5)
Samuel St. M19 —2D 152
Samuel St. Ath —6F 87 (in two parts)
Samuel St. Bury —2A 48
Samuel St. Fail —7H 95
Samuel St. Holl —5J 141
Samuel St. L Lev —4F 67
Samuel St. Mac —4F 199
Samuel St. Mid —4C 72
Samuel St. Roch —3E 50
Samuel St. Stoc —7F 153
Samwoods Ho. Ash M —3C 104
Sanby Av. M18 —5E 136
Sanby Rd. M18 —5E 136
Sanctuary Clo. M15 —4H 135
Sandacre Rd. M23 —4B 166
Sandal Ct. M40 —5A 116
Sandal St. M40 —5A 116
Sandalwood. W'houg —1H 85
Sandalwood Dri. Wig —3B 60
Sandbach Av. M14 —2F 151
Sandbach Rd. Sale —7K 149
Sandbach Rd. Stoc —7G 137
Sandbach Wlk. Chea —7C 168
Sandbank Gdns. Whitw —1E 12
Sand Banks. Bolt —6B 24
Sandbed La. Del —1G 77
Sandbed La. Moss —5C 98
Sandbrook Gdns. Orr —2D 80
Sandbrook Rd. Orr —2C 80
Sandbrook Way. Dent —4D 138
Sandby Dri. Marp B —3B 172
Sanderling Clo. W'houg —1H 85
Sanderling Dri. Leigh —3A 108
Sanderling Rd. Newt W —5E 124
Sanderling Rd. Stoc —6E 170
Sanderson Av. M40 —3A 116
Sanderson Clo. Wor —1J 111
Sanderson Ct. M40 —3A 116
Sanderson M. Aud —3D 138
Sanderson's Croft. Leigh —4C 108
Sanderson St. M40 —3A 116
Sanderson St. Bury —2A 48
Sanderson St. Leigh —3J 107
Sanders Sq. Mac —6F 199
Sanderstead Dri. M9 —4A 94
Sandfield Clo. Lwtn —1D 126
Sandfield Cres. G'bry —2C 128
Sandfield Dri. Los —7C 42
Sandfield Rd. Roch —7K 31
Sandfold. Stoc —7G 137
Sandfold La. M19 —7E 136
Sandfold La. Stoc —7F 137 (in two parts)
Sandford Av. M18 —3F 137
Sandford Clo. Bolt —1G 45
Sandford Rd. Orr —2C 80
Sandford Rd. Sale —7K 149
Sandford St. Rad —2H 69
Sandford St. Salf —5E 114 (2E 4)
Sandgate Av. M11 —6F 117
Sandgate Av. Rad —7A 68
Sandgate Clo. Leigh —2K 107
Sandgate Dri. Urm —5A 132
Sandgate Rd. Chad —1K 95
Sandgate Rd. Mac —1H 199
Sandgate Rd. W'fld —7B 70
Sandham St. Bolt —2B 66
Sandham Wlk. Bolt —2B 66
Sandheys. Dent —4D 138
Sandheys Gro. M18 —5G 137
Sandhill Clo. Bolt —2B 66
Sandhill La. Lud & Chis —1E 172
Sandhill St. Hyde —5K 139
Sandhill Wlk. M22 —2B 178
Sand Hole La. Roch —7A 30 (Kenyon Fold)
Sand Hole La. Roch —4H 51 (Kirkholt)
Sand Hole Rd. Kear —1J 89
Sandhurst Av. M20 —4G 151
Sandhurst Clo. Bury —2F 47
Sandhurst Ct. Bolt —7G 45
Sandhurst Dri. Bolt —7G 45
Sandhurst Rd. M20 —1H 167 (in two parts)
Sandhurst Rd. Stoc —6K 169
Sandhurst St. Oldh —3G 97
Sandhutton St. M9 —6K 93
Sandiacre. Stand —5A 38
Sandilands Rd. M23 —3H 165
Sandileigh Av. M20 —5H 151
Sandileigh Av. Chea —5C 168
Sandileigh Av. Hale —1D 176
Sandileigh Av. Knut —4C 192
Sandileigh Av. Stoc —6K 153
Sandileigh Dri. Hale —1D 176
Sandiway. Bram —2G 181
Sandiway. Bred —7D 154
Sandiway. Glos —3H 159
Sandiway. Heyw —3A 50
Sandiway. Irl —7C 130
Sandiway. Knut —4E 192
Sandiway. Salf —2C 134 (off Ordsall Dri.)
Sandiway Clo. Marp —3K 171
Sandiway Dri. M20 —7G 151
Sandiway Pl. Alt —6B 164
Sandiway Rd. Alt —5B 164
Sandiway Rd. Hand —7K 179
Sandiway Rd. Sale —6D 148
Sandmere Wlk. M9 —4A 94
Sandon St. Bolt —2K 65
Sandown Av. Salf —6J 113
Sandown Clo. Cul —5K 127
Sandown Clo. Oldh —5E 74
Sandown Clo. Wilm —5K 187
Sandown Cres. M18 —6F 137
Sandown Cres. L Lev —4J 67
Sandown Dri. Dent —2F 155
Sandown Dri. Haleb —6H 177
Sandown Dri. Sale —7C 148
Sandown Gdns. Urm —7J 131
Sandown Pl. Mac —4A 198
Sandown Rd. Bolt —2G 45
Sandown Rd. Bury —3A 70
Sandown Rd. Haz G —2D 182
Sandown Rd. Stoc —3D 168
Sandown Rd. Wig —3A 60
Sandown St. M18 —3G 137
Sandpiper Clo. Duk —2J 139
Sandpiper Clo. Farn —7B 66
Sandpiper Clo. Newt W —5E 124
Sandpiper Clo. Roch —5B 30
Sandpiper Dri. Stoc —5F 169
Sandpiper Rd. Wig —3H 81
Sandpits. Heyw —5B 50
Sandra Dri. Newt W —6F 125
Sandray Clo. Bolt —1F 65
Sandray Gro. Salf —7J 113
Sandridge Wlk. M12 —3A 136
Sandringham Av. Aud —3B 138
Sandringham Av. Dent —6J 137
Sandringham Av. Stal —5A 120
Sandringham Clo. Adl —6G 19
Sandringham Clo. Bow —2H 175
Sandringham Clo. Wig —2A 82
Sandringham Ct. M9 —2G 93 (off Deanswood Dri.)
Sandringham Ct. Sale —3G 165
Sandringham Ct. Wilm —7G 187
Sandringham Dri. Duk —2K 139
Sandringham Dri. G'mnt —3E 26
Sandringham Dri. Leigh —1E 108
Sandringham Dri. Miln —6E 32
Sandringham Dri. Poy —2B 190
Sandringham Dri. Stoc —2C 168
Sandringham Grange. P'wch —4E 92
Sandringham Rd. Bred —7A 154
Sandringham Rd. Chea H —1C 180
Sandringham Rd. Haz G —2D 182
Sandringham Rd. Hind —3C 84
Sandringham Rd. Hor —3H 41
Sandringham Rd. Hyde —3J 155
Sandringham Rd. Mac —2H 199
Sandringham Rd. Wor —2C 110
Sandringham St. M18 —5E 136
Sandringham Way. Rytn —7A 52
Sandringham Way. Wilm —7G 187
Sands Av. Chad —5F 73
Sands Clo. Hyde —1D 156
Sandsend Clo. M8 —3E 114
Sandsend Rd. Urm —6A 132
Sandstone Rd. Miln —5D 32
Sandstone Rd. Wig —5K 81
Sandstone Way. M21 —3D 150
Sand St. M40 —4J 115
Sand St. Stal —1K 139
Sands Wlk. Hyde —1D 156
Sandway. Wig —4B 60
Sandwell Dri. Sale —4F 149
Sandwich Dri. Mac —6E 196
Sandwich Rd. Ecc —5D 112
Sandwich St. Wor —5F 89
Sandwick Cres. Bolt —1K 65
Sandwith Clo. Wig —5D 82
Sandwood Av. Bolt —7E 42
Sandyacre Clo. Bolt —1G 87
Sandy Bank. Shaw —5D 52
Sandy Bank Av. Hyde —1D 156
Sandybank Clo. Had —5A 142
Sandy Bank Ct. Hyde —1D 156
Sandy Bank Rd. M8 —7F 93
Sandy Bank Rd. Tur —6F 7
Sandy Bank Wlk. Hyde —1D 156
Sandybrook Clo. Tot —6D 26
Sandy Brow. M9 —5K 93
Sandy Brow La. Croft —7B 126
Sandy Clo. Boll —3H 197
Sandy Clo. Bury —2K 69
Sandy Ct. Leigh —7F 107
Sandycroft Av. Wig —4E 60
Sandy Ga. Clo. Swint —1C 112
Sandy Gro. Duk —7H 119
Sandy Gro. Salf —4J 113
Sandy Gro. Swint —7D 90
Sandy Haven Clo. Hyde —1D 156
Sandy Haven Wlk. Hyde —1D 156
Sandyhill Ct. M9 —4G 93
Sandyhill Rd. M9 —4G 93
Sandyhills. Bolt —3A 66
Sandylands Dri. P'wch —6A 92
Sandy La. M21 —2B 150
Sandy La. M23 —4B 165
Sandy La. Adl —5F 19
Sandy La. Ast —4G 109 (Astley)
Sandy La. Ast —7H 109 (Astley Green)
Sandy La. Chis —5F 157
Sandy La. Dob —4G 77
Sandy La. Droy —5A 118
Sandy La. Duk —1H 139
Sandy La. Golb —1G 125
Sandy La. Hind —1D 84
Sandy La. Irl —6C 130
Sandy La. Lwtn —6E 106
Sandy La. Lymm —6H 161
Sandy La. Mid —6D 72
Sandy La. Orr —3D 80
Sandy La. P'wch —4K 91
Sandy La. Roch —5E 30
Sandy La. Rom —1G 171
Sandy La. Rytn —2B 74
Sandy La. Salf —5J 113
Sandy La. St H —7A 102
Sandy La. Stoc —7G 153
Sandy La. Stret —1F 149
Sandy La. Wilm —5D 186
Sandy Meade. P'wch —4K 91
Sandy Pk. Hind —1E 84
Sandys Av. Oldh —4B 96
Sandyshot Wlk. M22 —1F 179
Sandy Vale. Duk —7J 119
Sandy Wlk. Rytn —2B 74
Sandy Way. Hind —1D 84
Sandy Way. P'wch —4A 92
Sandywell Clo. M11 —2F 137
Sandywell St. M11 —1F 137
Sangster Ct. Salf —1A 134
Sankey Gro. M9 —4H 93
Sankey St. Bury —3H 47
Sankey St. Golb —1J 125
Sankey St. Newt W —6C 124
Sankey Valley Ind. Est. Newt W —7C 124
Santiago St. M14 —6H 135
Santley St. M12 —6C 136
Santon Av. M14 —2A 152
Santon Dri. Lwtn —1C 126
Sapling Gro. Sale —1B 164
Sapling Rd. Bolt —4H 65
Sapling Rd. Swint —3B 112
Sarah Ann St. M11 —7B 116
Sarah Butterworth Ct. Roch —5K 31
Sarah Butterworth St. Roch —6K 31
Sarah Jane St. Miln —6D 32
Sarah St. M11 —1B 136
Sarah St. Ecc —7K 111
Sarah St. Eden —1J 9
Sarah St. Hind —5F 85
Sarah St. Mid —6B 72
Sarah St. Roch —6J 31
Sarah St. Shaw —1E 74
Sargent Dri. M16 —5E 134
Sargent Rd. Bred —1B 170
Sark Rd. M21 —7A 134
Sarn Av. M22 —7D 166
Sarnesfield Clo. M12 —5C 136
Sarnia Ct. Salf —1D 114
Sarsfield Av. Lwtn —1B 126
Satinwood Clo. Ash M —6B 104
Saturn Gro. Salf —4C 114
Saunders Ct. Dent —6D 138
Saunders M. Chor —1E 18
Saunton Av. Bolt —2H 45
Saunton Rd. Open —1F 137
Sautridge Clo. Mid —6F 51
Savernake Rd. Woodl —5G 155
Savick Av. Bolt —6G 45
Saville Rd. Gat —5H 167
Saville Rd. Rad —6D 46
Saville St. Bolt —6C 44
Saville St. Mac —5G 199
Saville St. Mid —7F 73
Saviours Ter. Bolt —1J 65
Savio Way. Mid —7C 72
Savoy Ct. W'fld —4J 69
Savoy Dri. Rytn —4B 74
Savoy St. Oldh —2F 97
Savoy St. Roch —4E 30
Sawley Av. L'boro —4E 14
Sawley Av. Lwtn —7B 106
Sawley Av. Oldh —3H 97
Sawley Av. W'fld —4K 69
Sawley Av. Wig —4B 60

Sawley Clo. Cul —7A 128
Sawley Dri. Chea H —6E 180
Sawley Rd. M40 —4K 115
Sawpit St. Lymm & Dun M —4C 162
Sawston Wlk. M40 —4E 94
Saw St. Bolt —3A 44
Sawyer Brow. Hyde —5K 139
Sawyer St. Bury —1F 47
Sawyer St. Roch —3H 31
Saxbrook Wlk. M22 —1F 179
Saxby Av. Brom X —4B 24
Saxby St. Salf —3G 113
Saxelby Dri. M8 —1H 115
Saxfield Dri. M23 —5C 166
Saxholme Wlk. M22 —2C 178
Saxon Av. M8 —5G 93
Saxon Av. Duk —1G 139
Saxon Clo. Bury —3F 47
Saxon Dri. Aud —2C 138
Saxon Dri. Chad —6G 73
Saxonholme Rd. Roch —6E 50
Saxon Ho. M16 —6D 134
Saxon Ho. L'boro —6G 15
Saxonside. Mid —3A 72
Saxon St. M40 —5A 116
Saxon St. Dent —6D 138
Saxon St. Droy —6K 117
Saxon St. Mid —6D 72
Saxon St. Moss —4D 98
Saxon St. Oldh —7G 75
Saxon St. Rad —3D 68
Saxon St. Roch —5F 31
Saxthorpe Clo. Sale —5B 148
Saxthorpe Clo. Wig —4K 81
Saxthorpe Wlk. M12 —4A 136
Saxwood Av. M9 —6K 93
Saxwood Clo. Roch —3B 30
Scafell Av. Ash L —4D 118
Scafell Clo. H Lane —4J 183
Scafell Clo. Oldh —5D 74
(in two parts)
Scafell Dri. Wig —1H 81
Scafell Gro. Plat B —5K 83
Scalby Wlk. M22 —3D 178
Scale St. Salf —7A 114
Scarborough St. M40 —7C 94
Scarcroft Rd. M12 —4C 136
Scaresdale Av. Bolt —4G 43
Scarfield Dri. Roch —3A 30
Scargill Clo. M14 —2J 151
Scargill Rd. Bolt —2G 65
Scarisbrick Av. M20 —7K 151
Scarisbrick Rd. M19 —2B 152
Scarisbrick St. Wig —5E 60
Scarr Av. Rad —4G 69
Scarr Dri. Roch —1H 31
Scarr La. Shaw —6G 53
Scarr Ter. Whitw —1F 13
Scarr Wheel. Salf —1C 114
Scarsdale Rd. M14 —5A 136
Scarsdale St. Salf —5B 114
Scarth Wlk. M15 —3F 135
Scarthwood Clo. Bolt —7G 25
Scawfell Av. Bolt —3D 44
Scawton Wlk. M9 —2H 93
Sceptre Clo. Newt W —6C 124
Schofield Gdns. Leigh —5J 107
Schofield Hall Rd. L'boro —3H 33
Schofield La. Ath —4K 85
Schofield Pl. L'boro —1H 15
Schofield Rd. Droy —7K 117
Schofield Rd. Ecc —7J 111
Schofield St. M11 —7E 116
Schofield St. Fail —7H 95
Schofield St. Heyw —3K 49
Schofield St. Hyde —4A 140
Schofield St. Leigh —4J 107
Schofield St. L'boro —5G 15
Schofield St. Miln —7E 32
Schofield St. Oldh —4C 96
Schofield St. Roch —1J 51
Schofield St. Rytn —1B 74
Schofield St. Sum —1H 15
Scholar's Way. Mid —5B 72
Scholefield La. Wig —6F 61
Scholes. Wig —6F 61
Scholes Bank. Hor —7E 20
Scholes Clo. Salf —7F 93
Scholes Dri. M40 —5G 95
Scholes La. P'wch —4B 92
Scholes St. M4 —6H 115 (4L 5)
Scholes St. Bury —2G 47
Scholes St. Chad —3J 95
Scholes St. Fail —6J 95
Scholes St. Oldh —7E 74
Scholes St. Roch —4E 50
Scholes St. Swint —7D 90
Scholes Wlk. P'wch —4B 92
Scholey St. Bolt —1C 66
Scholfield Av. Urm —1D 148
Scholfield St. Rad —2F 69
School Av. Ash L —2H 119
School Av. Stret —6K 133
School Av. Wig —5G 61
School Brow. Bil —3E 102
School Brow. Bury —3K 47
School Brow. Rom —1E 170
School Brow. Wor —2H 111
School Clo. Knut —5B 192
School Clo. Poy —1D 190
School Ct. M4 —6J 115 (4N 5)
School Ct. Ram —1H 9
School Ct. Stoc —5H 169
School Cres. Stal —5K 119
School Dri. Bil —3E 102
School Gro. M20 —4J 151
School Gro. P'wch —5A 92
School Gro. W. Manx —4J 151
School Hill. Bolt —5A 44
School Ho. Flats. Oldh —5A 96
School La. M20 & M19 —7H 151
School La. Ash M —5J 103
School La. Bury —4J 27
School La. Cad —5K 145
School La. C'brk —1E 120
School La. Car —4G 147
School La. Chea H —4B 180
School La. Comp —7B 156
School La. Dun M —4F 163
School La. Haig —5G 39
School La. Heat C —5E 152
School La. Hyde —3J 155
School La. Irl —7B 130
School La. Poy —1D 190
(in two parts)
School La. Rix —1G 161
School La. Rob M —7C 58
School La. Roch —4J 29
(Carr Wood)
School La. Roch —5H 31
(Rochdale)
School La. Stand —4K 37
School La. Tur —3F 7
School La. Uph —3B 58
School La. Wig —6F 61
School M. Bram —5G 181
School Rd. Ecc —1A 132
School Rd. Fail —1H 117
School Rd. Hale —1D 176
School Rd. Hand —1K 187
School Rd. Oldh —5K 95
School Rd. Sale —5F 149
(in two parts)
School Rd. Stret —7G 133
Schools Hill. Chea —1K 179
Schoolside La. Mid —7H 71
Schools Rd. M18 —4G 137
School St. M4 —5G 115 (2K 5)
School St. Abr —6K 83
School St. Ash M —3F 105
School St. Ast —1F 109
School St. Ath —5B 86
School St. Brom X —5B 24
School St. Bury —4B 48
School St. Ecc —5K 111
School St. Golb —1J 125
School St. Haz G —2C 182
School St. Heyw —3J 49
School St. Hor —2G 41
School St. Ince —7H 61
School St. Leigh —7J 85
School St. L'boro —6C 14
School St. L Lev —3K 67
School St. Newt W —6D 124
School St. Oldh —2B 96
School St. Rad —3D 68
School St. Ram —6F 9
School St. Roch —4H 31
School St. Salf —4E 114
School St. Spring —1A 98
School St. Tyl —7F 87
School St. Upperm —6H 77
School St. W'houg —6J 63
School St. Wig —6F 61
School St. Ind. Est. Haz G —2C 182
School Ter. Golb —1J 125
School Ter. Whitw —2E 12
(off Lloyd St.)
School Wlk. M16 —4D 134
School Way. Wig —1J 81
School Yd. Stoc —2A 168
Schwabe St. Mid —6J 71
Scobell St. Tot —7D 26
Scope o' th' La. Bolt —1E 44
Scopton St. Bolt —5J 43
Score St. M11 —7C 116
Scorton Av. Bolt —6H 45
Scorton Wlk. M40 —5F 95
Scotforth Clo. M15 —2E 134 (10E 4)
Scotland. M4 —5G 115 (2J 5)
Scotland Hall Rd. M40 —3D 116
Scotland La. Bury —4C 28
Scotland Pl. Ram —5G 9
Scotland St. M40 —3E 116
Scotland St. Ash L —5G 119
Scot La. Asp & Blac —1A 62
Scot La. Wig —5A 60
Scotta Rd. Ecc —1K 131
Scott Av. M21 —7B 134
Scott Av. Bury —7K 47
Scott Av. Ecc —5A 112
Scott Av. Hind —1C 84
Scott Clo. Mac —4J 199
Scott Clo. Stoc —6H 153
Scott Dri. Marp B —3B 172
Scottfield. Oldh —2C 96
Scottfield Rd. Oldh —2D 96
Scott Ga. Aud —2C 138
Scotthope Clo. Mac —5B 198
Scott Rd. Dent —1C 154
Scott Rd. Droy —6J 117
Scott Rd. Lwtn —7B 106
Scott Rd. P'bry —3C 196
Scott Rd. P'wch —4K 91
Scott St. Ast —4J 109
Scott St. Aud —2D 138
Scott St. Leigh —3H 107
Scott St. Miln —1D 52
Scott St. Oldh —2D 96
Scott St. Rad —7B 68
Scott St. Salf —4C 114
Scott St. W'houg —4J 63
Scott St. Wig —5D 60
Scott Wlk. Newt W —7E 124
Scout Dri. M23 —7K 165
Scout Rd. Bolt —6G 23
Scout Rd. Ram —1K 9
Scout View. Tot —6E 26
Scovell St. Salf —2D 114
Scowcroft La. Shaw —1E 74
Scowcroft St. Bolt —4D 44
Scroggins La. Part —6A 146
Scropton St. M40 —2K 115
Seabright Wlk. M11 —7B 116
Seabrook Cres. Urm —5A 132
Seabrook Rd. M40 —4E 116
Seacombe Av. M14 —1G 151
Seacombe Gro. Stoc —3D 168
Seaford Rd. Bolt —6F 25
Seaford Rd. Salf —3B 114
Seaford Wlk. M9 —4J 93
Seaford Wlk. Chad —1K 95
Seaforth Av. Ath —3C 86
Seaforth Rd. Bolt —7A 24
Seaham Dri. Bury —7G 27
Seaham Wlk. M14 —6H 135
Sealand Clo. Sale —1J 165
Sealand Dri. Ecc —1J 131
Sealand Rd. M23 —1K 165
Sealand Way. Hand —1K 187
Seale Av. Aud —2B 138
Sealey Wlk. M40 —4A 116
(off Filby Wlk.)
Seal Rd. Bram —4H 181
Seaman Way. Ince —1J 83
Seamons Dri. Alt —6K 163
Seamons Rd. Dun M —5J 163
Seamons Wlk. Alt —6K 163
Searby Rd. M18 —5D 136
Searness Rd. Mid —4J 71
Seascale Av. M11 —5D 116
Seascale Cres. Wig —3E 60
Seascale Wlk. Mid —4A 72
Seathwaite Clo. Ast —1G 109
Seathwaite Wlk. M18 —4E 136
Seatoller Ct. Rytn —2C 74
(off Shaw St.)
Seatoller Dri. Mid —5J 71
Seatoller Pl. Wig —7H 59
Seaton Clo. Haz G —3B 182
Seaton M. Ash L —4C 118
Seaton Rd. Bolt —3J 43
Seaton Way. M14 —5G 135
Sebastopol Wlk. M4 —6J 115 (4N 5)
Second Av. M11 —5E 116
Second Av. Ast —4H 109
Second Av. Ath —3D 86
Second Av. Bolt —6H 43
Second Av. Bury —1D 48
Second Av. C'brk —3E 120
Second Av. L Lev —2H 67
Second Av. Oldh —5A 96
Second Av. Poy I —4B 190
Second Av. Swint —3B 112
Second Av. Traf P —4H 133
Second Av. Wig —4C 60
Second St. Bolt —1F 43
Second St. Traf P —4H 133
Sedan Clo. Salf —7A 114
Sedburgh Clo. Sale —7B 148
Sedbury Clo. M23 —2J 165
(in two parts)
Seddon Av. M18 —3F 137
Seddon Av. Rad —1H 69
Seddon Clo. Ath —4C 86
Seddon Gdns. Rad —6J 67
Seddon Ho. Dri. Wig —3A 60
Seddon La. Rad —6J 67
Seddon Rd. Alt —2B 176
Seddons Av. Bury —5E 46
Seddon St. M12 —7D 136
Seddon St. L Hul —2B 88
Seddon St. L Lev —3K 67
Seddon St. Rad —3E 68
Seddon St. W'houg —3J 63
Sedgeborough Rd. M16 —5E 134
Sedge Clo. Stoc —2J 153
Sedgefield Clo. Salf —6A 114
Sedgefield Dri. Bolt —2H 43
Sedgefield Dri. Wig —3A 60
Sedgefield Pk. Oldh —1H 97
Sedgefield Rd. Rad —6D 68
Sedgefield Wlk. M23 —1K 165
Sedgeford Clo. Wilm —4J 187
Sedgeford Rd. M40 —3K 115
Sedgely. Stand —6C 38
Sedgemoor Clo. Chea H —2D 180
Sedgemoor Vale. Bolt —3H 45
Sedgemoor Way. Oldh —7C 74
Sedgley Av. P'wch —5C 92
Sedgley Av. Roch —1K 51
Sedgley Bldgs. Droy —1J 137
Sedgley Clo. Mid —7E 72
Sedgley Ct. Mid —7E 72
Sedgley Dri. W'houg —2J 85
Sedgley Pk. Rd. P'wch —5C 92
Sedgley Rd. M8 —7G 93
Sedgley St. Mid —7E 72
Sedgwick Clo. Ath —4E 86
Sedwyn St. Wig —5F 61
Seedfield Rd. Bury —7K 27
Seedley Av. L Hul —3D 88
Seedley Pk. Rd. Salf —6J 113
Seedley Rd. Salf —5J 113
Seedley St. M14 —6H 135
Seedley Ter. Salf —5J 113
Seedley View Rd. Salf —5J 113
Seed St. Bolt —6J 43
Seel St. Moss —6B 98
Sefton Av. Ath —2C 86
Sefton Av. Orr —2D 80
Sefton Clo. M13 —3H 135
Sefton Clo. Mid —6A 72
Sefton Clo. Oldh —2G 75
Sefton Clo. Orr —2D 80
Sefton Cres. Sale —4F 149
Sefton Dri. Bury —6A 28
Sefton Dri. Swint —2B 112
Sefton Dri. Wilm —3J 187
Sefton Dri. Wor —3J 111
Sefton Fold Dri. Bil —3D 102
Sefton Fold Gdns. Bil —3D 102
Sefton Ho. Bolt —5A 44
(off School Hill)
Sefton La. Hor —5H 41
(in two parts)
Sefton Rd. M21 —2B 150
Sefton Rd. Ash M —2B 104
Sefton Rd. Bolt —3H 43
Sefton Rd. Mid —6A 72
Sefton Rd. Orr —2D 80
Sefton Rd. Pen —6C 90
Sefton Rd. Rad —6C 46
Sefton Rd. Sale —5F 149
Sefton Rd. Wig —3B 82
Seftons, The. Wilm —3J 187
Sefton St. M8 —7G 93
Sefton St. Bury —6K 27
Sefton St. Glos —2E 158
Sefton St. Heyw —4A 50
Sefton St. Leigh —3K 107
Sefton St. Newt W —6B 124
Sefton St. Oldh —5K 95
Sefton St. Rad —5G 69
Sefton St. Roch —7H 31
Sefton St. W'fld —7K 69
Sefton View. Orr —2D 80
Seimens Rd. Manx —5E 150
Selborne Rd. M21 —1B 150
Selbourne Clo. Stoc —7G 137
Selbourne Clo. W'houg —5A 64
Selbourne St. Leigh —1K 107
Selby Av. Chad —5H 73
Selby Av. W'fld —4K 69
Selby Clo. Mid —6C 32
Selby Clo. Poy —7B 182
Selby Clo. Rad —1H 69
Selby Clo. Stret —6E 132
Selby Dri. Salf —5F 113
Selby Dri. Urm —4H 131
Selby Dri. Wig —3J 81
Selby Gdns. Chea H —6E 180
Selby Rd. Mid —3B 72
Selby Rd. Stret —6E 132
Selby St. M11 —1C 136
Selby St. Roch —4K 31
Selby St. Stoc —6F 153
Selby Wlk. Bury —3D 46
Selden St. Oldh —2B 96
Selham Wlk. M13 —2J 135 (10N 5)
Selhurst Av. M11 —6E 116
Selkirk Av. Ash M —4K 103
Selkirk Av. Oldh —3B 96
Selkirk Clo. Mac —1B 198
Selkirk Dri. M9 —4B 94
Selkirk Gro. Wig —6H 59
Selkirk Pl. Heyw —4G 49
Selkirk Rd. Bolt —7K 23
Selkirk Rd. Chad —3H 95
Sellars Sq. Droy —1J 137
Sellers Way. Chad —4J 95
Selsby Av. Ecc —6K 111
Selsey Av. Sale —7D 148
Selsey Av. Stoc —4B 168
Selsey Dri. M20 —3J 167
Selside. Wig —5D 82
Selside Wlk. M14 —2J 151
Selstead Rd. M22 —3C 178
Selston Rd. M9 —3H 93
Selvesen Ho. Leigh —3A 108
Selwood Wlk. M9 —1K 115
(off Carisbrook St.)
Selworth Av. Sale —6J 149
Selworth Clo. Tim —5C 164
Selworthy Rd. M16 —5E 134
Selwyn Av. M9 —7K 93
Selwyn Clo. Oldh —2C 96
Selwyn Dri. Chea H —5E 180
Selwyn Dri. Sut E —7H 199
Selwyn St. Bolt —7C 44
Selwyn St. Leigh —2K 107
Selwyn St. Oldh —2C 96
Senecar Clo. Asp —4K 61
Senior Av. M14 —3A 152
Senior Rd. Ecc —1J 131
Senior St. Salf —5E 114 (2F 4)
Sennicar La. Wig & Haigh —1E 60
Sepal Clo. Stoc —1J 153
Sephton Av. Cul —6J 127
Sephton St. Ince —1H 83
Sepia Gro. Mid —5B 72
Sequoia St. M9 —7B 94
Sergeants La. W'fld —7G 69
Serin Clo. Newt W —6E 124
Serin Clo. Stoc —6D 170
Serpentine Wlk. Newt W —1F 125
Service St. Stoc —3D 168
Set St. Stal —7K 119
Settle Clo. Bury —3D 46
Settle St. Bolt —3K 65
Settle St. L Lev —3A 68
Settle Wlk. M15 —3F 135
Settstones La. Upperm —5K 77
Sett Valley Trail. N Mills —2K 185
Sevenacres. Del —1F 77
Seven Acres La. Roch —2A 30
Sevenoaks. Leigh —2A 108
Sevenoaks Av. Stoc —6C 152
Sevenoaks Av. Urm —5B 132
Sevenoaks Clo. Mac —1D 198
Sevenoaks Dri. Bolt —3A 66
Sevenoaks Dri. Swint —2E 112
Sevenoaks Rd. Chea —5H 167
Sevenoaks Wlk. M13 —4J 135
(off Lauderdale Cres.)
Sevenside Trad. Est. Traf P —4F 133
Seven Stars Rd. Wig —7C 60
Seven Stiles Dri. Marp —4J 171
Seventh Av. Oldh —6A 96
Severn Clo. Alt —5A 164
Severn Clo. Bil —5D 102
Severn Clo. Bury —5K 27
Severn Clo. Mac —1B 198
Severn Dri. Bram —6E 180
Severn Dri. Hind —4G 85
Severn Dri. Miln —6E 32
Severn Dri. Wig —7J 59
Severn Rd. Ash M —3G 105
Severn Rd. Chad —6H 73
Severn Rd. Cul —7K 127
Severn Rd. Heyw —2G 49
Severn Rd. Oldh —6K 95
Severn St. Leigh —4B 108
Severn Way. Kear —1K 89
Severn Way. Stoc —5H 153
Sevilles Bldgs. Moss —5C 98
Seville St. Rytn —4C 74
Seville St. Shaw —1E 74
Sewerby Clo. M16 —5F 135
Sexa St. M11 —1F 137
Sexton St. Heyw —3J 49
Seymour Av. M11 —6F 117
Seymour Chase. Knut —6D 192
Seymour Clo. M16 —4C 134
Seymour Ct. Rad —3F 69
Seymour Ct. Salf —7F 93
Seymour Ct. Stoc —1A 168
Seymour Dri. Bolt —6E 24
Seymour Gro. M16 —4B 134
Seymour Gro. Farn —5C 66
Seymour Gro. Marp —5J 171
Seymour Gro. Roch —2K 51
Seymour Gro. Sale —6F 149
Seymour Gro. Tim —6E 164
Seymour Pl. M16 —4B 134
Seymour Rd. M8 —6F 93
Seymour Rd. Bolt —2A 44
Seymour Rd. Chea H —4C 180
Seymour Rd. Stoc —6K 169
Seymour Rd. S. M11 —6F 117
Seymour St. M18 —3F 137
Seymour St. Bolt —6E 24
Seymour St. Dent —6B 138
(in two parts)
Seymour St. Heyw —4J 49
(in two parts)
Seymour St. Rad —3F 69
(in two parts)
Shackleton Ct. M40 —4E 116
Shackleton Gro. Bolt —3E 42
Shackleton St. Ecc —5A 112
(in two parts)
Shackliffe Rd. M40 —5D 94
Shaddock Av. Roch —3B 30
Shade Av. Spring —2K 97
Shade La. Chor —2F 19
Shade La. Hth C —2F 19
Shade St. Haz G —2C 182
Shade Ter. H Lane —5K 183
Shadewood Rd. Mac —5C 198
Shadow Moss Rd. M22 —5E 178
Shadows La. Moss —3E 98
Shadows M. Moss —3E 98
Shadwell Gro. Leigh —7G 85
Shadwell St. E. Heyw —2K 49
Shadwell St. W. Heyw —2K 49
Shadworth Clo. Moss —3E 98
Shadworth La. G'fld —4F 99
Shady La. M23 —4H 165
Shady La. Brom X —6D 24
Shady Oak Rd. Stoc —5D 170
Shaftesbury Av. Chea H —3E 180
Shaftesbury Av. Ecc —1A 132
Shaftesbury Av. L'boro —1D 32
Shaftesbury Av. Los —5K 41
Shaftesbury Av. Tim —6F 165
Shaftesbury Clo. Bolt —4A 44
Shaftesbury Clo. Los —5K 41
Shaftesbury Dri. Heyw —5J 49
Shaftesbury Dri. Ward —5B 14
Shaftesbury Gdns. Urm —7F 131
Shaftesbury Ho. Salf —5K 113
Shaftesbury Rd. M8 —1G 115
Shaftesbury Rd. Stoc —5C 168
Shaftesbury Rd. Swint —1D 112
Shaftesbury St. Wig —3B 60
Shafton Wlk. M40 —5F 95
Shaftsbury Rd. Orr —6G 59
Shaftway Clo. Hayd —2B 124
Shakerley La. Tyl —3F 87
Shakerley Rd. Tyl —6F 87
Shakespeare Av. Bury —7K 47
Shakespeare Av. Dent —2D 154
Shakespeare Av. Millb —4E 120
Shakespeare Av. Rad —2C 68
Shakespeare Clo. L'boro —2G 15
Shakespeare Cres. Droy —6J 117
Shakespeare Cres. Ecc —6B 112
Shakespeare Dri. Chea —5B 168
(in two parts)
Shakespeare Gro. Wig —2C 82
Shakespeare Rd. Bred —7C 154
Shakespeare Rd. Droy —6J 117
Shakespeare Rd. Oldh —4F 75
Shakespeare Rd. P'wch —4K 91
Shakespeare Rd. Swint —7B 90
Shakespeare Wlk. M13 —3J 135
Shakleton Av. M9 —4C 94
Shalbourne Rd. Wor —4E 88
Shaldon Dri. M40 —4G 117
Shalfleet Clo. Bolt —7G 25
Shalford Dri. M22 —4D 178
Shambles Sq. M3 & M4 —6F 115 (4H 5)
Shamrock Ct. Wor —4D 88
Shandon Av. M22 —2C 166
Shanklin Clo. M21 —1A 150
Shanklin Clo. Dent —2F 155
Shanklin Ho. M21 —1A 150
Shanklin Wlk. Bolt —1E 66
Shanklyn Av. Urm —7A 132
Shanley Ct. Chad —6K 73
Shannon Clo. Heyw —2G 49
Shannon Rd. M22 —7E 166
Shap Av. Tim —6H 165
Shap Cres. Wor —6H 89
Shap Dri. Wor —5H 89
Shap Ga. Wig —7H 59
Shapwick Clo. M9 —7K 93
Sharcott Wlk. M16 —5F 135
Shardlow Clo. M40 —4K 115
Shared St. Wig —7F 61
Shargate Clo. Wilm —4J 187
Sharman St. Bolt —1D 66
Sharnbrook Wlk. M8 —5E 92
Sharnbrook Wlk. Bolt —4D 44
Sharnford Clo. Bolt —7D 44
Sharnford Sq. M12 —3C 136
Sharon Av. Gras —2E 98
Sharon Clo. Ash L —7C 118
Sharon Sq. Bam —7H 83
Sharples Av. Bolt —6A 24
Sharples Dri. Bury —1D 46
Sharples Grn. Tur —5F 7
Sharples Hall. Bolt —6B 24
Sharples Hall Dri. Bolt —6B 24
Sharples Hall Fold. Bolt —7B 24
Sharples Hall M. Bolt —6B 24
Sharples Hall St. Oldh —5H 75
Sharples Meadow. Tur —5F 7
Sharples Pk. Bolt —1K 43
Sharples St. Stoc —7G 153
Sharples Vale. Bolt —2A 44
Sharples Vale Cotts. Bolt —2A 44
Sharpley St. Mac —3E 198
Sharp St. M4 —5H 115 (2L 5)

Sharp St.—Simmondley New Rd.

Sharp St. Ince —1G 83
Sharp St. Mid —6C 72
Sharp St. P'wch —3A 92
Sharp St. Wor —4G 89
Sharratt's Path. Char R —1B 18
Sharrington Dri. M23 —5J 165
Sharrow Wlk. M9 —1K 115 (off Ockendon Dri.)
Sharston Cres. Knut —5E 192
Sharston Ind. Area. M22 —4E 166
Sharston Rd. Shar I —5D 166
Shaving La. Wor —6F 89
Shaw Av. Hyde —2K 155
Shawbrook Av. Wor —7D 88
Shawbrook Rd. M19 —4B 152
Shawbury Clo. Blac —4B 40
Shawbury Clo. Mid —7E 72
Shawbury Gro. Sale —1D 164
Shawbury Rd. M23 —7B 166
Shawclough Clo. Roch —1F 31
Shawclough Dri. Roch —1E 30
Shawclough Rd. Roch —7E 12
Shawclough Way. Roch —1E 30
Shawcroft Clo. Shaw —1E 74
SHAW & CROMPTON STATION. BR —7G 53
Shawcross Fold. Stoc —1H 169
Shawcross La. M22 —3E 166
Shawcross St. Hyde —2K 155
Shawcross St. Salf —7K 113
Shawcross St. Stoc —3H 169
Shawdene Rd. M22 —3C 166
Shaw Dri. Knut —3F 193
Shawe Hall Av. Urm —2J 147
Shawe Hall Cres. Urm —2J 147
Shawe Rd. Urm —7J 131
Shawes Dri. And —5A 20
Shawe View. Urm —7J 131
Shawfield Clo. M14 —2G 151
Shawfield Ct. Stoc —6B 170
Shawfield Gro. Roch —2B 30
Shawfield La. Roch —2B 30
Shawfield Rd. Had —6B 142
Shawfields. Stal —5D 120
Shawfold. Shaw —6F 53
Shawford Cres. M40 —5E 94
Shawford Rd. M40 —5E 94
Shaw Ga. Upperm —7K 77
Shawgreen Clo. M15 —3D 134
Shaw Hall Av. Hyde —4B 140
Shaw Hall Bank Rd. G'fld —2F 99
Shaw Hall Clo. G'fld —2F 99
Shawhead Dri. Fail —2H 117
Shaw Heath. Stoc —3G 169
Shawheath Clo. M15 —3D 134
Shawhill Wlk. M40 —6A 116
Shaw Ho. Ath —3D 86 (off Brooklands Av.)
Shaw Ho. Shaw —1F 75
Shaw La. Glos —7A 142
Shaw La. Roch —3E 32
Shawlea Av. M19 —4A 152
Shaw Lee. Dig —2K 77
Shaw Moor Av. Stal —7C 120
Shaw Rd. Hor —7F 21
Shaw Rd. Miln —2F 53
Shaw Rd. Oldh —5E 74
Shaw Rd. Roch —4K 51
Shaw Rd. Rytn —3C 74
Shaw Rd. Stoc —5D 152
Shaw Rd. Est. Oldh —5D 74
Shaw Rd. S. Stoc —5H 169 (in two parts)
Shaws. Upperm —7J 77
Shaws Fold. Spring —7B 76
Shaws Fold. Styal —2F 187
Shaws La. Upperm —6H 77
Shaw's Rd. Alt —7B 164
Shaw St. M3 —5F 115 (2H 5)
Shaw St. Ash M —3D 104
Shaw St. Ash L —5H 119
Shaw St. Bolt —1A 66
Shaw St. Bury —2B 48
Shaw St. Cul —6A 128
Shaw St. Farn —4E 66
Shaw St. Glos —2E 158
Shaw St. G'fld —1H 99
Shaw St. Hayd —3A 124
Shaw St. Mac —3E 198
Shaw St. Mot —5G 141
Shaw St. Oldh —6D 74
Shaw St. Roch —2K 31
Shaw St. Rytn —2C 74
Shaw St. Spring —1A 98
Shaw St. Wig —5E 60
Shaw Ter. Duk —7G 119
Shay Av. Hale —3J 177
Shayfield Av. M22 —6D 166
Shayfield Av. Chad —6G 73
Shayfield Dri. M22 —5D 166
Shayfield Rd. M22 —6D 166
Shay La. Hale —3G 177
Sheader Dri. Salf —6G 113
Sheaf Field Wlk. Rad —2E 68
Sheard Av. Ash L —2H 119
Sheardhall Av. Dis —7E 184
Shearer Way. Pen —1J 113
Shearing Av. Roch —3B 30
Shearsby Clo. M15 —4E 134
Shearwater Av. Ast —7G 87
Shearwater Dri. W'houg —1H 85
Shearwater Dri. Wor —4E 88
Shearwater Gdns. Ecc —1J 131
Shearwater Rd. Stoc —5D 170
Sheddings, The. Bolt —2C 66
Shed St. Bolt —1B 66
Shed St. Ince —3G 83
Shed St. Whitw —2F 13
Sheepfoot La. Oldh —5B 74
Sheepfoot La. P'wch —4D 92
Sheep Gap. Roch —3D 30
Sheepgate Dri. Tot —7C 26
Sheep Ho. La. Hor —3D 20
Sheep La. Wor —7B 88
Sheerness St. M18 —4F 137
Sheffield Rd. Glos —1G 159
Sheffield Rd. Hyde —5K 139 (in two parts)
Sheffield St. M1 —1H 135 (7M 5)
Sheffield St. Stoc —7G 153
Shefford Clo. M11 —1B 136
Shefford Cres. Wig —5J 81
Sheiling Ct. Alt —7A 164
Sheilings, The. Lwtn —1D 126
Shelbourne Av. Bolt —4H 43
Shelbourne M. Mac —3B 198
Shelden Clo. Glos —1K 157
Shelden Fold. Glos —1K 157 (off Brassington Cres.)
Shelden M. Glos —1K 157
Shelden Pl. Glos —1K 157 (off Brassington Cres.)
Shelderton Clo. M40 —1C 116
Sheldon Av. Stand —3A 38
Sheldon Av. Urm —7K 131
Sheldon Clo. Farn —4D 66
Sheldon Clo. Part —7B 146
Sheldon Ct. Ash L —3F 119
Sheldon Rd. Haz G —5C 182
Sheldon Rd. Poy —3G 191
Sheldon St. M11 —6D 116
Sheldrake Clo. Duk —2J 139
Sheldrake Rd. B'hth —3K 163
Sheldwich Clo. Leigh —5K 107
Shelfield. Roch —3B 30
Shelfield Clo. Roch —4B 30
Shelfield La. Roch —3A 30
Shelford Av. M18 —5D 136
Shellbrook Gro. Wilm —4K 187
Shelley Av. Mid —4D 72
Shelley Clo. Cop —4B 18
Shelley Ct. Chea H —3C 180
Shelley Dri. Abr —6K 83
Shelley Dri. Orr —1G 81
Shelley Gro. Droy —6J 117
Shelley Gro. Hyde —4H 139
Shelley Gro. Millb —4E 120
Shelley Rise. Duk —2B 140
Shelley Rd. Chad —4H 95
Shelley Rd. L Hul —2C 88
Shelley Rd. Oldh —5G 75
Shelley Rd. P'wch —4K 91
Shelley Rd. Stoc —1F 153
Shelley Rd. Swint —7B 90
Shelley St. M40 —7E 94
Shelley St. Leigh —1G 107
Shelley Wlk. Ath —2D 86
Shelley Wlk. Bolt —4K 43
Shelley Way. Dent —2D 154
Shellingford Clo. Shev —6D 36
Shelmerdine Clo. Mot —7F 141
Shelmerdine Gdns. Salf —4G 113
Shelton Av. Sale —6B 148
Shenfield Wlk. M40 —5K 115
Shentonfield Rd. Shar I —5E 166
Shenton Pk. Av. Sale —1A 164
Shenton St. Hyde —5G 139
Shepherd Ct. Roch —5K 31
Shepherd Cross St. Bolt —4J 43
Shepherds Brow. Bow —1J 175
Shepherds Clo. Blac —2A 40
Shepherds Clo. G'mnt —3D 26
Shepherds Cross St. Ind. Est. Bolt —3K 43 (off Shepherds Cross St.)
Shepherd's Dri. Hor —2A 42
Shepherds Grn. G'fld —2K 99
Shepherd St. M9 —6A 94
Shepherd St. Bury —3K 47
Shepherd St. G'mnt —4D 26
Shepherd St. Heyw —3J 49
Shepherd St. Roch —3K 29 (Norden)
Shepherd St. Roch —4H 31 (Rochdale)
Shepherd St. Rytn —2C 74
Shepherd Wlk. Dent —2D 154
Shepley Av. Bolt —1J 65
Shepley Clo. Duk —1H 139
Shepley Clo. Haz G —4B 182
Shepley Dri. Haz G —3B 182
Shepley Ind. Est. N. Aud —2D 138
Shepley Ind. Est. S. Aud —3E 138
Shepley La. Marp —7K 171
Shepley Rd. Aud —3D 138
Shepley St. M1 —1H 135 (7L 5)
Shepley St. Aud —2D 138
Shepley St. Fail —6J 95
Shepley St. Glos —7G 143 (Glossop)
Shepley St. Glos —6A 142 (Hollingworth)
Shepley St. Hyde —7J 139
Shepley St. Lees —1J 97
Shepley St. Stal —6A 120
Shepton Av. Plat B —6J 83
Shepton Clo. Bolt —5K 23
Shepton Dri. M23 —2A 178
Shepway Ct. Ecc —6K 111
Sheraton Clo. Orr —5H 59
Sheraton Rd. Oldh —3C 96
Sherborne Av. Hind —2E 84
Sherborne Ho. Mid —3C 72
Sherborne Rd. Mid —3B 72
Sherborne Rd. Orr —6G 59
Sherborne Rd. Stoc —4C 168
Sherborne St. M3 & M8 —4E 114
Sherborne St. Trad. Est. M8 —3G 115
Sherborne St. W. Salf —5E 114 (1E 4)
Sherbourne Clo. Chea H —6D 180
Sherbourne Clo. Oldh —3G 97
Sherbourne Clo. Rad —1B 68
Sherbourne Ct. P'wch —3A 92
Sherbourne Dri. Heyw —2G 49
Sherbourne Pl. Ince —2G 83
Sherbourne Rd. Bolt —4G 43
Sherbourne Rd. Mac —4B 198
Sherbourne Rd. Urm —6C 132
Sherbourne St. P'wch —3A 92
Sherbrooke Av. Upperm —5J 77
Sherbrooke Clo. Sale —7D 148
Sherbrooke Rd. Dis —6D 184
Sherbrook Rise. Wilm —7J 187
Sherdley Ct. M8 —6G 93
Sherdley Rd. M8 —6G 93
Sherford Clo. Haz G —2J 181
Sheridan Av. Lwtn —2B 126
Sheridan Ct. M40 —3A 116
Sheridan Way. Chad —6G 73
Sheridan Way. Dent —2D 154
Sheri Dri. Newt W —7F 125
Sheriffs Dri. Ast —6K 87
Sheriff St. Bolt —4D 44
Sheriff St. Miln —7E 32
Sheriff St. Roch —4G 31
Sheringham Dri. Bury —7H 27
Sheringham Dri. Hyde —6A 140
Sheringham Dri. Swint —2D 112
Sheringham Pl. Bolt —1K 65
Sheringham Rd. M14 —3K 151
Sherlock Av. Hayd —2A 124
Sherlock St. M14 —3K 151
Sherratt St. M4 —6H 115 (3M 5)
Sherrington St. M12 —6C 136
Sherway Dri. Tim —5G 165
Sherwell Rd. M9 —4H 93
Sherwin Way. Roch —4F 51
Sherwood Av. M14 —2J 151
Sherwood Av. Ash M —4E 104
Sherwood Av. Ast —2G 109
Sherwood Av. Chea H —2B 180
Sherwood Av. Droy —6A 118
Sherwood Av. Rad —5D 46
Sherwood Av. Sale —5G 149
Sherwood Av. Salf —1B 114
Sherwood Av. Stoc —2C 168
Sherwood Clo. Ash L —1G 119
Sherwood Clo. Marp —7K 171
Sherwood Clo. Salf —5H 113
Sherwood Clo. Tot —5D 26
Sherwood Cres. Plat B —5J 83
Sherwood Cres. Wig —7K 59
Sherwood Dri. Pen —1F 113
Sherwood Dri. Wig —1K 81
Sherwood Fold. Charl —3K 157
Sherwood Gro. Leigh —6B 108
Sherwood Gro. Wig —7K 59
Sherwood Ho. Plat B —5J 83
Sherwood Rd. M9 —5K 93
Sherwood Rd. Dent —6K 137
Sherwood Rd. Mac —7F 199
Sherwood Rd. Woodl —5F 155
Sherwood St. M14 —2J 151
Sherwood St. Bolt —2B 44
Sherwood St. Oldh —6B 74
Sherwood St. Roch —7J 31 (off Durham St)
Sherwood St. Roch —3F 51 (off Queensway)
Sherwood Way. Shaw —5C 52
Shetland Rd. M40 —4K 115
Shetland Way. Rad —1E 68
Shetland Way. Urm —4A 132
Shevington Gdns. M23 —2B 166
Shevington La. Shev —7H 37
Shevington Moor. Stand —3G 37
Shieldburn Dri. M9 —1A 116
Shield Clo. Oldh —1C 96
Shield Dri. Wor —7A 90
Shield St. Stoc —3G 169
Shields View. Salf —2B 134 (off Ordsall Dri.)
Shiel St. Wor —4F 89
Shiers Dri. Chea —7A 168
Shiffnall St. Bolt —7C 44
Shildon Clo. Wig —4H 61
Shilford Dri. M4 —5J 115 (1N 5)
Shillingfold Rd. Farn —6D 66
Shillingford Rd. Farn —6E 66
Shillingstone Clo. Bolt —2H 45
Shillington Clo. Wor —4B 88
Shiloh La. Spring —4B 76
Shiloh Rd. SK12 —6H 173
Shiloh Rd. Mell —6H 173
Shilton Gdns. Bolt —1A 66
Shilton St. Ram —6F 9
Shilton Wlk. M40 —5F 95
Shipgates Cen. Bolt —6B 44
Shipham Clo. Leigh —7H 85
Shipla Clo. Oldh —7C 74
Shipley Av. Salf —5G 113
Shipley View. Urm —4H 131
Shipper Bottom La. Ram (in two parts) —6H 9
Shippey St. M14 —3K 151
Shipston Clo. Bury —2E 46
Shipton St. Bolt —4H 43
Shirburn. Roch —6G 31
Shirebrook Dri. Glos —1F 159 (in two parts)
Shirebrook Dri. Rad —2F 69
Shireburn Av. Bolt —5E 44
Shiredale Clo. Chea H —7D 168
Shiredale Dri. M9 —1K 115
Shiregreen Av. M40 —3J 115
Shirehills. P'wch —4A 92
Shireoak Rd. M20 —3K 151
Shires, The. Droy —5B 118
Shires, The. Rad —1E 68
Shire Way. Glos —6G 143
Shirley Av. Aud —1A 138
Shirley Av. Chad —5G 95
Shirley Av. Dent —6H 137
Shirley Av. Ecc —1A 132
Shirley Av. H Grn —6J 179
Shirley Av. Hyde —4H 139
Shirley Av. Marp —5J 171
Shirley Av. Pen —1G 113
Shirley Av. Salf —1A 114
Shirley Av. Stret —6K 133
Shirley Clo. Haz G —2A 182
Shirley Ct. Sale —6G 149
Shirley Gro. Stoc —6G 169
Shirley Rd. M8 —1G 115
Shirleys Clo. P'bry —4C 196
Shirleys Dri. P'bry —4C 196
Shirley St. Roch —3E 50
Shoecroft Av. Dent —7C 138
Shoemaker Gdns. Asp —7A 40
Sholver Hey La. Oldh —2H 75
Sholver Hill Clo. Oldh —2J 75
Sholver La. Oldh —2H 75
Shone Av. M22 —2F 179
Shore Av. Shaw —4G 53
Shoreditch Clo. Stoc —5D 152
Shorefield Clo. Miln —5D 32
Shorefield Mt. Eger —4A 24
Shore Fold. L'boro —5D 14
Shoreham Clo. Bury —5G 27
Shoreham Wlk. M16 —5E 134
Shoreham Wlk. Chad —1J 95
Shore Hill. L'boro —5G 15
Shore La. L'boro —6G 15
Shore Lea. L'boro —5D 14
Shore Mt. L'boro —5D 14
Shore Rd. L'boro —5D 14
Shore St. Miln —6D 32
Shore St. Oldh —7E 74
Shoreswood. Bolt —7K 23
Shore View. Miln —6C 32
Shorland St. Swint —1A 112
Shorrocks St. Bury —2D 46
Short Av. Droy —1H 137
Short Clo. Newt W —6A 124
Shortcroft St. M15 —2F 135 (10G 4)
Shortland Cres. M19 —7K 151
Shortlands Av. Bury —4K 47
Short St. M4 —7G 115 (5K 5)
Short St. Ash L —5F 119
Short St. Golb —7K 105
Short St. Hayd —3A 124
Short St. Haz G —1B 182
Short St. Heyw —4H 49
Short St. Mac —3F 199
Short St. Newt W —6A 124
Short St. Salf —5E 114 (1E 4) (in two parts)
Short St. Stoc —7F 153 (in two parts)
Short St. Wig —1H 81
Short St. E. Stoc —7G 153
Shortwood Clo. M40 —2C 116
Shottery Wlk. Bred —7D 154
Shotton Wlk. M14 —6J 135
Shrewsbury Clo. Hind —1D 84
Shrewsbury Ct. M16 —4D 134
Shrewsbury Gdns. Chea H —6E 180
Shrewsbury Rd. Bolt —5H 43
Shrewsbury Rd. Droy —5J 117
Shrewsbury Rd. P'wch —4A 92
Shrewsbury Rd. Sale —1E 164
Shrewsbury St. M16 —4C 134
Shrewsbury St. Glos —1E 158
Shrewsbury St. Oldh —6G 75
Shrewsbury Way. Dent —1E 154
Shrigley Clo. Wilm —4K 187
Shrigley Rd. Boll —1K 197
Shrigley Rd. Poy & Boll —3G 191
Shrigley Rd. N. Poy —2G 191
Shrigley Rd. S. Poy —2G 191
Shrigley St. Mac —3G 199
Shrivenham Wlk. M23 —4K 165
Shropshire Av. Stoc —4A 154
Shropshire Dri. Glos —2H 159
Shropshire Rd. Fail —2J 117
Shropshire Sq. M12 —3B 136
Shrowbridge Wlk. M12 —3C 136
Shrub St. Bolt —4J 65
Shude Hill. M4 —6G 115 (4J 5)
Shudehill Rd. Wor —6C 88
Shurdington Rd. Ath & Bolt —1F 87
Shurmer St. Bolt —2J 65
Shutt La. Dob —4F 77
Shuttle Cen. W'fld —6B 70
Shuttle Hillock Rd. Bick —1D 106
Shuttle St. Ecc —6D 112
Shuttle St. Hind —1C 84
Shuttle St. Tyl —6F 87
Shuttleworth Clo. M16 —2E 150
Shutts La. Stal —1D 140
Siam St. M11 —1B 136
Sibley Av. Ash M —4F 105
Sibley Rd. Stoc —7D 152
Sibley St. M18 —4F 137
Siblies Wlk. M22 —3B 178
Sibson Ct. M21 —1A 150
Sibson Rd. M21 —1A 150
Sibson Rd. Sale —6E 148
Sicklefield. Wig —1E 60
Sickle St. M2 —7G 115 (5J 5)
Sickle St. Oldh —1E 96
Sidbrook St. Hind —1A 84
Sidbury Rd. M21 —2C 150
Sidcup Rd. Rnd I —6K 165
Siddall St. M12 —7C 136
Siddall St. Dent —6D 138
Siddall St. Heyw —5A 50
Siddall St. Oldh —6D 74
Siddall St. Rad —2E 68
Siddall St. Shaw —6F 53
Siddeley Dri. Newt W —6B 124
Siddeley St. Leigh —3H 107
Siddington Av. M20 —2G 151
Siddington Av. Stoc —5E 168
Siddington Rd. Hand —7K 179
Siddington Rd. Poy —3D 190
Siddow Comn. Leigh —5A 108 (in two parts)
Side Av. Bow —3A 176
Sidebothom St. Bred —6D 154
Sidebottom St. Droy —7H 117
Sidebottom St. Oldh —6J 75
Sidebottom St. Stal —6A 120
Side St. M11 —7D 116
Side St. Oldh —5A 96
Sidford Clo. Bolt —1F 67
Sidings, The. Wor —3J 111
Sidley Av. M9 —3B 94
Sidley Pl. Hyde —6K 139
Sidley St. Hyde —6K 139
Sidmouth Av. Urm —6G 131
Sidmouth Dri. M9 —5K 93
Sidmouth Gro. Chea H —5B 180
Sidmouth Gro. Wig —4A 82
Sidmouth Rd. Sale —5B 148
Sidmouth St. Aud —2B 138 (in two parts)
Sidmouth St. Oldh —2A 96
Sidney James Ct. M40 —6E 94
Sidney Rd. M9 —6K 93
Sidney St. M1 —2G 135 (10K 5)
Sidney St. Bolt —1B 66
Sidney St. Leigh —3A 108
Sidney St. Oldh —5E 74
Sidwell Wlk. M4 —6K 115
Siemens Rd. Cad —5A 146
Siemens St. Hor —3G 41
Sighthill Wlk. M9 —7K 93
Signet Wlk. M8 —3H 115
Silas St. Ash L —3H 119
Silburn Way. Mid —7J 71
Silbury Wlk. M8 —3F 115
Silchester Dri. M40 —2K 115
Silchester Wlk. Oldh —7D 74
Silchester Way. Bolt —4G 45
Silcock St. Golb —7J 105
Silfield Clo. M11 —7A 116
Silkhey Gro. Wor —6F 89
Silkin Clo. M13 —2H 135 (9M 5)
Silkin Ct. M13 —2H 135 (10M 5) (off Silkin Clo.)
Silk Mill St. Knut —4D 192
Silk Rd., The. Mac —4E 196
Silk St. M4 —6J 115 (3M 5)
Silk St. Ecc —7D 112
Silk St. Glos —1G 159
Silk St. Leigh —3K 107
Silk St. Mid —6B 72
Silk St. Roch —1E 50
Silk St. Salf —5D 114 (2C 4)
Silk St. W'houg —5J 63
Sillavan Way. Salf —6E 114 (4E 4)
Sillitoe Dri. Wig —5C 60
Silsbury Gro. Stand —5C 38
Silsden Av. M9 —2H 93
Silsden Av. Lwtn —1F 127
Silsden Wlk. Salf —7K 91
Silton St. M9 —1B 116
Silvan Ct. Mac —2D 198
Silverbirch Clo. Sale —1B 164
Silver Birch Gro. Ash M —3C 104
Silver Birch Gro. Pen —2F 113
Silverbirch Way. Fail —1H 117
Silver Clo. Duk —2F 139
Silvercroft St. M15 —2E 134 (9E 4)
Silverdale. Clif —5E 90
Silverdale. Wig —4E 60
Silverdale Av. Chad —1J 95
Silverdale Av. Dent —7E 138
Silverdale Av. Ince —6J 61
Silverdale Av. Irl —5D 130
Silverdale Av. L Hul —2C 88
Silverdale Av. P'wch —5E 92
Silverdale Clo. H Lane —4J 183
Silverdale Ct. Wig —6F 61
Silverdale Dri. Lees —1K 97
Silverdale Dri. Wilm —2G 195
Silverdale Gro. St H —7A 102
Silverdale Rd. M21 —1C 150
Silverdale Rd. Bolt —6J 43
Silverdale Rd. Farn —5C 66
Silverdale Rd. Gat —7H 167
Silverdale Rd. Hind —2D 84
Silverdale Rd. Newt W —5D 124
Silverdale Rd. Orr —7H 59
Silverdale Rd. Stoc —6E 152
Silverdale St. M11 —2H 137
Silver Hill. Miln —5D 32
Silver Hill Rd. Hyde —1J 155
Silver Jubilee Wlk. M4 —6H 115 (4L 5) (off Tib St.)
Silver La. Risl —3A 144
Silvermere. Ash L —2J 119
Silver Springs. Hyde —2K 155
Silverstone Dri. M40 —4F 117
Silver St. M1 —7G 115 (6K 5) (in two parts)
Silver St. Boll —2K 197
Silver St. Bury —3J 47
Silver St. Irl —5D 130
Silver St. Oldh —1D 96
Silver St. Plat B —5J 83
Silver St. Ram —5G 9
Silver St. Roch —4F 31
Silver St. W'fld —5J 69
Silver Ter. Wig —6F 61 (off Silverdale Ct.)
Silverthorne Clo. Stal —7A 120
Silverton Clo. Hyde —7E 140 (in two parts)
Silverton Gro. Bolt —1B 44
Silverwell La. Bolt —6B 44
Silverwell St. M40 —3E 116
Silverwell St. Bolt —6B 44
Silverwell St. Hor —1F 41
Silverwood. Chad —7G 73
Silverwood Av. M21 —2B 150
Silvester St. Blac —3B 40
Silvine Wlk. M40 —4A 116 (off Bednal Av.)
Silvington Way. Asp —4J 61
Simeon St. M4 —5H 115 (2L 5)
Simeon St. Miln —6D 32
Simister Dri. Bury —4A 70
Simister Grn. P'wch —5E 70
Simister La. P'wch & Mid —6D 70
Simister Rd. Fail —1H 117
Simister St. M9 —7A 94
Simkin Way. Oldh —6D 96
Simmondley Gro. Glos —2C 158
Simmondley La. Glos —2C 158
Simmondley New Rd. Glos —3C 158

Simms Clo.—Sparta Wlk.

Simms Clo. Salf —6D 114 (4C 4)
Simms Yd. Asp —2C 62 (Aspull)
Simms Yd. Asp —1A 62 (Holly Nook)
Simonbury Clo. Bury —3D 46
Simon Freeman Clo. M19 —3E 152
Simon La. Mid —4G 71
Simons Clo. Glos —3C 158
Simons Clo. Sale —7E 148
Simons Wlk. Glos —2C 158
Simonsway. M22 —1B 178
Simonsway Ind. Est. M22 —3E 178
Simpkin St. Abr —6K 83
Simpson Av. Clif —5G 91
Simpson Gro. Wor —2C 110
Simpson Hill Clo. Heyw —2B 50
Simpson La. Pot S —6H 191
Simpson Rd. Wor —2C 110
Simpsons Ct. Mac —3E 198 (off Gt. King St.)
Simpsons Pl. Roch —3H 31
Simpson Sq. Chad —4A 96
Simpson St. M4 —5G 115 (2K 5)
Simpson St. Bolt —4B 44
Simpson St. Chad —3K 95
Simpson St. Hyde —6H 139
Simpson St. Stoc —3G 169
Simpson St. Wilm —7F 187
Sinclair Av. M8 —5F 93
Sinclair Pl. Wig —6A 60
Sinderland La. Dun M —2D 162
Sinderland Rd. B'hth —2H 163
Sinderland Rd. Part —6E 146
Sindsley Ct. Swint —6B 90 (off Moss La.)
Sindsley Gro. Bolt —3A 66
Sindsley Ho. Swint —2A 112
Sindsley Rd. Wdly —5B 90
Singapore Av. Man A —4A 178
Singleton Av. Bolt —6G 45
Singleton Av. Hor —7G 21
Singleton Clo. Salf —6C 92
Singleton Gro. W'houg —6B 64
Singleton Lodge. Salf —6D 92
Singleton Rd. Salf —6C 92
Singleton Rd. Stoc —6D 152
Singleton St. Rad —2B 68
Sion St. Rad —4D 68
Sirdar St. M11 —1H 137
Sirius Pl. Salf —5D 114 (1C 4)
Sir Matt Busby Way. M16 —4K 133
Sir Robert Thomas Ct. M9 (off Coningsby Dri.) —7K 93
Siskin Clo. Leigh —3B 108
Siskin Clo. Newt W —6E 124
Siskin Rd. Stoc —6D 170
Sisson St. Fail —1H 117
Sisters St. Droy —1J 137
Sittingbourne Rd. Wig —2E 60
Sixpools Gro. Wor —7E 88
Sixth Av. Bolt —6H 43
Sixth Av. Bury —1D 48
Sixth Av. L Lev —2H 67
Sixth Av. Oldh —6A 96
Sixth St. Traf P —4H 133
Size Ho. Pl. Leigh —4A 108
Size St. Whitw —2F 13
Skagen Ct. Bolt —4A 44 (in two parts)
Skaife Rd. Sale —6J 149
Skarratt Clo. M12 —3B 136
Skegness Clo. Bury —7H 27
Skelton Gro. M13 —7B 136
Skelton Gro. Bolt —5H 45
Skelton Rd. Stret —6H 133
Skelton Rd. Tim —4C 164
Skelton St. Ash M —2B 104
Skelwith Av. Bolt —4B 66
Skelwith Clo. Urm —5J 131
Skerry Clo. M13 —2H 135 (10M 5)
Skerton Rd. M16 —4B 134
Skiddaw Pl. Wig —1J 81
Skilgate Wlk. M40 —2E 116
Skip Pl. M3 —5G 115 (1J 5)
Skipton Av. M40 —6F 95
Skipton Av. Chad —5H 73
Skipton Av. Hind —3E 84
Skipton Clo. Bury —3D 46
Skipton Clo. Haz G —4A 182
Skipton Dri. Urm —4H 131
Skipton St. Bolt —5E 44
Skipton St. Oldh —3F 97
Skipton Wlk. Bolt —6E 44
Skitters Gro. Ash M —4B 104
Skrigge Clo. M8 —7F 93
Skull Ho. La. App B —4C 36
Skye Clo. Heyw —4F 49
Skye Rd. Urm —4B 132
Skye Wlk. M23 —7A 166
Slackcote La. Del —6C 54
Slackey Brow. Kear —2A 90
Slackey Fold. Hind —6F 85
Slack Fold La. Farn —5J 65
Slack Ga. Whitw —3G 13
Slack Ga. La. Dens —4D 54
Slack La. Bolt —5F 25
Slack La. Del —6C 54
Slack La. Pen —6E 90
Slack La. W'houg —3K 63
Slack Rd. M9 —6K 93
Slack's La. Hth C —2K 19
Slack St. Hyde —5K 139
Slack St. Mac —6G 199
Slack St. Roch —5H 31
Slade Gro. M13 —6B 136
Slade Hall Rd. M12 —7C 136
Slade La. M19 & M13 —2B 152
Sladen St. Roch —3H 31
Sladen Ter. L'boro —3H 15
Slades La. Upperm —5A 78
Slade St. L Lev —3J 67
Slades View Clo. Dig —1J 77
Slag La. Lwtn —1B 126
Slaidburn Av. Bolt —7H 45
Slaidburn Clo. M22 —2A 178
Slaidburn Clo. Miln —7D 32
Slaidburn Clo. Wig —4C 82
Slaidburn Cres. Golb —6H 105
Slaidburn Dri. Bury —2C 46
Slaithwaite Dri. M11 —6E 116
Slant Clo. Glos —2F 159
Slateacre Rd. Hyde —3K 155
Slate Av. M4 —7J 115 (5P 5)
Slatelands Av. Glos —2D 158
Slatelands Rd. Glos —2D 158
Slate La. Ash L —7C 118
Slate La. Aud —1A 138
Slater Av. Hor —1G 41
Slaterfield. Bolt —1A 66
Slater La. Bolt —5C 44
Slater's Nook. W'houg —5J 63
Slater St. Bolt —4B 44
Slater St. Ecc —6K 111
Slater St. Fail —6H 95
Slater St. Farn —6F 67
Slater St. Mac —5E 198
Slater St. Oldh —1C 96
Slater St. N. Leigh —3H 107
Slater Way. Mot —7F 141
Slate Wharf. M15 —2D 134 (9D 4)
Slattocks Link Rd. Mid —1F 73
Slaunt Bank. Roch —2K 29
Slawson Way. Heyw —2B 50
Sleaford Clo. M40 —5K 115
Sleaford Clo. Bury —7H 27
Sleaford Wlk. M40 —5K 115 (off Farnborough Rd.)
Sledbrook St. Wig —2J 81
Sleddale Clo. Stoc —6B 170
Sledmere Clo. M11 —7C 116
Sledmere Clo. Bolt —3B 44
Sledmoor Rd. M23 —2K 165
Slimbridge Clo. Bolt —4J 45
Sloane Av. Lees —6K 75
Sloane St. Ash L —5G 119
Sloane St. Bolt —3H 65
Slough Ind. Est. Salf —1C 134 (8B 4)
Smallbridge Clo. Wor —7E 88
Smallbrook. Shaw —5G 53
Smallbrook La. Leigh —4H 85
Small Brook Rd. Shaw —3G 53
Smalldale Av. M16 —6F 135
Smalley St. Roch —3E 50
Smalley St. Stand —4A 38
Smallfield Dri. M9 —7K 93
Smallridge Clo. M40 —5K 115
Smallshaw Clo. Ash M —6C 104
Smallshaw Fold. Ash L —3F 119
Smallshaw La. Ash L —3F 119
Smallshaw Rd. Roch —7C 12
Smallshaw Sq. Ash L —3F 119
Smallwood St. M40 —2E 116
Smart St. M12 —6C 136
Smeaton Clo. Stret —7J 133
Smeaton St. M8 —2J 115
Smeaton St. Hor —3G 41
Smedley Av. M8 —2H 115
Smedley Av. Bolt —3C 66
Smedley La. M8 —2H 115
Smedley Pl. Glos —7G 143
Smedley Rd. M8 & M40 —2H 115
Smedley St. M8 —2G 115
Smethurst Ct. Bolt —4H 65 (off Smethurst La.)
Smethurst Hall Pk. Bil —5C 80
Smethurst Hall Rd. Bury —1E 48
Smethurst La. Bolt —4H 65
Smethurst La. Wig —2J 81
Smethurst Rd. Bil —5B 80
Smethurst St. M9 —6K 93
Smethurst St. Heyw —3H 49
Smethurst St. Mid —7F 73
Smethurst St. Wig —2J 81
Smith Av. Orr —6H 59
Smith Brow. Blac —2A 40
Smith Dri. Hyde —7H 139
Smith Farm Clo. Oldh —6K 75
Smithfold Clo. Wor —3C 88
Smith Hill. Miln —6D 32
Smithies Av. Mid —4C 72
Smithies St. Heyw —3A 50
Smithills Croft Rd. Bolt —2G 43
Smithills Dean Rd. Bolt —6G 23
Smithills Dri. Bolt —3F 43
Smithills Hall Clo. Ram —6G 9
Smith La. Eger —4B 24
Smith's La. Hind —6E 84
Smiths Lawn. Wilm —1G 195
Smith's Pl. Ath —4D 86
Smith's Rd. Bolt —3F 67
Smith St. M16 —3C 134
Smith St. Adl —6H 19
Smith St. Ash L —7D 118
Smith St. Asp —1A 62
Smith St. Ath —4C 86
Smith St. Bury —1A 48
Smith St. Chea —5B 168
Smith St. Dent —7D 138
Smith St. Duk —1E 138
Smith St. Heyw —3K 49
Smith St. Hyde —4H 139
Smith St. Lees —6J 75
Smith St. Leigh —3A 108
Smith St. L'boro —6F 15
Smith St. Mac —5F 199
Smith St. Moss —5B 98
Smith St. Ram —6F 9
Smith St. Roch —5H 31
Smith St. Wor —4F 89
Smithwood Av. Hind —1D 84
Smithy Bri. Rd. Roch & L'boro —7C 14
SMITHY BRIDGE STATION. BR —1D 32
Smithy Clo. Glos —1F 159
Smithy Croft. Brom X —4B 24
Smithy Field. L'boro —5E 14
Smithy Fold. Glos —1F 159
Smithy Fold. Roch —3E 30
Smithy Fold Rd. Hyde —1J 155
Smithy Grn. Chea H —4C 180
Smithy Grn. Ince —7H 61
Smithy Grn. Miln —1J 53
Smithy Grn. Woodl —5F 155
Smithy Gro. Ash L —4G 119
Smithy Hill. Bolt —2G 65
Smithy La. M3 —7F 115 (5G 4)
Smithy La. Alt —7F 163
Smithy La. Hyde —1J 155
Smithy La. Marp B —2F 173
Smithy La. Part —7B 146
Smithy La. Upperm —6H 77
Smithy Nook. L'boro —2G 15
Smithy St. Haz G —1B 182
Smithy St. Leigh —4K 107
Smithy St. W'houg —3J 63
Smithy Vale. Boll —3G 197
Smithy Yd. Upperm —6H 77 (off Smithy La.)
Smock La. Ash M —4J 103
Smyrna St. Heyw —4J 49
Smyrna St. Oldh —1G 97
Smyrna St. Rad —2D 68
Smyrna St. Salf —7J 113
Snake Rd. Glos —1K 159
Snapebrook Gro. Wilm —4A 188
Snape Rd. Mac —1G 199
Snape St. Rad —7D 46 (in two parts)
Snell St. M4 —7K 115
Snipe Av. Roch —5B 30
Snipe Clo. Poy —1J 189
Snipe Retail Pk. Ash L —7C 118
Snipe Rd. Oldh —5F 97
Snipe St. Bolt —1B 66
Snipe Way. Aud —1B 138
Snowberry Wlk. Part —7A 146
Snowden Av. Urm —2K 147
Snowden Av. Wig —3B 82
Snowden St. Bolt —5A 44
Snowden St. Heyw —5A 50
Snowden St. Oldh —3D 96
Snowden Wlk. M40 —5E 94
Snowdon Dri. Hor —7G 21
Snowdon Rd. Ecc —5E 112
Snowdon St. Roch —3J 51
Snowdrop Wlk. Salf —2D 114
Snow Hill Rd. Bolt —1F 67
Snow Hill Ter. P'wch —3C 92
Snowshill Dri. Wig —3J 81
Snydale Clo. W'houg —4A 64
Snydale Way. Bolt —5C 64
Soane Clo. Ash M —5F 105
Soap St. M4 —6G 115 (4K 5)
Society St. Shaw —6F 53
Sofa St. Bolt —4H 43
Soham Clo. Hind —3C 84
Soho St. Bolt —7B 44
Soho St. Oldh —7F 75
Soho St. Wig —7B 60
Solden Wlk. M8 —3E 114
Solent Av. M8 —5G 93
Solent Dri. Bolt —1E 66
Sole St. Wig —5G 61
Solness St. Bury —6K 27
Solway Clo. Ash M —4C 104
Solway Clo. Bolt —3K 65
Solway Clo. Clif —3C 90
Solway Clo. Oldh —2C 96
Solway Rd. M22 —7E 166
Somerby Dri. M22 —3C 178
Somerdale Av. Bolt —5G 43
Somerfield Rd. M9 —6K 93
Somerfields. Hale —4E 176
Somerford Av. M20 —2G 151
Somerford Rd. Stoc —7H 137
Somerford Way. Hand —7K 179
Somerhill Ct. Gat —6H 167
Somersby Ct. Bram —3G 181
Somersby Dri. Brom X —4B 24
Somersby Wlk. Bolt —1B 66 (off Hallington Clo.)
Somerset Av. Shaw —6D 52
Somerset Av. Tyl —4F 87
Somerset Clo. Cad —4K 145
Somerset Clo. Stoc —6A 154
Somerset Dri. Bury —5K 47
Somerset Gro. Roch —4C 30
Somerset Pl. Sale —4F 149
Somerset Rd. Ath —2B 86
Somerset Rd. Bolt —5H 43
Somerset Rd. B'hth —5B 164
Somerset Rd. Droy —5H 117
Somerset Rd. Ecc —4E 112
Somerset Rd. Fail —2G 117
Somerset Rd. Wig —1J 81
Somerset St. Oldh —1G 97
Somers Rd. Stoc —1H 153
Somers Wlk. M9 —4H 93
Somerton Av. M22 —1C 178
Somerton Av. Sale —7G 149
Somerton Clo. Mac —4B 198
Somerton Clo. Stand —4K 37
Somerton Ct. M9 —4C 94
Somerton Rd. Bolt —7H 45
Somerton Rd. Mac —5B 198
Somerville Gdns. Tim —4D 164
Somerville Rd. Wig —2E 60
Somerville Sq. Bolt —2J 43
Somerville St. Bolt —2J 43
Somerwood Wlk. M12 —3B 136
Sommerville Ct. Salf —7D 92
Sonning Dri. Bolt —4G 65
Sonning Wlk. M8 —2H 115
Sopwith Dri. M14 —1G 151
Sorby Rd. Irl —3C 146
Sorrel Bank. Salf —4K 113
Sorrel Bank. Stoc —1J 153
Sorrel Dri. L'boro —5D 14
Sorrel St. M15 —3E 134
Sorton St. M1 —2G 135 (9K 5)
Soudan Rd. Stoc —5J 169
Soudan St. Mid —5E 72
Sougher's La. Ash M —2A 104
Sour Acre Fold. Heyr —5B 120
Southacre Dri. Hand —2K 187
S. Acre Dri. Mac —4J 199
Southall St. M3 —5F 115 (1G 4)
Southampton Clo. Salf —3D 114
Southam St. M8 —1F 115
Southam St. M15 —2E 134 (10E 4)
South Av. M19 —3B 152
South Av. G'fld —1H 99
South Av. Heyw —3H 49
South Av. Hope C —5C 108
South Av. Kear —1H 89
South Av. Leigh —4D 106
South Av. Swint —3B 112
South Av. W'fld —4J 69
S. Bank Clo. Ald E —4H 195
Southbank Rd. M19 —5K 151
S. Bank Rd. Bury —4J 47
Southbourne Av. Urm —7D 132
Southbourne St. Salf —6J 113
Southbrook Av. M8 —4F 93
Southbrook Clo. Had —5A 142
Southbrook Gro. Bolt —3B 66
Southchurch Pde. M40 —4J 115
Southcliffe Rd. Stoc —4H 153
S. Cliffe St. M11 —2H 137
South Clo. Bury —3A 70
South Clo. Tin —2B 142
South Clo. Wilm —7F 187
Southcourt. Leigh —2B 108
South Ct. Roch —4J 31
South Cres. M11 —6F 117
S. Croft. Oldh —4F 97
Southcross Rd. M18 —6F 137
S. Cross St. Bury —3K 47
Southdene Av. M20 —6E 150
Southdown Clo. Mac —6F 197
Southdown Clo. Roch —7E 30
Southdown Clo. Stoc —1F 169
Southdown Cres. M9 —5C 94
Southdown Cres. Chea H —4B 180
Southdown Dri. Wor —2B 110
South Downs. Knut —5F 193
S. Downs Clo. Shaw —5D 52
S. Downs Dri. Hale —4B 176
S. Downs Rd. Bow —3A 176
South Downs Rd. Hale —3C 176
South Dri. M21 —3B 150
South Dri. App B —3C 36
South Dri. Bolt —2G 45
South Dri. Gat —7G 167
South Dri. Tim —4E 164
South Dri. Urm —4H 131
South Dri. Wilm —7H 187
Southend Av. M15 —3D 134
Southend St. Bolt —3J 65
Southerly Cres. M40 —4F 95
Southern App. Clif —5G 91
Southernby Clo. M13 —5B 136
Southern Clo. Bram —3H 181
Southern Clo. Dent —2D 154
Southern Cres. Bram —2H 181
Southern Ho. Bolt —4K 43 (off Kirk Hope Dri.)
Southern Rd. Sale —4E 148
Southern's Fold. Asp —3J 61
Southern St. M3 —1E 134 (8F 4)
Southern St. Salf —6J 113
Southern St. Wig —2K 81
Southern St. Wor —2F 89
Southery Av. Wig —4K 81
Southey Clo. L'boro —1D 32
Southey Ct. Dent —2E 154
Southey Wlk. Dent —3E 154
Southfield. Plat B —5K 83
Southfield. P'bry —6C 196
Southfield Av. Bury —6K 27
Southfield Clo. Duk —3H 139
Southfield Clo. Hand —2J 187
Southfield Dri. W'houg —7J 63
Southfield Rd. Ram —2E 26
Southfields. Bow —2A 176
Southfields. Knut —3F 193
Southfields Av. M11 —6E 116
Southfields Dri. Tim —4F 165
Southfield St. Bolt —2C 66
Southgarth Rd. Salf —5J 113
Southgate. M3 —7F 115 (5G 4)
Southgate. Chor H —3B 150
Southgate. Dob —4G 77
Southgate. Harw —1G 45
Southgate. Stoc —5E 152
Southgate. Urm —2K 147
Southgate. Whitw —4D 12
Southgate Av. M40 —4C 116
Southgate Ct. Sale —5G 149
Southgate Ho. Oldh —1D 96 (off Southgate St.)
Southgate Ind. Est. Heyw —4A 50
Southgate M. Stoc —5E 152
Southgate Rd. Bury —3K 69
Southgate Rd. Chad —4G 95
Southgates. Char R —1A 18
Southgate St. Oldh —1D 96
Southgate Way. Ash L —7E 118
South Gro. M13 —4K 135
South Gro. Ald E —5G 195
South Gro. Sale —7F 149
South Gro. Wor —5E 88
Southgrove Av. Bolt —6A 24
S. Hall St. Salf —1C 134 (8B 4)
South Hey. Leigh —3G 107
South Hill. Spring —2K 97
S. Hill St. Oldh —1E 96
S. King St. M2 —7F 115 (5G 4)
S. King St. Ecc —6K 111
S. Lancashire Ind. Est. Ash M —2D 104
Southlands. Bolt —5G 45
Southlands Av. Ecc —1H 131
Southlands Av. Stand —5A 38
South La. Ast —3G 109
S. Langworthy Rd. Salf —1J 133
Southlea Rd. M20 & M19 —5K 151
Southleigh Dri. Bolt —7J 45
Southlink. Oldh —1E 96
Southlink Bus. Pk. Oldh —1E 96
S. Lonsdale St. Stret —6J 133
S. Marlow St. Had —5C 142
S. Mead. Poy —7K 181
S. Meade. M21 —3B 150
S. Meade. P'wch —5D 92
S. Meade. Swint —2C 112
S. Meade. Tim —4E 164
S. Meadway. H Lane —5K 183
Southmere Clo. M40 —4E 94
S. Mesnefield Rd. Salf —7A 92 (in two parts)
Southmill St. M2 (in two parts) —1F 135 (7G 4)
Southmoor Rd. Rnd I —4J 165
Southmoor Wlk. Bolt —1A 66 (off Parrot St.)
S. Oak La. Wilm —7F 187
Southolme Gdns. M19 —6A 152
Southover. W'houg —1J 85
South Pde. Bram —2H 181
South Pde. Roch —5H 31
S. Park Dri. Poy —1C 190
S. Park Rd. Gat —5H 167
South Pk. Rd. Mac —4E 198
South Pl. Roch —4J 31
Southpool Clo. Bram —2J 181
S. Pump St. M1 —1H 135 (7L 5)
S. Radford St. Salf —1A 114
South Ridge. Dent —4D 138
South Rd. M20 —1H 167
South Rd. Bow —2A 176 (in two parts)
South Rd. Clif —5H 91
South Rd. Cop —3A 18
South Rd. Hale —4B 176
South Rd. Stret —5E 132
South Rd. Traf P —5G 133
South Row. P'wch —6K 91
Southsea St. M11 —2F 137
Southside. Bred P —4C 154
South St. Ald E —5G 195
South St. Ash L —1C 138
South St. Bolt —3A 66
South St. Heyw —3H 49
South St. Long —4A 136
South St. Oldh —5K 95
South St. Open —1D 136 (in two parts)
South St. Ram —5H 9
South St. Roch —4J 31
South St. Tyl —6E 86
South Ter. Ald E —6G 195
South Ter. Bury —6H 47
South Ter. Ram —1G 9
South Ter. Roch —3B 30
S. Terrace Ct. Roch —7J 31
S. Vale Cres. Tim —6D 164
South View. M14 —6J 135
South View. Ath —4C 86
South View. C'brk —2F 121
South View. Roch —6A 30
South View. Stoc —6H 137
South View. Woodl —4G 155
S. View Rd. Glos —3H 159
Southview Rd. Roch —7C 14
S. View St. Bolt —6E 44
S. View Ter. Roch —7C 14
Southview Wlk. Oldh —5H 75
South Villa Ct. Stand —5A 38
South Wlk. Stal —7A 120
Southward Rd. Hayd —2C 124
Southwark Dri. Duk —3H 139
Southway. M40 —5H 95
Southway. Alt —5C 164
Southway. Ash L —2F 119
Southway. Droy —1J 137
Southway. Ecc —6D 112
South Way. Oldh —5C 96
Southwell Clo. Bolt —5K 43
Southwell Clo. Lwtn —1A 126
Southwell Clo. Rom —2E 170
Southwell Ct. Stret —1G 149
Southwell Gdns. Ash L —1F 119
Southwell St. M9 —1A 116
S. West Av. Boll —3H 197
Southwick Rd. M23 —1A 166
S. William St. Salf —7D 114 (5C 4)
Southwold Clo. M19 —1E 152
Southwood Clo. Bolt —3B 66
Southwood Dri. M9 —2G 93
Southwood Rd. Stoc —7K 169
Southworth Rd. Newt W —6G 125
Sovereign Enterprise Pk. Salf —1A 134
Sovereign Fold Rd. Leigh —6J 85
Sovereign Hall Cvn. Site. Moss —6B 98
Sovereign Ho. Chea —5B 168
Sovereign Rd. Wig —7F 61
Sovereign St. Salf —4A 114
Sowcar Way. Boll —2K 197 (off Lowther St.)
Sowerby Clo. Bury —3D 46
Sowerby Wlk. M9 —3H 93 (off Chapel La.)
Spa Clo. Stoc —2G 153
Spa Cres. L Hul —1B 88
Spa Gro. L Hul —1C 88
Spa La. L Hul —1C 88
Spa La. Oldh —2H 97
Spalding Dri. M23 —2A 178
Sparkford Av. M23 —2H 165
Sparkle St. M1 —7H 115 (6M 5)
Spark Rd. M23 —4K 165
Spa Rd. Ath —2C 86
Spa Rd. Bolt —7K 43
Sparrow Clo. Stoc —7G 137
Sparrowfield Clo. C'brk —1E 120
Sparrow Hill. App B —3A 36
Sparrow Hill. Roch —5G 31
Sparrow La. Knut —5E 192
Sparrow St. Rytn —4C 74
Sparta Av. Wor —5E 88
Sparta Wlk. Open —1C 136

Sparth Bottoms Rd.—Stansfield Rd.

Sparth Bottoms Rd. *Roch* —6F **31**
Sparth Ct. *Stoc* —7F **153**
Sparthfield Av. *Roch* —7G **31**
Sparthfield Rd. *Stoc* —7F **153**
Sparth Hall. *Stoc* —7F **153**
Sparth La. *Stoc* —7F **153**
Sparth Rd. *M40* —3F **117**
Spa St. *M15* —4H **135**
Spathfield Ct. *Stoc* —7F **153**
Spath Holme. *Manx* —7G **151**
Spath La. *Chea H* —7B **180**
Spath La. *Hand* —7K **179**
Spath La. E. *Chea H* —7D **180**
Spath Rd. *M20* —6F **151**
Spath Wlk. *Chea H* —7D **180**
Spawell Clo. *Lwtn* —7C **106**
Spaw St. *Salf* —6E **114** (4E **4**)
(in two parts)
Speakman Av. *Leigh* —3B **108**
Speakman Av. *Newt W* —4D **124**
Speakmans Dri. *App B* —7C **36**
Spean Wlk. *M11* —7E **116**
Spear St. *M1* —7G **115** (5K **5**)
Spectator St. *M4* —6K **115**
Specton Wlk. *M12* —6D **136**
Speedwell. *Tin* —2B **142**
Speedwell Clo. *Had* —2B **142**
Speedwell Clo. *Lwtn* —1C **126**
Speke Wlk. *Dent* —1C **154**
Spelding Dri. *Stand L* —2K **59**
Spencer Av. *M16* —7C **134**
Spencer Av. *Hyde* —4H **139**
Spencer Av. *L Lev* —3A **68**
Spencer Av. *W'fld* —4J **69**
Spencer Brook. *P'bry* —4B **196**
Spencer Clo. *Ince* —4K **61**
Spencer La. *Roch* —7A **30**
Spencer Rd. *Wig* —3D **60**
Spencer Rd. W. *Wig* —3D **60**
Spencer's La. *Orr* —7D **58**
Spencer St. *Bury* —2G **47**
Spencer St. *Chad* —3K **95**
Spencer St. *Duk* —1G **139**
Spencer St. *Ecc* —7A **112**
Spencer St. *L'boro* —5G **15**
Spencer St. *Moss* —6B **98**
Spencer St. *Oldh* —7E **74**
Spencer St. *Rad* —2G **69**
Spencer St. *Ram* —6F **9**
Spencer St. *Stoc* —2H **153**
Spender Av. *M8* —2G **115**
Spendmore La. *Cop* —4A **18**
Spen Fold. *Bury* —5E **46**
Spenleach La. *Hawk* —7A **8**
Spenlow. *Leigh* —5C **108**
Spenlow Clo. *Poy* —4C **190**
Spennithorne Rd. *Urm* —7K **131**
Spenser Av. *Dent* —2E **154**
Spenser Av. *Rad* —2C **68**
Spenwood Rd. *L'boro* —6D **14**
Spey Clo. *Alt* —5A **164**
Spey Clo. *Stand* —4K **37**
Spey Ho. *Stoc* —7H **137**
Speyside Clo. *W'fld* —6A **70**
Spilsby Sq. *Wig* —5C **82**
Spindle Av. *Stal* —5C **120**
*Spindle Ct. Rytn —2C **74***
(off High Barn St.)
Spindle Croft. *Farn* —6F **67**
Spindle Hillock. *Ash M* —3K **103**
Spindlepoint Dri. *Wor* —7E **88**
Spindles Shopping Cen., The. *Oldh* —1C **96**
Spindles, The. *Moss* —7D **98**
Spindle Wlk. *W'houg* —4K **63**
Spindlewood Clo. *Stal* —6D **120**
Spindlewood Rd. *Ince* —1G **83**
Spinks St. *Oldh* —2F **97**
Spinnerette Clo. *Leigh* —3B **108**
Spinners Gdns. *Ward* —7A **14**
Spinners Grn. *Roch* —2H **31**
Spinners M. *Bolt* —5A **44**
Spinners Way. *Oldh* —2J **75**
Spinney Clo. *Glos* —7E **142**
Spinney Clo. *Hand* —2J **187**
Spinney Dri. *Bury* —6J **27**
Spinney Dri. *Sale* —7B **148**
Spinney Gro. *Dent* —4D **138**
Spinney La. *Knut* —3B **192**
Spinney Mead. *Mac* —2G **199**
Spinney Nook. *Bolt* —3F **45**
Spinney Rd. *M23* —4B **166**
Spinney, The. *Bolt* —6H **43**
Spinney, The. *Chea* —1A **180**
Spinney, The. *Scout* —6A **76**
Spinney, The. *Tur* —2E **24**
Spinney, The. *Urm* —7J **131**
Spinney, The. *W'fld* —7G **69**
Spinningdale. *L Hul* —1K **87**
Spinningfield. *M3* —7F **115** (6G **4**)
Spinningfields. *Bolt* —5K **43**
Spinningfield Way. *Heyw* —6K **49**
Spinning Ga. Shopping Cen. *Leigh* —4K **107**
Spinning Jenny Wlk. *M4* —6J **115** (4P **5**)
Spinning Jenny Way. *Leigh* —4K **107**
Spinning Meadows. *Bolt* —5K **43**
Spinnings, The. *S'seat* —1G **27**
Spion Kop. *Ash M* —5D **104**
Spiredale Dri. *Stand* —3B **38**
Spire Hollin. *Glos* —7E **142**
Spire Wlk. *M12* —1A **136**
Spirewood Gdns. *Rom* —2E **170**
Spodden Cotts. *Whitw* —1F **13**
Spodden Fold. *Whitw* —3E **12**
Spodden St. *Roch* —4F **31**
Spodden Wlk. *W'fld* —5C **70**
Spodegreen La. *L Bol* —3E **174**
Spod Rd. *Roch* —3E **30**
Spokeshave Way. *Roch* —2A **32**
Spooner Rd. *Ecc* —7A **112**
Sportside Av. *Wor* —4G **89**
Sportside Clo. *Wor* —4F **89**
Sportside Gro. *Wor* —3F **89**
Sportsmans Dri. *Oldh* —4E **96**
Sportsman St. *Leigh* —3H **107**
Spotland Rd. *Roch* —4F **31**
Spotland Tops. *Roch* —3D **30**
Spout Brook Rd. *Stal* —3B **120**
Spreadbury St. *M40* —1C **116**
Spring Av. *Hyde* —2K **155**
Spring Av. *W'fld* —4J **69**
Spring Bank. *App B* —5C **36**
Spring Bank. *Ast* —2H **109**
Springbank. *Boll* —3G **197**
Spring Bank. *Bow* —1B **176**
Springbank. *Chad* —7J **73**
Spring Bank. *Glos* —3D **158**
Springbank. *Had* —4B **142**
Springbank. *Heal* —7F **13**
Spring Bank. *Salf* —5J **113**
Spring Bank. *Stal* —1B **140**
Springbank. *Upperm* —6H **77**
Spring Bank. *Whitw* —2F **13**
Spring Bank Av. *Ash L* —3F **119**
Spring Bank Av. *Aud* —2A **138**
Springbank Clo. *Woodl* —4G **155**
Springbank Ct. *M8* —6F **93**
Spring Bank La. *C'brk* —3C **120**
Spring Bank La. *Roch* —5A **30**
(in two parts)
Springbank Pl. *Stoc* —3G **169**
Spring Bank Rd. *N Mills* —4J **185**
Spring Bank Rd. *Woodl* —4G **155**
Spring Bank St. *Oldh* —3A **96**
Spring Bank St. *Stal* —7B **120**
Spring Bank Ter. *Aud* —2A **138**
Springbourne. *Wig* —4B **60**
Spring Bri. Rd. *M16* —7F **135**
Springburn Clo. *Wor* —2C **110**
Spring Clo. *Lees* —2H **97**
Spring Clo. *Ram* —5F **9**
Spring Clo. *Tot* —6C **26**
Spring Clough. *Swint* —3K **111**
Spring Clough Av. *Wor* —5H **89**
Springclough Dri. *Oldh* —3G **97**
Spring Clough Dri. *Wor* —5H **89**
Spring Ct. *Roch* —3H **31**
Springdale Gdns. *M20* —7G **151**
Springfield. *Bolt* —7C **44**
Springfield. *Charl* —4J **157**
Springfield. *Rad* —1A **90**
Springfield. *Urm* —7A **132**
Springfield Av. *Golb* —1H **125**
Springfield Av. *Haz G* —1B **182**
Springfield Av. *L'boro* —4E **14**
Springfield Av. *Lymm* —6H **161**
Springfield Av. *Marp* —5K **171**
Springfield Av. *Stoc* —3G **153**
Springfield Clo. *Fail* —7G **95**
Springfield Clo. *Had* —5A **142**
Springfield Clo. *Heyw* —4A **50**
Springfield Dri. *Wilm* —1D **194**
Springfield Gdns. *Kear* —1J **89**
Springfield La. *Irl* —7B **130**
Springfield La. *Roch* —1B **32**
Springfield La. *Rytn* —6A **52**
Springfield La. *Salf* —5E **114** (1F **4**)
Springfield Rd. *Adl* —4J **19**
Springfield Rd. *Alt* —6B **164**
Springfield Rd. *Ath* —3E **86**
Springfield Rd. *Bolt* —5A **24**
Springfield Rd. *Cop* —4A **18**
Springfield Rd. *Droy* —5H **117**
Springfield Rd. *Farn* —5C **66**
Springfield Rd. *Gat* —7H **167**
Springfield Rd. *Hind* —1K **83**
Springfield Rd. *Kear* —1G **89**
Springfield Rd. *Mac* —3B **198**
Springfield Rd. *Mid* —5B **72**
Springfield Rd. *Mob* —2J **193**
Springfield Rd. *Ram* —2E **26**
Springfield Rd. *Sale* —6F **149**
Springfield Rd. *Wig* —3B **60**
Springfield Rd. N. *Cop* —3A **18**
Springfields. *Knut* —3F **193**
Springfields. *P'bry* —3C **196**
Springfield St. *Ash L* —3J **119**
Springfield St. *Aud* —3D **138**
Springfield St. *Bolt* —2C **66**
Springfield St. *Heyw* —3G **49**
Springfield St. *Wig* —4E **60**
Springfield Trad. Est. *Traf P* —3H **133**
Spring Gdns. *M2* —7G **115** (6J **5**)
*Spring Gdns. Ath —4D **86***
(off Mather St.)
Spring Gdns. *Bolt* —1G **45**
Spring Gdns. *Haz G* —1B **182**
Spring Gdns. *Hor* —1F **41**
Spring Gdns. *Hyde* —4B **142**
(Hadfield)
Spring Gdns. *Hyde* —5H **139**
(Hyde)
*Spring Gdns. L'boro —6F **15***
(off Church St.)
Spring Gdns. *Mac* —2F **199**
Spring Gdns. *Mid* —4C **72**
Spring Gdns. *Roch* —5G **31**
Spring Gdns. *Rytn* —2B **74**
Spring Gdns. *Salf* —5K **113**
Spring Gdns. *Stoc* —2J **169**
Spring Gdns. *Tim* —6G **165**
Spring Gdns. *Wig* —6D **60**
Spring Garden St. *Rytn* —2B **74**
(in two parts)
Spring Gro. *G'fld* —2H **99**
Spring Gro. *W'fld* —4J **69**
Spring Gro. *Wig* —7F **61**
Spring Hall Rise. *Oldh* —2K **75**
Springhead Av. *M20* —3G **151**
Springhead Av. *Spring* —2K **97**
Spring Head La. *Mars* —1H **57**
Springhill. *Mac* —2J **199**
Spring Hill. *Roch* —2K **51**
Springhill. *Rytn* —2B **74**
Spring Hill Ct. *Oldh* —6H **75**
Spring La. *Lees* —2J **97**
Spring La. *Lymm* —1A **174**
Spring La. *Rad* —3E **68**
Spring Lees Ct. *Spring* —1K **97**
Springmeadow. *Charl* —3K **157**
Spring Meadow La. *Upperm* —6J **77**
Spring Mill Clo. *Bolt* —2A **66**
Spring Mill Wlk. *Roch* —1A **32**
Springmount. *Lwtn* —1C **126**
Spring Pl. *Whitw* —1F **13**
Springpool. *Wins* —5H **81**
Spring Rise. *Glos* —3B **158**
Spring Rise. *Shaw* —4E **52**
Spring Rise. *Stal* —5K **119**
(in two parts)
Spring Rd. *Hale* —2B **176**
Spring Rd. *Orr* —6F **59**
Spring Rd. *Poy* —3D **190**
Springs. *Roch* —5A **30**
Springside. *Heat C* —3F **153**
Springside Av. *Wor* —4G **89**
Springside Clo. *Wor* —4G **89**
Springside Gro. *Wor* —4G **89**
Springside Rd. *Walm* —4H **27**
(in two parts)
Springside View. *Bury* —5F **27**
Springside Wlk. *M15* —3D **134**
Springs La. *Stal* —4K **119**
Springs Rd. *Mid* —1G **95**
Springs, The. *Bow* —2K **175**
(in two parts)
Spring St. *M12* —7C **136**
Spring St. *Bolt* —1B **66**
Spring St. *Bury* —3K **47**
Spring St. *Farn* —5F **67**
Spring St. *Glos* —1D **158**
Spring St. *Holl* —4J **141**
Spring St. *Hor* —1F **41**
Spring St. *Ince* —3G **83**
Spring St. *Mars* —2H **57**
Spring St. *Moss* —5C **98**
Spring St. *Oldh* —6G **75**
Spring St. *Ram* —5F **9**
Spring St. *Shut* —4H **9**
Spring St. *Spring* —1A **98**
Spring St. *Stal* —6A **120**
Spring St. *Tot* —5C **26**
Spring St. *Upperm* —6H **77**
Spring St. *Wals* —1D **46**
Spring St. *Wig* —7F **61**
Spring St. *Wilm* —6G **187**
Spring Ter. *Chad* —7J **73**
Spring Ter. *Miln* —2F **53**
Spring Ter. *Roch* —4C **30**
Spring Vale. *Haz G* —2C **182**
Spring Vale. *Mid* —6C **72**
Spring Vale. *P'wch* —5A **92**
Springvale Clo. *Ash L* —3D **118**
Spring Vale Ct. *Mid* —6D **72**
Springvale Dri. *Tot* —5C **26**
Spring Vale St. *Tot* —6C **26**
*Spring Vale Ter. L'boro —6F **15***
(off Victoria St.)
Spring Vale Way. *Rytn* —1E **74**
Spring View. *L Lev* —3K **67**
Springville Av. *M9* —1B **116**
Springwater Av. *Ram* —1E **26**
Springwater Clo. *Bolt* —2G **45**
Spring Water Dri. *Had* —6A **142**
Springwater La. *W'fld* —4J **69**
Springwell Clo. *Salf* —6J **113**
Springwell Gdns. *Hyde* —1E **156**
Springwell Way. *Hyde* —1E **156**
Springwood. *Del* —1E **76**
Springwood. *Glos* —2B **158**
Springwood Av. *Chad* —5G **73**
Springwood Av. *Knut* —3F **193**
Springwood Av. *Pen* —2F **113**
Springwood Cres. *Rom* —1J **171**
Springwood Hall Rd. *Oldh* —5E **96**
Springwood La. *Rom* —1K **171**
Spring Wood St. *Ram* —4F **9**
Springwood Way. *Ash L* —2E **118**
Springwood Way. *Tyth B* —5F **197**
Sprodley Dri. *App B* —3B **36**
Spruce Av. *Bury* —3B **48**
Spruce Clo. *Lwtn* —2D **126**
Spruce Ct. *Salf* —6B **114**
Spruce Lodge. *Chea* —5K **167**
Spruce Rd. *Wig* —3B **60**
Spruce St. *Ram* —6E **8**
Spruce St. *Roch* —5K **31**
Spruce Wlk. *Sale* —4A **148**
Sprucewood. *Chad* —6F **73**
Spurn La. *Dig* —3H **77**
Spurslow M. *Chea H* —4E **180**
Spur, The. *Oldh* —4E **96**
Spur Wlk. *M8* —1F **115**
Square Fold. *Droy* —6K **117**
Square St. *Mac* —5G **199**
Square St. *Ram* —5G **9**
Square, The. *Bolt* —3F **65**
Square, The. *Bury* —3K **47**
Square, The. *Dob* —4G **77**
(Dobcross)
Square, The. *Dob* —6H **77**
(Uppermill)
Square, The. *Haleb* —4G **177**
Square, The. *Hyde* —7H **139**
Square, The. *Lymm* —7E **160**
Square, The. *Stoc* —7E **152**
(Norris Bank)
Square, The. *Stoc* —2G **169**
(Stockport)
Square, The. *Swint* —3C **112**
Square, The. *Tyl* —6G **87**
Square, The. *W'fld* —6J **69**
Squire Rd. *M8* —1F **115**
Squire's Ct. *Salf* —6E **112**
Squires La. *Tyl* —7E **86**
Squirrel Dri. *B'hth* —3A **164**
Squirrel La. *Hor* —1E **40**
Squirrels Chase. *P'bry* —5C **196**
Squirrels Jump. *Ald E* —5H **195**
Stablefold. *Moss* —7C **98**
Stable Fold. *Rad* —2E **68**
Stable Fold. *Wor* —3J **111**
Stableford Av. *Ecc* —4A **112**
Stable M. *P'wch* —4C **92**
Stables, The. *Droy* —5B **118**
Stable St. *Chad* —5J **95**
Stable St. *Oldh* —6F **75**
Stable St. *Salf* —6E **114** (4F **4**)
Stablings, The. *Wilm* —1G **195**
Stafford Clo. *Glos* —2H **159**
Stafford Clo. *Mac* —1B **198**
Stafford Rd. *Ecc* —5C **112**
Stafford Rd. *Fail* —3J **117**
Stafford Rd. *Swint* —7D **90**
Stafford Rd. *Wor* —6E **88**
Stafford St. *Bury* —1H **47**
Stafford St. *Hind* —2A **84**
Stafford St. *Ince* —3G **83**
Stafford St. *Leigh* —4D **108**
Stafford St. *Oldh* —3A **96**
Stafford View. *Salf* —2B **134**
Stafford Wlk. *Dent* —1E **154**
Stage La. *Lymm* —7H **161**
Stag Ind. Est. *B'hth* —5K **163**
Stag Pasture Rd. *Oldh* —6B **96**
Stainburn Clo. *Shev* —7D **36**
Stainburne Rd. *Stoc* —5A **170**
Stainburn Rd. *M11* —1D **136**
Staindale. *Oldh* —1H **97**
Stainer St. *M12* —6C **136**
Stainforth Clo. *Bury* —2D **46**
Stainforth St. *M11* —1B **136**
Stainmoor Ct. *Stoc* —5B **170**
Stainmore Av. *Ash L* —1G **119**
Stainmore Clo. *Bchwd* —4B **144**
Stainsbury St. *Bolt* —2J **65**
Stainton Av. *M18* —5G **137**
Stainton Clo. *Rad* —1D **68**
Stainton Dri. *Mid* —3K **71**
Stainton Rd. *Rad* —1C **68**
Stairgate. *Wig* —6E **60**
Staithes Rd. *M22* —4D **178**
Stakeford Dri. *M8* —7J **93**
Stakehill Ind. Est. *Mid* —2F **73**
Stakehill La. *Mid* —7F **51**
Staley Clo. *Stal* —6C **120**
Staley Hall Rd. *Stal* —5C **120**
Staley Rd. *Moss* —7D **98**
(in two parts)
Staley St. *Lees* —1K **97**
Staley St. *Oldh* —1F **97**
Staley Ter. *Millb* —5D **120**
Stalham Clo. *M40* —5K **115**
Stalham Wlk. *M40* —5K **115**
Stalmine Av. *H Grn* —4H **179**
Stalybridge Rd. *Mot* —5G **141**
STALYBRIDGE STATION. *BR* —6K **119**
Stalyhill Dri. *Stal* —3E **140**
Stambourne Dri. *Bolt* —1B **44**
Stamford Arc. *Ash L* —5G **119**
Stamford Av. *Alt* —6J **163**
Stamford Av. *Stal* —6J **119**
Stamford Clo. *Mac* —7E **198**
Stamford Clo. *Stal* —6J **119**
Stamford Ct. *Ash L* —6H **119**
Stamford Ct. *Lymm* —7E **160**
Stamford Ct. *Mac* —6E **198**
Stamford Dri. *Fail* —2K **117**
Stamford Dri. *Stal* —6J **119**
Stamford Gro. *Stal* —5K **119**
Stamford New Rd. *Alt* —7B **164**
Stamford Pk. Rd. *Hale* —1C **176**
Stamford Pl. *Sale* —6G **149**
Stamford Pl. *Wilm* —6H **187**
Stamford Rd. *M13* —6A **136**
Stamford Rd. *Ald E* —5H **195**
Stamford Rd. *Aud* —2B **138**
Stamford Rd. *Bow* —2A **176**
Stamford Rd. *Car* —4F **147**
Stamford Rd. *Lees* —6K **75**
Stamford Rd. *L Bol* —2D **174**
Stamford Rd. *Mac* —7E **198**
Stamford Rd. *Moss* —5C **98**
Stamford Rd. *Salf* —2B **114**
Stamford Rd. *Urm* —7K **131**
Stamford Rd. *Wilm* —4G **187**
Stamford Sq. *Ash L* —6J **119**
Stamford St. *M16* —4C **134**
(in two parts)
Stamford St. *Alt* —6B **164**
Stamford St. *Ash L* —5G **119**
(in two parts)
Stamford St. *Ath* —3E **86**
Stamford St. *Heyw* —4A **50**
Stamford St. *Lees* —1J **97**
Stamford St. *Millb* —4D **120**
Stamford St. *Moss* —7B **98**
Stamford St. *Pen* —6E **90**
Stamford St. *Roch* —6K **31**
Stamford St. *Sale* —4E **148**
Stamford St. *Stal* —6J **119**
(in two parts)
Stamford St. *Stoc* —3H **169**
Stamford St. Central. *Ash L* —6F **119**
Stamford St. W. *Ash L* —6E **118**
Stamford Way. *Alt* —6B **164**
Stampstone St. *Oldh* —6F **75**
Stanage Av. *M9* —3B **94**
Stanbank St. *Stoc* —6G **153**
Stanbrook St. *M19* —1E **152**
Stanbury Clo. *Bury* —4D **48**
Stanbury Dri. *Duk* —1H **139**
*Stanbury Wlk. M40 —5K **115***
(off Berkshire Rd.)
Stancliffe Gro. *Asp* —7A **40**
Stancliffe Rd. *M22* —6E **166**
Stancross Rd. *M23* —2G **165**
Standall Wlk. *M9* —6A **94**
Stand Av. *W'fld* —5J **69**
Stand Clo. *W'fld* —6G **69**
Standedge Clo. *Ram* —7G **9**
Standedge Rd. *Dig* —3H **77**
Standedge St. *M11* —1F **137**
*Standedge Wlk. C'brk —2E **120***
(off Crowswood Dri.)
Standfield Dri. *Wor* —1C **110**
Standford Hall Cres. *Ram* —7F **9**
Standish Av. *Bil* —3E **102**
*Standish Gallery. Wig —6E **60***
(off Galleries, The)
Standishgate. *Wig* —6E **60**
Standish Rd. *M14* —2K **151**
Standish St. *Ast* —7G **87**
Standish Wlk. *Dent* —1C **154**
Standish Wood La. *Stand* —6A **38**
Stand La. *Rad & W'fld* —4F **69**
Standmoor Ct. *W'fld* —7H **69**
Standmoor Rd. *W'fld* —7H **69**
Standon Wlk. *M40* —5F **95**
Standring Av. *Bury* —5E **46**
Stand Rise. *Rad* —6F **69**
Stanedge Gro. *Wig* —5D **82**
Stanford Clo. *Rad* —7A **68**
Stangate Wlk. *M11* —1B **136**
Stanhope Av. *Aud* —3C **138**
Stanhope Av. *P'wch* —2A **92**
Stanhope Clo. *Dent* —4C **138**
Stanhope Clo. *Wilm* —5K **187**
Stanhope Ct. *P'wch* —2A **92**
Stanhope Rd. *Bow* —2J **175**
Stanhope Rd. *Salf* —3J **113**
Stanhope St. *M19* —1D **152**
Stanhope St. *Ash L* —4H **119**
Stanhope St. *Aud* —4C **138**
Stanhope St. *Leigh* —2H **107**
Stanhope St. *Moss* —7C **98**
Stanhope St. *Roch* —7H **31**
Stanhope St. *Stoc* —3G **153**
Stanhope Way. *Fail* —7G **95**
Stanhorne Av. *M8* —5G **93**
Stanhurst. *Ecc* —5C **112**
Stanier Av. *Ecc* —5B **112**
Stanier Pl. *Hor* —3G **41**
Stanier St. *M9* —7A **94**
Stanion Gro. *Duk* —1H **139**
Stan Jolly Wlk. *M11* —1E **136**
Stanley Av. *M14* —6J **135**
Stanley Av. *Haz G* —1B **182**
Stanley Av. *Hyde* —5J **139**
Stanley Av. *Marp* —4H **171**
Stanley Av. N. *P'wch* —1A **92**
Stanley Av. S. *P'wch* —1A **92**
Stanley Clo. *M16* —4B **134**
Stanley Clo. *W'houg* —7K **63**
Stanley Clo. *W'fld* —5K **69**
Stanley Ct. *Bury* —2K **47**
Stanley Dri. *Leigh* —7H **85**
Stanley Dri. *Tim* —6E **164**
Stanley Dri. *W'fld* —1K **91**
Stanley Grn. Trad. Est. *Chea H* —1A **188**
Stanley Gro. *M12 & M18* —5B **136**
Stanley Gro. *Chor H* —2A **150**
Stanley Gro. *Hor* —4H **41**
Stanley Gro. *Stoc* —6D **152**
Stanley Gro. *Urm* —7B **132**
Stanley Hall La. *Dis* —6C **184**
Stanley La. *Asp* —6K **39**
Stanley Mt. *Sale* —7E **148**
Stanley Pk. Wlk. *Bolt* —6E **44**
Stanley Pl. *Roch* —4G **31**
Stanley Pl. *Wig* —6G **61**
Stanley Rd. *Asp* —7A **40**
Stanley Rd. *Bolt* —4H **43**
Stanley Rd. *Chad* —3K **95**
Stanley Rd. *Chea H* —6K **179**
Stanley Rd. *Dent* —5K **137**
Stanley Rd. *Ecc* —7A **112**
Stanley Rd. *Farn* —6A **66**
Stanley Rd. *Hand* —6K **179**
Stanley Rd. *Knut* —4C **192**
Stanley Rd. *Old T* —4B **134**
Stanley Rd. *Plat B* —4J **83**
Stanley Rd. *Rad* —7C **46**
Stanley Rd. *Salf* —7E **92**
Stanley Rd. *Stoc* —6D **152**
Stanley Rd. *Uph* —7B **58**
Stanley Rd. *Whal R* —7E **134**
Stanley Rd. *W'fld* —5K **69**
Stanley Rd. *Wor* —5F **89**
Stanley Rd. Ind. Est. *Knut* —5D **192**
Stanley Sq. *Stal* —7K **119**
Stanley St. *M8* —4G **115**
Stanley St. *M40* —3B **116**
Stanley St. *Ath* —5C **86**
Stanley St. *Chad* —7K **73**
Stanley St. *Fail* —1G **137**
Stanley St. *Heyw* —4K **49**
Stanley St. *Lees* —2J **97**
Stanley St. *Newt W* —6C **124**
Stanley St. *Nwtwn* —1B **82**
Stanley St. *Open* —2G **137**
Stanley St. *P'wch* —3C **92**
Stanley St. *Ram* —6F **9**
Stanley St. *Roch* —3G **31**
Stanley St. *Salf* —7E **114** (6D **4**)
Stanley St. *Spring* —1A **98**
Stanley St. *Stal* —7K **119**
Stanley St. *Stoc* —1J **169**
Stanley St. *Tyl* —6G **87**
Stanley St. *W'fld* —5K **69**
Stanley St. S. *Bolt* —7A **44**
Stanley Ter. *Ald E* —4C **194**
Stanmoor Dri. *Asp* —7B **40**
Stanmore Av. *Stret* —7F **133**
Stanmore Dri. *Bolt* —1J **65**
Stannard Rd. *Ecc* —7H **111**
Stanneybrook Clo. *Roch* —4K **31**
Stanney Clo. *Miln* —7C **32**
Stanneylands Clo. *Wilm* —3J **187**
Stanneylands Dri. *Wilm* —3H **187**
Stanneylands Rd. *Styal* —1H **187**
Stanney Rd. *Roch* —4K **31**
Stannybrook Rd. *Fail* —1B **118**
Stanrose Clo. *Eger* —3A **24**
Stansbury Pl. *Stoc* —5C **170**
Stansby Gdns. *M12* —3A **136**
Stansfield Clo. *Leigh* —6C **108**
Stansfield Dri. *Roch* —4B **30**
Stansfield Hall. *L'boro* —2G **15**
Stansfield Rd. *Fail* —7J **95**

Stansfield Rd.—Styal Rd.

Stansfield Rd. Hyde —5J 139
Stansfield St. M40 —4F 117
Stansfield St. Chad —2K 95
Stansfield St. Oldh —6C 74
Stanstead Clo. Wig —4H 61
Stansted Wlk. M23 —2H 165
Stanthorne Av. M20 —2G 151
Stanton Av. M20 —6E 150
Stanton Av. Salf —1B 114
Stanton Clo. Wig —4D 82
Stanton Gdns. Stoc —2D 168
Stanton St. M11 —6E 116
Stanton St. Chad —4K 95
Stanton St. Stret —5H 133
Stanton St. Flats. Stret —5H 133
Stanway Av. Bolt —7K 43
Stanway Clo. Bolt —7K 43
Stanway Clo. Mid —1D 94
Stanway Dri. Hale —1D 176
Stanway Rd. W'fld —6B 70
Stanway St. M9 —7A 94
Stanway St. Stret —6H 133
Stanwell Rd. M40 —6E 94
Stanwell Rd. Swint —1C 112
Stanwick Av. M9 —3G 93
Stanworth Av. Bolt —6G 45
Stanworth Clo. M16 —6E 134
Stanyard Ct. Salf —1A 134
Stanycliffe La. Mid —3D 72
Stanyforth St. Had —5C 142
Stapenhill Dri. M8 —3E 114
Stapleford Clo. M23 —7K 165
Stapleford Clo. Bolt —1G 87
Stapleford Clo. Sale —5J 149
Stapleford Gro. Bury —3E 46
Stapleford Wlk. Dent —1C 154
Staplehurst Clo. Leigh —5G 85
Staplehurst Rd. M40 —4C 116
Staplers Wlk. M14 —6J 135
Stapleton Av. Bolt —4E 42
Stapleton Rd. Mac —1D 198
Stapleton St. Plat B —5J 83
Stapleton St. Salf —3G 113
Starbeck Clo. Bury —3D 46
Starcliffe St. Bolt —4F 67
Starcross Wlk. M40 —2D 116
Starfield Av. L'boro —2D 32
Star Gro. Salf —2E 114
Star Ind. Est. Oldh —2D 96
Starkey St. Heyw —2K 49
(in two parts)
Starkie Rd. Bolt —6D 44
(Tonge Fold)
Starkie Rd. Bolt —4D 44
(Tonge Moor)
Starkies. Bury —6J 47
Starkie St. Wor —7J 89
Star La. Hor —2D 40
Star La. Lymm —7C 160
Star La. Mac —7F 199
Starling Clo. Droy —5B 118
Starling Dri. Farn —7B 66
Starling Rd. Rad & Bury —5C 46
Starmoor Dri. M8 —2G 115
Starmoor Wlk. M8 —2G 115
Starring Gro. L'boro —6D 14
(off Starring Rd.)
Starring La. L'boro —6C 14
Starring Rd. L'boro —6C 14
Starring Rd. Roch —6C 14
Starring Way. L'boro —6D 14
Starry Wlk. Salf —4C 114
Stars Brow. Wig —1K 37
Startham Av. Bil —5D 102
Stash Gro. M23 —4B 166
State Mill Cen. Roch —7K 31
Statham Av. Lymm —7C 160
Statham Clo. Dent —6E 138
Statham Clo. Lymm —7D 160
Statham Dri. Lymm —7D 160
Statham Fold. Hyde —5A 140
Statham La. Golb —4A 160
Statham La. Lymm —6B 160
Statham St. Mac —4E 198
Statham St. Salf —5B 114
Statham Wlk. M13 —2H 135 (9M 5)
Stathers Rd. Sale —5F 149
Station App. M1 —7H 115 (6L 5)
(Oxford Rd. Station)
Station App. M1 —1G 135 (8J 5)
(Piccadilly Station)
Station App. Alt —6C 164
Station App. H Grn —4G 179
Station Av. Bick —6B 84
Station Av. Orr —2D 80
Station Bri. Urm —7B 132
Station Brow. Rad —4E 68
Station Clo. Hyde —7H 139
Station Cotts. B'hth —3B 164
Station Cotts. Chea H —2D 180
Station Cotts. Dig —1K 77
(off Station Rd.)
Station Cotts. Part —6C 146
Station La. G'fld —2G 99
Station La. Grot —2A 98
Station Rd. M8 —6G 93
Station Rd. Ash M —5J 103
Station Rd. Blac —4C 40
Station Rd. Chea H —2C 180
Station Rd. Cop —3B 18
Station Rd. Dun M —7C 162
Station Rd. Ecc —7A 112
Station Rd. Facit —1F 13
Station Rd. G'mnt —3D 26
Station Rd. Grot —2A 98
Station Rd. Had —4C 142
Station Rd. Hand —2K 187
Station Rd. Heat M —2A 168
Station Rd. H Peak —7K 185
Station Rd. Hyde —7A 140
Station Rd. Irl —3A 146
Station Rd. Kear —7H 67
Station Rd. L'boro —6F 15
Station Rd. Man A —5C 178
Station Rd. Marp —5K 171
Station Rd. Mars —1H 57
Station Rd. Miln —7D 32
Station Rd. Moss —6D 98
Station Rd. N Mills —3C 184
Station Rd. Oldh —4E 74
Station Rd. Redd —7G 137
Station Rd. Roch —6H 31
(in two parts)
Station Rd. Stoc —2G 169
(in two parts)
Station Rd. Stret —6H 133
Station Rd. Styal —2G 187
Station Rd. Swint —7D 90
Station Rd. Tur —7E 6
Station Rd. Upperm —1K 77
(Diggle)
Station Rd. Upperm —6H 77
(Uppermill)
Station Rd. Urm —7B 132
Station Rd. Whitw —6D 12
Station Rd. Wig —6E 60
Station Rd. Wilm —6H 187
Station Rd. Woodl —5F 155
Station Sq. Moss —6C 98
Station St. Bolt —7B 44
Station St. Duk —7F 119
Station St. Glos —1F 159
Station St. Haz G —2B 182
Station St. Mac —2F 199
Station St. Spring —1K 97
Station View. M19 —1C 152
Staton Av. Bolt —5E 44
Staton St. M11 —1E 136
Statter St. Bury —2A 70
Staveleigh Way. Ash L —5F 119
Staveley Av. Bolt —6A 24
Staveley Av. Stal —5A 120
Staveley Clo. Mid —4A 72
Staveley Clo. Shaw —7H 53
Stavely Wlk. Rytn —2C 74
(off Shaw St.)
Staverton Clo. M13 —2J 135 (10N 5)
Staveton Clo. Bram —1J 181
Stavordale. Roch —4G 31
(off Spotland Rd.)
Staycott Clo. M16 —5F 135
Stayley Dri. Stal —6C 120
Stead St. Ram —5G 9
Steadway. G'fld —2J 99
Stedman Clo. M11 —7A 116
Steele Gdns. Bolt —1G 67
Steeles Av. Hyde —6J 139
Steeple Dri. Salf —7A 114
Steeple St. Mac —2G 199
Steeple View. Rytn —2B 74
Stein Av. Lwtn —1C 126
Stelfox Av. M14 —1G 151
Stelfox Av. Tim —3G 165
Stelfox La. Aud —2C 138
Stelfox St. Ecc —1K 131
Stella St. M9 —3H 93
Stelling St. M18 —4F 137
Stenbury Clo. M14 —6J 135
Stenner La. M20 —1G 167
Stenson Sq. Open —2F 137
Stephen Clo. Bury —3G 47
Stephen Lowry Wlk. M40 —1C 116
Stephenson Av. Droy —7J 117
Stephenson Rd. Newt W —7E 124
Stephenson Rd. Stret —7J 133
Stephenson St. Abr —7K 83
Stephenson St. Fail —6J 95
Stephenson St. Hor —3F 41
Stephenson St. Oldh —6H 75
Stephens Rd. M20 —5J 151
Stephens Rd. Stal —4K 119
Stephens St. Bolt —6F 45
Stephens Ter. M20 —7H 151
Stephen St. M3 —4F 115
Stephen St. Bury —3G 47
Stephen St. Plat B —5J 83
Stephen St. Stoc —3K 169
Stephen St. Urm —7C 132
Stephen St. S. Bury —4G 47
Stephen's Way. Wig —2A 82
Stephen Wlk. Stoc —3K 169
Steps Meadow. Roch —7A 14
Stern Av. Salf —1A 134
Sterndale Av. Stand —3A 38
Sterndale Rd. Rom —2F 171
Sterndale Rd. Stoc —6G 169
Sterndale Rd. Wor —2B 110
Sterratt St. Bolt —6K 43
Stetchworth Dri. Wor —1D 110
Stevenage Clo. Mac —4D 198
Stevenage Dri. Mac —4D 198
Stevenson Clo. Wig —2C 82
Stevenson Dri. Oldh —2J 75
Stevenson Rd. Swint —7C 90
Stevenson Sq. M1 —7H 115 (5L 5)
Stevenson Sq. Farn —7C 66
Stevenson Sq. Roch —1A 32
Stevenson St. Salf —7D 114 (5C 4)
Stevenson St. Wor —4D 88
Stevens St. Ald E —5G 195
Steve Pl. Redd —3G 153
Stewart Av. Farn —7D 66
Stewart Rd. Wig —4C 82
Stewart St. Ash L —6D 118
Stewart St. Bolt —3A 44
Stewart St. Bury —2F 47
(in two parts)
Stewart St. Miln —2F 53
Stewerton Clo. Golb —6H 105
Steynton Clo. Bolt —5F 43
Stile Clo. Urm —7E 130
Stiles Av. Marp —4J 171
Stiles Clo. Had —4A 142
Stilton Dri. M11 —1C 136
Stirling. Ecc —6D 112
(off Monton La.)
Stirling Av. M20 —2F 151
Stirling Av. Haz G —3B 182
Stirling Av. Ince —6J 61
Stirling Av. Marp —6K 171
Stirling Clo. Leigh —2D 108
Stirling Clo. Mac —1B 198
Stirling Clo. Stoc —5E 168
Stirling Ct. Stoc —5E 152
Stirling Dri. Ash M —4K 103
Stirling Dri. Stal —5A 120
Stirling Gro. W'fld —6A 70
Stirling Pl. Heyw —4F 49
Stirling Rd. Bolt —7A 24
Stirling Rd. Chad —3H 95
Stirling Rd. Hind —3D 84
Stirling St. Oldh —7A 74
Stirling St. Wig —4D 60
Stirrup Brook Gro. Wor —3B 110
Stirrup Ga. Wor —3J 111
Stitch La. Stoc —7F 153
Stitch Mi La. Harw —3G 45
Stiups La. Roch —1K 51
Stobart Av. P'wch —5B 92
Stockburn Dri. Fail —1A 118
Stockbury Gro. Bolt —4B 44
(off Lindfield Dri.)
Stockdale Av. Stoc —6H 169
Stockdale Gro. Bolt —4H 45
Stockdale Rd. M9 —3A 94
Stockfield Mt. Chad —1K 95
Stockfield Rd. Chad —7K 73
Stock Gro. Miln —5D 32
Stockholm Rd. Stoc —4D 168
Stockholm St. M11 —6D 116
Stockland Clo. M13 —2H 135 (10L 5)
Stock La. Chad —7K 73
Stockley Av. Bolt —3G 45
Stockley Dri. App B —5E 36
Stockley Wlk. M15 —3D 134
Stockport Rd. M12, M13 & M19 —3J 135
Stockport Rd. Ash L —1D 138
Stockport Rd. Chea & Stock —5K 167
Stockport Rd. Dent —6D 138
Stockport Rd. Gee X —3H 155
Stockport Rd. Hyde —1E 156
(Hattersley)
Stockport Rd. Hyde —1J 155
(Hyde)
Stockport Rd. Lyd —2C 98
Stockport Rd. Marp —5F 171
Stockport Rd. Moss —5C 98
Stockport Rd. Rom —1F 171
Stockport Rd. Tim —6C 164
Stockport Rd. Warr —7A 160
Stockport Rd. E. Bred —6D 154
Stockport Rd. W. Bred —7A 154
STOCKPORT STATION. BR —3G 169
Stockport Trad. Est. Stoc —2D 168
Stockport Village. Stoc —2G 169
Stock Rd. Roch —2J 31
Stocks. Tin —2C 142
Stocksfield Dri. M9 —4A 94
Stocksfield Dri. L Hul —2B 88
Stocks Gdns. Stal —7C 120
Stocks La. Stal —7B 120
Stocks Pk. Dri. Hor —2G 41
Stocks Pk. Ho. Hor —2G 41
Stocks St. M8 —5G 115 (1J 5)
Stocks St. Roch —3D 50
Stocks St. E. M8 —4G 115 (1J 5)
Stock St. Bury —7J 27
Stockton Av. Stoc —3D 168
Stockton Dri. Bury —7F 27
Stockton Pk. Oldh —1H 97
Stockton Rd. M21 —2A 150
Stockton Rd. Wilm —2F 195
Stockton St. M16 —5E 134
Stockton St. Farn —4E 66
Stockton St. L'boro —6E 14
Stockton St. Swint —7C 90
Stockwell Clo. Wig —4K 81
Stockwood Wlk. M9 —1K 115
Stoke Abbot Clo. Bram —5G 181
Stoke Abbot Lodge. Bram —5G 181
Stokesay Clo. Bury —1K 69
Stokesay Dri. Haz G —3A 182
Stokesay Rd. Sale —5C 148
Stokesley Wlk. Bolt —2A 66
(in two parts)
Stokes St. M11 —6F 117
Stoke St. Roch —6K 31
Stokoe Av. Alt —6J 163
Stolford Wlk. M8 —2F 115
(off Ermington Dri.)
Stonall Av. M15 —3D 134
Stoneacre. Los —5K 41
Stoneacre Ct. Swint —7D 90
Stoneacre Rd. M22 —2C 178
Stonebeck Ct. W'houg —6F 65
Stonebeck Rd. M23 —6K 165
Stone Breaks. Spring —7A 76
Stone Breaks Rd. Spring —1A 98
Stonebridge Clo. Los —7C 42
Stonechat Clo. Droy —5A 118
Stonechat Clo. Wor —7D 88
Stonechurch. Bolt —1K 65
Stonecliffe Av. Stal —6A 120
Stonecliffe Ter. Stal —5A 120
Stone Clo. Ram —7E 8
Stoneclough Rd. Fish I & Rad —7H 67
Stonecroft. Oldh —7C 74
Stone Cross La. Lwtn —4A 126
Stonedelph Clo. Ain —4B 46
Stonefield. Tyl —6J 87
Stonefield Dri. M8 —3E 114
Stonefield St. Miln —7D 32
Stoneflat Ct. Roch —4F 31
Stonegate Clo. Wig —1A 82
Stonegate Fold. Hth C —3K 19
Stone Hall La. Uph —2A 58
Stonehaven. Bolt —3F 65
Stonehaven. Wig —5K 81
Stonehead St. M9 —1B 116
Stonehewer St. Rad —4F 69
Stonehill Cres. Roch —1C 30
Stonehill Dri. Roch —1C 30
Stone Hill La. Roch —2C 30
Stone Hill Rd. Farn —1F 89
Stonehill Rd. Roch —1C 30
Stone House Rd. Wig —5K 59
Stonehouse Wlk. M23 —4J 165
(off Sandy La.)
Stonehurst Clo. M12 —3C 136
Stoneleigh Av. Sale —5B 148
Stoneleigh Clo. Mac —1E 198
Stoneleigh Dri. Rad —7K 67
Stoneleigh Rd. Spring —7A 76
Stoneleigh St. Oldh —5F 75
Stonelow Clo. M15 —3F 135
Stonemead. Rom —7J 155
Stone Mead Av. Haleb —5G 177
Stonemead Clo. Bolt —2B 66
Stonemill Ter. Stoc —7H 153
Stonepail Clo. Gat —6F 167
Stonepail Rd. Gat —6G 167
Stone Pale. W'fld —7K 69
Stone Pit Clo. Lwtn —7D 106
Stone Pit La. Croft —7C 126
Stone Pits. Ram —1J 9
Stoneridge. Had —4B 142
Stone Row. Asp —3J 61
Stone Row Marp —5A 172
(in two parts)
Stonesby Clo. M16 —5E 134
Stonesdale Clo. Rytn —1C 74
Stonesteads Dri. Brom X —4C 24
Stonesteads Way. Brom X —4C 24
Stone St. M3 —1E 134 (8E 4)
Stone St. Bolt —4D 44
Stone St. Miln —7D 32
Stoneswood Dri. Moss —5D 98
Stoneswood Rd. Del —3E 76
Stonethwaite Clo. Wig —5C 82
Stoneway. Salf —2B 134
(off W. Park St.)
Stoneybank. Rad —7A 68
Stoneyboyd. Whitw —2F 13
Stoney Brow. Rob M —3B 58
(in two parts)
Stoneycroft Av. Hor —1H 41
Stoneycroft Clo. Hor —7H 21
Stoneyfield. Stal —4A 120
Stoneyfield Clo. M16 —7F 135
Stoneyfold La. Mac —5J 199
Stoneygate La. App B —3B 36
Stoneygate Wlk. Open —2F 137
Stoney Knoll. Salf —2D 114
Stoneyland Dri. N Mills —4G 185
Stoney La. Adl —1G 39
Stoney La. Del —6E 54
Stoney La. Wilm —1F 195
Stoneyside Av. Wor —3G 89
Stoneyside Gro. Wor —3G 89
Stoneyvale Ct. Roch —1H 51
Stonie Heys Av. Roch —2K 31
Stonor Rd. Adl —5H 19
Stonyford Rd. Sale —6H 149
Stony Head. L'boro —1G 15
(off Calderbrook Rd.)
Stonyhurst Av. Bolt —7A 24
Stonyhurst Av. Ince —1F 83
Stonyhurst Clo. M15 —3F 135
Stonyhurst Cres. Cul —4H 127
Stopes Rd. L Lev & Rad —3A 68
Stopford Av. L'boro —7C 14
Stopford St. M11 —1G 137
Stopford St. Ince —7H 61
Stopford St. Stoc —3F 169
Stopford Wlk. Dent —6D 138
Stopforth St. Wig —5C 60
Stopley Wlk. Open —1C 136
Stores Cotts. Gras —1E 98
Stores St. P'wch —3C 92
Store St. M1 —1H 135 (7L 5)
Store St. Ash L —2E 118
Store St. Boll —2K 197
Store St. Hor —1G 41
Store St. Open —2D 136
Store St. Roch —3A 30
Store St. Shaw —5G 53
Store St. Stoc —7A 170
Storeton Clo. M22 —2E 178
Storey Pas. Rd. L'boro —6D 14
Stortford Dri. M23 —1B 166
Storth Bank. Glos —3B 158
Storth Meadow Rd. Glos —3B 158
Stothard Rd. Stret —1F 149
Stott Dri. Urm —1F 147
Stottfield. Rytn —3K 73
Stott Ho. Oldh —2C 96
Stott La. Bolt —4D 44
Stott La. Mid —1B 72
Stott La. Salf —5F 113
Stott Milne St. Chad —2K 95
Stott Rd. Chad —4G 95
Stott Rd. Swint —2B 112
Stott's La. M40 —2F 117
Stott St. M11 —7B 116
Stott St. Fail —2F 117
Stott St. Hur —1B 32
Stott St. Roch —3H 31
Stourbridge Av. L Hul —1C 88
Stour Clo. Alt —5A 164
Stourport Clo. Rom —2E 170
Stourport St. Oldh —5E 74
Stour Rd. Ast —7H 87
Stout St. Leigh —3G 107
Stovell Av. Long —7C 136
Stovell Rd. M40 —7C 94
Stow Clo. Bury —7H 27
Stowell Ct. Bolt —4A 44
Stowell St. Bolt —4A 44
Stowell St. Salf —7J 113
Stowfield Clo. M9 —3H 93
Stow Gdns. M20 —4G 151
Stracey St. M40 —5A 116
(in two parts)
Stradbroke Clo. M18 —4D 136
Strain Av. M9 —3H 93
Straits, The. Ast —2J 109
Strand Av. Ash M —4D 104
Strand Ct. Stret —2G 149
Strand, The. Ash M —4D 104
Strand, The. Hor —2H 41
Strand, The. Roch —3H 51
Strand Way. Rytn —4B 74
Strange Rd. Ash M —5K 103
Strange St. Leigh —4F 107
Strangford St. Rad —2B 68
Stranraer Rd. Wig —5J 59
Stranton Dri. Wor —7A 90
Stratfield Av. M23 —2H 165
Stratford Av. M20 —5F 151
Stratford Av. Bolt —4G 43
Stratford Av. Bury —4J 27
Stratford Av. Ecc —1A 132
Stratford Av. Oldh —4D 96
Stratford Av. Roch —7G 31
Stratford Clo. Farn —5B 66
Stratford Gdns. Bred —7D 154
Stratford Rd. Mid —2D 94
Stratford Sq. H Grn —5J 179
Stratford St. Wig —5C 60
Stratford Way. Mac —6E 198
Strathaven Pl. Heyw —4F 49
Strathblane Clo. M20 —3H 151
Strathfield Dri. M11 —6E 116
Strathmere Av. Stret —6H 133
Strathmore Av. M16 —7B 134
Strathmore Av. Ash M —3C 104
Strathmore Av. Dent —7F 139
Strathmore Clo. Ram —7G 9
Strathmore Rd. Bolt —4G 45
Stratton Dri. Plat B —6H 83
Stratton Gro. Hor —7F 21
Stratton Rd. M16 —7B 134
Stratton Rd. Pen —6D 90
Stratton Rd. Stoc —3A 170
Strawberry Bank. Salf —5B 114
Strawberry Clo. B'hth —4K 163
Strawberry Hill. Salf —5B 114
Strawberry Hill Rd. Bolt —1D 66
Strawberry La. Moss —3C 98
Strawberry La. Wilm —7E 186
Strawberry Rd. Salf —5A 114
Stray, The. Bolt —1D 44
Streamside Clo. Tim —7F 165
Stream Ter. Stoc —2K 169
Street Bri. Rd. Oldh —4J 73
Streetgate. L Hul —2B 88
Streethouse La. Dob —5F 77
Street La. A'ton —5A 190
Street La. Rad —5C 46
Stretford By-Pass. Wor & Ecc —3H 111
Stretford Motorway Est. Stret —4E 132
Stretford Pl. Roch —1G 31
Stretford Rd. M16 & M15 —4C 134
Stretford Rd. Urm —1B 148
STRETFORD STATION. M —1H 149
Stretton Av. M20 —7J 151
Stretton Av. Bil —3E 102
Stretton Av. Lwtn —2B 126
Stretton Av. Sale —6C 148
Stretton Av. Stret —6E 132
Stretton Clo. M40 —3K 115
Stretton Clo. Stand —5A 38
Stretton Rd. Bolt —2H 65
Stretton Rd. Ram & Bury —2E 26
Stretton Way. Hand —7K 179
Striding Edge Wlk. Oldh —5E 74
Strines Clo. Hind —1B 84
Strines Ct. Hyde —5J 139
Strines Rd. Marp B & Strin —5A 172
STRINES STATION. BR —3D 184
Stringer Av. Mot —7F 141
Stringer Clo. Mot —7F 141
Stringer St. Leigh —3K 107
Stringer St. Stoc —1J 169
Stringer Way. Mot —7F 141
Stringston Wlk. M16 —6E 134
(off Westerling Wlk.)
Stroma Gdns. Urm —4A 132
Stromness Gro. Heyw —4F 49
Strong St. Salf —4E 114
Strongstry Rd. Ram —1G 9
Strontian Wlk. Open —7E 116
Stroud Av. Ecc —5K 111
Stroud Clo. Mid —2C 94
Stroud Clo. Wig —4H 61
Struan Ct. Alt —6A 164
Stuart Av. Hind —4F 85
Stuart Av. Irl —7B 130
Stuart Av. Marp —4H 171
Stuart Cres. Bil —3D 102
Stuart Rd. Bred P —4B 154
Stuart Rd. Stret —6H 133
Stuart St. M11 —6B 116
Stuart St. Mid —6E 72
Stuart St. Oldh —2C 96
Stuart St. Roch —6J 31
(in two parts)
Stuart St. Wig —6F 61
Stuart St. E. M11 —6C 116
Stuart Wlk. Mid —7B 72
Stubbin Rd. Mars —1K 57
Stubbins Clo. M23 —2J 165
Stubbins La. Ram —4G 9
Stubbins St. Ram —2G 9
Stubbins Vale Rd. Ram —1G 9
Stubbins Vale Ter. Ram —2F 9
Stubley La. L'boro —6D 14
Stubley Mill Fold. L'boro —7D 14
Stubley Mill Rd. L'boro —7C 14
Studforth Wlk. M15 —4G 135
(off Botham Clo.)
Studland Rd. M22 —7F 167
Studley Clo. Rytn —2E 74
Studley Ct. Tyl —6F 87
Stukesay Clo. Shaw —2E 74
Sturgess St. Newt W —6B 124
Sturton Av. Wig —4A 82
Styal Av. Stoc —4H 153
Styal Av. Stret —6E 132
Styalgate. Gat —6F 167
Styal Gro. Gat —1G 179
Styal Rd. M22 & H Grn —6F 179

Styal Rd. Styal —2G 187
STYAL STATION. BR —1G 187
Styhead Dri. Mid —3K 71
Style St. M4 —5G 115 (2K 5)
Style View. Wilm —3H 187
Sudbrook Clo. Lwtn —1C 126
Sudbury Clo. M16 —4C 134
Sudbury Clo. Wig —5D 82
Sudbury Dri. H Grn —4K 179
Sudbury Dri. Los —7C 42
Sudbury Rd. Haz G —4C 182
Sudden St. Roch —1E 50
Sudell St. M4 & M40 —5H 115 (2M 5)
Sudley Rd. Roch —7E 30
Sudlow La. Knut —6A 192
Sudlow St. Roch —2K 31
Sudren St. Bury —2D 46
Sue Patterson Wlk. M40 —3K 115
Suez St. Newt W —6C 124
Suffield St. Mid —6B 72
Suffield Wlk. M22 —3D 178
Suffolk Av. Droy —5J 117
Suffolk Clo. L Lev —1K 67
Suffolk Clo. Mac —2B 198
Suffolk Clo. Stand —5D 38
Suffolk Dri. Stoc —4A 154
Suffolk Dri. Wilm —4J 187
Suffolk Gro. Leigh —3G 107
Suffolk Rd. Alt —7K 163
Suffolk St. Oldh —3K 95
Suffolk St. Roch —6H 31
Suffolk St. Salf —3A 114
Sugar La. Dob —4G 77
Sugar La. Mac —1J 197
Sugar Pit La. Knut —3B 192
Sugden St. Ash L —5H 119
Sulby Av. Stret —7J 133
Sulby St. M40 —7C 94
Sulby St. Stone —6K 67
Sulgrave Av. Poy —1D 190
Sullivan St. M12 —6C 136
Sullivan Way. Wig —5F 61
Sultan St. Bury —5J 47
Sulway Clo. Swint —1E 112
Sumac St. M11 —6F 117
Sumbland Ho. Clif —5F 91
Summer Av. Urm —7C 132
Summer Castle. Roch —5H 31
Summer Ct. Ast —1H 109
Summercroft. Chad —4K 95
Summerdale Dri. Ram —2F 27
Summerfield Av. Droy —5G 117
Summerfield Ct. M21 —1K 149
Summerfield Dri. Ast —7H 87
Summerfield Dri. Mid —4E 72
Summerfield Dri. P'wch —6A 92
Summerfield La. Tyl —7H 87
Summerfield Pl. Wilm —7G 187
Summerfield Rd. M22 —2C 178
Summerfield Rd. Bolt —2D 66
Summerfield Rd. Mob —2J 193
Summerfield Rd. Wor —1J 111
Summerfields. Cop —5B 18
Summerfields. Knut —3F 193
Summerfields Shopping Cen. Wilm —4K 187
Summer Hill Clo. Bolt —6K 23
Summerhill Rd. P'bry —6A 196
Summerlea. Chea H —4D 180
Summer Pl. M14 —7J 135
Summers Av. Stal —6C 120
Summers Clo. Knut —7D 192
Summerseat Clo. Salf —1A 134
Summerseat Clo. Spring —7A 76
Summerseat La. Ram —1E 26
Summersgill Clo. Heyw —4A 50
Summershades La. Gras —1D 98
Summershades Rise. Oldh —1D 98
Summers St. Chad —7A 74
Summers St. Stal —1J 139
Summer St. Hor —1F 41
Summer St. Roch —5J 31
Summers Way. Knut —7D 192
Summerville Av. M9 —1B 116
Summerville Rd. Salf —3J 113
Summit Clo. Bury —1F 49
Summit St. Heyw —3F 49
Sumner Av. Bolt —4B 46
Sumner Rd. Salf —3H 113
Sumners Pl. Glos —1D 158
Sumner St. Asp —1B 62
Sumner St. Ath —4C 86
Sumner St. Bolt —4H 65
Sumner St. Glos —2E 158
Sumner St. Shaw —1F 75
Sunadale Clo. Bolt —1H 65
Sunbank Clo. Roch —2F 31
Sunbank La. Ring —7H 177
Sunbeam St. Newt W —6E 124
Sunbeam Wlk. M11 —7B 116 (off Hopedale Clo.)
Sunbury Clo. Duk —1K 139
Sunbury Clo. Wilm —3A 188
Sunbury Dri. M40 —4F 117
Sundance Ct. Salf —1J 133
Sunderland Av. Ash L —4G 119
Sunderland Pl. Wig —5K 59
Sunderland St. Mac —4F 199
Sunderton Wlk. M12 —3A 136
Sundew Pl. Mid —7F 73
Sundial Clo. Hyde —6D 140
Sundial Rd. Stoc —4B 170
Sundial Wlk. Hyde —6D 140
Sundown Clo. N Mills —4G 185
Sundridge Clo. Bolt —3G 65
Sunfield. Rom —7F 155
Sunfield Av. Oldh —3J 75
Sunfield Cres. Rytn —3C 74
Sunfield Dri. Rytn —3D 74
Sunfield Est. Dig —2J 77
Sunfield La. Dig —2J 77
Sunfield Rd. Oldh —6D 74
Sunfield Way. Lees —7J 75
Sun Ga. L'boro —3D 32
Sunhill Clo. Roch —3K 51
Sunk La. Mid —7C 72 (in two parts)
Sunlaws St. Glos —2D 158
Sunleigh Rd. Hind —1C 84
Sunlight Rd. Bolt —6J 43
Sunningdale Av. M11 —6D 116
Sunningdale Av. Rad —1B 68
Sunningdale Av. Sale —7J 149
Sunningdale Av. W'fld —7G 69
Sunningdale Clo. Bury —5E 46
Sunningdale Clo. Hyde —4K 139
Sunningdale Ct. Dent —5K 137
Sunningdale Dri. Bram —5H 181
Sunningdale Dri. Heyw —5K 49
Sunningdale Dri. Irl —6B 130
Sunningdale Dri. P'wch —2A 92
Sunningdale Dri. Salf —3E 112
Sunningdale Gro. Leigh —1D 108
Sunningdale Ho. Sale —7J 149
Sunningdale Rd. Chea H —5C 180
Sunningdale Rd. Dent —1E 154
Sunningdale Rd. Mac —5C 198
Sunningdale Rd. Urm —1K 147
Sunningdale Wlk. Bolt —1K 65
Sunninghill St. Bolt —2K 65
Sunny Av. Bury —7K 27
Sunny Bank. Lees —2J 97
Sunny Bank. Rad —6J 67
Sunnybank. Wilm —7G 187
Sunny Bank Av. Droy —7H 117
Sunnybank Av. Ecc —5D 112
Sunny Bank Av. Stoc —6B 152
Sunny Bank Clo. Mac —6F 199
Sunnybank Clo. Newt W —5E 124
Sunnybank Dri. Wilm —2D 194
Sunny Bank Rd. M13 —6A 136
Sunnybank Rd. Ast —1H 109
Sunnybank Rd. Bolt —3J 43
Sunny Bank Rd. Bow —3A 176
Sunny Bank Rd. Bury —3K 69
Sunny Bank Rd. Droy —7H 117
Sunny Banks. Glos —2D 158
Sunny Bower St. Tot —6C 26
Sunny Brow. Cop —2C 18
Sunny Brow Rd. M18 —4E 136
Sunny Brow Rd. Mid —6A 72
Sunny Dri. Orr —1F 81
Sunny Dri. P'wch —3K 91
Sunnyfield Rd. P'wch —7C 70
Sunnyfield Rd. Stoc —7B 152
Sunnyfields. Wins —5J 81
Sunny Garth. W'houg —6J 63
Sunnylea Av. M19 —5A 152
Sunny Lea M. Wilm —7G 187
Sunnymead Av. Bolt —1B 44
Sunnymede Vale. Ram —1E 26
Sunnyside. Ash L —3D 118
Sunnyside. Droy —5H 117
Sunny Side Cotts. Roch —2H 29
Sunny Side Cotts. Stret —7K 133
Sunnyside Ct. Droy —5H 117
Sunnyside Cres. Ash L —6H 119
Sunnyside Gro. Ash L —6H 119
Sunnyside La. Droy —4H 117
Sunnyside Rd. Ash M —2B 104
Sunnyside Rd. Bolt —3J 43
Sunnyside Rd. Droy —5H 117
Sunnywood Dri. Tot —6E 26
Sunnywood La. Tot —6E 26
Sunrise View. L'boro —2H 15
Sunset Av. M22 —1D 166
Sun St. Moss —6C 98
Sun St. Ram —4F 9
Sunwell Ter. Marp —1K 183
Surbiton Rd. M40 —4D 116
Surrey Av. Droy —5H 117
Surrey Av. Leigh —4E 108
Surrey Av. Shaw —6D 52
Surrey Clo. L Lev —2K 67
Surrey Dri. Bury —5K 47
Surrey Pk. Clo. Shaw —5F 53
Surrey Rd. M9 —5K 93
Surrey Rd. Gaw —7C 198
Surrey St. M9 —5J 93
Surrey St. Ash L —3H 119
Surrey St. Chad —2A 96
Surrey St. Glos —1D 158
Surrey Way. Stoc —5A 154
Surtees Rd. M23 —1A 166
Sussex Av. M20 —6H 151
Sussex Av. Bury —4E 48
Sussex Av. Gaw —6C 198
Sussex Clo. Chad —1K 95
Sussex Clo. Clif —5D 90
Sussex Clo. Hind —2E 84
Sussex Clo. Part —1A 162
Sussex Clo. Stand —4D 38
Sussex Dri. Bury —5K 47
Sussex Dri. Droy —5J 117
Sussex Pl. Hyde —4K 139
Sussex Pl. Tyl —4G 87
Sussex Rd. Cad —4J 145
Sussex Rd. Part —1A 162
Sussex Rd. Stoc —3D 168
Sussex St. M2 —7F 115 (5H 5)
Sussex St. Leigh —4E 108
Sussex St. Roch —6H 31
Sussex St. Salf —5D 114
Sutch La. Lymm —7G 161
Sutcliffe Av. M12 —7D 136
Sutcliffe St. Ash L —7D 118
Sutcliffe St. Bolt —3A 44
Sutcliffe St. L'boro —5F 15
Sutcliffe St. Mid —6E 72
Sutcliffe St. Oldh —2C 96
Sutcliffe St. Rytn —3E 74 (Heyside)
Sutcliffe St. Rytn —1E 74 (Shaw Side)
Sutherland Clo. Oldh —6D 96
Sutherland Dri. Mac —2C 198
Sutherland Flats. Heyw —3J 49 (off Meadow Clo.)
Sutherland Gro. Farn —6E 66
Sutherland Rd. M16 —6A 134
Sutherland Rd. Bolt —4G 43
Sutherland Rd. Heyw —4E 48
Sutherland Rd. Wig —4C 82
Sutherland St. Ash L —5J 119
Sutherland St. Ecc —5K 111
Sutherland St. Farn —6E 66
Sutherland St. Hind —2A 84
Sutherland St. Swint —6C 90
Sutherland St. Wig —1B 82
Suthers St. Oldh —1A 96
Suthers St. Rad —5G 69
Sutton Av. Cul —5J 127
Sutton Clo. Mac —6F 199
Sutton Dri. Droy —5G 117
Sutton Dwellings. Salf —5K 113
Sutton Ho. Salf —5K 113 (off Sutton Dwellings)
Sutton La. Adl —3K 19
Sutton Rd. M18 —6E 136
Sutton Rd. Ald E —2K 195
Sutton Rd. Bolt —2F 65
Sutton Rd. Poy —3D 190
Sutton Rd. Stoc —7E 152
Suttons La. Marp —6A 172
Sutton Way. Had —4C 142
Sutton Way. Hand —7A 180
Sutton Way. Salf —5A 114
Swailes St. Oldh —1F 97
Swaindrod La. L'boro —4J 15
Swaine St. Stoc —2G 169
Swainsthorpe Dri. M9 —7A 94
Swain St. Roch —3G 31
Swalecliff Av. M23 —2H 165
Swaledale Clo. Rytn —1C 74
Swale Dri. Alt —5A 164
Swallow Bank Dri. Roch —2D 50
Swallow Clo. C'brk —1F 121
Swallow Clo. Mac —4J 199
Swallow Dri. Bury —1B 48
Swallow Dri. Irl —6C 130
Swallow Dri. Roch —5B 30
Swallowfield. Leigh —3A 108
Swallowfields. Orr —2D 80
Swallow La. C'brk —1F 121
Swallow St. M12 —7C 136
Swallow St. Oldh —5B 96
Swallow St. Stoc —4H 169
Swanage Av. M23 —3H 165
Swanage Av. Stoc —5B 170
Swanage Clo. Bury —6G 27
Swanage Rd. Ecc —5K 111
Swanbourne Gdns. Stoc —5E 168
Swan Clo. Poy —1K 189
Swan Ct. Shaw —7F 53
Swanhill Clo. M18 —3H 137
Swan La. Bolt —2K 65
Swan La. Hind —3F 85
Swanley Av. M40 —3A 116
Swan Meadow Rd. Wig —7D 60
Swann Ct. Chea H —3D 180
Swann Gro. Chea H —3D 180
Swann La. Chea H —3C 180
Swann St. Wig —7D 60
Swan Rd. G'mnt —2D 26
Swan Rd. Newt W —5A 124
Swan Rd. Tim —2E 164
Swanscoe Av. Boll —3J 197
Swanscoe La. Mac —7K 197
Swansea St. Oldh —3F 97
Swan St. M4 —6G 115 (3K 5)
Swan St. Ash L —5G 119
Swan St. Rad —4F 69
Swan St. Wilm —6H 187
Swan Ter. Ecc —1A 132
Swanton Wlk. M8 —2F 115 (off Kenford Wlk.)
Swarbrick Dri. P'wch —5K 91
Swarthdale Ho. Salf —5K 113 (off Sutton Dwellings)
Swayfield Av. M13 —6B 136
Swaylands Dri. Sale —2F 165
Sweet Briar Clo. Roch —2G 31
Sweetbriar Clo. Shaw —6F 53
Sweet Briar La. Roch —2G 31
Sweetlove's Gro. Bolt —7A 24
Sweetlove's La. Bolt —7A 24
Sweetnam Dri. M11 —6D 116
Swettenham Rd. Hand —7K 179
Swettenham St. Mac —4G 199
Swift Clo. Woodl —5G 155
Swift Rd. Oldh —2J 75
Swift Rd. Roch —5B 30
Swift St. Ash L —3H 119
Swiftsure Av. Salf —7D 114 (5C 4)
Swift Wlk. M40 —2E 116
Swinbourne Gro. M20 —3J 151
Swinburne Av. Droy —5J 117
Swinburne Grn. Stoc —1F 153
Swinburne Way. Dent —3E 154
Swinburn Gro. Bil —6D 80
Swinburn St. M9 —6B 94
Swindell's St. M11 —2G 137
Swindells St. Hyde —4J 139
Swindon Clo. M18 —4F 137
Swinfield Av. M21 —2K 149
Swinford Gro. Rytn —1E 74
Swinford Wlk. M9 —4A 94
Swinley Chase. Wilm —4B 188
Swinley La. Wig —4E 60
Swinley Rd. Wig —4E 60 (in two parts)
Swinside. Wig —5H 61
Swinside Clo. Mid —4J 71
Swinside Rd. Bolt —5H 45
Swinstead Av. M40 —3A 116
Swinton Cres. Bury —5A 70
Swinton Gro. M13 —4J 135
Swinton Hall Rd. Swint —7D 90
Swinton Pk. Rd. Salf —3F 113
Swinton Sq. Knut —4D 192
SWINTON STATION. BR —6D 90
Swinton St. Bolt —6G 45
Swinton St. Oldh —2G 97
Swiss Cottage. Mac —1D 198
Swiss Hill. Ald E —5H 195
Swithemby St. Hor —1E 40
Swithin Rd. M22 —4E 178
Swythamley Clo. Stoc —3C 168
Swythamley Rd. Stoc —3C 168
Sybil St. L'boro —5E 14
Sycamore Av. Alt —6J 163
Sycamore Av. Chad —4H 95
Sycamore Av. Dent —7D 138
Sycamore Av. Golb —6J 105
Sycamore Av. Heyw —5A 50
Sycamore Av. Hind —4D 84
Sycamore Av. Miln —2E 52
Sycamore Av. Newt W —6E 124
Sycamore Av. Oldh —6H 75
Sycamore Av. P'wch —1K 91 (off Beech Av.)
Sycamore Av. Rad —6D 68
Sycamore Av. Wig —2B 60
Sycamore Clo. Duk —1K 139
Sycamore Clo. L'boro —6D 14
Sycamore Clo. Wilm —4H 187
Sycamore Ct. M16 —6D 134
Sycamore Ct. M40 —5A 116
Sycamore Ct. Salf —5A 114
Sycamore Cres. Ash L —3G 119
Sycamore Cres. Mac —5C 198
Sycamore Cres. Rix —1H 161
Sycamore Dri. Droy —6A 118
Sycamore Dri. Lymm —7D 160
Sycamore Dri. Wins —5H 81
Sycamore Farm Clo. Mac —1C 198
Sycamore Gro. Fail —1K 117
Sycamore Lodge. Bram —5H 181
Sycamore Pl. W'fld —1K 91
Sycamore Rise. Mac —5D 198
Sycamore Rd. Ath —4E 86
Sycamore Rd. Bch V —2K 185
Sycamore Rd. Bred —6E 154
Sycamore Rd. Ecc —4J 111
Sycamore Rd. Mob —1B 194
Sycamore Rd. Part —7A 146
Sycamore Rd. Tot —7D 26
Sycamores, The. Had —6B 142
Sycamores, The. Lees —6J 75
Sycamores, The. Moss —6E 98
Sycamores, The. Rad —1K 89
Sycamores, The. Sale —7G 149
Sycamores, The. Stal —1B 140
Sycamore St. Sale —6J 149
Sycamore St. Stal —7K 119
Sycamore St. Stoc —3D 168
Sycamore Wlk. Chea —5K 167
Sycamore Wlk. Hor —3J 41
Syddal Clo. Bram —7F 181
Syddal Cres. Bram —1F 189
Syddal Grn. Bram —7F 181
Syddall Av. H Grn —4K 179
Syddall St. Hyde —1H 155
Syddal Rd. Bram —7F 181
Sydenham St. Oldh —5E 74 (in two parts)
Sydenham Ter. Roch —1F 31
Sydney Av. Ecc —6B 112
Sydney Av. Leigh —6H 107
Sydney Av. Man A —4A 178
Sydney Gdns. L'boro —2G 15
Sydney Rd. Bram —7H 181
Sydney St. Fail —1G 117
Sydney St. Moss —7D 98
Sydney St. Plat B —4J 83
Sydney St. Salf —6J 113
Sydney St. Stoc —4A 170
Sydney St. Stret —7H 133
Sydney St. Swint —1B 112
Syke Croft. Rom —7H 155
Syke La. Roch —7H 13
Syke Rd. L'boro —2G 33
Syke Rd. Roch —7H 13
Sykes Av. Bury —2B 70
Sykes Clo. G'fld —2H 99
Sykes Ct. Roch —6K 31
Sykes Cres. Wins —6J 81
Sykes Meadow. Stoc —5F 169
Sykes St. Bury —2A 48
Sykes St. Hyde —1K 155
Sykes St. Miln —1E 52 (Milnrow)
Sykes St. Miln —6K 31 (Rochdale)
Sykes St. Stoc —2H 153
Sykes Wlk. Stoc —2H 153 (off Sykes St.)
Sylvan Av. M16 —6D 134
Sylvan Av. Fail —3G 117
Sylvan Av. Sale —7G 149
Sylvan Av. Tim —3D 164
Sylvan Av. Urm —6B 132
Sylvan Av. Wilm —1F 195
Sylvan Clo. Mid —4K 71
Sylvandale Av. M19 —1C 152
Sylvan Gro. Alt —6B 164
Sylvan St. Oldh —7A 74
Sylvester Av. Stoc —5K 169
Sylvester Clo. Hyde —7E 140
Sylvester Way. Dent —3E 154
Sylvester Way. Hyde —7E 140
Sylvia Gro. Stoc —3G 153
Symms St. Salf —4B 114
Symond Rd. M9 —2A 94
Symons Rd. Sale —5F 149
Symons St. Salf —1E 114
Syndall Av. M12 —3K 135
Syndall St. M12 —3K 135
Syresham St. Plat B —4K 83

Taberner Clo. Stand —4B 38
Taberner St. Plat B —5K 83
Tabley Av. M14 —7H 135
Tabley Clo. Knut —3B 192
Tabley Gdns. Droy —7K 117
Tabley Gdns. Marp —7A 172
Tabley Gro. M13 —7B 136
Tabley Gro. Knut —5B 192
Tabley Gro. Stoc —3G 153
Tabley Gro. Tim —2D 164
Tabley Hill La. Tab —3A 192
Tableymere Gdns. Chea H —1B 180
Tabley Rd. Bolt —2H 65
Tabley Rd. Hand —7K 179
Tabley Rd. Knut —3A 192
Tabley Rd. Sale —1J 165
Tabley St. Duk —1J 139
Tabley St. Moss —7D 98
Tabley St. Salf —3B 114
Tabor St. Mac —5G 199
Tabor St. Mid —4B 72
Tackler Clo. Swint —1D 112
Tadcaster Wlk. Oldh —7D 74
Taddington Bank. Glos (off Castleton Cres.) —1A 158
Taddington Clo. Glos —1A 158 (off Castleton Cres.)
Taddington Pde. Glos —1A 158 (off Castleton Cres.)
Taddington Pl. Glos —1A 158 (off Castleton Cres.)
Tadlow Wlk. M40 —5J 115 (1P 5)
Tadman Gro. Alt —5J 163
Tadmor Clo. L Hul —3B 88
Tagore Clo. M13 —5A 136
Tahir Clo. M8 —1H 115
Tait M. Heat M —1B 168
Talavera St. Salf —3D 114
Talbenny Clo. Bolt —5F 43
Talbot Av. L Lev —2J 67
Talbot Clo. Oldh —6G 75
Talbot Ct. Bolt —1B 44
Talbot Ct. Stret —6J 133
Talbot Gro. Bury —6A 28
Talbot Pl. M16 —4B 134
Talbot Rd. Ald E —5H 195
Talbot Rd. Bow —2K 175 (in two parts)
Talbot Rd. Fall —3A 152
Talbot Rd. Glos —7E 142
Talbot Rd. Hyde —4J 139
Talbot Rd. Leigh —4E 106
Talbot Rd. Sale —6J 149
Talbot Rd. Stret & Old T —6J 133
Talbot St. Ash M —4F 105
Talbot St. Ash L —5E 118
Talbot St. Ecc —7C 112
Talbot St. Glos —1E 158
Talbot St. Golb —1J 125
Talbot St. Haz G —7B 170
Talbot St. Mid —4B 72
Talbot St. Roch —6H 31
Talbot Vs. Glos —1E 158
Talford Gro. M20 —5G 151
Talgarth Rd. M40 —4J 115
Talkin Dri. Mid —3A 72
Talland Wlk. M13 —4K 135
Tallarn Clo. M20 —3J 151
Tallis St. M12 —6C 136
Tall Trees. Salf —6D 92
Tall Trees Clo. Rytn —2A 74
Tall Trees Pl. Stoc —5A 170
Talman Gro. Ash M —5F 105
Talmine Av. M40 —3A 116
Tamar Clo. Kear —2K 89
Tamar Clo. Mac —2A 198
Tamar Clo. W'fld —6A 70
Tamar Ct. M15 —3D 134
Tamar Dri. M23 —7A 166
Tamarin Clo. Wdly —6A 90
Tamar Way. Heyw —2G 49
Tame Bank. Moss —4D 98
Tame Barn Clo. Miln —6E 32
Tame Clo. Stal —5C 120
Tame Ct. Stal —6B 120
Tame La. Del —6C 54
Tamer Gro. Leigh —7G 85
Tamerton Dri. M8 —2G 115
Tameside Work Cen. Ash L —7D 118
Tame St. M4 —7K 115
Tame St. Aud —2D 138 (Audenshaw)
Tame St. Aud —4C 138 (Denton)
Tame St. Moss —4E 98
Tame St. Stal —7J 119
Tame St. Upperm —6H 77
Tame View. Moss —5C 98
Tame Wlk. Wilm —3A 188
Tamewater Vs. Dob —4F 77 (off Brook La.)
Tamworth Av. Salf —1B 134
Tamworth Av. W'fld —7A 70
Tamworth Av. W. Salf —1A 134
Tamworth Clo. M15 —4E 134
Tamworth Clo. Haz G —4A 182
Tamworth Ct. M15 —4E 134
Tamworth Ct. Chad —2A 96
Tamworth Dri. Bury —7G 27
Tamworth Dri. Wig —4H 61
Tamworth Grn. Stoc —1K 169
Tamworth St. Newt W —6C 124
Tamworth St. Oldh —2A 96
Tamworth St. Stoc —1K 169
Tamworth Wlk. Salf —1B 134
Tandis Ct. Salf —4E 112
Tandle Hill Rd. Rytn —7K 51
Tandlewood M. M40 —3E 116
Tandlewood Pk. Rytn —7K 51
Tanfield Rd. M20 —4H 167
Tangmere Clo. M40 —4E 94
Tangmere Ct. M16 —6D 134
Tangshutts La. Rom —1H 171
Tang, The. Rom —2F 171
Tanhill Clo. Stoc —5C 170
Tanhill La. Oldh —5E 96
Tanhouse Av. Ast —1K 109
Tan Ho. Dri. Wig —6J 81
Tan Ho. La. Wig —5J 81
Tanhouse Rd. Urm —6F 131
Tanner Brook Clo. Bolt —2A 66
Tanners Brow. Blac —4C 40
Tannersfield Lodge. Fail —2G 117
Tanners Fold. Oldh —5E 96
Tanners Grn. Salf —5K 113

Tanner's La.—Thornfield Gro.

Tanner's La. Golb —1J 125
Tanners St. M18 —4G 137
Tanners St. Ram —5F 9
Tanner St. Hyde —6H 139
Tannery Way. Tim —4C 164
Tannock Ct. Haz G —3D 182
Tannock Rd. Haz G —3D 182
Tan Pit Cotts. Heyw —1K 49
Tanpits Rd. Bury —2J 47
Tanpit Wlk. M22 —2C 178
Tansey Gro. Salf —1F 115
Tansley Clo. Hor —3G 41
Tansley Rd. M8 —5H 93
Tansley Sq. Wig —2K 81
Tanworth Wlk. Bolt —3A 44
Tan Yd. Brow. M18 —5G 137
Tanyard Clo. Cop —3A 18
Tanyard Dri. Haleb —6G 177
Tanyard Grn. Stoc —5H 153
Tanyard La. Tim —7D 176
Taper St. Ram —5F 9
Tape St. Ram —5F 9
Tapley Av. Poy —3C 190
Taplow Gro. Chea H —2B 180
Taplow Wlk. M14 —6A 136
Tarbet Dri. Bolt —6H 45
Tarbet Rd. Duk —2G 139
Tarbet Wlk. M8 —2F 115
Tarbolton Cres. Hale —1G 177
Tariff St. M1 —7H 115 (5L 5)
Tarland Wlk. Open —7E 116
Tarleton Av. Ath —2B 86
Tarleton Clo. Bury —4D 46
Tarleton Ho. Salf —4G 113
Tarleton Pl. Bolt —3G 65
Tarleton Wlk. M13 —3K 135
Tarnbrook Clo. W'fld —6C 70
Tarnbrook Wlk. M15 —4G 135 (off Wellhead Clo.)
Tarn Clo. Ash M —3D 104
Tarn Ct. Warr —4A 160
Tarn Dri. Bury —7J 47
Tarn Gro. Wor —6H 89
Tarn Mt. Mac —6C 198
Tarnrigg Clo. Wig —4A 82
Tarnside Clo. Roch —1A 32
Tarnside Clo. Stoc —5D 170
Tarnside Fold. Glos —3C 158
Tarnside Rd. Orr —1E 80
Tarns, The. Gat —1H 179
Tarnway. Lwtn —2D 126
Tarporley Av. M14 —2G 151
Tarporley Clo. Stoc —6F 169
Tarporley Wlk. Wilm —3A 188
Tarran Grn. Dent —1F 155
Tarran Gro. Dent —1F 155
Tarran Pl. Alt —5C 164
Tarrant Clo. Wig —5K 81
Tarrington Clo. M12 —4C 136
Tartan St. M11 —6D 116
Tarves Wlk. Open —7D 116
Tarvin Av. M20 —3G 151
Tarvin Av. Stoc —3F 153
Tarvin Clo. Lwtn —2C 126
Tarvin Clo. Mac —6G 199
Tarvin Dri. Bred —6C 154
Tarvington Clo. M40 —2J 115
Tarvin Rd. Chea —6C 168
Tarvin Wlk. Bolt —3A 44
Tarvin Way. Hand —7K 179
Tasle Av. M2 —7F 115 (6H 5)
Tatchbury Rd. Fail —1J 117
Tate St. Oldh —3F 97
Tatham Clo. M13 —6B 136
Tatham Gro. Wins —6K 81
Tatham St. Roch —5J 31
Tatland Dri. M22 —1F 179
Tatlock Clo. Bil —3E 102
Tattenhall Wlk. M14 —2K 151
Tattersall Av. Bolt —3E 42
Tattersall St. Oldh —1B 96
Tatton Bldgs. Gat —5H 167
Tatton Clo. Chea —7C 168
Tatton Clo. Haz G —7D 170
Tatton Ct. M14 —2K 151
Tatton Ct. Hand —7A 180
Tatton Ct. Stoc —6E 152
Tatton Dri. Ash M —3B 104
Tatton Gdns. Woodl —5H 155
Tatton Gro. M20 —4H 151
Tatton Lodge. Knut —4D 192 (off Moorside)
Tatton Mere Dri. Droy —7K 117
Tattonmere Gdns. Chea H —7C 168
Tatton Pl. M13 —5A 136
Tatton Pl. Sale —5F 149
Tatton Rd. Dent —1E 154
Tatton Rd. Hand —7A 180
Tatton Rd. Sale —5F 149
Tatton Rd. N. Stoc —5E 152
Tatton Rd. S. Stoc —6E 152
Tatton Stile. Mob —2K 193
Tatton St. M15 —3D 134
Tatton St. Hyde —3J 155
Tatton St. Knut —4D 192
Tatton St. Salf —1B 134
Tatton St. Stal —6B 120 (in two parts)
Tatton St. Stoc —2H 169
Tatton Ter. Duk —7F 119
Tatton View. M20 —4H 151
Taunton Av. Ash L —4E 118
Taunton Av. Ecc —5K 111
Taunton Av. Leigh —5H 85
Taunton Av. Roch —5D 30
Taunton Av. Stoc —5A 154
Taunton Av. Urm —2K 147
Taunton Clo. Bolt —4J 43
Taunton Clo. Haz G —2E 182
Taunton Dri. Farn —5B 66
Taunton Grn. Ash L —3D 118
Taunton Gro. W'fld —1A 92
Taunton Hall Clo. Ash L —3D 118
Taunton Lawns. Ash L —3E 118
Taunton Pl. Ash L —3D 118
Taunton Platting. Ash L —2D 118
Taunton Rd. Ash L —4E 118
Taunton Rd. Chad —4J 73
Taunton Rd. Sale —6B 148
Taunton St. M4 —7K 115
Taunton Wlk. Dent —1E 154
Taurus St. Oldh —6G 75
Tavern Ct. Fail —1K 117
Tavern Ct. Av. Fail —1K 117
Tavern Rd. Had —6A 142
Tavery Clo. M4 —6K 115
Tavistock Clo. Hyde —7E 140
Tavistock Dri. Chad —5H 73
Tavistock Rd. Bolt —7K 43
Tavistock Rd. Hind —3E 84
Tavistock Rd. Roch —2H 51
Tavistock Rd. Sale —5B 148
Tavistock Sq. M9 —1K 115 (off Grangewood Dri.)
Tavistock St. Ath —3B 86
Tawton Av. Hyde —6E 140
Tay Clo. Oldh —2C 96
Tayfield Rd. M22 —2C 178
Taylor Av. Roch —4B 30
Taylor Bldgs. Kear —1K 89
Taylor Grn. Way. Lees —7K 75
Taylor Gro. Hind —4G 85
Taylor Ind. Est. Cul —7K 127
Taylor La. Dent —5B 138
Taylor Rd. Alt —6J 163
Taylor Rd. Hayd —3A 124
Taylor Rd. Hind —4G 85
Taylor Rd. Urm —2C 132
Taylor's La. M40 —3E 116
Taylor's La. Bolt —6J 45
Taylor's La. Ince —4G 83
Taylorson St. Salf —3B 134 (in two parts)
Taylorson St. S. Salf —3A 134
Taylor's Pl. Oldh —1E 96
Taylors Pl. Roch —3H 31
Taylor's Rd. Stret —5H 133
Taylor St. M18 —3E 136
Taylor St. Alt —7B 164
Taylor St. Bury —1A 48
Taylor St. Chad —7J 73
Taylor St. Dent —5D 138
Taylor St. Droy —7H 117
Taylor St. Heyw —3J 49
Taylor St. Holl —4K 141
Taylor St. Hor —2F 41
Taylor St. Hyde —6K 139
Taylor St. Lees —1J 97
Taylor St. Leigh —7H 85
Taylor St. Lwtn —7A 106
Taylor St. Mid —6C 72
Taylor St. Oldh —6G 75
Taylor St. P'wch —3B 92
Taylor St. Rad —3E 68
Taylor St. Roch —3H 31
Taylor St. Rytn —1B 74
Taylor St. Stal —7B 120
Taylor St. Whitw —3F 13
Taylor St. Wig —6D 60
Taylor Ter. Duk —7F 119 (off Astley St.)
Taylor Ter. L'boro —6G 15 (off Ealees Rd.)
Tayton Clo. Tyl —6J 87
Taywood Rd. Bolt —4D 64
Teak Dri. Kear —3B 90
Teak St. Bury —3B 48
Teal Av. Knut —4E 192
Teal Av. Poy —1J 189
Tealby Av. M16 —5C 134
Tealby Ct. M21 —2C 150
Tealby Rd. M18 —5D 136
Teal Clo. B'hth —3K 163
Teal Clo. Stoc —6D 170
Teal Clo. Wig —3H 81
Teal Ct. Roch —5B 30
Teal St. Bolt —2B 66
Teasdale Clo. Chad —4G 95
Tebbutt St. M4 —5H 115 (1M 5)
Tedburn Wlk. M40 —5F 95
Tedder Clo. Bury —4B 70
Tedder Dri. M22 —5F 179
Teddington Rd. M40 —6E 94
Ted Jackson Wlk. M11 —1B 136
Teer St. M40 —6K 115
Teesdale Av. Urm —5J 131
Teesdale Clo. Stoc —5C 170
Teesdale Dri. Leigh —3C 108
Teesdale Wlk. M9 —4A 94
Tees St. Roch —6K 31
Tees Wlk. Oldh —2C 96
Teignmouth Av. M40 —4J 115
Telegraphic Ho. Salf —2A 134
Telegraph Rd. Traf P —3E 132
Telfer Av. M13 —7A 136
Telfer Rd. M13 —7A 136
Telford Clo. Aud —2C 138
Telford Clo. Mac —2J 199
Telford Cres. Leigh —7H 85
Telford M. Upperm —6H 77
Telford Rd. Marp —7A 172
Telford St. M8 —3J 115
Telford St. Ath —5A 86
Telford St. Hor —3G 41
Telford Wlk. M16 —5D 134
Telford Way. Roch —3J 51
Telham Wlk. M23 —6A 166
Tellers Clo. Ath —4D 86
Tellson Clo. Salf —2H 113
Tellson Cres. Salf —2H 113
Tell St. Roch —5F 31
Telryn Wlk. M8 —7J 93 (off Stakeford Dri.)
Temperance Sq. Mot —5G 141
Temperance St. M12 —1J 135 (8N 5)
Temperance St. B'btm —2G 157
Temperance Ter. Marp —5K 171
Tempest Rd. Ald E —5J 195
Tempest Rd. Los —3B 64
Tempest St. Bolt —2H 65
Templar Ct. Mac —2D 198
Temple Av. Pad —4E 142
Temple Clo. Lees —6J 75
Templecombe Dri. Bolt —6K 23
Temple Dri. Bolt —2J 43
Temple Dri. Swint —1F 113
Templegate Clo. Stand —3B 38
Temple La. L'boro —2G 15
Temple Rd. Bolt —2J 43
Temple Rd. Sale —6H 149
Temple Sq. M8 —2H 115
Temple St. Heyw —3K 49
Temple St. Mid —5D 72
Temple St. Oldh —7F 75
Temple St. Pad —4E 142
Templeton Clo. W'houg —6J 63
Templeton Dri. Alt —5K 163
Templeton Rd. Plat B —5K 83
Temsbury Wlk. M40 —3A 116
Ten Acre Dri. W'fld —7H 69
Ten Acres La. M40 —3C 116
Tenax Rd. Traf P —2F 133
Tenbury Clo. Salf —5K 113
Tenbury Dri. Ash M —4B 104
Tenbury Dri. Mid —2C 94
Tenby Av. M20 —4H 151
Tenby Av. Bolt —4G 43
Tenby Av. Stret —5K 133
Tenby Ct. M15 —3C 134
Tenby Dri. Chea H —3D 180
Tenby Dri. Salf —3H 113
Tenby Gro. Roch —3E 30
Tenby Rd. Mac —5B 198
Tenby Rd. Oldh —5K 95
Tenby Rd. Stoc —4D 168
Tenby St. Roch —3E 30
Tenement La. Bram —1E 180
Tenement St. Abr —6K 83
Teneriffe St. Salf —3D 114
Ten Foot Clo. Glos —7D 142
Tenham Wlk. M9 —4A 94 (off Ravenswood Dri.)
Tennis St. M16 —5B 134
Tennis St. Bolt —2K 43
Tennyson Av. Bury —7K 47
Tennyson Av. Dent —3E 154 (in two parts)
Tennyson Av. Duk —2A 140
Tennyson Av. Leigh —7G 85
Tennyson Av. Rad —2C 68
Tennyson Clo. Mac —4A 198
Tennyson Clo. Stoc —1C 168
Tennyson Dri. Bil —6D 80
Tennyson Dri. Wig —3E 60
Tennyson Gdns. P'wch —4K 91
Tennyson Rd. Chea —5B 168
Tennyson Rd. Droy —6J 117
Tennyson Rd. Farn —1D 88
Tennyson Rd. Mid —4D 72
Tennyson Rd. Stoc —1F 153
Tennyson Rd. Swint —7B 90
Tennyson St. Bolt —4K 43
Tennyson St. Oldh —5G 75
Tennyson St. Roch —7J 31
Tennyson St. Salf —4C 114
Tennyson Wlk. Bolt —3A 44
Tensing Av. Ash L —3F 119
Tensing Av. Ath —2C 86
Tensing St. Oldh —7E 96
Tenter Brow. Stal —6K 119
Tentercroft. Oldh —7C 74
Tentercroft. Roch —5G 31
Tenterden St. Bury —3H 47 (in two parts)
Tenterden Wlk. M22 —1C 178
Tenter Dri. Stand —6D 38
Tenterhill La. Roch —2K 29
Tenters St. Bury —3H 47
Terence St. M40 —3F 117
Terling Wlk. M40 —3A 116 (off Lodge St.)
Terminal App. Man A —6C 178
Terminal Rd. E. Man A —5C 178
Terminal Rd. N. Man A —5B 178
Terminal Rd. S. Man A —5B 178
Tern Av. Farn —6B 66
Tern Clo. B'hth —3K 163
Tern Clo. Duk —2J 139
Tern Clo. Roch —5B 30
Tern Dri. Poy —1K 189
Ternhill Ct. Farn —6F 67
Terrace St. Oldh —7F 75
Terrace, The. P'wch —4B 92
Terrington Clo. M21 —3E 150
Tetbury Dri. Bolt —4H 45
Tetbury Rd. M22 —3B 178
Tetlow Gro. Ecc —7A 112
Tetlow La. Salf & M8 —7E 92
Tetlow St. M40 —3E 116
Tetlow St. Hyde —4J 139
Tetlow St. Mid —6C 72
Tetlow St. Oldh —1B 96
Tetlows Yd. L'boro —1H 15
Tetsworth Wlk. M40 —5F 95
Teviot St. M13 —4A 136
Tewkesbury Av. Ash L —1G 119
Tewkesbury Av. Chad —4J 73
Tewkesbury Av. Droy —5J 117
Tewkesbury Av. Hale —1G 177
Tewkesbury Av. Mid —3B 72
Tewkesbury Av. Urm —5B 132
Tewkesbury Clo. Chea H —6D 180
Tewkesbury Clo. Poy —7B 182
Tewkesbury Dri. Mac —6G 197
Tewkesbury Dri. P'wch —5C 92
Tewkesbury Rd. M40 —5K 115
Tewkesbury Rd. Golb —1K 125
Tewkesbury Rd. Stoc —5D 168
Texas St. Ash L —6G 119
Textile St. M12 —2C 136
Textilose Rd. Traf P —4F 133
Teynham Wlk. M22 —3C 178
Thackeray Clo. M8 —2G 115
Thackeray Gro. Droy —6J 117
Thackeray Ho. Wig —2C 82
Thackeray Pl. Wig —2C 82
Thackeray Rd. Oldh —5G 75
Thames Av. Leigh —7K 107
Thames Clo. M11 —1D 136
Thames Clo. Bury —4K 27
Thames Ct. M15 —3D 134
Thames Dri. Orr —7F 59
Thames Rd. Cul —7K 127
Thames Rd. Miln —6F 33
Thames St. Asp —7K 39
Thames St. Oldh —6E 74
Thames St. Roch —6K 31
Thanet Clo. Salf —3E 114
Thanet Gro. Leigh —3A 108
Thanet Wlk. M40 —6A 116
Thankerton Av. Aud —7B 118
Thatcher Clo. Bow —4A 176
Thatcher St. Oldh —3E 96
Thatch Leach. Chad —2H 95
Thatch Leach La. W'fld —7A 70
Thaxmead Dri. M40 —4F 117
Thaxted Dri. Stoc —6E 170
Thaxted Pl. Bolt —5J 43
Thaxted Wlk. M22 —4C 178
Theatre St. Oldh —7D 74
Thekla St. Oldh —6B 74
Thelma St. Ram —5F 9
Thelwall Av. M14 —2F 151
Thelwall Av. Bolt —5F 45
Thelwall Clo. Leigh —4F 107
Thelwall Rd. Sale —7J 149
Thelwell Clo. Tim —5C 164
Theobald Rd. Bow —3B 176
Theta Clo. M11 —6D 116
Thetford. Roch —4G 31 (off Spotland Rd.)
Thetford Clo. Bury —7H 27
Thetford Clo. Hind —3C 84
Thetford Clo. Mac —7E 196
Thetford Dri. M8 —1G 115
Thicketford Brow. Bolt —4F 45
Thicketford Clo. Bolt —3E 44
Thicketford Rd. Bolt —4D 44
Thicknesse Av. Wig —3B 60
Thimble Clo. Roch —7B 14
Thimbles, The. Roch —7B 14
Third Av. Ast —4H 109
Third Av. Bolt —6H 43
Third Av. Bury —1D 48
Third Av. C'brk —2E 120
Third Av. Clay —5E 116
Third Av. L Lev —2H 67
Third Av. Oldh —5A 96
Third Av. Poy I —4B 190
Third Av. Swint —3C 112
Third Av. Traf P —4H 133
Third Av. Wig —4C 60
Third St. Bolt —1F 43
Third St. Ince —1H 105
Thirkhill Pl. Ecc —6D 112
Thirlby Dri. M22 —3D 178
Thirlmere. Mac —6B 198
Thirlmere Av. Abr —7K 83
Thirlmere Av. Ash M —4E 104
Thirlmere Av. Ash L —4D 118
Thirlmere Av. Ast —1G 109
Thirlmere Av. Hor —3G 41
Thirlmere Av. Ince —7K 61
Thirlmere Av. Orr —6F 59
Thirlmere Av. Stand —6C 38
Thirlmere Av. Stret —6G 133
Thirlmere Av. Swint —1E 112
Thirlmere Av. Uph —7B 58
Thirlmere Clo. Adl —4K 19
Thirlmere Clo. Ald E —5F 195
Thirlmere Clo. Stal —4A 120
Thirlmere Dri. Bury —6J 47
Thirlmere Dri. L Hul —2C 88
Thirlmere Dri. Lymm —7F 161
Thirlmere Dri. Mid —4A 72
Thirlmere Gro. Farn —6A 66
Thirlmere Gro. Rytn —7B 52
Thirlmere Rd. Blac —2A 40
Thirlmere Rd. Bolt —7F 65
Thirlmere Rd. Hind —2C 84
Thirlmere Rd. Lwtn —7A 106
Thirlmere Rd. Part —6A 146
Thirlmere Rd. Roch —1D 50
Thirlmere Rd. Stoc —4K 169
Thirlmere Rd. Urm —6G 131
Thirlmere Rd. Wig —7H 59
Thirlmere St. Leigh —3J 107
Thirlspot Clo. Bolt —6A 24
Thirlstone Av. Oldh —2K 75
Thirsfield Dri. M11 —6E 116
Thirsk Av. Chad —5H 73
Thirsk Av. Sale —7A 148
Thirsk Clo. Bury —7F 27
Thirsk M. Salf —2D 114
Thirsk Rd. L Lev —3J 67
Thirsk St. M12 —2J 135 (9N 5)
Thistle Clo. Stal —2E 140
Thistledown Clo. Ecc —1A 132
Thistledown Clo. Wig —4C 60
Thistle Sq. Part —1A 162
Thistleton Rd. Bolt —3F 65
Thistle Wlk. Part —1A 162
Thistlewood Dri. Wilm —6K 187
Thistleyfield. Miln —5C 32
Thistley Fields. Hyde —2G 155
Thomas Clo. Dent —5E 138
Thomas Ct. M15 —2D 134 (10D 4)
Thomas Dri. Bolt —1K 65
Thomas Gibbon Clo. Stret —1G 149
Thomas Greenwood Clo. M11 —1A 136
Thomas Henshaw Ct. Roch —1E 50
Thomas Holden St. Bolt —5K 43
Thomas Ho. Rytn —2C 74 (off Royton Hall Wlk.)
Thomas Moor Clo. Kear —1J 89
Thomason Fold. Tur —5F 7
Thomason Sq. L'boro —6E 14
Thomas Regan Ct. M18 —3F 137
Thomasson Clo. Bolt —4A 44
Thomas St. M4 —6G 115 (4K 5)
Thomas St. M8 —7F 93
Thomas St. Alt —7C 164
Thomas St. Ath —4D 86
Thomas St. Bolt —1K 65
Thomas St. Bred —7D 154
Thomas St. Comp —1B 172
Thomas St. Fail —7J 95
Thomas St. Farn —6G 67
Thomas St. Glos —1G 159
Thomas St. Golb —1J 125
Thomas St. Hind —4F 85
Thomas St. Hyde —7J 139
Thomas St. Kear —7G 67
Thomas St. Lees —2J 97
Thomas St. L'boro —7C 14
Thomas St. Rad —3F 69
Thomas St. Roch —4J 31
Thomas St. Shaw —3D 74 (Royton)
Thomas St. Shaw —7G 53 (Shaw)
Thomas St. Stoc —4H 169
Thomas St. Stret —5H 133
Thomas St. W'houg —3J 63
Thomas St. Whitw —1F 13
Thomas St. W. Stoc —4H 169
Thomas Telford Basin. M1 —7J 115 (6N 5)
Thompson Av. Bolt —4B 46
Thompson Av. Cul —6J 127
Thompson Av. W'fld —7A 70
Thompson Clo. Dent —6K 137
Thompson Dri. Bury —2C 48
Thompson Ho. Ath —4C 86
Thompson La. Chad —3J 95
Thompson Rd. Bolt —4H 43
Thompson Rd. Dent —6K 137
Thompson Rd. Traf P —1C 132
Thompson St. M3 —5F 115 (1G 4)
Thompson St. M4 —5H 115 (2L 5)
Thompson St. M40 —3B 116
Thompson St. Ash M —4F 105
Thompson St. Bolt —1B 66
Thompson St. Hor —2E 40
Thompson St. Leigh —3F 107
Thompson St. Oldh —7B 74
Thompson St. Wig —5G 61
Thompson St. Wor M —3C 82
Thomson Rd. M18 —5E 136
Thomson St. M13 —3J 135
Thomson St. Stoc —3G 169
Thoralby Clo. M12 —4C 136
Thorburn Dri. Whitw —4D 12
Thorburn Ho. Wig —7J 59 (off Green, The)
Thorburn La. Wig —7K 59
Thorburn Rd. Wig —1J 81
Thorburn St. M13 —3H 135
Thoresby Clo. Rad —1A 68
Thoresby Clo. Wig —4A 82
Thoresway Rd. M13 —6A 136
Thoresway Rd. Wilm —1F 195
Thorgill Wlk. M40 —1C 116
Thor Gro. Salf —1C 134 (8B 4)
Thorlby Rd. Cul —6K 127
Thorley Clo. Chad —5H 95
Thorley Dri. Tim —6F 165
Thorley Dri. Urm —7B 132
Thorley La. Hale —1F 177
Thorley La. Ring & Man A —3K 177
Thorley M. Bram —5H 181
Thorley St. Fail —7H 95
Thornaby Wlk. M9 —2K 115 (off Kirklington Dri.)
Thornage Dri. M40 —4J 115
Thorn Av. Fail —2G 117
Thornbank. Ecc —5C 112
Thornbank Clo. Heyw —6A 50
Thornbank E. Bolt —1J 65 (off Deane Rd.)
Thornbank Est. Bolt —7J 43
Thornbeck Dri. Bolt —4F 43
Thornbeck Rd. Bolt —4F 43
Thornbridge Av. M21 —2B 150
Thornbury. Roch —6G 31
Thornbury Av. Hyde —7E 140
Thornbury Av. Lwtn —2C 126
Thornbury Clo. Bolt —5A 44
Thornbury Clo. Chea H —3D 180
Thornbury Rd. Stret —5J 133
Thornbury Way. M18 —4E 136
Thornbush Clo. Lwtn —7C 106
Thornbush Way. Roch —4A 32
Thornby Wlk. M23 —6A 166
Thorncliff Av. Oldh —4C 96
Thorncliffe Av. Duk —2G 139
Thorncliffe Av. Rytn —7A 52
Thorncliffe Gro. M19 —1E 152
Thorncliffe Ho. M15 —4H 135
Thorncliffe Pk. Rytn —6A 52
Thorncliffe Rd. Bolt —7A 24
Thorncliffe Rd. Had —5B 142
Thorn Clo. Heyw —2H 49
Thorncombe Rd. M16 —6E 134
Thorn Ct. Salf —6B 114
Thorncross Clo. M15 —2C 134 (10B 4)
Thorndale Clo. Rytn —1C 74
Thorndale Ct. Tim —6E 164
Thorndale Gro. Tim —6E 164
Thornden Rd. M40 —4K 115
Thorn Dri. M22 —4G 179
Thorndyke Av. Bolt —7A 24
Thorndyke Wlk. P'wch —4B 92
Thorne Av. Urm —6J 131
Thorne Clo. P'bry —5C 196
Thorne Ho. M14 —7K 135
Thorneside. Dent —4D 138 (in two parts)
Thorne St. Farn —5E 66
Thorneycroft. Leigh —3C 108
Thorneycroft Av. M21 —5B 150
Thorneycroft Clo. Tim —6F 165
Thorneycroft Rd. Tim —6F 165
Thorney Dri. Bram —6E 180
Thorney Hill Clo. Oldh —1E 96
Thorneyholme Clo. Los —7C 42
Thorneyholme Dri. Knut —5E 192
Thorneylea. Whitw —2F 13
Thornfield Clo. Golb —1A 126
Thornfield Cres. L Hul —2B 88
Thornfield Dri. Swint —1C 112
Thornfield Gro. Ash L —5J 119

Thornfield Gro. Chea H —2C 180
Thornfield Gro. L Hul —2B 88
Thornfield Hey. Wilm —5A 188
Thornfield Rd. M19 —5A 152
Thornfield Rd. Stoc —7C 152
Thornfield Rd. Tot —5B 26
Thornfield St. Salf —7H 113
Thornfield Ter. Ash L —6G 119
Thornford Wlk. M40 —5F 95
Thorngate Rd. M8 —3G 115
Thorn Gro. M14 —2K 151
Thorn Gro. Chea H —6C 180
Thorn Gro. Hale —1C 176
Thorn Gro. Sale —6F 149
Thorngrove Av. M23 —4H 165
Thorngrove Dri. Wilm —7J 187
Thorngrove Hill. Wilm —7J 187
Thorngrove Ho. M23 —4H 165
Thorngrove Rd. Wilm —7J 187
Thornham Clo. Bury —6G 27
Thornham Dri. Bolt —6C 24
Thornham La. Mid —7F 51
Thornham La. Rytn —5A 52
Thornham New Rd. Roch —5F 51
Thornham Old Rd. Rytn —6J 51
Thornham Rd. Rytn —6B 52
Thornham Rd. Sale —1C 164
Thornhill Clo. Bolt —2J 43
Thornhill Clo. Dent —7J 137
Thornhill Dri. Wor —7G 89
Thornhill Rd. Ash M —4J 103
Thornhill Rd. Droy —6K 117
Thornhill Rd. Ram —3E 26
Thornhill Rd. Stoc —1B 168
Thornholme Clo. M18 —6D 136
Thornholme Rd. Marp —7K 171
Thorniley Brow. M4 —6G 115 (3J 5)
Thornlea. M9 —5D 94
Thorn Lea. Bolt —1F 45
Thornlea Av. Oldh —6A 96
Thornlea Av. Swint —2B 112
Thorn Lea Clo. Bolt —6F 43
Thornlea Dri. Roch —2D 30
Thornlee Ct. Grot —2B 98
Thornleigh Rd. M14 —1G 151
Thornley Av. Bolt —3J 43
Thornley Clo. Grot —2A 98
Thornley Cres. Bred —6E 154
Thornley Cres. Grot —2A 98
Thornley La. Grot —2A 98
Thornley La. N. Stoc —6H 137
Thornley La. S. Stoc & Dent —7H 137
Thornley Pk. Rd. Grot —2A 98
Thornley Rd. P'wch —7C 70
Thornleys Rd. Dent —5E 138
Thornley St. Hyde —1J 155
Thornley St. Mid —5D 72
Thornley St. Rad —4F 69
Thornmere Clo. Wdly —5A 90
Thorn Pl. Salf —6B 114
Thorn Rd. Bram —7F 181
Thorn Rd. Oldh —4G 97
Thorn Rd. Swint —2C 112
Thorns Av. Bolt —1A 44
Thorns Clo. Bolt —2K 43
Thorns Clough. Dig —1J 77
Thornsett. Bch V —2K 185
Thornsett Clo. M9 —7A 94
Thornsgreen Rd. M22 —4D 178
Thorns Rd. Bolt —2K 43
Thorns, The. M21 —3B 150
Thornstones. W'houg —6J 63
Thorn St. Bolt —3B 44
Thorn St. Hind —3B 84
Thorn St. S'seat —1G 27
Thorns Villa Gdns. Wor —3C 110
Thornton Av. Aud —1A 138
Thornton Av. Bolt —4F 43
Thornton Av. Mac —6C 198
Thornton Av. Urm —7J 131
Thornton Clo. Ash M —4B 104
Thornton Clo. Farn —7D 66
Thornton Clo. Leigh —7K 107
Thornton Clo. L Lev —3A 68
Thornton Clo. Wor —1A 110
Thornton Dri. Hand —2K 187
Thornton Ga. Gat —5G 167
Thornton Pl. Stoc —6D 152
Thornton Rd. M14 —7G 135
Thornton Rd. H Grn —3J 179
Thornton Rd. Wor —1A 110
Thornton Sq. Mac —6C 198
Thornton St. M40 —4J 115
Thornton St. Bolt —6C 44
Thornton St. Oldh —2D 96
Thornton St. Roch —7H 31
Thornton St. N. M40 —3J 115
Thorntree Clo. M9 —1A 116
Thorntree Pl. Roch —4F 31
Thornvale. Abr —1A 106
Thorn View. Bury —2C 48
Thorn Wlk. Part —1A 162
Thornway. Boll —3J 197
Thornway. Bram —4E 180
Thornway. H Lane —5K 183
Thornway. Wor —7C 88
Thorn Well. W'houg —7J 63
Thornwood Av. M18 —5G 137
Thornycroft St. Mac —4G 199
Thorold Gro. Sale —6J 149
Thorp Av. Rad —1H 69
Thorpe Av. Swint —6C 90
Thorpebrook Rd. M40 —2C 116
Thorpe Clo. Aus —6A 76
Thorpe Clo. Dent —5D 138
Thorpe Gro. Stoc —4F 153
Thorpe Hall Gro. Hyde —3K 139
Thorpe Hill. Oldh —7C 74
Thorpe La. Aud —4D 138
Thorpe La. Aus & Scout —6K 75
Thorpeness Sq. M18 —3F 137
Thorpe St. M16 —5C 134
Thorpe St. Bolt —3K 43
Thorpe St. Glos —7G 143
Thorpe St. Mac —2G 199
Thorpe St. Mid —7J 71
Thorpe St. Ram —6F 9
Thorpe St. Wor —3F 89
Thorpe View. Salf —2C 134 (9A 4)
(off Ordsall Dri.)
Thorp Rd. M40 —2C 116
Thorp Rd. Rytn —2B 74
Thorp St. Ecc —1K 131
Thorp St. Mac —3F 199
Thorp St. W'fld —4J 69
Thorp View. Rytn —7A 52
Thorsby Av. Hyde —7K 139
Thorsby Clo. M18 —4G 137
Thorsby Clo. Brom X —4B 24
Thorsby Rd. Tim —6C 164
Thorsby Way. Dent —1E 154
Thorverton Sq. M40 —7D 94
Thowler La. M'ton —7C 174
Thrapston Av. Aud —7B 118
Threaphurst La. Haz G —3G 183
Threapwood Rd. M22 —3E 178
Three Acre Av. Rytn —2E 74
Three Acres Dri. Stoc —5G 153
Three Pits. Mid —1E 72
Three Sisters Rd. Ash M —2D 104
Threlkeld Clo. Mid —5J 71
Threlkeld Rd. Bolt —5K 23
Threlkeld Rd. Mid —5J 71
Thresher Clo. Sale —7K 149
Threshfield Clo. Bury —5K 27
Threshfield Dri. Tim —4F 165
Throstle Bank St. Hyde —5G 139
Throstle Ct. Rytn —2B 74
Throstle Gro. Bury —7G 27
Throstle Gro. Marp —6H 171
Throstle Hall Ct. Mid —5B 72
Throstle Nest Av. Wig —4C 60
Throstles Clo. Droy —5A 118
Thrum Fold. Roch —1F 31
Thrum Hall La. Roch —1F 31
(in three parts)
Thrush Av. Farn —6B 66
Thrush Dri. Bury —1B 48
Thrush St. Roch —3E 30
Thruxton Clo. M16 —6E 134
Thurland Rd. Oldh —1G 97
Thurland St. Chad —6G 73
Thurlby Av. M9 —2A 94
Thurlby Clo. Ash M —4F 105
Thurlby St. M13 —5K 135
Thurleigh Rd. M20 —6H 151
Thurleston Dri. Bram —1J 181
Thurlestone Av. Bolt —4B 46
Thurlestone Dri. Urm —6A 132
Thurlestone Rd. Alt —6K 163
Thurloe St. M14 —6J 135
Thurlow. Lwtn —2C 126
Thurlow St. Salf —1K 133
Thurlston Cres. M8 —1G 115
Thurlwood Av. M20 —3G 151
Thurnham St. Bolt —3J 65
Thurnley Wlk. M8 —3F 115
Thursby Av. M20 —4G 151
Thursby Ho. Wig —7J 59
Thursby Wlk. Mid —4J 71
Thursfield St. Salf —3B 114
Thursford Gro. Blac —4B 40
Thurstane St. Bolt —3J 43
Thurston Av. Wig —4D 82
Thurston Clo. Bury —4A 70
Thurston Clough Rd. Scout & Dob —5C 76
Thurston Grn. Ald E —5G 195
Thurston St. Ince —3G 83
Thyme Clo. M21 —6D 150
Thynne St. Bolt —7B 44
Thynne St. Farn —5E 66
Tiber Av. Oldh —6A 96
Tib La. M2 —7F 115 (6H 5)
Tib St. M4 —7G 115 (5K 5)
Tib St. Dent —7D 138
Tib St. Ram —6F 9
Tichfield Rd. Oldh —3G 97
Tidebrook Wlk. M40 —3K 115
(off Sedgeford Rd.)
Tideswell Av. M40 —5K 115
Tideswell Av. Orr —5G 59
Tideswell Bank. Glos —1A 158
Tideswell Clo. H Grn —5K 179
Tideswell Rd. Droy —5G 117
Tideswell Rd. Haz G —4C 182
Tideswell Wlk. Glos —1A 158
(off Riber Bank)
Tideswell Way. Dent —2E 154
Tideway Clo. Salf —7K 91
Tidworth Av. M4 —6K 115
Tiefield Wlk. M21 —3E 150
Tiernan Lodge. Wig —5C 60
(off Falconwood Clo.)
Tiflis St. Roch —4G 31
Tig Fold Rd. Farn —6A 66
Tilbury Gro. Shev —6D 36
Tilbury St. Oldh —6C 74
Tilbury Wlk. M40 —4K 115
Tilby Clo. Urm —7G 131
Tildsley St. Bolt —2A 66
Tilehurst Ct. Salf —1B 114
Tile St. Bury —2K 47
Tilgate Wlk. M9 —4A 94
(off Haverfield Rd.)
Tillard Av. Stoc —3D 168
Tillhey Rd. M22 —2D 178
Tillington Clo. Bolt —2A 44
Tilney Av. Stret —1H 149
Tilshead Wlk. M13 —3J 135
(off Dilston Clo.)
Tilside Gro. Los —6B 42
Tilson Rd. Rnd I —6J 165
Tilstock Wlk. M23 —3H 165
Tilston Wlk. Wilm —3A 188
Tilton St. Oldh —4G 75
Timberbottom. Bolt —1E 44
Timbercliffe. L'boro —2H 15
Timberhurst. Bury —3D 48
Timbersbrook Gro. Wilm —3K 187
Timber St. Mac —2H 199
Times St. Mid —6D 72
Timothy Clo. Salf —5F 113
Timperley Clo. Oldh —5F 97
Timperley Fold. Ash L —2G 119
Timperley La. Low C —6B 108
Timperley Rd. Ash L —2G 119
TIMPERLEY STATION. M —3D 164
Timperley St. M11 —1E 136
Timperley St. Oldh —7C 74
Timpson Rd. Rnd I —4J 165
Timsbury Clo. Bolt —1H 67
Timson St. Fail —1H 117
Tim's Ter. Miln —6D 32
Tindall St. Ecc —1K 131
Tindall St. Stoc —6H 137
Tindle St. Wor —4H 89
Tinkersfield. Leigh —1H 107
Tinker's Pas. Hyde —7J 139
Tinker St. Hyde —6H 139
Tinline St. Bury —3A 48
Tinningham Clo. M11 —2G 137
Tinsdale Wlk. Mid —5J 71
Tinshill Clo. M12 —4C 136
Tinsley Clo. M40 —5A 116
Tinsley Gro. Bolt —5D 44
Tinsley Wlk. M40 —6A 116
(off Ridgway St.)
Tin St. Bolt —1A 66
Tin St. Oldh —6B 74
Tintagel Clo. Mac —3A 198
Tintagel Ct. Rad —1A 68
Tintagel Ct. Stal —6K 119
Tintagel Rd. Hind —3E 84
Tintagel Wlk. Hyde —6E 140
Tintern Av. M20 —5F 151
Tintern Av. Ash M —5F 105
Tintern Av. Ast —1J 109
Tintern Av. Bolt —3D 44
Tintern Av. Heyw —1J 49
Tintern Av. L'boro —4E 14
Tintern Av. Roch —1G 31
Tintern Av. Urm —2J 147
Tintern Av. W'fld —4K 69
Tintern Clo. Poy —7B 182
Tintern Dri. Hale —2G 177
Tintern Gro. Stoc —2K 169
Tintern Pl. Heyw —1J 49
Tintern Rd. Chea H —6D 180
Tintern Rd. Mid —3B 72
Tintern St. M14 —7H 135
Tintern Wlk. Oldh —3G 97
Tinwald Pl. Wig —5H 61
Tipperary St. C'brk —3E 120
Tipping St. M12 —2H 135 (9M 5)
Tipping St. Alt —1B 176
Tipping St. Wig —1D 82
Tipton Clo. Chea H —7D 168
Tipton Clo. Rad —1B 68
Tipton Dri. M23 —1B 166
Tiptree Wlk. M9 —7A 94
Tiree Clo. Haz G —3D 182
Tirza Av. M19 —2B 152
Tissington Bank. Glos —1K 157
(off Youlgreave Cres.)
Tissington Grn. Glos —1K 157
(off Youlgreave Cres.)
Tissington Ter. Glos —1K 157
(off Youlgreave Cres.)
Tissington Wlk. M15 —3E 134
(off Ipstone Clo.)
Tithe Barn Clo. Roch —7B 14
Tithe Barn Cres. Bolt —1D 44
Tithebarn Rd. Ash M —6J 103
Tithebarn Rd. Haleb —4G 177
Tithe Barn Rd. Stoc —6B 152
Tithebarn St. Bury —3K 47
Tithebarn St. Rad —2H 69
Tithebarn St. Uph —7B 58
Tithe Barn St. W'houg —5J 63
Titherington Dri. M19 —1F 153
Titian Rise. Oldh —2H 75
Titterington Av. M21 —7B 134
Tiverton Av. Leigh —5H 85
Tiverton Av. Sale —7D 148
Tiverton Clo. Ast —1K 109
Tiverton Clo. Rad —1A 68
Tiverton Dri. Sale —7D 148
Tiverton Pl. Ash L —3E 118
Tiverton Rd. Urm —5C 132
Tiverton Wlk. Bolt —4J 43
Tiviot Dale. Stoc —1H 169
Tiviot Way. Stoc —7G 153
Tivol St. M3 —7E 114 (6F 4)
Tixall Wlk. M8 —5E 92
Toad La. L'boro —2B 16
Toad La. Roch —4H 31
(in two parts)
Tobermory Clo. M11 —7F 117
Tobermory Rd. H Grn —3J 179
Toddbrook Clo. M15 —2E 134 (10F 4)
Toddington La. Haig —5K 39
Todd's Pl. M8 —6J 93
Todd St. M3 —6G 115 (3J 5)
Todd St. Bury —1J 47
Todd St. Glos —2F 159
Todd St. Heyw —3G 49
Todd St. Roch —5J 31
Todd St. Salf —2D 114
Todmorden Rd. L'boro —5F 15
Toft Rd. Knut —5D 192
Toft Way. Hand —1A 188
Toftwood Wlk. M40 —3K 115
Toledo St. M11 —7F 117
Tolland La. Hale —4D 176
Tollard Av. M40 —3K 115
Tollard Clo. Chea H —6D 180
Toll Bar Av. Mac —4H 199
Toll Bar Rd. Mac —3B 198
Toll Bar St. M12 —3A 136
Tollbar St. Stoc —3H 169
Tollemache Clo. Mot —4G 141
Tollemache Rd. Mot —4G 141
Tollesbury Clo. M40 —4K 115
Toll Ga. Clo. M13 —5A 136
Tollgate Way. Roch —4A 32
Tollgreen Clo. Hind —7B 62
Toll St. Rad —2B 68
Toll St. Wig —6J 83
Tolver Rd. Ash M —2C 104
Tolworth Dri. M8 —1H 115
Tomcroft La. Dent —7B 138
Tom La. Alt —6G 175
Tomlinson Clo. Oldh —2C 96
Tomlinson St. M40 —4E 94
Tomlinson St. Hor —2F 41
Tomlinson St. Roch —1E 50
Tomlin Sq. Bolt —6E 44
Tom Lomas Wlk. M11 —6D 116
Tommy Browell Clo. M14 —6G 135
Tommy Johnson Wlk. M14 —6G 135
Tommy La. Bolt —4A 46
Tommy Taylor Clo. M40 —3E 116
Tom Shepley St. Hyde —7J 139
Tomwood Rise. Charl —4J 157
Tonacliffe Rd. Whitw —6E 12
Tonacliffe Ter. Whitw —4E 12
Tonacliffe Way. Whitw —5E 12
Tonbridge Clo. Bury —5G 27
Tonbridge Clo. Mac —1D 198
Tonbridge Pl. Bolt —4D 44
Tonbridge Rd. M19 —2D 152
Tonbridge Rd. Stoc —2H 153
Tong Clough. Brom X —4B 24
(in two parts)
Tonge Bri. Way. Bolt —6D 44
Tonge Bri. Way Ind. Est. Bolt
(off Tonge Bri. Way) —6D 44
Tonge Clo. W'fld —5B 70
Tonge Ct. Glos —2E 158
Tonge Ct. Mid —6D 72
Tonge Fold Cotts. Bury —1A 26
Tonge Fold Rd. Bolt —6D 44
Tonge Grn. Mat —3E 140
Tonge Hall Clo. Mid —6D 72
Tonge Moor Rd. Bolt —4D 44
Tong End. Whitw —1E 12
Tonge Old Rd. Bolt —6E 44
Tonge Pk. Av. Bolt —4E 44
Tonge Roughs. Mid —6F 73
Tonge St. M12 —2K 135
Tonge St. Heyw —3K 49
Tonge St. Mid —1G 95
Tonge St. Roch —6J 31
Tongfields. Eger —4B 24
Tong Head Av. Bolt —1D 44
Tong La. Whitw —2E 12
Tongley Wlk. M40 —5F 95
Tong Rd. L Lev —2J 67
Tong St. Kear —2K 89
Tonman St. M3 —1E 134 (8F 4)
Tontine Rd. Uph —1C 80
Tontin St. Salf —6B 114
Tooley Ho. Ecc —1B 132
Toon Cres. Bury —6G 27
Tootal Dri. Salf —5G 113
Tootal Gro. Salf —6G 113
Tootal Rd. Salf —6G 113
Toothill Clo. Ash M —3D 104
Topaz St. M11 —7B 116
Topcliffe St. Hind —1D 84
Topcroft Clo. M22 —3E 166
Topfield Rd. M22 —1C 178
Topfields. Salf —1D 114
Topham St. Bury —5A 48
(in two parts)
Topley St. M40 —2K 115
Top of Heap. Heyw —3F 49
Top of Wallsuches. Hor —1K 41
Top o'th' Fields. W'fld —7K 69
(in two parts)
Top o' th' Gorses. Bolt —1E 66
Top o' th' Grn. Chad —3A 96
Top o' th' Meadow La. Waterh —5A 76
Topphome Ct. Farn —7G 67
Topping Fold Rd. Bury —2C 48
Toppings Grn. Brom X —5C 24
Toppings, The. Bred —7E 154
Topping St. Bolt —4A 44
Topping St. Bury —2K 47
Topp St. Farn —7G 67
Topp Way. Bolt —5A 44
Top Schwabe St. Mid —6J 71
Topsham Wlk. M40 —3F 117
Top St. Mid —5B 72
Top St. Oldh —6H 75
Torah St. M8 —4G 115
Tor Av. G'mnt —3D 26
Torbay Clo. Bolt —7J 43
Torbay Dri. Stoc —4K 169
Torbay Rd. M21 —2C 150
Torbay Rd. Urm —1C 148
Torbrook Gro. Wilm —3K 187
Torcross Rd. M9 —1H 93
Tor Hey M. G'mnt —2D 26
Torkington Av. Pen —6D 90
Torkington La. Haz G —1H 183
Torkington Rd. Gat —6H 167
Torkington Rd. Haz G —2C 182
Torkington Rd. Wilm —7J 187
Torkington St. Stoc —3F 169
Torksey Wlk. M9 —2H 93
Torness Wlk. Open —7D 116
Toronto Av. Man A —5B 178
Toronto Rd. Stoc —5J 169
Toronto St. Bolt —5G 45
Torpoint Wlk. M40 —6F 95
Torquay Clo. M13 —3J 135
Torquay Dri. Bil —7E 80
Torquay Gro. Stoc —7K 169
Torra Barn Clo. Eger —1A 24
Torrax Clo. Salf —2F 113
Torre Clo. Mid —3C 72
Torrens St. Salf —3H 113
Torridon Clo. Stand —6C 38
Torridon Rd. Bolt —6H 45
Torridon Wlk. M22 —4C 178
Torrin Clo. Stoc —6H 169
Torrington Av. M9 —5C 94
Torrington Av. Bolt —3A 44
Torrington Dri. Hyde —7D 140
(in two parts)
Torrington Rd. Pen —2F 113
Torrington St. Heyw —5A 50
Torrisdale Clo. Bolt —1H 65
Torr Rd. Mac —7E 198
Torr Top St. N Mills —4J 185
Torrvale Rd. N Mills —5H 185
Torside Clo. Hind —1B 84
Torside Way. Had —4C 142
Torver Clo. Wig —5C 82
Torver Dri. Bolt —5H 45
Torver Dri. Mid —4K 71
Torver Wlk. M22 —3B 178
Torwood Rd. Chad —5G 73
Totland Clo. M12 —6D 136
Totley Av. Glos —1K 157
(off Totley Grn.)
Totley Clo. Glos —1K 157
(off Totley M.)
Totley Gdns. Glos —1K 157
(off Totley M.)
Totley Grn. Glos —1K 157
Totley Lanes. Glos —1K 157
(off Totley M.)
Totley M. Glos —1K 157
Totley Pl. Glos —1K 157
(off Totley M.)
Totnes Av. Bram —2J 181
Totnes Av. Chad —5H 73
Totnes Rd. M21 —2C 150
Totnes Rd. Sale —5B 148
Totridge Clo. Stoc —6B 170
Tottenham Dri. M23 —4J 165
Tottington Av. Spring —7K 75
Tottington Rd. Bolt —7G 25
Tottington Rd. Bury —7F 27
Tottington Rd. Tur & Bury —2H 25
Tottington St. M11 —6E 116
Totton Rd. Fail —1H 117
Touchet Hall Rd. Mid —2F 73
Tours Av. M23 —1A 166
Towcester Clo. M4 —7K 115
Tower Av. Ram —6E 8
Tower Ct. Tur —7E 6
Tower Dri. Tur —1E 24
Tower Gro. Leigh —2D 108
Tower Hill Rd. Uph —2A 80
Tower Nook. Uph —2A 80
Tower Rd. Man A —5C 178
Towers Av. Bolt —2G 65
Towers Bus. Pk. Manx —2H 167
Towers Clo. Poy —7D 182
Tower Sq. M13 —3J 135
Towers Rd. Poy —5D 182
Towers St. Oldh —5H 75
Tower St. Duk —7H 119
Tower St. Heyw —3J 49
Tower St. Hyde —1H 155
Tower St. Rad —2H 69
Tower St. Tur —7E 6
Towey Clo. M18 —3F 137
Towing Path. Wig —1E 58
Towncliffe Wlk. M15 —3D 134
Towncroft. Dent —5D 138
Towncroft Av. Mid —4B 72
Towncroft La. Bolt —4E 42
Townend St. Hyde —7J 139
Townfield. Urm —1K 147
Townfield Av. Ash M —6D 104
Townfield Gdns. Alt —6B 164
Townfield La. Lymm —3H 161
Townfield Rd. Alt —6B 164
Townfield Rd. Mob —2K 193
Townfields. Ash M —5C 104
Townfields. Knut —4F 193
Townfield St. Oldh —7F 75
Townfield Wlk. M15 —3D 134
Town Fold. Marp B —4B 172
Town Ga. Mars —1H 57
Town Ga. Dri. Urm —7E 130
Towngreen Ct. M8 —5F 93
Town Ho. Rd. L'boro —5F 15
(in three parts)
Town La. Charl —4K 157
Town La. Dent —1B 154
Town La. Duk —1G 139
Town La. Mob —2J 193
Town La. Roch —1J 29
Townley Rd. Hyde —3B 140
Townley Rd. Miln —6D 32
Townley St. M8 —3F 115
Townley St. M11 —1B 136
Townley St. Mac —4F 199
Townley St. Mid —5C 72
Townley Ter. Marp —5A 172
Town Mill Brow. Roch —5G 31
Townrow St. Heyw —3A 50
Townscliffe La. Marp B —4B 172
Towns Croft Lodge. Sale —4C 148
Townsend Farm La. Alt —2E 162
Townsend Rd. Pen —6D 90
Townsfield Rd. W'houg —7J 63
Townside Fields. Bury —4K 47
Townside Row. Bury —4K 47
Townsley Gro. Ash L —3J 119
Townson Dri. Leigh —7K 107
Town Sq. Sale —6F 149
Town Sq. Shopping Cen. Oldh —7D 74
Town St. Marp B —4B 172
Towns Yd. Rytn —2C 74
(off Cardigan St.)
Towton St. M9 —7A 94
Toxhead Clo. Hor —2E 40
Toxteth St. M11 —2G 137
Tracey St. M8 —6G 93
Tracks La. Bil —4D 80
Tracy Dri. Newt W —6G 125
Traders Av. Urm —3C 132
Trafalgar Av. Aud —2A 138
Trafalgar Av. Poy —2E 190
Trafalgar Clo. Poy —2E 190
Trafalgar Ct. M16 —7E 134
Trafalgar Gro. Salf —3D 114
Trafalgar Ho. Alt —5B 164
Trafalgar Pl. M20 —6G 151
Trafalgar Rd. Hind —2B 84
Trafalgar Rd. Sale —4G 149
Trafalgar Rd. Salf —5E 112
Trafalgar Rd. Wig —5E 60
Trafalgar Sq. Ash L —7D 118

Upton St.—Waldon Rd.

Upton St. M1 —7H 115 (7L 5)
Upton Wlk. Ash L —7E 118
Upton Way. Hand —7K 179
Upton Way. Wals —7D 26
Upwood Rd. Lwtn —2B 126
Upwood Wlk. M9 —4A 94
Urban Av. Alt —7C 164
Urban Dri. Alt —7C 164
Urban Rd. Alt —7C 164
Urban Rd. Sale —6E 148
Urmson St. Oldh —4D 96
Urmston Av. Newt W —4D 124
Urmston La. Stret —1E 148
Urmston Pk. Urm —7C 132
URMSTON STATION. BR —7B 132
Urmston St. Leigh —3H 107
Urwick Rd. Rom —1F 171
Usk Clo. W'fld —7C 70
Utley Field View. Hale —1C 176
Uttley St. Bolt —3K 43
Uttley St. Roch —1E 50
Uvedale Ho. Ecc —7B 112 (off Adelaide St.)
Uxbridge Av. M11 —6E 116
Uxbridge St. Ash L —5E 118

Vaal St. Oldh —4A 96
Valance Clo. M12 —3C 136
Valdene Clo. Farn —7F 67
Valdene Dri. Farn —7F 67
Valdene Dri. Wor —7F 89
Vale Av. Bury —6H 47
Vale Av. Hor —2E 40
Vale Av. Hyde —6A 140
Vale Av. Pen —6E 90
Vale Av. Rad —7A 68
Vale Av. Sale —5J 149
Vale Av. Urm —1G 147
Vale Clo. App B —5E 36
Vale Clo. Haz G —7C 170
Vale Clo. Rom —1K 171
Vale Clo. Stoc —1B 168
Vale Coppice. BL0 —1G 27
Vale Coppice. Hor —2E 40
Vale Cotts. Hor —3D 40
Vale Cotts. L'boro —6E 14
Vale Ct. Bow —3K 175
Vale Ct. Mid —6D 72
Vale Ct. Stoc —1B 168
Vale Cres. Chea H —2B 180
Vale Dri. Oldh —1B 96
Vale Dri. P'wch —5A 92
Vale Edge. Rad —1E 68
Vale Head. Hand —3A 188
Vale Ho. Dri. Had —3C 142
Vale La. Fail —4J 117
Valencia Rd. Salf —2B 114
Valentina Rd. M9 —3K 93
Valentine Rd. Newt W —6B 124
Valentines Rd. Ath —6A 86
Valentine St. Fail —1G 117
Valentine St. Oldh —1G 97
Valerie Wlk. M15 —2F 135 (10H 5) (off Loxford St.)
Vale Rd. Bow —3K 175
Vale Rd. C'brk —2E 120
Vale Rd. Droy —5K 117
Vale Rd. Rom —2F 171
Vale Rd. Shaw —7H 53
Vale Rd. Stoc —2B 168
Vale Rd. Tim —5F 165
Vale Rd. Wilm —5F 187
Vale Side. Moss —7C 98
Vale St. M11 —6E 116
Vale St. Ash L —2E 118
Vale St. Bolt —6J 45
Vale St. Heyw —3A 50 (in two parts)
Vale St. Mid —6D 72
Vale St. Tur —7F 7
Vale, The. Moss —6B 98
Vale Top Av. M9 —1B 116
Valetta Clo. M14 —2H 151
Valewood Av. Stoc —2C 168
Valiant Rd. Wig —6K 59
Valiant Wlk. M40 —6G 95
Valletts La. Bolt —4J 43
Valley Av. Bury —7F 27
Valley Clo. Chea —1A 180
Valley Clo. Knut —7D 192
Valley Clo. Moss —5B 98
Valley Cotts. Moss —5D 98
Valley Ct. Stoc —2D 168
Valley Dri. Hand —2J 187
Valley Gdns. Hyde —2E 156
Valley Gro. Dent —7F 139
Valley New Rd. Rytn —3C 74
Valley Pk. Rd. P'wch —2K 91
Valley Rise. Shaw —4E 52
Valley Rd. Bram —3H 181
Valley Rd. Bred —6B 154
Valley Rd. Chea —7A 168
Valley Rd. Glos —2B 158
Valley Rd. Hyde —2E 156
Valley Rd. Mac —6C 198
Valley Rd. Mid —4D 72
Valley Rd. Roch —1G 51
Valley Rd. Rytn —3C 74
Valley Rd. Stoc —2B 168
Valley Rd. Urm —5F 131
Valley Rd. Wig —2K 81
Valley Rd. S. Urm —7E 130
Valley, The. Ath —4E 86
Valley View. Brom X —5C 24
Valley View. Hyde —5A 140
Valley Wlk. M11 —7B 116
Valley Way. Knut —7D 192
Valley Way. Stal —7C 120
Valpy Av. Bolt —2D 44
Vanbrugh Gro. Orr —5H 59
Vancouver Quay. Salf —2K 133
Vandyke Av. Salf —4F 113
Vandyke St. Roch —3B 30
Vane St. Ecc —6B 112 (in two parts)
Vanguard Clo. Ecc —2H 131
Vannes Gro. Mot —6F 141
Vantomme St. Bolt —1A 44
Vant St. Oldh —3G 97
Varden Gro. Stoc —6F 169
Varden Rd. Poy —2C 190
Vardon Dri. Wilm —7K 187
Varey St. M18 —4F 137
Varley Rd. Bolt —2G 65
Varley St. M40 —4K 115
Varna St. M11 —2F 137
Vauban Dri. Salf —5F 113
Vaudrey Dri. Chea H —1C 180
Vaudrey Dri. Haz G —2C 182
Vaudrey Dri. Tim —3E 164
Vaudrey La. Dent —7E 138
Vaudrey Rd. Woodl —5E 154
Vaudrey St. Stal —7A 120
Vaughan Av. M40 —7C 94
Vaughan Gro. Lees —1K 97
Vaughan Ind. Est. M12 —2B 136
Vaughan Rd. M21 —2D 150
Vaughan Rd. Stoc —7F 153
Vaughan St. M12 —2B 136
Vaughan St. Ecc —5K 111
Vaughan St. Rytn —3C 74
Vauxhall Rd. Wig —6F 61
Vauxhall St. M40 —4H 115
Vauze Av. Blac —4B 40
Vauze Ho. Clo. Blac —3B 40
Vavasour Ct. Roch —6K 31
Vavasour St. Roch —6K 31 (in two parts)
Vawdrey Dri. M23 —1K 165
Vaynor. Roch —4G 31 (off Spotland Rd.)
Vega St. M8 —4E 114
Veitch M. Chea —6K 167
Vela Wlk. Salf —5C 114 (1B 4)
Velmere Av. M9 —2G 93
Velour Clo. Salf —5D 114 (1C 4)
Velvet Ct. M1 —1G 135 (8K 5) (off Granby Row)
Velvet Sq. M1 —1G 135 (8K 5) (off Bombay St.)
Vendale Av. Swint —2B 112
Venesta Av. Salf —4F 113
Venetia St. M40 —3E 116
Venice Ct. M1 —1G 135 (8K 5) (off Samuel Ogden St.)
Venice Sq. M1 —1G 135 (8K 5)
Venice St. M1 —1G 135 (7K 5)
Venice St. Bolt —2J 65
Venlo Gdns. Chea H —3D 180
Ventnor Av. M19 —2D 152
Ventnor Av. Bolt —2B 44
Ventnor Av. Bury —3K 69
Ventnor Av. Sale —4F 149
Ventnor Clo. Dent —2F 155
Ventnor Rd. M20 —7J 151
Ventnor Rd. Stoc —1C 168
Ventnor St. M9 —7K 93
Ventnor St. Roch —7H 31
Ventnor St. Salf —3B 114
Ventura Clo. M14 —1G 151
Ventura Ct. N Mills —3K 185
Venwood Rd. P'wch —5K 91
Verbena Av. Farn —5C 66
Verbena Clo. Part —7B 146
Verdant La. Ecc —1H 131
Verda St. Abr —7K 83
Verdon St. M4 —5G 115 (2J 5)
Verdun Av. Salf —5F 113
Verdun Cres. Roch —4E 30
Verdun Rd. Ecc —4K 111
Verdure Av. Bolt —5E 42
Verdure Av. Sale —2G 165
Verdure Clo. Fail —1K 117
Vere St. Salf —7K 113
Verity Clo. M20 —4H 151
Verity Clo. Rytn —4B 74
Verity Wlk. M9 —4H 93
Vermont St. Bolt —5K 43
Verne Av. Swint —7C 90
Verne Dri. Oldh —1J 75
Verney Rd. Rytn —4C 74
Vernham Wlk. Bolt —2A 66
Vernon Av. Ecc —6D 112
Vernon Av. Stoc —1K 169
Vernon Av. Stret —1H 149
Vernon Clo. Chea H —3A 180
Vernon Clo. Poy —3B 190
Vernon Ct. Salf —6C 92
Vernon Dri. Marp —4H 171
Vernon Dri. P'wch —5A 92
Vernon Gro. Ecc —6D 112
Vernon Gro. Sale —6J 149
Vernon Ho. Stoc —2K 169
Vernon Lodge. Poy —3B 190
Vernon Pk. Tim —4E 164
Vernon Rd. Bred —7C 154 (in two parts)
Vernon Rd. Droy —6G 117
Vernon Rd. G'mnt —3D 26
Vernon Rd. Poy —3B 190
Vernon Rd. Salf —6C 92
Vernon St. Ash L —4G 119
Vernon St. Bolt —5A 44
Vernon St. Bury —1K 47
Vernon St. Farn —5G 67
Vernon St. Harp —1A 116
Vernon St. Haz G —1B 182
Vernon St. Hyde —7J 139
Vernon St. Leigh —3K 107
Vernon St. Mac —3H 199
Vernon St. Moss —5C 98
Vernon St. Old T —4D 134
Vernon St. Salf —3D 114
Vernon St. Stoc —1H 169
Vernon Ter. M12 —4B 136
Vernon View. Bred —7D 154
Vernon Wlk. Bolt —5A 44
Vernon Wlk. Stoc —2G 169
Verona Dri. M40 —4E 116
Veronica Rd. M20 —7J 151
Verrill Av. M23 —2C 166
Verwood Wlk. M23 —6A 166
Vesper St. Fail —7J 95
Vesta St. M4 —7J 115 (5P 5)
Vesta St. Ram —5F 9
Vestris Dri. Salf —5F 113
Vetch Clo. G'brk —5H 145
Viaduct Rd. B'hth —4B 164
Viaduct St. M12 —1A 136
Viaduct St. Newt W —6C 124
Viaduct St. Salf —6E 114 (3F 4)
Viaduct St. Stoc —2G 169
Vicarage Av. Chea H —4D 180
Vicarage Clo. Adl —4J 19
Vicarage Clo. Bury —4J 27
Vicarage Clo. Duk —1J 139
Vicarage Clo. Plat B —5J 83
Vicarage Clo. Salf —5F 113
Vicarage Clo. Spring —7K 75
Vicarage Cres. Ash L —3H 119
Vicarage Dri. Duk —1H 139
Vicarage Dri. Roch —1A 32
Vicarage Gdns. Hyde —7J 139
Vicarage Gro. Ecc —6D 112
Vicarage La. Bolt —2J 43
Vicarage La. Bow —3A 176
Vicarage La. Mid —7F 73
Vicarage La. Poy —7B 182
Vicarage La. Shev —1G 59
Vicarage Rd. Abr —6K 83
Vicarage Rd. Ash M —6D 104
Vicarage Rd. Ash L —3F 119
Vicarage Rd. Blac —3A 40
Vicarage Rd. Irl —7C 130
Vicarage Rd. Orr —3D 80
Vicarage Rd. Stoc —5G 169
Vicarage Rd. Swint —7C 90
Vicarage Rd. Urm —5K 131
Vicarage Rd. Wor —3E 88
Vicarage Rd. N. Roch —4E 50
Vicarage Rd. S. Roch —4E 50
Vicarage Rd. W. Blac —3A 40
Vicarage Sq. Leigh —3K 107
Vicarage St. Bolt —1K 65
Vicarage St. Oldh —4A 96
Vicarage St. Rad —3E 68
Vicarage St. Shaw —6F 53
Vicarage View. Roch —4F 51
Vicarage Way. Mac —4B 198
Vicarage Way. Shaw —7E 52
Vicars Dri. Roch —6H 31
Vicars Hall Gdns. Wor —2B 110
Vicars Hall La. Wor —3B 110
Vicars Rd. M21 —2A 150
Vicars St. Ecc —5D 112
Viceroy Ct. Manx —1H 167
Vicker Clo. Clif —5D 90
Vicker Gro. M20 —5F 151
Vickerman St. Bolt —3K 43
Vickers St. M40 —5A 116
Vickers St. Bolt —1K 65
Victor Av. Bury —1J 47
Victor Clo. Wig —6K 59
Victoria Av. M9 —2F 93
Victoria Av. Bick —6C 84
Victoria Av. Bred —7D 154
Victoria Av. Chea H —2C 180
Victoria Av. Did —7G 151
Victoria Av. Ecc —5D 112
Victoria Av. Had —4C 142
Victoria Av. Haz G —1C 182
Victoria Av. Lev —2C 152
Victoria Av. St H —7A 102
Victoria Av. Swint —7E 90
Victoria Av. Tim —4C 164
Victoria Av. W'fld —6A 70
Victoria Av. Wig —5C 60
Victoria Av. E. M9 —3A 94
Victoria Bri. St. Salf —6F 115 (3G 4)
Victoria Building, The. Salf —2K 133
Victoria Clo. Asp —7K 39
Victoria Clo. Bram —6F 181
Victoria Clo. Stoc —4G 169
Victoria Clo. Wor —2C 110
Victoria Ct. Ash L —7E 118
Victoria Ct. Farn —4E 66
Victoria Ct. Hor —2G 41
Victoria Ct. Stret —7G 133
Victoria Cres. Ecc —5D 112
Victoria Cres. Stand —5A 38
Victoria Dri. Sale —7H 149
Victoria Gdns. Hyde —5K 139
Victoria Gdns. Shaw —6F 53
Victoria Gro. M14 —3J 151
Victoria Gro. Bolt —4J 43
Victoria Gro. Stoc —5E 152
Victoria Ho. W'houg —6K 63
Victoria Ind. Est. M4 —7K 115
Victoria Ind. Est. Stand —6D 38
Victoria La. Swint —7B 90
Victoria La. W'fld —7K 69
Victoria Lodge. Salf —3C 114
Victoria M. Bury —4B 70
Victoria Pde. Urm —7B 132
Victoria Pk. Stoc —3K 169
Victoria Pl. Dent —2E 154
Victoria Rd. Ash M —5K 103
Victoria Rd. Bolt —6D 42
Victoria Rd. Duk —3G 139
Victoria Rd. Ecc —5C 112
Victoria Rd. Fail —2H 151
Victoria Rd. Hale —1B 176
Victoria Rd. Hor —2G 41
Victoria Rd. Irl —1B 146
Victoria Rd. Kear —1J 89
Victoria Rd. Lev —1B 152
Victoria Rd. Mac —2B 198
Victoria Rd. Newt W —5E 124
Victoria Rd. N'den —3D 166
Victoria Rd. Plat B —6J 83
Victoria Rd. Sale —7H 149
Victoria Rd. Salf —4E 112
Victoria Rd. Stoc —2K 169
Victoria Rd. Stret —7H 133
Victoria Rd. Tim —5E 164
Victoria Rd. Urm —7K 131
Victoria Rd. Whal R —7D 134
Victoria Rd. Wilm —7G 187
Victoria Row. Bury —3H 47
Victoria Sq. M4 —6H 115 (3M 5)
Victoria Sq. Bolt —6B 44
Victoria Sq. W'fld —7K 69
Victoria Sq. Wor —4F 89
VICTORIA STATION. BR & M —5F 115
Victoria Sta. App. M3 —6G 115 (3H 5)
Victoria St. M3 —6F 115 (4H 5)
Victoria St. Ain —4A 46
Victoria St. Alt —6B 164
Victoria St. Ash L —7E 118
Victoria St. Bar —7D 96
Victoria St. Blac —3B 40
Victoria St. Bury —3H 47
Victoria St. Chad —7K 73
Victoria St. Dent —6C 138
Victoria St. Droy —7J 117
Victoria St. Duk —1H 139
Victoria St. Fail —2F 117
Victoria St. Farn —4D 66
Victoria St. Glos —2E 158
Victoria St. Heyw —4A 50
Victoria St. Hyde —5J 139
Victoria St. Knut —4C 192
Victoria St. Lees —1J 97
Victoria St. Leigh —1J 107
Victoria St. L'boro —6F 15
Victoria St. Mars —1H 57
Victoria St. Mid —6C 72
Victoria St. Millb —4D 120
Victoria St. N Mills —6H 185
Victoria St. Oldh —1E 96
Victoria St. Open —1E 136
Victoria St. Plat B —7K 39 (Haigh)
Victoria St. Plat B —5J 83 (Platt Bridge)
Victoria St. Rad —3E 68
Victoria St. Ram —5F 9
Victoria St. Roch —3H 31
Victoria St. Shaw —7F 53
Victoria St. Stal —6K 119
Victoria St. Tot —5C 26
Victoria St. W'houg —6K 63
Victoria St. Whitw —3E 12
Victoria St. Wig —2A 82
Victoria St. Wor —2C 110
Victoria Ter. M12 —5B 136
Victoria Ter. Bick —7D 84
Victoria Ter. Heyw —1J 49
Victoria Ter. Miln —7E 32
Victoria Vs. Bolt —4J 43
Victoria Wlk. Chad —5A 74
Victoria Wlk. Mac —3G 199
Victoria Way. Bram —6F 181
Victoria Way. Leigh —1J 107
Victoria Way. Rytn —7A 52
Victor Mann St. M11 —2J 137
Victor St. M40 —4J 115
Victor St. Heyw —5A 50
Victor St. Oldh —6K 95
Victor St. Salf —6D 114 (4D 4)
Victory Gro. Aud —2A 138
Victory Rd. Cad —6J 145
Victory Rd. L Lev —2J 67
Victory St. M14 —6J 135
Victory St. Bolt —5J 43 (in two parts)
Victory Trad. Est. Bolt —1C 66
Vienna Rd. Stoc —5F 169
Vienna Rd. E. Stoc —5F 169
Viewfield Wlk. M9 —1A 116 (off Nethervale Dri.)
Viewlands Dri. Hand —3K 187
View St. Bolt —1K 65
Vigar Av. Stoc —2H 169
Vigo Av. Bolt —3H 65
Vigo St. Heyw —4A 50
Vigo St. Ince —4H 61
Vigo St. Oldh —2H 97
Viking Clo. M11 —7B 116
Viking St. Bolt —2C 66
Viking St. Roch —4E 30
Villa Av. Wig —2C 60
Village Ct. Wilm —4K 187
Village Grn. Upperm —6H 77 (off New St.)
Village St. Salf —3C 114
Village, The. Chea —7A 168
Village, The. P'bry —4B 196
Village, The. Urm —2H 147
Village Wlk. Open —7E 116
Village Way. M4 —6G 115 (3K 5)
Village Way. Wilm —4K 187
Villa Rd. Oldh —3D 96
Villdale Av. Stoc —4A 170
Villemoble Sq. Droy —7J 117
Villiers Ct. W'fld —7A 70
Villiers Dri. Oldh —2C 96
Villiers St. Ash L —6H 119
Villiers St. Bury —2A 48
Villiers St. Hyde —7K 139
Villiers St. Salf —4K 113
Vinca Gro. Salf —2D 114
Vincent Av. M21 —1A 150
Vincent Av. Ecc —4B 112
Vincent Av. Oldh —6G 75
Vincent Ct. Bolt —3A 66
Vincent St. M11 —1E 136
Vincent St. Bolt —7K 43
Vincent St. Hyde —1K 155
Vincent St. L'boro —5E 14
Vincent St. Mac —4F 199
Vincent St. Mid —4C 72
Vincent St. Roch —7J 31
Vincent St. Salf —1D 114
Vincent Way. Wig —6K 59
Vine Av. Pen —7F 91
Vine Clo. Mac —6C 198
Vine Clo. Sale —5A 148
Vine Clo. Shaw —6F 53
Vine Ct. Roch —5K 31
Vine Ct. Stret —1H 149
Vine Fold. M40 —6H 95
Vine Gro. Stoc —5A 170
Vine Gro. Wig —7E 60
Vine Pl. Roch —7H 31
Vinery Gro. Dent —6C 138
Vine St. M11 & M18 —2G 137
Vine St. Boll —2K 197
Vine St. Chad —4K 95
Vine St. Ecc —7A 112
Vine St. Haz G —1B 182
Vine St. Hind —1B 84
Vine St. P'wch —2C 92
Vine St. Ram —7E 8 (in two parts)
Vine St. Salf —7B 92
Vine St. Wig —5F 61
Vineyard Clo. Ward —4A 14
Vineyard Cotts. Roch —4A 14
Vineyard Ho. Roch —4A 14 (off Knowl Syke St.)
Vineyard St. Oldh —7F 75
Vinton Pl. Marp —5K 171
Viola Clo. Stand —3K 37
Viola St. M11 —6F 117
Viola St. Bolt —2A 44
Violet Av. Farn —5C 66
Violet Ct. M22 —1D 178
Violet Hill Ct. Oldh —6J 75
Violet St. M18 —3H 137
Violet St. Ash M —6D 104
Violet St. Ince —1G 83
Violet St. Stoc —5H 169
Violet Way. Mid —7F 73
Virgil St. M15 —3D 134
Virgina Ho. M11 —2D 136
Virginia Chase. Chea H —4B 180
Virginia Clo. M23 —4H 165
Virginia Ho. Farn —7F 67
Virginia St. Bolt —2H 65
Virginia Way. Wig —6J 59
Viscount Dri. H Grn —5K 179
Viscount Dri. Tim —5K 177
Viscount Rd. Wig —6K 59
Viscount St. M14 —6J 135
Vista Av. Newt W —5C 124
Vista Rd. Hayd & Newt W —2C 124
Vista, The. Cad —6J 145
Vivian Pl. M14 —5A 136
Vivian St. Roch —7G 31
Vixen Clo. M21 —3D 150
Voewood Ho. Stoc —3K 169
Voltaire Av. Salf —5F 113
Vulcan Dri. Wig —7F 61
Vulcan Rd. Wig —6K 59
Vulcan St. Hyde —7H 139
Vulcan St. Oldh —5F 75
Vulcan Ter. L'boro —6D 14
Vyner Gro. Sale —4D 148

Wadcroft Wlk. M9 —7A 94
Waddicor Av. Ash L —2J 119
Waddington Clo. Bury —3C 46
Waddington Clo. Lwtn —1D 126
Waddington Fold. Roch —3A 52
Waddington Rd. Bolt —4G 43
Waddington St. Oldh —6A 74
Wade Bank. W'houg —6K 63
Wadebridge Av. M23 —4H 165
Wadebridge Clo. Bolt —4C 44
Wadebridge Dri. Bury —3D 46
Wadebrook Gro. Wilm —4A 188
Wade Clo. Ecc —7B 112
Wadeford Clo. M4 —5J 115 (3N 5)
Wade Hill La. G'fld —6E 76
Wade Ho. Ecc —7B 112 (off Wade Clo.)
Wade Row. Upperm —6H 77
Wade Row Top. Upperm (off Wade Row) —6H 77
Wadesmill Wlk. M13 —2H 135 (9L 5)
Wadeson Rd. M13 —2H 135 (9M 5)
Wade St. Bolt —3B 66
Wade St. Mid —1F 95
Wade Wlk. Open —1C 136
Wadham Gdns. Woodl —5G 155
Wadham Way. Hale —3D 176
Wadhurst Wlk. M13 —4J 135
Wadsley St. Bolt —5A 44
Wadsworth Clo. Hand —2A 188
Wagg Fold. L'boro —5D 14
Waggoners Ct. Swint —1D 112
Waggon Rd. Bolt —4F 45
Waggon Rd. Moss —7C 98
Waggon Rd. Oldh —1E 118
Wagner St. Bolt —2K 43
Wagstaff Dri. Fail —1H 117
Wagstaffe St. Mid —5C 72
Wagstaff St. Stal —7J 119
Wagtail Clo. Wor —7F 89
Waincliffe Av. M21 —6D 150
Wain Clo. Ecc —6K 111
Wainfleet Clo. Wig —4A 82
Waingap Cres. Whitw —3F 13
Waingap Rise. Roch —4F 13
Waingap Rise. Whitw —7G 13
Wain Ho. Leigh —5B 108
Wainman St. Salf —3B 114
Wain Stones Grn. Stoc —6C 170
Wainwright Av. Dent —6H 137
Wainwright Clo. Spring —7A 76
Wainwright Clo. Stoc —4J 169
Wainwright Rd. Alt —6K 163
Wainwright St. Duk —7H 119
Wainwright St. Oldh —2C 96
Waithlands Rd. Roch —6K 31
Wakefield Cres. Rom —2E 170
Wakefield Cres. Stand —6C 38
Wakefield Dri. Chad —5A 74
Wakefield Dri. Clif —2B 90
Wakefield Rd. Heyr —6A 120
Wakefield St. M1 —1G 135 (9J 5)
Wakefield St. Chad —5A 74
Wakefield St. Golb —2J 125
Wakefield Wlk. Dent —1E 154
Wakeling Rd. Dent —2C 154
Walcot Pl. Wig —5B 82
Walcott Clo. M13 —4A 136
Wald Av. M14 —3A 152
Waldeck St. Bolt —5J 43
Waldeck Wlk. M9 —4A 94 (off Ravenswood Dri.)
Walden Av. Oldh —4H 75
Walden Clo. M14 —2G 151
Walden Cres. Haz G —1A 182
Walden Flats. Heyw —3J 49 (off Fox St.)
Walderton Av. M40 —1C 116
Waldon Av. Chea —6K 167
Waldon Clo. Bolt —2J 65
Waldon Rd. Mac —6C 198

Waldorf Clo.—Water St.

Waldorf Clo. *Wig* —5K **81**
Wales St. *Oldh* —5G **75**
Walford Clo. *M16* —5E **134**
Walford Rd. *Ash M* —5E **104**
Walkden Av. *Wig* —4D **60**
Walkden Av. E. *Wig* —4E **60**
Walkdene Dri. *Wor* —4D **88**
Walkden Ho. *Ash M* —3B **104**
Walkden Mkt. Pl. *Wor* —4E **88**
Walkden Rd. *Wor* —5F **89**
Walkdens Av. *Ath* —5A **86**
WALKDEN STATION. *BR* —5F **89**
Walkden St. *Roch* —3H **31**
Walker Av. *Bolt* —3B **66**
Walker Av. *Fail* —2K **117**
Walker Av. *Stal* —6C **120**
Walker Av. *W'fld* —1A **92**
Walker Clo. *Hyde* —7K **139**
Walker Clo. *Kear* —1J **89**
Walker Fold Rd. *Bolt* —2C **42**
Walker Grn. *Ecc* —3K **111**
Walker Ho. *Ecc* —7B **112**
Walker La. *Hyde* —7J **139**
Walker Rd. *M9* —3A **94**
Walker Rd. *Chad* —5H **95**
Walker Rd. *Ecc* —4J **111**
Walker Rd. *Irl* —1B **146**
Walkers Bldgs. *M1* —7H **115** (5M **5**)
Walkers Clo. *Upperm* —6H **77**
Walkers Ct. *Farn* —6F **67**
Walkers Ct. *Spring* —1A **98**
Walker's Croft. *Salf* —6F **115** (3H **5**)
Walker's La. *Spring* —1A **98**
Walker's Rd. *Oldh* —5A **96**
Walker St. *M9* —7A **94**
Walker St. *Bolt* —7K **43**
Walker St. *Bury* —5J **47**
Walker St. *Dent* —5C **138**
Walker St. *Had* —4C **142**
Walker St. *Heyw* —4J **49**
Walker St. *Mac* —3E **198**
Walker St. *Mid* —7H **71** (in two parts)
Walker St. *Oldh* —1B **96**
Walker St. *Rad* —5G **69**
Walker St. *Roch* —5J **31**
Walker St. *Stoc* —2G **169**
Walker St. *W'houg* —6J **63**
Walkers View. *Spring* —7A **76**
Walkerwood Dri. *Stal* —5D **120**
Walk Mill Clo. *Roch* —7B **14**
Walk, The. *Ath* —4D **86**
Walk, The. *Roch* —5H **31**
Walkway, The. *Bolt* —1F **65** (in two parts)
Wallace Av. *M14* —6K **135**
Wallace La. *Wig* —5G **61**
Wallace St. *Oldh* —3D **96**
Wallasey Av. *M14* —1G **151**
Wallbank Dri. *Whitw* —4D **12**
Wallbank Rd. *Bram* —3J **181**
Wallbank St. *Tot* —5D **26**
Wallbrook Av. *Bil* —6D **80**
Wallbrook Cres. *L Hul* —1C **88**
Wallbrook Gro. *Farn* —4D **66**
Walleach Fold Cotts. *Tur* —5G **7**
Waller Av. *M14* —2J **151**
Waller St. *Mac* —5G **199**
Waller Way. *Hand* —1K **187**
Walley St. *Bolt* —2A **44**
Wallgarth Clo. *Wig* —5A **82**
Wallgate. *Wig* —7C **60**
Wallgate La. *Wig* —7D **60**
WALLGATE STATION. *BR* —6E **60**
Wall Hill Rd. *Dob* —5E **76**
Wallingford Rd. *Hand* —7J **179**
Wallingford Rd. *Urm* —6C **132**
Wallis St. *M40* —2K **116**
Wallis St. *Chad* —3J **95**
Wallis St. *P'wch* —2A **92**
Wallness La. *Salf* —4B **114**
Wallshaw Pl. *Oldh* —7E **74**
Wallshaw St. *Oldh* —7E **74** (in two parts)
Walls St. *Hind* —5G **85**
Wall St. *Oldh* —2D **96**
Wall St. *Salf* —6K **113**
Wall St. *Wig* —5B **60**
Wallsuches La. *Hor* —1J **41**
Wallwork Clo. *Roch* —3A **30**
Wallwork Rd. *Ast* —2K **109**
Wallwork St. *Open* —1G **137**
Wallwork St. *Rad* —2E **68**
Wallwork St. *Stoc* —7H **137**
Wallworth Av. *M18* —4F **137**
Wallworth Ter. *Wilm* —5E **186**
Wally Sq. *Salf* —2E **114**
Walmer Dri. *Bram* —3H **181**
Walmer Rd. *Hind* —2E **84**
Walmersley Ct. *Marp* —5K **171**
Walmersley Old Rd. *Bury* —4K **27**
Walmersley Rd. *M40* —5G **95**
Walmersley Rd. *Bury* —2J **27**
Walmer St. *Abb H* —3G **137**
Walmer St. *Rush* —6H **135**
Walmer St. E. *Rush* —6J **135**
Walmesley Av. *Wig* —1E **82**
Walmesley Dri. *Ince* —7K **61**
Walmesley Rd. *Leigh* —3J **107**
Walmesley St. *Wig* —7F **61**
Walmley Gro. *Bolt* —3J **65**
Walmsley Av. *L'boro* —1D **32**
Walmsley Gro. *Urm* —7B **132**
Walmsley St. *Bury* —1F **47**
Walmsley St. *Newt W* —5F **125**
Walmsley St. *Stal* —1A **140**
Walmsley St. *Stoc* —7H **153**
Walney Rd. *M22* —7D **166**
Walney Rd. *Wig* —5K **81**
Walnut Av. *Bury* —2B **48**
Walnut Av. *Oldh* —6H **75**
Walnut Av. *Wig* —4F **61**
Walnut Clo. *Clif* —3B **90**
Walnut Clo. *Hyde* —7A **140**
Walnut Clo. *Wilm* —5A **188**
Walnut Gro. *Leigh* —7K **85**
Walnut Gro. *Sale* —5E **148**
Walnut Rd. *Ecc* —4J **111**
Walnut Rd. *Part* —7K **145**
Walnut St. *M18* —3F **137**
Walnut St. *Bolt* —2B **44**
Walnut Tree Rd. *Stoc* —3C **168**
Walnut Wlk. *Stret* —2G **149**
Walpole Av. *Wig* —4B **82**
Walpole St. *Roch* —5J **31**
Walsall St. *Salf* —3A **114**
Walsden St. *M11* —6E **116**
Walsh Av. *M9* —5J **93**
Walshaw Brook Clo. *Bury* —1D **46**
Walshaw La. *Bury* —1D **46**
Walshaw Rd. *Bury* —1D **46**
Walshaw Wlk. *Tot* —7D **26**
Walshaw Way. *Tot* —7D **26**
Walsh Clo. *Newt W* —4E **124**
Walshe St. *Bury* —3H **47**
*Walsh Ho. Ath —3D **86***
(off Brooklands Av.)
Walsh St. *Chad* —1K **95**
Walsh St. *Hor* —1F **41**
Walsingham Av. *M20* —6F **151**
Walsingham Av. *Mid* —2C **94**
Walter Greenwood Ct. Salf
*(off Belvedere Rd.) —5A **114***
Walter La. *Bury* —5A **70**
Walter Scott Av. *Wig* —2D **60**
Walter Scott St. *Oldh* —6F **75**
Walter St. *Abb H* —3G **137**
Walter St. *Ash M* —3F **105**
Walter St. *Leigh* —3F **107**
Walter St. *Oldh* —1D **96**
Walter St. *Old T* —5C **134**
Walter St. *P'wch* —3K **91**
Walter St. *Rad* —6D **46**
Walter St. *Wig* —1K **81**
Walter St. *Wor* —5F **89**
Waltham Av. *G'bry* —2C **128**
Waltham Av. *Wig* —3B **60**
Waltham Dri. *Chea H* —6D **180**
Waltham Gdns. *Leigh* —5C **108**
Waltham Gdns. *Rad* —2C **68**
Waltham Rd. *M16* —1E **150**
Waltham St. *Oldh* —3G **97**
Walthew Ho. La. *Wig* —5H **59** (in two parts)
Walthew La. *Plat B* —4J **83**
Walton Clo. *Heyw* —5K **49** (in two parts)
Walton Clo. *Mid* —5J **71**
Walton Ct. *Bolt* —2B **66**
Walton Dri. *Bury* —4J **27**
Walton Dri. *Marp* —4H **171**
Walton Hall Dri. *M19* —1F **153**
*Walton Ho. M4 —7K **115***
(off Harrison St.)
Walton Ho. *Fail* —7H **95**
Walton Pl. *Kear* —7G **67**
Walton Rd. *M9* —2K **93**
Walton Rd. *Alt* —6K **163**
Walton Rd. *Cul* —6K **127**
Walton Rd. *Sale* —2D **164**
Walton St. *Adl* —6J **19**
Walton St. *Ash L* —3E **118**
Walton St. *Ath* —3E **86**
Walton St. *Heyw* —5K **49**
Walton St. *Mid* —4C **72**
Walton St. *Stoc* —4H **169**
Walton Way. *Dent* —1F **155**
Walworth Clo. *Rad* —6A **68**
Walworth St. *Bolt* —2J **65**
Walwyn Clo. *Stret* —1J **149**
Wanborough Clo. *Leigh* —1K **107**
Wandsworth Av. *M11* —6F **117**
Wanley Wlk. *M9* —4A **94**
Wansbeck Clo. *Stret* —1J **149**
Wansbeck Lodge. *Stret* —1J **149**
Wansfell Wlk. *M4* —6K **115**
Wansford St. *M14* —6G **135**
Wanstead Av. *M9* —4D **94**
Wapping St. *Bolt* —3K **43**
Warbeck Clo. *Hind* —4C **84**
Warbeck Clo. *Stoc* —7J **137**
Warbeck Rd. *M40* —5F **95**
Warbreck Clo. *Bolt* —6H **45**
Warbreck Gro. *Sale* —7H **149**
Warburton Bri. Rd. *Rix* —2G **161**
Warburton Clo. *Haleb* —6H **177**
Warburton Clo. *Lymm* —6G **161**
Warburton Clo. *Rom* —2D **170**
Warburton Dri. *Haleb* —6H **177**
Warburton La. *Lymm & Part* —3K **161**
Warburton Pl. *Ath* —4D **86**
Warburton Rd. *Hand* —1K **187**
Warburton St. *M8* —2G **115**
Warburton St. *M20* —7H **151**
Warburton St. *Bolt* —3B **44**
Warburton St. *Ecc* —7C **112**
Warburton St. *Salf* —3B **134**
Warburton View. *Rix* —1G **161**
Warcock Rd. *Oldh* —7G **75**
Wardale Ct. *Sale* —6G **149**
Ward Av. *Boll* —2J **197**
*Ward Ct. Dig —2J **77***
(off Ward La.)
Wardend Clo. *L Hul* —1C **88**
Warden La. *M40* —2D **116**
Warden's Bank. *W'houg* —2J **85**
Warden St. *M40* —2D **116**
Ward La. *Dig* —2J **77**
Ward La. *Dis* —7E **184**
Wardle Brook Av. *Hyde* —6C **140**
Wardle Brook Wlk. *Hyde* —6D **140**
Wardle Clo. *Rad* —1C **68**
Wardle Clo. *Stret* —7J **133**
Wardle Edge. *Roch* —1K **31**
Wardle Fold. *Ward* —4A **14**
Wardle Gdns. *Roch* —1A **32**
Wardle Rd. *Roch* —1A **32**
Wardle Rd. *Sale* —7F **149**
Wardle St. *M40* —5K **115**
Wardle St. *Bolt* —1D **66**
Wardle St. *L'boro* —5E **14**
Wardle St. *Mac* —4F **199**
Wardle St. *Oldh* —1F **97**
Wardley Av. *M16* —1E **150**
Wardley Av. *Wor* —4D **88**
Wardley Hall La. *Wor* —7J **89** (in two parts)
Wardley Hall Rd. *Wor & Wdly* —6K **89**
Wardley Ind. Est. *Wor* —6K **89**
Wardley Rd. *Tyl* —7K **87**
Wardley Sq. *Tyl* —7K **87**
Wardley St. *Swint* —7D **90**
Wardley St. *Wig* —2H **81**
*Wardlow Av. Glos —1K **157***
(off Wardlow M.)
Wardlow Av. *Orr* —5G **59**
*Wardlow Fold. Glos —1K **157***
(off Wardlow M.)
*Wardlow Gdns. Glos —1K **157***
(off Wardlow M.)
*Wardlow Gro. Glos —1K **157***
(off Wardlow M.)
Wardlow M. *Glos* —1K **157**
Wardlow St. *Bolt* —2H **65**
*Wardlow Wlk. Glos —1K **157***
(off Wardlow M.)
Wardour Clo. *Mac* —4B **198**
Wardour St. *Ath* —5C **86** (in two parts)
Ward Rd. *Droy* —7K **117**
Wardsend Wlk. *M15* —3D **134**
Wards Pl. *Leigh* —4B **108**
Ward St. *M3* —5F **115** (1G **4**)
Ward St. *M9* —5J **93**
Ward St. *Bred* —7D **154**
Ward St. *Chad* —7A **74**
Ward St. *Did* —7H **151**
Ward St. *Fail* —7G **95**
Ward St. *Hind* —7B **62**
Ward St. *Hyde* —7J **139**
Ward St. *Most* —7B **94**
Ward St. *Oldh* —6B **74**
Ward St. *Stoc* —4J **169**
Ware Clo. *Ash M* —4F **105**
Wareham Gro. *Ecc* —5A **112**
Wareham St. *M8* —6H **93**
Wareham St. *Wilm* —6H **187**
Warehouse Hill Rd. *Mars* —1J **57**
Wareing St. *Tyl* —7F **87**
Wareing Way. *Bolt* —7A **44**
Warfield Wlk. *M9* —4A **94**
Warford Av. *Poy* —3E **190**
Warford Cres. *Ald E* —7B **194**
Warford Hall Dri. *Ald E* —7B **194**
Warford La. *Ald E & Mob* —7A **194**
Warford La. *Mob* —5A **194**
Warford St. *M4* —4H **115**
Wargrave M. *Newt W* —7E **124**
Wargrave Rd. *Newt W* —6D **124**
Warhurst Fold. *Had* —4C **142**
Warke, The. *Wor* —2H **111**
Warley Clo. *Chea* —5A **168**
Warley Gro. *Duk* —1G **139**
Warley Rd. *M16* —6A **134**
Warley St. *L'boro* —5F **15**
Warlingham Clo. *Bury* —4E **47**
Warlow Crest. *G'fld* —3G **99**
Warlow Dri. *G'fld* —3G **99** (in two parts)
Warlow Dri. *Leigh* —6H **85**
Warmbley Gdns. *Oldh* —6B **96**
Warmington Dri. *M12* —3A **136**
Warminster Gro. *Wig* —5K **81**
Warmley Rd. *M23* —3H **165**
Warmton View. *Moss* —4E **98**
Warncliffe St. *Wig* —2K **81**
Warne Av. *Droy* —6A **118**
*Warner Wlk. M11 —7B **116***
(off Hopedale Clo.)
Warnford Clo. *M40* —4F **117**
Warnford St. *Wig* —4E **60**
War Office Rd. *Roch* —6A **30**
*Warp Wlk. M4 —7J **115** (4P **5**)*
(off Cardroom Rd.)
Warren Av. *Chea* —6K **167**
Warren Av. *Knut* —4B **192**
Warren Bank. *M9* —4K **93**
Warren Bruce Rd. *Traf P* —3H **133**
Warren Clo. *Ath* —2E **86**
Warren Clo. *Bram* —2F **181**
Warren Clo. *Dent* —7B **138**
Warren Clo. *Knut* —4C **192**
Warren Clo. *Poy* —1K **189**
Warren Dri. *Haleb* —5H **177**
Warren Dri. *Newt W* —5H **125**
Warren Dri. *Swint* —3B **112**
Warrener St. *Sale* —6H **149**
Warren Hey. *Wilm* —5A **188**
Warren La. *Oldh* —3F **97**
Warren Lea. *Comp* —1B **172**
Warren Lea. *Poy* —7C **182**
Warren Rd. *Chea H* —2D **180**
Warren Rd. *Stoc* —5G **169**
Warren Rd. *Traf P* —3F **133**
Warren Rd. *Wor* —4G **89**
Warren St. *M9* —5J **93**
Warren St. *Bury* —4F **47**
Warren St. *Salf* —7F **93**
Warren St. *Stoc* —1H **169**
Warre St. *Ash L* —5F **119**
Warrington La. *Lymm* —1A **174**
Warrington La. *Wig* —6F **61**
Warrington Rd. *M9* —3J **93**
Warrington Rd. *Ash M* —6D **104**
Warrington Rd. *Cul* —7J **127**
Warrington Rd. *Golb D & Golb* —4J **125**
Warrington Rd. *G Grn & Wig* —4B **82**
Warrington Rd. *Ince & Plat B* —7F **61**
Warrington Rd. *Leigh & G'bry* —7B **108**
Warrington Rd. *Lymm* —7A **160**
Warrington Rd. *Plat B* —5J **83**
Warrington Rd. Ind. Est. *Wig* —2A **82**
Warrington St. *Ash L* —5F **119**
Warrington St. *Lees* —2J **97**
Warrington St. *Stal* —7B **120**
Warrington Ter. *Mars* —1G **57**
Warsall Rd. *Shar I* —5E **166**
Warslow Dri. *Sale* —2J **165**
Warsop Av. *M22* —6E **166**
*Warstead Wlk. M13 —4J **135***
(off Plymouth Gro.)
*Warth Cotts. Dig —2J **77***
(off Huddersfield Rd.)
Warth Fold Rd. *Rad* —7G **47**
Warth Rd. *Bury* —6H **47**
Warton Clo. *Bram* —5J **181**
Warton Clo. *Bury* —4D **46**
Warton Dri. *M23* —6A **166**
Warwick Av. *M20* —6F **151**
Warwick Av. *Ash M* —6F **105**
Warwick Av. *Dent* —1D **154**
Warwick Av. *Newt W* —7F **125**
Warwick Av. *Wdly* —5B **90**
Warwick Av. *W'fld* —7B **70**
Warwick Clo. *Bury* —1F **47**
Warwick Clo. *Chea H* —7C **168**
Warwick Clo. *Duk* —3G **139**
Warwick Clo. *Glos* —2H **159**
Warwick Clo. *G'mnt* —3E **26**
Warwick Clo. *Knut* —5F **193**
Warwick Clo. *Mac* —5B **198**
Warwick Clo. *Mid* —1C **94**
Warwick Clo. *Shaw* —6D **52**
Warwick Clo. *Stoc* —6F **153**
Warwick Clo. *W'fld* —7A **70**
Warwick Ct. *M16* —6A **134**
Warwick Ct. *Stoc* —6F **153**
Warwick Dri. *Hale* —3C **176**
Warwick Dri. *Haz G* —3B **182**
Warwick Dri. *Hind* —1D **84**
Warwick Dri. *Sale* —6H **149**
Warwick Dri. *Urm* —5K **131**
Warwick Gdns. *Bolt* —4H **65**
Warwick Gro. *Aud* —1A **138**
Warwick Ho. *M19* —7C **136**
Warwick Ho. *Sale* —6H **149**
Warwick Mall. *Chea* —5K **167**
Warwick Rd. *Ash L* —3G **119**
Warwick Rd. *Asp* —1A **62**
Warwick Rd. *Ath* —2B **86**
Warwick Rd. *Cad* —5K **145**
Warwick Rd. *Chor H* —1B **150**
Warwick Rd. *Fail* —3H **117**
Warwick Rd. *Hale* —3C **176**
Warwick Rd. *Mac* —5A **198**
Warwick Rd. *Mid* —1D **94**
Warwick Rd. *Old T* —4K **133**
Warwick Rd. *Rad* —7D **46**
Warwick Rd. *Rom* —1E **170**
Warwick Rd. *Stoc* —7E **152**
Warwick Rd. *Tyl* —5G **87**
Warwick Rd. *Wor* —6E **88**
Warwick Rd. S. *M16* —6A **134**
Warwick St. *M1* —6H **115** (4L **5**)
Warwick St. *M15* —4F **135**
Warwick St. *Adl* —6H **19**
Warwick St. *Bolt* —1A **44**
Warwick St. *Leigh* —4E **108**
Warwick St. *Oldh* —3A **96** (in two parts)
Warwick St. *Pen* —6D **90**
Warwick St. *P'wch* —3A **92** (in two parts)
Warwick St. *Roch* —2K **31**
*Warwick Ter. Duk —7F **119***
(off Astley St.)
*Warwick Wlk. Mac —5B **198***
(off Warwick Rd.)
Wasdale Av. *Bolt* —4H **45**
Wasdale Av. *St H* —7B **102**
Wasdale Av. *Urm* —6K **131**
Wasdale Dri. *Gat* —1H **179**
Wasdale Dri. *Mid* —4A **72**
Wasdale Rd. *Ash M* —7C **82**
Wasdale St. *Roch* —4E **32**
Wasdale Ter. *Stal* —4A **120**
Wasdale Wlk. *Oldh* —6E **74**
Washacre. *W'houg* —7K **63**
Washacre Clo. *W'houg* —7K **63**
Wash Brook. *Chad* —3K **95**
Washbrook Av. *Wor* —6D **88**
Washbrook Ct. *Chad* —3K **95**
Washbrook Dri. *Stret* —7F **133**
*Washbrook Ho. Salf —5K **113***
(off Sutton Dwellings)
Wash Brow. *Bury* —7F **27**
Washburn Clo. *W'houg* —4K **63**
Wash End. *Lwtn* —1F **127**
Wash Fold. *Bury* —7F **27**
Washford Dri. *M23* —3H **165**
Washington Ct. *Bury* —2K **47**
Washington St. *Bolt* —7J **43**
Washington St. *Oldh* —7A **74**
Wash La. *Bury* —2A **48**
Wash La. *Leigh* —2B **108** (in two parts)
Wash Ter. *Bury* —7F **27**
Washway Rd. *Sale* —2C **164**
Washwood Clo. *L Hul* —1D **88**
Wasnidge Wlk. *M15* —4F **135**
Wasp Av. *Roch* —2J **51**
Wasdale Av. *Bury* —3A **70**
Wastdale Rd. *M23* —7K **165**
Wast Water St. *Oldh* —5E **74**
Watburn Rd. *N Mills* —3K **185**
Watchgate Clo. *Mid* —3K **71**
Waterbeck Clo. *Wig* —5H **61**
Waterbridge. *Wor* —3H **111**
Watercroft. *Roch* —3K **29**
Waterdale Clo. *Wor* —2D **110**
Waterdale Dri. *W'fld* —6A **70**
Waterfield Way. *Fail* —2J **117**
Waterfold Clo. *Bury* —5K **27**
Waterfold La. *H Bri* —4C **48**
Waterfoot Cotts. *Mot* —5G **141**
Waterford Av. *M20* —7D **150**
Waterford Av. *Rom* —1J **171**
Waterford Bri. Ind. Est. *N Mills* —3K **185**
Waterford Pl. *H Grn* —4H **179**
Waterfront Ho. *Ecc* —5A **112**
Waterfront Quay. *Salf* —2K **133**
Watergate. *Aud* —1A **138** (in two parts)
Water Ga. *Upperm* —6H **77**
Watergate Dri. *Bolt* —7J **65**
Water Ga. La. *Bolt* —6J **65**
Watergate Milne Ct. *Oldh* —6H **75**
Watergrove Rd. *Duk* —2K **139**
Waterhead. *Oldh* —6J **75**
Waterhouse Av. *Boll* —2H **197**
Waterhouse Clo. *Ward* —6A **14**
Waterhouse Rd. *M18* —5G **137**
Waterhouse St. *Roch* —4H **31**
Water La. *Droy* —7G **117** (in two parts)
Water La. *Holl* —4K **141**
Water La. *Kear* —7G **67**
Water La. *Miln* —7E **32**
Water La. *Rad* —2D **68**
Water La. *Ram* —1H **9**
Water La. *Wilm* —6G **187**
Water La. St. *Rad* —3D **68** (in two parts)
Waterloo Ct. *Bury* —5J **47**
Waterloo Est. *M8* —2G **115**
Waterloo La. *Bury* —4C **48**
Waterloo Pde. *M8* —4F **115**
Waterloo Pk. *Stoc* —2J **169**
*Waterloo Pl. Stoc —2H **169***
(off Watson Sq.)
Waterloo Rd. *M8* —4F **115**
Waterloo Rd. *Ash L* —3F **119**
Waterloo Rd. *Bram* —3H **181**
Waterloo Rd. *Poy* —3E **190**
Waterloo Rd. *Rom* —1J **171**
Waterloo Rd. *Stal* —6A **120**
Waterloo Rd. *Stoc* —2H **169**
Waterloo St. *M1* —1G **135** (7J **5**)
Waterloo St. *M8 & M9* —7J **93**
Waterloo St. *Ash L* —3H **119**
Waterloo St. *Bolt* —4B **44**
Waterloo St. *Bury* —3H **47**
Waterloo St. *Dent* —5K **137**
Waterloo St. *Oldh* —7D **74**
Waterloo St. *Wig* —5C **60**
Waterloo St. W. *Mac* —3E **198**
Watermans Clo. *Hor* —1G **41**
Waterman View. *Roch* —4A **32**
Watermead. *Orr* —4E **80**
Watermead Clo. *Stoc* —7G **169**
Watermede. *Bil* —4E **80**
Watermeetings La. *Rom* —1J **171**
Watermill Clo. *Roch* —6B **32**
Watermill Ct. *Ash L* —3E **118**
Watermill Dri. *Mac* —4H **199**
Watermillock Gdns. *Bolt* —1B **44**
Waterpark Rd. *Salf* —7E **92**
Water Rd. *Stal* —6K **119**
Waters Edge. *Farn* —4C **66**
Waters Edge. *Marp B* —3A **172**
Watersedge. *Wor* —5H **89**
Waters Edge Bus. Pk. *Salf* —3B **134**
Watersedge Clo. *Chea H* —1D **180**
Watersfield Clo. *Chea H* —4B **180**
Waters Grn. *Mac* —3F **199**
Watersheddings St. *Oldh* —5H **75**
Waterside. *Bolt* —1E **66**
Waterside. *G'fld* —3J **99**
Waterside. *Had* —3C **142**
Waterside. *Hyde* —7D **140**
Waterside. *Mac* —4G **199**
Waterside. *Marp* —7K **171**
Waterside. *Traf P* —3K **133**
Waterside Av. *Marp* —6K **171**
Waterside Clo. *M21* —6D **150**
Waterside Clo. *Hyde* —7D **140**
Waterside Clo. *Rad* —2H **69**
Waterside Ct. *Hyde* —7D **140**
Waterside Ct. *Urm* —7F **131**
Waterside Dri. *Stoc* —2B **168**
Waterside Dri. *Wig* —7D **60**
Waterside La. *Roch* —4K **31**
Waterside Rd. *Bury* —2F **27**
Waterside Rd. *Dis & N Mills* —5E **184**
Waterside Wlk. *Hyde* —7C **140**
Waterslea. *Ecc* —6A **112**
Waterslea Dri. *Bolt* —5F **43**
Watersmead Clo. *Bolt* —3B **44**
Waters Meeting Rd. *Bolt* —2B **44**
Water's Nook Rd. *W'houg* —6A **64**
Waterson Av. *M40* —1C **116**
Waters Reach. *H Lane* —5J **183**
Waters Reach. *Ince* —6H **61**
Waters Reach. *Poy* —7D **182**
Waters Reach. *Traf P* —3K **133**
Waters Rd. *Mars* —1E **56**
Water St. *M3* —1D **134** (8C **4**) (Manchester)
Water St. *M3* —6F **115** (4G **4**) (Salford)
Water St. *M9* —7K **93**
Water St. *M12* —1J **135** (8P **5**)
Water St. *Ash L* —5F **119**
Water St. *Ath* —4D **86**
Water St. *Aud* —2D **138** (Audenshaw)
Water St. *Aud* —5A **138** (Denton)
Water St. *Boll* —2J **197**
Water St. *Bolt* —6B **44**
Water St. *Eger* —2K **23**
Water St. *Glos* —7G **143**
Water St. *Hyde* —6H **139**
Water St. *Mac* —4E **198**
Water St. *Mid* —5B **72** (in two parts)
Water St. *Newt W* —5E **124**
Water St. *Oldh* —7C **74**
Water St. *Rad* —3D **68**
Water St. *Ram* —6F **9**
Water St. *Roch* —6D **32** (Milnrow)
Water St. *Roch* —5H **31** (Rochdale)

280 A-Z Greater Manchester

Water St.—W. Egerton St.

ater St. Stal —6A 120
(in two parts)
ater St. Stoc —1H 169
ater St. Whitw —3E 12
ater St. Wig —6E 60
aterton Av. Moss —5B 98
aterton La. Moss —5B 98
aterview Clo. Miln —2F 53
aterview Pk. Leigh —4J 107
aterway Enterprise Pk. Traf P —3K 133
aterworks Rd. Oldh —5J 75
atfield Wlk. M9 —1K 115
(off Foleshill Av.)
atford Av. M14 —7H 135
atford Bri. Rd. N Mills —3K 185
atford Clo. Bolt —3A 44
(off Chesham Av.)
atford La. N Mills —2J 185
atford Rd. M19 —4C 152
atford Rd. N Mills —2J 185
atkin Av. Had —5A 142
atkin Clo. M13 —3J 135
atkins Av. Newt W —6B 124
atkins Dri. P'wch —4E 92
atkinson's Yd. W'houg —5J 63
atkin St. Hyde —4A 140
atkin St. Roch —1J 51
atkin St. Salf —5D 114 (1D 4)
atkin St. Wig —6E 60
atling St. Aff —2H 25
atling St. Bury —4D 46
atlington Clo. Oldh —3H 75
atson Av. Ash M —5E 104
atson Av. Golb —7H 105
atson Gdns. Roch —2F 31
atson Rd. Farn —6B 66
atson Sq. Stoc —2H 169
atson St. M3 & M2 —1F 135 (8G 4)
atson St. Dent —6F 139
atson St. Ecc —6A 112
atson St. Oldh —6G 75
atson St. Rad —2E 68
atson St. Swint —6D 90
atts St. M19 —2D 152
atts St. Chad —7K 73
atts St. Hor —3G 41
atts St. Oldh —5B 96
atts St. Roch —4J 31
augh Av. Fail —2H 117
avell Dri. Bury —5A 70
avell Rd. M22 —1D 178
aveney Dri. Alt —5A 164
aveney Flats. Heyw —3J 49
(off Fox St.)
aveney Rd. M22 —7E 166
aveney Rd. Shaw —5E 52
averley. Roch —4G 31
(off Spotland Rd.)
averley Av. Kear —1H 89
averley Av. Stret —6J 133
averley Clo. Mac —3J 199
averley Ct. M9 —2G 93
averley Ct. Wig —4K 81
averley Cres. Droy —5J 117
averley Dri. Chea H —6D 180
averley Gro. Leigh —2D 108
(off Carisbrooke Rd.)
averley Pl. Rad —3E 68
averley Rd. M9 —1B 116
averley Rd. Bolt —2A 44
averley Rd. Hind —2A 84
averley Rd. Hyde —2H 155
averley Rd. Lwtn —7B 106
averley Rd. Mid —3C 72
averley Rd. Pen —1G 113
averley Rd. Sale —4G 149
averley Rd. Stoc —4E 168
averley Rd. Wor —6D 88
averley Rd. W. M9 —1B 116
averley Sq. Farn —1E 88
averley St. Oldh —6F 75
averley St. Roch —4E 50
averton Av. Stoc —3F 153
averton Rd. M14 —1G 151
avertree Av. Ath —2C 86
avertree Ho. Bolt —5A 44
(off School Hill)
avertree Rd. M9 —3J 93
ayfarers Dri. Newt W —7G 125
ayfarers Way. Swint —1C 112
ayfaring. W'houg —4K 63
ayford Wlk. M9 —1J 115
(off Hendham Vale)
ayland Rd. M18 —5F 137
ayland Rd. S. M18 —6F 137
ayne Clo. Droy —4A 118
ayne St. Open —1G 137
ayoh Croft. Tur —5F 7
ayside Dri. Poy —1A 190
ayside Gro. Wor —3G 89
ayside Rd. Mac —3H 199
eald Clo. M13 —3J 135
ealdstone Gro. Bolt —3D 44
eardale Rd. M9 —2H 93
earhead Clo. Golb —2H 125
Wearhead Row. Salf —7K 113
Wearish La. W'houg —2G 85
Weaste Av. L Hul —3D 88
Weaste Dri. Salf —5H 113
Weaste La. Salf —5G 113
(in two parts)
Weaste Rd. Salf —6H 113
Weaste Trad. Est. Salf —6H 113
Weatherall St. N. Salf —1F 115
(in two parts)
Weatherley Dri. Marp —5H 171
Weatherly Clo. Oldh —6E 96
Weaver Av. Wor —5C 88
Weaver Clo. Bow —4A 176
Weaver Ct. M15 —3D 134
Weaver Ct. Mac —4E 198
Weaver Dri. Bury —4K 27
Weaver Gro. Leigh —4G 107
Weaverham Clo. M13 —6B 136
Weaverham Wlk. Sale —7J 149
Weaverham Way. Hand —1A 188
Weaver Rd. Cul —7A 128
Weavers Ct. Bolt —1A 66
Weavers Ct. Mid —5B 72
Weavers Grn. Farn —6F 67
Weavers La. Bram —6F 181
Weavers Rd. Mid —5B 72
Weaver Wlk. Open —2F 137
Webb Gro. Hyde —1E 156
Webb La. Stoc —2J 169
Webb St. Bury —2H 47
Webb St. Hor —2G 41
Webdale Dri. M40 —1C 116
Weber Dri. Bolt —1K 65
Webster Arc. Oldh —7D 74
Webster Gro. P'wch —5K 91
Webster St. M15 —4G 135
Webster St. Bolt —1D 66
Webster St. Moss —5C 98
Webster St. Oldh —2D 96
Webster St. Plat B —4J 83
Webster St. Roch —3G 31
Wedgewood Dri. Stand L —3K 59
Wedgewood Rd. Clif —5G 91
Wedgewood St. M40 —4B 116
Wedhurst St. Oldh —7G 75
Wedneshough. Holl —4J 141
Weedall Av. Salf —3A 134
Weeder Sq. Shaw —5J 53
Weedon Av. Newt W —4D 124
Weedon St. Roch —4K 31
Weeton Av. Bolt —6H 45
Weft Wlk. M4 —7J 115 (5P 5)
Weint, The. Rix —7H 145
Weir Rd. Miln —5C 32
Weir Side. Mars —1H 57
Weir St. M15 —4E 134
Weir St. Fail —1G 117
Weir St. Roch —5H 31
Welbeck Av. Chad —4F 95
Welbeck Av. L'boro —4E 14
Welbeck Av. Newt W —7F 125
Welbeck Av. Urm —6C 132
Welbeck Clo. Miln —6C 32
Welbeck Clo. W'fld —4K 69
Welbeck Gro. Salf —1E 114
Welbeck Ho. Ash L —6E 118
Welbeck Rd. Ash M —3E 104
Welbeck Rd. Bolt —5G 43
Welbeck Rd. Ecc —4C 112
Welbeck Rd. Hyde —7K 139
Welbeck Rd. Roch —1K 51
Welbeck Rd. Stoc —1H 153
Welbeck Rd. Wig —4A 82
Welbeck Rd. Wor —2K 111
Welbeck St. M18 —3F 137
Welbeck St. N. Ash L —6E 118
Welbeck St. S. Ash L —6E 118
(in two parts)
Welbeck Ter. Ash L —6E 118
Welburn Av. M22 —1E 178
Welburn St. Roch —7H 31
Welbury Rd. M23 —2K 165
Welby St. M13 —5K 135
Welch Hill St. Leigh —4J 107
Welch Rd. Hyde —5K 139
Welcomb Clo. Bred —6D 154
Welcomb St. M11 —2D 136
Welcomb Wlk. W'fld —7K 69
Welcome Pde. Oldh —4G 97
Welcroft St. Stoc —3H 169
Weldon Av. Bolt —4G 65
Weldon Cres. Stoc —7G 169
Weldon Dri. M9 —2K 93
Weldon Gro. Wig —4G 61
Weldon Rd. Alt —5A 164
Weld Rd. M20 —3K 151
Welfold Ho. Oldh —2F 97
Welford Av. Lwtn —2A 126
Welford Clo. Wilm —5A 188
Welford Grn. Stoc —5H 153
Welford Rd. M8 —3F 93
Welford St. Salf —4B 114
Welham Rd. Wig —4D 82
Welkin Rd. Bred —7A 154
Wellacre Av. Urm —7F 131
Welland Av. Heyw —2G 49
Welland Clo. M15 —3D 134
Welland Ct. M15 —3D 134
(off Eastnor Clo.)
Welland Rd. Ash M —3G 105
Welland Rd. Shaw —5E 52
Welland St. Open —1F 137
Welland St. Stoc —1H 153
Welland, The. W'houg —6J 63
Wellbank. Stal —1C 140
Wellbank Av. Ash L —2J 119
Wellbank Clo. Oldh —3E 96
Wellbank St. Tot —6D 26
Wellbank View. Roch —3B 30
Wellbridge Rd. Duk —3F 139
Well Brow. B'btm —2G 157
Well Brow. Del —2F 77
Well Brow Ter. Roch —2F 31
Wellbrow Wlk. M9 —4A 94
Wellburn Clo. Bolt —4F 65
Wellcroft. Gat —6G 167
Wellcross Rd. Uph —1B 80
Wellens Way. Mid —7J 71
Weller Av. M21 —3D 150
Weller Av. Poy —3B 190
Weller Clo. Poy —3B 190
Weller Gdns. M21 —3D 150
Wellesbourne Clo. Mac —2B 198
Wellesbourne Dri. M23 —4K 165
Wellesley Av. M18 —3F 137
Wellesley Clo. Wig —6A 60
Wellfield. Rom —6G 155
Wellfield Clo. Bury —7J 47
Wellfield Gdns. Hale —1G 177
Wellfield La. Tim —7G 165
Wellfield Pl. Roch —7J 31
Wellfield Rd. Bag —4A 166
Wellfield Rd. Bolt —1J 65
Wellfield Rd. Crum —7G 93
Wellfield Rd. Cul —5J 127
Wellfield Rd. Hind —3E 84
Wellfield Rd. Stoc —5A 170
Wellfield Rd. Wig —2B 60
Wellfield St. Roch —7J 31
Well Ga. Glos —7G 143
Wellgate Av. M19 —2D 152
Wellgreen Clo. Hale —1G 177
Wellgreen Lodge. Hale —1G 177
Well Gro. W'fld —3J 69
Wellhead Clo. M15 —4G 135
Wellhouse Dri. M40 —4E 94
Well-i-Hole Rd. G'fld —3E 98
Welling Rd. M40 —7G 95
Welling St. Bolt —4D 44
Wellington Av. M16 —7D 134
Wellington Bldgs. Oldh —1D 96
Wellington Cen. Ash L —6G 119
Wellington Clo. Newt W —6C 124
Wellington Clo. Park I —2F 193
Wellington Clo. Sale —4G 149
Wellington Clough. Ash L —2E 118
Wellington Ct. Bury —4F 47
Wellington Ct. Oldh —3B 96
Wellington Cres. M16 —6C 134
Wellington Gdns. Bury —3F 47
Wellington Gdns. Newt W —6D 124
Wellington Gro. M15 —3D 134
Wellington Gro. Ince —2F 83
Wellington Gro. Stoc —4H 169
Wellington Ho. Bury —4F 47
(off Haig Rd.)
Wellington Lodge. L'boro —5F 15
(off Lodge St.)
Wellington Pde. Duk —7F 119
(off Astley St.)
Wellington Pl. M3 —1E 134 (8E 4)
Wellington Pl. Alt —7B 164
Wellington Pl. Roch —4J 31
Wellington Rd. Ash L —5E 118
Wellington Rd. Ath —2F 87
Wellington Rd. Boll —3H 197
Wellington Rd. Bury —5J 47
Wellington Rd. Crum —7H 93
Wellington Rd. Ecc —6C 112
Wellington Rd. G'fld —1G 99
Wellington Rd. Haz G —4F 183
Wellington Rd. Oldh —3A 96
(in two parts)
Wellington Rd. Swint —7D 90
Wellington Rd. Tim —5C 164
Wellington Rd. Tur —7E 6
Wellington Rd. Whal R —7E 134
Wellington Rd. Wthtn & Fall —3J 151
Wellington Rd. N. Stoc —3D 152
Wellington Rd. S. Stoc —2G 169
Wellington Sq. Bury —4F 47
Wellington St. M18 —4F 137
Wellington St. Ash L —6F 119
Wellington St. Aud —3D 138
Wellington St. Bolt —7K 43
Wellington St. Bury —4G 47
Wellington St. Chad —6K 73
Wellington St. Fail —6J 95
Wellington St. Farn —6F 67
Wellington St. Haz G —1D 182
Wellington St. Hyde —6G 139
Wellington St. L'boro —6F 15
Wellington St. Miln —6E 32
Wellington St. Newt W —6C 124
Wellington St. Oldh —1D 96
Wellington St. Rad —2G 69
(in two parts)
Wellington St. Roch —3H 31
Wellington St. Salf —6D 114 (3D 4)
Wellington St. Stoc —2G 169
Wellington St. Stret —1G 149
Wellington St. W'houg —4G 63
(in two parts)
Wellington St. Wig —6F 61
Wellington St. E. Salf —1D 114
Wellington St. W. Salf —2D 114
Wellington Ter. Duk —7F 119
(off Astley St.)
Wellington Ter. Salf —6H 113
Wellington Wlk. Bolt —7K 43
Wellington Wlk. Bury —4F 47
Well i' th' La. Roch —7J 31
Well La. Mac —1K 199
Well La. P'bry —2E 196
Well La. W'fld —4K 69
Well Mead. Bred —7C 154
Wellmead Clo. M8 —3F 115
Well Meadow. Hyde —5H 139
Well Meadow La. Upperm —6J 77
Wellock St. M40 —2B 116
Wellpark Wlk. M40 —3E 116
Well Rd. Leigh —6H 85
Well Row. B'btm —4B 140
Wells Av. Bil —2D 102
Wells Av. Chad —5J 73
Wells Av. P'wch —5C 92
Wells Clo. Ast —7J 87
Wells Clo. Fail —1H 137
Wells Clo. H Grn —5J 179
Wells Clo. Mid —6J 71
Wells Ct. Duk —3G 139
Wells Dri. Duk —3G 139
Wells Dri. Stoc —1K 167
Wells Dri. Wig —4H 61
Wellside Wlk. M8 —2G 115
Wells Pl. Wig —6G 61
Wellsprings. Bolt —6B 44
(off Victoria Sq.)
Wells Rd. Oldh —2J 75
Wells St. Bury —4J 47
Wellstock La. L Hul —1B 88
Well St. M4 —6G 115 (4J 5)
Well St. Ain —4A 46
Well St. Bolt —6C 44
Well St. Heyw —4A 50
Well St. N Mills —4H 185
Well St. Roch —7J 31
Well St. Tyl —7G 87
Well St. Wig —6G 61
Well St. N. Ram —1H 9
Well St. W. Ram —6F 9
Wellwood Dri. M40 —1C 116
Wellyhole St. Oldh —1H 97
Welney Rd. M16 —6B 134
Welshpool Clo. M23 —1B 166
Welshpool Way. Dent —1E 154
Welsh Row. Ald E —7F 195
Welton Av. M20 —1J 167
Welton Clo. Leigh —3C 108
Welton Clo. Wilm —2F 195
Welton Dri. Wilm —2E 194
Welton Gro. Wilm —2E 194
Welwyn Clo. Urm —4K 131
Welwyn Dri. Salf —3E 112
Welwyn Wlk. M40 —6K 115
Wembley Gro. M14 —2J 151
Wembley Rd. M18 —6E 136
Wembury St. M9 —7A 94
Wembury St. N. M9 —7A 94
Wemsley Gro. Bolt —4D 44
Wem St. Chad —3J 95
Wemyss Av. Stoc —1H 153
Wenderholme Lodge. Bolt —5E 42
Wendlebury Clo. Leigh —7J 107
Wendlebury Grn. Rytn —1E 74
Wendon Rd. M23 —6B 166
Wendover Dri. Bolt —1E 64
Wendover Ho. Salf —7A 114
Wendover Rd. M23 —2H 165
Wendover Rd. Urm —7A 132
Wenfield Dri. M9 —4D 94
Wenlock Av. Ash L —3F 119
Wenlock Clo. Hor —6G 21
Wenlock Clo. Mac —1D 198
Wenlock Clo. Stoc —5D 170
Wenlock Rd. Hind —2B 84
Wenlock Rd. Leigh —6J 107
Wenlock Rd. Sale —1E 164
Wenlock St. Hind —3B 84
Wenlock St. Swint —7B 90
Wenlock Way. M12 —3B 136
Wenning Clo. W'fld —5C 70
Wenning Wlk. Plat B —5J 83
Wensley Ct. Salf —6A 92
Wensleydale Av. Gat —5J 167
Wensleydale Clo. M23 —1K 177
Wensleydale Clo. Bury —3A 70
Wensleydale Clo. Rytn —1A 74
Wensleydale Rd. Leigh —3C 108
Wensley Dri. M20 —5H 151
Wensley Dri. Haz G —4B 182
Wensley Rd. Gat —5J 167
Wensley Rd. Lwtn —2C 126
Wensley Rd. Salf —7A 92
Wensley Rd. Stoc —6H 153
Wentbridge Rd. Bolt —5K 43
Wentworth Av. M18 —3G 137
Wentworth Av. Bury —1F 47
Wentworth Av. Farn —7E 66
Wentworth Av. Heyw —5K 49
Wentworth Av. Irl —6C 130
Wentworth Av. Mac —5B 198
Wentworth Av. Salf —5G 113
Wentworth Av. Tim —5E 164
Wentworth Av. Urm —1K 147
Wentworth Av. W'fld —7H 69
Wentworth Clo. Marp —3K 171
Wentworth Clo. Mid —5A 72
Wentworth Clo. Rad —2B 68
Wentworth Ct. Fail —2H 117
Wentworth Dri. Bram —5J 181
Wentworth Dri. Sale —5D 148
Wentworth Rd. Ash M —3B 104
Wentworth Rd. Ecc —4D 112
Wentworth Rd. Stoc —1H 153
Wentworth Rd. Swint —1B 112
Wentworth View. Hyde —4K 139
Wentworth Wlk. Hyde —4K 139
Werneth Av. M14 —7H 135
Werneth Av. Hyde —2K 155
Werneth Clo. Dent —7D 138
Werneth Clo. Haz G —7C 170
Werneth Ct. Hyde —1J 155
Werneth Cres. Oldh —3A 96
Werneth Hall Rd. Oldh —2B 96
Werneth Hollow. Woodl —4F 155
Werneth Low Rd. Rom & Hyde —6H 155
Werneth Rise. Hyde —3K 155
Werneth Rd. Glos —2C 158
Werneth Rd. Hyde —7K 139
Werneth Rd. Woodl —5G 155
Werneth St. Aud —4D 138
Werneth St. Stoc —1K 169
Werneth View. Haz G —4G 183
Werneth Wlk. Dent —7D 138
Wescoe Clo. Orr —2E 80
Wesley Av. Hayd —2A 124
Wesley Clo. Roch —1K 31
Wesley Clo. W'houg —4J 63
Wesley Ct. Stoc —1B 168
Wesley Ct. Tot —5C 26
Wesley Ct. Wor —3E 88
Wesley Dri. Ash L —2H 119
Wesley Dri. Wor —7H 89
Wesley Grn. Salf —1B 134
Wesley M. Bolt —6C 44
Wesley Mt. Stoc —1G 169
(off Dodge Hill)
Wesley Sq. Urm —7J 131
Wesley St. M11 —1C 136
Wesley St. Ath —4E 86
Wesley St. Bolt —1A 66
Wesley St. Brom X —4C 24
Wesley St. Ecc —6A 112
Wesley St. Fail —6J 95
(in two parts)
Wesley St. Farn —7G 67
Wesley St. Glos —7G 143
Wesley St. Had —4C 142
Wesley St. Haz G —1C 182
Wesley St. Heyw —3J 49
Wesley St. Miln —6C 32
Wesley St. Rytn —3C 74
Wesley St. Stoc —2H 169
Wesley St. Stret —5J 133
Wesley St. Swint —7C 90
Wesley St. Tot —5C 26
Wesley St. W'houg —4J 63
Wesley St. Wig —3K 81
Wessenden Bank E. Stoc —6B 170
Wessenden Bank W. Stoc —6B 170
Wessenden Rd. Mars —4H 57
Wessex Clo. Stand —4D 38
Wessex Pk. Clo. Shaw —5E 52
Wessex Rd. Wig —5K 59
Wessington Bank. Glos
(off Wessington M.) —7A 142
Wessington Fold. Glos
(off Langsett La.) —7A 142
Wessington Grn. Glos —7A 142
(off Wessington M.)
Wessington M. Glos —7A 142
Westage Gdns. M23 —4A 166
W. Ashton St. Salf —7K 113
West Av. Abb H —4G 137
West Av. Alt —5J 163
West Av. Burn —3B 152
West Av. Farn —6D 66
West Av. Golb —7K 105
West Av. H Grn —3J 179
West Av. Leigh —5C 108
West Av. N Mos —7F 95
West Av. Roch —1A 32
West Av. Stal —6A 120
West Av. W'fld —4J 69
West Av. Wor —4E 88
West Bank. Ald E —6H 195
West Bank. G'fld —2F 99
West Bank. Open —2J 137
Westbank Rd. M20 —5K 151
Westbank Rd. Los —7D 42
W. Bank Rd. Mac —2D 198
W. Bank St. Ath —6E 86
W. Bank St. Salf —1C 134 (7A 4)
W. Bond St. Mac —4E 198
Westbourne Av. Bolt —3C 66
Westbourne Av. Clif —2B 90
Westbourne Av. Leigh —1J 107
(in two parts)
Westbourne Av. W'fld —5H 69
Westbourne Dri. Ash L —4E 118
Westbourne Gro. M9 —7K 93
Westbourne Gro. Sale —6E 148
Westbourne Gro. Stoc —2H 153
Westbourne Gro. Wthtn —4G 151
Westbourne Pk. Urm —6B 132
Westbourne Range. M18 —5H 137
Westbourne Rd. M14 —2K 151
Westbourne Rd. Dent —7C 138
Westbourne Rd. Ecc —4K 111
Westbourne Rd. Urm —7B 132
Westbourne St. Oldh —7B 74
Westbridge M. Wig —7E 60
Westbridge Pl. Salf —1B 114
W. Bridgewater St. Leigh —4K 107
Westbrook Ct. Bolt —7C 44
Westbrook Dri. Mac —2E 198
Westbrook Ind. Est. Traf P —2H 133
Westbrook Rd. Swint —1C 112
Westbrook Rd. Traf P —2G 133
Westbrook Sq. M12 —3D 136
Westbrook St. Bolt —7C 44
(in two parts)
Westbrook Wlk. M20 —2G 151
Westbury Av. Sale —2A 164
Westbury Av. Wig —5K 81
Westbury Clo. Bury —4E 46
Westbury Clo. W'houg —5A 64
Westbury Dri. Mac —4C 198
Westbury Dri. Marp —5J 171
Westbury Rd. M8 —6G 93
Westbury St. Ash L —5G 119
Westbury St. Hyde —4G 139
Westbury Way. Rytn —4B 74
Westby Clo. Bram —4J 181
Westby Gro. Bolt —5E 44
W. Central Dri. Swint —1F 113
W. Charles St. Salf —7B 114
W. Church St. Heyw —3J 49
Westcliffe Ho. Roch —7B 14
Westcliffe Rd. Bolt —6B 24
West Clo. Ath —6E 86
West Clo. Boll —3H 197
Westcombe Dri. Bury —1G 47
West Cotts. G'fld —2F 99
Westcott Av. M20 —4G 151
Westcott Clo. Bolt —7G 25
Westcott Dri. Wig —3J 81
Westcott Gro. Rytn —1E 74
Westcourt Rd. Bolt —3K 65
Westcourt Rd. Sale —4D 148
W. Craig Av. M40 —4E 94
W. Craven St. Salf —2B 134
West Cres. Mid —7B 72
Westcroft. Plat B —5K 83
W. Croft Ind. Est. Mid —7J 71
Westcroft Rd. M20 & M19 —6K 151
W. Crown Av. Salf —1B 134
Westdale Gdns. M19 —5C 152
Westdean Cres. M19 —4B 152
W. Dean St. Salf —7C 114 (6B 4)
Westdene. M8 —2F 115
(off Kilmington Dri.)
W. Downs Rd. Chea H —1B 180
West Dri. Bury —7J 27
(in three parts)
West Dri. Droy —7H 117
West Dri. Gat —7G 167
West Dri. Salf —2J 113
West Dri. Swint —1F 113
West Dri. Tin —3A 142
W. Duke St. Salf —7D 114 (6C 4)
W. Egerton St. Salf —7B 114

West End. B'btm —2F 157
W. End Av. Gat —5G 167
Westend St. Farn —5D 66
W. End St. Oldh —6B 74
Westerdale. Oldh —1G 97 (in two parts)
Westerdale Clo. Tyl —7H 87
Westerdale Dri. Bolt —1G 65
Westerdale Dri. Rytn —1A 74
Westerham Av. Salf —7A 114
Westerham Clo. Bury —5G 27
Westerham Clo. Mac —1D 198
Wester Hill Rd. Oldh —6E 96
Westerling Wlk. M16 —6E 134
Westerling Way. M16 —6E 134
Western Av. Clif —5H 91
Western Av. Mac —6E 198 (in two parts)
Western Circ. M19 —4B 152
Western Dri. Mac —6E 198
Western Rd. Urm —1G 147
Western St. M18 —3G 137
Western St. Salf —5J 113
Westerton Ct. Bolt —1K 65
Westfield. Bow —1A 176
Westfield. Salf —4J 113
Westfield Av. Ash M —4C 104
Westfield Av. Mid —6C 72
Westfield Clo. Roch —3B 30
Westfield Dri. Gras —2E 98
Westfield Dri. Knut —5B 192
Westfield Dri. Woodl —5G 155
Westfield Gro. Aud —4C 138
Westfield Gro. Wig —3D 60
Westfield Lodge. Alt —3C 164 (off Park Rd.)
Westfield Rd. M21 —1B 150
Westfield Rd. Ath —6E 86
Westfield Rd. Bolt —4H 65
Westfield Rd. Chea H —4B 180
Westfield Rd. Droy —6G 117
Westfields. Hale —4D 176
Westfields Av. Mac —2D 198
Westfield St. Chad —6A 74
Westfield St. Salf —6D 92
Westgate. Hale —2C 176
Westgate. Sale —6E 148
Westgate. Urm —1K 147
Westgate. Whitw —4D 12
Westgate. Wilm —1G 195
Westgate Av. M9 —5J 93
Westgate Av. Bolt —6J 43
Westgate Av. Bury —4J 47
Westgate Av. Ram —2E 26
Westgate Clo. Whitw —4D 12
Westgate Dri. Ast —2J 109
Westgate Dri. Orr —2D 80
Westgate Dri. Swint —2D 112
Westgate Rd. Salf —3F 113
Westgate St. Ash L —7E 118
West Grn. Mid —7H 71
West Gro. M13 —4K 135
West Gro. Moss —6C 98
West Gro. Sale —7F 149
West Gro. W'houg —1J 85
Westgrove Av. Bolt —6A 24
Westhay Cres. Bchwd —5A 144
Westhead Av. Lwtn —7C 106
W. Heath Gro. Lymm —7C 160
Westhide Wlk. M9 —6B 94
West Hill. Roch —6G 31
Westhill Clo. Stal —6K 119
Westholm Av. Stoc —3D 152
Westholme Ct. Ald E —4G 195
Westholme Rd. M20 —5H 151
Westholme Rd. P'wch —7C 70
W. Hope St. Salf —7B 114
Westhorne Fold. M8 —5E 92
Westhoughton Rd. Hth C —3H 19
WESTHOUGHTON STATION. BR —4J 63
Westhouse Ct. Mac —2A 198
Westhulme Av. Oldh —5B 74
Westhulme St. Oldh —5B 74
West Hyde. Lymm —7C 160
Westinghouse Clo. Miry L —6C 60
Westinghouse Rd. Traf P —3F 133
W. King St. Salf —6E 114 (3E 4)
Westlake Gro. Hind —3F 85
Westland Av. Bolt —4G 43
Westland Av. Farn —1E 88
Westland Av. Stoc —2K 169
Westland Dri. M9 —3K 93
Westlands. W'fld —1K 91
Westlands, The. Pen —2F 113
West Lea. Dent —6E 138
Westlea Dri. M18 —6F 137
Westleigh. Los —5B 42
Westleigh Dri. P'wch —4D 92
Westleigh La. Leigh —5H 85
Westleigh St. M9 —6A 94
Westleigh View. Leigh —7J 85
W. Lock. Wig —1D 82
Westman Wlk. M16 —5E 134
Westmarsh Clo. Bolt —4A 44
W. Marwood St. Salf —2E 114
Westmead. Stand —5A 38
Westmead Dri. M8 —3E 114
Westmead Dri. Tim —4F 165
W. Meade. M21 —3A 150
W. Meade. Bolt —4K 65
W. Meade. P'wch —5D 92
W. Meade. Swint —2C 112
Westmeade Rd. Wor —2E 88
W. Meadow. Stoc —1J 153
Westmere Dri. M9 —2J 115
Westminster Av. M16 —7C 134
Westminster Av. Ash L —1H 119
Westminster Av. Farn —6E 66
Westminster Av. Rad —2B 68
Westminster Av. Rytn —7A 52
Westminster Av. Stoc —3G 153
Westminster Av. W'fld —6K 69
Westminster Clo. Marp —4H 171
Westminster Clo. Sale —7B 148
Westminster Clo. Shaw —5F 53
Westminster Dri. Chea H —6D 180
Westminster Dri. Hayd —2B 124
Westminster Dri. Leigh —1E 108
Westminster Dri. Wilm —2G 195
Westminster Rd. Bolt —7A 24
Westminster Rd. Ecc —5C 112
Westminster Rd. Fail —7K 95
Westminster Rd. Hale —1E 176
Westminster Rd. Mac —1D 198
Westminster Rd. Urm —5B 132
Westminster Rd. Wor —5F 89
Westminster St. M15 —2C 134 (10B 4)
Westminster St. Bury —4J 47
Westminster St. Farn —6E 66
Westminster St. Lev —1D 152
Westminster St. Mac —3E 198
Westminster St. Nwtwn (in two parts) —1B 82
Westminster St. Oldh —6F 75
Westminster St. Roch —7F 31
Westminster St. Swint —6B 90
Westminster Wlk. Farn —6E 66
Westminster Way. Duk —3G 139
Westmoor Gables. Stoc —6C 152
Westmorland Av. Ash L —4F 119
Westmorland Av. Duk —1J 139
Westmorland Clo. Bow —4J 175
Westmorland Clo. Bury —7J 47
Westmorland Clo. Mac —1B 198
Westmorland Clo. Stoc —4A 154
Westmorland Dri. Stoc —4K 153
Westmorland Dri. Ward —5B 14
Westmorland Rd. M20 —1G 167
Westmorland Rd. Ecc —3E 112
Westmorland Rd. Part —1A 162
Westmorland Rd. Sale —1G 165
Westmorland Rd. Tyl —5G 87
Westmorland Rd. Urm —1A 148
Westmorland St. Wig —5G 61
Westmorland Wlk. Rytn —2C 74
W. Mosley St. M2 (in two parts) —1F 135 (7H 5)
West Mt. Orr —1F 81
West Mt. Wig —4F 61
Westmount Clo. M40 —2J 115
W. Oak Pl. Chea H —3B 180
Weston Av. M40 —6G 95
Weston Av. Clif —3C 90
Weston Av. Roch —1K 51
Weston Av. Urm —1K 147
Weston Dri. Chea H —7F 169
Weston Dri. Dent —6E 138
Weston Gro. M22 —3E 166
Weston Gro. Stoc —4E 152
Weston Pk. Stand L —3K 59
Weston Rd. Irl —7D 130
Weston Rd. Rad —6C 46
Weston Rd. Wilm —7K 187
Weston St. Ath —3E 86
Weston St. Bolt —2B 66
Weston St. Miln —6C 32 (in two parts)
Weston St. Oldh —3G 97
Weston St. Stoc —6G 153
Weston St. Tyl —6G 87
W. Over. Rom —3E 170
Westover Rd. Urm —6A 132
Westover St. Swint —6C 90
West Pde. Sale —7A 148
West Pk. Hyde —3H 155
West Pk. Av. Dent —7F 139
W. Park Av. Poy —1J 189
West Pk. Est. Ash L —7E 118
W. Park Rd. Bram —2F 181
W. Park Rd. Stoc —1K 169
W. Park St. Salf —2B 134
West Pl. M19 —3B 152
West Point. M16 —4C 134
W. Point Enterprise Pk. Traf P —2D 132
W. Point Lodge. M19 —2B 152
Westray Cres. Salf —7J 113
Westray Rd. M13 —7A 136
Westrees. Leigh —1A 108
West Rd. Bow —2A 176
West Rd. P'wch —2K 91
West Rd. Stret —5E 132
West Rd. Urm —2C 132
West Row. P'wch —6K 91
W. Starkey St. Heyw —2J 49
W. Stockport Rd. Bred —6C 154
West St. M9 —4G 93
West St. M11 —6D 116
West St. Ald E —5G 195
West St. Ash L —5F 119
West St. Ath —6E 86
West St. Bolt —6J 43
West St. Droy —6F 117
West St. Duk —7F 119
West St. Fail —1H 117
West St. Farn —5G 67
West St. Heyw —3K 49
West St. Hyde —4H 139
West St. Ince —4F 85 (Hindley)
West St. Ince —6J 61 (Ince)
West St. Lees —2J 97
West St. L'boro —6G 15
West St. Mac —3D 198
West St. Mid —4C 72
West St. Miln —5B 32
West St. Oldh —7C 74 (Oldham)
West St. Oldh —1B 96 (Westwood)
West St. Rad —3E 68
West St. Ram —6F 9
West St. Roch —4J 31
West St. Stal —6K 119
West St. Stoc —2F 169
West St. Tin —2B 142
West St. Wig —5D 60
W. Towers St. Salf —7K 113
W. Vale. Rad —1E 68
W. Vale Rd. Tim —5D 164
West View. Aud —2C 138
West View. Del —7C 54
West View. L'boro —6G 15
West View. Ram —1G 9
Westview Gro. W'fld —5H 69
W. View Rd. M22 —3E 166
Westville Gdns. M19 —5A 152
West Wlk. Eger —2K 23
Westward Ho. Miln —6D 32
Westward Rd. Wilm —7F 187
Westway. M9 —1H 93
West Way. Bolt —2D 44
Westway. Droy —1J 137
Westway. Lees —2J 97
West Way. L Hul —2C 88
Westway. Shaw —7F 53
Westwell Gdns. Bolt —4A 44 (off Halliwell Rd.)
Westwell Gro. Leigh —7J 85
Westwell St. Leigh —7J 85
Westwick Ter. Bolt —3A 44
Westwood Av. M40 —6G 95
Westwood Av. Salf —7E 92
Westwood Av. Tim —4D 164
Westwood Av. Urm —1D 148
Westwood Av. Wor —4C 88
Westwood Bus. Cen. Oldh —1B 96
Westwood Clo. Farn —6F 67
Westwood Cres. Ecc —4J 111
Westwood Dri. Oldh —7B 74
Westwood Dri. Pen —2G 113
Westwood Dri. Sale —1F 165
Westwood Ind. Est. Oldh —7A 74
Westwood La. Ince —1F 83
Westwood Rd. Bolt —5J 43
Westwood Rd. H Grn —4H 179
Westwood Rd. Stoc —7K 169
Westwood Rd. Stret —7F 133
Westwood Rd. Wig —1E 82
Westwood St. M14 —5F 135
Westwood Ter. Ince —2G 83
W. Works Rd. Traf P —5G 133
Westworth Clo. Bolt —5K 43
Wet Ga. La. Lymm —7J 161
Wetheral Clo. Hind I —4G 85
Wetheral Dri. Bolt —3A 66
Wetherall St. Lev —1D 152
Wetheral Rd. Mac —1D 198
Wetherby Clo. Newt W —4E 124
Wetherby Dri. Haz G —2E 182
Wetherby Dri. Rytn —1A 74
Wetherby St. M11 —2G 137
Wexford Wlk. M22 —2E 178
Wexham Gdns. Plat B —4J 83
Weybourne Av. M9 —5C 94
Weybourne Dri. Bred —6D 154
Weybourne Dri. Wig —4A 82
Weybourne Gro. Bolt —1D 44
Weybridge Clo. Bolt —5A 44
Weybridge Dri. Mac —7D 196
Weybridge Rd. M4 —6J 115 (4P 5)
Weybrook Rd. Stoc —3D 152
Weycroft Clo. Bolt —7J 45
Wey Gates Dri. Haleb —5G 177
Weyhill Rd. M23 —6A 166
Weylands Gro. Salf —3F 113
Weymouth Dri. Hind —3E 84
Weymouth Rd. Ash L —2J 119
Weymouth Rd. Ecc —5K 111
Weymouth St. Bolt —3A 44
Weythorne Dri. Bolt —1B 44
Weythorne Dri. Bury —7F 29
Whalley Av. Bolt —2F 43
Whalley Av. Chor H —2C 150
Whalley Av. G'bry —2C 128
Whalley Av. Lev —7D 136
Whalley Av. L'boro —5E 14
Whalley Av. Sale —5G 149
Whalley Av. Urm —6C 132
Whalley Av. Whal R —6D 134
Whalley Clo. Miln —6C 32
Whalley Clo. Tim —3D 164
Whalley Clo. W'fld —5K 69
Whalley Clo. Wig —4C 82
Whalley Cotts. Blac —5C 40
Whalley Dri. Bury —3D 46
Whalley Gdns. Roch —3D 30
Whalley Gro. M16 —7D 134
Whalley Gro. Ash L —7G 97
Whalley Gro. Leigh —6H 85
Whalley Hayes. Mac —3E 198
Whalley Rd. M16 —6C 134
Whalley Rd. Hale —2E 176
Whalley Rd. Heyw —3G 49
Whalley Rd. Mid —3B 72
Whalley Rd. Ram —1H 9
Whalley Rd. Roch —3D 30
Whalley Rd. Stoc —4A 170
Whalley Rd. W'fld —5K 69
Whalley St. Oldh —7D 74
Wham Bar Dri. Heyw —3H 49
Wham Bottom La. Roch —7F 13
Wham La. Dens —4D 54
Wham St. Heyw —3H 49
Wharf Clo. Alt —4B 164
Wharfedale. W'houg —4K 63
Wharfedale Av. M40 —6C 94
Wharfedale Rd. Stoc —2G 153
Wharf Rd. Alt —4B 164
Wharf Rd. Newt W —6A 124
Wharf Rd. Sale —5G 149
Wharfside Av. Ecc —1B 132
Wharfside Bus. Cen. Traf P —3K 133
Wharf St. Chad —4K 95
Wharf St. Duk —7F 119
Wharf St. Hyde —6G 139
Wharf St. Leigh —4A 108
Wharf St. Stoc —7G 153
Wharmby Rd. Hayd —3A 124
Wharmton Rise. Gras —1D 98
Wharmton View. G'fld —1G 99
Wharncliffe Clo. Had —5A 142
Wharncliffe St. Hind —2B 84
Wharton Av. M21 —3D 150
Wharton La. L Hul —3K 87
Wharton Lodge. Ecc —5C 112
Wheat Clo. M13 —4J 135
Wheatcroft. Had —5A 142
Wheat Croft. Stoc —6H 169
Wheater's Cres. Salf —4C 114
Wheater's St. Salf —4D 114
Wheater's Ter. Salf —4D 114
Wheatfield. Stal —2E 140
Wheatfield Clo. Bred —6E 154
Wheatfield Clo. Bury —5K 27
Wheatfield Clo. Mac —7E 196
Wheatfield Cres. Rytn —3A 74
Wheatfield St. Bolt —1D 66
Wheathill St. Roch —1J 51
Wheatlea Ind. Est. Wig —6A 82
Wheatlea Rd. Wig —6B 82
Wheatley Av. Newt W —4E 124
Wheatley Rd. Wdly —5B 90
Wheatley Wlk. M12 —3B 136
Wheatsheaf Cen., The. Roch —4H 31
Wheatsheaf Ind. Est. Pen —6F 91
Wheeldale. Oldh —1H 97
Wheeldale Clo. Bolt —3A 44
Wheeldon St. M14 —6G 135
Wheelock Clo. Wilm —4K 187
Wheelton Clo. Bury —4E 46
Wheelwright Clo. Marp —3K 171
Wheelwright Clo. Roch —1D 50
Wheelwright Dri. Roch —1A 32
Whelan Av. Bury —6J 47
Whelan Clo. Bury —6J 47
Wheler St. M11 —1F 137
Whelley. Wig —5G 61
Whelmar Est. Chea H —1D 180
Whelmar Ho. Leigh —3A 108
Whernside Av. M40 —6C 94
Whernside Av. Ash L —1G 119
Whernside Clo. Stoc —7G 153
Whetmorhurst Rd. Mell —6E 172
Whetstone Hill Clo. Oldh —4F 75
Whetstone Hill La. Oldh (in two parts) —5G 75
Whetstone Hill Rd. Oldh —4F 75
Whewell Av. Rad —1H 69
Whewell St. Tyl —6G 87
Whiley St. M13 —5B 136
Whimberry Clo. Salf —2C 134
Whimberry Lee La. Dig —6K 55
Whimbrel Av. Newt W —6E 124
Whimbrel Rd. Ast —1H 109
Whimbrel Rd. Stoc —7E 170
Whinberry Rd. B'hth —4K 163
Whinberry Way. Oldh —2J 75
Whinchat Av. Newt W —5E 124
Whinchat Clo. Stoc —7E 170
Whinfell Dri. Mid —5H 71
Whinfield Clo. Miry L —6C 60
Whingroves Wlk. M40 —1C 116
Whinmoor Wlk. M40 —1D 116
Whins Av. Farn —6A 66
Whins Crest. Los —6C 42
Whinslee Dri. Los —6C 42
Whinstone Way. Chad —5G 73
Whipney La. G'mnt —2B 26
Whirley Clo. Stoc —5F 153
Whirley Rd. Mac —3A 198
Whistlecroft Ct. Ince —1H 83
Whistley St. Plat B —4K 83
Whiston Dri. Bolt —7E 44
Whiston Rd. M8 —6H 93
Whitbarrow Rd. Lymm —7C 160
Whitbeam Gro. Hind —5C 84
Whitbrook Way. Mid —1F 73
Whitburn Av. M13 —7A 136
Whitburn Clo. Ash M —4K 103
Whitburn Clo. Bolt —2E 64
Whitburn Dri. Bury —7G 27
Whitburn Rd. M23 —7A 166
Whitby Av. Fail —2A 152
Whitby Av. Heyw —2J 49
Whitby Av. Salf —5G 113
Whitby Av. Urm —7C 132
Whitby Av. Whal R —6D 134
Whitby Clo. Bury —3D 46
Whitby Clo. Gat —5J 167
Whitby Clo. Poy —1A 190
Whitby Rd. M14 —2K 151
Whitby Rd. Oldh —4G 97
Whitby St. Mid —5E 72
Whitby St. Roch —7J 31
Whitchurch Dri. M16 —4D 134
Whitchurch Gdns. Bolt —3A 44 (off Gladstone St.)
Whitchurch Rd. M20 —3F 151
Whitchurch St. Salf —5E 114 (1F 4)
Whiteacre. Stand —3G 37
Whiteacre Rd. Ash L —5G 119
Whiteacres. Swint —1A 112
Whiteacre Wlk. M15 —4E 134 (off Shearsby Clo.)
White Ash Ter. Bury —7E 28
Whitebank Av. Stoc —6A 154
White Bank Rd. Oldh —5B 96
Whitebarn Rd. Ald E —6H 195
Whitebeam Clo. Miln —2E 52
Whitebeam Clo. Salf —5A 114
Whitebeam Clo. Tim —6J 165
Whitebeam Ct. Salf —5A 114
Whitebeam Wlk. Sale —5B 148
Whitebeam Wlk. W'houg —4K 63
Whitebeck Ct. M9 —3C 94
White Birk Clo. G'mnt —2D 26
White Bri. Duk —3G 139
White Brook La. Upperm (Greenfield) —1K 99
White Brook La. Upperm (Uppermill) —6J 77
Whitebrook Rd. M14 —1H 151
White Broom. Lymm —7H 161
White Brow. Bury —1K 69
Whitecar Av. M40 —6G 95
Whitecarr La. Hale & M23 —1H 177
Whitechapel Clo. Bolt —6G 45
Whitechapel St. M20 —7H 151
White City Retail Pk. M16 —4A 134
White City Way. M16 —4A 134
Whitecliff Clo. M14 —6J 135
White Clo. Wilm —4K 187
Whitecroft Av. Lwtn —7C 106
Whitecroft Av. Shaw —6H 53
Whitecroft Dri. Bury —2D 46
Whitecroft Gdns. M19 —6A 1
Whitecroft Rd. Bolt —4F 43
Whitecroft Rd. Strin —3C 184
Whitecroft Rd. Wig —5C 82
Whitecroft St. Oldh —5G 75
Whitecroft Vs. Part —1A 162
Whitefield. Lymm —7G 161
Whitefield. Salf —2H 113
Whitefield. Stoc —7F 153
White Field Av. Newt W —7G 1
Whitefield Av. Roch —4B 30
Whitefield Cen. W'fld —6B 70
Whitefield Clo. Golb —1J 125
Whitefield Clo. Lymm —6G 1
Whitefield Ct. Cul —7K 127
Whitefield Gro. Lymm —7G 1
Whitefield Rd. Bred —6C 154
Whitefield Rd. Bury —6H 47 (in two parts)
Whitefield Rd. Sale —5D 148
WHITEFIELD STATION. M —5K
White Friar Ct. Salf —5E 114 (2E
Whitefriars Wlk. M22 —4D 1
Whitegate. Bolt —4C 64
Whitegate. L'boro —7C 14
Whitegate Av. Chad —3H 95
Whitegate Av. Cul —7K 127
Whitegate Clo. M40 —6G 95
Whitegate Dri. Bolt —7B 24
Whitegate Dri. Clif —5F 91
Whitegate Dri. Salf —5H 113
Whitegate Fold. Char R —1A
Whitegate La. Chad —3H 95 (in two parts)
Whitegate Pk. Urm —7G 131
Whitegate Rd. Chad —4F 95
Whitegates Clo. Tim —6F 165
Whitegates Rd. Chea —6K 1
Whitegates Rd. Mid —2E 72
Whitehall. Oldh —2K 75
Whitehall Av. App B —5E 36
Whitehall Clo. Wilm —1G 195
Whitehall La. Blac —3B 40
Whitehall La. Oldh —2K 75
Whitehall Rd. M20 —7J 151
Whitehall Rd. Sale —1F 165
Whitehall St. Ince —1G 83
Whitehall St. Oldh —6D 74
Whitehall St. Roch —3H 31 (in two parts)
White Hart Meadow. Mid —4C
White Hart St. Hyde —5H 13
Whitehaven Gdns. M20 —1G 1
Whitehaven Pl. Hyde —4G 13
Whitehaven Rd. Bram —7E 1
Whitehead Cres. Bury —6G 2
Whitehead Cres. Rad —7A 68
Whitehead Rd. M21 —2K 149
Whitehead Rd. Clif —5F 91
Whiteheads Pl. Spring —7K 7
Whitehead St. Aud —2C 138
Whitehead St. Mid —5E 72
Whitehead St. Miln —5C 32 (Milnrow)
Whitehead St. Miln —1H 53 (Newhey)
Whitehead St. Shaw —5D 52
Whitehead St. Wor —3F 89
Whitehill Clo. Roch —7F 13
Whitehill Cotts. Bolt —6K 23
Whitehill Dri. M40 —1C 116
Whitehill Ind. Est. Stoc —5G 1
Whitehill La. Bolt —6K 23
Whitehill St. Stoc —6G 153
Whitehill St. W. Stoc —6G 15
Whiteholme Av. M21 —6D 15
White Horse Clo. Hor —7G 2
White Horse Gdns. Swint —2A 1
White Horse Gro. W'houg —4A
White Horse Meadows. B'edg —3A
White Ho. Av. M8 —4E 92
Whitehouse Av. Oldh —1G 97
Whitehouse Clo. Heyw —6K 4
Whitehouse Dri. M23 —6A 16
Whitehouse Dri. Hale —4F 17
Whitehouse La. Dun M —4F 1
White Houses. Bolt —4F 43
Whitehouse Ter. M9 —6B 94
Whitehurst Rd. Stoc —6B 15
Whitekirk Clo. M13 —3H 135
White Lady Clo. Wor —4B 88
Whitelake Av. Urm —7H 131
Whitelake View. Urm —6H 13
Whiteland Av. Bolt —1J 65
Whitelands. Ash L —6G 119
Whitelands Ind. Est. Stal —6J 1

Whitelands Rd.—Winchcombe Clo.

itelands Rd. Ash L —6G 119
itelands Ter. Ash L —6G 119
itelea Dri. Stoc —6F 169
itelees Rd. L'boro —6E 14
itelegge St. Bury —1F 47
iteley Dri. Mid —7E 72
iteley Pl. Alt —5B 164
iteleys Pl. Roch —4G 31
iteley St. M11 —6D 116
iteley St. Chad —3K 95
ite Lion Brow. Bolt —6A 44
ite Lodge Dri. Ash M —4G 105
itelow Rd. M21 —2A 150
itelow Rd. Bury —5J 9
itelow Rd. Stoc —7C 152
ite Meadows. Swint —1D 112
ite Moss. Roch —2D 30
ite Moss Av. M21 —2C 150
ite Moss Gdns. M9 —5C 94
ite Moss Rd. M9 —4A 94
iteoak Clo. Marp —4J 171
iteoak Rd. M14 —2J 151
ite Rd. N Mills —3J 185
itesands Rd. Lymm —7C 160
ites Croft. Swint —7D 90
iteside Av. Hind —7B 62
iteside Av. Wig —5C 60
iteside Clo. Salf —6H 113
iteside Fold. Roch —3C 30
itesmead Clo. Dis —7D 184
itestone Clo. Los —7D 42
itestone Wlk. M13 —4K 135
ite St. Bury —4G 47
ite St. Leigh —4C 108
ite St. Mac —5F 199
ite St. Pem —1H 81
ite St. Salf —7J 113
ite Swallows Rd. Swint —2E 112
itethorn Av. Burn —3B 152
itethorn Av. Whal R —6D 134
itethorn Clo. Marp —4J 171
itewater Dri. Salf —1K 113
iteway St. M9 —1A 116
itewell Clo. Bury —6H 47
itewell Clo. Roch —4A 32
itewillow Clo. Fail —2J 117
itewood Clo. Ash M —2C 104
itfield Av. Glos —3E 158
itfield Bottoms. Miln —2F 53
itfield Brow. L'boro —4G 15
itfield Cres. Miln —2F 53
itfield Cross. Glos —3F 159
itfield Dri. Miln —7C 32
itfield Rise. Shaw —4E 52
itfields, The. Mac —2C 198
itfield St. M3 —5G 115 (1J 5)
itfield St. Leigh —4C 108
itford Wlk. M40 —5K 115
iting Gro. Bolt —7E 42
itland Av. Bolt —5F 43
itland Dri. Oldh —5K 95
it La. Salf —2K 113
n two parts)
itle Bank Rd. N Mills —2H 185
itledge Grn. Ash M —3C 104
itledge Rd. Ash M —3C 104
itle Rd. N Mills —3H 185
itley Cres. Abr —1K 105
itley Cres. Wig —2D 60
itley Gdns. Tim —3F 165
itley La. Uph —5D 58
itley Pl. Tim —4F 165
itley Rd. M40 —4J 115
itley Rd. Stoc —7D 152
itley Rd. Uph —3C 58
itley St. Bolt —4F 67
itlow Av. B'hth —3K 163
itlow Av. Golb —7H 105
itman St. M9 —7B 94
itmore Rd. M14 —1H 151
itnall Clo. M16 —5E 134
itnall St. Hyde —4H 139
itney Croft. Mac —3J 199
itsbury Av. M18 —6F 137
itsbury Av. Hind —3B 84
itstable Clo. Chad —1K 95
itstable Rd. M40 —6E 94
itsters Hollow. Bolt —2H 43
itsundale. W'houg —4K 63
itswood Clo. M16 —6E 134
ittaker Clo. P'wch —3C 92
ittaker Dri. L'boro —2D 32
ittaker La. L'boro —7H 15
ittaker La. P'wch —3C 92
ittaker La. Roch —3K 29
ttaker St. M12 —1K 135
ttaker St. M40 —7B 94
ttaker St. Ash L —3H 119
ttaker St. Mid —6B 72
ttaker St. Rad —2F 69
Whittaker St. Roch —3A 30
Whittaker St. Rytn —2B 74
Whittingham Dri. Ram —7G 9
Whittingham Gro. Oldh —6B 74
Whittington St. Ash L —7E 118
Whittle Brook Clo. Uns —1B 70
Whittlebrook Gro. Heyw —6A 50
Whittle Dri. Shaw —5H 53
Whittle Dri. Wor —2E 88
Whittle Gro. Bolt —4H 43
(in two parts)
Whittle Gro. Wor —4G 89
Whittle Hill. Eger —1A 24
Whittle La. Heyw —1G 71
Whittles Av. Dent —6E 138
Whittle's Croft. M1 —7H 115 (5M 5)
Whittles Ter. Miln —1F 53
Whittle's Ter. W'houg —5J 63
Whittle St. M4 —6H 115 (4L 5)
Whittle St. Bury —2G 47
Whittle St. L'boro —6D 14
Whittle St. Swint —1C 112
Whittle St. Wor —4F 89
Whittles Wlk. Dent —7E 138
Whittlewood Clo. Bchwd —5A 144
Whitton M. Hor —1F 41
Whitwell Bank. Glos —7K 141
(off Eyam La.)
Whitwell Clo. Glos —7K 141
Whitwell Clo. Stand —3K 37
Whitwell Fold. Glos —7A 142
(off Melandra Castle Rd.)
Whitwell Gdns. Hor —7F 21
Whitwell Grn. Glos —7A 142
(off Hathersage Cres.)
Whitwell Lea. Glos —7K 141
(off Melandra Castle Rd.)
Whitwell Wlk. M13 —5A 136
Whitwell Way. M18 —4E 136
Whitworth Clo. Ash L —4G 119
Whitworth La. M14 —1K 151
Whitworth Pk. Mans. M14 —5G 135
Whitworth Rake. Whitw —3F 13
Whitworth Rd. Miln —6D 32
Whitworth Rd. Roch —7F 13
Whitworth Sq. Whitw —3F 13
Whitworth St. M1 —1G 135 (8J 5)
Whitworth St. Hor —3G 41
Whitworth St. Miln —2A 32
Whitworth St. Open —2C 136
(in two parts)
Whitworth St. W. M1 —1E 134 (8F 4)
Whixhall Av. M12 —3A 136
Whoolden St. Farn —5E 66
Whowell Fold. Bolt —2J 43
Whowell St. Bolt —7A 44
Wibbersley Pk. Urm —7H 131
Wichbrook Rd. Wor —4B 88
Wicheaves Cres. Wor —4B 88
Wicheries, The. Wor —4B 88
Wicken Bank. Heyw —6A 50
Wickenby Dri. Sale —6E 148
Wicken St. Stoc —4A 170
Wickentree Holt. Roch —3C 30
Wickentree La. Fail —6H 95
Wicker La. Haleb —4F 177
Wicket Gro. Clif —3C 90
Wickham Clo. M14 —6H 135
Wickliffe Pl. Roch —6H 31
Wickliffe St. Bolt —5A 44
Wicklow Av. Stoc —4D 168
Wicklow Dri. M22 —2E 178
Widcombe Dri. Bolt —1H 67
Widdop St. Oldh —7B 74
Widdow's St. Leigh —4B 108
Widdrington Rd. Wig —4F 61
Widecombe Clo. Urm —5K 131
Widford Wlk. Blac —4B 40
Widgeon Clo. M14 —2H 151
Widgeon Clo. Poy —1K 189
Widgeon Rd. B'hth —3K 163
Wiend. Wig —6E 60
Wiend Hall. W'houg —4J 63
Wigan Cen. Arc., The. Wig —6E 60
(off Galleries, The)
Wigan La. Chor —4F 19
Wigan La. Cop —6E 18
Wigan La. Wig —1D 60
Wigan Lwr. Rd. Stand L —2J 59
Wigan Pier. Wig —7C 60
Wigan Rd. Ash M —7B 82
Wigan Rd. Ath —4K 85
Wigan Rd. Bil —1F 103
Wigan Rd. Bolt —4D 64
Wigan Rd. Golb —6K 105
Wigan Rd. Hind —1A 84
Wigan Rd. Ince —3J 61
Wigan Rd. Leigh —7G 85
Wigan Rd. Shev —7H 37
Wigan Rd. Stand —5B 38
Wigan Rd. W'houg —7E 62
Wigan Sq. Wig —6E 60
(off Galleries, The)
Wigan St. Plat B —6J 83
Wiggins Teape Rd. Bury —7B 48
Wiggins Wlk. M14 —6J 135
Wightman Av. Newt W —4E 124
Wighurst Wlk. M22 —3D 178
Wigley St. M12 —2A 136
Wigmore Clo. Bchwd —4A 144
Wigmore Rd. M8 —1H 115
Wigmore St. Ash L —4H 119
Wigsby Av. M40 —5E 94
Wigsey La. Lymm —4F 161
(in two parts)
Wigshaw Clo. Leigh —7K 107
Wigshaw La. Cul —7G 127
Wigston Wlk. M8 —3E 114
(off Fairy La.)
Wigwam Clo. Poy —1A 190
Wike St. Bury —2H 47
Wilberforce Clo. M15 —4F 135
Wilbraham Rd. M16 & M14 —1E 150
Wilbraham Rd. M21 —1A 150
Wilbraham Rd. Wor —4F 89
Wilbraham St. Leigh —3G 107
Wilbraham St. W'houg —6J 63
Wilburn St. Salf —1D 134 (7C 4)
Wilby Av. L Lev —1J 67
Wilby Clo. Bury —7H 27
Wilby St. M8 —2H 115
Wilcock Clo. M16 —5E 134
Wilcock Rd. Old B —1D 124
Wilcock St. Wig —7C 60
Wilcott Dri. Sale —5C 148
Wilcott Dri. Wilm —2F 195
Wilcott Rd. Gat —6G 167
Wildbank Chase. Stal —2E 140
Wildbrook Clo. L Hul —4A 88
Wildbrook Cres. Oldh —4E 96
Wildbrook Gro. L Hul —4A 88
Wildbrook Rd. L Hul —3A 88
Wild Clough. Hyde —1K 155
Wildcroft Av. M40 —6C 94
Wilders Moor Clo. Wor —7E 88
Wilderswood Av. Hor —1G 41
Wilderswood Ct. Hor —1G 41
Wilderswood Rd. Manx —5J 151
Wildes Sq. Moss —5C 98
Wilde St. Ash L —4F 119
Wild Ho. Oldh —2D 96
Wildhouse Ct. Miln —4D 32
Wild Ho. La. Miln —4D 32
Wilding St. Ince —1G 83
Wildman La. Farn —6B 66
Wildmoor Av. Oldh —3J 97
Wilds Bldgs. Roch —5B 32
Wild's Pas. Leigh —4K 107
Wild's Pas. L'boro —7C 14
(Littleborough)
Wilds Pas. L'boro —1H 15
(Summit)
Wild St. Bred —1D 170
Wild St. Dent —6D 138
Wild St. Duk —1H 139
Wild St. Haz G —2B 182
Wild St. Heyw —3A 50
Wild St. Lees —1J 97
Wild St. Oldh —7E 74
Wild St. Rad —2H 69
Wild St. Shaw —7G 53
Wild St. Stoc —5J 169
Wildwood Clo. Ram —7E 8
Wileman Ct. Salf —6H 113
Wilford Av. Sale —1E 164
Wilfred Rd. Ecc —1J 131
Wilfred Rd. Wor —5F 89
Wilfred St. M40 —7C 94
Wilfred St. Brom X —5C 24
Wilfred St. Droy —1K 137
Wilfred St. Salf —4E 114
Wilfred St. Swint —7D 90
Wilfred St. Wig —7B 60
Wilham Av. Ecc —7B 112
Wilkesley Av. Stand —5K 37
Wilkes St. Oldh —2H 75
Wilkin Croft. Chea H —3A 180
Wilkins La. Wilm —7E 178
Wilkinson Av. L Lev —1J 67
Wilkinson Gdns. Bolt —7K 23
Wilkinson Rd. Bolt —7K 23
Wilkinson Rd. Stoc —1G 169
Wilkinson St. Ash L —6E 118
Wilkinson St. Leigh —3J 107
Wilkinson St. Mid —5B 72
Wilkinson St. Oldh —7F 75
Wilkinson St. Sale —6H 149
Wilks Av. M22 —2F 179
Willand Clo. Bolt —7J 45
Willand Dri. Bolt —1J 67
Willan Ind. Est. Salf —7K 113
Willan Rd. M9 —2J 93
Willan Rd. Ecc —6C 112
Willard Av. Bil —4D 80
Willard St. Haz G —1B 182
Willaston Clo. M21 —3A 150
Willaston Way. Hand —7K 179
Willbutts La. Roch —4E 30
Willdale Clo. M11 —6C 116
Willdor Gro. Stoc —5D 168
Willenhall Rd. M23 —1C 166
Willerby Rd. M8 —3E 114
Willert St. M40 —3K 115
Willesden Av. M13 —6A 136
Will Griffiths Wlk. M11 —1A 136
William Chadwick Clo. M40 —5J 115 (1P 5)
William Clo. Urm —1A 148
William Coates Ct. M16 —6D 134
William Greenwood Clo. Heyw —3J 49
William Henry St. Roch —1J 51
William Jessop Ct. M1 —7J 115 (6N 5)
William Kay Clo. M16 —5E 134
William Kent Cres. M15 —3E 134
William Lister Clo. M40 —4F 117
William Murray Ct. M4 —6J 115 (4P 5)
(off Winder Dri.)
Williams Av. Newt W —4E 124
Williams Cres. Chad —4H 95
Williamson Av. Bred —6E 154
Williamson Av. Rad —7D 46
Williamson La. Droy —1K 137
Williamson St. M4 —5H 115 (1L 5)
Williamson St. Ash L —5F 119
Williamson St. Stoc —3H 153
Williamson's Yd. Oldh —7F 75
Williams Pas. L'boro —2H 15
Williams Rd. Gort —4E 136
Williams Rd. Most —1D 116
Williams St. M18 —4E 136
William St. M1 —2F 135 (9J 5)
William St. M12 —1K 135
William St. M20 —7H 151
William St. Ash L —6D 118
William St. Aud —5E 138
William St. Fail —6J 95
William St. Hind —2C 84
William St. Hor —2E 40
William St. Hur —7B 14
William St. Ince —1F 83
William St. Leigh —3A 108
William St. L'boro —6E 14
William St. L Lev —3K 67
William St. Mac —3H 199
William St. Mid —6D 72
William St. Rad —2F 69
William St. Ram —2G 9
William St. Roch —6H 31
(in two parts)
William St. Salf —6E 114 (4E 4)
William St. Whitw —2E 12
William Wlk. Alt —1B 176
Willingdon Clo. Bury —5G 27
Willingdon Dri. P'wch —2B 92
Willis Rd. Oldh —7E 96
Willis Rd. Stoc —5G 169
Willis St. Bolt —2J 65
Williton Wlk. M22 —1F 179
Willock St. Salf —2F 115
Willoughby Av. M20 —6J 151
Willoughby Clo. Sale —5E 148
Willow Av. Ast —2G 109
Willow Av. Chea H —2B 180
Willow Av. Mid —7E 72
Willow Av. Newt W —5F 125
Willow Av. Stoc —6H 153
Willow Av. Urm —7C 132
Willow Bank. M9 —7A 94
(off Church La.)
Willow Bank. M14 —2J 151
Willow Bank. Chea H —6C 180
Willowbank. Clif —5E 90
Willow Bank. Lees —6J 75
(in two parts)
Willowbank. Rad —6D 68
Willow Bank. Tim —5E 164
Willowbank Av. Bolt —7D 44
Willow Bank Ct. Manx —3H 167
Willowbank Dri. Boll —3K 197
Willow Bank Est. Newt W —6H 125
Willowbrook Av. M40 —1C 116
Willowbrook Dri. Shev —6H 37
Willow Clo. And —4K 19
Willow Clo. Bolt —2H 65
Willow Clo. Duk —2K 139
Willow Clo. Lymm —7E 160
Willow Clo. Mob —1B 194
Willow Clo. Poy —2C 190
Willow Ct. M14 —1K 151
(nr. Mosley Rd.)
Willow Ct. M14 —2J 151
(nr. Willow Bank)
Willow Ct. Gat —5G 167
Willow Ct. Mac —1D 198
Willow Ct. Newt W —5F 125
Willow Ct. Sale —5J 149
Willow Cres. Leigh —7J 85
Willowcroft Av. Asp —3D 62
Willowdale. Newt W —5G 125
Willowdale Av. H Grn —2H 179
Willowdene Clo. M40 —3J 115
Willowdene Clo. Brom X —4B 24
Willow Dri. Char R —1A 18
Willow Dri. Hand —2K 187
Willow Dri. Hind —4D 84
Willow Dri. Sale —1C 164
Willowfield Gro. Ash M —6C 104
Willowfield Rd. Oldh —4H 75
Willow Fold. Droy —1K 137
Willow Grn. Knut —3C 192
Willow Gro. M18 —5G 137
Willow Gro. Ash M —3G 105
Willow Gro. Chad —6K 73
Willow Gro. Dent —6C 138
Willow Gro. Golb —7J 105
Willow Gro. Marp —6K 171
Willow Hey. Brom X —5E 24
Willow Hill Rd. M8 —5G 93
Willow La. Abr —6K 83
Willow Lawn. Chea H —1C 180
Willowmead Ct. Stoc —6D 152
Willowmead Dri. P'bry —6C 196
Willowmead Way. Roch —2C 30
Willowmoss Clo. Wor —6G 89
Willow Pk. M14 —2J 151
Willow Rise. L'boro —1D 32
Willow Rd. Ecc —4J 111
Willow Rd. Hayd —2A 124
Willow Rd. H Lane —5K 183
Willow Rd. Newt W —5G 125
Willow Rd. Part —1A 162
Willow Rd. P'wch —1A 92
Willow Rd. Upperm —7J 77
Willow Rd. Wig —2B 60
Willows Dri. Fail —3H 117
Willows La. Bolt —2H 65
Willows La. Roch —6B 32
Willows Rd. Salf —6H 113
Willows, The. M21 —3A 150
Willows, The. Ath —4D 86
(off Water St.)
Willows, The. Brad F —1J 67
Willows, The. Cop —4A 18
Willows, The. Lees —2K 97
Willows, The. Moss —6E 98
Willows, The. Newt W —6H 125
Willows, The. Part —7B 146
Willows, The. Whitw —6E 12
(off Tonacliffe Rd.)
Willow St. M11 —7C 116
Willow St. Abr —6K 83
Willow St. Ath —3C 86
Willow St. Bury —3B 48
(in two parts)
Willow St. Fail —1F 117
Willow St. Heyw —3K 49
Willow St. Oldh —7E 74
Willow St. Salf —4E 114
Willow St. Swint —3B 112
Willow St. Wor —1A 112
Willow Tree Clo. Wig —2D 60
Willow Tree Ct. Sale —7F 149
Willow Tree M. H Grn —3H 179
Willowtree Rd. Hale —1B 176
Willow Wlk. Droy —6A 118
Willow Way. M20 —7J 151
Willow Way. Bram —5E 180
Willow Way. P'bry —5C 196
Willow Wood Clo. Ash L —5J 119
Wilma Av. M9 —3J 93
Wilmans Wlk. Rad —3C 142
Wilmcote Clo. Los —7D 42
Wilmcote Gdns. Bred —7D 154
Wilmcote Rd. M40 —4K 115
Wilmers. L'boro —1H 15
Wilmington Rd. Stret —7F 133
Wilmot Dri. Golb —2H 125
Wilmot St. Bolt —2J 43
Wilmott St. M15 —2F 135 (10H 5)
(in two parts)
Wilmslow Av. Bolt —7A 24
Wilmslow By-Pass. Wilm —2H 195
Wilmslow Old Rd. Tim —6K 177
Wilmslow Pk. N. Wilm —6J 187
Wilmslow Pk. Rd. Wilm —6J 187
Wilmslow Pk. S. Wilm —6J 187
Wilmslow Rd. M14 & M20 —5J 135
Wilmslow Rd. Ald E —4G 195
Wilmslow Rd. But —7E 188
Wilmslow Rd. Chea —5K 167
Wilmslow Rd. H Grn & Hand —2K 179
Wilmslow Rd. P'bry —3A 196
Wilmslow Rd. Ring & Hand —6K 177
Wilmslow Rd. Woodf —5D 188
WILMSLOW STATION. BR —6J 187
Wilmslow Wlk. Mac —4G 199
Wilmur Av. Salf —2E 114
Wilmur Av. W'fld —7A 70
Wilpshire Av. M12 —6D 136
Wilsford Clo. Golb —7K 105
Wilshaw Gro. Ash L —2E 118
Wilshaw La. Ash L —3E 118
Wilshaw Pl. Ash L —3E 118
Wilson Av. Clif —5F 91
Wilson Av. Heyw —3G 49
Wilson Av. Knut —4D 192
Wilson Av. Wig —4D 60
Wilson Fold Av. Los —4K 41
Wilson Gro. Ash L —4J 119
Wilson Rd. M9 —6K 93
Wilson Rd. Stoc —6D 152
Wilsons Brow. Farn —5H 67
Wilson's Ter. Glos —2D 158
Wilson St. M11 —1C 136
Wilson St. M13 —3J 135
Wilson St. M18 —4F 137
Wilson St. M40 —3A 116
Wilson St. Bury —4A 48
Wilson St. Farn —6G 67
Wilson St. G'fld —2G 99
Wilson St. Hor —1E 40
Wilson St. Hyde —7J 139
Wilson St. Oldh —3C 96
Wilson St. Rad —2D 68
Wilson St. Roch —4H 31
Wilson St. Sale —5F 149
Wilson St. Stret —5J 133
Wilson Way. Oldh —6D 74
Wilsthorpe Clo. M19 —4E 152
Wilton Av. M16 —6A 134
Wilton Av. H Grn —5J 179
Wilton Av. Pen —1G 113
Wilton Av. P'wch —5D 92
Wilton Av. Wig —4H 61
Wilton Ct. M9 —4G 93
Wilton Ct. Dent —5J 137
Wilton Cres. Ald E —2K 195
Wilton Cres. Mac —5A 198
Wilton Dri. Bury —1A 70
Wilton Dri. Haleb —4G 177
Wilton Gdns. Rad —1G 69
Wilton Gro. Dent —5J 137
Wilton Gro. Heyw —4K 49
Wilton La. Cul —4F 127
Wilton Paddock. Dent —5J 137
Wilton Pl. Salf —6D 114 (4C 4)
Wilton Polygon. M8 —6F 93
Wilton Rd. Bolt —7A 24
Wilton Rd. Chor H —2B 150
Wilton Rd. Crum —5F 93
Wilton Rd. Salf —4F 113
Wilton Rd. Shev —7G 37
Wilton St. M13 —3H 135
Wilton St. Ash M —2C 104
Wilton St. Bolt —2B 44
Wilton St. Bury —1A 70
Wilton St. Chad —4K 95
Wilton St. Dent —5C 138
Wilton St. Heyw —3H 49
Wilton St. Mid —7H 71
Wilton St. P'wch —3C 92
Wilton St. Salf —7A 114
Wilton St. Stoc —7H 137
Wilton St. W'fld —7K 69
Wilton St. Wig —7F 61
Wilton Ter. Roch —4G 31
Wiltshire Av. Stoc —6A 154
Wiltshire Clo. Bury —5A 48
Wiltshire Clo. Mac —1A 198
Wiltshire Dri. Glos —2H 159
Wiltshire Pl. Wig —1J 81
Wiltshire Rd. Chad —2K 95
Wiltshire Rd. Fail —2J 117
Wiltshire Rd. Part —1A 162
Wiltshire St. Salf —2E 114
Wilwick La. Mac —4B 198
Wimberry Hill Rd. W'houg —3H 63
Wimbledon Dri. Stoc —4E 168
Wimbledon Lawns. Bow —1A 176
Wimbledon Rd. Fail —7K 95
Wimbledon Ter. M40 —4D 116
Wimborne Av. Urm —5B 132
Wimborne Clo. Chea H —7E 168
Wimborne Clo. Los —4K 41
Wimborne Rd. Orr —6G 59
Wimborne Wlk. Salf —6A 114
Wimbourne Av. Chad —5J 73
Wimpenny Ho. Oldh —2C 96
Wimpole St. Ash L —5G 119
(in three parts)
Wimpole St. Oldh —5E 74
Wimpory St. M11 —2F 137
Winbolt St. Stoc —7A 170
Wincanton Av. M23 —3H 165
Wincanton Dri. Bolt —5K 23
Wincanton Pk. Oldh —1H 97
Wincebrook. Mid —6C 72
Wince Clo. Mid —1E 94
Wincham Clo. M15 —3D 134
Wincham Rd. Sale —1C 164
Winchcombe Clo. Leigh —7J 107

Woodhouse Ct.—Wythburn St.

odhouse Ct. Urm —5J 131
odhouse Dri. Wig —3A 60
odhouse Farm Cotts. Roch —2K 29
odhouse Knowl. Del —2E 76
odhouse La. M22 —7D 166
odhouse La. Dun M —7D 162
odhouse La. Dun T —7G 163
odhouse La. Roch —2K 29
odhouse La. Sale —1K 163
in three parts)
odhouse La. Wig —4A 60
odhouse La. E. Tim —2E 164
odhouse La. N. M22 —4D 178
odhouse Rd. M22 —4D 178
odhouse Rd. Shaw —4G 53
odhouse Rd. Urm —5H 131
odhouse St. M18 —4G 137
odhouse St. M40 —3B 116
odhouse St. Ath —5D 86
odhouse St. Oldh —2D 96
odhurst Dri. Stand —4K 37
oding Clo. Part —6C 146
odlake Av. M21 —6C 150
odland Av. M18 —5G 137
odland Av. Bolt —4D 66
odland Av. Hind —4E 84
Woodland Av. Newt W —6H 125
Woodland Cres. P'wch —5B 92
Woodland Dri. Ash M —3D 104
Woodland Dri. Stand —3A 38
Woodland Gro. Eger —2K 23
Woodland Gro. Wig —4F 61
Woodland Pk. Rytn —7K 51
Woodland Rd. Burn —2C 152
Woodland Rd. Gort —5G 137
Woodland Rd. Heyw —2A 50
Woodland Rd. Roch —2E 30
Woodlands. Fail —4G 117
Woodlands. Roch —1A 32
Woodlands. Urm —6A 132
Woodlands Av. Chea H —2C 180
Woodlands Av. Ecc —1J 131
Woodlands Av. Haz G —3B 182
Woodlands Av. Ince —1H 83
Woodlands Av. Irl —6C 130
Woodlands Av. Leigh —5K 107
Woodlands Av. Roch —6C 30
Woodlands Av. Stret —7H 133
Woodlands Av. Swint —2A 112
Woodlands Av. Urm —7E 130
Woodlands Av. W'fld —5J 69
Woodlands Av. Woodl —5E 154
Woodlands Clo. B'btm —1F 157
Woodlands Clo. Chea H —4C 180
Woodlands Clo. Stal —2D 140
Woodlands Clo. Tin —3B 142
Woodlands Clo. Wor —1G 111
Woodlands Ct. Knut —4E 192
Woodlands Ct. Tim —6D 164
Woodlands Dri. Ath —2F 87
Woodlands Dri. Knut —4E 192
Woodlands Dri. Sale —2G 165
Woodlands Dri. Shev —2F 59
Woodlands Dri. Stoc —3A 170
Woodlands Dri. Woodl —5E 154
Woodlands Gro. B'btm —1F 157
Woodlands Gro. Bury —2F 47
Woodlands La. Tim —6C 164
Woodlands Meadow. Chor —1E 18
Woodlands Pk. Rd. Stoc —3B 170
Woodlands Parkway. Tim —6C 164
Woodlands Rd. M8 —7G 93
Woodlands Rd. Alt —6B 164
Woodlands Rd. Ash L —1H 119
Woodlands Rd. Ast —1H 109
Woodlands Rd. Dis —6A 184
Woodlands Rd. Hand —2A 188
Woodlands Rd. Mac —5E 198
Woodlands Rd. Miln —7C 32
Woodlands Rd. N Mills —4G 185
Woodlands Rd. Ram —1H 9
Woodlands Rd. Sale —5G 149
Woodlands Rd. Stal —2C 140
Woodlands Rd. Stoc —1K 167
Woodlands Rd. Whal R —1E 150
Woodlands Rd. Wilm —4F 187
Woodlands Rd. Wor —1G 111
WOODLANDS ROAD STATION. M —1H 115
Woodlands St. M8 —7G 93
Woodlands, The. Bury —7H 27
Woodlands, The. Droy —5G 117
Woodlands, The. Heyw —5A 50
Woodlands, The. Los —5C 42
Woodlands, The. Wig —3F 61
Woodland St. M12 —4D 136
Woodland St. Heyw —3K 49
Woodland St. Roch —2J 31
Woodland St. Salf —3E 114
Woodlands Way. Mid —1B 94
Woodland Ter. Part —7A 146
Woodland View. Brom X —4D 24
Wood La. Ash L —3F 119
Wood La. Marp —6H 171
Wood La. Mid —7D 72
Wood La. Part —7K 145
Wood La. Tim —6E 164
Wood La. E. A'ton —5F 191
Wood La. N. A'ton —5F 191
Wood La. S. A'ton —6E 190
Wood La. W. A'ton —5C 190
Woodlark Clo. Salf —7D 114 (5D 4)
Woodlawn Ct. M16 —6C 134
Woodlea. Chad —7F 73
Woodlea. Ecc —4A 112
Woodlea. Wor —7G 89
Woodlea Av. M19 —4A 152
Woodleigh. Alt —6J 163
Woodleigh Ct. Ald E —4G 195
Woodleigh Dri. Droy —4A 118
Woodleigh Rd. Spring —7A 76
Woodleigh St. M9 —6B 94
Woodley Av. Rad —5F 69
Woodley Clo. Stoc —4B 170
Woodley Gro. Leigh —3H 107
Woodley Precinct. Woodl —5E 154
WOODLEY STATION. BR —5F 155
Woodley St. Bury —5K 47
Woodliffe St. M16 —4C 134
Woodlinn Wlk. M9 —1K 115
Woodman Dri. Bury —6J 27
Woodman St. Stoc —1G 169
Woodmeadow Ct. Moss —5C 98
Woodmere Dri. M9 —4A 94
Wood Mt. Tim —6F 165
Woodmount Clo. Rom —1J 171
Wood Newton Clo. M18 —5E 136
Woodnook Rd. App B —5E 36
Woodpark Clo. Oldh —4E 96
Woodpecker Pl. Wor —7F 89
Woodridings. Bow —1K 175
Wood Rd. M16 —6C 134
Wood Rd. Tim & Sale —2F 165
(in two parts)
Wood Rd. La. Bury —4F 27
Wood Rd. N. M16 —6C 134
Woodrow Wlk. M12 —3B 136
Woodrow Way. Irl —3B 146
Woodroyd Clo. Bram —3F 181
Woodroyd Dri. Bury —2C 48
Woodruffe Gdns. Rom —3E 170
Woodruff Wlk. Part —7B 146
Woodrush Rd. Stand L —2K 59
Woods Av. Mars —1K 57
Woodseats La. Charl —4F 157
Woodsend Circ. Urm —6F 131
(in two parts)
Woodsend Cres. Urm —7F 131
Woodsend Grn. Urm —6F 131
Woodsend Rd. Urm —5F 131
Woodsend Rd. S. Urm —7G 131
(in two parts)
Woods Gro. Chea H —5D 180
Woodshaw Gro. Wor —7E 88
Woodside. Chor —1G 19
Woodside. Knut —5E 192
Woodside. Miln —7G 33
Woodside. Shaw —5H 53
Woodside. Stoc —2B 168
Woodside Av. M19 —5B 152
Woodside Av. Ash M —7C 82
Woodside Av. Wor —5H 89
Woodside Clo. Uph —6C 58
Woodside Dri. H Lane —5J 183
Woodside Dri. Hyde —1J 155
Woodside Dri. Ram —6E 8
Woodside Dri. Salf —5G 113
Woodside Gdns. Part —6B 146
Woodside M. Bram —2E 180
Woodside Pl. Bolt —1E 66
Woodside Rd. M16 —7B 134
Woodside Rd. Hayd —2A 124
Woodside St. C'brk —2E 120
Woodside St. N Mills —6H 185
Woods La. Ash M —4F 105
Woods La. Chea H —5D 180
Woods La. Dob —5G 77
Woods Lea. Bolt —6F 43
Woodsleigh Coppice. Bolt —7F 43
Woodsley Rd. Bolt —3F 43
Woods Moor La. Stoc —1H 181
Woodsmoor Rd. Swint —1B 112
WOODSMOOR STATION. BR —7K 169
Woodsorrel Way. Lwtn —1C 126
Woods Pas. L'boro —6D 14
Wood Sq. Droy —1J 137
Wood Sq. G'fld —1H 99
Woods Rd. Asp —2A 62
Woods Rd. Irl —2B 146
Wood's St. Wig —7E 60
Woods Ter. Mars —1K 57
Woods, The. Alt —5C 164
Woods, The. Grot —1B 98
Woods, The. Roch —2E 50
Woodstock Av. Chea H —5C 180
Woodstock Av. Newt W —7F 125
Woodstock Av. Stoc —5H 153
Woodstock Clo. Heyw —3A 50
Woodstock Clo. Leigh —7J 107
Woodstock Clo. Mac —2B 198
Woodstock Cres. Woodl —5E 154
Woodstock Dri. Bolt —4G 43
Woodstock Dri. Swint —2E 112
Woodstock Dri. Tot —5B 26
Woodstock Dri. Wor —3J 111
Woodstock Grn. Stoc —4J 153
Woodstock Rd. B'hth —3A 164
Woodstock Rd. Most —6E 94
Woodstock Rd. Old T —6B 134
Woodstock Rd. Woodl —5E 154
Woodstock St. Oldh —2D 96
Woodstock St. Roch —3E 30
Wood St. M3 —7E 114 (5F 4)
(Manchester)
Wood St. M3 —6E 114 (4F 4)
(Salford)
Wood St. Alt —7B 164
Wood St. Ash L —6F 119
Wood St. Ath —3B 86
Wood St. Bolt —6B 44
Wood St. Bury —2G 47
Wood St. Chea —5K 167
Wood St. Dent —5D 138
Wood St. Duk —3G 139
Wood St. Ecc —7D 112
Wood St. Farn —4F 67
Wood St. Glos —2E 158
Wood St. Golb —1K 125
Wood St. Heyw —3K 49
Wood St. Hind —4F 85
Wood St. Holl —4K 141
Wood St. Hor —2G 41
Wood St. Hyde —7J 139
Wood St. L'boro —6F 15
Wood St. Mac —4F 199
(in two parts)
Wood St. Mid —4K 71
Wood St. N Mills —5H 185
Wood St. Nwtwn —7B 60
Wood St. Oldh —6F 75
Wood St. Open —1D 136
Wood St. Rad —6C 68
Wood St. Ram —6F 9
Wood St. Roch —1G 53
(Newhey)
Wood St. Roch —5J 31
(Rochdale)
Wood St. Shaw —5C 52
Wood St. Stal —6A 120
Wood St. Stoc —3F 169
Wood St. Tyl —7H 87
Wood St. W'houg —6J 63
Wood St. Wig —7E 60
Wood Ter. Ain —4B 46
Woodthorpe Ct. P'wch —5D 92
Woodthorpe Dri. Chea H —1C 180
Woodthorpe Grange. P'wch —5D 92
Wood Top Av. Roch —7B 30
Woodvale. Bow —2A 176
Woodvale. Mid —2C 72
Woodvale Av. Asp —3D 62
Woodvale Av. Ath —2B 86
Woodvale Av. Bolt —4K 65
Woodvale Dri. Bolt —4K 65
Woodvale Dri. Lwtn —7C 106
Woodvale Gdns. Bolt —4K 65
Woodvale Gro. Bolt —4K 65
Woodvale Rd. Knut —6D 192
Woodvale Wlk. M11 —7B 116
(off Limetree Wlk.)
Wood View. M22 —2D 166
Wood View. Heyw —1J 49
Wood View. Shev —7H 37
Woodview Av. M19 —5B 152
Woodville Dri. Marp —6H 171
Woodville Dri. Sale —5E 148
Woodville Dri. Stal —5D 120
Woodville Gro. Stoc —4H 153
Woodville Rd. Alt —7A 164
Woodville Rd. Hth C —3H 19
Woodville Rd. Ince —3H 83
Woodville Rd. Sale —5E 148
Woodville Ter. M40 —6B 94
Woodward Clo. Bury —7K 27
Woodward Ct. M4 —6K 115
Woodward Pl. M4 —6J 115 (4P 5)
Woodward Rd. P'wch —5K 91
Woodwards Rd. W'houg —1K 85
Woodward St. M4 —6J 115 (4P 5)
Woodwise La. M23 —2J 165
Wood Yd. Roch —4B 52
Woodyates Ter. Wig —1B 82
Woolden Rd. Cad —2H 145
Woolden St. Ecc —5K 111
Woolden St. Swint —5C 90
Woolden St. Wig —1B 82
Woolfall Clo. M12 —3B 136
Woolfold Trad. Est. Bury —1G 47
Woollacot St. Oldh —7D 74
Woollam Pl. M3 —1D 134 (7D 4)
Woolley Av. Poy —3B 190
Woolley Bri. Rd. Holl —5A 142
Woolley Clo. Holl —5K 141
Woolley La. Holl —3K 141
(Hollingworth)
Woolley La. Holl —5J 141
(Woolley Bridge)
Woolley Mill La. Tin —2A 142
Woolley St. M8 —4F 115
Woolley St. Ash L —2J 119
Woolley Ter. Duk —7F 119
Woolmer Clo. Bchwd —4B 144
Woolpack Grn. Salf —5K 113
Wool Rd. Dob —5H 77
Woolston Av. Warr —3A 160
Woolston Dri. Tyl —7J 87
Woolston Ho. Salf —4G 113
Woolton Clo. M40 —5E 94
Woolton Clo. Ash M —3B 104
Wootton St. Hyde —5H 139
(in two parts)
Worcester Av. Dent —1E 154
Worcester Av. Golb —1K 125
Worcester Av. Hind —1D 84
Worcester Av. Stoc —5A 154
Worcester Clo. Ash L —7H 97
Worcester Clo. Bury —5A 48
Worcester Clo. Rom —2E 170
Worcester Clo. Salf —4G 113
Worcester Gro. Glos —2H 159
Worcester Pl. Chor —1G 19
Worcester Rd. Chea H —7C 168
Worcester Rd. L Lev —3H 67
Worcester Rd. Mid —1B 94
Worcester Rd. Sale —7B 148
Worcester Rd. Salf —4G 113
Worcester Rd. Wdly —5B 90
Worcester St. Bolt —4A 44
Worcester St. Bury —1H 47
Worcester St. Oldh —2K 95
Worcester St. Roch —7G 31
Wordsworth Av. M8 —2G 115
Wordsworth Av. Ath —3D 86
Wordsworth Av. Bury —7K 47
Wordsworth Av. Droy —6J 117
Wordsworth Av. Farn —7D 66
Wordsworth Av. Leigh —1H 107
Wordsworth Av. Orr —6D 80
(Billinge)
Wordsworth Av. Orr —1F 81
(Orrell)
Wordsworth Av. Rad —2C 68
Wordsworth Av. Wig —3E 60
Wordsworth Clo. Duk —2A 140
Wordsworth Cres. Ash L —3C 118
Wordsworth Cres. L'boro —2D 32
Wordsworth Gdns. P'wch —4K 91
Wordsworth Rd. M16 —6B 134
Wordsworth Rd. Dent —3E 154
Wordsworth Rd. L Hul —2D 88
Wordsworth Rd. Mid —4D 72
Wordsworth Rd. Oldh —5F 75
Wordsworth Rd. Stoc —1F 153
Wordsworth Rd. Swint —6B 90
Wordsworth St. Bolt —4K 43
Wordsworth St. Salf —4C 114
Wordsworth Way. Roch —6A 30
Workesleigh St. M40 —3E 116
World Way. Man A —4B 178
Worrall St. M40 —2C 116
Worrall St. Roch —2F 31
Worrall St. Salf —2C 134 (9A 4)
Worrall St. Stoc —4G 169
Worrell Clo. Rad —2D 68
Worsbrough Av. Wor —5E 88
Worsefold St. M40 —7C 94
Worsel St. Bolt —2J 65
Worsley Av. M40 —6B 94
Worsley Av. Wor —4C 88
Worsley Brow. Wor —2H 111
Worsley Clo. Wig —2H 81
Worsley Ct. M14 —7J 135
Worsley Cres. Stoc —4K 169
Worsley Grn. Wig —2H 81
Worsley Gro. M19 —1C 152
Worsley Gro. Wor —5C 88
Worsley Mesnes Dri. Wig —2B 82
Worsley Pl. Roch —5K 31
Worsley Pl. Shaw —7E 52
Worsley Rd. Bolt —2G 65
Worsley Rd. Ecc —4J 111
Worsley Rd. Farn —1F 89
Worsley Rd. Wor & Swint —3H 111
Worsley Rd. N. Wor —2F 89
Worsley St. M3 —1E 134 (8F 4)
(Manchester)
Worsley St. M3 —6E 114 (4F 4)
(Salford)
Worsley St. M15 —2D 134 (9D 4)
Worsley St. Golb —1J 125
Worsley St. Oldh —2F 97
Worsley St. Pen —1E 112
(Pendlebury)
Worsley St. Pen —5D 90
(Swinton)
Worsley St. Roch —5K 31
Worsley St. Tot —5C 26
Worsley St. Wig —2H 81
Worsley Ter. Wig —5E 60
Worston Av. Bolt —2F 43
Worthenbury Wlk. M13 —6A 136
Worthing Clo. Stoc —5B 170
Worthing Gro. Ath —4B 86
Worthing St. M14 —7H 135
Worthington Av. Heyw —6A 50
Worthington Av. Part —7B 146
Worthington Clo. Ash L —3E 118
Worthington Clo. Hyde —7E 140
Worthington Ct. Sale —6J 149
Worthington Dri. Salf —6D 92
Worthington Fold. Ath —4B 86
Worthington Rd. Dent —7F 139
Worthington Rd. Sale —6J 149
Worthington St. Ash L —3E 118
Worthington St. Bolt —3J 65
Worthington St. Hind —1B 84
Worthington St. Old T —5C 134
Worthington St. Stal —7K 119
Worthington Way. Wig —5A 82
Worth's La. Dent —3E 154
Worth St. Wig —7C 60
Wortley Av. Salf —5G 113
Wortley Gro. M40 —5D 94
Wotton Dri. Ash M —5F 105
Wragby Clo. Bury —7H 27
Wrath Clo. Bolt —7D 24
Wraxall Cres. Leigh —1H 107
Wray Pl. Roch —6A 32
Wraysbury Wlk. M40 —1C 116
(off Hugo St.)
Wray St. Ince —6G 61
Wrayton Lodge. Sale —1F 165
Wrekin Av. M23 —1A 178
Wren Av. Clif —4F 91
Wrenbury Av. M20 —3F 151
Wrenbury Clo. Wig —1H 81
Wrenbury Cres. Stoc —5E 168
Wrenbury Dri. Bolt —6B 24
Wrenbury Dri. Chea —5A 168
Wrenbury Wlk. Sale —7J 149
Wren Clo. Aud —7A 118
Wren Clo. Farn —6B 66
Wren Clo. Mac —2C 198
Wren Clo. Orr —5H 59
Wren Clo. Stoc —6D 170
Wren Dri. Bury —1B 48
Wren Dri. Irl —5C 130
Wren Gdns. Mid —5B 72
Wren Grn. Roch —6K 31
Wren Nest Ter. Glos —1E 158
Wrenshot La. H Legh —7A 174
Wrens Nest Av. Shaw —5G 53
Wren St. Chad —6K 73
Wren St. Oldh —1G 97
Wrenswood Dri. Wor —7E 88
Wrexham Clo. Oldh —5K 95
Wrigglesworth Clo. Bury —2D 46
Wrightington St. Wig —5E 60
Wright Robinson Clo. M11 —1A 136
Wrights Bank N. Stoc —6B 170
Wrights Bank S. Stoc —6C 170
Wright St. M16 —3C 134
Wright St. Ash M —2B 104
Wright St. Ash L —4H 119
Wright St. Aud —1C 138
Wright St. Chad —2K 95
Wright St. Fail —7H 95
Wright St. Hor —1F 41
Wright St. Ince —1K 117
Wright St. Oldh —7E 74
Wright St. Plat B —4J 83
Wright St. Rad —3D 68
Wright St. Wig —5G 61
Wright Tree Vs. Cad —5K 145
Wrigley Cres. Fail —1H 117
Wrigley Fold. Mid —3K 71
Wrigley Head. Fail —7H 95
Wrigley Head Cres. Fail —7H 95
Wrigley Pl. L'boro —1D 32
Wrigley Rd. Hayd —3A 124
Wrigley's Pl. Oldh —4C 96
Wrigley Sq. Lees —1K 97
Wrigley's Sq. Roch —4H 31
Wrigley St. Ash L —4F 119
Wrigley St. Duk —1H 139
Wrigley St. Lees —1J 97
Wrigley St. Oldh —7F 75
Wrigley St. Scout —6B 76
Wrington Clo. Leigh —7H 85
Writhington St. Wig —5E 60
Wroe St. Pen —4D 90
Wroe St. Salf —7D 114 (5C 4)
Wroe St. Spring —1K 97
Wrotham Clo. Salf —7A 114
Wroxeter Wlk. M12 —3B 136
(off Wenlock Way)
Wroxham Av. Dent —6J 137
Wroxham Av. Urm —6K 131
Wroxham Clo. Bury —7H 27
Wroxham Rd. M9 —4H 93
Wuerdle Clo. Roch —7C 14
Wuerdle Pl. Roch —7C 14
Wuerdle St. Roch —7C 14
Wyatt Av. Salf —2C 134 (9A 4)
Wyatt Gro. Ash M —5F 105
Wyatt St. Duk —1G 139
Wyatt St. Stoc —1F 169
Wybersley Rd. H Lane —4A 184
Wychbury St. Salf —6J 113
Wychelm Rd. Part —7B 146
Wycherley Rd. Roch —2D 30
Wych Fold. Hyde —3J 155
(in two parts)
Wych La. A'ton —7B 190
Wych St. Ash L —6F 119
Wychwood. Bow —3K 175
Wychwood Clo. Mid —7D 72
Wycliffe Av. Wilm —6G 187
Wycliffe Ct. Urm —7A 132
Wycliffe Rd. Hayd —2A 124
Wycliffe Rd. Urm —7A 132
Wycliffe St. Ecc —6A 112
Wycliffe St. Stoc —1F 169
Wycombe Av. M18 —3G 137
Wycombe Clo. Urm —4A 132
Wycombe Dri. Ast —1H 109
Wye Av. Fail —1H 117
Wyecroft Clo. Woodl —5F 155
Wye St. Oldh —2B 96
Wykeham Chase. Mac —4C 198
Wykeham Clo. Ince —1H 83
Wykeham Gro. Roch —3D 30
Wykeham M. Bolt —6G 43
Wykeham St. M14 —6G 135
Wyke Pk. Oldh —1H 97
Wylam Wlk. M12 —6D 136
Wylde, The. Bury —3J 47
Wynard Av. Wig —5F 61
Wynchgate Rd. Haz G —1E 182
Wyndale Dri. Fail —3H 117
Wyndale Rd. Oldh —4D 96
Wyndcliffe Dri. Urm —1G 147
(in two parts)
Wyndham Av. Bolt —4G 65
Wyndham Av. Clif —4D 90
Wyndham Clo. Bram —5H 181
Wyndham St. Bury —4K 47
Wyne Clo. Haz G —1E 182
Wynfield Av. M22 —5F 179
Wynford Sq. Salf —7K 113
Wyngate Rd. Chea H —3B 180
Wyngate Rd. Hale —4D 176
Wynne Av. Clif —4D 90
Wynne Clo. M11 —1B 136
Wynne Clo. Dent —1D 154
Wynne Gro. Dent —1C 154
Wynne St. Bolt —3A 44
Wynne St. L Hul —3C 88
Wynne St. Salf —4B 114
Wynne St. Tyl —6F 87
Wynnstay Gro. M14 —2J 151
Wynnstay Rd. Sale —5F 149
Wynn St. M40 —6G 95
Wynton Clo. Leigh —6J 107
Wynt, The. Part —6B 146
Wynyard Clo. Sale —1H 165
Wynyard Rd. M22 —1C 178
Wyre Av. Plat B —5J 83
Wyre Clo. W'fld —5B 70
Wyre Dri. Wor —1D 110
Wyresdale Rd. Bolt —5J 43
Wyresdale Wlk. M15 —3E 134
(off Ipstone Clo.)
Wyre St. M1 —1H 135 (8M 5)
Wyre St. Moss —6B 98
Wyrevale Gro. Ash M —5E 104
Wythall Av. L Hul —1D 88
Wythburn Av. M8 —2J 115
Wythburn Av. Bolt —4G 43
Wythburn Av. Urm —6K 131
Wythburn Cres. St H —7B 102
Wythburn Rd. Mid —3A 72
Wythburn Rd. Stoc —4K 169
Wythburn St. Salf —6J 113

A-Z Greater Manchester 285

HOSPITALS, HEALTH CENTRES and HOSPICES
covered by this atlas
with their map square reference

N.B. Where Hospitals and Health Centres are not named on the map, the reference
given is for the road in which they are situated.

Alastair Ross Health Centre —5H **45**
Breightmet Fold La.,
Bolton, BL2 6NT
Tel: (01204) 521227

ALEXANDRA HOSPITAL, THE —5K **167**
Mill La., Cheadle,
Cheshire, SK8 2PX
Tel: (0161) 4283656

Alexandra Park Health Centre —6E **134**
2 Whitswood Clo., Alexandra Park,
Manchester, M16 7AP
Tel: (0161) 2260101

ALTRINCHAM GENERAL HOSPITAL —7B **164**
Market St., Altrincham,
Cheshire, WA14 1PE
Tel: (0161) 9286111

Ann Street Health Centre —6C **138**
Ann St., Denton,
Manchester, M34 2AJ
Tel: (0161) 3207000

Astley Bridge Health Centre —1A **44**
10 Moss Bank Way,
Bolton, BL1 8NP
Tel: (01204) 307825

Avondale Health Centre —4J **43**
Avondale St., Bolton, BL1 4JP
Tel: (01204) 492331

Baillie Health Centre —4H **31**
Baillie St., Rochdale, OL16 1XS
Tel: (01706) 377777

BARNES HOSPITAL —5J **167**
Kingsway, Cheadle,
Cheshire, SK8 2NY
Tel: (0161) 4288955

BEALEY HOSPITAL —2H **69**
Dumers La., Radcliffe,
Manchester, M26 2QD
Tel: (0161) 7232371

BEAUMONT HOSPITAL, THE —5C **42**
Old Hall Clough, Chorley New Rd.,
Lostock, Bolton BL6 4LA
Tel: (01204) 494211

Beech Hill Health Centre —4C **60**
Beech Hall St.,
Wigan, WN6 7HX
Tel: (01942) 821899

Beechwood Cancer Care Centre —5F **169**
Chelford Gro., Stockport, SK3 8LS
Tel: (0161) 4760384

BILLINGE HOSPITAL —5D **80**
Upholland Rd., Billinge,
Wigan, WN6 7ET
Tel: (01942) 244000

BIRCH HILL HOSPITAL —7C **14**
Union Rd., Rochdale, OL12 9QB
Tel: (01706) 377777

Blackburn Street Health Centre —3E **68**
Blackburn St., Radcliffe,
Manchester, M26 1WS
Tel: (0161) 7246411

Blackrod Health Centre —2A **40**
Church St., Blackrod,
Bolton, BL6 5EQ
Tel: (01204) 692229

Bodmin Road Health Centre —5B **148**
Bodmin Rd., Sale, M33 5JH
Tel: (0161) 9731127

BOLTON GENERAL HOSPITAL—5B **66**
Minerva Rd., Farnworth,
Bolton, BL4 0JR
Tel: (01204) 390390

Bolton Hospice —6K **43**
Queens Park St.,
Bolton, BL1 4QT
Tel: (01204) 364375

BOOTH HALL CHILDRENS HOSPITAL —4B **94**
Charlestown Rd., Manchester, M9 7AA
Tel: (0161) 795 7000

Bramhall Health Centre —6G **181**
66 Bramhall La., South Bramhall,
Stockport, SK7 2DY
Tel: (0161) 4397963

Brinnington Health Centre —5A **154**
Brinnington Rd.,
Stockport, SK5 8BS
Tel: (0161) 430 3383

Brunswick Health Centre —3J **135**
Hartfield Clo., Brunswick St.,
Manchester, M13 9TP
Tel: (0161) 273 4901

Burnage Community Healthcare Centre —4B **152**
Burnage La., Manchester, M19 1EW
Tel: (0161) 443 0600

BURY GENERAL HOSPITAL —7K **27**
Walmersley Rd., Bury, BL9 6PG
Tel: (0161) 764 6081

Bury Hospice —2H **69**
Dumers La., Radcliffe,
Bury, M26 9QD
Tel: (0161) 725 9800

Cannon Street Health Centre —1C **96**
Cannon St., Oldham, OL9 6EP
Tel: (0161) 652 0414

Cannon Street Health Centre —1K **65**
Cannon St., Bolton, BL3 5TA
Tel: (01204) 391095

Castleton Health Centre —2D **50**
Elizabeth St., Castleton,
Rochdale, OL11 2HY
Tel: (01706) 58905

Chadderton South Health Centre —2J **95**
Eaves La., Chadderton,
Oldham, OL9 8RT
Tel: (0161) 620 4411

Chadderton Town Health Centre —7K **73**
Middleton Rd., Chadderton,
Oldham, OL9 0LG
Tel: (0161) 652 5432

Charlestown Health Centre —5C **94**
Charlestown Rd., Blackley,
Manchester, M9 7ED
Tel: (0161) 740 7786

Cheadle Hulme Health Centre —5C **180**
Smithy Grn., Hulme Hall Rd.,
Cheadle Hulme, SK8 6LU
Tel: (0161) 485 3832

CHEADLE ROYAL HOSPITAL —3J **179**
100 Wilmslow Rd.,
Cheadle, SK8 3DG
Tel: (0161) 428 9511

CHERRY TREE HOSPITAL —6A **170**
Cherry Tree La.,
Stockport, SK2 7PZ
Tel: (0161) 419 4800

CHEST CLINIC (HOSPITAL) —4H **135**
352 Oxford Rd.,
Manchester, M13 9NL
Tel: (0161) 273 4614

Chorlton Health Centre —1B **150**
1 Nicolas Rd., Chorlton,
Manchester, M21 9NJ
Tel: (0161) 861 8888

CHRISTIE HOSPITAL —4H **151**
Wilmslow Rd., Withington,
Manchester, M20 4BX
Tel: (0161) 446 3000

Clayton Health Centre —6D **116**
89 North Rd., Clayton,
Manchester, M11 4EJ
Tel: (0161) 231 1151

College Street Health Centre —3A **108**
College St., Leigh, WN7 2RF
Tel: (01942) 672207

Conway Road Health Centre —7H **149**
Conway Rd., Sale, M33 2TB
Tel: (0161) 962 4132

Crompton Health Centre —7F **53**
High St., Shaw, Oldham, OL2 8ST
Tel: (01706) 842511

DENTAL HOSPITAL —3G **135**
Higher Cambridge St., Manchester, M15 6FH
Tel: (0161) 275 6666

Diabetes Centre, The —5J **135**
130 Hathersage Rd.,
Manchester, M13 0HZ
Tel: (0161) 276 6700

Dr. Kershaw's Hospice —3D **74**
Turf La., Royton, Oldham, OL2 6EU
Tel: (0161) 624 2727

East Cheshire Hospice —2B **198**
Millbank Dri., Macclesfield, SK10 3DR
Tel: (01625) 610364

Eccles Health Centre —7D **112**
Corporation Rd., Eccles,
Salford, M30 0EQ
Tel: (0161) 789 5135

Egerton & Dunscar Health Centre —4B **24**
Darwen Rd., Bromley Cross,
Bolton, BL7 9RG
Tel: (01204) 591531

Failsworth Health Centre —1H **117**
Ashton Rd., West Failsworth,
Oldham, M35 0FQ
Tel: (0161) 682 6297

FAIRFIELD GENERAL HOSPITAL —1E **48**
Rochdale Old Rd., Bury BL9 7TD
Tel: (0161) 764 6081

FALL BIRCH HOSPITAL —4A **42**
Fall Birch Rd., Lostock,
Bolton, BL6 4LQ
Tel: (01204) 695714

Farnworth Health Centre —6F **67**
Frederick St., Farnworth,
Bolton, BL4 9AH
Tel: (01204) 572972

Francis House Children's Hospice —1J **167**
390 Parrs Wood Rd., East Didsbury,
Manchester, M20 5NA
Tel: (0161) 434 4118

Gatley Health Centre —6G **167**
Old Hall Rd., Gatley, SK8 4DG
Tel: (0161) 428 8484

Glodwick Health Centre —1F **97**
Glodwick Rd., Oldham, OL4 1YN
Tel: (0161) 652 5311

Grasmere Street Health Centre —2J **107**
Grasmere St., Leigh, WN7 1XB
Tel: (01942) 603311

Great Lever Health Centre —2A **66**
Rupert St., Bolton, BL3 6RN
Tel: (01204) 399001

Halliwell Health Centre —4A **44**
Aylesford Wlk., Bolton, BL1 3SQ
Tel: (01204) 361818

Handforth Health Centre —2K **187**
Wilmslow Rd., Handforth,
Wilmslow, SK9 3HL
Tel: (01625) 529664

Harpurhey Health Centre —7K **93**
1 Church La., Harpurhey,
Manchester, M9 4BE
Tel: (0161) 205 5063

Harwood Health Centre —7F **25**
Hough Fold Way, Harwood,
Bolton, BL2 3HQ
Tel: (01204) 308729

Haughton Green Health Centre —1E **154**
Tatton Rd., Haughton Green,
Denton, Manchester, M34 7PH
Tel: (0161) 336 5354

Heald Green Health Centre —4H **179**
Finney La., Heald Green, SK8 3JD
Tel: (0161) 498 0855

Heaton Moor Health Centre —5E **152**
32 Heaton Moor Rd., Heaton Moor,
Stockport, SK4 4NX
Tel: (0161) 443 1028

Heaton Norris Health Centre —7F **153**
Cheviot Clo. Stockport, SK4 1JX
Tel: (0161) 477 3095

Higher Broughton Health Centre —2E **114**
Bevendon Sq., Tully St.,
Salford, M7 0UF
Tel: (0161) 792 6969

HIGHFIELD HOSPITAL, THE —7G **31**
Manchester Rd.,
Rochdale, O11 4LZ
Tel: (01706) 55121

Hindley Health Centre —2B **84**
Liverpool Rd., Hindley,
Wigan, WN2 3HQ
Tel: (01942) 255291

HOPE HOSPITAL —5F **113**
Stott La., Salford, M6 8HD
Tel: (0161) 789 7373

HULTON HOSPITAL —3G **65**
Hulton La., Bolton, BL3 4JZ
Tel: (01204) 390390

HYDE HOSPITAL —1K **155**
Grange Rd., South Hyde, SK14 5NY
Tel: (0161) 3668833

IBH OAKLANDS HOSPITAL —4F **113**
19 Lancaster Rd., Salford, M6 8AQ
Tel: (0161) 787 7700

IBH VICTORIA PARK HOSPITAL —5K **135**
Daisy Bank Rd., Victoria Park,
Manchester, M14 5QH
Tel: (0161) 257 2233

KNUTSFORD & DISTRICT COMMUNITY
HOSPITAL —5C **192**
Bexton Rd., Knutsford, WA16 0ED
Tel: (01565) 632112

LADYWELL HOSPITAL —7E **112**
Eccles New Rd., Salford, M5 2AA
Tel: (0161) 789 7373

Lance Burn Health Centre —6A **114**
Churchill Way, Salford, M6 5QX
Tel: (0161) 745 8855

LEIGH INFIRMARY —1A **108**
The Avenue, Leigh, WN7 1HS
Tel: (01942) 672333

Levenshulme Health Centre —1D **152**
Dunstable St., Manchester, M19 3BX
Tel: (0161) 225 4343

Lever Chambers Centre for Health —6B **44**
Ashburner St., Bolton, BL1 1SQ
Tel: (01204) 360000

Littleborough Health Centre —6E **14**
Featherstall Rd.,
Littleborough, OL15 8HF
Tel: (01706) 377911

Little Lever Health Centre —3K **67**
Mytham Rd.,
Little Lever, Bolton, BL3 1JF
Tel: (01204) 793135

Longshoot Health Centre —5G **61**
236 Scholes, Wigan, WN1 3NH
Tel: (01942) 248551

Longsight Health Centre —5B **136**
526/528 Stockport Rd.,
Manchester, M13 0RR
Tel: (0161) 225 9274

Lower Broughton Health Centre —4D **114**
Great Clowes St., Lower Broughton,
Salford, M7 1RD
Tel: (0161) 832 4915

MACCLESFIELD DISTRICT GENERAL HOSPITAL
—3D **198**
Victoria Rd., Macclesfield SK10 3BL
Tel: (01625) 421000

Hospitals, Health Centres and Hospices

Macdonald Road Medical Centre —2A **146**
MacDonald Rd., Irlam, M30 5LH
Tel: (0161) 775 2902

MANCHESTER BUPA HOSPITAL —6D **134**
Russell Rd., Whalley Range,
Manchester M16 8AJ
Tel: (0161) 226 0112

MANCHESTER FOOT HOSPITAL —5K **135**
5-7 Anson Rd., Victoria Park,
Manchester, M14 5BR
Tel: (0161) 224 0613

MANCHESTER ROYAL INFIRMARY —4J **135**
Oxford Rd., Manchester, M13 9WL
Tel: (0161) 276 4901

Marjory Lees Health Centre —7D **74**
Egerton St., Oldham, OL1 3SF
Tel: (0161) 652 1221

Marus Bridge Health Centre —4B **82**
Highfield Grange Av.,
Marus Bridge,
Wigan, WN3 6SU
Tel: (01942) 236221

Meadway Health Centre —1C **164**
Meadway, Sale, M33 4PP
Tel: (0161) 905 2929

Mile Lane Health Centre —4D **46**
Mile La., Bury, BL8 2JR
Tel: (0161) 761 4521

Milnrow Health Centre —7D **32**
Stonefield St., Milnrow,
Rochdale, OL16 4JQ
Tel: (01706) 358505

Mossley Health Centre —6C **98**
Market St., Mossley,
Ashton-Under-Lyne, OL5 0HE
Tel: (01457) 834321

Moss Side Health Centre —5G **135**
Monton St., Moss Side,
Manchester, M14 4GP
Tel: (0161) 226 5031

Neil Cliffe Cancer Care Centre —7J **165**
Wythenshaw Hospital,
Southmoor Rd.,
Manchester, M23 9LT
Tel: (0161) 291 2912

Newton Heath Health Centre —2D **116**
2 Old Church St.,
Newton Heath,
Manchester, M40 2JF
Tel: (0161) 684 9696

Northenden Health Centre —3D **166**
489 Palatine Rd., Withington,
Manchester, M22 4DH
Tel: (0161) 945 3624

NORTH MANCHESTER GENERAL HOSPITAL —6H **93**
Delaunays Rd., Crumpsall,
Manchester, M8 6RB
Tel: (0161) 795 4567

Offerton Health Centre —3A **170**
10 Offerton La., Offerton,
Stockport, SK2 5AR
Tel: (0161) 480 0328

Ordsall Health Centre —1B **134**
Belfort Dri., Ordsall,
Salford, M5 3PP
Tel: (0161) 872 2004

PARK HOUSE DAY HOSPITAL —5J **93**
North Manchester General Hosp.,
Delaunays Rd., Crumpsall,
Manchester, M8 6RB
Tel: (0161) 795 4567

Partington Health Centre —7B **146**
Central Rd., Partington,
Manchester M31 4FL
Tel: (0161) 775 1521

Peel Health Centre —4K **47**
Angouleme Way, Bury, BL9 0BT
Tel: (0161) 764 0315

Pendlebury Health Centre —5E **90**
659 Bolton Rd., Pendlebury,
Salford, M27 8HP
Tel: (0161) 793 8777

Prestwich Health Centre —2A **92**
Fairfax Rd., Prestwich,
Manchester, M25 1BT
Tel: (0161) 773 9111

PRESTWICH HOSPITAL —2K **91**
Bury New Rd., Prestwich,
Manchester, M25 3BL
Tel: (0161) 773 9121

RAMSBOTTOM COTTAGE HOSPITAL —6F **9**
Nuttall La., Ramsbottom, Bury, BL0 9JZ
Tel: (01706) 823123

Ramsbottom Health Centre —5F **9**
Carr St., Ramsbottom, Bury, BL0 9DD
Tel: (01706) 824294

Red Bank Health Centre —2D **68**
Unsworth St., Radcliffe,
Manchester, M26 3GH
Tel: (0161) 724 6911

REGENCY HOSPITAL, THE —3D **198**
West St., Macclesfield, SK11 8DW
Tel: (01625) 501800

ROCHDALE INFIRMARY —3G **31**
Whitehall St., Rochdale, OL12 0NB
Tel: (01706) 377777

Romiley Health Centre —1G **171**
Chichester Rd., Romiley,
Stockport, SK6 4QR
Tel: (0161) 430 6615

ROYAL ALBERT EDWARD INFIRMARY —4E **60**
Wigan La., Wigan, WN1 2NN
Tel: (01942) 244000

ROYAL EYE HOSPITAL —4H **135**
Oxford Rd., Manchester, M13 9WH
Tel: (0161) 276 5501

ROYAL MANCHESTER CHILDRENS HOSPITAL —1G **113**
Hospital Rd., Pendlebury,
Manchester, M27 4HA
Tel: (0161) 794 4696

ROYAL OLDHAM HOSPITAL —5B **74**
Rochdale Rd., Oldham, OL1 2JH
Tel: (0161) 624 0420

Royton Health Centre —2B **74**
Rochdale Rd., Royton,
Oldham, OL2 5QB
Tel: (0161) 652 8333

Rusholme Health Centre —6J **135**
Walmer St., Manchester, M14 5NP
Tel: (0161) 225 1100

ST ANNES HOSPITAL —1A **176**
Woodville Rd., Altrincham, WA14 2AQ
Tel: (0161) 928 5851

St Ann's Hospice —4C **88**
Peel La., Little Hulton,
Manchester, M38 0EL
Tel: (0161) 283 0186

St Ann's Hospice —2J **179**
St Ann's Rd., North Heald Green,
Cheadle, SK8 3SZ
Tel: (0161) 437 8136

ST MARY'S HOSPITAL FOR WOMEN & CHILDREN—5J **135**
Whitworth Park, Hathersage Rd.,
Manchester, M13 0JH
Tel: (0161) 276 1234

ST THOMAS' HOSPITAL —4G **169**
Shaw Heath, Stockport, SK3 8BL
Tel: (0161) 419 4306

Seymour Grove Health Centre —5B **134**
70 Seymour Gro., Old Trafford,
Manchester, M16 0LW
Tel: (0161) 872 5672

Shaw Heath Health Centre —4G **169**
Gilmore St., Shaw Heath,
Stockport, SK3 8DN
Tel: (0161) 477 5025

SHIRE HILL HOSPITAL —6G **143**
Bute St., Glossop, SK13 9PZ
Tel: (01457) 866 021

Springhill Hospice —2K **51**
Broad La., Rochdale, OL16 4PZ
Tel: (01706) 49920

STEPPING HILL HOSPITAL —7A **170**
Poplar Gro., Stockport, SK2 7JE
Tel: (0161) 483 1010

STRETFORD MEMORIAL HOSPITAL —6B **134**
Seymour Gro., Old Trafford,
Manchester, M16 0DU
Tel: (0161) 881 5353

TAMESIDE GENERAL (HOSPITAL) —4J **119**
Fountain St., Ashton-Under-Lyne, OL6 9RW
Tel: (0161) 331 6000

Timperley Health Centre —4F **165**
169 Grove La., Timperley,
Manchester, WA15 6PH
Tel: (0161) 980 8041

Tonge Moor Health Centre —4D **44**
Thicketford Rd., Bolton, BL2 2LW
Tel: (01204) 386395

Tong Fold Health Centre —6E **44**
Hilton St., Bolton, BL2 6DY
Tel: (01204) 393093

Tottington Health Centre —5C **26**
16 Market St., Tottington, Bury, BL8 4AD
Tel: (01204) 885113

TRAFFORD GENERAL HOSPITAL —6J **131**
Moorside Rd., Urmston,
Manchester, M41 5SL
Tel: (0161) 748 4022

WHELLEY HOSPITAL —4J **75**
Bradshaw St., Whelley, Wigan, WN1 3XD
Tel: (01942) 244000

Whitefield Health Centre —6J **69**
Bury New Rd., Whitefield,
Manchester, M45 8GH
Tel: (0161) 766 9911

Wigan Hospice —3C **82**
Poolstock La., Poolstock, Wigan, WN3 5HL
Tel: (01942) 496092

Willows Centre for Health Care, The —6H **113**
Lords Av., Salford, M5 2JR
Tel: (0161) 737 0330

Wilmslow Health Centre —7G **187**
Chapel La., Wilmslow, SK9 5HX
Tel: (01625) 526444

WITHINGTON HOSPITAL —5F **151**
Nell La., West Didsbury,
Manchester, M20 8LR
Tel: (0161) 445 8111

WOODLANDS HOSPITAL —4B **88**
Peel La., Little Hulton, Worsley,
Manchester, M28 6FJ
Tel: (0161) 790 4222

Woodley Health Centre —5E **154**
Hyde Rd., Woodley, Stockport, SK6 1ND
Tel: (0161) 494 0213

WOODS HOSPITAL —6E **142**
Park Cres., Glossop, SK13 9BQ
Tel: (01457) 860783

WRIGHTINGTON HOSPITAL —3D **36**
Hall La., Appley Bridge, Wigan, WN6 9EP
Tel: (01257) 252211

Wythenshawe Healthcare Centre —6R **166**
Stancliffe Rd., Sharston,
Manchester, M22 4PJ
Tel: (0161) 946 0065

WYTHENSHAWE HOSPITAL —7K **165**
Southmoor Rd., Manchester, M23 9LT
Tel: (0161) 998 7070

CD Photo: © Terry Why, Barnaby's Picture Library

Printed and bound in Great Britain by
Butler & Tanner Ltd, Frome and London